S0-AKC-928

LA AGENDA DE ICARO

Robert Ludlum

La Agenda de Icaro

javier vergara editor
Buenos Aires/Madrid/México/Santiago de Chile

Título original
THE ICARUS AGENDA

Edición original
Random House

Traducción
Floreal Mazía

ISBN 950-15-0833-1

Impreso en la Argentina/Printed in Argentine.
Depositado de acuerdo a la Ley 11.723.

Esta edición terminó de imprimirse en
VERLAP S.A. - Producciones Gráficas
Vieytes 1534 - Buenos Aires - Argentina
en el mes de agosto de 1988.

Para James Robert Ludlum
Bienvenido, amigo
Te deseo una gran vida

PREFACIO

La figura recortada en el vano de la puerta se precipitó en la habitación sin ventanas. Cerró la puerta y cruzó con rapidez, en la oscuridad, el negro suelo de vinílico, hacia la lámpara de bronce situada en la pequeña mesa, a su izquierda. Encendió la luz, y la bombilla de baja potencia creó sombras en todo el estudio cerrado, artesonado. El cuarto era pequeño, estrecho, pero no carente de ornamentación. Sin embargo, los *objets d'art* no eran de la antigüedad ni de las etapas progresistas del arte histórico. Antes bien, representaban el equipo más contemporáneo de la tecnología de avanzada.

La pared de la derecha relucía con el reflejo del acero inoxidable, y el apagado zumbido de la unidad de aire acondicionado, que eliminaba el polvo e impedía su entrada, aseguraba una prístina limpieza. El dueño y único ocupante de la habitación fue hacia una silla ubicada delante de una procesadora de palabras servida por computación, y se sentó. Encendió un interruptor; la pantalla se iluminó y tipeó un código. En el acto, las letras de vivo color verde respondieron:

ULTRAMAXIMO SEGURO
NO HAY INTERCEPTACIONES
ADELANTE

La figura encorvada sobre el teclado se dedicó, con afiebrada ansiedad, a pulsar sus datos.

Comienzo ahora este diario, porque creo que los acontecimientos que siguen modificarán el rumbo de una nación. Ha llegado un hombre, en apariencia de ninguna parte, como un mesías inocente, sin la menor idea de su vocación o su destino. Está señalado para cosas que van más allá de su entendimiento, y si mis proyecciones son correctas, éste será el registro de su viaje... Sólo me es posible imaginar cómo se inició, pero sé que comenzó en el caos.

LIBRO PRIMERO

1

Mascate, Omán, Asia Sudoccidental
Martes 10 de agosto, 6 y 30 p.m.

Las furiosas aguas del golfo de Omán eran el preludio de la tormenta que corría por el estrecho de Ormuz hacia el mar de Arabia. Era la hora de la puesta de sol, señalada por estridentes oraciones emitidas, en tono nasal, por barbudos muezines en los alminares de las mezquitas de la ciudad portuaria. El cielo se oscurecía con las negras nubes de tormenta que se arremolinaban, ominosas, bajo la oscuridad menos intensa de la noche, como gigantes vagabundos. Mantos de ardientes relámpagos encendían en forma esporádica el horizonte del este, sobre las montañas Makran, de Turbat, a trescientos cincuenta kilómetros al otro lado del mar, en Pakistán. Al norte, más allá de las fronteras de Afganistán, continuaba una guerra insensata, brutal. Al oeste causaba estragos otra guerra más insensata aún, entablada por niños conducidos a la muerte por el demente enfermo de Irán, empeñado en difundir su mala voluntad. Y al sur se encontraba Líbano, en donde los hombres mataban sin escrúpulos, y cada facción, con fervor religioso, llamaba terroristas a los otros, cuando todos –sin excepciones– se dedicaban al terrorismo bárbaro.

El Medio Oriente, en particular el Asia del sudoeste, y donde los incendios habían sido antes combatidos, ya no existía. Mientras las aguas del golfo de Omán se agitaban, enfurecidas, en las primeras horas de esa noche, y los cielos prometían una orgía de estragos, las calles de Mascate, capital del sultanato de Omán, imitaban la tormenta que se aproximaba. Terminados los rezos, las multitudes convergieron de nuevo, con antorchas encendidas, desbordando por las calles y callejas laterales, en una columna de protesta histérica; tenían como blanco los portones de hierro iluminados por reflectores de la embajada norteamericana. Más atrás, la fachada de estuco rosado era patrullada por chicos de pelo largo que aferraban armas automáticas con manos torpes. El disparador representaba la muerte, pero en su fanatismo de ojos salvajes no podían establecer la relación con algo tan definitivo, pues se les había dicho que la muerte no existía, aunque sus ojos les dijesen lo contrario. Las recompensas del martirio lo eran todo, y cuanto más doloroso el sacrificio, más glorioso el mártir... el dolor de sus enemigos no tenía significación alguna. ¡Ceguera! *¡Locura!*

Era el vigésimo segundo día de esa insania, veintiún días después que el mundo se vio obligado a aceptar, una vez más, el hecho espantoso de la furia incoherente. La fanática ola de fondo de Mascate había brotado de ninguna parte, y ahora, de pronto, estaba por todos lados, y nadie sabía por qué. Nadie, salvo los analistas de las artes más oscuras de las insurrecciones inesperadas, los hombres y mujeres que se pasaban los días y las noches hurgando, disecando y percibiendo al cabo las raíces de la revuelta orquestada. Porque la clave era "orquestadas". ¿Quién? ¿Por qué? ¿Qué quieren, en verdad, y cómo los detenemos?

Hechos: Doscientos cuarenta y siete norteamericanos han sido capturados a punta de armas y convertidos en rehenes. Once fueron muertos, y sus cadáveres arrojados por las ventanas de la embajada, cada cuerpo acompañado por una quebradura de vidrios, cada muerte por una ventana diferente. Alguien había dicho a esos niños cómo debían hacer para destacar cada ejecución por medio de la sacudida de una sorpresa. Se hacían excitadas apuestas al otro lado de los portones de hierro, por chillones apostadores maniáticos, hipnotizados por la sangre. ¿Cuál ventana sería la próxima? ¿El cadáver sería de un hombre o de una mujer? ¿Cuánto vale tu opinión? *¿Cuánto? ¡Apuesta!*

Arriba, en la terraza abierta, estaba la lujosa piscina de la embajada, detrás de un enrejado arábigo que no estaba destinado a proteger contra las balas. Alrededor de esa piscina, los rehenes se arrodillaban en hileras, mientras grupos ambulantes de asesinos les apuntaban a la cabeza con pistolas ametralladoras. Doscientos treinta y seis norteamericanos asustados, extenuados, que esperaban su ejecución.

¡Locura!

Decisiones: ¡A pesar de los bien intencionados ofrecimientos israelíes, hay que mantenerlos apartados! Esto no era Entebbe, y a pesar de toda su experiencia, la sangre que Israel había derramado en Líbano haría que cualquier intento fuese, para los árabes, una abominación: Estados Unidos había financiado a terroristas para luchar contra terroristas. Inaceptable. ¿Una fuerza de ataque de despliegue rápido? ¿Quién podía escalar cuatro pisos o dejarse caer de helicópteros al techo, para detener las ejecuciones, cuando los verdugos estaban muy dispuestos a morir como mártires? ¿Un bloqueo naval, con un batallón de infantes de marina preparados para una invasión de Omán? Fuera de una exhibición de fuerza abrumadora, ¿con qué fin? El sultán y sus ministros eran las últimas personas de la tierra que deseaban esa violencia en la embajada. La Policía Real, de orientación pacífica, trataba de frenar la histeria, pero nada podían contra las locas bandas volantes de agitadores. Años de quietud en la ciudad no la habían preparado para semejante caos; y llamar a la Milicia Real que se encontraba en la frontera yemenita podía conducir a problemas inimaginables. Las fuerzas armadas que patrullaban ese enconado refugio de asesinos internacionales eran tan salvajes como sus enemigos. Aparte del hecho inevitable de que con su regreso a la capital, las fronteras se derrumbarían en medio de la carnicería, la sangre correría sin duda por las calles de Mascate y las alcantarillas desbordarían de inocentes y culpables.

Parálisis.

Soluciones: ¿Ceder ante las exigencias enunciadas? Imposible, y muy bien entendido por los responsables, aunque no por sus títeres, los niños que creían en lo que cantaban, en lo que gritaban. No había manera de que los gobiernos de Europa y el Medio Oriente dejaran en libertad a más de ocho mil terroristas de organizaciones tales como las Brigate Rosse y la OLP, Baader-Meinhof y el IRA, y veintenas de sus pendencieros y sórdidos descendientes. ¿Seguir tolerando la interminable publicidad, las cámaras que hurgaban y las resmas de materiales escritos que atraían la atención del mundo hacia los fanáticos hambrientos de publicidad? ¿Por qué no? No cabía duda de que la constante exposición de las miradas del público impedía el asesinato de nuevos rehenes, ya que las ejecuciones habían sido "suspendidas temporariamente" para que las "naciones opresoras" pudieran sopesar sus opciones. La terminación de toda publicidad no haría otra cosa que inflamar a los enloquecidos buscadores del martirologio. El silencio crearía la necesidad del sacudimiento. El sacudimiento era noticia, y matar era la sacudida final.

¿Quién?

¿Qué?

¿Cómo?

¿Quién...? Esa era la pregunta esencial, cuya respuesta llevaría a una solución... solución que debía ser hallada en el término de cinco días. Las ejecuciones se habían suspendido por una semana, y ya habían transcurrido dos días, frenéticamente devorados mientras los dirigentes más capaces de los servicios de inteligencia de seis naciones se reunían en Londres. Todos habían llegado en aviones supersónicos, unas horas después de la decisión de unificar recursos, pues cada uno sabía que su propia embajada podía ser la siguiente. Trabajaron sin descanso durante cuarenta y ocho horas. Resultados: Omán seguía siendo un enigma. Había sido considerada una roca de estabilidad en el Asia del sudoeste, un sultanato con una dirigencia educada, esclarecida, tan próxima a un gobierno representativo como podía permitirlo una familia divina del Islam. Los gobernantes pertenecían a una familia privilegiada que, en apariencia, respetaba lo que Alá les había dado... no sólo como derecho de nacimiento, sino como una responsabilidad que cumplir en la segunda mitad del siglo XX.

Conclusiones: La insurrección había sido programada desde afuera. Apenas veinte de los doscientos y pico de jóvenes desaseados, gritones, habían sido identificados específicamente como omaníes. Por lo tanto, funcionarios de operaciones encubiertas, con contactos en todas las facciones extremistas del eje Mediterráneo-árabe, pusieron en el acto manos a la obra, convocaron a sus contactos, sobornaron, amenazaron.

–¿Quiénes *son*, Aziz? Hay apenas un puñado de Omán, y la mayor parte de ellos son considerados retardados. Vamos, Aziz. Vive como un sultán. Menciona un precio escandaloso. ¡Ponme a *prueba*!

–¡Seis segundos, Mahmet! ¡Seis segundos y tu mano cae al suelo sin *muñeca*! Después sigue la otra, la izquierda. Estamos en la cuenta regresiva, *ladrón*. ¡Dame la información! –Seis, *cinco, cuatro... Sangre.*

Nada. Cero. *Locura.*

Y entonces, una brecha. La proporcionó un antiguo almuédano, un hombre santo cuyas palabras y memoria eran tan vacilantes como podía serlo su cuerpo flaco en los vientos que ahora bajaban de Ormuz.

–No busquen donde lógicamente se esperaría que buscaran. Busquen en otra parte.

–*¿Dónde?*

–Donde los resentimientos no nacen de la pobreza o el abandono. Donde Alá ha concedido favores en este mundo, aunque tal vez no en el otro.

–Sé más claro, por favor, reverendísimo almuédano.

–Alá no quiere tal clarificación... Se hará su voluntad. Tal vez El no toma partido... Que así sea.

–¡Pero sin duda debes de tener una *razón* para decir lo que estás diciendo!

–Como Alá me ha dado esa razón... Se hará Su voluntad.

–¿Cómo dices?

–Discretos rumores escuchados en los rincones de la mezquita. Susurros que estos viejos oídos estaban destinados a escuchar. Oigo tan poco, que no los habría escuchado si Alá no lo hubiera querido.

–¡Tiene que haber algo más!

–Los susurros hablan de aquellos que se beneficiarán con el derramamiento de sangre.

–*¿Quiénes?*

–No se pronuncian nombres, no se menciona a personas sin importancia.

–¿Algún grupo u organización? *¡Por favor!* ¿Una secta, un país, un *pueblo*? Los shiítas, los saudi... iraquíes, iraníes... ¿los *soviéticos*?

–No. No se habla de creyentes o de infieles, sólo de "ellos".

–*¿Ellos?*

–Eso es lo que he oído murmurar en los rincones oscuros de la mezquita, lo que Alá quiere que oiga... Hágase Su voluntad. Sólo la palabra "ellos".

–¿Puedes identificar a alguno de aquéllos a quienes *oíste*?

–Soy casi ciego, y siempre hay muy poca luz cuando hablan esos pocos, de entre tantos fieles. No puedo identificar a ninguno. Sólo sé que debo comunicar lo que escucho, porque esa es la voluntad de Alá.

–¿Por qué, *muezzin murderris*? ¿Por qué es la voluntad de Alá?

–El derramamiento de sangre debe ser detenido. El Corán dice que cuando se derrama sangre, y se lo justifica con el apasionamiento de la juventud, las pasiones tienen que ser examinadas, porque la juventud...

–*¡Olvídalo!* Enviaremos a un par de hombres a la mezquita contigo. ¡Haznos una señal cuando escuches algo!

–Dentro de un mes, *ya Shaikh*. Estoy a punto de emprender mi última peregrinación a la Meca. Tú eres apenas una parte de mi viaje. Es la voluntad de...

–¡Maldición! *¡Que Dios te maldiga!*

–Es tu Dios, *ya Shaikh*. No el mío. No el nuestro.

2

Washington, D. C.
Miércoles 11 de agosto, 11 y 50 a.m.

El sol de mediodía caía sobre el pavimento de la capital, y el aire de mitad del verano se encontraba inmóvil bajo el calor opresivo. Los peatones caminaban con incómoda decisión, los hombres con el cuello abierto, la corbata floja. Los bolsos colgaban como pesos muertos, mientras sus dueños se detenían, impasibles, en las intersecciones, a la espera del cambio de luces. Aunque veintenas de hombres y mujeres –en general empleados del gobierno, y por lo tanto del pueblo– podían tener asuntos urgentes, la urgencia era difícil de solucionar en las calles. Una pesada manta había caído sobre la ciudad, y atontaba a quienes se aventuraban a salir fuera de las habitaciones y oficinas, y de los coches con aire acondicionado.

Se había producido un accidente de tránsito en la esquina de la calle Veintitrés y la avenida Virginia. No fue importante en términos de daños o lesiones, pero estuvo muy lejos de ser una insignificancia en lo referente a la irascibilidad. Un taxi había chocado con una limusina del gobierno que salía por una rampa de estacionamiento subterráneo del Departamento de Estado. Los dos conductores –virtuosos, enardecidos y temerosos de sus superiores– se acusaron uno al otro, de pie al lado de sus respectivos vehículos, vociferando bajo el calor infernal mientras esperaban a la policía, que había sido llamada por un empleado gubernamental que pasaba. En pocos momentos el tránsito quedó congestionado; sonaron las bocinas y se escucharon gritos que salían de ventanas abiertas a desgana.

El pasajero del taxi salió, impaciente, del asiento trasero. Era un hombre alto, delgado, de poco más de cuarenta años, y parecía fuera de lugar en un ambiente que incluía trajes de verano, pulcros vestidos estampados y portafolios. Vestía un par de arrugados pantalones de color caqui, y una manchada chaqueta safari de algodón, que hacía las veces de camisa. El efecto hablaba de un hombre que no pertenecía a la ciudad, tal vez un guía profesional, quien había llegado, extraviado, de las montañas altas y salvajes. Pero su cara desmentía su vestimenta. Tenía el rostro afeitado, sus facciones eran netas y claramente definidas, sus ojos celestes despiertos, entrecerrados, veloces, evaluaban la situación mientras adoptaba su decisión. Posó la mano en el hombro del conductor que discutía; el hombre giró y el pasajero le dio dos billetes de veinte dólares.

–Tengo que irme –dijo el pasajero.

–¡Eh, *vamos*, amigo! ¡Usted *vio*! El hijo de puta salió sin tocar la bocina, ni *nada*!

–Lo siento. No podría ayudarlo. No vi ni oí nada hasta el momento del choque.

–¡*Ah*, qué bueno! ¡No ve ni oye nada! No quiere *comprometerse*, ¿eh?

–Estoy comprometido –replicó el pasajero en voz baja, y sacó otro billete de veinte dólares y lo metió en el bolsillo de arriba de la chaqueta del conductor–. Pero no aquí.

El hombre extrañamente vestido serpenteó por entre el gentío que se reunía y bajó hacia la Calle Tres... hacia las imponentes puertas de vidrio del Departamento de Estado. Era la única persona que corría por la acera.

La designada sala de situación del complejo subterráneo del Departamento de Estado se denominaba *OHIO-Cuatro-Cero*. Traducido, esto significaba "Omán, alerta máxima". Al otro lado de la puerta metálica, hileras de computadoras repiqueteaban sin cesar, y de vez en cuando una máquina –después de una verificación instantánea con el banco central de datos– emitía una breve señal aguda, anunciando informaciones nuevas o antes no comunicadas. Hombres y mujeres estudiaban las hojas impresas, tratando de evaluar lo que leían.

Nada. Cero. *¡Locura!*

Dentro de esa amplia sala activa había otra puerta metálica, más pequeña que la anterior, y sin acceso al corredor. Era la oficina del funcionario jerárquico encargado de la crisis de Mascate; al alcance de su mano había una consola telefónica con enlaces en todos los centros de poder y en todas las fuentes de informaciones de Washington. El ocupante de esos momentos era un director delegado de mediana edad, de Operaciones Consulares, el poco conocido brazo de actividades encubiertas del Departamento de Estado. Su nombre era Frank Swann, y en ese instante, en un mediodía que no tenía sol para él, su cabeza de cabello prematuramente canoso yacía sobre sus brazos cruzados encima del escritorio. Hacía casi una semana que no dormía una noche entera, y se las arreglaba echando un sueño como en ese momento.

El seco zumbido de la consola lo despertó con un sobresalto; su mano derecha se extendió. Oprimió el botón iluminado y tomó el teléfono.

–*¿Sí?*... ¿Qué pasa? –Swann meneó la cabeza y tragó aire, sólo en parte aliviado al saber que quien lo llamaba era su secretaria, cinco pisos más arriba. Escuchó, y después habló, fatigado:– *¿Quién?* Parlamentario... ¿un *parlamentario*? Lo último que necesito es un parlamentario. ¿Cómo demonios consiguió *mi* nombre?... No importa, ahórrame los detalles. Dile que estoy en una reunión, con Dios, si te parece, ... o mejor aún, con el secretario.

–Lo he preparado para algo por el estilo. Por eso llamo desde tu oficina. Le dije que sólo podía comunicarme contigo en este teléfono.

Swann parpadeó.

–Eso es ir demasiado lejos para mi Guardia Pretoriana. Ivy-la-terrible. ¿Por qué tan lejos, Ivy?

–Por lo que dijo, Frank. Y además por lo que tuve que anotar, porque no le entendía.

–Veamos.

–Dijo que lo que debía conversar contigo se refería al problema en que estás involucrado...

–Nadie *sabe* en qué estoy... Dejémoslo. ¿Qué más?

–Lo anoté frenéticamente. Me pidió que dijera lo siguiente: *Ma efham zain*. ¿Tiene algún sentido para ti, Frank?

Aturdido, el director delegado Swann volvió a sacudir la cabeza, tratando de aclarársela aún más, pero sin necesidad de más datos sobre el visitante de cinco pisos más arriba. El congresal desconocido acababa de implicar, en arábigo, que podía ofrecer ayuda.

–Consigue un guardia y envíalo aquí –dijo Swann.

Siete minutos más tarde, la puerta de la oficina del complejo subterráneo fue abierta por un sargento de infantería de marina. El visitante entró, saludando a su escolta con la cabeza cuando el guardia cerró la puerta. Swann se puso de pie detrás de su escritorio, aprensivo. El "congresal" no estaba a la altura de la imagen de cualquier miembro de la Cámara de Representantes que hubiese visto hasta entonces... por lo menos en Washington. Iba vestido con botas y pantalones caqui, y una chaqueta de cazador, de verano, que había sido muy maltratada por las salpicaduras de sartenes de campamento. ¿Era una broma de mal gusto?

–¿Congresal...? –dijo el director delegado, y su voz se estiró por falta de un nombre que agregar, mientras tendía la mano.

–Evan Kendrick, señor Swann –respondió el visitante, y se acercó al escritorio y le estrechó la mano–. Soy el hombre del primer período del Distrito Noveno de Colorado.

–Sí, por supuesto, el Noveno de Colorado. Lamento no haber...

–No hacen falta disculpas, salvo de mi parte, tal vez... por mi aspecto. No hay motivos para que usted sepa quién soy...

–Déjeme agregar algo –interrumpió Swann, incisivo–. Tampoco hay razones para que usted sepa quién soy *yo*, congresal.

–Lo entiendo, pero no resultó muy difícil. Aun los representantes recién llegados tienen acceso... por lo menos lo tiene el secretario que heredé.

Sabía dónde buscar aquí, sólo necesitaba tamizar los nombres. Alguien en Operaciones Consulares de Estado...

–Ese *no* es un nombre familiar, señor Kendrick –interrumpió de nuevo Swann, y otra vez con énfasis.

–En mi familia lo fue una vez... por poco tiempo. Pero no importa, yo no buscaba un peón de Medio Oriente, sino un experto en asuntos árabes del sudoeste, alguien que conociera el idioma y una docena de dialectos con fluidez. El hombre que yo necesitaba *debía* ser alguien así... Usted estuvo allí, señor Swann.

–Se ve que ha estado atareado.

–También usted –dijo el parlamentario, señalando con la cabeza la puerta y la enorme oficina exterior, con sus hileras de computadoras–. Doy por supuesto que entendió mi mensaje, porque de lo contrario no estaría aquí.

–Sí –admitió el director delegado–. Dijo que tal vez podría ayudar. ¿Es verdad eso?

–No sé. Sólo sé que tenía que ofrecer.

–*¿Ofrecer?* ¿Sobre qué base?

–¿Puedo sentarme?

–Por favor. No estoy tratando de ser grosero, sólo estoy fatigado. –Kendrick se sentó; Swann hizo lo mismo y dirigió una mirada de extrañeza al político novato.– Adelante, congresal. El tiempo es valioso, cada minuto, y hemos estado preocupados por este "problema", como se lo describió a mi secretaria, durante unas largas y peliagudas semanas. Ahora bien, no sé qué puede decir, o si es pertinente o no, pero si lo es me agradaría saber por qué llevó tanto tiempo llegar hasta aquí.

–No me había enterado de los acontecimientos de Omán. De lo que sucedió... de lo que ocurre.

–Eso resulta casi imposible de creer. ¿El congresal del Noveno Distrito de Colorado pasa el receso de la Cámara en algún retiro benedictino?

–No precisamente.

–¿O es posible que un nuevo y ambicioso parlamentario que habla un poco de árabe –continuó Swann con rapidez, en voz baja, con tono agresivo– y se basa en algunos rumores de pasillo acerca de cierta sección de aquí, decida insertarse para avanzar por el camino y acumular un poco de kilometraje? No sería la primera vez que eso ocurre.

Kendrick permaneció inmóvil en la silla, con el rostro inexpresivo, pero no los ojos. Estos eran a la vez observadores y estaban furiosos.

–Eso es ofensivo –dijo.

–Yo me ofendo con rapidez, dadas las circunstancias. ¡Once de nuestros agentes han sido *asesinados*, señor, entre ellos tres *mujeres*! ¡Y yo le pregunto si puede ayudar de veras y me dice que no *sabe*, pero que tiene que *ofrecer*! Para mí, eso suena como el silbido de una serpiente, de modo que tengo que mirar dónde pongo el pie. Entra aquí con un lenguaje que, probablemente, aprendió ganando mucho dinero con alguna compañía petrolera, y considera que eso le da derecho a un trato especial... tal vez usted es un "consultor"; suena bonito. Un político novato se convierte de pronto en consultor del Departamento de Estado durante una crisis nacional. Suceda lo que sucediere, usted gana. Eso le conquistaría algunos aplausos en el Noveno Distrito de Colorado, ¿verdad?

–Me imagino que sí, si alguno se enterase.

–¿Qué? –Una vez más, el director delegado miró al congresal, ahora no tanto con irritación, sino por alguna otra cosa. ¿Lo *conocía* él?

–Usted está bajo una gran tensión, de modo que no la acrecentaré. Pero si está pensando en una barrera, vamos a atravesarla. Si decide que puedo ser de algún valor para usted, la única forma en que yo aceptaría sería mediante una garantía escrita de anonimato, y de ningún otro modo. Nadie debe saber que he estado aquí. Nunca hablé con usted, ni con ningún otro.

Estupefacto, Swann se respaldó en su silla y se llevó la mano al mentón.

–Yo lo *conozco* –dijo con suavidad.

–Nunca nos conocimos.

–Diga lo que quiere decir, congresal. Empiece por alguna parte.

–Empezaré hace ocho horas atrás –comenzó a decir Kendrick–. Viajé por los rápidos del Colorado hasta Arizona, durante casi un mes... ése es el retiro benedictino que usted imaginó para el receso de las sesiones. Pasé por los Saltos de Lava y llegué a un campamento de base. Había gente allí, por supuesto, y fue la primera vez que escuché una radio en cuatro semanas.

–¿Cuatro semanas? –repitió Swann–. ¿Estuvo todo ese tiempo sin comunicación con nadie? ¿Hace a menudo ese tipo de cosas?

–Casi todos los años –respondió Kendrick–. Se ha convertido en una especie de ritual –agregó en voz baja–. Me voy solo; no es pertinente.

–Qué político –dijo el delegado, mientras tomaba un lápiz, distraído–. Puede olvidarse del mundo, congresal, pero sigue teniendo un electorado.

–No soy un político –replicó Evan Kendrick, y se permitió una leve sonrisa–. Y mi electorado es un accidente, créame. De todos modos, escuché las noticias, y me moví con tanta rapidez como me fue posible. Contraté un avión fluvial para llevarme a Flagstaff, y traté de fletar un jet a Washington. Era noche muy avanzada, demasiado tarde para que me aprobaran un plan de vuelo, de modo que volé a Phoenix y allí tomé el primer avión. Esos teléfonos de avión son una maravilla. Me temo que monopolicé uno, y hablé con un secretario muy experimentado y con una cantidad de otras personas. Pido perdón por mi aspecto; la línea aérea me proporcionó una navaja de afeitar, pero no quise tomarme el tiempo de ir a casa y cambiarme de ropa. Aquí estoy, señor Swann, y usted es el hombre a quien quiero ver. Puede que no le sea de ninguna utilidad en absoluto, y estoy seguro de que si es así me lo dirá. Pero repito, tenía que ofrecer.

Mientras su visitante hablaba, el delegado había escrito el apellido "Kendrick" en el anotador que tenía delante. En realidad lo había escrito varias veces, subrayándolo. *Kendrick. Kendrick. Kendrick.*

–¿Ofrecer qué? –preguntó, ceñudo, y mirando al extraño intruso–. ¿*Qué*, congresal?

–Lo que conozco sobre la región y las diversas facciones que actúan allí. Omán, los Emiratos, Bahrein, Qatar... Mascate, Dubai, Abu Dhabi... por arriba hasta Kuwait y por abajo hasta Riyadh. He vivido en esos lugares. Trabajé allí. Los conozco muy bien.

–¿Vivió... *trabajó*... por todo el mapa del sudoeste?

–Sí. Pasé dieciocho meses solamente en Mascate. Bajo contrato con la familia.

–¿El sultán?

–El difunto sultán murió hace dos o tres años, creo. Pero sí, bajo contrato con él y sus ministros. Se trataba de un grupo recio y bueno. Era preciso conocer el trabajo.

–Entonces trabajó para una compañía –dijo Swann, con una afirmación, no una pregunta.

–Sí.

–¿Cuál?

–La mía –respondió el nuevo parlamentario.

–*¿La suya?*

–En efecto.

El delegado miró a su visitante, y luego bajó los ojos hacia el nombre que había escrito varias veces en el anotador que tenía delante.

–¡*Dios* mío! –dijo con suavidad–. ¡El Grupo Kendrick! Esa es la *relación*, pero yo no la *veía*. Hace cuatro o cinco años que no escucho su nombre... tal vez seis.

–Acertó la primera vez. Cuatro, para ser exactos.

–Sabía que había *algo*. Lo dije...

–Sí, lo dijo, pero nunca nos encontramos.

–Ustedes construyeron de todo, desde sistemas de irrigación hasta puentes... pistas de carrera, proyectos de vivienda, clubes campestres, aeródromos... todo.

–Construíamos lo que nos indicaban los contratos que firmábamos.

–Lo recuerdo. Fue hace diez o doce años. Eran los asombrosos chicos norteamericanos de los emiratos... y digo *chicos*. Decenas de ustedes de veintitantos, treinta y tantos, y repletos de tecnología de avanzada, furia y energía.

–No todos éramos tan jóvenes.

–No –interrumpió Swann, ceñudo, pensativo–. Tenían un arma secreta de floración tardía, un anciano israelí, un mago de la arquitectura. Un israelí, por Dios, que podía diseñar cosas al estilo islámico y que compartía el pan con todos los árabes ricos de la región.

–Se llamaba Emmanuel Weingrass –es Manny Weingrass–, y proviene de la calle Garden, del Bronx, en Nueva York. Fue a Israel para evitar embrollos legales con su segunda o tercera esposa. Ahora está cerca de los ochenta y vive en París. Bastante bien, entiendo, por sus llamadas telefónicas.

–Así es –dijo el director delegado–. Ustedes vendieron la firma a Bechtel, o a alguien por el estilo. Por treinta o cuarenta millones.

–No fue a Bechtel. Sino a Trans-International, y no fueron treinta o cuarenta, sino veinticinco. Ellos hicieron un buen negocio, y yo me fui. Todo espléndido.

Swann estudió el rostro de Kendrick, en especial los ojos celestes, que contenían círculos de reserva enigmática cuanto más los miraba uno.

–No, no lo fue –dijo con suavidad, y hasta con amabilidad, desaparecido el tono hostil–. Ahora recuerdo. Hubo un accidente en una de sus obras, en las afueras de Riyadh... un hundimiento cuando una tubería de gas defectuosa estalló... más de setenta personas muertas, incluidos sus socios, todos sus empleados y algunos chicos.

–Los chicos de ellos –agregó Evan en voz baja–. Todos ellos, todas sus esposas e hijos. Estábamos celebrando la terminación de la tercera fase. Todos nos encontrábamos ahí. Los hombres, mis socios... las esposas e hijos de todos. Toda la parte de arriba se hundió mientras ellos se encontraban adentro, y Manny y yo afuera... poniéndonos unos ridículos trajes de payasos.

–Pero hubo una investigación que absolvió por completo de culpa al Grupo Kendrick. La firma que atendía los servicios de las obras había instalado tuberías inferiores, falsamente rotuladas como aprobadas.

–En esencia, sí.

–Fue entonces cuando vendió todo, ¿no?

–No viene al caso –dijo el congresal con sencillez–. Estamos perdiendo tiempo. Ya que sabe quién soy, o por lo menos quién era, ¿hay algo que yo pueda hacer?

–¿Le molestaría que le haga una pregunta? No creo que sea una pérdida de tiempo, y me parece que *es* pertinente. La investigación de los antecedentes es parte del territorio, y es preciso emitir juicios. En la Colina hay mucha gente que continuamente trata de sacarnos kilometraje político.

–¿Cuál es la pregunta?

–¿Por qué es congresal, señor Kendrick? Con su dinero y reputación profesional, no lo necesita. Y no me imagino en qué puede beneficiarlo, y menos, por cierto, en comparación con lo que podría hacer en el sector privado.

–¿Toda la gente que busca un cargo electivo lo hace para obtener ventajas personales?

–No, es claro que no. –Swann hizo una pausa y luego meneó la cabeza.– Perdón, eso fue demasiado rápido. Fue una respuesta rutinaria para una pregunta insidiosa, rutinaria... Sí, congresal, según mi opinión prejuiciosa, la mayoría de los hombres ambiciosos –y de las mujeres– que presentan sus candidaturas para esos cargos, lo hacen por la publicidad, y si triunfan, por la influencia. La combinación hace que resulten muy vendibles. Perdón de nuevo, son frases cínicas. Pero es que hace mucho tiempo que estoy en esta ciudad, y no veo motivos para modificar ese juicio. Y usted me confunde. Sé de dónde viene, y nunca oí hablar del Noveno Distrito de Colorado. Estoy segurísimo de que no se trata de Denver.

–Apenas figura en el mapa –dijo Kendrick, evasivo–. Se encuentra en la base de las Rocallosas del sudoeste, y se ocupa de lo suyo. Por eso construí allí. Está fuera de los caminos transitados.

–¿Pero por qué? ¿Por qué la *política*? ¿El chico maravilloso de los Emiratos Arabes encontró un distrito en el cual podía construir su propia base, tal vez una rampa de lanzamiento político?

–Nada habría podido estar más lejos de mis intenciones.

–Esa es una declaración, congresal. No una respuesta.

Evan Kendrick guardó silencio por un momento, y devolvió la mirada de Swann. Luego se encogió de hombros. Swann percibió cierta turbación.

–Muy bien –dijo con firmeza–. Llamémoslo una aberración que no se volverá a dar. Había un titular vacío, altanero, que se forraba los bolsillos en un distrito al que no prestaba atención. Tenía tiempo de sobra y una boca grande. Y también tenía el dinero necesario para enterrarlo. No estoy necesariamente orgulloso de lo que hice, ni de cómo lo hice, pero él se fue, y yo terminaré mi mandato dentro de dos años, o menos. Para entonces habrán encontrado a alguien más competente para ocupar mi lugar.

–¿*Dos* años? –preguntó Swann–. En noviembre próximo se cumplirá un año de su elección, ¿no es así?

–Así es.

–¿Y ocupó su banca en enero pasado?

–¿Y?

–Bueno, lamento desengañarlo, pero su período de *funciones* es de dos años. O le queda un año más, o *tres*, pero no dos o menos.

–En el Noveno no existe un verdadero partido de oposición, pero para tener la seguridad de que la banca no va a parar a manos del viejo aparato político, acepté presentarme a las elecciones... y después renunciar.

–Caramba con el acuerdo.

–Es vincular por lo que a mí respecta. Quiero salir.

–Eso es bastante franco, pero no tiene en cuenta un posible efecto colateral.

–No entiendo.

–Supongamos que durante los próximos veintitantos meses le gusta esto. ¿Qué ocurre entonces?

–No es posible, y no podría suceder, señor Swann. Volvamos a Mascate. Es un condenado embrollo, ¿o no tengo suficiente "autorización" para hacer esa observación?

–Está autorizado, porque yo soy quien autoriza. –El director delegado meneó la cabeza canosa.– Un maldito embrollo, congresal, y estamos convencidos de que ha sido programado desde el exterior.

–No creo que haya duda alguna al respecto –convino Kendrick.

–¿Tiene alguna idea?

–Unas cuantas –respondió el visitante–. Desestabilización en grande en el primer puesto de la lista. Cerrar el país y no dejar entrar a nadie.

–¿Un golpe? –preguntó Swann–. ¿Un putsch al estilo de Khomeini?... No daría resultado; la situación es distinta. No hay un Pavo Real, ni resentimientos enconados, ni una SAVAK. –Swann hizo una pausa y agregó, pensativo:– No hay un sha con un ejército de ladrones, ni un ayatollah con un ejército de fanáticos. No es lo mismo.

–Ni insinué que lo fuera. Omán no es más que el comienzo. Se trate de quien fuere, no quiere apoderarse del país; él, o ellos, quieren sencillamente impedir que otros se lleven el dinero.

–¿*Qué?* ¿Cuál dinero?

–Miles de millones. Proyectos a largo plazo que todavía están en los tableros de dibujo, en todas partes, en el golfo Pérsico, en Arabia Saudita y en todo el sudoeste de Asia, las únicas regiones de esa parte del mundo que pueden ser estabilizadas en términos relativos, porque hasta los gobiernos hostiles lo exigen. Lo que sucede ahora en Omán no se diferencia mucho de la paralización de los gremios del transporte y la construcción aquí, o de cerrar los muelles de Nueva York y Nueva Orleáns, Los Angeles y San Francisco. Nada resulta legitimado por huelgas o negociaciones colectivas; no hay otra cosa que terror, y las amenazas de más terror, proporcionados por fanáticos acicateados. Y todo se detiene. La gente de los tableros de dibujo y la de los equipos de exploración de campo, y la de los depósitos de equipos, quiere irse lo antes posible.

–Y una vez que se han ido –agregó Swann a continuación–, aparecen los que impulsan a los terroristas, y el terror se interrumpe. Se diluye. ¡*Dios*, da la impresión de que fuese una operación de la *Mafia* en los muelles!

–Al estilo árabe –dijo Kendrick–. Para usar sus propias palabras, no sería la primera vez.

–¿Eso lo sabe en términos concretos?

–Sí. Nuestra compañía fue amenazada muchas veces, pero para volver a citar sus palabras, contábamos con un arma secreta. Emmanuel Weingrass.

–*¿Weingrass?* ¿Qué demonios podía hacer él?

–Mentir con extraordinaria convicción. En un momento dado era un general de la reserva del ejército israelí, que podía ordenar un ataque aéreo contra cualquier grupo árabe que nos acosara o nos remplazara, y al siguiente era un miembro jerárquico del Mossad, que enviaba escuadras de asesinos para eliminar inclusive a quienes nos prevenían. Como muchos ancianos geniales, Manny se mostraba a menudo excéntrico, y casi siempre teatral. Disfrutaba. Por desgracia, sus diversas esposas disfrutaban muy rara vez con *él* durante mucho tiempo. Sea como fuere, nadie quería enredarse con un israelí loco. La táctica era demasiado familiar.

–¿Está sugiriendo que lo reclutemos? –preguntó el director delegado.

–No. Aparte de su edad, está terminando su vida en París, con las mujeres más hermosas que puede comprar, y por cierto que con el coñac más caro que consigue. No nos serviría... Pero hay algo que usted *puede* hacer.

–¿Qué?

–Escúcheme. –Kendrick se inclinó hacia adelante.– He estado pensando en esto en las últimas ocho horas, y con cada hora que pasa me convenzo más de que es una explicación posible. El problema consiste en que se conocen tan pocos datos, casi ninguno, en realidad, pero hay una pauta, y concuerda con cosas que escuchamos hace cuatro años.

–¿Qué cosas? ¿Qué pauta?

–Sólo rumores, por empezar; después llegaron las amenazas, y *eran* amenazas. Nadie bromeaba.

–Adelante. Estoy escuchando.

–Mientras quitaba el detonante a su manera, casi siempre con whisky prohibido, Weingrass se enteró de algo que tenía demasiada coherencia para desecharlo como un simple parloteo de borrachos. Se le dijo que se estaba formando, discretamente, un consorcio... un cartel industrial, si lo prefiere. Iba logrando poco a poco el dominio de decenas de distintas compañías, con crecientes recursos en materia de personal, tecnología y equipamiento. El objetivo resultaba entonces evidente, y si la información es exacta, ahora es más evidente. Piensan apoderarse del desarrollo industrial del Asia sudoccidental. Hasta donde Weingrass pudo saberlo, esa federación subterránea tenía su base en Bahrein –eso nada tiene de sorprendente–, pero lo que constituyó una sacudida y divirtió enormemente a Manny fue el hecho de que en el directorio desconocido figuraba un hombre que se hacía llamar el "Mahdí"... como el fanático musulmán que expulsó a los británicos de Kartum, hace cien años.

–¿El Mahdí? *¿Kartum?*

–Exactamente. El símbolo es evidente. Sólo que a este Mahdí le importa un rábano del Islam religioso, y mucho menos de sus fanáticos aulladores. Los usa para expulsar a los competidores, y para no dejar que regresen. Quiere que los contratos y las ganancias queden en manos árabes... especialmente en las de *él*.

–*Espere* un momento –interrumpió Swann, pensativo, mientras tomaba el teléfono y tocaba el botón en la consola–. Esto se relaciona con algo que llegó ayer por la noche a Mascate, del MI-Seis –continuó con rapidez, mirando a Kendrick–. No pudimos seguirlo porque no había nada que seguir, ninguna pista, pero no cabe duda de que era una lectura endemoniada... Déme con Gerald Bryce, por favor... Hola, ¿Gerry? Ayer por la noche, en realidad a eso de las dos de esta mañana, recibimos un nada-cero de los británicos en Ohio. Quiero que lo busque y me lo lea despacio, porque anotaré cada una de las palabras. –El delegado cubrió el micrófono y habló a su visitante repentinamente alerta.– Si algo de lo que ha dicho tiene algún sentido, es posible que resulte ser la primera posibilidad concreta que se nos presenta.

–Por eso estoy aquí, señor Swann, y probablemente apesto a pescado ahumado.

El director delegado asintió con indiferencia, impaciente, esperando a que el hombre a quien había llamado Bryce volviese al teléfono.

–Una ducha no le haría daño, congresal... ¡*Sí*, Gerry, adelante!... "No busques donde lógicamente se esperaría que buscaran. Busquen en otra parte." Sí, lo tengo. Lo recuerdo. Creo que venía inmediatamente después de... "Donde los resentimientos no nacen de la pobreza o el abandono." ¡Es *eso*! Y algo más, por ahí... "Donde Alá ha concedido favores en este mundo, aunque tal vez no en el otro"... *Sí*. Ahora siga un poco más adelante, algo acerca de susurros, eso es lo único que recuerdo... *¡Eso!* Ahí. Démelo de nuevo... "Los susurros hablan de aquellos que se beneficiarán con el derramamiento de sangre." El resto era todo negativo, si recuerdo bien. Nada de nombres, nada de organizaciones, basura... Ya me parecía... Todavía no sé. Si surge algo, usted será el primero en saberlo. Entretanto, engrase el equipo y elabore una hoja impresa acerca de todas las firmas de construcción de Bahrein. Y si existe una lista de lo que llamamos contratistas generales o industriales, también quiero eso... ¿Cuándo? ¡Ayer, por amor de Dios! –Swann colgó el teléfono, leyó las frases que había escrito y después miró a Kendrick. – Ya oyó las palabras, congresal. ¿Quiere que se las repita?

–No es necesario. No son *kalam-faregh*, ¿verdad?

–No, señor Kendrick, nada de esto es basura. Todo es muy pertinente, y me gustaría saber qué hacer.

–Reclúteme, señor Swann –dijo el congresal–. Envíeme a Mascate en el transporte más veloz que pueda hallar.

–¿Por qué? –preguntó el delegado, observando a su visitante–. ¿Qué puede hacer que no puedan nuestros experimentados hombres de campo? No sólo hablan con fluidez el arábigo, sino que la mayoría de ellos son árabes.

–Y trabajan para Operaciones Consulares –completó Kendrick.

–¿Y con eso?

–Están marcados. Quedaron marcados hace cuatro años, y están marcados ahora. Si hacen algo erróneo, usted podría tener entre sus manos decenas de ejecuciones.

–Esa es una afirmación alarmante –dijo Swann con lentitud, entrecerrando los ojos mientras miraba a su visitante a la cara–. ¿Están *marcados*? ¿Quiere tener la amabilidad de explicarlo?

–Hace unos minutos le dije que sus Op Cons se convirtieron muy pronto en un nombre familiar allí. Entonces pronunció la frase gratuita sobre el hecho de que me basaba en rumores del Congreso, pero no era así. Lo que dije, lo dije en serio.

–¿Un nombre familiar?

–Iré más allá, si quiere. Una broma familiar. Inclusive un ex ingeniero del ejército y Manny Weingrass hicieron varias de ellas.

–¿Varias...?

–Estoy seguro de que las tiene en sus archivos, en alguna parte. La gente de Hussein nos abordó para presentar planes destinados a un nuevo aeródromo, después que hubiéramos terminado el de Qufar, en Arabia Saudita. Al día siguiente, dos de los hombres de ustedes fueron a vernos para hacernos preguntas técnicas, e insistieron en que, como norteamericanos, era nuestro deber comunicar esa información, ya que Hussein tenía conversaciones frecuentes con los Soviets... cosa que, por supuesto, no venía al caso. Un aeropuerto es un aeropuerto, y cualquier tonto puede volar sobre unas excavaciones y determinar su configuración.

–¿Cómo fue eso?

–Manny y el ingeniero les dijeron que las dos pistas principales tenían once kilómetros de largo y era evidente que estaban destinadas a equipos de vuelo muy especiales. Salieron corriendo de la oficina como si les hubiera dado a los dos un ataque agudo de diarrea.

–*¿Y?* –Swann se inclinó hacia adelante.

–Al día siguiente, la gente de Hussein nos visitó y nos dijo que nos olvidáramos del proyecto. Habíamos tenido visitantes de Operaciones Consulares. Eso no les gustó.

El director delegado volvió a recostarse contra el respaldo, y su sonrisa fatigada expresó la inutilidad de todo eso.

–A veces resulta un poco tonto, ¿no?

–No creo que ahora sea una tontería –declaró Kendrick.

–No, es claro que no. –Swann se irguió en el acto en el asiento.– De modo que, tal como usted lo ve, todo este maldito asunto tiene que ver con dinero. ¡Un dinero *piojoso*!

–Si no se lo detiene, empeorará –dijo Kendrick–. Mucho.

–Cielos, *¿cómo?*

–Es una fórmula probada para lograr el dominio económico. Una vez que hayan paralizado al gobierno de Omán, usarán la misma táctica en otra parte. Los Emiratos, Bahrein, Qatar, y aun los sauditas. Quien domine a los fanáticos conseguirá los contratos, y con todas esas enormes operaciones concentradas en una entidad –no importa cuáles fueren los nombres que usen–, habrá en la región una peligrosa fuerza política que impondrá una cantidad de acciones vitales que, decididamente, no nos agradarán.

–Buen Dios, es evidente que tiene *pensado* todo esto.

–En las últimas ocho horas no he hecho otra cosa.

–Digamos que yo lo enviase allá; ¿qué *podría* hacer?

–No lo sabré hasta que me encuentre allí, pero tengo algunas ideas. Conozco a una cantidad de personas influyentes, omaníes poderosos que saben lo que pasa allí, y que no podrían participar en esa insania. Por diversas razones, tal vez por la misma desconfianza que sentíamos cada vez que aparecían sus secuaces de Op Cons, puede que no hablen con desconocidos, pero *hablarán* conmigo. Confían en mí. He pasado días, fines de semana con sus familias. Conozco a sus esposas sin velo y a sus hijos...

–Esposas sin velo e hijos... –repitió Swann, interrumpiendo. El *shorbet* definitivo del vocabulario árabe. El caldo de la amistad.

–Una mezcla armoniosa de ingredientes –convino el parlamentario de Colorado–. Trabajarán conmigo, tal vez no con usted. Además, estoy familiarizado con la mayoría de los proveedores de los muelles y de las oficinas de carga, aun con personas que eluden todo lo que sea oficial, porque ganan dinero con lo que ustedes no pueden conseguir oficialmente. Quiero seguir la pista del dinero y de las instrucciones que lo acompañan, y que terminan en la embajada. En alguna parte, alguien está enviando ambas cosas.

–*¿Proveedores?* –preguntó Swann con las cejas arqueadas, la voz incrédula–. ¿Se refiere a alimentos, medicinas, ese tipo de cosas?

–Eso es sólo...

–¿Está *loco*? –exclamó el director delegado–. ¡Esos rehenes son nuestra *gente*! Hemos abierto las bóvedas, cualquier cosa que necesiten, cualquier cosa que podamos hacerles *llegar*!

–¿Como balas y armas y repuestos para armas?

–¡Por supuesto que no!

–Según todo lo que he leído, todo lo que pude conseguir en los puestos de periódicos, en Flagstaff y Phoenix, todas las noches, después de *el Mahgreb*, hay cuatro o cinco horas de fuegos de artificios... miles de salvas disparadas, sectores enteros de la embajada rociados con fuego de rifles y ametralladoras.

–¡Eso forma parte de su maldito *terror*! –estalló Swann–. ¿Se imagina lo que pasa *adentro*? ¡Alineados contra una pared, bajo la luz de reflectores, y en derredor todo destrozado por las balas, mientras piensan, *Dios*, me van a matar en cualquier *segundo*! ¡Si alguna vez sacamos a esos pobres diablos, se pasarán años enteros en divanes, tratando de librarse de las pesadillas!

Kendrick dejó pasar la emoción del momento.

–Esos tipos furiosos no tienen un arsenal allí, señor Swann. No creo que la gente que los dirige les permitiera tenerlo. Se los *abastece*. Tal como se les proporciona mimeógrafos, porque no saben manejar sus copiadoras y procesadoras de palabras para los boletines cotidianos que imprimen para las cámaras de televisión. Por favor, trate de entender. Tal vez uno de cada veinte de esos dementes tiene un mínimo de intelecto, y ni hablemos de una posición ideológica meditada. Son la escoria manipulada de la humanidad a la cual se le ha dado sus propios momentos históricos bajo el sol. Quizá la culpa sea nuestra, no lo sé, pero sí sé que están siendo programados, y usted también lo sabe. Y detrás de esa programación está el hombre que quiere para sí todo el sudoeste de Asia.

–¿Ese *Mahdí*?

–Sea quien fuere, sí.

–¿Le parece que puede encontrarlo?

–Necesitaré ayuda. Para salir del aeropuerto, ropas árabes; haré una lista.

El director delegado volvió a respaldarse en el asiento, y sus dedos tocaron su mentón.

–*¿Por qué*, congresal? ¿Por qué quiere hacer esto? ¿Por qué Evan Kendrick, empresario multimillonario, quiere poner en peligro su riquísima vida? Allí no queda nada para usted. *¿Por qué?*

–Supongo que la respuesta más sencilla y sincera es la de que podría ayudar. Como he señalado, gané mucho dinero allí. Tal vez este sea el momento de devolver un poco de mí.

–Si sólo se tratara de dinero o de un "poco" de usted, no tendría problemas con eso –dijo Swann–. Pero si lo dejo ir, caminará por un campo minado, sin adiestramiento para la supervivencia. ¿Ha pensado en eso, congresal? Habría debido hacerlo.

–No tengo la intención de tomar la embajada por asalto –respondió Evan Kendrick.

–Es posible que no necesite hacerlo. Sólo hágale a la persona que no corresponde la pregunta que no corresponde, y los resultados serían los mismos.

–También habría podido estar en un taxi, en la Calle Veintitrés y la Avenida Virginia, al mediodía, y sufrir un accidente.

–Supongo que eso significa que así fue.

–El caso es que yo no conducía. Me encontraba en un taxi. Soy cuidadoso, señor Swann, y en Mascate conozco el tránsito, que no es tan impredecible como el de Washington.

–¿Alguna vez estuvo en el servicio?

–No.

–Tenía la edad adecuada para Vietnam, calculo. ¿Alguna explicación?

–Tuve una postergación por mis estudios de graduación. Eso me mantuvo afuera.

–¿Alguna vez manejó un arma?

–He tenido una experiencia limitada.

–Lo cual significa que sabe dónde está el disparador, y qué extremo debe apuntar.

–Dije limitada, no imbécil. En los primeros tiempos de los emiratos, íbamos armados en nuestras obras de construcción. Más tarde también, a veces.

–¿Alguna vez tuvo que disparar una? –insistió el director delegado.

–Por supuesto –respondió Kendrick con voz serena, sin morder el anzuelo–. De modo que pude aprender dónde estaba el disparador, y qué extremo apuntar.

–Muy gracioso, pero lo que yo quería decir es: ¿alguna vez tuvo que disparar un arma contra otro ser humano?

–¿Eso es necesario?

–Sí, lo es. Tengo que formular un juicio.

–Muy bien; entonces, sí.

–¿Cuándo fue eso?

–Cuándo fueron ellos –corrigió el congresal–. Entre mis socios y mi equipo norteamericano había un geólogo, un hombre de logística de equipos y varios refugiados del Cuerpo de Ingenieros del Ejército... capataces. Hacíamos viajes frecuentes a lugares posibles para estudios de suelos y esquistos, y para instalar cercados destinados a las máquinas. Conducíamos un remolque y en varias ocasiones fuimos atacados por bandidos... grupos de nómades que buscaban gente extraviada. Hacía años que constituían un problema, y las autoridades previenen a todos los que viajan al interior para que se protejan. Nada diferente de una gran ciudad de aquí. Entonces usaba un arma.

–¿Para asustar o para matar, señor Kendrick?

–En general, para asustar, señor Swann. Pero hubo ocasiones en que tuvimos que matar. Ellos querían matarnos a nosotros. Informábamos a las autoridades de todos esos incidentes.

–Entiendo –dijo el director delegado de Operaciones Consulares–. ¿En qué condiciones se encuentra ahora?

El visitante sacudió la cabeza, exasperado.

–De vez en cuando fumo un cigarro o un cigarrillo después de una comida, *doctor*, y bebo con moderación. Pero no levanto pesas ni participo en maratones. En cambio navego en rápidos de Clase Cinco, y trepo a las montañas cada vez que puedo. Y además creo que todo esto es una soberana tontería.

–Crea lo que le parezca, señor Kendrick, pero el tiempo nos urge. Las preguntas sencillas, directas, pueden ayudarnos a conocer a una persona con tanta exactitud como un complicado informe psiquiátrico de una de nuestras clínicas de Virginia.

–De eso tiene que culpar a los psiquiatras.

–Dígame –dijo Swann con una risita hostil.

–No, dígame usted *a mí* –replicó el visitante–. Sus juegos de "muestre y hable" han terminado. ¿Voy o no voy, y si la respuesta es negativa, *por qué*?

Swann levantó la vista.

–Va, congresal. No porque sea una opción ideal, sino porque yo no *tengo* una opción. Probaré cualquier cosa, incluido un hijo de puta arrogante, cosa que creo que usted tal vez sea, bajo ese exterior frío.

–Es probable que tenga razón –dijo Kendrick–. ¿Puede darme informaciones acerca de lo que tenemos?

–Le serán entregadas en el avión, antes del despegue, en la Base de la Fuerza Aérea de Andrews. Pero los informes no pueden salir de ese avión, congresal, y usted no puede hacer anotaciones. Alguien estará vigilándolo.

–Entendido.

–¿Está seguro? Le daremos toda la ayuda de cobertura profunda que podamos con severas limitaciones, pero usted es un ciudadano particular, a pesar de su posición política. En pocas palabras, si es capturado por elementos hostiles, no lo conocemos. No podemos ayudarlo en esas circunstancias. No arriesgaremos la vida de doscientos treinta y seis rehenes. ¿*Eso* queda entendido?

–Sí, porque coincide en forma directa con lo que aclaré cuando entré. Quiero una garantía escrita de anonimato. Nunca estuve aquí. Nunca lo vi ni hablé con usted. Envíe un memorándum al Secretario de Estado. Diga que recibió una llamada telefónica de un aliado político mío en Colorado, en el cual mencionó mi nombre y le dijo que, dados mis antecedentes, usted debía comunicarse conmigo. Usted rechazó el pedido, en la creencia de que no era más que otro político que trataba de obtener ventajas del Departamento de Estado... eso no debería resultarle difícil. –Kendrick sacó un anotador del bolsillo de la chaqueta, se inclinó hacia adelante y tomó el lápiz de Swann.– Aquí está la dirección de mi abogado en Washington. Haga que le llegue una copia, por mensajero, antes que yo suba al avión, en Andrews. Cuando él me diga que la recibió, partiré.

–Nuestro objetivo mutuo aquí es tan claro y limpio, que yo debería felicitarme –dijo Swann–. ¿Por qué lo hago? ¿Por qué sigo pensando que hay algo que no me dice?

–Porque es suspicaz por naturaleza y por profesión. No estaría en esa silla si no lo fuera.

–Ese anonimato en el cual insiste tanto...

–También usted, según parece –interrumpió Kendrick.

–Ya le di mis razones. Allí hay doscientas treinta y seis personas. No queremos darle a nadie una excusa para oprimir un disparador. Por otro lado, si no resulta muerto, usted tiene mucho que ganar. ¿Cuál es *su* razón para el anonimato?

–No es muy diferente a la suya –dijo el visitante–. He conquistado muchos amigos en toda la región. Conservé a muchos de ellos; nos carteamos; me visitan con frecuencia... nuestras relaciones no son un secreto. Si mi nombre apareciera en la superficie, algunos fanáticos podrían pensar en el *jaremat thaár*.

–El castigo por la amistad –tradujo Swann.

–El clima es apropiado para ello –agregó Kendrick.

–Supongo que esa es una buena explicación –dijo el director delegado, sin mucha convicción–. ¿Cuándo quiere partir?

–Lo antes posible. Aquí no hay nada que arreglar. Tomaré un taxi, iré a casa y me cambiaré de ropa...

–Nada de taxis, congresal. Desde ahora hasta que llegue a Mascate, figura como enlace del gobierno, bajo una cobertura accesible, y vuela en transportes militares. Está aislado. –Swann tomó el teléfono.– Se lo escoltará hasta la rampa, donde un coche sin identificación lo llevará a su casa, y luego a Andrews. En las próximas doce horas es propiedad del gobierno, y hará lo que le digamos que haga.

Evan Kendrick se sentó en el asiento trasero del coche del Departamento de Estado, sin identificaciones, y miró por la ventanilla el exuberante follaje que bordeaba el Potomac. Muy pronto el conductor giraría a la izquierda y entraría en un largo corredor arbolado de verdor de Virginia, a cinco minutos de su casa. Su casa aislada, reflexionó, su casa tan solitaria, a pesar de la pareja que vivía en ella, antiguos amigos, y de la procesión discreta, aunque no excesiva, de graciosas mujeres que compartían su lecho, también amigas.

Cuatro años, y nada permanente. Para él, la permanencia se encontraba a medio mundo de distancia, donde nada era permanente, salvo la constante necesidad de pasar de un puesto a otro, encontrar los mejores alojamientos para cada uno y asegurarse de que hubiese preceptores para los hijos de sus socios... hijos que a veces deseaba que fuesen suyos propios; niños específicos, por supuesto. Pero para él nunca había habido tiempo para el matrimonio y los hijos; las ideas eran sus esposas, los proyectos sus vástagos. Tal vez por eso había sido el dirigente, no tenía distracciones domésticas. Las mujeres con quienes hacía el amor eran casi todas tan compulsivas como él. Y como él, buscaban el alborozo temporario, y hasta el consuelo de las relaciones breves, pero la palabra operativa era "temporal". Y después, en esos años maravillosos estuvieron la excitación y la risa, las horas de miedo y los momentos de júbilo en que los resultados de un proyecto superaban las expectativas. Construían un Imperio –pequeño, en verdad–, pero crecería, y con el tiempo, como insistía Weingrass, los niños del Grupo Kendrick irían a las mejores escuelas de Suiza, a pocas horas de distancia por aire. "¡Se convertirían en un pensionado de *menschen* internacionales!", rugía Manny. "Toda esa magnífica educación y esos idiomas. ¡Estamos creando la más grande colección de estadistas desde Disraeli y Golda!"

–Tío Manny, ¿podemos ir a pescar? –imploraba invariablemente un joven vocero, con conspiradores de ojos muy abiertos detrás de él.

–Por supuesto, David... un nombre tan glorioso. El río está apenas a unos kilómetros de distancia. ¡Todos pescaremos *ballenas*, les *prometo*!

–Manny, por favor –objetaba siempre una de las madres–. Sus deberes para casa...

–Esos deberes son para la casa... estudia tu sintaxis. ¡Las ballenas están en el *río*!

Todo eso era permanencia para Evan Kendrick. Y de pronto todo había quedado hecho trizas, un millar de espejos rotos al sol, y cada fragmento de cristal ensangrentado reflejaba una imagen de encantadora realidad y de asombrosas expectativas. Todos los espejos se habían vuelto negros, no había reflejos en ninguna parte. Muerte.

–¡No lo hagas! –gritó Emmanuel Weingrass–. Yo siento tanto dolor como tú. ¿Pero no te das cuenta de que es lo que quieren que hagas, lo que esperan que hagas? ¡No les des –no le des a él– ese gusto! ¡Lucha contra ellos, lucha contra él. Yo lucharé contigo. ¡Muéstrame tu postura, muchacho!

–¿Por quién, Manny? ¿Contra quién?

–¡Lo sabes tan bien como yo! Nosotros sólo somos los primeros, otros seguirán. Otros "accidentes", seres queridos muertos, proyectos abandonados. ¿Permitirás eso?

–Sencillamente no me interesa.

–¿Entonces lo dejarás ganar?

–¿A quién?

–¡Al Mahdi!

–Un rumor de borrachos, nada más.

–¡El lo hizo! ¡Los mató! ¡Yo lo sé!

–Aquí no hay nada para mí, viejo amigo, y yo no puedo perseguir sombras. Ya no es divertido. Olvídalo, Manny, yo te haré rico.

–¡No quiero tu dinero cobarde!

–¿No lo aceptarás?

–Por supuesto que lo aceptaré. Sólo que ya no te quiero.

Y después cuatro años de ansiedad, inutilidad y aburrimiento, de preguntarse cuándo soplaría sobre las ascuas que tenía en su interior el cálido viento del amor o el viento frío del odio. Se había dicho una y otra vez que cuando los fuegos estallaban de golpe, por el motivo que fuere, el momento sería el oportuno, y él estaría preparado. Estaba preparado ahora, y nadie podría detenerlo. Odio.

El Mahdi.

Arrebataste las vidas de mis amigos más íntimos con tanta seguridad como si tú mismo hubieras instalado esa tubería. Tuve que identificar tantos cadáveres... los cuerpos quebrados, retorcidos, sangrantes, de personas que tenían tanta importancia para mí. El odio permanece, y es hondo y frío, y no se irá para dejarme vivir mi vida hasta que estés muerto. Tengo que volver y recoger los trozos, ser yo otra vez y terminar lo que todos nosotros construíamos juntos. Manny tenía razón. Hui, me perdoné por el dolor, olvidé los sueños que habíamos tenido. Ahora regresaré y terminaré eso. Te buscaré, Mahdi, seas quien fueres y te halles donde te halles. Y nadie sabrá que estuve allí.

–¿Señor? Señor, hemos llegado.

–¿Perdón?

–Esta es su casa –dijo el infante de marina que conducía–. Me parece que se quedó dormido, pero tenemos un horario que cumplir.

–No me dormí, cabo, pero, por supuesto, tiene razón. –Kendrick tomó el picaporte y abrió la portezuela.– Tardaré unos veinte minutos, más o menos... ¿Por qué no entra? La criada le dará un bocado, o una taza de café, mientras espera.

–Yo no saldría de este coche, señor.

–¿Por qué no?

–Usted está con OHIO. Es probable que me disparen.

Aturdido, y a punto de apearse, Kendrick se volvió y miró hacia atrás. Al extremo de la calle, la calle desierta, flanqueada de árboles, sin una casa a la vista, un coche solitario se encontraba aparcado contra la acera. Adentro, dos figuras sentadas, inmóviles, en el asiento delantero.

Durante las próximas doce horas, usted es propiedad del gobierno, y hará lo que le digamos que haga.

La figura en silueta entró con paso rápido en la habitación aséptica, sin ventanas, cerró la puerta, y en la oscuridad siguió hasta la mesa donde había una pequeña lámpara de bronce. La encendió y fue directamente hacia su equipo, que cubría la pared de la derecha. Se sentó delante de la procesadora, tocó el interruptor que encendía la pantalla y tipeó el código.

ULTRAMAXIMO SEGURO
NO HAY INTERCEPTACIONES
ADELANTE

Continuó su diario; los dedos le temblaban de júbilo.

Ahora todo se encuentra en movimiento. El hombre está en viaje, esto ha comenzado. Por supuesto, no puedo proyectar los obstáculos que enfrentará, y mucho menos su éxito o su fracaso; sólo sé, por mis "dispositivos" de inmejorable desarrollo, que está singularmente dotado. Un día podremos determinar con mayor precisión el cociente humano, pero ese día no ha llegado aún. Sin embargo, si sobrevive, caerá el rayo... mis proyecciones así lo aclaran a partir de un centenar de opciones, comprobadas con éxito. El pequeño círculo de funcionarios que deben estar informados ha sido alertado por intermedio de comunicaciones modem ultramax. Para mis dispositivos, eso es un juego de niños.

3

El tiempo de vuelo calculado desde Andrews hasta la base de la Fuerza Aérea de Estados Unidos en Sicilia era de algo más de siete horas. La llegada estaba prevista para las 5 a.m., hora de Roma... las ocho de la mañana en Omán, que se encontraba a cuatro o cinco horas de distancia, según los vientos predominantes en el Mediterráneo y las rutas seguras de que se pudiera disponer. El despegue en la oscuridad del Atlántico había sido rápido en el jet militar, un Delta F-106 convertido, con una cabina que incluía dos asientos adyacentes en la parte de atrás, con mesas-bandejas que servían como escritorios en miniatura y superficies para comer y beber. Luces móviles brillaban en ángulo desde el cielo raso, y permitían que quienes leían moviesen los haces hacia los puntos de concentración, ya se tratara de manuscritos, fotos o mapas. Kendrick recibía las páginas de OHIO-Cuatro-Cero del hombre de su izquierda, de a una por vez, entregada cuando había devuelto la anterior. En dos horas y veinte minutos, Evan había terminado toda la carpeta.

Estaba a punto de empezar de vuelta por el comienzo cuando el joven de su izquierda, un hermoso miembro, de ojos oscuros, de OHIO-Cuatro-Cero, quien se había presentado sencillamente como un ayudante del Departamento de Estado, levantó la mano.

–¿Podemos tomarnos tiempo para comer, señor?

–¿Qué? Por supuesto. –Kendrick se desperezó en el asiento.– La verdad, aquí no hay mucho que resulte útil.

–Yo no creía que lo hubiera –dijo el joven de nítidas facciones.

Evan miró a su compañero de asiento, lo estudió por primera vez.

–¿Sabe?, no lo digo en un sentido peyorativo –de veras–, pero para una operación de elevada clasificación del Departamento de Estado, se me ocurre que usted es un poco joven para el trabajo. No puede ser que tenga más de veintitantos años.

–Estoy cerca de eso –replicó el ayudante–. Pero soy muy competente en lo que hago.

–¿Que consiste en?

–Perdón, sin comentarios, señor –dijo el compañero de asiento–. Y bien, ¿qué hay de esa comida? Este es un vuelo largo.

–¿Y qué me dice de un trago?

–Hemos traído provisiones especiales para los civiles. –El joven, de cabello y cejas oscuras sonrió, e hizo una seña al camarero de la Fuerza Aérea, un cabo que ocupaba el asiento del mamparo, de cara a la popa; el hombre se puso de pie y se adelantó.– Una copa de vino blanco y un Canadian con hielo, por favor.

–Un *Canadian*...

–Eso es lo que bebe, ¿verdad?

–Se ve que ha estado atareado.

–Nunca paramos. –El ayudante hizo una seña con la cabeza al cabo, quien se retiró hacia la cocina en miniatura.– Me temo que la comida es fija y corriente –continuó el joven de OHIO–. Coincide con los recortes presupuestarios del Pentágono... y con ciertos influyentes de las industrias de la carne y los víveres. Filete con espárragos a la holandesa y patatas hervidas.

–Lindos recortes.

–Lindos influyentes –agregó el compañero de Evan, sonriente–. Y después hay un postre de Alaska al horno.

–¿Qué?

–No se puede omitir a los muchachos de la industria láctea. –Llegaron las bebidas; el camarero volvió a un teléfono del tabique, donde parpadeaba una luz blanca, y el ayudante levantó su copa.

–Por su salud.

–Por la suya. ¿Usted tiene nombre?

–Elija uno.

–Eso es muy lacónico. ¿Le molestaría Joe?

–Que sea Joe. Encantado de conocerlo, señor.

–Ya que resulta evidente que usted sabe quién soy, me lleva una ventaja. Puede usar mi nombre.

–En este vuelo, no.

–¿Quién soy, entonces?

–Oficialmente, es un criptoanalista llamado Axelrod, a quien llevamos a la embajada en Jiddah, Arabia Saudita. El nombre no importa mucho; en lo fundamental es para los registros del piloto. Si alguien quiere decirle algo, sólo dirá "señor". En estos viajes, los nombres no vienen al caso.

–¿Doctor *Axelrod*? –La intromisión del cabo hizo que el ayudante del Departamento de Estado palideciera.

–¿Doctor? –replicó Evan, un tanto asombrado, mirando a "Joe".

—Es evidente que es Doctor en Filosofía —dijo el ayudante entre dientes.

—Muy bonito —susurró Kendrick, y levantó la vista hacia el camarero—. ¿Sí?

—El piloto querría hablar con usted, señor. Si me sigue a la cabina de vuelo, por favor.

—Por supuesto —aceptó Evan, y levantó la mesa-bandeja, mientras entregaba su trago a "Joe"—. Por lo menos acertaste en una cosa, hijo —murmuró al hombre del Departamento de Estado—. Me dijo "señor".

—Y eso no me *gusta* —dijo "Joe" en voz baja, intensa—. Todas las comunicaciones relacionadas con ustedes tienen que hacerse por mi intermedio.

—¿Quieres hacer una escena?

—Una mierda. Es un viaje del ego. El desea acercarse a la carga especial.

—¿La *qué*?

—Dejémoslo, doctor *Axelrod*. Recuerde que no se adoptarán decisiones sin mi aprobación.

—Eres un tipo duro.

—El más duro de todos, congre... doctor Axelrod. Además, no soy "hijo". No lo soy en lo que se refiere a usted.

—¿Debo transmitir tus sentimientos al piloto?

—Puede decirle que le cortaré las alas y las pelotas si vuelve a hacer eso.

—Como fui el último en subir a bordo, no lo vi, pero entiendo que es un brigadier general.

—Para mí es brigadier de mierda.

—Dios mío —dijo Kendrick, riendo entre dientes—. Rivalidad entre servicios, a doce mil metros. Me parece que no apruebo eso.

—*¿Señor?* —El camarero de la Fuerza Aérea se mostraba ansioso.

—Ya voy, cabo.

La compacta cabina de vuelo del Delta F-106 relucía con una profusión de diminutas luces verdes y rojas, diales y números por todas partes. El piloto y el copiloto se encontraban sentados adelante, con sus cinturones de seguridad, el navegante a la derecha, con un auricular acolchado en la oreja izquierda, los ojos clavados en una pantalla de computadora con retícula. Evan tuvo que inclinarse para avanzar los pocos metros que pudo recorrer en el reducido recinto.

—¿Sí, general? —preguntó—. ¿Quería verme?

—Ni siquiera deseo *mirarlo*, doctor —respondió el piloto, con la atención fija en los paneles que tenía adelante. Voy a leerle un mensaje de alguien llamado *S*. ¿Conoce a alguien que se llama *S*?

—Supongo que sí —respondió Kendrick, dando por supuesto que el mensaje había sido enviado por radio por Swann, desde el Departamento de Estado—. ¿De qué se trata?

—¡Se trata de un puntapié en el trasero para este *pájaro*, de eso se trata! —exclamó el brigadier general—. ¡Nunca he aterrizado allí! No conozco el aeródromo, y me dicen que esos malditos *ítalos* de aquellos parajes son más competentes para preparar salsas para los espaguetis que en lo que se refiere a dar instrucciones para la aproximación.

–Es nuestra propia base aérea –protestó Evan.

–¡Un *cuerno*! –replicó el piloto, mientras su copiloto sacudía la cabeza en una enfática negativa–. ¡Cambiamos de rumbo, a *Cerdeña*! ¡No a Sicilia, sino a *Cerdeña*! Tendré que forzar los motores para hacer ese aterrizaje... ¡Si podemos, por amor de Dios, *encontrar* la pista!

–¿Cuál es el mensaje, general? –preguntó Kendrick con serenidad–. Casi siempre hay una razón en la mayoría de los casos, cuando se cambia de plan.

–Entonces explíquela... no, *no* explique nada. Estoy demasiado acalorado y molesto. ¡Malditos imbéciles!

–¿El mensaje, por favor?

–Ahí va. –El enfurecido piloto leyó de una hoja de papel perforado.– "Cambio necesario. Jiddah anulada. Todos los A. M. donde estén permitidos bajo vigilancia..."

–¿Qué significa eso? –interrumpió Evan en el acto–. Los A. M. bajo vigilancia.

–Lo que dice.

–Con claridad, por favor.

–Perdón, lo había olvidado. Sea usted quien fuere, no es lo que tenemos anotado. Significa que todos los aviones militares de Sicilia y Jiddah se encuentran bajo observación, así como todos los aeródromos en los cuales aterricemos. Esos árabes canallas esperan algo, y tienen a sus malditos psicópatas en el lugar, prontos a comunicar cualquier *cosa* o *persona* que se salgan de lo habitual.

–No todos los árabes son canallas o malditos psicópatas, general.

–En mi libro lo son.

–Entonces, imposible de publicar.

–¿Qué?

–Su libro. El resto del mensaje, por favor.

El piloto hizo un gesto obsceno con el brazo derecho, con el papel perforado en la mano.

–Léalo usted mismo, enamorado de los árabes. Pero no sale de esta cabina.

Kendrick tomó el papel, lo inclinó hacia la luz del navegante y leyó el mensaje. *Cambio necesario Jiddah anulada. Todos los A. M. donde estén permitidos bajo vigilancia. Traslado a subsidiario civil en isla del sur. Ruta por Chipre, Riyadh, hasta punto de destino. Permisos convenidos. Tiempo de llegada calculado a la Segunda Columna el Maghreb mejor velocidad posible. Perdón.* Evan extendió la mano, con el mensaje, sobre el hombro del general, y lo dejó caer.

–Supongo que "isla del sur" es Cerdeña.

–Acertó.

–Entonces entiendo que deberé pasar unas diez horas más en avión, o aviones, pasando por Chipre, Arabia Saudita, para llegar por último a Mascate.

–Le diré una cosa, enamorado de los árabes –continuó el piloto–. Me alegro de que vuele en una de esas avionetas, y no conmigo. Un consejo: ocupe un asiento cerca de una salida de emergencia, y si puede comprar un plano inclinado, gaste ese dinero. Y también una máscara antigás. Me dicen que esos aviones apestan.

–Trataré de recordar su generoso consejo.

–Y ahora dígame usted algo a *mí* –dijo el general–. ¿Qué demonios es ese asunto árabe de la "Segunda Columna"?

–¿Usted va a la iglesia? –preguntó Evan.

–Por supuesto que voy. Cuando estoy en casa, hago que concurra toda la maldita familia... nada de protestas en ese aspecto, por Dios. Una vez al mes, por lo menos, es una regla.

–Lo mismo hacen los árabes, pero no una vez por mes. Cinco veces por día. Tienen creencias tan fuertes como las de usted, *por lo menos* tan fuertes, ¿no le parece? La Segunda Columna del Maghreb se refiere a las oraciones islámicas a la caída del sol. Una tremenda incomodidad, ¿no? Se gastan el culo trabajando todo el día, casi por nada, y después, a la caída del sol... Nada de cócteles, sólo sus oraciones a Dios. Tal vez es lo único que tienen. Como los spirituals de las antiguas plantaciones.

El piloto giró con lentitud en su asiento. Su cara, en las sombras de la cabina de vuelo, sobresaltó a Kendrick. El brigadier general era un negro.

–Me ofende –dijo el piloto con sequedad.

–Lo siento. De veras. No me di cuenta. Y por otro lado, usted lo dijo. Me llamó enamorado de los árabes.

El ocaso. Mascate, Omán. El antiguo turbojet rebotó en la pista con tanta fuerza que algunos de los pasajeros gritaron, despiertos sus instintos del desierto ante la posibilidad de la muerte ígnea. Luego, al darse cuenta de que habían llegado, que estaban a salvo, y que había trabajo con sólo pedirlo, comenzaron a canturrear, excitados. ¡Gracias a Alá por Su benevolencia! Se les había prometido riales por una servidumbre que los omaníes no querían aceptar. Así sea. Era mucho mejor que lo que habían dejado a sus espaldas.

Los hombres de negocios, trajeados, de la parte delantera del avión, cubierta la nariz con el pañuelo, se precipitaron a la puerta de salida, aferrando sus portafolios, ansiosos por respirar el aire de Omán. Kendrick permaneció de pie en el pasillo, el último de la fila, preguntándose en qué pensaba Swann, del Departamento de Estado, cuando decía en su mensaje que los "permisos" habían sido convenidos.

–¡Venga conmigo! –exclamó un árabe de túnica, de entre la multitud formada fuera de la terminal, para inmigración–. Tenemos otra salida, doctor Axelrod.

–Mi pasaporte no dice nada acerca de *Axelrod*.

–Precisamente. Por eso viene conmigo.

–¿Y qué pasa con inmigración?

–Tengo los papeles en el bolsillo. Nadie quiere *verlos*. ¡*Yo* no quiero verlos!

–¿Y entonces cómo...?

–Basta, *ya Shaikh*. Déme su equipaje y sígame a unos tres metros de distancia. ¡Venga!

Evan entregó su bolso de viaje, de cuero blando, al excitado contacto, y lo siguió. Caminaron hacia la derecha, más allá del extremo de la terminal parda y blanca, y en el acto doblaron hacia la izquierda, en dirección de la alta cerca Cyclone, más allá de la cual los escapes de decenas de taxis, ómnibus y camiones manchaban el aire ardiente. El gentío del otro lado de la cerca del aeropuerto corría de un lado a otro, por entre la congestión de vehículos, con las túnicas flameantes al viento, aullando reproches y chillando para llamar la atención. A lo largo de la cerca, en unos veinticinco a treinta metros, veintenas de otros árabes aplastaban el rostro contra las mallas metálicas, atisbando el mundo desconocido de lisas pistas asfaltadas y esbeltos aviones, que no formaba parte de sus vidas, y que hacía nacer fantasías incomprensibles. Arriba, Kendrick pudo ver un edificio metálico del tamaño de diez cabañas Quonset. Era el depósito del aeródromo, que tan bien recordaba, de las horas que Manny Weingrass y él habían pasado adentro, esperando los equipos demorados, prometidos en uno u otro vuelo, furiosos a menudo con los funcionarios aduaneros que muchas veces no podían entender los formularios que debían llenar, y con los cuales se les entregarían los equipos... si en verdad habían llegado.

El portón del frente de las puertas, tipo hangar, del depósito, se encontraba abierto, para dejar paso a la hilera de contenedores de carga, con sus profundidades repletas de cajones vomitados por los distintos aviones. Guardias con perros de ataque atraillados flanqueaban la cinta transportadora de la aduana, que llevaba la carga al interior, a manos de los ansiosos proveedores y minoristas, y de los eternamente presentes y eternamente frustrados capataces de los equipos de construcción. Los ojos de los guardias recorrían en forma constante la frenética actividad, con pistolas ametralladoras de repetición en mano. No estaban allí sólo para mantener una semblanza de orden en medio del caos, y respaldar a los funcionarios aduaneros en caso de disputas violentas, sino, en esencia, para vigilar el posible ingreso de armas y narcóticos introducidos de contrabando en el sultanato. Cada cajón y cada caja eran examinados por los perros, en medio de aullidos y bufidos, cuando los levantaban hasta la cinta transportadora.

El contacto de Evan se detuvo; él hizo lo mismo. El árabe se volvió e indicó con la cabeza un pequeño portón lateral con un letrero en arábigo encima. *Pare. Sólo Para Personal Autorizado. Se disparará contra los transgresores*. Era una salida para los guardias y otros funcionarios del gobierno. El portón tenía también una gran plancha metálica donde, normalmente, habría debido hallarse la cerradura.

Y *era* una cerradura, pensó Kendrick, abierta electrónicamente desde algún lugar del interior del depósito. El contacto movió la cabeza dos veces más, indicando que, a una señal, Evan debía ir hacia el portón donde "se disparará contra los transgresores". Kendrick interrogó con un fruncimiento del ceño, y un hueco doloroso se le formó en el estómago. Con Mascate en estado de sitio, no haría falta gran cosa para que alguien comenzara a disparar. El árabe leyó la duda en sus ojos y asintió por cuarta vez, lenta, tranquilizadoramente. El contacto se volvió y miró hacia su derecha, a lo largo de la línea de contenedores de carga. Levantó la mano derecha en forma casi imperceptible.

De pronto estalló una riña al lado de uno de los contenedores. Hubo chillidos de maldiciones, brazos agitados con violencia y golpes de puño.

–*¡Contrabando!*

–*¡Mentiroso!*

–*Tu madre es una cabra, una cabra asquerosa!*

–*¡Tu padre se acuesta con putas, y tú eres el producto!*

Voló el polvo cuando los cuerpos enlazados cayeron al suelo, y se les incorporaron otros que tomaban partido. Los perros se echaron a ladrar con furia, tirando de sus traíllas, y los hombres que los retenían los hicieron avanzar hacia la reyerta... todos menos uno, un guardia; y el contacto de Evan dio la señal. Corrieron, juntos, hacia la desierta salida del personal.

–Buena suerte, señor –dijo el guardia, y su perro de ataque husmeó, amenazador, los pantalones de Kendrick mientras el hombre golpeaba con su arma la placa metálica en un rápido código. Sonó una chicharra y el portón se abrió. Kendrick y su contacto lo atravesaron a la carrera, corriendo a lo largo de la pared metálica del depósito.

En la playa de estacionamiento, más allá, había un camión destartalado, con los neumáticos, en apariencia, apenas inflados a medias. El motor rugió, mientras de un escape gastado salían fuertes detonaciones.

–*¡Besuraa!* –exclamó el contacto árabe, para decir a Evan que se diera prisa–. Ahí está su transporte.

–Así lo espero –murmuró Kendrick, con la voz impregnada de duda.

–Bienvenido a Mascate, *Shaikh* no sé cuantos.

–*Sabes* quién soy –dijo Evan, furioso–. ¡Me distinguiste en medio de la multitud! ¿Cuántos *otros* pueden hacer eso?

–Muy pocos, señor. Y *no* sé quién eres, lo juro por Alá.

–Entonces tengo que creerte, ¿no? –preguntó Kendrick, mirando al hombre.

–Si no fuera así, no usaría el nombre de Alá. Por favor. *¡Besuraa!*

–Gracias –dijo Evan, tomó su maleta y corrió hacia la cabina del camión. De pronto el conductor, asomado a la ventanilla, le hizo gestos para que trepara a la parte de atrás, por debajo de la lona que cubría la caja del añejo vehículo. El camión se precipitó hacia adelante, mientras un par de manos, desde adentro, tiraban de él.

Tendido en las tablas del suelo, Kendrick levantó la vista hacia el árabe que se erguía sobre él. El hombre sonrió y señaló las largas vestimentas, un *aba* y la camisa que caía hasta los tobillos, conocida como *thobe*, colgadas de una percha, en la parte delantera del remolque cubierto por la lona; al lado, colgado de un clavo, estaba el *ghotra* para la cabeza, y un par de pantalones bombachos, blancos, ropas de calle de un árabe y los últimos elementos que Evan había pedido a Frank Swann, el hombre del Departamento de Estado. Esos, y otro pequeño pero vital catalizador.

El árabe se lo tendió. Era un tubo de gel oscurecedor de la piel, que cuando se aplicaba con generosidad convertía la cara y las manos de un occidental blanco en las de un semita del Medio Oriente, cuya piel había sido permanentemente bronceada por el sol ardiente, casi ecuatorial. El pigmento se mantendría oscuro durante un período de diez días, antes de desvanecerse. Diez días. Toda una vida... para él o para el monstruo que se llamaba el Mahdí.

La mujer se encontraba dentro de la cerca del aeropuerto, a unos centímetros de las mallas metálicas. Usaba pantalones blancos apenas acampanados y una blusa de seda verde oscura, arrugada por la tira de cuero del bolso. El largo cabello oscuro le enmarcaba el rostro; sus netas facciones atrayentes estaban oscurecidas por un par de grandes gafas ahumadas, y llevaba la cabeza cubierta por un sombrero blanco, de alas anchas, para el sol, con la copa rodeada por una cinta de seda verde. Al principio parecía otra viajera de la acaudalada Roma, o de París, Londres o Nueva York. Pero una mirada más atenta revelaba una sutil diferencia respecto del estereotipo, su piel. Su tono aceitunado, ni negro ni blanco, sugería a Africa del norte. Lo que confirmaba la diferencia era lo que tenía entre las manos, y que apenas unos segundos antes había oprimido contra la cerca: una cámara en miniatura, de apenas cinco centímetros de largo y con una lente minúscula, abultada, convexa, prismática, para fotos telescópicas, una pieza de equipo vinculada con el personal de inteligencia. El maltrecho y ruinoso camión había salido de la playa de estacionamiento del depósito; la cámara ya no hacía falta. Aferró el bolso que llevaba al costado y desapareció de la vista.

–*¡Khalehla!* –gritó un hombre obeso, calvo, de ojos enormemente abiertos, corriendo hacia ella; pronunció "Ka-*lay*-la". Llevaba con torpeza dos maletas; el sudor le empapaba la camisa y penetraba en el traje negro, rayado, estilo Savile Row.– Por amor de Dios, ¿por qué te *alejaste*?

–Esa espantosa fila era sencillamente *demasiado* aburrida, querido –respondió la mujer, con un acento que era una mezcla insondable de británico e italiano, o tal vez de griego–. Pensé en pasearme un poco.

–Buen Dios, Khalehla, no puedes hacer eso, ¿no lo *entiendes*? ¡En este momento, este lugar es un verdadero *infierno* en la tierra! –El inglés se detuvo ante ella, roja la cara carrilluda, chorreando transpiración.– ¡Yo era el siguiente en la fila para llegar a ese imbécil de inmigración, y cuando miré tú no *estabas*! ¡Y cuando empecé a correr para buscarte, tres lunáticos con armas –*¡armas!*– me detuvieron y me llevaron a una habitación y registraron nuestro *equipaje*!

–Espero que estuvieras limpio, Tony.

–¡Los canallas confiscaron mi *whisky*!

–Oh, los sacrificios de ser un hombre de tanto éxito. No importa, querido, haré que te lo repongan.

Los ojos del hombre de negocios británico recorrieron la cara y el cuerpo de Khalehla.

–Bueno, ya todo pasó, ¿no? Ahora iremos a terminar con eso. –El obeso hizo un guiño... un ojo después del otro.– Conseguí un espléndido alojamiento. Te sentirás encantada, querida.

–¿Alojamiento? ¿*Contigo*, querido?

–Sí, por supuesto.

–Oh, en verdad no podría hacer eso.

–¿*Qué?* Dijiste...

–¿Yo *dije*? –interrumpió Khalehla, con las oscuras cejas arqueadas sobre las gafas.

–Bueno, *insinuaste*, con bastante énfasis, podría agregar, que si podía hacerte subir a ese avión pasaríamos un rato muy divertido en Mascate.

–Divertido, por supuesto. Tragos en el golfo, tal vez las carreras, cena en El Quaman... sí, todas esas cosas. ¿Pero en tu *habitación*?

–Bueno, bueno... bueno, ciertos detalles no tenían por qué ser... especificados.

–Oh, mi dulce Tony. ¿Cómo puedo disculparme por semejante malentendido? Mi antigua matrona inglesa de la Universidad de El Cairo sugirió que me pusiera en comunicación contigo. Es la esposa de uno de tus más queridos amigos. Oh, no, de veras, tú puedes entenderme, no me sería posible.

–*¡Mierda!* –estalló el triunfador hombre de negocios llamado Tony.

–*¡Miraya!* –gritó Kendrick por encima del ruido ensordecedor del camión, mientras traqueteaba por un camino lateral para entrar en Mascate.

–No pediste un espejo, *ya Shaikh* –gritó el árabe de la parte de atrás del remolque, en inglés de fuerte acento, pero bastante comprensible.

–Arranca entonces uno de los espejitos retrovisores de las puertas. Díselo al conductor.

–No puede escucharme, *ya Shaikh*. Como tantos otros, éste es un vehículo antiguo, que no será advertido. No puedo comunicarme con el conductor.

–*¡Maldición!* –exclamó Evan, con el tubo de gel en la mano–.

Entonces tú serás mis ojos, *ya sahbee* –llamando amigo al hombre–. Acércate a mí y mira. Dime cuándo está bien. Abre la lona.

El árabe plegó parte de la cortina de atrás, dejando que entrase el sol en el remolque oscuro. Con cautela, tomándose de las tiras, avanzó hasta quedar a unos pocos centímetros de Kendrick.

–¿Este es el *iddahwa*, señor? –preguntó, refiriéndose al tubo.

–*Iwah* –dijo Evan cuando vio que el gel era en verdad la medicina que necesitaba. Lo extendió primero con las manos; los dos hombres miraron; el tiempo de espera era de menos de tres minutos.

–*¡Arma!* –gritó el árabe, y extendió la mano derecha; el color de la piel era casi igual al de él.

–*Kwiyis* –convino Kendrick, tratando de tomar una proporción de gel igual al de las manos, para la cara. No había más remedio que hacerlo. Lo hizo, y observó con ansiedad los ojos del árabe.

–*¡Mahool!* –gritó su reciente compañero, con la sonrisa de un triunfo importante–. *¡Delwatee anzur!*

Lo había logrado. Su carne era ahora del color de un árabe tostado por el sol.

–Ayúdame a ponerme el thobe y el aba, por favor –pidió Evan, mientras comenzaba a desnudarse en el camión, que se sacudía con violencia.

–Sí, por supuesto –dijo el árabe, en un inglés de pronto mucho más claro que el que había empleado antes–. Pero ahora hemos terminado uno con el otro. Perdóname por haber representado el papel de ingenuo contigo, pero aquí no se puede confiar en nadie y el Departamento de Estado norteamericano no está excluido. Corres riesgos, *ya Shaikh*, muchos más de lo que yo correría como padre de mis hijos, pero eso es cosa tuya, no mía. Te dejaré en el centro de Mascate, y el resto correrá por tu cuenta.

–Gracias por llevarme allí –dijo Evan.

–Gracias por venir, *ya Shaikh*. Pero no trates de seguir a quienes te hemos ayudado. En verdad, te mataríamos antes que el enemigo tuviese una oportunidad de fijar el día de tu ejecución. Somos tranquilos, pero estamos vivos.

–¿Quiénes *son* ustedes?

–Creyentes, *ya Shaikh*. Eso es todo lo que necesitas saber.

–*Alfshukre* –dijo Evan, agradeciendo al empleado y entregándole una propina por la discreción que se le había garantizado. Firmó el registro del hotel con un falso nombre arábigo, y recibió la llave de sus habitaciones. No pidió un botones. Tomó el ascensor hasta un piso equivocado, y aguardó en el extremo de un corredor para ver si había sido seguido. Nadie lo seguía, de modo que bajó por la escalera hasta su propio piso y entró en sus aposentos.

Tiempo. *El tiempo es valioso, cada minuto*: Frank Swann, Departamento de Estado. Las oraciones de la tarde de *el Maghreb* habían terminado;

caía la oscuridad, y a la distancia se podía escuchar la locura de la embajada. Evan arrojó su bolso a un rincón de la sala, sacó su portafolios de abajo de sus ropas y extrajo una hoja de papel plegado en la cual había escrito los nombres y los números telefónicos –números que ahora tenían casi cinco años de antigüedad– de las personas con quienes quería comunicarse. Fue al escritorio y al teléfono, se sentó y desplegó el papel.

Treinta y cinco minutos más tarde, después del saludo efusivo pero extrañamente torpe de tres amigos del pasado, quedó arreglado el encuentro. Había elegido siete nombres, pertenecientes a los hombres más influyentes que recordaba de sus días de Mascate. Dos habían muerto; uno se encontraba fuera del país; el cuarto le dijo con franqueza que el clima no era bueno para que un omaní se encontrase con un norteamericano. Los tres que aceptaron verlo, con distintos grados de resistencia, llegarían por separado en el término de una hora. Cada uno iría directamente a sus habitaciones, sin molestar al hombre de la recepción.

Pasaron treinta y ocho minutos, durante los cuales Kendrick desempacó las pocas ropas que había llevado y pidió al servicio distintas marcas de whisky. La abstinencia que exigía la tradición islámica era más respetada en la transgresión, y al lado de cada nombre figuraba la bebida que prefería cada invitado; era una lección que Evan había aprendido del irascible Emmanuel Weingrass. *Un lubricante industrial, hijo. Si recuerdas el nombre de la esposa de un hombre, se siente complacido. Pero si recuerdas la marca del whisky que bebe, ya es otra cosa. ¡Le muestras que te interesas por él!*

Los suaves golpes en la puerta quebraron el silencio de la habitación como tantos otros estallidos de rayos. Kendrick hizo varias inspiraciones profundas, cruzó el cuarto e hizo pasar al primer visitante.

–¿Eres *tú*, Evan? Por Dios, no te habrás *convertido*, ¿verdad?

–Entra, Mustafá. Me alegro de volver a verte.

–¿Pero yo te veo *a ti*? –preguntó el hombre llamado Mustafá, quien iba vestido con un traje pardo oscuro–. ¡Y tu piel! Estás tan moreno como yo, si no más.

–Quiero que lo entiendas todo. –Kendrick cerró la puerta, e hizo un gesto a su amigo del pasado para que eligiese un lugar donde sentarse.– Tengo tu marca de escocés. ¿Quieres un trago?

–Oh, ese Manny Weingrass nunca está muy lejos, ¿no? –dijo Mustafá, y fue hacia el largo sofá de brocado y se sentó–. El viejo ladrón.

–Eh, vamos, Musty –protestó Evan, riendo y yendo al bar de la habitación–. Nunca te engaño con el cambio.

–No, es cierto. Ni él, ni tú, ni tus otros socios nos engañaron nunca... ¿Cómo te las arreglaste sin ellos, amigo? Muchos de nosotros hablamos de eso todavía hoy, después de estos cuatro años.

–A veces no resultó fácil –dijo Kendrick con sinceridad, mientras servía la bebida–. Pero uno lo acepta. Se las arregla. –Llevó su escocés a Mustafá y se sentó en una de las tres sillas de frente al sofá.– Lo mejor, Musty. –Levantó su vaso.

–No, viejo amigo, es el peor de los tiempos... como escribió el inglés Dickens.

–Esperemos a que lleguen los otros.

–No vendrán. –Mustafá bebió su escocés.

–*¿Cómo?*

–Hemos hablado. Como se dice en tantas conferencias de negocios, soy el representante de ciertos intereses. Además, como el único ministro del gabinete del sultán, se consideró que podía transmitir el consenso del gobierno.

–¿Acerca de qué? Te estás adelantando demasiado.

–Tú te adelantaste a nosotros, Evan, por el solo hecho de venir aquí y llamarnos. A uno de nosotros, tal vez a dos; inclusive, en un extremo, quizá a tres... pero a *siete*. No, eso fue arriesgado de tu parte, viejo amigo, y peligroso para todos.

–¿Por qué?

–¿Pensaste siquiera por un minuto –continuó el árabe, haciendo caso omiso– que tres hombres destacados, reconocibles, y no hablemos de *siete*, podían llegar a un hotel, con pocos minutos de diferencia, para reunirse con un extranjero, sin que la gerencia se enterase? *Ridículo*.

Evan estudió a Mustafá antes de hablar, la mirada del uno clavada en la del otro.

–¿Qué ocurre, Musty? ¿Qué tratas de decirme? Esta no es la embajada, y ese obsceno embrollo de allí nada tiene que ver con hombres de negocios o con el gobierno de Omán.

–No, es evidente que no –admitió el árabe con firmeza–. Pero lo que trato de decirte es que las cosas han cambiado aquí... en formas que muchos de nosotros no entendemos.

–Eso también resulta evidente –interrumpió Kendrick–. No son terroristas.

–No, no lo somos, ¿pero querrías saber lo que dice la gente... gente *responsable*?

–Adelante.

–"Ya pasará", dicen. "No hay que intervenir; eso sólo lograría irritarlos aún más."

–¿No *intervenir*? –repitió Evan con incredulidad.

–Y "dejen que lo arreglen los políticos".

–¡Los políticos *no pueden* arreglarlo!

–Oh, hay más, Evan. "Existe cierta base para la furia de ellos", dicen. "No para las matanzas, por supuesto, pero dentro del contexto de ciertos hechos", etcétera. Yo también lo he escuchado.

–¿Contexto de ciertos hechos? *¿Qué* hechos?

–La historia actual, viejo amigo. "Estás reaccionando ante una política muy despareja, por parte de Estados Unidos, hacia el Medio Oriente." Esa es la frase corriente, Evan. "Los israelíes lo obtienen todo, y ellos nada –dice la gente–. Se los expulsa de sus tierras y de sus hogares, y se los obliga a vivir apiñados, sucios, en campamentos de refugiados, mientras en la Orilla Occidental, los judíos escupen sobre ellos." Esas son las cosas que escucho.

–¡Esas son *tonterías*! –estalló Kendrick–. ¡Fuera del hecho de que existe otra cara, igualmente dolorosa, de esa fanática medalla, nada tiene que ver con esos doscientos treinta y seis rehenes, o con los once que ya han sido asesinados! Ellos no *hacen la política*, despareja o no. Son seres humanos inocentes, brutalizados y aterrorizados, ¡y empujados al agotamiento por unos malditos *animales*! ¿Cómo demonios es posible que gente *responsable* diga semejantes cosas? No es el gabinete del presidente lo que está allí, ni los halcones del Knesset. Son empleados públicos y turistas y familias de trabajadores de la construcción. Repito: *¡Tonterías!*

El hombre llamado Mustafá continuaba sentado, rígido, en el sofá, con los ojos todavía clavados en Evan.

–Yo lo sé y tú lo sabes –dijo en voz baja–. Y *ellos* lo saben, amigo mío.

–¿Y *por qué*, entonces?

–La verdad, pues –continuó el árabe, con voz no más alta que antes–. Dos incidentes que forjaron un tremendo consenso, si puedo usar la palabra en forma un tanto distinta que antes... El motivo de que se digan esas cosas es que a ninguno de nosotros nos agrada crear blancos con nuestra propia carne.

–¿Blancos? ¿La carne... de ustedes?

–Dos hombres, a uno de los cuales llamaré Mahmoud, y al otro Abdul... no son sus nombres verdaderos, por supuesto, pero es mejor que no los conozcas. La hija de Mahmoud... violada, la cara tajeada. El hijo de Abdul, degollado en una calleja, debajo de la oficina de su padre, en los muelles. "¡Criminales, violadores, asesinos!", dicen las autoridades. Pero todos nosotros conocemos la verdad. Abdul y Mahmoud fueron quienes trataron de reunir a la oposición. "*¡Armas!* –gritaban–. Ataquemos nosotros mismos la embajada –insistían–. ¡No dejemos que Mascate se convierta en otro Teherán!"... Pero no fueron ellos quienes sufrieron. Padecieron sus posesiones más preciadas, las más cercanas a ellos... Esas son las advertencias, Evan. Perdóname, pero si tuvieras una esposa e hijos, ¿los someterías a semejantes riesgos? Creo que no. Las joyas más preciosas no están hechas de piedra, sino de carne. Nuestras familias. Un verdadero héroe supera su miedo y arriesga su vida por aquello en lo cual cree, pero retrocede cuando el precio es la vida de sus seres queridos. ¿No es así, viejo amigo?

–Por *Dios* –susurró Evan–. Ustedes no quieren ayudar... no *pueden*.

–Pero hay alguien que te verá y escuchará lo que tengas que decir. Pero el encuentro tiene que llevarse a cabo con extrema cautela, a kilómetros de distancia, en el desierto, antes de las montañas de Jabal Sham.

–¿Quién es?

–El sultán.

Kendrick guardó silencio. Miró su vaso. Al cabo de un momento prolongado, levantó la vista hacia Mustafá.

–No debo tener vinculaciones oficiales –dijo–, y el sultán es muy oficial. No hablo en nombre de mi gobierno, eso debe quedar en claro.

–¿Quieres decir que no te interesa encontrarte con él?

–Al contrario, me interesa mucho. Sólo quiero aclarar mi posición. No tengo nada que ver con la comunidad de inteligencia, el Departamento de Estado o la Casa Blanca... Dios sabe que no con la Casa Blanca.

–Creo que eso está muy claro; tus ropas y el color de tu piel lo confirman. Y el sultán no quiere vinculación alguna contigo, tan enérgicamente como no quiere tenerla Washington.

–Estoy herrumbrado –dijo Evan, mientras bebía–. El viejo murió un año, más o menos, después que yo me fui, ¿verdad? Me temo que yo no me mantuve al tanto de las cosas que sucedían aquí... una aversión natural, pienso.

–Muy comprensible. Nuestro sultán actual es el hijo de aquél, está más cerca de tu edad que de la mía, y aun es más joven que tú. Después de estudiar en Inglaterra, completó sus estudios en tu país. Dartmouth y Harvard, para ser exactos.

–Se llama Ahmat –interrumpió Kendrick, recordando–. Me encontré con él un par de veces. –Frunció el entrecejo.– Economía y relaciones internacionales –agregó.

–¿Qué?

–Esos eran los títulos que buscaba. Graduado y posgraduado.

–Es educado e inteligente, pero es joven. Muy joven para las tareas que tiene ante sí.

–¿Cuándo puedo verlo?

–Esta noche. Antes que otros se enteren de tu presencia aquí. –Mustafá miró su reloj.– Dentro de treinta minutos, sal del hotel y camina cuatro calles hacia el norte. En la esquina habrá un vehículo militar. Métete en él y te llevará a las arenas de Jabal Sham.

El delgado árabe de sucio aba se hundió en las sombras del frente de la tienda de luces apagadas, en la acera opuesta al hotel. Guardó silencio al lado de la mujer llamada Khalehla, ahora vestida de traje sastre negro, del tipo preferido por las ejecutivas, y poco destacado bajo la luz tenue. Colocaba con torpeza una lente en su pequeña cámara. De pronto, dos secos *bips* agudos llenaron la fachada de la tienda.

–Date prisa –dijo el árabe–. Ya sale. Ha llegado al vestíbulo.

–Tan pronto como me sea posible –respondió la mujer, maldiciendo entre dientes mientras manipulaba la lente–. Pido muy poco a mis superiores, pero equipos decentes, que *funcionen*, son una de las cosas que pido... *Bien*. Ya está.

–¡Ahí viene!

Khalehla levantó la cámara de lente telescópica infrarroja para fotos nocturnas. Tomó rápidamente tres fotos de Evan Kendrick, ataviado con su túnica.

–Me pregunto cuánto tiempo lo dejarán vivir –dijo–. Tengo que llegar a un teléfono.

ULTRAMAXIMO SEGURO
NO HAY INTERCEPTACIONES
ADELANTE

El diario continuaba.

Los informes que llegan de Mascate son asombrosos. El hombre se ha convertido en un omaní, con vestimenta árabe, piel oscurecida y todo. Se mueve por la ciudad como un nativo, y en apariencia se comunica con antiguos amigos y contactos de su vida anterior. Pero los informes también son escuetos, ya que quienes siguen al hombre lo hacen pasar todo por Langley, y todavía no he podido invadir los códigos de acceso de la CIA desde las naciones del Golfo. ¿Quién sabe qué oculta Langley? ¡He ordenado a mis dispositivos que trabajen con más intensidad! Por supuesto, el Departamento de Estado es una tontería. ¿Y por qué no?

4

El vasto desierto árido parecía interminable en la noche, y la esporádica luz de la luna dibujaba a la distancia el contorno de las montañas de Jabal Sham... una frontera inalcanzable, amenazadora, que se erguía en el horizonte oscuro. Por todas partes, la superficie llana parecía una mezcla seca de tierra y arena, la llanura sin vientos, carente de esas hinchadas, móviles colinas de las dunas azotadas por el viento que uno percibe cuando imagina el gran Sahara. El duro camino serpenteante de abajo era apenas transitable; el pardo sedán militar se zarandeaba y patinaba en las curvas arenosas, rumbo al terreno del regio encuentro. Tal como se le había dicho, Kendrick se encontraba sentado al lado del conductor armado, uniformado; en la parte de atrás había un segundo hombre, un oficial, también armado. La seguridad comenzó cuando lo recogieron; un movimiento erróneo, involuntario, de parte de Evan, y fue flanqueado. Fuera de los saludos corteses, ninguno de los dos soldados habló.

–Esta es región desértica –dijo Kendrick en arábigo–. ¿Por qué tantos virajes?

–Hay muchos caminos que sirven de ramales, señor –respondió el oficial del asiento trasero–. En estas arenas, una senda recta los señalaría con demasiada claridad.

Seguridad regia, pensó Evan, sin comentarios.

–Tomaron un "ramal" luego de veinticinco minutos de viajar a toda velocidad hacia el oeste. Varios kilómetros más allá, una hoguera de campamento ardía en la noche. Cuando se acercaron, Kendrick vio un pelotón de guardias uniformados que rodeaban el fuego, mirando hacia afuera, cubriendo todos los puntos de la circunferencia; las siluetas oscuras de dos camiones militares se erguían a la distancia. El coche se detuvo; el oficial bajó de un brinco y abrió la portezuela al norteamericano.

–Usted primero, señor –dijo en inglés.

–Por supuesto –respondió Evan, tratando de distinguir al joven sultán a la luz de la hoguera. No había señales de él, ni de nadie que no llevase uniforme. Evan trató de recordar la cara del joven hombre a quien había conocido más de cuatro años atrás, el estudiante que regresaba a su casa de Omán durante las Navidades o en las vacaciones de primavera, no tenía muy presente la circunstancia... Y recordó que el hijo del sultán era un joven afable, tan inteligente como entusiasta y conocedor de los deportes norteamericanos. Pero eso era todo: no recordaba facciones, sólo el nombre, Ahmat, que Mustafá había confirmado. Delante de él, tres soldados le abrieron paso; atravesaron el círculo protector.

–¿Me permite, señor? –dijo un segundo oficial, enfrentando de pronto a Kendrick.

–¿Que le permita qué?

–En estas circunstancias es habitual registrar a todos los visitantes.

–Adelante.

El soldado palpó con rapidez y eficiencia las ropas del aba, y levantó la manga derecha por encima de la parte en la cual Evan había extendido el gel oscurecedor. Al ver la carne blanca, el oficial mantuvo la tela levantada y miró a Kendrick.

–¿Lleva documentos consigo, *ya Shaikh*?

–Ninguno. Ninguna identificación.

–Entiendo. –El soldado dejó caer la manga.– Tampoco tiene armas.

–Es claro que no.

–Eso lo dice usted, y nosotros lo confirmamos, señor. –El oficial desprendió de su cinturón un delgado dispositivo negro, no mayor que una cajetilla de cigarrillos. Oprimió lo que parecía ser un botón rojo o anaranjado.– Espere aquí, por favor.

–No iré a ninguna parte –dijo Evan, y miró a los soldados, con los rifles preparados.

–No, en efecto, *ya Shaikh* –convino el soldado, y regresó al lugar de la hoguera.

Kendrick miró al oficial que hablaba en inglés, y que lo había acompañado en el asiento trasero, desde Mascate.

–No corren riesgos, ¿verdad? –dijo con vaguedad.

–La voluntad del todopoderoso Alá, señor –repuso el soldado–. El sultán es nuestra luz, nuestro sol. Usted es un *Aurobbi*, un hombre blanco. ¿No protegería a su linaje ante los cielos?

–Si pensara que eso garantizaría mi ingreso, por cierto que lo haría.

–Es un buen hombre, *ya Shaikh*. Joven, quizá, pero sabio en muchos sentidos. Hemos llegado a conocer eso.

–¿Entonces vendrá?

–Ya está aquí, señor.

El rugido de tono bajo de una poderosa limusina quebró la crepitante intrusión de la hoguera. El vehículo, de ventanillas oscuras, viró delante del anillo de guardias y se detuvo de golpe. Antes que el conductor pudiera apearse, se abrió la portezuela trasera y salió el sultán. Iba con la vestimenta de su regio cargo, pero con la portezuela todavía abierta comenzó a quitársela, arrojó su aba dentro del coche, dejándose la redecilla ghotra en la cabeza. Atravesó el círculo de su Guardia Real; era un hombre delgado, musculoso, de estatura mediana y hombros anchos. Aparte de su ghotra, sus ropas eran occidentales. Sus pantalones eran de gabardina de color tostado, y en el pecho llevaba una camiseta con una figura de tira cómica que lucía un tricornio revolucionario norteamericano, brotado de una pelota norteamericana. Abajo, la leyenda decía: *Patriotas de Nueva Inglaterra*.

–Ha pasado mucho tiempo, Evan Kendrick, *ya Shaikh* –dijo el joven, con acento levemente británico, y le tendió la mano–. Me gusta tu ropa, pero no es exactamente de Brooks Brothers, ¿verdad?

–Tampoco lo es la tuya. –Se estrecharon la mano. Kendrick pudo sentir la fuerza del sultán.– Gracias por recibirme, Ahmat... Perdón... debería decir Su Alteza Real. Mis disculpas.

–Me conociste como Ahmat, y yo como *Shaikh, señor*. ¿Debo seguir llamándote "señor"?

–Creo que eso sería inconveniente.

–Bien. Nos entendemos.

–Pareces haber cambiado de como te recuerdo –dijo Evan.

–Me vi obligado a crecer con rapidez... y no por mi gusto. De estudiante a maestro, y me temo que sin la capacidad para ello.

–Se te respeta, he oído decir.

–Es por el cargo, no por el hombre. Debo aprender a llenar el cargo. Ven, hablemos... lejos de aquí. –El sultán, Ahmat, tomó el brazo de Kendrick y comenzó a cruzar su círculo de guardias, sólo para ser detenido por el oficial que había registrado a Evan.

–¡Alteza! –exclamó el soldado–. ¡Tu seguridad es nuestra vida! Por favor, quédate dentro del cordón.

–¿Para ser un blanco a la claridad del fuego?

–Te *rodeamos*, señor, y los hombres recorrerán continuamente el círculo. El terreno es llano.

–Por el contrario, apunten sus armas más allá de las sombras, *ya sahbee* –dijo Ahmat, llamando su amigo al soldado–. Estaremos a muy pocos metros de distancia.

–Con dolor en nuestros corazones, Alteza.

–Ya pasará. –Ahmat condujo a Kendrick a través del cordón.– Mis compatriotas se dejan llevar a menudo hacia el drama trivial.

–No es tan trivial, si están dispuestos a formar un círculo móvil y recibir una bala destinada a ti.

–No es nada especial, Evan, y con franqueza, no conozco a todos los hombres de estos cuerpos. Lo que *podríamos* tener que decirnos podría ser sólo para nuestros oídos.

–No sabía... –Kendrick miró al joven sultán de Omán, mientras se internaban en la oscuridad.– ¿Tus propios *guardias*?

–Cualquier cosa es posible durante esta locura. Puedes observar los ojos de un soldado profesional, pero no podrás ver los resentimientos o las tentaciones que hay detrás de ellos. Bueno, ya estamos bastante lejos. –Ambos hombres se detuvieron en la arena.

–La locura –dijo Evan con voz llana, a la vaga luz de la hoguera y de la luna intermitente–. Hablemos de eso.

–Por eso estás aquí, es claro.

–Por eso estoy aquí –contestó Kendrick.

–¿Qué demonios quieres que *haga*? –exclamó Ahmat en un susurro áspero–. Cualquier cosa que hiciéramos, y otro rehén podría resultar fusilado, ¡y entonces se arroja por una ventana otro cadáver acribillado por las balas! –El joven sultán meneó la cabeza.– Ahora bien, sé que mi padre y tú trabajaron muy bien juntos... tú y yo hablamos de algunos proyectos en un par de cenas, pero no espero que lo recuerdes.

–Recuerdo –interrumpió Kendrick–. Habías regresado de Harvard, de tu segundo año en la escuela de graduados, creo. Siempre te sentabas a la izquierda de tu padre, la posición de la herencia.

–Muchísimas gracias. Habría podido tener un magnífico puesto en E. F. Hutton.

–Tienes un magnífico puesto aquí.

–Lo *sé* –dijo Ahmat, y su voz susurrada volvió a elevarse–. Y por eso debo asegurarme de que lo hago bien. Por cierto que puedo llamar al ejército de la frontera yemenita, y tomar la embajada haciéndola volar... y al *hacerlo* garantizaría la muerte de doscientos treinta y seis norteamericanos. Ya veo los titulares de ustedes: "Sultán árabe mata", etcétera, etcétera. *Arabe*. ¡En Jerusalén, el Knesset disfruta en grande! *Nada* de eso, amigo. No soy un cowboy de gatillo fácil que pone en peligro vidas inocentes, y que en la confusión es tachado de antisemita por la prensa de ustedes. *¡Cristo!* Washington e Israel parecen haber olvidado que *todos* somos semitas, y que *no* todos los árabes son palestinos y *no* todos los palestinos son terroristas. ¡Y no daré a esos pontificadores y arrogantes canallas israelíes otro motivo para que envíen sus F-14 *norteamericanos* a matar *más* árabes tan inocentes como tus rehenes! ¿Me entiendes con claridad, Evan *Shaikh*?

–Te entiendo –dijo Kendrick–. Y ahora, ¿quieres serenarte y escucharme?

El joven sultán agitado exhaló en forma audible, y asintió.

–Por supuesto que te escucharé, pero escuchar no significa aceptar nada.

–Muy bien. –Evan hizo una pausa; su mirada era intensa; quería ser entendido a pesar de la extraña, oscura información que estaba a punto de comunicar.– ¿Has oído hablar del Mahdí?

–Kartum, la década de 1880.

–No. Bahrein, la de 1980.

–*¿Qué?*

Kendrick repitió lo que había relatado a Frank Swann en el Departamento de Estado. La historia de un financiero desconocido, obsesionado, que se daba el nombre de Mahdí, y cuyo objetivo era expulsar a los occidentales del Medio Oriente y del sudoeste de Asia, conservando en manos árabes la inmensa riqueza de la expansión industrial... especialmente en *sus propias* manos. De cómo ese mismo hombre que había difundido su evangelio de la pureza islámica entre la periferia de fanáticos, había formado una red, un silencioso cártel de veintenas, tal vez centenares, de compañías y corporaciones ocultas, todas unidas bajo la sombrilla de su propia organización anónima. Evan describió luego cómo su anciano arquitecto israelí, Emmanuel Weingrass, había percibido los contornos de esa extraordinaria conspiración económica, al principio por las amenazas dirigidas contra el grupo Kendrick –amenazas que contrarrestó con sus propias advertencias escandalosas de represalias–, y cómo, cuanto más llegaba a saber Manny, más se convencía de que la conspiración era real y crecía, y que era preciso denunciarla.

–Cuando miro hacia atrás, no me enorgullezco de lo que hice –continuó Evan, a la tenue luz de la hoguera y de la fugaz luna del desierto–. Pero lo racionalicé a causa de lo que había ocurrido. Tenía que irme de esta parte del mundo, y entonces me aparté del asunto, me aparté de la pelea que Manny decía que debíamos encarar. Le dije que su imaginación estaba desbocada, que daba crédito a delincuentes irresponsables... y a menudo ebrios. Recuerdo con tanta claridad lo que me respondió: "¿Mi imaginación más enloquecida –dijo–, o, en términos menos concebibles, la de *ellos*, podría inventar un *Mahdí*? ¡Nos lo hicieron esos asesinos... lo hizo *él*! Manny tenía razón entonces, y la tiene ahora. La embajada es invadida, lunáticos homicidas matan a personas inocentes, y se pronuncia la frase definitiva. "Apártate, Muchacho Occidental. Si vienes aquí, serás otro cadáver arrojado por la ventana." ¿No lo *entiendes*, Ahmat? *Hay* un Mahdí, y está ahuyentando a todos los demás en forma sistemática, por medio del terror puro, manipulador.

–Veo que estás convencido –respondió el joven sultán, escéptico.

–También lo están otros aquí, en Mascate. Sólo que no entienden. No logran encontrar una pauta, o una explicación, pero están tan asustados, que se han negado a reunirse conmigo. *Conmigo*, un amigo de hace muchos años, un hombre con quien trabajaron y en quien confiaban.

–El terror engendra ansiedad. ¿Qué esperabas? Y además hay otra cosa. Eres un norteamericano disfrazado de árabe. En sí mismo, eso tiene que atemorizarlos.

–No sabían qué llevaba puesto o cuál era mi aspecto. Era una voz en el teléfono.

–Una voz *norteamericana*. Más aterrador aún.

–¿Un chico occidental?

–Aquí hay muchos occidentales. Pero como es comprensible, el gobierno norteamericano quiere que se vayan, y prohibió el ingreso de todos los vuelos comerciales norteamericanos. Tus amigos se preguntan cómo pudiste llegar. Con los lunáticos recorriendo las calles, tampoco ellos, y una vez más es comprensible, quieren enredarse en la crisis de la embajada.

–No quieren. Porque han muerto niños... los hijos de los hombres que *querían* involucrarse.

Ahmat permaneció rígido en su lugar, desconcertados los ojos oscuros, otra vez furioso.

–Ha habido un delito, sí, y la policía hace lo que puede, pero yo no sabía nada de eso... de niños asesinados.

–Pero es verdad. Una hija fue violada, desfigurado su rostro, y un hijo fue asesinado, degollado.

–¡*Maldito* seas si mientes! ¡Puede que sea impotente en lo que se refiere a la embajada, pero no *afuera* de ella! ¿Quiénes eran? ¡Dame *nombres*!

–No me dieron ninguno verdadero. No podían decírmelos.

–Pero Mustafá tiene que haber sido el que habló. No había otro.

–Sí.

–Me lo dirá *a mí*, ¡puedes apostar lo que quieras!

–Entonces te das cuenta ahora, *¿verdad?* –Kendrick estaba al borde de la súplica.– Quiero decir, percibes la pauta. Existe, Ahmat. Se *está* formando una red clandestina. Ese Mahdí y su gente usan a los terroristas para expulsar a toda la competencia actual y potencial. Quieren el dominio total; quieren que todo el dinero vaya a parar a manos de *ellos*.

El joven sultán demoró su respuesta; luego sacudió la cabeza.

–Lo siento, Evan, no puedo aceptar eso, porque no se atreverían a intentarlo.

–¿Por qué no?

–Porque las computadoras encontrarían una pauta de pagos a un núcleo central de la red, por eso. ¿Cómo te parece que fueron atrapados Cornfield y Vesco? En alguna parte tiene que haber un enlace, una convergencia.

–Me has dejado atrás.

–Porque estás atrasado en materia de análisis de computación –replicó Ahmat–. Podrías tener cien mil dispersiones para veinte mil proyectos distintos, y en tanto que antes llevaría meses, y aun años, encontrar los vínculos ocultos entre, digamos, quinientas corporaciones, ficticias o no, ahora esos discos pueden hacerlo en un par de horas.

–Muy esclarecedor –dijo Kendrick–, pero te olvidas de algo.

–¿Qué?

–El descubrimiento de esos vínculos se produciría después del hecho, después de elaboradas esas "dispersiones". Para entonces la red ya está instalada, y el zorro tiene una cantidad enorme de gallinas. Si me perdonas un par de metáforas mezcladas, no mucha gente se mostrará interesada en tender trampas o en soltar a los sabuesos, dadas las circunstancias. ¿A quién podría importarle? Los trenes corren a horario, y nadie los hace volar. Por supuesto, también hay ahora otra clase de gobierno, que posee sus propias reglas, y si a ti y a tus ministros no les gusta eso, es posible que resulten remplazados. Pero una vez más, ¿a quién le importa? El sol sale todas las mañanas, y la gente tiene un trabajo que atender.

–Haces que parezca casi atrayente.

–Oh, siempre lo es al principio. Mussolini hizo correr a horario esos malditos trenes, y no cabe duda de que el Tercer Reich revitalizó la industria.

–Entiendo tu argumento, sólo que dices que aquí ocurre lo contrario.

Un monopolio industrial podría llenar un vacío y apoderarse de mi gobierno porque equivale a estabilidad y crecimiento.

–Dos puntos para el sultán –admitió Evan–. Recibe otra joya para su harén.

–Díselo a mi esposa. Es una presbiteriana de New Bedford, Massachusetts.

–¿Cómo pudiste lograrlo?

–Mi padre murió, y ella tiene un gran sentido del humor.

–Una vez más, no te sigo.

–Dejémoslo para otra vez. Supongamos que estás en lo cierto, y que éste es un crucero de prueba para ver si sus tácticas se adaptan. Washington quiere que sigamos hablando, mientras ustedes llegan con un plan que, evidentemente, combina cierto tipo de penetración seguida por una Fuerza Delta. Pero enfrentémoslo, Norteamérica y sus aliados esperan una brecha diplomática, porque cualquier estrategia que dependa de la fuerza podría resultar desastrosa. Han llamado a todos los dirigentes chiflados del Medio Oriente, y exceptuado el nombramiento de Arafat como alcalde de la ciudad de Nueva York, están dispuestos a tratar con cualquiera, sin perjuicio de todas las declaraciones de alto vuelo. ¿Cuál es *tu* idea?

–La misma que, según dices, podrían concretar tus computadoras dentro de un par de años, cuando fuese demasiado tarde. Buscar la fuente de lo que se envía a la embajada. No alimentos ni medicinas, sino municiones y armas... y en algún lugar, entre esas cosas, las instrucciones que alguien hace llegar adentro. En otras palabras, encontrar al manipulador que se hace llamar Mahdí, y extirparlo.

El sultán miró a Evan bajo la luz parpadeante.

–Tienes conocimiento de que buena parte de la prensa de Occidente ha especulado que yo, yo mismo, podría estar detrás de eso. Que de algún modo me molesta la influencia occidental que se extiende por el país. "Si no es así –dicen–, ¿por qué no hace algo?"

–Tengo conocimiento de eso, pero lo mismo que el Departamento de Estado, pienso que es una tontería. Nadie que tenga un poco de cerebro dará crédito a esas especulaciones.

–Tu Departamento de Estado –dijo Ahmat, pensativo, con la mirada todavía clavada en Kendrick–. Sabes, vinieron a verme en 1979, cuando estalló lo de Teherán. Entonces yo era un estudiante, y no sé qué esperaban encontrar esos dos tipos, pero no importa lo que fuere, no me buscaban a mí. Probablemente a algún beduino de largo aba flotante, sentado con las piernas cruzadas y fumando una pipa de hashish. Tal vez si me hubiera disfrazado para el papel, me habrían tomado más en serio.

–Me perdí otra vez.

–Oh, perdón. Sabes, en cuanto se dieron cuenta de que ni mi padre ni la familia podían hacer nada, que no teníamos verdaderas relaciones con los movimientos fundamentalistas, se exasperaron. Uno de ellos casi me suplicó, me dijo que parecía ser un *árabe* razonable –con lo cual quería decir que mi inglés era fluido, aunque un tanto perjudicado por mi temprana educación británica–, y qué haría *yo* si manejara las cosas en Washington. Lo que querían decir era qué consejos ofrecería, si se me pidieran consejos... ¡*Maldición*, yo tenía *razón*!

–¿Qué les dijiste?

–Lo recuerdo con exactitud. Les dije... "Lo que habrían debido hacer al comienzo. Ahora podría ser demasiado tarde, pero es posible que lo logren." Les dije que reuniesen la fuerza de insurgencia más eficiente que pudieran organizar, y que la enviaran, *no* a Teherán, sino a *Qum*, el cuartel central de Khomeini en el norte. Primero había que enviar a ex agentes de SAVAK; esos canallas encontrarían la forma de hacerlo, si se les garantizaba potencia de fuego y compensación. "Atrapen a Khomeini en Qum –les dije–. Capturen a los mullahs analfabetos que lo rodean, y sáquenlos a todos con vida, y luego exhíbanlos en la televisión mundial." El sería la última ficha de negociación, y todos esos fanáticos hirsutos que son su Corte servirían para indicar cuán ridículos son *todos*. Se habría podido llegar a un acuerdo.

Evan estudió al joven furibundo.

–Tal vez habría dado resultado –dijo con suavidad–, ¿pero y si Khomeini hubiese decidido resistir como un mártir?

–No lo habría hecho, créeme. Habría arreglado; se habría llegado a una transacción, ofrecida por otros, es claro, pero determinada por él. No tiene deseos de ir con tanta rapidez al cielo que tanto alaba, ni optar por el martirologio que usa para enviar a chicos de doce años a los campos minados.

–¿Por qué estás tan seguro? –preguntó Kendrick, inseguro a su vez.

–Conocí a ese estúpido en París, no quiero justificar a Pahlevi, ni a su SAVAK, ni a sus parientes ladrones, no podría hacer eso, pero Khomeini es un fanático senil que quiere creer en su propia inmortalidad, y que hará cualquier cosa para asegurarla. Le oí decir a un grupo de imbéciles aduladores que en lugar de dos o tres tenía veinte, tal vez treinta y aun cuarenta hijos. "He difundido mi simiente, y continuaré difundiéndola –afirmó–. Es voluntad de Alá que mi simiente llegue a todas partes." *¡Tonterías!* Es un anciano babeante, sucio, y un caso clásico para un sanatorio de locos. ¿Te lo imaginas? ¿Poblar este mundo enfermo con pequeños ayatollahs? Le dije a tu gente que una vez que lo tuvieran lo filmaran en videotape, con la guardia baja, sermoneando a sus sumos sacerdotes campesinos... eso del espejo polarizado, algo por el estilo. Su sagrada persona se habría derrumbado en una oleada global de carcajadas.

–Estás trazando una especie de paralelo entre Khomeini y ese Mahdí que te describí, ¿verdad?

–No sé, creo que sí, si tu Mahdí existe, cosa que dudo. Pero si estás en lo cierto y existe, viene del polo opuesto, un polo muy práctico, nada religioso. Aun así, quien sienta que debe difundir el espectro del Mahdí en estos tiempos, tiene sueltos unos cuantos tornillos muy peligrosos... Todavía no estoy convencido, Evan, pero eres persuasivo, y haré todo lo que pueda para ayudarte, para ayudarnos a nosotros. Pero tiene que ser a distancia, y desde una distancia imposible de rastrear. Te daré un número telefónico para que llames; está enterrado –en los hechos, inexistente–, y sólo lo tienen otras dos personas. Podrás comunicarte conmigo, pero *nada más* que conmigo. Sabes, *Shaikh* Kendrick, no puedo darme el lujo de conocerte.

–Soy muy popular. Washington tampoco quiere conocerme.

–Es claro que no. Ninguno de nosotros quiere tener en sus manos la sangre de rehenes norteamericanos.

–Necesitaré documentos para mí, y tal vez listas de fletadores aéreos y marítimos para regiones que indicaré.

–Hablado, nada escrito, salvo en lo que se refiere a los documentos. Se te hará llegar un nombre y una dirección; recoge los papeles de ese hombre.

–Gracias. De pasada, el Departamento de Estado dijo lo mismo. Nada que me dijeran podía ser anotado.

–Por las mismas razones.

–No te preocupes por eso. Todo coincide con lo que tengo pensado. Sabes, Ahmat, tampoco quiero conocerte a ti.

–¿De veras?

–Ese es el trato que hice con el Departamento de Estado. No figuro en sus libros, y tampoco quiero aparecer en los tuyos.

El joven sultán frunció el entrecejo, pensativo, su vista clavada en los ojos de Evan.

–Acepto lo que dices, pero no puedo fingir que lo entienda. Puedes perder la vida, esa es una cosa, pero si tienes alguna proporción de éxito, esa es otra muy distinta. ¿Por qué? Me dicen que ahora eres un político. Un miembro del Parlamento.

–Porque estoy apartándome de la política y quiero regresar aquí, Ahmat. Recojo los restos y vuelvo a trabajar donde mejor trabajé, pero no quiero llevar excesos de equipaje que puedan convertirme en un blanco. O que lo sea cualquiera que vaya conmigo.

–Muy bien, acepto eso, agradecido en ambos aspectos. Mi padre afirmaba que tú y tu gente eran los mejores. Recuerdo que una vez me dijo: "Esos camellos retardados nunca se exceden en los costos". Lo decía con bondad, por supuesto.

–Y por supuesto, por lo general se nos encargaba el proyecto siguiente, de modo que no éramos tan retardados, ¿verdad? Nuestra idea consistía en trabajar con márgenes razonables, y éramos muy competentes para controlar los costos... *Ahmat*, nos quedan apenas cuatro días antes que vuelvan a iniciarse las ejecuciones. Tenía que saber que si necesitaba ayuda podía recurrir a ti, y ahora lo sé. Acepto tus condiciones y tú aceptas las mías. Y ahora, por favor, no tengo una hora que perder. ¿Cuál es el número en el cual puedo comunicarme contigo?

–No se lo puede escribir.

–Entendido.

El sultán dio el número a Kendrick. En lugar del habitual prefijo de Mascate, 745, era 555, seguido por tres ceros y otros cinco.

–¿Puedes recordarlo?

–No es difícil –repuso Kendrick–. ¿Pasa por algún tablero del palacio?

–No. Es una línea directa con dos teléfonos, ambos guardados bajo llave en gavetas de acero, uno en mi oficina, el otro en el dormitorio; en la oficina, la luz está empotrada en la pata trasera de la derecha de mi escritorio, y en el dormitorio en la mesita de luz. Ambos aparatos se convierten en contestadores automáticos después del décimo timbrazo.

–¿El décimo?

–A fin de darme tiempo para librarme de la gente y hablar en privado. Cuando viajo fuera de palacio llevo un dispositivo que me indica cuándo se ha llamado a ese teléfono. En los momentos adecuados, uso el remoto y escucho el mensaje... con un mezclador, por supuesto.

–Mencionaste que sólo otras dos personas tenían el número. ¿Debería saber quiénes son, o no es cosa mía?

–No tiene importancia –contestó Ahmat, con sus ojos de color castaño oscuro fijos en el norteamericano–. Uno es mi ministro de seguridad, y la otra mi esposa.

–Gracias por esa clase de confianza.

Con la mirada todavía rígida en Kendrick, el joven sultán continuó.

–Aquí, en nuestra parte del mundo, te ocurrió una cosa terrible, Evan. Tantos muertos, tantos amigos íntimos, una horrible tragedia insensata, más aún por la codicia que había detrás de ella. ¿Esta locura de Mascate ha desenterrado recuerdos tan dolorosos que te lleva a engañarte, a buscar teorías poco plausibles, aunque sólo sea para luchar contra fantasmas?

–No hay fantasmas, espero poder demostrártelo.

–Tal vez lo hagas... si quedas con vida.

–Te diré lo que le dije al Departamento de Estado. No tengo la intención de organizar un ataque de un solo hombre contra la embajada.

–Si hicieras algo como eso, serías considerado lo bastante lunático como para perdonarte la vida. Los lunáticos reconocen a los suyos.

–Ahora eres tú quien se muestra poco plausible.

–Sin duda alguna –admitió el sultán, con la mirada todavía fija en el parlamentario de Colorado–. ¿Alguna vez pensaste en lo que podría ocurrir, *no* si eras descubierto y apresado por los terroristas, no vivirías lo suficiente como para especular al respecto, sino si la misma gente con la cual dices que quieres encontrarte te encara y exige saber para qué has venido aquí? ¿Qué podrías decirles?

–En esencia, la verdad... lo más aproximada posible. Actúo por mi cuenta, como ciudadano común, sin vinculaciones con mi gobierno, cosa que puede confirmarse. Aquí he ganado mucho dinero, y ahora regreso. Si puedo ayudar de alguna manera, eso coincide con mis mejores intereses.

–De modo que la frase final es de beneficio personal. Quieres volver aquí, y si es posible detener esta matanza demencial, resultará infinitamente más ventajoso para ti. Además, si no se la detiene no tendrás negocio alguno al cual volver.

–Más o menos eso.

–Ten cuidado, Evan. Poca gente te creerá, y si el miedo del cual hablaste es tan general entre tus amigos como dices, puede que no sea el enemigo quien trate de matarte.

–Ya me han prevenido –dijo Kendrick.

–¿Cómo?
–Un hombre, en un camión, un *sahbee* que me ayudó.

Kendrick estaba tendido en la cama, con los ojos abiertos, los pensamientos arremolinados, pasando de una a otra posibilidad, de un nombre vagamente recordado a otro, una cara, otra cara, una oficina, una calle... en el puerto, los muelles. Volvía a los muelles, a los diques... de Mascate al sur, hacia Al Qurayyat y Ra's al Hadd. *¿Por qué?*

Y entonces su memoria recibió una sacudida, y supo por qué. ¿Cuántas veces habían hecho arreglos, Manny Weingrass y él, para hacer venir equipos en los espacios sobrantes de cargueros de Bahrein y los Emiratos del norte? Tantas, que resultaban incontables. Esa extensión de ciento cincuenta kilómetros de línea costera del sur de Mascate y su puerto gemelo de Matrah, era territorio abierto, y más aún después de Ra's al Hadd. Pero desde ahí hasta que se llegaba al breve estrecho de Masirah, los caminos eran peores que los más primitivos, y quienes viajaban al interior corrían el riesgo de ser atacados por *haramaya* a caballo... ladrones montados que buscaban su presa, casi siempre otros ladrones que transportaban contrabando. Aun así, teniendo en cuenta la cantidad y la profundidad de los esfuerzos de inteligencia combinados de seis naciones de Occidente, por lo menos, que se concentraban en Mascate, la costa meridional de Omán era un territorio lógico para examinarlo en forma intensiva. Ello no significaba que los norteamericanos, británicos, franceses, italianos, alemanes occidentales y otros, que colaboraban en el esfuerzo por analizar y resolver la crisis de los rehenes en Mascate, hubiesen pasado por alto ese tramo de la costa de Omán, pero la realidad era que en el Golfo había pocas lanchas patrulleras norteamericanas, esas penetrantes y veloces balas que surcaban las aguas. Los otros que estaban allí no se desentendían de sus obligaciones, pero tampoco poseían esa cierta furia que se apodera de los hombres en el calor de la búsqueda, cuando saben que los suyos están siendo asesinados. Inclusive podía haber cierto grado de desgana en lo referente a enfrentar a los terroristas, por temor a ser considerados responsables de nuevas ejecuciones de personas inocentes... no los suyos. La costa meridional de Omán debía ser estudiada un poco.

El ruido estalló con tanta aspereza como si la advertencia de una sirena hubiera rasgado el aire caliente y seco de la habitación del hotel. El teléfono chillaba; lo tomó.

–¿Sí?
–Sal del hotel –dijo la voz apagada, tensa.
–*¿Ahmat?* –Evan bajó las piernas al suelo.
–¡Sí! Estamos en un mezclador directo. Si estás interceptado, sólo me escucharán decir cosas sin sentido.
–Acabo de pronunciar tu nombre.
–Hay miles que llevan el mismo.
–¿Qué ocurrió?

–Mustafá. A causa de los niños de quienes hablaste, lo llamé y le ordené que viniese en el acto a palacio. Por desgracia, en mi cólera mencioné mis inquietudes. Debe de haber telefoneado a alguien, dicho algo a alguien.

–¿Por qué dices eso?

–Cuando venía para aquí le dispararon en su coche, y lo mataron.

–*¡Dios mío!*

–Si me equivoco, el único otro motivo que había para matarlo era su encuentro contigo.

–Cristo...

–Sal del hotel enseguida, pero no dejes identificación alguna detrás. Podría ser peligroso para ti. Verás a dos policías, te seguirán, te protegerán, y en algún lugar de la calle uno de ellos te dará el nombre del hombre que te proporcionará los documentos.

–Ya salgo –dijo Kendrick, y se puso de pie, concentrando los pensamientos en tomar cosas como su pasaporte, su cinturón-monedero, los pasajes aéreos y las ropas que pudieran ser vinculadas con un norteamericano en un avión de Riyadh.

–Evan *Shaikh*. –La voz de Ahmat llegó, baja y firme, por la línea.– Ahora estoy convencido. Tu Mahdí existe. Su gente existe. Ve tras ellos. Ve tras *él*.

5

–*¡Hasib!* –La advertencia llegó desde atrás, indicándole que *tuviera cuidado*. Giró sobre sí mismo, pero fue aplastado contra la pared de un edificio, en la atestada calle angosta, por uno de los dos policías que lo seguían. Con la cara contra la piedra, el ghotra protegiéndole las carnes, volvió la cabeza y vio a dos jóvenes barbudos, desgreñados, de ropa de fajina paramilitar, que corrían por la calle parecida a una feria, blandiendo pesadas y temibles armas de repetición, negras, derribando a puntapiés los puestos de los mercaderes y frotando sus pesadas botas en las superficies de las alfombras tejidas de los acuclillados vendedores callejeros.

–¡Mire, señor! –susurró el policía en inglés, con voz áspera, furiosa, pero de algún modo jubilosa–. ¡No nos *ven*!

–No entiendo. –Los arrogantes jóvenes terroristas se acercaban.

–¡Quédese contra la pared! –ordenó el árabe, empujando de vuelta a Kendrick hacia las sombras, cubriendo el cuerpo del norteamericano con el propio.

–Pero... –Los pillos armados pasaron, hundiendo, amenazadores, los caños de sus armas en las túnicas de las figuras que iban adelante.

–¡Silencio, señor! Están ebrios, con el alcohol prohibido o con la sangre que han derramado. Pero alabado sea Alá, están *afuera* de la embajada.

–¿Qué quieres decir?

–A los que llevamos uniforme no se nos permite acercarnos a la vista de la embajada, pero si *ellos salen*, la cosa cambia. Nuestras manos quedan libres.

–¿Qué ocurre? –Adelante, uno de los terroristas estrelló la culata de su arma en la cabeza de un omaní; su compañero apuntó con el rifle al gentío, amenazador.

–¡O se verán frente a la ira del Alá en quien escupen –replicó el policía, susurrando, los ojos llenos de ira ante la escena–, o tendrán que unirse a los otros sucios cerdos estúpidos! ¡Quédese aquí, *ya Shaikh*, señor. Quédese en esta pequeña feria. Volveré, tengo un nombre que darle.

–El *otro*... *¿Qué* otros sucios cerdos? –Las palabras de Evan se perdieron; el oficial de policía del sultán se apartó de la pared de un brinco, para unirse al otro, y se precipitaron por entre el mar de abas turbulentos, sombríos. Kendrick se cubrió el rostro con el ghotra y corrió tras ellos.

Lo que siguió fue tan desconcertante y veloz, para el ojo adiestrado, como el escalpelo de un cirujano que se hunde en un órgano en hemorragia. El segundo policía miró a su compañero. Asintieron, y ambos se lanzaron hacia adelante, acercándose a los dos jactanciosos terroristas. Adelante, a la derecha, estaba la intersección de una calleja, y como si una señal no escuchada hubiese recorrido la estrecha feria, las multitudes de vendedores y compradores se dispersaron en distintas direcciones. Casi en el acto la calleja quedó desierta, como un oscuro túnel vacío.

Los dos cuchillos de los policías se clavaron de pronto en el brazo derecho de los dos arrogantes asesinos. Gritos cubiertos por el creciente e intenso parloteo de la muchedumbre en movimiento siguieron el abandono involuntario de las armas, cuando la sangre brotó de la carne desgarrada y la arrogancia se convirtió en enfurecida debilidad, la muerte tal vez preferible a la deshonra, los ojos, incrédulos, saltando de las órbitas.

Los terroristas fueron llevados de prisa a la oscura calleja por los dos firmes policías de Ahmat; manos invisibles arrojaron tras ellos las enormes armas letales. Kendrick apartó los cuerpos que tenía delante y entró corriendo en el túnel desierto. Cinco metros dentro de éste, los jóvenes asesinos de ojos enloquecidos se encontraban tendidos de espaldas en el pavimento de piedra, con los cuchillos de los policías cerca de la garganta.

–*¡La!* –gritó el protector de Evan, diciéndole *¡No!*–. ¡Vete! –continuó en inglés, por temor de que Kendrick no entendiese–. ¡Esconde tu cara y no digas *nada*!

–*¡Debo preguntarte!* –exclamó Kendrick, y se volvió, pero desobedeció la segunda orden–. De todos modos, es probable que no hablen el inglés...

–Es probable que sí, *ya Shaikh*, señor –intervino el otro policía–. ¡Lo que tengas que decir, dilo *después*! Como portavoz, mis órdenes deben ser obedecidas sin vacilar. ¿Queda eso entendido, *señor*?

–Entendido. –Evan asintió en el acto, y volvió a la entrada arqueada de la feria.

–Volveré, *ya Shaikh* –dijo el protector de Kendrick, erguido sobre su prisionero–. Llevaremos a estos cerdos al otro extremo y regresaremos a buscarte...

Las palabras del hombre fueron interrumpidas por un violento grito ensordecedor de desafío. Sin pensarlo, Evan volvió la cabeza, y de pronto deseó no haberlo hecho, preguntándose enseguida si alguna vez se le borraría la imagen. El terrorista de la izquierda había aferrado el cuchillo de larga hoja del policía y tirado de él hacia abajo, cortando su propia garganta. El espectáculo revolvió el estómago de Kendrick; creyó que vomitaría.

–*¡Tonto!* –rugió el segundo policía, no tanto con cólera como con angustia–. ¡Niño! *¡Cerdo!* ¿Por qué te haces eso? ¿Por qué *a mí*? –La protesta era en vano; el terrorista estaba muerto y la sangre cubría su joven rostro barbudo. En cierto modo, pensó Evan, había presenciado un microcosmo de la violencia, el dolor y la inutilidad que era el mundo del Medio Oriente y el Asia del sudoeste.

–Todo ha cambiado –dijo el primer policía, con el cuchillo en alto, levantado sobre su boquiabierto prisionero incrédulo, y tocando el hombro de su camarada. Este sacudió la cabeza, como si tratara de librar sus ojos y su mente de la visión del cadáver juvenil, ensangrentado, que tenía debajo, y luego asintió con rapidez, diciendo a su compañero que entendía. El primero se acercó a Kendrick.– Ahora habrá una demora. Este incidente no debe llegar a las otras calles, de manera que tenemos que actuar con rapidez. El hombre a quien buscas, el hombre que te espera, se llama El-Baz. Lo encontrarás en el mercado, más allá de la vieja fortaleza meridional del puerto. Hay una panadería que vende baklava de naranja. Pregunta adentro.

–¿La fortaleza meridional... en el puerto?

–Hay dos fortalezas de piedra, construidas por los portugueses hace muchos siglos. La Mirani y la Jalili...

–Las recuerdo, por supuesto –interrumpió Evan, encontrando en medio de su desvarío, una parte de su cordura; sus ojos eludieron la herida mortal del cadáver mutilado, en el suelo de la oscura calleja.– Dos fuertes construidos para proteger el puerto de las incursiones de los piratas. Ahora están en la ruina... una panadería que vende baklava de naranja.

–No hay *tiempo*, señor. *¡Ve!* Sal por el otro lado, corre. No puedes dejar que te sigan viendo aquí. *¡Rápido!*

–Primero responde a mi pregunta –replicó Kendrick, irritando al policía con su negativa a moverse–. O me quedaré aquí, y tú podrás responder al sultán.

–¿Qué *pregunta*? ¡Vete!

–Dijiste que estos dos podían unirse a "otros... cerdos estúpidos"... esas fueron tus palabras. ¿Qué otros cerdos? ¿Dónde?

–¡No hay tiempo!

–*¡Contéstame!*

El policía hizo una profunda inspiración, tembloroso de ira.

–Muy bien. Incidentes como el de esta noche han ocurrido antes. Hemos tomado una cantidad de prisioneros que son interrogados por muchas personas. Nada debe decirse...

–¿Cuántos?

–Treinta, cuarenta, tal vez cincuenta, a esta altura. ¡Desaparecen de la embajada y otros, siempre *otros*, ocupan su lugar!

–*¿Dónde?*

El policía miró a Evan y meneó la cabeza.

–No, *ya Shaikh*, señor, eso no te lo diré. *¡Vete!*

–Entiendo. Gracias. –El parlamentario de Colorado aferró la tela de su aba y corrió por la callejuela, hacia la salida, volviendo la cara cuando pasó corriendo ante el terrorista muerto, cuya sangre llenaba ahora los intersticios de entre las piedras del pavimento.

Salió a la calle, levantó la vista al cielo y determinó su rumbo. Hacia el mar, hacia las ruinas de la antigua fortaleza de la costa sur del puerto. Encontraría al hombre llamado El-Baz y obtendría los documentos adecuados, pero sus pensamientos no estaban en esa negociación. Por el contrario, lo consumía la información que había escuchado apenas unos minutos antes: *treinta, cuarenta, quizá cincuenta a esta altura*. Entre treinta y cincuenta terroristas eran retenidos en algún lugar aislado, en o fuera de la ciudad, y los interrogaban, con distintos grados de energía, las unidades de inteligencia combinadas. Pero si su teoría era correcta, si esos carniceros infantiles eran la resaca maniática del Islam, manipulada por un señor del delito financiero en Bahrein, todas las técnicas de interrogación, desde los faraones hasta la Inquisición y hasta los campamentos de Hoa Binh, resultarían inútiles. Salvo que *–salvo que–* se comunicase a uno de los prisioneros un nombre que hiciera brotar sus pasiones más fanáticas y lo convenciera de que debía divulgar lo que, normalmente, no haría, prefiriendo antes el suicidio. Haría falta encontrar a un fanático muy especial, por supuesto, pero *era* posible. Evan le había dicho a Frank Swann que uno de cada veinte de los terroristas podía ser lo bastante inteligente para encajar en esa descripción –uno de cada veinte, es decir, más o menos diez o doce de entre todo el contingente de asesinos de la embajada–, si estaba en lo cierto. ¿Podía uno de ellos contarse entre los treinta a cincuenta prisioneros del cercado aislado y secreto? Las posibilidades eran escasas, pero unas pocas horas adentro, cuando mucho una noche, se lo dirían. Valía la pena dedicar ese tiempo, si se lo permitían. Para comenzar su cacería necesitaba unas pocas palabras... un nombre, un lugar, un punto de la línea costera, un código de acceso que condujese a Bahrein. *¡Algo!* Tenía que entrar en el cercado esa misma noche. Las ejecuciones se reanudarían dentro de tres días, a partir de las diez de la mañana del día siguiente.

Ante todo, los documentos, de un hombre llamado El-Baz.

Las ruinas de la antigua fortaleza portuguesa se erguían, fantásticas, en el cielo oscuro, silueta irregular que hablaba de la fuerza y la decisión de los marinos aventureros de siglos pasados. Evan caminó con rapidez por el sector de la ciudad conocido como Harat Waljat, hacia el mercado de Sabaṭ Aynub, nombre traducido libremente como cesta de uvas, un mercado mucho más estructurado que una feria, con cuidadas tiendas que circundaban la plaza y una arquitectura desconcertante, porque era una amalgama de antiguas influencias árabes, persas, indias, y de las occidentales más modernas. Todo eso, pensó Kendrick, se desvanecería algún día, se restablecería la presencia omaní, se confirmaría una vez más la inestabilidad de los conquistadores... militares, políticos o terroristas. Estos últimos eran quienes le inquietaban ahora. El *Mahdí*.

Entró en la amplia plaza. Una fuente romana lanzaba chorros de agua sobre un oscuro estanque circular, en cuyo centro se levantaba una estatua realizada según el concepto de algún escultor italiano sobre un jeque del desierto inclinado hacia adelante, con la túnica flotante; no iba a parte alguna. Pero la muchedumbre fue lo que atrajo la atención de Evan. La mayoría eran hombres árabes, mercaderes que traficaban con los ricos y tontos europeos, turistas indiferentes al caos de la embajada, identificados por sus ropas europeas y por la profusión de brazaletes y cadenas de oro, brillantes símbolos de desafío en una ciudad enloquecida. Pero los omaníes eran como robots animados, se esforzaban por concentrarse en lo carente de importancia, sus oídos excluían los constantes disparos de armas de fuego en la embajada norteamericana, a menos de un kilómetro de distancia. Por todas partes, sus ojos parpadeaban y miraban de reojo sin cesar, los entrecejos se fruncían con incredulidad. Lo que ocurría en su pacífica Mascate superaba su capacidad de comprensión; no formaban parte de la locura, para *nada*, de manera que hacían lo posible por excluirla.

La vio. *Balawa bohrtooan*. "Baklava de naranja", la especialidad de la panadería. La tiendecita parda, de estilo turco, con su sucesión de alminares pintados sobre el vidrio del frente, se encontraba embutida entre una gran joyería, brillantemente iluminada, y una elegante *boutique* especializada en artículos de cuero, con el nombre *París* disperso en carteles de letras negras sobre fondo dorado, en el escaparate, delante de bloques ascendentes de maletas y accesorios. Kendrick cruzó la plaza en diagonal, pasó ante la fuente y se aproximó a la puerta de la panadería.

–Tu gente tenía razón –dijo la mujer de cabello oscuro y traje sastre negro, saliendo de las sombras del Harat Waljat, con la cámara en miniatura en la mano. La levantó y oprimió el disparador del diafragma; el mecanismo automático tomó sucesivas fotos de Evan Kendrick, cuando entró en la panadería del mercado de Sabat Aynub.– ¿Lo vieron en la feria? –preguntó, volviendo a guardar la cámara en su bolso y dirigiéndose a un árabe de túnica, de mediana edad, quien se mantenía, cauteloso, detrás de ella.

–Se habló de un hombre que entró corriendo en la calleja, detrás de la policía –dijo el informante, con la vista clavada en la panadería–. Eso fue refutado, y en forma convincente, me parece.

–¿Cómo? Se lo vio.

–Pero en la excitación, *no* se lo vio salir corriendo, aferrando su cartera, que presumiblemente había sido arrebatada por los cerdos. Esa fue la información ofrecida con énfasis por el hombre, a los mirones. Como es natural, otros coincidieron en forma enfática, porque la gente histérica siempre se precipita sobre nuevas informaciones desconocidas por una multitud de personas ajenas. Eso los eleva.

–Razonas muy bien –dijo la mujer, riendo con suavidad–. También tu gente.

–Es bueno que lo hagamos, *ya anisa* Khalehla –respondió el árabe, usando el título omaní de respeto–. En caso contrario, nos veríamos ante alternativas que preferimos no tener en consideración.

–¿Por qué la panadería? –preguntó Khalehla–. ¿Tienes alguna idea?

–Ninguna. Detesto la baklava. La miel no gotea, chorrea. A los judíos les gusta, sabes.

–También a mí.

–Entonces olvidan lo que les hicieron los turcos... a unos y a otros.

–No creo que nuestro hombre entrase en la panadería para comprar baklava o para la discusión de un tratado histórico sobre los turcos contra las tribus de Egipto e Israel.

–¿Habla una hija de Cleopatra? –El informante sonrió.

–Esta hija de Cleopatra no sabe de qué demonios estás hablando. Yo sólo trato de enterarme de algunas cosas.

–Entonces empieza por el sedán militar que recogió a tu hombre varias calles al norte de su hotel, después de las oraciones de *el Maghreb*. Eso tiene muchísima importancia.

–Debe de tener amigos en el ejército.

–En Mascate sólo está la guarnición del sultán.

–¿Y?

–Los oficiales rotan dos veces por mes, entre la ciudad y los puestos de Jiddah y Marmul, y una decena, más o menos, de guarniciones a lo largo de la frontera de Yemen del Sur.

–¿Adónde quieres llegar?

–Te presento dos puntos, Khalehla. El primero es que me parece una coincidencia increíble que el hombre, al cabo de cuatro años, conozca, en forma tan conveniente, a cierto amigo en el cuerpo de oficiales relativamente reducido y rotativo, acantonado esta quincena en Mascate, en un cuerpo de oficiales que cambia con los años...

–Una coincidencia poco común, estoy de acuerdo, pero sin duda posible. ¿Cuál es el segundo punto?

–En realidad, anula mi mención del primero. En estos días, ningún vehículo de la guarnición de Mascate recogería a un extranjero en la forma en que fue recogido él, con el disfraz con que fue recogido, sin autorización superior.

–¿El *sultán*?

–¿Y quién, si no?

–¡No se atrevería! Está acorralado. Un movimiento en falso y se lo consideraría responsable por cualquier ejecución que se produjera. Y si eso ocurre, los norteamericanos arrasarían a Mascate. ¡El lo sabe!

–Quizá también sabe que se lo considera responsable por lo que *hace* tanto como por lo que *no* hace. En semejante situación, es mejor conocer lo que hacen otros, aunque sólo sea para ofrecer una orientación... o para abortar alguna actividad improductiva por medio de otra ejecución.

Khalehla dirigió una mirada dura al informante, en la vaga luz de la periferia de la plaza.

–Si ese coche militar llevó al hombre a una reunión con el sultán, también lo trajo de vuelta.

–Sí, en efecto –convino el hombre de edad mediana, con voz llana, como si entendiera lo que eso sugería.

–Lo cual significa que lo que el hombre haya propuesto no fue rechazado de primera intención.

–Así parecería, *ya anisa* Khalehla.

–Y *nosotros* necesitamos saber lo que se propuso, ¿no es verdad?

–Sería peligroso en alto grado que *no* lo supiéramos –dijo el árabe, asintiendo–. Nos enfrentamos a algo más que la muerte de doscientos treinta y seis norteamericanos. Estamos tratando con el destino de una nación. De *mi* nación, agregaría, y haré todo lo que pueda para que siga siendo *nuestra*. ¿Me entiendes, mi querida Khalehla?

–Sí, *ya sahib el Aumer*.

–Mejor una cifra muerta que una sacudida catastrófica.

–Entiendo.

–¿Entiendes de verdad? En tu Mediterráneo tuviste más ventajas que nosotros en nuestro oscuro Golfo. Ahora ha llegado nuestro momento. No permitiremos que nadie nos detenga.

–Quiero que tengas tu momento, querido amigo. *Nosotros* queremos que lo tengas.

–Entonces haz lo que debes hacer, *ya sahbitee* Khalehla.

–Lo haré. –La mujer bien trajeada introdujo la mano en su bolsillo y extrajo una automática de caño corto. La sostuvo en la izquierda, volvió a registrar el bolso y sacó una abrazadera de balas; con un chasquido pronunciado, la introdujo en la base de la culata y ajustó la cámara de carga. El arma estaba lista para disparar.

–Ve, ahora, *adeeb sahbee* –dijo mientras se aseguraba la tira del bolso en el hombro, con la mano adentro, aferrando la automática–. Nos entendemos, y tú tienes que estar en otro lugar, en un sitio donde te vean otros, no aquí.

–*Salaam aleikum*, Khalehla. Ve con Alá.

–Lo enviaré a *él* ante Alá, para que defienda su caso... *Rápido*. ¡Está saliendo de la panadería! Lo seguiré y haré lo que debe hacerse. Tienes de diez a quince minutos para estar con otros, lejos de aquí.

–Hasta el final nos proteges, ¿no es así? Eres un tesoro. Ten cuidado, querida Khalehla.

–Dile a *él* que lo tenga. Se entromete.

–Iré a la mezquita Zawadi y hablaré con los mullahs y con los almuédanos. Los ojos sagrados no son interrogados. La distancia es breve, cinco minutos, cuando mucho.

–*Aleikum salaam* –dijo la mujer, y se encaminó a través de la plaza, hacia su izquierda, con la vista clavada en el norteamericano de vestimenta árabe que había pasado más allá de la fuente y ahora caminaba con rapidez hacia las calles oscuras y angostas del este, más allá del mercado de Sabat Aynub. *¿Qué hace este maldito tonto?*, pensó ella mientras se quitaba el sombrero con la mano izquierda y lo metía en el bolso, al lado del arma que apretaba, afiebrada, con la derecha. *Va hacia el Shari el Mishkwiyis*, consideró, mezclando sus pensamientos en árabe y en inglés, y refiriéndose a lo que en Occidente se entiende como el sector más rudo de la ciudad, un lugar que los extranjeros evitan. *Tenían razón. Es un aficionado, ¡y yo no puedo ir allá así vestida! Pero tengo que hacerlo. ¡Dios mío, hará que nos maten a los dos!*

Evan Kendrick marchó de prisa por las desparejas capas de piedra que constituían la angosta calle, pasando por edificios bajos, ruinosos, congestionados, y construcciones a medias: destartaladas estructuras de ventanas cubiertas de lona y pieles de animales; los que se mantenían inactos, se encontraban protegidos por persianas más rotas que sanas. Cables desnudos colgaban por todas partes, y en las cajas municipales de derivación se habían practicado empalmes a fin de robar la electricidad, y resultaban peligrosos. Los penetrantes olores de la cocina árabe se mezclaban con olores más fuertes, inconfundibles: hashish, hojas de coca tostadas, contrabandeadas por caletas no patrulladas del Golfo, y bolsones de desechos humanos. Los habitantes de ese tramo de ghetto se movían con lentitud, con cautela, con suspicacia, por las cavernas vagamente iluminadas de su mundo, a sus anchas con su degradación, cómodos con sus peligros aislados, habituados a su condición colectiva de proscritos... y el hábito quedaba confirmado por repentinos estallidos de risa detrás de ventanas con postigos. El código de vestimenta de ese Shari el Mishkwiyis no era en modo alguno coherente. Los abas y ghotras coexistían con desgarrados jeans azules, prohibidas minifaldas y los uniformes de marineros y soldados de una decena de naciones diferentes... uniformes sucios, exclusivamente de las filas de personal enganchado, aunque se decía que muchos oficiales pedían prestadas sus ropas a un subordinado, para aventurarse en el interior del lugar y probar los placeres prohibidos del vecindario.

Había hombres acurrucados en las puertas, para disgusto de Evan, porque tapaban los números apenas legibles de las paredes de piedra arenisca. Le molestaron aún más las sucias callejas de las intersecciones, que en forma inexplicable hacían que los números saltaran de un tramo de la calle al siguiente. *El Baz. Número 77 Shari el Balah*: la calle de los dátiles. ¿Dónde *estaba*?

Ahí. Una pesada puerta, profundamente adentrada, con gruesas barras de hierro a través de un ventanillo cerrado, al nivel de los ojos. Pero un hombre de ropas desordenadas, acuclillado en diagonal, contra la piedra, bloqueaba la puerta por el lado derecho de la entrada parecida a un túnel.

–*¿Esmahlee?* –dijo Kendrick, disculpándose y avanzando.

–*¿Lay?* –respondió la figura encorvada, preguntando por qué.

–Tengo una cita –continuó Evan en arábigo–. Se me espera.

–¿Quién te envía? –preguntó el hombre, sin moverse.

–No es cosa tuya.

–No estoy aquí para recibir semejante respuesta. –El árabe enderezó la espalda, apoyándola contra la puerta; los paños de su aba se abrieron apenas, dejando ver la empuñadura de una pistola metida detrás de un cinturón interior. – Una vez más, ¿quién te envía?

Evan se preguntó si el oficial de la policía del sultán se había olvidado de darle un nombre o un código, o un santo y seña que le franqueara la entrada. ¡Tenía tan poco tiempo! No necesitaba ese obstáculo; buscó una respuesta.

– Visité una panadería en el Sabat Aynub – dijo con rapidez –. Hablé con ...

– ¿Una panadería? – interrumpió el hombre acuclillado, con las cejas arqueadas debajo del tocado –. Hay por lo menos tres panaderías en el Sabat Aynub.

– ¡Maldición, *baklava*! – prorrumpió Kendrick, con creciente irritación, la mirada fija en la empuñadura del arma –. Estúpido, de naranja...

– Suficiente – dijo el guardia, y se puso bruscamente de pie y cerró sus ropas –. Era una respuesta sencilla para una pregunta sencilla, señor. Te envió un *panadero*, ¿entiendes?

– Muy bien. ¡Magnífico! ¿Puedo entrar, por favor?

– Primero debemos determinar a quién visitas. ¿A quién visitas, señor?

– Por amor de Dios, al hombre que vive aquí... que trabaja aquí.

– ¿Es un hombre sin nombre?

– ¿Tienes derecho a saberlo? – El intenso susurro de Evan dominó los ruidos de la calle, que llegaba de más allá.

– Una buena pregunta, señor – dijo el árabe, y asintió, pensativo –. Pero como yo tenía conocimiento de un panadero del Sabat Aynub...

– ¡Cristo resucitado! – estalló Kendrick –. Está bien. ¡Se llama El-Baz! ¿Y ahora me dejarás *entrar*? ¡Tengo prisa!

– Tendré el placer de alertar al residente, señor. *El* te dejará entrar si es *su* placer. Sin duda entenderás la necesidad de...

Hasta allí llegó el grave guardia antes de volver la cabeza hacia afuera. La corriente subterránea de ruidos de la oscura calle había estallado de golpe. Un hombre gritó; otros rugieron; sus estridentes voces repercutieron en la piedra circundante.

– *¡Elhahoonai!*

– *¡Udam!*

Y luego, perforando el coro ultrajado, una voz de mujer.

– *¡Siboni fihalee!* – gritó con frenesí, exigiendo que la dejaran en paz. Y enseguida, en perfecto inglés –: *¡Canallas!*

Evan y el guardia se precipitaron hacia el borde de la piedra, en el momento en que dos disparos hacían trizas la cacofonía humana, elevándola al frenesí, mientras las ominosas detonaciones de balas que rebotaban se alejaban en la cavernosa distancia. El guardia árabe giró y se precipitó hacia el duro suelo de piedra de la entrada. Kendrick se agazapó; ¡tenía que *saber*! Tres figuras con túnicas, acompañadas por una mujer y un joven vestidos con astrosas ropas occidentales, pasaron corriendo, el hombre, de rasgados pantalones de color caqui, apretándose el brazo sangrante. Evan se puso de pie y atisbó con cautela por el borde de la esquina de piedra. Lo que vio lo dejó pasmado.

En las sombras de la estrecha calle estaba una mujer, con la cabeza descubierta, un cuchillo de hoja corta en la mano izquierda, y una automática aferrada con la derecha. Con movimientos lentos, Kendrick salió a las desparejas capas de piedra. Las miradas de ambos se encontraron y se detuvieron. La mujer levantó la pistola; Evan se inmovilizó, tratando, con desesperación, de decidir qué hacer y cuándo hacerlo, a sabiendas de que si se movía con rapidez ella haría fuego. Por el contrario, para mayor asombro de él, ella comenzó a retroceder hacia las sombras más densas, apuntándole todavía con el arma. De repente, con la aproximación de voces excitadas, puntuadas por los repetidos sonidos penetrantes de un agudo silbido, la mujer se volvió y se alejó a la carrera por la oscura calle angosta. Desapareció en pocos segundos. ¡Lo había seguido! ¿Para matarlo? *¿Por qué?* ¿Quién *era*?

–*¡Aquí!* –El guardia, presa de pánico, lo llamaba en un susurro. Evan volvió la cabeza; el árabe le hacía locos gestos de que fuese a la pesada puerta temible, de la entrada profunda.– *¡Rápido*, señor! Se te autoriza a entrar. *¡De prisa!* ¡No debes ser visto aquí!

La puerta se abrió y Evan entró corriendo, y en el acto fue empujado a la izquierda por una fuerte mano de un hombre muy menudo, quien gritó al guardia de la entrada.

–¡Vete de aquí! –exclamó–. *¡Pronto!* –agregó. El diminuto árabe cerró con un portazo, corriendo dos cerrojos de hierro, mientras Kendrick entrecerraba los ojos bajo la débil luz. Se hallaban en una especie de vestíbulo, un ancho corredor ruinoso con varias puertas cerradas a ambos lados. Numerosas alfombras persas de pequeño tamaño cubrían la tosca madera del suelo –alfombras, caviló Kendrick, por las cuales se pagarían precios muy decentes en cualquier subasta occidental–, y en las paredes había más alfombras, de mayores proporciones, que Evan *sabía* que costaban fortunas. El hombre llamado El-Baz invertía sus ganancias en tesoros de intrincados tejidos. Los conocedores de esas cosas se enterarían en el acto de que trataban con un hombre importante. Los otros, entre quienes se contaba la mayor parte de la policía y otras autoridades, pensarían sin duda que ese hombre sigiloso cubría sus suelos y paredes con telas para los turistas, a fin de no tener que reparar los defectos de su residencia. El artista llamado El-Baz conocía sus procedimientos de venta.

–Yo soy El-Baz –dijo en inglés el pequeño árabe, un tanto encorvado, y le tendió una mano grande, venosa–. Tú eres quien digas ser, y me alegro de conocerte, de preferencia no por el nombre que te dieron tus respetables padres. Por favor, ven por aquí, la segunda puerta de la derecha, por favor. Es nuestro primer procedimiento, y el más vital. En verdad, todo el resto ya se ha hecho.

–¿Hecho? *¿Qué* se ha hecho? –preguntó Evan.

–Lo esencial –repuso El-Baz–. Los documentos están preparados, según la información que se me hizo llegar.

–¿Qué información?

–Quién puedes ser, qué puedes ser, de dónde podrías provenir. Eso es lo único que necesito.

–¿Quién te dio esa información?

–No tengo idea –dijo el anciano árabe, tocando el brazo de Kendrick, y guiándolo por el vestíbulo–. Una persona desconocida, que me dio órdenes por teléfono, no sé de dónde. Pero ella usó las palabras correctas, y supe que debía obedecer.

–*¿Ella?*

–El género era de escasa significación, *ya Shaikh*. Lo importante eran las palabras. Ven. Adentro. –El-Baz abrió la puerta de un pequeño estudio fotográfico; los equipos parecían anticuados. El rápido examen no pasó inadvertido para El-Baz.– La cámara de la izquierda duplica la calidad del grano de las identificaciones del gobierno –explicó–, que, por supuesto, se debe tanto a los procedimientos que utiliza el gobierno como al ojo de la cámara. Siéntate aquí, en el taburete, de frente a la pantalla. Será indoloro y rápido.

El-Baz trabajó con celeridad, y como la película era instantánea, no tuvo dificultades en elegir una copia. El anciano quemó las otras, se calzó un par de delgados guantes de cirugía, levantó la foto e indicó con un gesto el amplio sector encortinado, más allá de la tensa tela gris que servía de pantalla. Se acercó, descorrió el pesado cortinado y dejó ver una pared desnuda; el aspecto era engañoso. Colocó el pie derecho cerca de un punto del cuarteado suelo; su enguantada mano derecha buscó otro lugar específico, arriba, y oprimió al mismo tiempo uno y otra. Una grieta dentada se separó poco a poco en la pared, y el lado izquierdo desapareció detrás de la cortina; se detuvo, dejando un espacio de un medio metro. El pequeño proveedor de documentos falsos se introdujo, e hizo señas a Kendrick de que lo siguiera.

Lo que Evan vio entonces fue tan moderno como cualquier máquina de su oficina de Washington, y de mejor calidad aún. Había dos grandes computadoras, cada una con su propia impresora, y cuatro teléfonos de cuatro colores distintos, todo ello ubicado en una larga mesa blanca, mantenida inmaculadamente limpia, delante de cuatro sillas de mecanógrafos.

–Acá –dijo El-Baz, señalando la computadora de la izquierda, cuya pantalla oscura se encontraba cubierta de letras de un verde intenso–. Mira el privilegio que tienes, *ya Shaikh*. Se me dijo que te proporcionase informaciones completas, y sus fuentes, pero no documentos escritos que no fueran los de identidad. Siéntate. Estúdiate.

–¿Estudiarme? –preguntó Kendrick.

–Eres un saudita de Riyadh, llamado Amal Bahrudi. Eres un ingeniero especializado en construcciones, y por tus venas corre un poco de sangre europea... creo que la de un abuelo; está escrito en la pantalla.

–¿Europeo...?

–Ello explica tus facciones un tanto irregulares, si alguien las comentara.

–Espera un momento. –Evan se inclinó y miró más de cerca la pantalla de la computadora.– ¿Esta es una *persona* real?

–Lo era. Murió ayer por la noche, en Berlín Oriental... ese es el teléfono verde.

–*¿Murió?* ¿Ayer por la noche?

–La inteligencia germano-oriental, controlada, por supuesto, por los Soviets, mantendrá en silencio su muerte durante unos días, tal vez semanas, mientras sus burócratas lo examinan todo, con la vista puesta en alguna ventaja para la KGB, por supuesto. Entretanto, la llegada aquí del señor Bahrudi ha sido anotada como corresponde en nuestras listas de inmigración –ese es el teléfono azul–, con una visa válida por treinta días.

–De modo que si alguien quiere confirmarlo –agregó Kendrick–, ese Bahrudi se encuentra legítimamente aquí, y no ha muerto en Berlín Oriental.

–En efecto.

–¿Y qué ocurre si me atrapan?

–Eso no tendría por qué preocuparte. En el acto serías un cadáver.

–Pero los Soviets podrían crearnos problemas aquí. Saben que yo no soy Bahrudi.

–¿Podrían? ¿Los crearían? –El anciano árabe se encogió de hombros.– Nunca pases por alto una oportunidad de confundir o molestar a la KGB, *ya Shaikh*.

Evan calló, ceñudo.

–Creo entender lo que quieres decir. ¿Cómo *obtuviste* todo esto? Por Dios, un saudita muerto en *Berlín Oriental*, encubierto, su expediente, y hasta cierto abuelo, un abuelo *europeo*. Es increíble.

–Cree, mi joven amigo, a quien no conozco ni he conocido nunca. Por supuesto, tiene que haber colaboradores en muchos lugares para hombres como yo, pero eso tampoco es cosa tuya. Estudia, nada más, los datos salientes: los nombres de padres respetables, escuelas, universidades... creo que dos, una en Estados Unidos, cosa tan propia de los sauditas. No necesitarás más que eso. Si lo necesitas, no tendrá importancia. Estarás muerto.

Kendrick salió de la ciudad del mundo subterráneo, ubicada dentro de una ciudad, y contorneó los terrenos del Hospital Waljat, en el sector nordeste de Mascate. Se encontraba a menos de ciento cincuenta metros de los portones de la embajada norteamericana. La amplia calle tenía ahora no más que una mitad de espectadores empecinados. Las antorchas y las rápidas ráfagas de armas de fuego, en los terrenos de la embajada, creaban la ilusión de que el gentío era mucho más numeroso e histérico de lo que ocurría en la realidad. A esos testigos del terror de adentro sólo les interesaba la diversión; sus filas raleaban a medida que uno tras otro eran vencidos por el cansancio. Adelante, a menos de medio kilómetro, más allá del Harat Waljat, se encontraba el Palacio Alam, la mansión costera del joven sultán. Evan miró su reloj; la hora y su ubicación eran una ventaja; tenía tan poco *tiempo*, y Ahmat debía actuar con rapidez. Buscó un teléfono público, recordando vagamente que había varios cerca de la entrada del hospital... una vez más, gracias a Manny Weingrass. En dos ocasiones, el malévolo y anciano arquitecto había afirmado que su coñac estaba envenenado, y en una oportunidad una mujer omaní le había mordido la mano acariciadora, con una mordedura tan enérgica, que exigió siete puntadas.

Las conchas de plástico blanco de tres teléfonos públicos, a la distancia, reflejaban la luz de los faroles callejeros. Cubriendo el bolsillo interior de su vestimenta en el cual había guardado sus documentos falsos, echó a correr, pero enseguida aminoró el paso. El instinto le decía que no tenía que parecer tan evidente... o tan amenazador. Llegó a la primera cabina, insertó una moneda de mayor valor que el necesario y discó el extraño número, grabado en forma indeleble en su memoria. *555-0005*.

Se formaron gotas de sudor en su frente, mientras los timbrazos, cada vez más lentos, llegaban a ocho. ¡Dos más, y el contestador reemplazaría a la voz humana! ¡Por favor!

–*¿Iwah?* –escuchó el sencillo saludo: ¿Sí?

–Inglés –dijo Evan.

–¿Tan pronto? –respondió Ahmat, asombrado–. ¿Qué pasa?

–Primero lo primero... Una mujer me siguió. La luz era vaga, pero por lo que pude ver era de mediana estatura, cabello largo, e iba vestida con lo que parecía ropa occidental cara. Además, hablaba con fluidez el árabe y el inglés. ¿Eso te dice algo?

–Si te refieres a alguien que pudiera seguirte al vecindario de El-Baz, no me dice *absolutamente nada*. ¿Por qué?

–Creo que quería matarme.

–*¿Qué?*

–Y una mujer le dio a El-Baz las informaciones relacionadas conmigo... por teléfono, es claro.

–Eso lo sé.

–¿Podría haber una relación?

–¿Cómo?

–Alguien que interviene, alguien que busca robar documentos falsos.

–Espero que no –dijo Ahmat con firmeza–. La mujer que habló con El-Baz era mi esposa. No le confiaría tu presencia aquí a ningún otro.

–Gracias por eso, pero algún otro sabe que estoy aquí.

–Hablaste con cuatro hombres, Evan, y uno de ellos, nuestro común amigo, Mustafá, fue muerto. Convengo en que alguien más sabe que estás aquí. Por eso a los otros tres se los vigila veinticuatro horas diarias. Tal vez deberías mantenerte fuera de la vista, escondido, durante un día por lo menos. Puedo organizar eso, y es posible que nos enteremos de algo. Además hay algo que quiero conversar contigo. Se refiere a ese Amal Bahrudi. Ocúltate durante un día. Creo que eso sería lo mejor, ¿no te parece?

–No –repuso Kendrick, con voz hueca por lo que estaba a punto de decir–. Fuera de la vista, sí, pero no oculto.

–No entiendo.

–Quiero ser arrestado, capturado por terrorista. Quiero que me metan en ese cercado que tienes en alguna parte. ¡Necesito estar allí *esta noche*!

6

La figura envuelta en su túnica corrió por el centro de la amplia avenida conocida con el nombre de Wadi Al Kabir. Había salido de la oscuridad de más allá de la maciza Puerta Mathaib, a unos centenares de metros de los muelles del oeste de la antigua fortaleza portuguesa llamada el Mirani. Sus ropas estaban empapadas del petróleo y los residuos del muelle, su toca pegada a la parte trasera de su cabello húmedo. Para los observadores –y todavía quedaban muchos en la calle, a esa hora tardía–, el hombre que corría con desesperación era otro perro del mar, un extranjero que había saltado de un barco para entrar en forma ilegal en ese sultanato otrora pacífico, un fugitivo, un terrorista.

Estridentes erupciones de dos notas de una sirena crecieron en intensidad cuando un patrullero viró en una esquina del Wadi Al Uwar, para tomar por Al Kabir. Se inició la cacería; un informante de la policía había denunciado el punto de entrada, y las autoridades se hallaban preparadas. En esos días estaban siempre alertas, dispuestas, ávidas y frenéticas. Una luz cegadora rasgó la tenue iluminación de la calle, proveniente el haz de un reflector móvil montado en el patrullero. La potente luz se clavó en el ilegal presa de pánico; éste giró a la izquierda, de frente a una serie de tiendas con las luces apagadas, protegidas por postigos de hierro, protección en la cual no se había pensado apenas tres semanas atrás. El hombre viró y se precipitó a través de Al Kabir, a su derecha. De pronto se detuvo, bloqueado por una cantidad de paseantes nocturnos que avanzaban juntos, se detenían juntos, con expresiones no carentes de temor, pero que de alguna manera decían colectivamente que ya estaban hartos. Querían que se les devolviese su ciudad. Un hombre de baja estatura, de traje, pero con toca árabe, se adelantó... con cautela, por cierto, pero con decisión. Dos hombres más corpulentos, de túnica, quizá con mayor cautela pero con idéntica decisión, se unieron a él, seguidos, con vacilaciones, por otros. En Al Kabir, hacia el sur, se había reunido una multitud; en forma tentativa, formaron una fila; hombres de túnica y mujeres con velos crearon una barrera humana a través de la calle, con valentía nacida de la exasperación y la furia. ¡Era preciso terminar con todo eso!

–*¡Váyanse!* ¡Dispérsense! ¡Podría tener *granadas*! –Un policía había saltado del patrullero y corría hacia adelante, con la automática apuntando hacia la presa.

–*¡Dispérsense!* –rugió un segundo policía, corriendo por el costado izquierdo de la calle–. ¡No se pongan en la línea de nuestro *fuego*!

Los cautelosos transeúntes y el gentío vacilante se dispersaron en todas direcciones, corriendo en busca de la protección de la distancia y el refugio de los portales. Como ante una orden, el fugitivo manipuló su túnica empapada, la abrió e introdujo la mano, amenazador, dentro de los pliegues de la tela. Una ráfaga de disparos en staccato estalló en Al Kabir; el fugitivo gritó, se tomó el hombro, arqueó el cuello y cayó al suelo. Parecía muerto, pero a la vaga luz nadie podía determinar la gravedad de sus heridas. Volvió a gritar, con un rugido, convocando a todas las furias del Islam para que cayeran sobre las hordas de impuros incrédulos de todas partes. Los dos policías se precipitaron sobre él mientras el patrullero se detenía con un chillido de neumáticos; un tercer policía saltó por la portezuela abierta, dando órdenes a gritos.

–¡Desármenlo! ¡Regístrenlo! –Sus dos subordinados se habían adelantado a ambas órdenes.– ¡Podría ser *él*! –agregó el oficial superior, y se inclinó para examinar al fugitivo más de cerca; su voz fue más alta que antes.– *¡Ahí está!* –continuó, gritando todavía–. Atado a su muslo. Un paquete. ¡Démenlo!

Los mirones se irguieron poco a poco en la semioscuridad, y la curiosidad los atrajo hacia la furiosa actividad que se desarrollaba en el centro de Al Kabir, bajo la tenue luz de los faroles callejeros.

–Creo que tienes razón, señor –gritó el policía de la izquierda del prisionero–. ¡Aquí está, esta marca! Podrían ser los restos de su cicatriz del cuello.

–*¡Bahrudi!* –bramó el oficial de policía, triunfante, mientras estudiaba los documentos arrancados del paquete envuelto en tela encerada–. ¡Amal *Bahrudi*! ¡El hombre de *confianza*! ¡Estaba en Berlín Oriental, y por Alá, lo *tenemos!*

–¡*Todos* ustedes! –gritó el policía, arrodillándose a la derecha del fugitivo, mientras se dirigía al gentío hipnotizado–. ¡Salgan! *¡Váyanse!* Este cerdo podría tener protectores... ¡Es el infame *Bahrudi*, el terrorista de Europa Oriental! Hemos pedido, por radio, soldados de la guarnición del sultán... *¡Váyanse*, si no quieren resultar muertos!

Los testigos huyeron, en una carrera inconexa, hacia el sur, por Al Kabir. Habían juntado valor, pero la perspectiva de una batalla con armas de fuego les inspiraba pánico. Todo era incertidumbre, puntuada por la muerte; lo único que la gente sabía con certeza era que un conocido terrorista internacional llamado Amal Bahrudi había sido capturado.

–La noticia se difundirá con rapidez en nuestra pequeña ciudad –dijo el sargento de policía en fluido inglés, mientras ayudaba al "prisionero" a ponerse de pie–. Por supuesto, nosotros ayudaremos, si resulta necesario.

–Tengo una o dos preguntas... quizá *tres*. –Evan se quitó la toca de la cabeza, y miró al oficial–. ¿Qué demonios era ese asunto de "el hombre de confianza?, el "jefe islámico", el no sé qué de Europa Oriental?

–En apariencia, la verdad, señor.

–No te entiendo.

–En el coche, por favor. El tiempo es vital. Debemos irnos de aquí.

–¡Quiero *respuestas*! –Los otros dos policías caminaron al lado del parlamentario de Colorado, lo tomaron de los brazos y lo escoltaron hacia la puerta trasera del patrullero.– He seguido esta pequeña charada como se me dijo que lo hiciera –continuó Evan cuando se introdujo en el sedán policial verde–, pero alguien se olvidó de mencionar que esa persona real, cuyo nombre he adoptado, es un asesino que arroja bombas por toda Europa.

–Sólo puedo decirte lo que se me dijo que te dijera, y que, en verdad, es lo único que sé –contestó el sargento, acomodando su cuerpo uniformado al lado de Kendrick–. Todo te será explicado en el laboratorio del cuartel central del cercado.

–Conozco el laboratorio. Pero *no* conozco a ese Bahrudi.

–Existe, señor.

–*Eso* lo sé, pero no lo demás...

–¡De prisa, conductor! –dijo el oficial–. Los otros dos se quedarán aquí. –El sedán dio marcha atrás, describió un giro en U y volvió a toda velocidad hacia el Wadi Al Uwar.

–Por lo menos es real, eso lo entiendo –insistió Kendrick con rapidez, sin aliento–. Pero lo *repito*. ¡Nadie me dijo que fuese un terrorista!

–En el laboratorio del cuartel central, señor. –El sargento de policía encendió un cigarrillo árabe de color pardo, inspiró profundamente y exhaló el humo por la nariz, aliviado. Su parte de la extraña misión había terminado.

–Hay muchas cosas que la computadora de El-Baz no imprimió para que lo vieras –dijo el médico omaní, estudiando el hombro desnudo de Evan. Se encontraban a solas en el consultorio del laboratorio, Kendrick sentado en la larga mesa de almohadones duros, los pies apoyados en un taburete, con el cinturón para llevar el dinero a su lado.– Como médico personal de Ahmat –perdón–, del gran sultán, que lo soy desde que él tenía ocho años, ahora soy tu *único* contacto con él en caso de que por el motivo que fuere no puedas comunicarte con él. ¿Entiendes?

–¿Cómo me comunico *contigo*?

–En el hospital, o en mi número privado, que te daré cuando hayamos terminado. Debes quitarte los pantalones y la ropa interior, y aplicarte la tintura, *ya Shaikh*. En ese cercado es cosa de todos los días, de toda hora, que se desnude a la gente para registrarla. Tus carnes deben tener un solo color, y por cierto que no llevarás un cinturón de lona lleno de dinero.

–¿Tú me lo guardarás?

–Por supuesto.

–Volvamos a ese Bahrudi, por favor –dijo Kendrick, mientras se aplicaba el gel oscurecedor de la piel a los muslos y las regiones inferiores, en tanto que el médico omaní hacía lo propio con sus brazos, pecho y espalda–. ¿Por qué no me lo dijo El-Baz?

–Por orden de Ahmat. Le pareció que podías objetarlo, de manera que quería explicártelo él mismo.

–Hablé con él hace menos de una hora. No me dijo nada, aparte de que quería hablar de ese Bahrudi, y eso fue todo.

–Además tú tenías mucha prisa, y él debía organizar muchas cosas para producir tu presunta captura. Por lo tanto me encargó a mí de la explicación. Levanta más el brazo, por favor.

–¿Cuál es la explicación? –preguntó Evan, ya menos furioso.

–Muy simple: que si eras capturado por los terroristas tendrías una posición en la cual apoyarte, al menos por un tiempo, si la suerte nos daba un lapso para ayudarte... siempre que la ayuda resultara posible.

–¿Qué posición de apoyo?

–Serías considerado uno de ellos. Hasta que se enterasen de lo contrario.

–Bahrudi está muerto...

–Su cadáver se encuentra en manos de la KGB –agregó el médico enseguida, desechando las palabras de Kendrick–. Se sabe que el Komitet es muy indeciso, que teme las molestias.

–El-Baz dijo algo por el estilo.

–Si alguien en Mascate puede saberlo, es El-Baz.

–De modo que si Bahrudi es aceptado aquí, en Omán, si *yo* soy aceptado como el tal Bahrudi, puede que tenga algún punto de apoyo. *Siempre que* los Soviets no digan lo que saben.

–Examinarán en forma exhaustiva la situación antes de decidirse a hablar. No pueden tener la certeza; temerán una trampa, una celada enojosa, por supuesto, y esperarán los acontecimientos. Tu otro brazo, por favor. Levántalo bien, por favor.

–*Una pregunta* –dijo Evan con firmeza–. Si Amal Bahrudi pasó, supuestamente, por la inmigración de ustedes, ¿por qué no se lo apresó? En estos días tienen ahí una enorme fuerza de seguridad.

–¿Cuántos John Smith hay en tu país, *ya Shaikh*?

–¿Y con eso?

–Bahrudi es un apellido árabe bastante común, más en El Cairo, tal vez, que en Riyadh, pero de todos modos nada fuera de lo común. Amal es el equivalente del "Joe" o "Bill" de ustedes, o, es claro, de "John".

–Sin embargo, El-Baz lo hizo pasar por las computadoras de inmigración. Habrían debido saltar las advertencias...

–Y desaparecer enseguida –interrumpió el omaní–, con los funcionarios satisfechos con sus observaciones, y con sus interrogatorios severos, aunque rutinarios.

–¿Por qué no tengo cicatrices en el cuello? –preguntó Evan enseguida–. Uno de los policías en el Al Kabir habló de una cicatriz en mi cuello... en el cuello de Bahrudi.

–Esa es una información que no conozco, pero supongo que es posible; no tienes tal cicatriz. Pero existen razones más fundamentales.

–¿Como por ejemplo?

–Un terrorista no anuncia su llegada a un país extranjero, y menos a uno convulsionado. Usa documentos falsos. Eso es lo que buscan las autoridades, y no la coincidencia de cierto John W. Booth, un farmacéutico de Filadelfia que llevaba encima la maldición de tener el mismo nombre que el asesino del Teatro Ford.

–Estás muy versado en cosas norteamericanas, ¿verdad?

–Escuela de Medicina John Hopkins, señor *Bahrudi*. Por cortesía del padre del sultán, quien encontró a un niño beduino ansioso de algo más que una existencia tribal vagabunda.

–¿Cómo fue eso?

–Es una historia distinta. Ahora puedes bajar el brazo.

Evan miró al médico.

–Entiendo que tienes mucho afecto al sultán.

El médico omaní devolvió a Kendrick su mirada.

–Soy capaz de matar por la familia, *ya Shaikh* –dijo con suavidad–. Es claro que el método sería no violento. Quizá un veneno, o una crisis médica mal diagnosticada, o un escalpelo mal manejado –algo para pagar mi deuda en especie–, pero lo haría.

–Estoy seguro de ello. Y por extensión, entonces, estás de mi lado.

–Es evidente. La prueba que te daré, y que antes desconocía, tiene forma numérica. Cinco, cinco, cinco... cero, cero, cero, cinco.

–Me basta. ¿Cómo te llamas?

–Faisal. Doctor *Amal* Faisal.

–Entiendo lo que quieres decir... "John Smith". –Kendrick bajó de la mesa y fue, desnudo, a una pequeña pila del otro extremo de la habitación. Se lavó las manos, masajeándolas con jabón duro para quitarse el excedente de la tintura de los dedos, y se estudió el cuerpo en el espejo de encima de la pila. La piel blanca, no oscurecida, se volvía morena; en pocos momentos estaría lo bastante oscura para el cercado terrorista. Miró al médico, reflejado en el espejo.

–¿Cómo es aquello? –preguntó.

–No es un lugar para ti.

–No te pregunté eso. Quiero saber cómo es. ¿Existen ritos de pasaje, algún ritual por el cual deben pasar los nuevos prisioneros? Ustedes deben de tener instalados micrófonos en el lugar... serían tontos si no lo hubieran hecho.

–Los hay, y debemos dar por supuesto que ellos lo saben; se apiñan alrededor de la puerta, donde se encuentran los dispositivos principales, y hacen mucho ruido. El cielo raso es demasiado alto para una transmisión audible, y los restantes se encuentran en los tanques de los inodoros... una reforma civilizadora, instituida por Ahmat hace varios años, para remplazar los agujeros en el suelo. Han resultado inútiles, como si los detenidos hubieran determinado que se los colocara allí... por supuesto, eso no lo sabemos. Pero lo poco que escuchamos no es agradable. Los prisioneros, como todos los extremistas, compiten en forma constante entre sí para ver quién es más fanático, y como constantemente llegan otros nuevos, las preguntas son severas e incisivas, y los métodos de interrogación resultan a menudo brutales. Son fanáticos, pero no tontos, en el sentido aceptado de la palabra, *ya Shaikh*. La vigilancia es su credo, y la infiltración una constante amenaza para ellos.

–Entonces será mi credo. –Kendrick volvió a la mesa de revisación y al pulcro montículo de ropas carcelarias que se le había proporcionado.– Mi vigilancia –continuó–, tan fanática como la de cualquiera de ellos. –Se volvió hacia el omaní.– Necesito los nombres de los jefes que están dentro de la embajada. No se permitió tomar notas de los papeles de información, pero memoricé dos porque se repetían varias veces. Uno era Abu Nassir; el otro, Abbas Zaher. ¿Tienes alguno más?

–A Nassir hace más de una semana que no se lo ve; creen que se ha ido, y a Zaher no se lo considera un jefe, apenas un figurón. Ultimamente, el más destacado parece ser una mujer llamada Zaya Yateem. Habla el inglés con fluidez y lee los boletines televisados.

–¿Qué aspecto tiene?

–¿Quién puede saberlo? Usa velo.

–¿Alguien más?

–Un joven que por lo general está detrás de ella; parece ser su compañero, y lleva un arma rusa... no sé de qué tipo.

–¿Su nombre?

–Se lo llama sencillamente Azra.

–¿Azul? ¿El color azul?

–Sí. Y hablando de colores, hay otro, un hombre de mechones blancos prematuros en el cabello... muy poco común en uno de nosotros. Se lo llama Ahbyahd.

–Blanco –dijo Evan.

–Sí. Se lo ha identificado como uno de los secuestradores del avión de la TWA en Beirut. Pero sólo por fotos; no se descubrió nombre alguno.

–Nassir, la mujer Yateem, Azul y Blanco. Con eso bastará.

–¿Para qué? –preguntó el médico.

–Para lo que voy a hacer.

–Piensa en lo que haces –dijo el médico con suavidad, mientras miraba a Evan tirar hacia arriba de los sueltos pantalones carcelarios de cintura elástica–. Ahmat está desgarrado, porque podemos llegar a saber muchas cosas gracias a tu sacrificio... pero debes saber que podría muy bien ser tu sacrificio. Quiere que sepas eso.

–Yo tampoco soy un tonto. –Kendrick se puso la camisa gris y se calzó las duras sandalias de cuero comunes en las cárceles árabes.– Si me siento en peligro, gritaré pidiendo socorro.

–Hazlo, y te caerán encima como animales enfurecidos. No sobrevivirías ni diez segundos; nadie podría llegar a ti a tiempo.

–Muy bien, un código. –Se abotonó la tosca camisa mientras paseaba la vista por el laboratorio policial; su mirada cayó en varias radiografías colgadas de una cuerda.– Si tu gente que monitorea los dispositivos me oye decir que se sacaron películas, en forma clandestina, fuera de la embajada, entren y sáquenme. ¿Entendido?

–Películas sacadas clandestinamente de la embajada...

–Eso es. No lo diré, ni lo gritaré, a menos que me rodeen... Y ahora haz correr la voz adentro. Diles a los guardias que se burlen de los prisioneros. Amal Bahrudi, líder de los terroristas islámicos de Europa Oriental, ha sido capturado aquí, en Omán. La estrategia de tu inteligente y joven sultán para mi protección temporaria podría dar un gran salto hacia adelante. Es mi pasaporte para el podrido mundo de ellos.

–No estaba destinado a eso.

–Pero resulta muy conveniente, ¿verdad? Casi como si Ahmat lo hubiera pensado antes que yo. Y ahora que lo pienso, es posible que así haya sido. ¿Por qué no?

–¡Eso es ridículo! –protestó el médico, con ambas palmas levantadas hacia Evan–. Escúchame. Todos podemos teorizar y postular cuanto se nos venga en ganas, pero no podemos *garantizar*. Ese cercado está vigilado por soldados, y no podemos registrar el alma de cada uno. Supón que haya simpatizantes. Mira las calles. Animales enloquecidos, esperando la próxima ejecución, ¡haciendo apuestas! Norteamérica no es adorada por cada ciudadano de aba o cada conscripto de uniforme; corren demasiados relatos, se habla demasiado, allí, de prejuicios antiárabes.

–Ahmat dijo lo mismo acerca de su propia guarnición aquí, en Mascate. Sólo que él lo llamó mirarlos a los ojos.

–Los ojos contienen los secretos del alma, *ya Shaikh*, y el sultán tenía razón. Esos soldados son jóvenes, impresionables, rápidos en formular juicios respecto de insultos reales o imaginados. Supónte, sólo *supónte*, que la KGB decide hacer entrar un mensaje para desestabilizar aún más la situación: "Amal Bahrudi ha muerto, y el hombre que afirma ser él es un impostor." No habría tiempo para códigos ni gritos pidiendo ayuda. Y la forma de tu muerte no sería decidida con ligereza.

–Ahmat habría debido pensar en eso...

–*¡Injusto!* –exclamó Faisal–. ¡Le atribuyes cosas en las cuales nunca soñó! El alias de Bahrudi debía usarse *sólo* como una táctica diversionista en último extremo, ¡no para ninguna otra cosa! El hecho de que ciudadanos comunes pudieran afirmar en público que habían presenciado la captura de un terrorista, inclusive hasta el punto de dar su nombre, crearía confusión... *Esa* era la estrategia. Confusión, desconcierto, *indecisión*. Aunque sólo fuese para demorar tu ejecución por unas horas –por el tiempo que fuese necesario para sacarte *a ti*, una sola persona–; esa era la intención de Ahmat. Nada de *infiltraciones*.

Evan se apoyó contra la mesa, cruzado de brazos, estudiando al omaní.

–Entonces no entiendo, y lo digo en serio, doctor. No busco demonios, pero creo que hay una brecha en tu explicación.

–¿Cuál es?

–Si buscarme el nombre de un terrorista, un terrorista muerto, sin explicaciones, debía ser mi posición de retirada, como la llamaste...

–Tu protección *temporal*, como *tú* la denominaste tan bien –interrumpió Faisal.

–Entonces supónte –*sólo* supónte– que yo no hubiera estado a mano para representar ese pequeño melodrama en el Al Kabir, esta noche...

–No estaba previsto que lo hicieras –replicó el doctor con serenidad–. Sencillamente adelantaste el programa. Eso no tenía que suceder a medianoche, sino en las primeras horas de la mañana, antes de las oraciones, cerca de la mezquita de Khor. La noticia de la captura de Bahrudi se habría difundido por los mercados como el anuncio de un embarque de contrabando barato en los muelles. Otro habría hecho el papel del impostor que eres tú. *Ese* era el plan, no otro.

–Entonces, como dirían los abogados, hay una conveniente convergencia de objetivos, reordenados en el tiempo y los fines, para satisfacer a todas las partes, sin conflictos. A cada rato escucho frases como esa en Washington. Muy agudas.

–Yo soy médico, *ya Shaikh*, no abogado.

–Por cierto –aceptó Evan con una leve sonrisa–. Pero me pregunto por tu joven amigo de palacio. El quería "conversar" sobre Amal Bahrudi. Me pregunto adónde nos habría llevado esa conversación.

–Tampoco él es abogado.

–Tiene que ser todas las cosas para dirigir esto –dijo Kendrick con sequedad–. Tiene que *pensar*. En especial ahora... Estamos perdiendo tiempo, doctor. Ensúciame un poco. No en los ojos o la boca, sino en las mejillas y el mentón. Y luego hazme un tajo en el hombro y véndamelo, pero no seques la sangre.

–*¿Perdón?*

–¡Por amor de Dios, no puedo hacerlo yo mismo!

La pesada puerta de acero se abrió, tirada por dos soldados que en el acto apoyaron sus armas contra la plancha de hierro exterior, como si esperasen un ataque contra la salida. Un tercer guardia lanzó al prisionero herido, todavía sangrante, hacia el enorme vestíbulo de hormigón que servía de celda colectiva; la luz que había era débil, y emanaba de bombillas de baja potencia, cubiertas de alambre tejido y atornilladas al cielo raso. En el acto, un grupo de presos convergió hacia el recién llegado, y varios tomaron de los hombros al hombre ensangrentado, desfigurado, arrodillado, que trataba, torpemente, de ponerse de pie. Otros se apiñaron en derredor de la imponente puerta metálica, parloteando entre sí en voz alta –casi chillando, en realidad–, en apariencia para cubrir lo que se decía dentro del cercado.

–*¡Khaleebalak!* –rugió el recién llegado, y el brazo derecho se lanzó hacia arriba, liberándose, para después golpear, con el puño cerrado, la cara de un joven prisionero cuya sonrisa revelaba dientes podridos–. ¡Por Alá, le romperé la cabeza a cualquier imbécil que me *toque* –continuó Kendrick, vociferando en árabe e irguiéndose en toda su estatura, que era varios centímetros superior al más alto de los hombres que lo rodeaban.

–¡Somos muchos y tú eres *uno*! –siseó el ofendido joven, apretándose la nariz para detener la hemorragia.

–¡Podrán ser muchos, pero son amantes de *machos* cabríos! ¡Son *estúpidos*! ¡*Apártense* de mí! ¡Tengo que pensar! –Con su última frase explosiva, hundió el brazo izquierdo contra quienes se lo sostenían, y enseguida lo recogió y clavó el codo en la garganta del prisionero más próximo que lo aferraba. Con el puño derecho todavía apretado, giró y golpeó con los nudillos en los ojos del hombre desprevenido.

No recordaba cuándo había sido la última vez que golpeó a otra persona, que atacó a otro ser humano. Si sus fugaces recuerdos eran correctos, eso se remontaba a la escuela primaria. Un chico llamado Peter No Sé Cuánto, había escondido la caja del almuerzo de su mejor amigo –una caja de lata adornada con personajes de Walt Disney–, y como Peter No Sé Cuánto era más grande que su amigo, él desafió al bravucón. Por desgracia, en su furia golpeó tan duramente al chico llamado Peter, que el director llamó a su padre y ambos adultos le dijeron que había hecho muy mal. Un joven de su estatura no buscaba pendencias. No era justo... ¡Pero señor! ¡Papá!... Nada de discusiones. Tuvo que aceptar deméritos. Pero después, su padre dijo: Si vuelve a suceder otra vez, hazlo de nuevo, hijo.

¡Y ocurría de nuevo! Alguien lo tomó del cuello por atrás! *Procedimiento de salvación de la vida.* ¿Por qué acudía a su mente? ¡Pellizcar el nervio del codo! ¡Obliga a que un hombre que se ahoga lo suelte a uno! *Certificado del Servicio de Salvamento de la Cruz Roja. Dinero de verano en el lago.* Presa de pánico, deslizó la mano por el brazo expuesto, llegó a la carne blanda de abajo del codo y presionó con toda la fuerza que tenía dentro de sí. El terrorista gritó; fue suficiente; Kendrick encorvó los hombros y arrojó al hombre por sobre su espalda, haciéndolo caer en el suelo de hormigón.

–¿Alguno quiere *más*? –susurró el nuevo prisionero con aspereza, encorvándose, girando, todavía evidente su estatura–. ¡Son *tontos*! ¡A no ser por ustedes, idiotas, yo no habría sido apresado! ¡Los desprecio a *todos*! ¡Y ahora déjenme en paz! ¡Ya les dije, necesito *pensar*!

–¿Quién eres para insultarnos y darnos órdenes? –chilló un casi adolescente de ojos salvajes; un labio leporino dificultaba su dicción. Toda la escena parecía salida de Kafka... prisioneros semidementes con tendencia a la violencia instantánea, pero nerviosamente conscientes de un castigo más brutal por parte de los guardias. Los susurros se convirtieron en duras órdenes, los insultos reprimidos en gritos de desafío, en tanto que quienes hablaban miraban continuamente hacia la puerta, confirmando que el parloteo cubría todo lo que decían, excluyéndolo de oídos enemigos aguzados.

–¡Soy quien *soy*! Y eso es bastante para cabras tontas...

–¡Los guardias nos dijeron tu nombre! –balbuceó otro prisionero, ese de unos treinta años, de barba desprolija, y sucio cabello largo; se hizo bocina en los labios con las manos, como para ahogar sus palabras–. "¡Amal *Bahrudi*! –gritó–. ¡El hombre de *confianza* de Berlín Oriental, y lo hemos capturado!"... ¿Y qué? ¿Quién eres para nosotros? Ni siquiera nos gusta tu aspecto. ¡Me pareces muy extraño! ¿Qué es Amal Bahrudi? ¿Por qué habría de *importarnos?*

Kendrick miró hacia la puerta, y al agitado grupo de prisioneros que conversaban con excitación. Dio un paso adelante, y otra vez susurró con aspereza.

–Porque he sido enviado por otros que están mucho más arriba que ninguno de los que hay aquí o en la embajada. Mucho, *mucho* más arriba. ¡Y ahora les digo por última vez: déjenme *pensar*! Tengo que sacar información *afuera*...

–¡Inténtalo, y nos pondrás a todos ante un pelotón de fusilamiento! –exclamó otro prisionero entre dientes; era bajo, y se lo veía extrañamente bien cuidado, aparte de las inexplicables manchas de orina de sus pantalones carcelarios.

–¿Eso te molesta? –replicó Evan, y miró al terrorista, hablando en voz baja y henchida de repugnancia. *Era el momento de establecer su credo más a fondo*–. Dime, niño bonito, ¿tienes miedo de morir?

–¡Sólo porque ya no puedo servir a nuestra causa! –prorrumpió el joven hombre a la defensiva, mirando de un lado a otro, buscando justificación. Algunos asintieron; hubo asentimientos emocionales, convulsivos, de quienes estaban lo bastante cerca para escucharlo, arrastrados por sus temores. Kendrick se preguntó cuán profunda sería esa desviación respecto del fanatismo.

–¡Baja la voz, idiota! –dijo Evan con tono helado–. Tu martirio es suficiente servicio. –Se volvió y caminó por entre los cuerpos que se apartaban con vacilaciones, hacia la pared de piedra de la inmensa celda, en la cual había una ventana rectangular abierta, con barrotes de hierro empotrados en el hormigón.

–¡No tan rápido, tú, el de aspecto raro! –La voz ruda, apenas escuchada por encima del ruido, provenía del borde exterior de la periferia. Un hombre fornido, barbudo, se adelantó. Quienes estaban delante de él le dejaron paso como lo hacen los hombres con naturalidad en presencia de un superior... un sargento o un capataz, tal vez; no un coronel o un vicepresidente de una corporación. ¿Había alguien con más autoridad en ese cercado?, se preguntó Evan. ¿Alguien que miraba con atención, algún otro que daba órdenes?

–¿Qué pasa? –preguntó Kendrick en voz baja, cortante.

–¡No me gusta tu aspecto! No me agrada tu cara. Eso es bastante para mí.

–¿Bastante para *qué*? –dijo Evan, despectivo, desechando al hombre con un movimiento de cabeza mientras se recostaba contra la pared, con las manos aferradas a los barrotes de hierro de la pequeña ventana de la celda y la mirada fija en los terrenos iluminados de afuera.

–¡Vuélvete! –ordenó el capataz o sargento remplazante, con voz seca, detrás de él.

–Me volveré cuando quiera –dijo Kendrick, preguntándose si se le oía.

–Ahora –replicó el hombre, con voz no más alta que la de Evan... leve preludio de su fuerte mano que se estrelló de pronto contra el hombro derecho de Kendrick, apretando la carne que rodeaba la herida sangrante.

–¡No me toques, y eso es una *orden*! –gritó Evan, manteniéndose firme, apretando los barrotes de hierro para no traicionar el dolor que sentía, alertas las antenas para percibir lo que quería saber... Y llegó. Los dedos que apretaban su hombro se apartaron de manera espasmódica; la mano se alejó ante la orden de Evan, pero volvió, a tientas, un momento después. Reveló lo suficiente: el subalterno daba órdenes con sequedad, pero las recibía y ejecutaba con vivacidad cuando las daba una voz con autoridad. Suficiente. No era el *hombre* del cercado. Estaba muy alto, en el poste totémico, pero no lo bastante. ¿Habría realmente otro? Hacía falta una nueva prueba.

Kendrick permaneció rígido, y luego, sin movimiento o advertencia, giró con rapidez a su derecha, desalojando la mano, mientras el hombre robusto perdía ignominiosamente el equilibrio debido al movimiento en el sentido de las agujas del reloj.

–¡Muy bien! –escupió, y su seco susurro no fue una afirmación, sino una acusación–. ¿Qué es lo que no te gusta de mí? Transmitiré tu *juicio* a otros. ¡Estoy seguro de que les interesará, pues les agradaría saber quién emite *juicios* aquí, en Mascate! –Volvió a marcar una pausa, y luego continuó con brusquedad, y su voz se elevó en un desafío personal.– Hay muchos que consideran que esos juicios cuajan en leche de burra. ¿Qué *pasa*, imbécil? ¿Qué no te gusta en mí?

–Yo no hago los juicios –gritó el musculoso terrorista, tan a la defensiva como el joven-hombre que temía al pelotón de fusilamiento. Y luego, con tanta rapidez como había brotado su estallido, el receloso sargento-capataz, temeroso por un instante de que sus palabras hubiesen sido escuchadas por encima del parloteo, recuperó su suspicaz compostura.– Manejas las palabras con soltura –musitó con voz ronca, bizqueando–, pero para nosotros no son nada. ¿Cómo sabemos quién eres o de dónde vienes? Ni siquiera pareces uno de nosotros. Tu aspecto es diferente.

–Me muevo en círculos en los cuales no te mueves... en los cuales no podrías moverte. Yo sí.

–¡Tienes ojos claros! –El grito ahogado provino del prisionero de más edad, barbudo, de largo cabello sucio, que atisbaba.– ¡Es un espía! ¡Ha venido a *espiarnos*! –Otros se apiñaron, estudiando al desconocido que de pronto resultaba más peligroso.

Kendrick volvió la cabeza con lentitud hacia el acusador.

–También tú podrías tener estos ojos, si tu padre fuese europeo. Si hubiese querido cambiarlos para tu beneficio groseramente estúpido, unas pocas gotas de líquido habrían bastado para una semana. Por supuesto, tú no tienes conocimiento de esas técnicas.

–Tienes palabras para todo, ¿verdad? –dijo el sargento-capataz–. Los embusteros las tienen de sobra, porque no cuestan nada.

–Salvo la vida de uno –replicó Evan, y movió los ojos para mirar cada una de las caras–. Que no tengo la intención de perder.

–¿Tienes miedo de *morir*, entonces? –desafió el acicalado joven de pantalones sucios.

–Tú mismo contestaste la pregunta por mí. No temo la muerte –ninguno de nosotros debería temerla–, pero *temo* no poder hacer lo que he sido enviado aquí a realizar. Eso me da mucho temor... por nuestra causa más sagrada.

–¡Otra vez *palabras*! –barbotó el presunto jefe fornido, disgustado porque muchos de los prisioneros escuchaban al extraño euroárabe de lengua fluida–. ¿Qué es lo que tienes que realizar en Mascate? Si somos tan estúpidos, ¿por qué no nos lo dices? *¡Esclarécenos!*

–Sólo hablaré con quienes se me ha dicho que busque. Con nadie más.

–*Yo* creo que deberías hablar conmigo –dijo el sargento, ahora más sargento que capataz, mientras daba un paso amenazador hacia el rígido congresal norteamericano–. No te conocemos, pero tú podrías conocernos. Eso te da una ventaja que no me agrada.

–Y a mí no me gusta tu estupidez –dijo Kendrick, y en el acto hizo un gesto con las dos manos, indicando con una su oreja derecha, con la otra el móvil grupo parlanchín de la puerta–. ¿No puedes *entender*? –exclamó, y su susurro fue un grito en la cara del hombre–. ¡Podrías ser escuchado! Debes admitir que *eres* estúpido.

–Oh, sí, eso lo somos, señor. El sargento, decididamente un sargento, volvió la cabeza para mirar una figura invisible en algún lugar de la enorme celda de hormigón. Evan trató de seguir la mirada del hombre; con su estatura, vio una hilera de excusados abiertos en el extremo; varios se encontraban en uso, y los ojos de cada ocupante observaban la excitación. Otros presos, curiosos, muchos frenéticos, corrían alternativamente entre el ruidoso grupo de la puerta y los que rodeaban al nuevo prisionero.– Pero por otro lado, *gran* señor –continuó, burlón, el terrorista fornido–, tenemos métodos para superar nuestra estupidez. Deberías reconocerle a la gente inferior los méritos necesarios para esas cosas.

–Los reconozco cuando corresponden...

–¡Nos corresponden *ahora*! –El musculoso fanático levantó de repente el brazo izquierdo. Era una señal, y con ella las voces se elevaron en un cántico islámico, seguido instantáneamente por decenas de otros, y luego por otros más, hasta que todo el cercado quedó lleno de la repercusión de los ecos de cincuenta y tantos fanáticos que aullaban las alabanzas de las oscuras estaciones que conducían a los brazos de Alá. Y entonces ocurrió. Se preparaba un sacrificio.

Cayeron cuerpos sobre él; puños se hundieron en su abdomen y su cara. No pudo gritar; tenía los labios cerrados por fuertes dedos semejantes a otras tantas garras, estirada la carne hasta que creyó que le desgarrarían la boca. El dolor era insoportable. Y entonces, de golpe, sus labios quedaron libres, la boca torcida.

–¡Dinos! –gritó el sargento-terrorista en el oído de Kendrick, con palabras no captadas por los dispositivos de escucha, a causa de los cánticos islámicos cada vez más acelerados–. ¿Quién *eres*? ¿De qué lugar del *infierno* vienes?

–*¡Soy* quien *soy*! –gritó Evan, con una mueca, aguantando todo lo que podía, convencido de que conocía la mente árabe, seguro de que llegaría el momento en que el respeto por la muerte de un enemigo produciría unos segundos de silencio antes que se asestara el golpe; sería suficiente. La muerte era respetada en el Islam, tanto la del amigo como la del adversario. ¡Necesitaba esos segundos! ¡Tenía que hacer que los guardias supieran! ¡Oh, Dios, lo estaban matando! Un puño cerrado le martilló los testículos... ¡*cuándo*, cuándo se *detendría* eso para los pocos momentos *preciosos*!

De pronto, una figura borrosa se irguió encima de él, se inclinó, lo estudió. Otro puño se estrelló contra su riñón izquierdo; el grito interior no brotó de su boca. No podía permitirlo.

–*¡Basta!* –exclamó la voz del borroso contorno–. Arránquenle la camisa. Quiero verle el cuello. Se dice que hay una marca que no puede borrarse lavándola.

Evan sintió que le arrancaban la tela del pecho, y su respiración se entrecortó, sabiendo que lo peor estaba a punto de quedar revelado. No había cicatriz alguna en su cuello.

–*Es* Amal Bahrudi –entonó el hombre. Kendrick, apenas consciente, escuchó las palabras, y quedó atónito.

–¿Qué *buscas*? –preguntó el desconcertado sargento-capataz, furioso.

–Lo que no está ahí –dijo la voz–. En toda Europa, Amal Bahrudi es identificado por la cicatriz de su garganta. Se hizo circular una foto a las autoridades, que confirmaba que era de él, una foto que oscurecía la cara, pero no el cuello desnudo, donde se veía con claridad la cicatriz de una herida de cuchillo. Ha sido su mejor cobertura, una ingeniosa treta de ocultamiento.

–¡Me *confundes*! –gritó el hombre acuclillado, fornido, sus palabras casi ahogadas por el cántico cacofónico–. ¿Qué ocultamiento? ¿Qué *cicatriz*?

–Una cicatriz que nunca hubo, una marca que jamás existió. Todos buscan una mentira. Este es Bahrudi, el hombre de ojos azules que puede soportar el dolor en silencio, el hombre de confianza que se desplaza sin ser visto por las capitales occidentales, gracias a los genes de un abuelo europeo. A Omán debe de haber llegado la información de que venía hacia aquí, pero sin perjuicio de eso se lo dejará en libertad por la mañana, sin duda en medio de grandes disculpas. Ya ves que no hay cicatriz en su garganta.

En medio de la bruma y del tremendo dolor, Evan supo que era el momento de reaccionar. Se obligó a sonreír con los labios ardientes, sus ojos celestes se concentraron en la borrosa figura que tenía encima.

–Un hombre cuerdo –tosió, atormentado–. Por favor, levántame, apártalos de mí antes que los mande a todos al *infierno*.

–¿Habla Amal Bahrudi? –preguntó el hombre desconocido, tendiendo la mano–. Déjenlo levantarse.

–*¡No!* –rugió el sargento-terrorista, precipitándose y presionando los hombros de Kendrick–. ¡Lo que dices no tiene sentido! ¿El *es* quien dice ser por una cicatriz que no *existe*? ¿Dónde está el sentido de eso, quiero saber?

–Yo sabré si miente –replicó la figura de arriba, entrando poco a poco en el foco de la mirada de Kendrick. El delgado rostro era el de un hombre de poco más de veinte años, de pómulos salientes e intensos, oscuros ojos inteligentes que flanqueaban una nariz delgada y recta. El cuerpo era delgado, casi flaco, pero había una fuerza elástica en la forma en que se acuclillaba y sostenía la cabeza. Los músculos de su cuello sobresalían.– Déjenlo levantarse –repitió el terrorista más joven, con voz tranquila, pero no por ello menos imperiosa–. Y ordenen a los demás que detengan poco a poco sus cánticos, poco a poco, ¿entendido?, pero que luego sigan conversando entre sí. Todo tiene que parecer normal, incluidas las incesantes discusiones, que no tienen por qué incitar.

El enfurecido subordinado dio a Evan un último empellón hacia el suelo, abriéndole el corte del hombro a tal punto que volvió a caer sangre, de nuevo, sobre el suelo. El hombre, hosco, se puso de pie, y se volvió hacia la gente para cumplir sus órdenes.

–Gracias –dijo Evan, sin aliento, tembloroso y poniéndose de rodillas, con una mueca ante el dolor que sentía en todas partes, consciente de las magulladuras de la cara y el cuerpo, de las ardientes laceraciones donde su carne había sido lastimada... una vez más, aparentemente en todas partes–. Me habría unido a Alá en un par de minutos más.

–Es posible que todavía lo hagas, y por eso no me molestaré en detener tu hemorragia. –El joven palestino empujó a Kendrick contra la pared, obligándolo a sentarse, con las piernas estiradas en el suelo.– Sabes, no tengo la menor idea de si eres en verdad Amal Bahrudi o no. Actué por instinto. Por las descripciones que escuché, *podrías* ser él, y hablar un árabe educado, cosa que también coincide. Además, soportaste un castigo extremo, cuando un gesto de sumisión de tu parte habría significado que estabas dispuesto a ofrecer la información que te exigíamos. En cambio reaccionaste en forma desafiante, y tenías que saber que en cualquier momento podías ser estrangulado... Eso no es la conducta de un infiltrado que valora su vida aquí, en la tierra. Es la conducta de uno de los nuestros, que no quiere dañar nuestra causa, porque, como dijiste, es una causa sagrada. Y lo *es*. Muy sagrada.

¡Buen Dios!, pensó Kendrick, adoptando la expresión de un fanático abnegado. *¡Cómo te equivocas! Si hubiera pensado... si hubiera podido pensar... ¡Olvídalo!*

–¿Qué podrá convencerte por último? Te diré ahora que no revelaré cosas que no debo revelar. –Evan calló, y su mano tapó el nudo que tenía en la garganta.– Ni siquiera aunque reanudaras el castigo y me estrangulases, si quieres.

–Las dos son afirmaciones que yo esperaba –dijo el intenso y delgado terrorista, y bajó hasta quedar acuclillado delante de Evan–. Pero puedes decirme para qué viniste aquí. ¿Por qué fuiste enviado a Mascate? ¿A quién se te dijo que debías buscar? Tu vida depende de tus contestaciones, Amal Bahrudi, y yo soy el único que está en condiciones de adoptar esa decisión.

Había estado en lo cierto. ¡A pesar de todas las posibilidades en contra, había estado en lo cierto!

Escapar. Tenía que escapar con ese joven asesino de una causa sagrada.

7

Kendrick miró al joven palestino como si en verdad los ojos contuvieran el significado del alma de un hombre, aunque los ojos de Evan se encontraban demasiado hinchados para revelar otra cosa que un abrumador dolor físico... *Los demás dispositivos están en los tanques de los inodoros: doctor Amal Faisal, entra en contacto con el sultán*.

–Fui enviado aquí para decirte que entre tu gente de la embajada hay traidores.

–*¿Traidores?* –El terrorista se mantuvo inmóvil en su posición, en cuclillas, delante de Evan; aparte de un leve fruncimiento de las cejas, no hubo reacción alguna.– Eso es imposible –dijo al cabo de varios momentos de intenso estudio de las facciones de "Amal Bahrudi".

–Me temo que no –replicó Kendrick–. He visto la prueba.

–¿Consistente en qué?

Evan hizo de pronto una mueca, se tomó el hombro herido, y su mano quedó instantáneamente cubierta de sangre.

–¡Si no quieres detener esta hemorragia, lo haré *yo*! –Comenzó a empujar contra la pared de piedra, para ponerse de pie.

–¡Quédate quieto –ordenó el joven asesino.

–¿Por qué? ¿Por qué *habría* de hacerlo? ¿Cómo sé que no formas parte de la traición... que ganas *dinero* gracias a nuestro trabajo?

–¿Dinero?... ¿Qué *dinero*?

Evan presionó otra vez contra la pared, las manos en el suelo, tratando de levantarse.

–Hablas como un hombre, pero eres un joven.

–Crecí con rapidez –dijo el terrorista, empujando de nuevo a su extraño prisionero hacia abajo–. A la mayor parte de nosotros nos ocurrió eso.

–Crece *ahora*. Si muero desangrado, eso no nos dirá nada a ninguno de nosotros. –Kendrick se arrancó del hombro la camisa empapada en sangre.– Está sucia –dijo, señalando la herida con la cabeza–. Está llena de polvo y fango, gracias a los animales de tus amigos.

–No son animales, y no son amigos. Son mis hermanos.

–Escribe poesía en tu propio tiempo, el mío es demasiado valioso... ¿Hay agua aquí... agua *limpia*?

–Los excusados –respondió el palestino–. Hay una pila a la derecha.

–Ayúdame a levantarme.

–*No*. ¿Qué *prueba*? ¿A quién se mandó a buscar?

–¡Tonto! –estalló Evan–. Muy bien... ¿Dónde está Nassir? Todos preguntan: ¿dónde está Nassir?

–Muerto –respondió el joven; su expresión decía: "sin comentarios".

–*¿Qué?*

–Un guardia de infantería de marina lo atacó, le quitó el arma y le disparó. El infante fue muerto en el acto.

–Nada se dijo...

–¿Qué podía decirse que resultara productivo? –replicó el terrorista–. ¿Convertir en mártir a un único guardia norteamericano? ¿Mostrar que uno de los nuestros había sido vencido? No exhibimos nuestras debilidades.

–¿Nassir? –preguntó Kendrick, al percibir una nota de tristeza en la voz del joven terrorista–. ¿Nassir era débil?

–Era un teórico, y no estaba capacitado para este trabajo.

–¿Un teórico? –Evan enarcó las cejas.– ¿Nuestro estudiante es un analista?

–Este estudiante es capaz de determinar los momentos en que la participación activa debe sustituir al debate pasivo, en que la fuerza remplaza a las palabras. Nassir hablaba demasiado, justificaba demasiado.

–¿Y tú no?

–Yo no soy el tema, *tú* lo eres. ¿Qué pruebas de traición tienes?

–La mujer Yateem –contestó Kendrick en respuesta a la primera pregunta, no a la segunda–. Zaya Yateem. Se me ha dicho que es...

–Yateem una *traidora*? –exclamó el terrorista, con furia en la mirada.

–No dije eso.

–¿Y *qué* dijiste?

–Era digna de confianza...

–¡Mucho más que eso, Amal Bahrudi! –El joven aferró lo que quedaba de la tela de la camisa de Evan.– ¡Está *entregada* a nuestra causa, es una trabajadora infatigable, que se esfuerza más que ninguno de nosotros en la embajada!

–También habla el inglés –dijo Kendrick, al escuchar otra nota en la voz del terrorista.

–¡Y yo! –replicó el airado, autotitulado estudiante, soltando al prisionero dentro de la prisión de ambos.

–Lo mismo que yo –dijo Evan en voz baja, lanzando una mirada hacia los numerosos grupos de prisioneros, muchos de los cuales los observaban–. ¿Podemos hablar ahora en inglés? –preguntó, y una vez más estudió su hombro sangrante–. Dices que quieres pruebas, cosa que, por supuesto, yo no puedo proporcionar, pero *puedo* decirte lo que he visto con mis propios ojos... en Berlín. Tú decidirás si estoy diciéndote o no la verdad... ya que eres tan competente para determinar cosas. Pero no quiero que ninguno de tus hermanos animales entienda lo que digo.

–Eres un hombre arrogante, en circunstancias que no justifican la arrogancia.

–Soy quien soy...

–Ya lo dijiste. –El terrorista asintió.– *Inglés* –convino, dejando a un lado el arábigo–. Hablaste de Yateem. ¿Qué pasa con ella?

–Tú diste por entendido que yo quería decir que la traidora era ella.

–¿Quién *se atreve*...?

–Quise decir todo lo *contrario* –asintió Kendrick, con una mueca, y se apretó el hombro con más fuerza–. Se confía en ella, se la elogia; hace su trabajo en forma brillante. Después de Nassir, a *ella* era a quien debía buscar. –Ahogó una exclamación de dolor, un reflejo demasiado fácil, y sus palabras siguientes fueron entrecortadas por la tos.– Si ella había sido muerta... debía buscar a un hombre llamado Azra... y si él ya no estaba, a otro con mechones grises en el cabello, conocido como Ahbyahd.

–¡Yo soy Azra! –exclamó el estudiante de ojos oscuros–. ¡Yo soy aquel a quien llaman Azul!

Bingo, pensó Kendrick, y observó con fijeza al joven terrorista, con ojos interrogantes.

–Pero estás aquí, en este cercado, no en la embajada...

–Por decisión de nuestro consejo de operaciones –interrumpió Azra–. Encabezado por Yateem.

–No entiendo.

–Nos llegaron informaciones. Se había tomado prisioneros, y se los mantenía en aislamiento... torturados, sobornados, quebrados de una u otra manera para que ofrecieran informes. Se decidió que el más fuerte de nosotros, integrantes del consejo, también sería capturado... ¡para dirigir, para encabezar la *resistencia*!

–¿Y te eligieron a ti? ¿*Ella* te eligió a ti?

–Zaya sabía lo que decía. Es mi hermana; yo, su hermano de sangre. Está tan segura de mi abnegación como yo de la de ella. Luchamos juntos hasta nuestras muertes, porque la muerte es nuestro pasado.

¡El primer premio! Evan arqueó el cuello, y su cabeza cayó contra la dura pared de hormigón, mientras sus ojos doloridos recorrían el cielo raso, con las bombillas protegidas por tejido de alambre.

–De modo que encuentro a mi contacto vital en el lugar más imposible. Es posible que, en definitiva, Alá nos haya abandonado.

–¡Al *demonio* con Alá! –exclamó Azra, asombrando a Kendrick–.

Serás puesto en libertad por la mañana. No tienes cicatrriz alguna en tu garganta. Quedarás libre.

–No estés tan seguro de eso –dijo Evan con otra mueca, y otra vez se tomó el hombro–. Para decirlo con claridad, esa foto mía fue identificada como tomada en una celda jihad en Roma, y ahora se pone en duda la cicatriz. Están buscando en Riyadh y Manamah mi historia odontológica y médica. Si se pasó por alto algo, si se lo encuentra, tendré que vérmelas con un verdugo israelí... Pero eso no es problema tuyo, ni mío, por el momento, para decirlo con franqueza.

–Por lo menos tu valentía coincide con tu arrogancia.

–Ya te lo dije –dijo Kendrick, cortante–, escribe poemas en tu propio tiempo... Si eres Azra, hermano de Yateem, necesitas información. Tienes que conocer lo que vi en Berlín.

–¿Las pruebas de la traición?

–Si no de traición, de total estupidez, y si no de estupidez, de codicia imperdonable, que no es menos que la traición. –Evan trató, una vez más, de ponerse de pie, empujando la pared con la espalda, las manos apoyadas en el suelo. En esta oportunidad el terrorista no se lo impidió.– *¡Maldito seas, ayúdame!* –exclamó–. De esta manera no puedo pensar. Tengo que lavarme la sangre, despejarme la vista.

–Muy bien –dijo, vacilante, el hombre llamado Azra; su expresión revelaba su intensa curiosidad–. Apóyate en mí –agregó sin entusiasmo.

–Sólo te pedí que me ayudaras a *levantarme* –dijo Kendrick, y se soltó de ese brazo una vez que estuvo de pie–. Caminaré por mis propios medios, gracias. No necesito ayuda de niños ignorantes.

–Es posible que necesites más ayuda de la que estoy dispuesto a ofrecer...

–Lo había olvidado –interrumpió Evan, tambaleándose y dirigiéndose con pasos torpes hacia la hilera de cuatro excusados y una pila–. El estudiante es al mismo tiempo juez y jurado, ¡a la vez que la mano derecha de Alá, a quien manda al demonio!

–Entiende esto, hombre de fe –dijo Azra con firmeza, manteniéndose cerca del arrogante, insultante desconocido–. Mi guerra no es por o contra Alá, Abrahán o Cristo. Es una lucha por sobrevivir y vivir como un ser humano, a despecho de quienes quieren destruirme con sus balas y sus leyes. Hablo en nombre de muchos cuando digo: disfruta de tu fe, practícala, pero no me cargues con ella. Tengo bastantes cosas contra las cuales pelear, nada más que para seguir con vida, aunque sólo sea para luchar un día más.

Kendrick miró al furioso joven asesino cuando se acercaban a la pila.

–Me pregunto si debería estar hablando contigo –dijo, entrecerrando los ojos hinchados–. Me pregunto si tal vez no eres el Azra a quien se me mandó a buscar.

–Créelo –respondió el joven terrorista–. En este trabajo se establecen muchas transacciones entre personas de muchas procedencias, de muchos objetivos diferentes, y todos quitan algo a alguien por razones muy egoístas. Juntos, podemos hacer más por nuestras respectivas causas de lo que podríamos lograr por separado.

–Nos entendemos –dijo Kendrick, sin comentario alguno en la voz.

Llegaron a la herrumbada pila de hierro. Evan abrió al máximo el único grifo de agua fría, y luego, consciente del ruido, redujo el chorro para después hundir en él las manos y la cara. Salpicó agua por todo el tórax, mojándose la cabeza y el pecho varias veces, en torno de la herida sangrante del hombro. Prolongó el lavado, consciente de la creciente impaciencia de Azra; el palestino pasaba el peso del cuerpo de uno a otro pie, sabedor de que llegaría el momento. *Los otros dispositivos están en los tanques de los inodoros*. El momento llegó.

–¡Basta! –estalló el enfurecido terrorista, y tomó el hombro intacto de Kendrick y lo hizo girar, para apartarlo de la pila–. ¡Dame tus informaciones, lo que viste en Berlín! *¡Ahora!* ¿Cuál es la prueba de traición... o de estupidez... o de *codicia*? ¿Cuál es?

–Tiene que haber más de una persona involucrada –comenzó a decir Evan, tosiendo; cada tos era más pronunciada, más violenta que la anterior; le temblaba todo el cuerpo–. A medida que la gente sale, las *sacan*... –De pronto Kendrick se encorvó, se tomó la garganta, trastabilló hacia el primer excusado de la izquierda de la mugrienta pila.– ¡Tengo náuseas! –exclamó, tomándose de los bordes del tazón con ambas manos.

–¿Sacan *qué*?

–*¡Películas!* –prorrumpió Evan, con la voz dirigida hacia el lugar que rodeaba el tanque del inodoro–. ¡Películas sacadas de la embajada, de contrabando...! ¡Para venderlas!

–¿Películas? *¿Fotos?*

–Dos rollos. ¡Yo los intercepté, los traje! Identidades, *métodos*...

Nada más pudo oírse en la enorme celda terrorista de hormigón. Estallaron timbres ensordecedores; sonidos que indicaban una emergencia repercutieron en las paredes, mientras un grupo de guardias uniformados entraban corriendo, las armas listas, escudriñando, frenéticos. En pocos segundos ubicaron lo que buscaban; seis soldados se precipitaron hacia la hilera de excusados.

–*¡Nunca!* –gritó el prisionero conocido como Amal Bahrudi–. *¡Mátenme*, si quieren, pero no sabrán *nada*, porque no *son* nada!

Los dos primeros guardias se acercaron. Kendrick se precipitó contra ellos, embistió con el cuerpo a los aturdidos soldados, quienes creían estar rescatando a un infiltrado a punto de ser muerto. Este agitó los brazos y golpeó los confundidos rostros con los puños.

Por fortuna, un tercer soldado asestó la culata de su rifle en el cráneo de Amal Bahrudi.

Todo era oscuridad, pero sabía que estaba en la mesa de revisaciones, en el laboratorio de la prisión. Sentía las compresas frías en los ojos y el hielo en varias partes del cuerpo; se quitó las gruesas compresas mojadas. Sobre él aparecieron, en foco, varias caras... rostros desconcertados, furiosos. ¡No tenía tiempo para ellos!

–*¡Faisal!* –dijo, ahogándose, hablando en árabe–. ¿Dónde está Faisal, el *doctor*?

–Estoy aquí, junto a tu pie izquierdo –respondió en inglés el médico omaní–. Lavando una herida punzante más bien extraña. Me temo que alguien te mordió.

–Puedo ver sus dientes –dijo Evan, hablando también en inglés, ahora–. Eran como los de un pez con dientes de sierra... sólo que amarillos.

–En esta parte del mundo faltan las dietas adecuadas.

–Haz salir a todos, doctor –interrumpió Kendrick–. Ahora. Tenemos que hablar... *¡ahora!*

–Después de lo que hiciste ahí, dudo de que se vayan, y ni siquiera estoy seguro de que yo les permita irse. ¿Estás loco? Van a salvar tu vida y tú te lanzas sobre ellos, le fracturas la nariz a uno y le quiebras la dentadura postiza a otro.

–Tenía que ser convincente, diles eso... no, no les *digas* nada. Todavía no. Diles lo que te parezca, pero tenemos que *hablar*. Luego debes comunicarte con Ahmat en mi nombre... ¿Cuánto hace que estoy aquí?

–Casi una hora...

–*¡Cielos!* ¿Qué hora es?

–Las cuatro y cuarto de la mañana.

–¡De prisa! ¡Por amor de Dios, date *prisa*!

Faisal hizo salir a los soldados con palabras tranquilizadoras; los calmó, les dijo que había cosas que no podía explicar. Antes de salir, el último guardia se detuvo, sacó su automática de su funda y se la tendió al médico.

–¿Debo apuntarte con esto mientras conversamos? –preguntó el omaní cuando el soldado hubo salido.

–Antes que salga el sol –dijo Kendrick, apartando las bolsas de hielo y sentándose; dolorido, bajó las piernas por el costado de la mesa–, quiero una cantidad de armas apuntadas contra mí. Pero no con tanta precisión como se debería.

–¿Qué estás diciendo? No puede ser que hables en serio.

–Fuga. Ahmat tiene que disponer una fuga.

–*¿Qué? ¡Estás* loco!

–Nunca estuve más cuerdo, doctor, y nunca hablé más en serio. Elige a dos o tres de tus mejores hombres, lo cual significa que deben ser hombres en quienes confíes por completo, y organiza algún tipo de traslado...

–*¿Traslado?*

Evan sacudió la cabeza y parpadeó; la hinchazón todavía resultaba evidente, aunque había sido reducida por las compresas frías. Trató de encontrar las palabras que necesitaba para hablar con el asombrado doctor.

–A ver si puedo decirlo de esta manera: alguien ha resuelto trasladar a algunos prisioneros de aquí a otro lugar.

–¿Quién haría eso? ¿Por qué?

–¡Nadie! Organízalo tú y hazlo, no expliques... ¿Tienes fotos de los hombres de adentro?

–Por supuesto. Es un procedimiento normal de arresto, aunque los nombres carecen de importancia. Cuando los dan, casi siempre son falsos.

–Quiero que me los des todos. Te diré a quién elegir.

–¿Elegir para *qué*?

–Para el traslado. Los que saldrán de aquí hacia otro lugar.

–¿Hacia *dónde*? De veras, no te entiendo.

–No me escuchas. En algún punto del trayecto, dominaremos a los guardias y huiremos.

–*¿Dominaremos...?*

–Yo formo parte del grupo, parte de la fuga. Voy a ir allá.

–¡Locura total! –exclamó Faisal.

–Cordura total –replicó Evan–. Adentro hay un hombre que puede llevarme adonde quiero ir. *¡Llevarnos* adonde *tenemos* que ir! Consígueme las fotos policiales, y después comunícate con Ahmat en el número del triple cinco. Dile lo que te he dicho, él entenderá... ¡Entender, un *cuerno*! ¡Es lo que ese delincuente juvenil, estudiante de universidades aristocráticas, tenía pensado desde el principio!

–Creo que también tú, tal vez, *ya Shaikh amreekánee*.

–Es posible. Quizá quiero culpar a algún otro de ello. No encajo en este molde.

–Entonces hay algo dentro de ti que te impulsa, que remodela al hombre que era. Esas cosas suceden.

Kendrick miró los suaves ojos castaños del médico omaní.

–Ocurre –admitió. De pronto se le llenó el cerebro con el contorno de una silueta sombría; la figura de un hombre brotó de los fuegos enfurecidos de un infierno terrenal. Remolinos de humo envolvieron a la aparición, mientras una cascada de escombros caía en derredor de ella, ahogando los gritos de las víctimas. *El Mahdí*. Asesino de hombres y mujeres, de amigos queridos para él, asociados en una visión... de su familia, la única familia que alguna vez quiso. Todos desaparecidos, todos muertos, y la visión se unía en el humo de la destrucción, y desaparecía en él, hasta que no quedaba otra cosa que el frío y la oscuridad. *¡El Mahdí!*– Ocurre –repitió Kendrick con suavidad, frotándose la frente–. Tráeme las fotos y llama a Ahmat. Quiero estar de vuelta en ese cercado dentro de veinte minutos, y ser sacado de allí diez minutos más tarde. ¡Por amor de Dios, *muévete*!

Ahmat, sultán de Omán, todavía de pantalones y camiseta con la inscripción de Patriotas de Nueva Inglaterra, se encontraba sentado en la silla de respaldo alto, con la luz roja de su teléfono privado, seguro, brillante bajo la pata derecha de su escritorio. Con el instrumento cerca del oído, escuchaba con atención.

–De modo que ocurrió, Faisal –dijo en voz baja–. Alabado sea Alá, *ocurrió*.

–Me dijo que tú lo esperabas –dijo el médico al otro lado de la línea, con tono interrogante.

–"Lo esperaba" es demasiado fuerte, viejo amigo. Es más adecuado decir "lo anhelaba".

–Yo te extirpé las amígdalas, gran sultán, y te atendí a lo largo de los años de dolencias sin importancia, incluido un gran temor por ti, que resultó no tener fundamentos.

Ahmat rió, más para sí que en el teléfono.

–Una semana de locura en Los Angeles, Amal. ¿Quién sabía qué podía haber contraído?

–Teníamos un pacto. Nunca se lo dije a tu padre.

–Lo cual significa que crees que ahora yo te oculto algo a ti.

–Se me ocurrió esa idea.

–Muy bien, viejo amigo... –De pronto el joven sultán levantó la cabeza cuando se abrió la puerta de su despacho real. Entraron dos mujeres; la primera, evidentemente embarazada, una occidental de New Bedford, Massachusetts, rubia, de bata. Su esposa. Luego, una mujer de piel aceitunada y cabello oscuro, de elegante ropa de calle. En la casa se la conocía sencillamente como Khalehla.

–Aparte de la sensatez, buen doctor –continuó Ahmat en el teléfono–, tengo ciertas fuentes. Nuestro conocido común necesita ayuda, ¿y quién mejor, para proporcionarla, que el gobernante de Omán? Dejamos filtrar informaciones a los animales de la embajada. Había prisioneros en alguna parte, sometidos a brutales interrogatorios. *Alguien* debía ser enviado allí para mantener la disciplina, el orden... y Kendrick lo encontró... Dale a nuestro norteamericano cualquier cosa que pida, pero retrasa su horario en quince o veinte minutos, hasta que lleguen mis dos policías.

–¿El Al Kabir? ¿Tus primos?

–Dos policías especiales bastarán, amigo mío.

Hubo un breve silencio, una voz que buscaba las palabras.

–Los rumores son ciertos, ¿no es así, Ahmat?

–No tengo la menor idea de lo que quieres decir. Los rumores son murmuraciones, y ninguna de las dos cosas me interesa.

–Se dice que eres mucho más sabio de lo que indica tu edad.

–Eso es de estudiantes de primer año –interrumpió el sultán.

–*El* dijo que tenías que serlo para... "gobernar este lugar" –dijo–. Resulta difícil, para quien te ha tratado de paperas.

–No sigas con eso, doctor. Manténme informado. –Ahmat introdujo la mano en el cajón en el cual se hallaba la base del teléfono privado, y marcó una serie de números. Segundos más tarde, estaba hablando.– Lo siento, familia mía, sé que están durmiendo, pero tengo que molestarlos de nuevo. Vayan al cercado enseguida. Amal Bahrudi quiere huir. Con *peces*. –Colgó.

–¿Qué ha ocurrido? –preguntó la esposa del joven sultán, avanzando con paso rápido.

–Por favor –dijo Ahmat, la vista clavada en el vientre de su esposa, que jadeaba–. Sólo te faltan seis semanas, Bobbie. Camina con lentitud.

–Es excesivo –dijo Roberta Aldridge Yamenni, volviendo la cabeza y dirigiéndose a Khalehla, quien se hallaba a su lado–. Este hombre mío llegó en el puesto número dos mil en la Maratón de Boston, y me dice cómo debo llevar un hijo. ¿No es excesivo?

–La simiente real, Bobbie –respondió Khalehla, sonriente.

–¡Real, un cuerno! Los pañales son un tremendo nivelador. Pregúntaselo a mi madre, nos tuvo a cuatro de nosotros en seis años... De veras, querido, ¿qué ha ocurrido?

–Nuestro parlamentario norteamericano estableció un contacto en el cercado. Vamos a fingir una fuga.

–¡Funcionó! –exclamó Khalehla, acercándose al escritorio.

–La idea fue tuya –dijo Ahmat.

–Por favor, olvídalo. Aquí estoy fuera de mi medio.

–*Nada* está fuera de nada –dijo con firmeza el joven sultán–. A pesar de las apariencias, a pesar de los *riesgos*, necesitamos toda la ayuda que podamos conseguir, todo el asesoramiento que logremos reunir... Perdón, Khalehla. Ni siquiera saludé. Como en el caso de mis primos, mis ruines policías, lamento tener que hacerte salir a esta hora, pero sabía que querrías estar aquí.

–En ninguna otra parte.

–¿Cómo lo lograste? Quiero decir, eso de salir del hotel a las cuatro de la mañana.

–Agradécele a Bobbie. Sin embargo, Ahmat, agrego que nuestras reputaciones no han quedado fortalecidas.

–¿No? –El sultán miró a su esposa.

–Santo cielo –entonó Bobbie, con las palmas unidas, haciendo una reverencia y hablando con su acento de Boston–. Esta hermosa dama es una cortesana de El Cairo... suena bien, ¿verdad? Dadas las circunstancias... –Aquí la regia esposa acarició su abultado vientre con las manos, y continuó:– El privilegio del rango tiene sus ventajas. Hablando como una estelar especializada en historia, en Radcliffe, cosa que atestiguará mi ex compañera de cuarto, aquí presente, Enrique VIII de Inglaterra lo llamó "montar en la silla". Eso sucedió cuando Ana Bolena estaba demasiado indispuesta para satisfacer a su monarca.

–Por amor de Dios, Roberta, esto no es *El rey y yo*, y yo *no* soy Yul Brynner.

–¡Ahora lo eres, amigo! –Riendo, la esposa de Ahmat miró a Khalehla.– Por supuesto, si lo tocas te arrancaré los ojos.

–No temas, querida –dijo Khalehla con fingida seriedad–. Menos aún después de lo que me contaste.

–Muy bien, ustedes dos –interrumpió Ahmat. Su breve mirada expresó la gratitud que sentía hacia ambas mujeres.

–Tenemos que reír de vez en cuando –dijo su esposa–. De lo contrario, creo que nos volveríamos locas de remate.

–Delirantes como en un rapto de locura –convino Ahmat en voz baja, clavando la mirada en la mujer de El Cairo–. ¿Cómo está tu amigo británico, el hombre de negocios?

–Delirante como en una borrachera –respondió Khalehla–. La última vez se lo vio semierguido en el Bar Americano del hotel, insultándome.

–No es lo peor que puede ocurrirle a tu cobertura.

–Por cierto que no. Es evidente que me entrego al mejor postor.

–¿Y qué hay de nuestros superpatriotas, los maduros príncipes comerciantes, que preferirían verme huir a Occidente, frustrado, antes que seguir viéndome aquí? Todavía creen que trabajas para ellos, ¿no?

–Sí. Mi "amigo" me dijo en el mercado de Sabat Aynub, que están convencidos de que te reuniste con Kendrick. Su lógica fue tal, que me vi obligada a seguirle el razonamiento y admitir que eras un tonto de remate; estabas buscándote el peor tipo de problemas. Lo siento.

–¿Qué lógica?

–Saben que un coche de la guarnición recogió al norteamericano a pocas calles de su hotel. No pude discutirlo, yo estaba allí.

–Entonces buscaban ese coche. Hay vehículos de la guarnición por todo Mascate.

–Perdón una vez más, fue un error, Ahmat. Yo habría podido decírtelo, si hubiese estado en condiciones de comunicarme contigo. Sabes, el círculo quedó quebrado; sabían que Kendrick estuvo aquí...

–*Mustafá* –interrumpió el joven sultán, furioso–. Lloro por su muerte, pero no porque su enorme boca haya quedado cerrada.

–Quizá fue él, quizá no –dijo Khalehla–. Washington mismo podría ser responsable. Demasiadas personas participaron en la llegada de Kendrick, también me di cuenta de eso. Según entiendo, fue una operación del Departamento de Estado; hay otros que hacen mejor esas cosas.

–¡No sabemos quién es el enemigo, ni dónde *buscarlo*! –Ahmat cerró el puño y se llevó los nudillos a los dientes.– Podría ser cualquiera, estar en *cualquier parte*... delante de nuestra vista. Maldición, ¿qué *haremos*?

–Haz lo que él te dijo, respondió la mujer de El Cairo–. Déjalo pasar a cobertura profunda. Ha establecido el contacto; deja que él se comunique contigo.

–¿Eso es lo único que puedo hacer? *¿Esperar?*

–No, hay algo más –añadió Khalehla–. Dame la ruta de fuga y uno de tus veloces coches. Yo traje conmigo mi equipo de cortesana, está en una maleta, afuera, en el vestíbulo, y mientras me cambio de ropa, coordina los detalles con tus primos y con ese médico a quien llamas viejo amigo.

–¡Eh, vamos! –protestó Ahmat–. Sé que tú y Bobbie se conocen desde hace mucho tiempo, ¡pero eso no te da derecho a ordenarme que ponga en peligro tu vida! Ni pensarlo, José.

–No estamos hablando de mi vida –dijo Khalehla con voz helada–. Ni de la tuya, para decirlo con franqueza. Hablamos del terrorismo al desnudo y de la supervivencia del Asia del sudoeste. Puede que esta noche no obtengamos nada, pero mi tarea es tratar de averiguarlo, y la tuya consiste en permitírmelo. ¿No hemos sido adiestrados ambos para eso?

–Y dale también el número donde puede comunicarse contigo –dijo Roberta Yamenni con serenidad–. Con *nosotros*.

–Ve a cambiarte de ropa –dijo el joven sultán de Omán, meneando la cabeza, los ojos cerrados.

–Gracias, Ahmat. Me daré prisa, pero primero debo hablar con mi gente. No tengo mucho que decir, así que haré rápido.

El hombre calvo, ebrio, de arrugado traje a rayas de Savile Row, fue acompañado fuera del ascensor por dos compatriotas. La amplitud y el peso del embriagado amigo eran tales, que cada uno se esforzaba por sostener su parte del cuerpo.

–¡Es una maldita deshonra! ¡Eso es éste! –dijo el hombre de la izquierda, observando con torpeza una llave de hotel que le colgaba de los dedos de la mano derecha, hundida más torpemente aún bajo la axila del borracho.

–Vamos, Dickie –replicó su compañero–, todos hemos bebido de más alguna vez.

–¡*No* en un condenado país que está siendo consumido por las llamas atizadas por bárbaros negros! Podría provocar una maldita riña, y *nosotros* terminaríamos colgados del cuello en dos faroles callejeros. ¿Dónde está la maldita habitación?

–Al extremo del corredor. Es un tipo pesado, ¿no?

–Puro sebo y whisky, calculo.

–Eso no lo sé. Parecía un tipo bastante agradable, que resultó engañado por una puta de palabra rápida. Ese tipo de cosas aplastan a cualquiera, ¿sabes? ¿Entendiste para quién trabajaba?

–Para una firma textil de Manchester. Twillingame, o Burlingame, o algo por el estilo.

–Nunca oí hablar de ella –dijo el hombre de la derecha, enarcando las cejas, asombrado–. Ah, dame la llave; aquí está la puerta.

–Lo dejaremos caer en la cama, y fuera de eso ninguna otra cortesía, te digo.

–¿Te parece que ese tipo nos mantendrá abierto el bar? Quiero decir, mientras cumplimos con nuestra obligación cristiana, el canalla podría echar llave a la puerta, sabes.

–¡Será mejor que no lo haga! –exclamó el hombre llamado Dickie, mientras las tres figuras entraban trastabillando en la oscura habitación; la luz del corredor perfilaba la cama.– Le di veinte libras para que lo tuviese abierto, aunque sólo fuese para nosotros. ¡Si crees que cerraré los ojos por un solo instante, antes de subir mañana a ese avión, deberías estar en el loquero! Y también te digo que no quiero que algún imbécil con un complejo mesiánico me rebane la garganta. ¡Vamos, *arriba*!

–Buenas noches, príncipe obeso –dijo el compañero–. Y que todo tipo de negros murciélagos te lleven a cualquier parte.

El hombre corpulento, de traje a rayas, levantó la cabeza de la cama y volvió la cara hacia la puerta. Los pasos se alejaron por el corredor; en forma poco elegante, hizo rodar el corpachón y se puso de pie. A la escasa luz que ofrecían los focos callejeros de abajo, al otro lado de la ventana, se quitó la chaqueta y la colgó con cuidado en el guardarropas abierto, alisando las arrugas. Luego se dedicó a desanudar la corbata con los colores del regimiento, deslizándola del cuello. Desabotonó la manchada camisa, que apestaba a whisky, se la sacó y la arrojó a un cesto. Entró en el cuarto de baño, abrió los dos grifos y se lavó la parte de arriba del torso; satisfecho, tomó una botella de agua de colonia y se salpicó generosamente la piel. Luego de secarse, volvió al dormitorio y a su maleta, depositada en el soporte para equipaje del rincón. La abrió, eligió una camisa de seda negra y se la puso. Cuando la abotonó y la introdujo debajo del cinturón que le rodeaba el grueso vientre, fue hacia la ventana y sacó del bolsillo de los pantalones una caja de cerillas. Encendió una, dejó que la llama se asentara y describió tres semicírculos delante del gran vidrio. Esperó diez segundos, se encaminó hacia el escritorio del centro de la pared de la izquierda y encendió la lámpara. Se dirigió a la puerta, quitó el cerrojo automático y regresó a la cama, donde sacó minuciosamente las dos almohadas de abajo de la colcha, las esponjó para usarlas como apoyo de la espalda y se acostó. Miró su reloj y esperó.

Los arañazos en la puerta produjeron tres claras resonancias, cada una semicircular, en la madera.

–Adelante –dijo el hombre de camisa de seda negra, tendido en la cama.

Un árabe de piel oscura entró, vacilante, en apariencia temeroso ante el ambiente y la persona que lo ocupaba. Su túnica era limpia, ya que no flamante, y su toca impecable; la suya era una misión privilegiada. Habló en voz baja, respetuosa.

–Hiciste la sagrada señal de la media luna, señor, y aquí estoy.

–Muchas gracias –dijo el inglés–. Entra y cierra la puerta, por favor.

–Por supuesto, *effendi*. –El hombre hizo lo que se le ordenaba, y mantuvo su distancia.

–¿Me trajiste lo que necesito?

–Sí, señor. El equipo y la información.

–Primero el equipo, por favor.

–Es claro. –El árabe introdujo la mano entre las ropas y extrajo una pistola grande, cuyo aspecto normal se debía a un cilindro perforado, unido al caño; era un silenciador. Con la otra mano, el mensajero sacó una cajita gris; contenía veintisiete cargas de munición. Se acercó, sumiso, a la cama, y tendió la culata del arma.– La pistola está cargada, señor. Nueve balas. Treinta y seis en total.

–Gracias –dijo el obeso inglés, aceptando el equipo. El árabe retrocedió, obsequioso.– Y ahora la información, por favor.

–Sí, señor. Pero primero debo decirte que la mujer fue llevada a palacio, desde su hotel de la calle siguiente.

–*¿Cómo?* –Asombrado, el hombre de negocios británico se sentó de golpe en la cama, hizo girar las pesadas piernas y las golpeó contra el suelo.–¿Estás *seguro*?

–Sí, señor. La recogió una limusina real.

–¿Cuándo?

–Hace unos diez o doce minutos, más o menos. Por supuesto, me informaron enseguida. Ahora está allí.

–¿Pero y qué hay de los *viejos*, los *mercaderes*? –La voz del gordo era baja y tensa, como si hiciera lo posible para dominarse.– Ella estableció *contacto*, ¿no?

–Sí, señor –repuso el árabe, tembloroso, como si temiese una tunda si contestaba lo contrario–. Bebió café con el importador llamado Hajazzi, en el Dakhil, y luego, más tarde, se encontró con él en el mercado del Sabat. Tomaba fotos, seguía a alguien...

–*¿A quién?*

–No sé, señor. El Sabat estaba atestado y ella huyó. No pude seguirla.

–¿El palacio...? –susurró el hombre de negocios con voz ronca, mientras se ponía de pie con lentitud–. *¡Increíble!*

–Es verdad, señor. Mi información es exacta, o no se la comunicaría a un personaje tan augusto como tú... En verdad, *effendi*, ¡alabaré a Alá con todo el corazón, en cada una de mis oraciones, por haber conocido a un verdadero discípulo del Mahdí!

Los ojos del inglés se clavaron en la figura del mensajero.

–Sí, te han dicho eso, ¿verdad? –preguntó con suavidad.

–He sido bendecido con ese conocimiento, elegido entre mis hermanos para ese privilegio.

–¿Quién más lo sabe?

–¡Por mi vida, *nadie*, señor! La tuya es una peregrinación sagrada, que debe hacerse en silencio y en forma invisible. ¡Iré a mi tumba con el secreto de tu presencia en Mascate!

–Espléndida idea –dijo el hombre corpulento, desde las sombras, mientras levantaba la pistola.

Los dos disparos fueron rápidos, como toses ahogadas, pero su potencia fue una desmentida del sonido. Al otro lado de la habitación, el árabe fue lanzado contra la pared y su impecable túnica quedó de pronto empapada en sangre.

El Bar Americano del hotel se encontraba a oscuras, fuera del apagado resplandor de los tubos fluorescentes de abajo del mostrador. El hombre que lo atendía, de delantal, se encontraba recostado en un rincón de sus dominios, y de vez en cuando miraba, fatigado, a las dos figuras sentadas en un compartimento, cerca de una ventana del frente; desde afuera, la visión era obstruida en parte por las persianas bajas, entrecerradas. Los ingleses son tontos, pensó el hombre del bar. No es que deban hacer caso omiso de sus temores...

¿quién vivía sin ellos en esos días de perros rabiosos, extranjeros y omaníes por igual? Pero esos dos estarían más protegidos del ataque de un perro rabioso detrás de las puertas cerradas de habitaciones de hotel, invisibles, anónimos... ¿O no?, caviló el hombre, pensándolo mejor. El mismo había dicho a la gerencia que insistían en quedarse donde estaban, y la gerencia, sin saber qué llevaban las personas encima, o quién más podía saberlo y buscarlas, había ubicado a tres guardias armados en el vestíbulo, cerca de la única entrada del Bar Americano... Sin perjuicio de ello, concluyó el hombre del bar, bostezando, prudentes o imprudentes, tontos o muy listos, los ingleses eran muy generosos, y eso era lo único que importaba. Eso, y la visión de su propia arma, cubierta por una toalla, debajo del bar. Cosa irónica, era una mortífera subametralladora israelí, que había comprado a un amable judío en los muelles. *¡Ja!* Ahora los judíos eran *realmente* listos. Desde el comienzo de la demencia, habían armado a medio Mascate.

–¡Dickie, *mira*! –susurró el más tolerante de los dos ingleses, y su mano derecha separó un par de listones de la persiana que cubría la ventana.

–¿Qué, Jack...? –Dickie levantó la cabeza, parpadeó; había estado dormitando.

–¿Ese de ahí no es nuestro compatriota ebrio?

–¿Quién? ¿Dónde...? ¡Por Dios, tienes *razón!*

Afuera, en la calle desierta, mal iluminada, el hombre corpulento –erguido, agitado, recorría la acera mientras miraba con rapidez de un lado a otro–, encendió de pronto varias cerillas, una tras otra. Pareció levantar y bajar las llamas, dejando caer cada cerilla al suelo antes de encender la siguiente. En noventa segundos, un sedán oscuro apareció a toda velocidad, calle abajo; cuando se detuvo de golpe, los focos delanteros se apagaron. Asombrados, Dickie y su compañero miraron por entre los listones de la cortina mientras el gordo, con sorprendente agilidad y decisión, daba la vuelta a la parte delantera del coche. Cuando se acercó a la portezuela del lado del pasajero, un árabe que llevaba puesta una toca, pero de traje occidental oscuro, se apeó de un salto. En el acto, el robusto británico se puso a hablar con rapidez, y pinchó varias veces, con el índice, la cara del hombre que tenía ante sí. Por último, hizo girar el enorme torso, volvió la cabeza y señaló un sector de los pisos superiores del hotel; el árabe dio media vuelta y cruzó a la carrera. Luego, a plena vista, el obeso hombre de negocios extrajo del cinturón un arma grande, mientras abría aún más la portezuela del coche, y todavía furioso, con rapidez, se introducía en el vehículo.

–*Dios mío*, ¿viste eso? –exclamó Dickie.

–Sí. Se cambió de ropa.

–¿De *ropa*?

–Por supuesto. La luz es escasa, pero no para una mirada experta. Ya no lleva la camisa blanca ni el traje a rayas. Ahora tiene puesta una camisa oscura, y su chaqueta y pantalones son de un negro opaco, de lana burda, diría, nada convenientes para este clima.

–¿De qué estás *hablando*? –exclamó el atónito Dickie–. ¡Me refiero al arma!

–Bueno, sí, amigo. Tú te dedicas a los metales ferrosos, y yo a los textiles.

–De veras, amigo, ¡me dejas pasmado! Los dos vemos a un tipo de ciento veinte kilos que hace quince minutos estaba tan bebido que tuvimos que llevarlo arriba, y de pronto corre de un lado a otro, por la calle, sobrio, dando órdenes a algún sujeto y blandiendo un arma, mientras se mete en un coche conducido por un loco, al cual le ha hecho señales... ¡y lo único que *tú* ves son sus ropas!

–Bueno, en verdad, viejo, hay algo más que eso. También vi el arma, es claro, y al árabe, y el coche –sin duda alguna conducido por un maniático–, y lo extraño de todo eso es que las ropas me parecieran raras, ¿te das cuenta?

–¡Para nada!

–Tal vez "raras" no sea la palabra mejor elegida...

–Prueba a ver si encuentras la mejor, Jack.

–Muy bien, lo intentaré... Es posible que ese gordo haya estado borracho, o no, pero era un petimetre de primera. Estambre superliviano de primera, rayado; una camisa Angelo de East Bond, la mejor corbata *foulard* que puede ofrecer Harrods, y zapatos Benedictine... cuero del monte sudafricano, y cosido a pedido en Italia. Vestido para impresionar, pensé, y todo correcto para este clima.

–*¿Y?* –preguntó el exasperado Dickie.

–Y en la calle, hace un instante, lleva una chaqueta y pantalones de calidad ordinaria, que le caen mal, y demasiado pesados para este condenado clima, y por cierto que no son la vestimenta que se destacaría en un gentío, y nada adecuados para una reunión social al alba, o un desayuno en Ascot. Y ya que estoy en eso, no existe en Manchester una firma textil con la cual no esté familiarizado, y no hay una sola que se llame Twillingame o Burlingame, o cosa remotamente parecida.

–No me digas.

–Te lo digo.

–¡Qué me dices!

–Y también te digo que no deberíamos tomar ese avión esta mañana.

–Dios mío, *¿por qué?*

–Creo que deberíamos ir a nuestra embajada y despertar a alguien.

–*¿Cómo?*

–Dickie, ¿qué dirías si ese tipo *estuviera* vestido como para causar una *gran* impresión?

ULTRAMAXIMO SEGURO
NO HAY INTERCEPTACIONES
ADELANTE

El diario continuaba.

El último informe es inquietante, y en la medida en que mis dispositivos no han logrado determinar los códigos de acceso de Langley, ni siquiera sé si hubo datos retenidos o no. El blanco ha establecido contacto. El seguidor habla de una opción de alto riesgo que era "inevitable" –¡inevitable!–, pero muy peligrosa.

¿Qué está haciendo y cómo lo hace? ¿Cuáles son sus métodos y quiénes sus contactos? ¡Necesito detalles! Si sobrevive, me harán falta todos y cada uno, porque los detalles son los que otorgan credibilidad a cualquier acción extraordinaria, y la acción es la que impulsará al blanco a la conciencia de la nación.

¿Pero sobrevivirá, o será otra estadística enterrada en una serie de sucesos no revelados? Mis dispositivos no pueden decírmelo, sólo pueden testimoniar su capacidad potencial, que no significa nada si está muerto. Y entonces todo mi trabajo habrá sido para nada.

8

Los cuatro terroristas presos tenían las esposas puestas; dos se hallaban sentados del lado derecho del veloz camión policial, que se sacudía con violencia, y los otros frente a ellos, del lado izquierdo. Tal como se había convenido, Kendrick estaba sentado con el joven fanático de ojos salvajes, cuyo labio leporino obstaculizaba sus chillones pronunciamientos; Azra se hallaba enfrente, con el hosco asesino de más edad que había desafiado y atacado a Evan, el hombre a quien veía como un sargento-capataz. Junto a la repiqueteante puerta de acero del camión se encontraba de pie un guardia policial, tomado con la mano izquierda de un travesaño del techo y tratando de mantenerse erguido. En la derecha, sostenida en su lugar por una tensa tira de cuero colgada del hombro, apretaba una pistola ametralladora MAC-10. Una sola ráfaga en abanico podía convertir a los cuatro prisioneros en ensangrentados cadáveres sin respiración, cosidos contra las paredes del veloz camión. Pero además –como se había convenido– el guardia llevaba enganchado al cinturón un llavero con las mismas llaves que habían cerrado las esposas de los prisioneros. Todo había sido una carrera contra el tiempo, un tiempo precioso. Los minutos se convertían en horas, y las horas traían consigo otro día.

–Estás loco, y lo sabes, ¿no?

–¡Doctor, no tenemos opción! Ese hombre es Azra... su color es Azul.

–¡No, no, no! Azra tiene una barbita y cabello largo... todos lo vimos en la televisión.

–Se afeitó la barba y se cortó el cabello.

–Te lo pregunto. ¿Eres Amal Bahrudi?

–Ahora lo soy.

–¡No, no lo eres! ¡Tal como él no es Azra! Este hombre fue traído hace cinco horas, de una feria de Waljat. Es un borracho imbécil, un borracho jactancioso, nada más. ¡El otro cerdo se cortó la garganta con el cuchillo de un policía!

–Yo estaba allí, Faisal. Es Azra, hermano de Zaya Yateem.

–¿Porque te lo dice él?

–No. Porque hablé con él, lo escuché. Su guerra santa no es a favor o en contra de Alá, Abrahán o Cristo. Es por la supervivencia en esta vida, en esta tierra.

–¡Locura! ¡Todo en derredor es locura!

–¿Qué dijo Ahmat?

–Que hagamos lo que dices, pero debes esperar hasta que llegue su policía especial. Son dos hombres en quienes confía por completo... son tus instrucciones, entiendo.

–¿Los dos uniformes que se pegaron a mí desde la feria hasta el Al Kabir?

–Son especiales. Uno conducirá el vehículo policial, el otro actuará como tu guardia.

–Bien pensado. En realidad estoy actuando en la obra de Ahmat, ¿no es así?

–Eres injusto, señor Kendrick.

–Aquí están los otros dos prisioneros que quiero en el traslado, en el camión, con Azra y yo.

–¿Por qué? ¿Quiénes son?

–Uno es un lunático que maldeciría a su pelotón de fusilamiento, pero el otro... el otro es la barba de Azra. Hace todo lo que le dice color-mío-Azul. Si se saca a esos dos, no queda nadie que defienda la fortaleza.

–Eres enigmático.

–Los demás son quebrantables, doctor. No saben nada, pero son quebrantables. Sugiero que saques de a tres o cuatro por vez, los pongas en celdas más pequeñas, y luego dispares algunos rifles hacia el muro trasero de este cercado. Podrías encontrar algunos fanáticos que no están tan ansiosos por ser ejecutados.

–Te estás despojando de tu piel verdadera, Shaikh Kendrick. Estás metiéndote en un mundo del cual nada sabes.

–Aprenderé, doctor. Para eso estoy aquí.

¡Llegó la señal! El guardia de pie junto a la puerta del camión se afirmó, bajó por un instante la mano izquierda; la sacudió para restablecer la circulación, y en el acto la levantó para volver a tomarse del travesaño. Repetiría la acción menos de un minuto después, y ese sería el momento en que Evan debía actuar. La coreografía había sido creada con rapidez en el laboratorio del cercado; el ataque sería veloz y sencillo. La reacción del guardia era la clave del éxito. Veinte segundos más tarde, la mano de éste volvió a caer, en un ademán de cansancio.

Kendrick saltó del banco; su cuerpo se convirtió en proyectil compacto que se estrelló contra el guardia, cuya cabeza golpeó contra la puerta con tanta fuerza, que la expresión del hombre, repentinamente histérica, se volvió pasiva cuando se derrumbó.

–*¡Rápido!* –ordenó Evan, volviéndose hacia Azra–. ¡Ayúdame! ¡Toma sus llaves!

El palestino se lanzó hacia adelante, seguido por el sargento-capataz. Todos juntos, sus manos engrilladas sacaron de en medio la pistola ametralladora MAC-10, y arrancaron las llaves del cinturón del guardia.

–¡Lo mataré *ahora*! –chilló el fanático del labio leporino, tomando el arma y trastabillando hacia adelante, en el camión bamboleante, con el arma apuntada a la cabeza del guardia.

–*¡Deténlo!* –ordenó Azra.

–*¡Tonto!* –rugió el sargento-capataz, arrancando el arma de manos del joven fanático–. ¡El conductor oirá los disparos!

–¡Es nuestro *enemigo*!

–Es nuestra posibilidad de salir de aquí, pedazo de idiota! –dijo Azra, y abrió las esposas de Kendrick y entregó la llave a Evan para que hiciera lo mismo con él. El parlamentario de Colorado así lo hizo, y luego se volvió hacia las muñecas extendidas del sargento-capataz.

–Me llamo Yosef –dijo el hombre mayor–. Es un nombre hebreo, porque mi madre era hebrea, pero no formamos parte de los judíos de Israel... y tú eres un hombre valiente, Amal Bahrudi.

–No me agradan los pelotones de fusilamiento en el desierto –dijo Kendrick, dejando caer sus esposas al suelo y volviéndose hacia el joven terrorista que había querido matar al guardia inconsciente–. No sé si dejarte libre o no.

–*¿Por qué?* –aulló el joven–. ¿Porque quiero *matar* por nuestra guerra santa, *morir* por nuestra causa?

–No, joven, porque podrías matarnos a todos, y nosotros somos más valiosos que tú.

–¡Amal! –gritó Azra, y apretó el brazo de Evan, tanto para sostenerse como para llamar la atención de Kendrick–. Admito que es un idiota, pero existen circunstancias especiales. Colonos de la Orilla Occidental hicieron volar la casa de su familia y la tienda de ropas de su padre. Este murió en la explosión, y la Comisión de Custodia de Israel vendió las dos propiedades a nuevos colonos por casi nada. –Azul bajó la voz, y habló a Kendrick al oído.– Es un enfermo mental, pero no tenía a quién recurrir fuera de nosotros. Yosef y yo lo vigilaremos. Suéltalo.

–Respondes con tu cabeza, poeta –respondió Evan, hosco, y abrió las esposas de las muñecas del joven terrorista.

–¿Por qué hablas de una ejecución en el desierto? –preguntó Yosef.

–Porque el camino que estamos recorriendo es mitad de arena, ¿no lo sientes? –contestó Kendrick, conocedor de la ruta que seguían–. Desaparecemos, y eso es todo, quemados o enterrados en el desierto.

–¿Por qué *nosotros*? –insistió el terrorista de más edad.

–Puedo explicarme a mí mejor que a ti: no saben qué hacer conmigo, y entonces, ¿por qué no matarme? Si soy peligroso o influyente, tanto el peligro como la influencia desaparecen conmigo. –Evan calló, y luego asintió.– Ahora que lo pienso –agregó–, es probable que eso explique a Yosef y al chico; eran los prisioneros que más vociferaban allá, y es probable que sus voces hayan sido identificadas... ambas se distinguen con facilidad.

–¿Y yo? –preguntó Azra, mirando a Kendrick.

–Me parece que eso puedes contestarlo sin mi ayuda –respondió Kendrick, devolviendo la mirada del palestino, con cierto desprecio en los ojos–. Traté de apartarme de ti cuando fueron a buscarme, al lado de los excusados, pero tú fuiste demasiado lento.

–¿Quieres decir que nos vieron juntos?

–El estudiante pasa de grado por muy poco. No sólo juntos, sino apartados de los demás. Era *tu* conferencia, personaje importante.

–¡El camión está aminorando la marcha! –exclamó Yosef cuando el vehículo frenó apenas, tomando una curva descendente.

–Tenemos que salir –dijo Evan–. *Ahora*. Si desciende a un valle, habrá soldados. *¡Rápido!* Necesitamos el terreno alto. Nos hace falta. Nunca podríamos volver a trepar.

–¡La puerta! –exclamó Azra–. Debe de tener candado por fuera.

–No tengo la menor idea –mintió Kendrick, siguiendo el argumento tal como había trazado a toda velocidad en el laboratorio del cercado. Se habían quitado remaches y aflojado dos planchas.– Nunca estuve como prisionero aquí. Pero no tiene importancia. Son planchas de aleación de acero, con costuras. Si nos lanzamos los cuatro juntos, podemos derribar un tabique. El centro. Es el más débil. –Tomó del hombro al joven del labio leporino y lo llevó a su izquierda.– Muy bien, hombre salvaje. Golpea como si quisieras derribar el Muro de los Lamentos. ¡Los cuatro! *¡Ahora!*

–*¡Espera!* –Azra trastabilló a través del camión.– ¡El arma! –exclamó, y tomó la pistola ametralladora MAC-10 y se pasó la correa por el hombro, con el caño apuntando hacia abajo.– Muy bien –dijo, uniéndose a los otros.

–*¡Vamos!* –gritó Kendrick.

Los cuatro prisioneros se lanzaron contra la plancha central de la puerta, mientras el camión se zarandeaba sobre las piedras de la curva descendente. El tabique metálico cedió, abierto en las costuras, y la luz de la luna penetró por las amplias separaciones.

–¡Otra vez! –rugió Yosef, con los ojos encendidos.

–*¡Recuerden!* –ordenó el hombre ahora aceptado como Amal

Bahrudi–. Si salimos, recojan las rodillas cuando caigan al suelo. No necesitamos que nadie resulte herido.

Se precipitaron una vez más contra la plancha ya floja. Los remaches de abajo saltaron; el metal voló hacia afuera y las cuatro figuras cayeron en el camino serpenteante que llevaba a un valle del desierto. Dentro del camión, el guardia rodó hacia adelante, con la inclinación del descenso del vehículo, la cara chorreando transpiración provocada por el temor de su propia muerte. Se arrastró de rodillas y golpeó varias veces en la pared de la cabina del conductor. Como respuesta, se escuchó un solo golpe. Su misión de la noche estaba terminada a medias.

Los fugitivos también rodaron, pero en contra del descenso, sus movimientos se detuvieron de golpe, frenados por la fuerza de gravedad, y cada uno se esforzó por recuperar el equilibrio. Azra y Yosef fueron los primeros en ponerse de pie, haciendo girar el cuello y sacudiendo la cabeza, verificando en forma instintiva sus golpes en busca de algo más grave. Kendrick los siguió, el hombro ardiente, las piernas en momentáneo tormento y las manos desolladas, pero en general se sintió agradecido por las ásperas exigencias de las ascensiones a la montaña, mochila a la espalda, y por la navegación de los rápidos; estaba dolorido, pero no herido. El palestino del labio leporino era el que peor había salido de la caída; gemía sobre el suelo pétreo, con sus dibujos de pastos del desierto, retorciéndose, enfurecido, mientras trataba de levantarse pero no lo lograba. Yosef corrió hacia él, y mientras Evan y Azra estudiaban el valle de abajo, el hosco hombre mayor emitió su pronunciamiento.

–Este chico se ha fracturado la pierna –dijo a sus dos superiores.

–¡Entonces, mátenme *ahora*! –chilló el joven–. ¡Iré hacia Alá, y ustedes seguirán combatiendo.

–Oh, cállate –dijo Azra, con el arma MAC-10 en la mano, yendo con Kendrick hacia el joven lesionado–. Tu ansia de morir resulta aburrida, y tu voz chillona nos matará. Haz tiras de su camisa, Yosef. Atale las manos y los pies, y ponlo en el camino. Ese camión volverá a toda velocidad en cuanto llegue al campamento de abajo y esos tontos se den cuenta de lo que ha ocurrido. Lo encontrarán.

–¿Me entregan a mis *enemigos*? –gritó el adolescente.

–*¡Cállate!* –replicó Azra, colérico, y se colgó del hombro la pistola ametralladora–. Te entregamos a un hospital, donde te curarán. No se ejecuta a los niños, salvo por medio de bombas y proyectiles... con demasiada frecuencia, pero eso no viene al caso.

–¡No revelarás *nada*!

–No sabes nada –dijo el hombre llamado Azul–. Amárralo, Yosef. Ponle la pierna lo más cómoda que puedas. –Azra se inclinó sobre el joven.– Hay mejores maneras de luchar que la de morir sin necesidad. Deja que el enemigo te cure, para poder volver a combatir... Vuelve a nosotros, mi terco luchador por la libertad. Te necesitamos... ¡Yosef, *date prisa*!

Mientras el terrorista mayor cumplía sus órdenes, Azra y Kendrick volvieron al camino tallado en la roca. Abajo comenzaban las arenas blancas, que se extendían, interminables, bajo la luz de la luna, vasto suelo de alabastro, con el oscuro cielo de arriba como techo. A la distancia, interrumpiendo el manto blanco, se veía una pequeña erupción palpitante de amarillo. Era un fuego en el desierto, la cita que formaba parte intrínseca de la "fuga". Se encontraba demasiado lejos para que las figuras se viesen con claridad, pero estaban allí, y era de suponer que se trataba de soldados o policías omaníes. Pero no eran los verdugos que imaginaban los compañeros de Amal Bahrudi.

–Estás más familiarizado que yo con el terreno –dijo Evan en inglés–. ¿A qué distancia calculas que estará el campamento?

–Diez kilómetros, tal vez doce, no más. El camino se endereza abajo; llegarán pronto.

–Vamos, entonces. –Kendrick se volvió y miró a Yosef que llevaba al adolescente lesionado al camino. Se dirigió hacia ellos.

Pero Azra no se movió.

–¿Adónde, Amal Bahrudi? ¿Adónde iremos?

Kendrick no veía con claridad a la tenue luz de la luna, pero sintió la intensa mirada interrogante que se le dirigía. Lo estaban poniendo a prueba.

–Nos comunicaremos con la embajada. Con tu hermana, Yateem, o con el llamado Ahbyahd. Para que paren lo de las fotos y maten a los traidores.

–¿Cómo haremos eso? ¿Lo de comunicarnos con la embajada? ¿Tu gente te dijo eso, Amal Bahrudi?

Evan estaba preparado; era la pregunta inevitable.

–Francamente, no estaban seguros de cuál era la vía de comunicación, y dieron por supuesto que si alguno de ustedes tenía un poco de seso, la cambiarían todos los días. Yo debía hacer pasar una nota por los portones, dirigida al consejo de operaciones de ustedes, para que me dejaran usar... las comunicaciones cuando llegase el momento.

–Muchas de esas notas podrían hacerse como una trampa. ¿Por qué sería aceptada la tuya?

Kendrick calló un instante; cuando respondió, su voz era baja y serena, y cargada de significación.

–Porque estaba firmada por el Mahdí.

Azra abrió grandes los ojos. Asintió con lentitud, y levantó la mano.

–¿Quién *es*? –preguntó.

–El sobre estaba sellado con lacre, que no debía ser roto. Era un insulto que me resultó difícil aceptar, pero hasta *yo* cumplo con las órdenes de quienes pagan los gastos, si entiendes lo que quiero decir.

–Los que nos dan el dinero para hacer lo que hacemos.

–Si había un código que indicaba autenticidad, tenía que conocerlo uno de ustedes, o todos los del consejo, no yo.

–Dame la nota –dijo Azra.

–*¡Idiota!* –gritó el congresal del Noveno Distrito de Colorado, exasperado–. ¡Cuando vi que la policía me cercaba, la rompí y dispersé los trozos por todo el Al Kabir. ¿Tú habrías hecho *otra cosa*?

El palestino permaneció inmóvil.

–No, es evidente que no –repuso–. Al menos no la necesitaremos.

Haré que entremos a la embajada. La vía de comunicación, como la llamas, está bien reglamentada, por dentro y por fuera.

–Tan bien, que salen películas por debajo de las narices de tus guardias bien reglamentados. Hazle llegar la información a tu hermana. Cámbialos, a todos ellos, y comienza enseguida una búsqueda de la cámara. Cuando se la halle, maten al dueño y a todos los que parezcan ser amigos de él. Mátenlos a todos.

–¿Sobre la base de una observación tan superficial? –protestó Azra–. Corremos el riesgo de derrochar vidas inocentes, valiosos luchadores.

–No seamos hipócritas –rió Amal Bahrudi–. No tenemos esas vacilaciones con el enemigo. No matamos a "valiosos luchadores", matamos, con mucha justificación, a personas inocentes, para hacer que el mundo escuche, un mundo que se muestra ciego y sordo a nuestras luchas, a nuestra supervivencia misma.

–¡Por tu Alá todopoderoso, ahora eres *tú* el que está ciego y sordo! –vociferó Azra–. ¡Crees en la prensa occidental; no hay que ponerla en tela de juicio! De los once cadáveres, cuatro ya estaban muertos, incluidas dos de las mujeres... una por su propia mano, porque era paranoica respecto de la violación, de la violación *árabe*; la otra, una mujer mucho más fuerte, no muy distinta del infante de marina que atacó a Nassir, se arrojó sobre un joven imbécil, cuya única reacción fue disparar su arma. Los dos hombres eran ancianos y enclenques, y murieron de un paro cardíaco. Eso no nos absuelve de haber causado muertes inocentes, pero no se levantaron armas contra ellos. Todo eso lo explicó Zaya, y nadie nos creyó. ¡Ni nos creerán nunca!

–No es porque importe, ¿pero y los demás? Siete, creo.

–Condenados por nuestro consejo, y con justicia. Funcionarios de inteligencia que organizaban redes contra nosotros en todo el Golfo y el Mediterráneo, miembros de la infame Operaciones Consulares –y hasta dos *árabes*– que vendieron sus almas para vendernos a *nosotros* a la muerte, pagados por los sionistas y sus títeres norteamericanos. Merecían la muerte, porque nos habrían visto morir a todos, pero no antes de habernos deshonrado, de convertirnos en caricaturas del mal, cuando no hay mala voluntad en nosotros... sólo el deseo de vivir en nuestras tierras.

–Ya es bastante, *poeta* –interrumpió Kendrick, mirando a Yosef y al joven terrorista que ansiaba estar en brazos de Alá–. No tenemos tiempo para tus sermones, debemos irnos de aquí.

–A la embajada –aceptó Azra–. Por la vía de comunicación.

Kendrick volvió al palestino, se acercó a él con pasos lentos.

–A la embajada, sí –dijo–. Pero hasta los portones. Allí harás entrar el mensaje a tu hermana, haciéndole conocer todo. Con esas órdenes, mi trabajo aquí habrá terminado, y también el tuyo... el tuyo por lo menos durante uno o dos días.

–¿De qué hablas? –preguntó el desconcertado Azul.

–Mis instrucciones dicen que debo llevar a *uno* de ustedes a Bahrein, lo antes posible, y tú eres ese uno. Fui capturado y escapé, y no puedo correr más riesgos. ¡Ya no!

–¿Bahrein?

–Con el Mahdí. Será por unas pocas horas, pero es urgente. Tiene nuevas órdenes para ustedes, que no confiará a nadie que no sea un miembro del consejo. Y tú eres un miembro de éste, y los dos estamos afuera, no adentro.

–El aeropuerto es vigilado –dijo Azra con firmeza–. Se encuentra patrullado por guardias y perros de ataque; nadie puede entrar o salir si no pasa por un interrogatorio. Jamás lo lograríamos. Lo mismo ocurre en los muelles. Todos los barcos deben detenerse y ser registrados, o se los hace volar si no obedecen.

–Nada de eso ha impedido que ustedes vayan y vengan por la tubería de comunicación. He visto los resultados en Berlín.

–Pero dijiste "urgente", y la tubería es un proceso de veinticuatro a cuarenta y ocho horas.

–¿Por qué tanto?

–Al sur sólo viajamos de noche, y con los uniformes de las guarniciones yemenitas de frontera. Si nos detienen, decimos que estamos patrullando la línea de la costa. Después nos encontramos con los barcos veloces de aguas profundas... proporcionados por Bahrein, por su puesto.

–Por supuesto. –*Había estado en lo cierto, pensó Evan. La costa meridional, hasta Ra's al Hadd, y más allá, hasta el Estrecho de Masirah, era territorio abierto, un cruel erial de costas rocosas e interiores inhóspitos, regalo del cielo para ladrones y contrabandistas, y sobre todo para terroristas. ¿Y qué mejor protección que los uniformes de las guarniciones de frontera, de esos soldados elegidos por su lealtad, y en especial por su brutalidad, que igualaba o superaba la de los desesperados internacionales que recibían refugio en Yemen?–* Eso es muy bueno –continuó Amal Bahrudi, con tono profesional–. En nombre de Alá, ¿cómo consiguieron los uniformes? Entiendo que son poco comunes... un color más claro, charreteras diferentes, botas diseñadas para el desierto y el agua...

–Los encargué –interrumpió Azra, con la vista clavada en el valle de abajo–. En Bahrein, por supuesto. Cada uno está registrado y guardado bajo llave cuando no se encuentra en uso... Tienes razón, debemos irnos. Ese camión llegará al campamento en menos de dos minutos. Hablaremos por el camino. ¡Vamos!

Yosef había depositado al joven terrorista lesionado, maniatado, atravesado en el camino, calmándolo y dándole órdenes tranquilas pero firmes. Azra y Kendrick se aproximaron; Evan habló.

–Avanzaremos más rápido por aquí, por el camino –dijo–. Nos quedaremos en él hasta que veamos las luces delanteras que suben desde el valle. *De prisa.*

Hubo palabras finales de aliento para el colega caído, y los tres fugitivos echaron a correr por la curva ascendente, hasta el terreno llano de varias decenas de metros más arriba. El terreno era una combinación de malezas secas, achaparradas, dispersas por la tierra en su mayor parte árida, y bajos árboles retorcidos, estimulados por la humedad de la noche, que llegaba desde el mar, sólo para ser empequeñecidos por el calor asfixiante del día y la falta de vientos. Hasta donde podían ver con la opaca luz de la luna, el camino era recto. Resoplando, agitado el enorme pecho, Yosef habló.

–Tres o cuatro kilómetros más al norte hay más árboles, árboles altos, mucho más follaje entre el cual ocultarse.

–¿Tú sabes eso? –preguntó Kendrick, desagradablemente sorprendido porque pensaba que era el único que sabía dónde estaban.

–Este camino no lo conozco, aunque sólo hay unos pocos –respondió el rudo terrorista de más edad–, pero son todos iguales. De las arenas hacia el Golfo, la tierra cambia. Todo es más verde, y hay pequeñas colinas. De pronto, uno llega a Mascate. Es rápido.

–Yosef formaba parte del equipo de exploración al mando de Ahbyahd –explicó Azra–. Llegaron aquí cinco días antes que capturásemos la embajada.

–Entiendo. Y también entiendo que ni siquiera la Selva Negra podrá ayudarnos cuando haya luz, y Omán no es el Schwarzwald. Habrá tropas y policías y helicópteros registrando hasta el último centímetro de terreno. No tenemos otro lugar para escondernos, fuera de Mascate. –Evan dirigió sus siguientes palabras al hombre llamado Azul.– Por cierto que tienes contactos en la ciudad.

–Numerosos.

–¿Qué significa eso?

–Entre diez y veinte, varios de alto nivel. Llegan y se van en avión, por supuesto.

–Reúnelos en Mascate y me los traes. Yo elegiré uno.

–Tú *elegirás* uno...

–Sólo necesito uno, pero tiene que ser el adecuado. Llevará un mensaje en mi nombre, y los tendré a ustedes en Bahrein en tres horas.

–¿Al Mahdí?

–Sí.

–Pero tú dijiste –insinuaste– que no sabes quién es.

–Y no sé.

–¿Y sin embargo sabes cómo llegar hasta él?

–No –respondió Kendrick, con un repentino dolor hueco en el pecho–. Otro insulto, pero que se entiende con más facilidad. Mis operaciones son en Europa, no aquí. Sólo supuse que sabías dónde encontrarlo en Bahrein.

–Tal vez figuraba en la nota que destruiste en el Al Kabir, algún código...

–*¡Siempre* hay procedimientos de emergencia! –interrumpió Evan con aspereza, tratando de dominar su ansiedad.

–Sí, los hay –dijo Azra, pensativo–. Pero ninguno que implique nunca, en forma directa, al Mahdí. Como debes saberlo, su nombre se pronuncia en susurros ante unos pocos.

–*No* lo sé. Ya te lo dije, no *opero* en esta parte del mundo... y por eso fui elegido... como es evidente.

–Sí, como es evidente –convino Azul–. Estás lejos de tu base, eres el mensajero inesperado.

–¡No puedo *creer* eso! –estalló Kendrick–. Recibes instrucciones... sin duda *todos los días*, ¿no?

–Así es. –Azra dirigió una breve mirada a Yosef.– Pero lo mismo que tú, soy un mensajero.

–*¿Qué?*

–Soy miembro del consejo, y joven y fuerte, y no soy una mujer. Pero tampoco soy un jefe; mi edad no lo permite. Nassir, mi hermana Zaya y Ahbyahd... ellos son los jefes designados del consejo. Hasta la muerte de Nassir, los tres compartían la responsabilidad de la operación. Cuando llegaban instrucciones selladas, las entregaba, pero no rompía los sellos. Sólo Zaya y Ahbyahd saben cómo llegar al Mahdí; no personalmente, por supuesto, sino por medio de una serie de contactos que llegan hasta él, le comunican lo que sea.

–¿Puedes establecer contacto radial con tu hermana... por una frecuencia segura, o tal vez por un teléfono estéril? Ella te daría la información.

–Imposible. El equipo de interceptación del enemigo es muy bueno. No decimos nada, por radio o por teléfono, que no podamos decir en público; damos por supuesto que todo es lo mismo.

–¡Tu gente de Mascate! –continuó Evan con rapidez, enfático, sintiendo las gotas de transpiración en el arranque del cabello–. ¿No puede entrar alguien y sacarla?

–¿Información relacionada con el Mahdí, por remota que fuere? –preguntó Azra–. Ella ejecutaría a quien la pidiera.

–¡*Debemos* tenerla! Tengo que llevarte a Bahrein –ante él– esta noche, ¡y no arriesgaré nuestras fuentes de fondos operativos en Europa porque se me haga responsable por un fracaso aquí, que no es el mío!

–Existe una única solución –dijo Azra–. La que te dije abajo. Vamos a la embajada, *entramos* a la embajada.

–¡No hay tiempo para esas *complicaciones*! –insistió Kendrick, desesperado–. Conozco Bahrein. *Yo* elegiré un lugar, y llamaremos a uno de los tuyos de aquí para que se lo haga saber a tu hermana. Ella o Ahbyahd encontrarán una manera de llegar a uno de los contactos del Mahdí. Por supuesto, no es posible mencionar a ninguno de nosotros... haremos que digan que ha surgido una emergencia. Eso es, una *emergencia*; ¡sabrán qué quiere decir eso! Yo prepararé el terreno para la reunión. Una calle, una mezquita, un sector de los muelles o de las afueras del aeropuerto. Alguien vendrá. ¡Alguien *tiene* que acudir!

El joven y musculoso terrorista volvió a guardar silencio mientras estudiaba el semblante del hombre de quien creía que era su contrapartida en la lejana Europa.

–Te pregunto, Bahrudi –dijo, al cabo de casi diez segundos–. ¿Serías tan libre, tan indisciplinado con tus recursos financieros en Berlín? ¿Moscú, o los bancos búlgaros de Sofía, o el dinero invisible de Zagreb, tolerarían comunicaciones tan sueltas?

–En una emergencia, entenderían.

–¡Si *permitieras* que surgiese tal emergencia, te cortarían la garganta con un cuchillo de podar y te remplazarían!

–Ocúpate de cuidar *tus* fuentes, y yo cuidaré de las mías, señor Azul.

–Me ocuparé de las *mías*. Bien, vamos. ¡A la embajada!

Los vientos del Golfo de Omán barrían los pastos secos y los árboles enanos, retorcidos, pero no podían prohibir el sonido de la persistente sirena de dos notas que subía, a la distancia, desde el valle del desierto. *Era la señal*. Escóndanse. Kendrick la esperaba.

–*¡Corran!* –rugió Yosef, y tomó el hombro de Azra e impulsó a su superior hacia adelante, por el camino–. Corran, hermanos, ¡como no han corrido nunca en su vida!

–¡La embajada! –gritó el hombre llamado Azul–. ¡Antes que sea de día!

Para Evan Kendrick, congresal por el Noveno Distrito de Colorado, estaba a punto de comenzar la pesadilla que no lo abandonaría por el resto de su vida.

9

Khalehla ahogó una exclamación. Su mirada había sido atraída hacia el espejito retrovisor... un punto de luz, una imagen negra sobre un negro más intenso, *algo*. Y de pronto estuvo ahí. ¡Lejos, en la colina que dominaba a Mascate, la seguía un coche! No había faros delanteros, sólo una sombra oscura, móvil, a la distancia. Tomaba una curva en el camino desierto que llevaba al serpenteante descenso hacia el valle... al comienzo de las arenas de Jabal Sham, donde se llevaría a cabo la "fuga". Había una sola entrada y una sola salida en el valle del desierto, y su estrategia había consistido en conducir al costado del camino, fuera de la vista de Evan Kendrick y de los demás fugitivos a pie, una vez que habían escapado del camión. Esa estrategia quedaba ahora anulada.

¡Oh Dios mío, no es posible que me atrapen! ¡Matarán a todos los rehenes de la embajada! ¿Qué he hecho? Sal. ¡Vete!

Khalehla hizo girar el volante; el poderoso coche viró en la blanda tierra arenosa, saltando sobre surcos del primitivo camino e invirtiendo su marcha. Hundió el pie en el acelerador, clavándolo en el suelo, y en pocos momentos, encendidos los focos altos, pasó junto al sedán que ahora se precipitaba hacia ella. Una figura, al lado del asombrado conductor, trató de encorvarse, de ocultar la cara y el cuerpo, pero era imposible.

¡Y Khalehla no pudo creer lo que *vio*!

Pero no había más remedio. En un momento repentino de absoluta claridad lo vio tan bien, tan perfecto... tan inconfundiblemente perfecto. *¡Tony!* El torpe, el desmañado, el incoherente Anthony MacDonald. El despreciado de la compañía, cuyo puesto era seguro porque la firma era de propiedad del padre de su esposa, pero que de todos modos era enviado a El Cairo, donde podía causar menos perjuicios. Un representante sin cartera, fuera de hacer de anfitrión en las cenas, donde él y su esposa, igualmente inepta y aburrida, siempre se embriagaban. Era como si les hubieran tatuado en la frente un memorándum de la compañía: *Prohibido en el Reino Unido, salvo para obligatorios funerales de familia. Devolución de pasajes de avión obligatoria.* ¡Cuán ingenioso! El mentecato excedido de peso, mimado, de poco seso y cubierto de galas sastreriles que no podían ocultar sus excesos. Pimpinela Escarlata no habría podido superar su cobertura, y *era* una cobertura, Khalehla estaba convencida de ello. Al procurarse una para sí, había obligado a un maestro a dejar al descubierto la propia.

Trató de pensar, de reconstruir cómo la había atraído él, pero los pasos eran borrosos, porque en esos momentos no había pensado en ello. No tenía motivo alguno para dudar de que Tony MacDonald, el alcoholista, estaba fuera de sí ante la idea de viajar a Omán por sí solo, sin ninguna persona diestra al lado. Se había quejado varias veces, casi tembloroso, de que su firma tenía cuentas en Mascate, y que se esperaba de él que las atendiera, a pesar de los horrores que se desarrollaban allí. Ella respondió –en varias ocasiones– con palabras de consuelo: era un problema de Estados Unidos-Israel, no un problema británico, de modo que él no se vería perjudicado. Era como si esperase que ella fuera enviada allá, y cuando llegaron las órdenes, ella recordó los temores de él y le telefoneó, entendiendo que era la persona perfecta para acompañarla a Omán. ¡Oh, *perfecta*!

¡Dios, qué red debe de tener!, pensó ella. Poco más de una hora atrás se encontraba supuestamente paralizado por el alcohol, hacía el papel de estúpido en el bar del hotel, y ahora, a las cinco de la mañana, la seguía en un enorme sedán oscurecido. Resultaba inevitable una suposición: la tenía bajo vigilancia las veinticuatro horas del día, y la había tomado cuando salió por los portones de palacio, lo cual significaba que sus informantes habían descubierto su relación con el sultán de Omán. ¿Pero para *quién* desarrollaba MacDonald ese juego profundamente inteligente, con una cobertura que le daba acceso a una eficiente red de informantes omaníes, y de conductores de poderosos coches, a cualquier hora del día y de la noche, en ese país sitiado en el cual cualquier extranjero era colocado bajo microscopio? ¿De qué lado estaba, y si del lado equivocado, durante cuántos años venía jugando el ubicuo Tony MacDonald su juego feroz?

¿Quién estaba detrás de él? ¿La visita de ese contradictorio inglés tenía algo que ver con Evan Kendrick? Ahmat había hablado con cautela, en abstracto, del objetivo encubierto del parlamentario norteamericano en Mascate, pero no quiso dar detalles, aparte de decir que no se debía pasar por alto teoría alguna, por poco plausible que pareciera. Sólo reveló que el ex ingeniero de construcción del Asia del sudoeste creía que la sanguinaria toma de la embajada *podía* atribuirse a un hombre y a una conspiración industrial, cuyos orígenes se percibieron hacía cuatro años en Arabia Saudita... se percibieron, no se probaron. Era mucho más de lo que le había dicho a ella su propia gente. Pero un norteamericano inteligente, de éxito, no corría el riesgo de pasar a la clandestinidad entre terroristas sin abrigar convicciones extraordinarias. Para Ahmat, sultán de Omán y fanático de los Patriotas de Nueva Inglaterra, eso era suficiente. Fuera de enviarlo allí, Washington no lo reconocía, no lo ayudaba. "¡Pero podemos, *yo* puedo!", había exclamado Ahmat. Y ahora Anthony MacDonald resultaba un factor profundamente inquietante en la ecuación terrorista.

Los instintos profesionales de ella exigían que se alejara, a *la carrera*, pero Khalehla no podía hacer eso. Algo había ocurrido, *alguien* había alterado los delicados equilibrios de violencia anterior e inminente. No pediría que un pequeño jet la sacara de una desconocida meseta rocosa, para llevarla a El Cairo. Todavía no. *Todavía* no. ¡Ahora no! ¡Había muchas cosas que averiguar, y tan poco tiempo! ¡No podía detenerse!

–¡No te detengas! –rugió el obeso MacDonald, tomándose del soporte de encima de su asiento, mientras erguía el pesado cuerpo en el sedán–. Ella sale de aquí por algún motivo, y sin duda no por placer, a esta hora.

–Es posible que te haya visto, *effendi*.

–No es probable, pero aun así, yo no soy más que un cliente molesto, engañado por una prostituta. Sigue adelante y enciende las luces. Es posible que alguien esté esperándolos, y necesitamos saber quién es.

–Sea quien fuere, podría ser hostil, señor.

–En cuyo caso, soy otro infiel ebrio, y la firma te contrató para protegerlo de su propia conducta escandalosa. Nada distinto de otras veces, viejo amigo.

–Como quieras, *effendi*. –El conductor encendió los faros delanteros.

–¿Qué hay más adelante? –preguntó MacDonald.

–Nada, señor. Sólo un camino viejo, que conduce al Jabal Sham.

–¿Qué demonios es eso?

–El comienzo del desierto. Termina en las montañas lejanas que son la frontera saudita.

–¿Hay otros caminos?

–A muchos kilómetros al este, y menos transitables, señor, muy difíciles.

–Cuando dices que no hay nada adelante, ¿qué quieres decir, con exactitud?

–Lo que dije, señor. Sólo el camino a Jabal Sham.

–Pero este camino por el cual viajamos –insistió el inglés–. *¿Adónde* conduce?

–A ninguna parte, señor. Gira a la izquierda, hacia el camino que va a...

–A ese Jabal no sé cuántos –completó MacDonald, interrumpiendo–. Entiendo. De manera que no hablamos de dos caminos, sino de uno solo, que lleva, por la izquierda, a tu maldito desierto.

–Sí, señor.

–Una cita –interrumpió el contacto del Mahdí, susurrando para sí–. He cambiado de idea, viejo –continuó con rapidez–. Apaga las condenadas luces. Tienes luz de luna suficiente para ver, ¿verdad?

–¡Oh, sí! –respondió el conductor con leve tono de triunfo, mientras apagaba las luces–. Conozco muy bien este camino. Conozco todos los caminos de Mascate y Matrah muy, *muy* bien. Aun los intransitables del este y del sur. Pero tengo que decir, *effendi*, que no entiendo.

–Muy sencillo, hijo. Si nuestra atareada putita no fuese adonde quiere ir ni viese a quien deseaba ver, algún otro vendría aquí... antes que se haga de día, supongo, que no falta mucho para eso.

–El cielo se aclara con rapidez, señor.

–En efecto. –MacDonald dejó la pistola sobre el tablero, introdujo la mano en el bolsillo de la chaqueta y sacó un par de cortos binoculares de gruesas lentes. Se los llevó a los ojos y escudriñó el terreno, hacia adelante, a través del parabrisas.

–Todavía está demasiado oscuro para ver, *effendi* –dijo el conductor.

–No para estas preciosuras –explicó el inglés mientras se acercaba a otra curva, bajo la tenue luz de la luna–. Oscurece todo el cielo, y yo podré contar cuántos de esos árboles achaparrados hay a mil metros de distancia. –Tomaron la curva cerrada, mientras el conductor aguzaba la vista y frenaba el sedán. Ahora el camino era recto y llano, y desaparecía en la oscuridad de adelante.

–Dos kilómetros más y llegamos al descenso hacia Jabal Sham, señor. Tendré que avanzar con suma lentitud, ya que hay muchos recodos, muchos peñascos...

–*¡Cristo!* –rugió MacDonald, mirando por los binoculares infrarrojos–. ¡Sal del camino! *¡Enseguida!*

–¿Cómo, señor?

–¡Haz lo que te digo! ¡Apaga el motor!

–¿Señor?

–*¡Apágalo!* ¡Sigue hasta donde puedas, con el motor apagado, hasta los pastos de la arena!

El conductor hizo virar el coche a la derecha, zarandeándose en el duro camino lleno de surcos, aferrando el volante y haciéndolo girar repetidas veces para eludir los dispersos árboles achaparrados, que apenas se distinguían con la luz nocturna. A unos veinte metros, dentro de los pastos, el sedán se detuvo con una sacudida; un árbol invisible, retorcido, pegado al suelo, se había enredado en la parte inferior del coche.

–¿Señor...?

–*¡Cállate!* –musitó el obeso inglés, volviendo a guardar los binoculares en el bolsillo y tomando el arma del tablero. Con la mano libre aferró el picaporte de la portezuela, y luego se interrumpió.– ¿Las luces se encienden cuando se abre esta portezuela? –preguntó.

–Sí, señor –contestó el conductor, señalando el techo del coche–. La de arriba, señor.

MacDonald estrelló el caño de la pistola contra el vidrio de la luz del cielo raso.

–Voy a salir –dijo, susurrando de nuevo–. Quédate aquí, quédate inmóvil, y no toques la maldita bocina. Si escucho un sonido, eres hombre muerto, *¿me entiendes?*

–Con claridad, señor. Pero en caso de una emergencia, ¿puedo preguntar por qué?

–Hay hombres en el camino, adelante... no puedo decir si son tres o cuatro, son apenas unos puntitos... pero vienen hacia aquí, y corren. –El inglés abrió la portezuela en silencio y salió con rapidez, incómodo. Encorvándose todo lo que podía, cruzó con celeridad por sobre los pastos, hasta unos cinco metros del camino. Con su traje oscuro y su camisa de seda negra, bajó el corpachón al lado del tocón de un árbol enano, puso el arma a la derecha del tronco retorcido y sacó del bolsillo los binoculares infrarrojos. Los apuntó hacia el camino, hacia donde llegaban las figuras. Y de pronto estuvieron ahí.

¡Azul! Era *Azra*. ¡Sin su barba, pero inconfundible! El miembro del consejo, hermano de Zaya Yateem, el único cerebro de ese consejo. Y el hombre de su izquierda... MacDonald no pudo recordar el nombre, pero había estudiado las fotos como si fuesen su pasaje hacia una riqueza infinita –que lo eran–, y sabía que era *él*. Un nombre judío, un hombre mayor, un terrorista desde hacía casi veinte años... ¿Yosef? ¡Sí, *Yosef*! Adiestrado en las fuerzas libias, después de huir de las alturas del Golán... Pero el hombre de la izquierda de Azra resultaba desconcertante; por su aspecto, el inglés pensó que debía conocerlo. MacDonald enfocó las lentes infrarrojas en la cara que saltaba y corría, y se sintió perplejo. El hombre que corría era casi tan viejo como Yosef, y las pocas personas de la embajada que tenían más de treinta años estaban allí, básicamente por un motivo conocido para Bahrein; los demás eran imbéciles alocados... fanáticos fundamentalistas fácilmente manejables. Y entonces MacDonald vio lo que habría debido ver desde el comienzo: los tres hombres iban vestidos con ropas carcelarias. Eran *prisioneros* fugitivos. ¡Nada tenía sentido! ¿Eran esos los hombres con quienes la prostituta, Khalehla, corría a encontrarse? En ese caso, todo resultaba doblemente incomprensible. La puta trabajaba para el enemigo de El Cairo; la información había sido confirmada en Bahrein y era irrefutable. Por eso la cultivaba él, y por eso le había hablado en repetidas ocasiones de los intereses de su firma en Omán, y de lo mucho que temía ir allá, dadas las circunstancias, y de cuánto le agradaría tener un acompañante conocedor de la situación. Ella había tragado el cebo y aceptó su ofrecimiento, hasta el punto de insistir en que no podía salir de El Cairo hasta un día determinado, a una hora determinada, lo cual significaba un vuelo muy específico, que sólo había una vez por día. El telefoneó a Bahrein, y se le dijo que aceptara. Y que la *vigilase*, cosa que hizo. No hubo encuentro alguno con nadie, ni insinuación de contacto visual alguno. Pero en el caos de la inmigración de Mascate, obsesionada por la seguridad, ella se extravió. ¡Maldición! *¡Maldición!* Había

salido *–salido–* del depósito de cargas aéreas, y cuando la encontró estaba sola, malhumorada. ¿Había establecido contacto con alguien, transmitido instrucciones al enemigo? Y en ese caso, ¿cualquiera de esas cosas tenía algo que ver con los prisioneros fugitivos que ahora corrían por el camino?

Parecía irrefutable que existía una conexión entre todo eso. ¡Y era totalmente fuera de lugar!

Cuando las tres figuras pasaron junto a él, el sudoroso Anthony MacDonald se levantó del suelo, y gruñó cuando se puso de pie. A desgana *–muy* a desgana–, entendiendo que millones y millones podían depender de las próximas horas, llegó a una conclusión: el repentino enigma que era Khalehla debía ser resuelto, y las respuestas que necesitaba con tanta desesperación se hallaban dentro de la embajada. No sólo era posible perder los millones sin esas respuestas, sino que si la puta constituía el eje de algún horrible golpe, y él no había logrado detenerla, resultaba muy posible que Bahrein ordenase su propia ejecución. El Mahdí no toleraba los fracasos.

Tenía que entrar en la embajada, y en todo el infierno que ésta representaba.

El Hércules Lockheed C-130, con insignias israelíes, volaba a treinta y un mil pies por encima del desierto saudita, al este de Al Ubaylah. El plan de vuelo de Hebrón era evasivo: al sur, a través del Negev, hacia el Golfo de Akaba y el mar Rojo, y de nuevo al sur, en forma equidistante de las costas de Egipto, el Sudán y Arabia Saudita. En Hamdanah, el cambio de rumbo era norte-nordeste, cortando las retículas de radar entre los aeropuertos de Mecca y Qal Bishah, y luego al este, en Al Khurmah, hacia el desierto de Rub al Khali, en Arabia meridional. El avión se había reabastecido en vuelo, al salir de Sudán, al oeste de Jiddah, sobre el mar Rojo; volvería a hacerlo en el vuelo de regreso, pero sin sus cinco pasajeros.

Estos se encontraban sentados en la bodega; eran cinco soldados de toscas ropas de civil, cada uno de ellos un voluntario de la poco conocida Brigada Masada, de élite, fuerza de ataque especializada en interceptación, rescate, sabotaje y asesinato. Ninguno tenía más de treinta y dos años, y todos hablaban con fluidez el hebreo, el yiddish, el árabe y el inglés. Eran soberbios ejemplares físicos, intensamente bronceados por su adiestramiento en el desierto e imbuidos de una disciplina que exigía decisiones instantáneas, basadas en reacciones inmediatas; cada uno tenía un cociente de inteligencia del grado más elevado, y todos estaban motivados al máximo, pues todos habían padecido al máximo... por sí mismos o en las personas de sus familiares inmediatos. Aunque eran capaces de reír, resultaban más competentes para odiar.

Inclinados hacia adelante, se encontraban sentados en un banco, del lado de babor del avión, tocando, distraídos, las tiras de los paracaídas, que hacía muy poco les habían cargado a la espalda. Hablaban en voz baja entre sí; es decir, cuatro hablaban, uno no. El hombre silencioso era su jefe; se hallaba sentado en el lugar delantero y miraba, inexpresivo, el mamparo de enfrente. Tendría unos veintitantos años, cerca de los treinta, y su cabello y cejas eran de un blanco amarillento, por efecto del sol. Sus ojos eran grandes y de color castaño oscuro; sus pómulos salientes, a los costados de una nariz semítica; los labios delgados y apretados con firmeza. No era el mayor ni el menor de los cinco hombres, pero *era* su jefe; eso se le veía en el rostro, en los ojos.

La misión del grupo en Omán había sido ordenada por los más altos consejos del ministerio de Defensa de Israel. Sus posibilidades de éxito resultaban mínimas, y las de muerte mucho mayores, pero era preciso realizar el intento. Porque entre los doscientos treinta y seis rehenes que quedaban dentro de la embajada norteamericana de Mascate se encontraba el director de campo de cobertura profunda del Mossad, el impar servicio de inteligencia de Israel. Si se lo descubría, podía ser llevado en vuelo a una de una decena de "clínicas médicas" de gobiernos amigos o enemigos, donde las sustancias químicas endovenosas podían ser más eficaces que la tortura. Se podría conocer un millar de secretos, capaces de poner en peligro al Estado de Israel y debilitar al Mossad en el Medio Oriente. El objetivo: *Sáquenlo si pueden. Mátenlo, si no pueden.*

El jefe de ese equipo de la Brigada Masada se llamaba Yaakov. El agente del Mossad retenido como rehén en Mascate era su padre.

–*Adonim* –dijo la voz en hebreo, por los parlantes del avión, una voz serena y respetuosa que se dirigía a los pasajeros llamándolos Caballeros–. Estamos iniciando el descenso –continuó en hebreo–. Llegaremos al blanco en seis minutos treinta y cuatro segundos, a menos de que encontremos inesperados vientos de proa sobre las montañas, que prolongarían nuestro tiempo a seis minutos cuarenta y ocho segundos, o tal vez cincuenta y cinco segundos, ¿pero quién está contándolos? –Cuatro de los hombres rieron; Yaakov parpadeó, con la vista todavía fija en el mamparo de enfrente. El piloto continuó:– Describiremos un solo círculo sobre el blanco, a 2.400 metros, de modo que si tienen que hacer alguna adaptación, mental o física, respecto de esas locas sábanas que llevan en sus aletas dorsales, háganlas ahora. Por mi parte, no me agradaría salir a caminar a 2.400 metros, pero ocurre que yo sé leer y escribir. –Yaakov sonrió; los otros rieron con más fuerza que antes. La voz interrumpió de nuevo:– La escotilla será abierta a los 2.450 metros por nuestro hermano Jonathan Levy, quien, como todos los porteros experimentados de Tel Aviv, esperará una generosa propina de cada uno de ustedes por su servicio. No se aceptan pagarés. El parpadeo de la luz roja significará que deben abandonar este lujoso hotel del cielo; pero los chicos de la playa de estacionamiento de abajo se niegan a acercarles los automóviles, dadas las circunstancias. También ellos saben leer y escribir, y han sido considerados mentalmente competentes, al contrario de lo que ocurre con algunos turistas, que no nombraré, de este crucero aéreo. –Las risas repercutieron en las paredes del avión; Yaakov rió entre dientes. El piloto intervino una vez, con voz más suave, el tono cambiado:– Por nuestro amado Israel, que exista por toda la eternidad, gracias a la valentía de sus hijos e hijas. Y que Dios todopoderoso los acompañe, mis queridos, queridísimos amigos. Afuera.

Los paracaídas se abrieron uno a uno en el cielo nocturno, sobre el desierto, y uno a uno los cinco comandos de la Brigada Masada aterrizaron en un círculo de ciento cincuenta metros de la luz de color ámbar que brillaba en las arenas. Cada uno de los hombres tenía una radio en miniatura que lo mantenía en contacto con los otros, en caso de emergencias. Donde cada uno tocaba el suelo, cavaba un hoyo y enterraba el paracaídas, insertando la pala de hoja ancha al lado de la tela y la lona. Después, todos convergieron hacia la luz; fue extinguida, remplazada por una linterna sostenida por un hombre que había llegado de Mascate, un funcionario de inteligencia jerárquico del Mossad.

–Déjenme mirarlos –dijo, enfocando el haz de luz en cada soldado–. No está mal. Parecen rufianes de los muelles.

–Son tus instrucciones, creo –dijo Yaakov.

–No siempre se las obedece –respondió el agente–. Tú tienes que ser...

–*No* tenemos nombres –interrumpió Yaakov con sequedad.

–Merezco el reproche –dijo el hombre del Mossad–. En verdad, sólo conozco el tuyo, cosa que me parece comprensible.

–Quítatelo de la cabeza.

–¿Cómo los llamaré a todos ustedes?

–Somos colores, nada más que colores. De derecha a izquierda, son: Anaranjado, Gris, Negro y Rojo.

–Es un privilegio conocerlos –dijo el agente, enfocando con la linterna a cada hombre... de derecha a izquierda–. ¿Y tú? –preguntó, con el foco en Yaakov.

–Yo soy Azul.

–Por supuesto. La bandera.

–No –dijo el hijo del rehén de Mascate–. Azul es el fuego más intenso, y eso es lo único que debes entender.

–Es también la refracción del hielo más frío, joven, pero no importa. Mi vehículo se encuentra a setecientos metros al norte. Me temo que debo pedirles que caminen, después de su jubiloso deslizamiento por el cielo.

–Pruébame a mí –dijo Gris, adelantándose–. Odio esos tremendos saltos. Uno puede lesionarse, ¿sabes lo que quiero decir?

El vehículo era una versión japonesa de un Land-Rover, sin los adornos, y lo bastante golpeado y raspado para resultar indistinguible en un país árabe en el cual la velocidad era una abstracción relativa y las colisiones resultaban frecuentes. Pero el viaje de más de una hora a Mascate resultó interrumpido de golpe. Una pequeña luz ambarina chispeó repetidamente en el camino, a varios kilómetros de la ciudad.

–Es una emergencia –dijo el agente del Mossad a Yaakov, quien se encontraba a su lado, en el asiento delantero–. No me gusta. No iba a haber paradas cuando nos acercáramos a Mascate. El sultán tiene patrullas por todas partes. Saca tu arma, joven. Nunca se sabe quién puede haber sido quebrado.

–¿Qué se puede *quebrar*? –preguntó Yaakov, furioso, y en el acto sacó el arma de la funda de su chaqueta–. Estamos en *seguridad* total. Nadie sabe nada acerca de nosotros... ¡Mi propia esposa cree que estoy en el Negev, en maniobras!

–Es preciso mantener abiertas las líneas de comunicación clandestinas, Azul. A veces nuestros enemigos cavan muy profundamente en la tierra... Dale la orden a tus camaradas. Listos para disparar.

Yaakov lo hizo así; se extrajeron armas, cada hombre en una ventanilla. Pero la preparación agresiva era innecesaria.

–¡Es Ben-Ami! –exclamó el hombre del Mossad; detuvo el camión, y los neumáticos chirriaron y mordieron las grietas del camino mal pavimentado–. ¡Abran las puertas!

Un hombre de baja estatura, delgado, de jeans azules, camisa de algodón blanca, suelta, y un ghotra en la cabeza, saltó al interior, estrujando a Yaakov en el asiento.

–Sigue conduciendo –ordenó–. Despacio. No hay patrullas ahí, y tenemos por lo menos diez minutos antes que nos detengan, quizá. ¿Tienes una linterna? –El conductor del Mossad se inclinó y levantó su linterna. El intruso la encendió, inspeccionó la carga humana que había detrás, y la que tenía a su lado.– ¡Bien! –exclamó–. Parecen la resaca de los muelles. Si nos detienen, hablen en un árabe borroso y cuenten a gritos acerca de sus fornicaciones, ¿entendido?

–*Amén* –dijeron tres voces. La cuarta, Anaranjado, se opuso.– El Talmud insiste en la verdad –entonó–. Búsquenme una *houri* de grandes pechos, y es posible que los imite.

–*¡Cállate!* –exclamó Yaakov, nada divertido.

–¿Qué ha ocurrido para traerlos aquí? –preguntó el agente del Mossad.

–*Insania* –respondió el recién llegado–. Uno de los nuestros en Washington se comunicó una hora después que saliste de Hebrón. Su información se refería a un norteamericano. Un *parlamentario*, nada menos. Está aquí e interviene... pasa a la *clandestinidad*, ¿puedes *creerlo?*

–Si es verdad –respondió el conductor, aferrando el volante–, todas las opiniones de incompetencia que siempre he tenido respecto de la comunidad de inteligencia norteamericana habrán llegado a su mayor floración. Si lo capturan, serán los parias del mundo civilizado. No es un riesgo que se deba correr.

–Lo han corrido. Está aquí.

–*¿Dónde?*

–No lo sabemos.

–¿Qué tiene que ver con *nosotros*? –objetó Yaakov–. Un norteamericano. Un tonto. ¿Cuáles son sus credenciales?

–Importantes, lamento tener que decirlo –contestó Ben-Ami–. Y nosotros debemos prestarle toda la ayuda que podamos.

–*¿Qué?* –exclamó el joven jefe de la Brigada Masada–. *¿Por qué?*

–Porque, sin perjuicio de la opinión de mi colega, Washington tiene plena conciencia de los riesgos, de las consecuencias potencialmente trágicas, y por lo tanto lo ha dejado solo. Está librado a sus recursos. Si lo capturan, no puede pedir ayuda a su gobierno, porque no lo reconocerá, no puede reconocerlo. Actúa a título individual.

–Entonces tengo que volver a preguntar –insistió Yaakov–. Si los norteamericanos no quieren tocarlo, ¿por qué habríamos de hacerlo *nosotros*?

–Porque nunca lo habrían dejado entrar, por empezar, si alguien muy altamente ubicado no hubiese pensado que tenía algo extraordinario entre manos.

–¿Pero, por qué nosotros? Tenemos nuestro propio trabajo que hacer. Repito, ¿por qué *nosotros*?

–Tal vez porque nosotros podemos... y ellos no.

–¡Es políticamente desastroso! –dijo el conductor, enfático–. Washington pone en movimiento lo que le parece, y después se aleja, protegiendo su culo colectivo, y nos lo endilga a nosotros. Ese tipo de decisión política debe de haber sido adoptado por los arabistas del Departamento de Estado. ¡Si fracasamos, es decir, si *él* fracasa mientras estamos ahí con él, culparán a los judíos de las ejecuciones que se produzcan! ¡Los asesinos de Cristo volvieron a hacerlo!

–Te corrijo –interrumpió Ben-Ami–. Washington no nos "endilgó" esto, porque en Washington no hay nadie que tenga la menor idea de que lo conocemos. Y si hacemos nuestro trabajo como corresponde, no nos pondremos en evidencia; sólo prestaremos ayuda no identificable, si hace falta.

–¡No quieres contestarme! –gritó Yaakov–. *¿Por qué?*

–Lo hice, pero no me escuchaste, joven; tienes otras cosas en la cabeza. Dije que hacemos lo que hacemos porque tal vez podemos. Tal vez, sin garantías. Hay doscientos treinta y seis seres humanos en ese lugar horrible, sufriendo en la forma en que nosotros, como pueblo, conocemos demasiado bien. Entre ellos se cuenta tu padre, uno de los hombres más valiosos de Israel. Si ese hombre, ese parlamentario, tiene siquiera la sombra de una solución, debemos hacer lo que podamos, aunque sólo sea para demostrar que está en lo cierto o que se equivoca. Pero primero tenemos que encontrarlo.

–¿Quién es él? –preguntó el conductor del Mossad, con desprecio–. ¿Tiene nombre, o los norteamericanos también enterraron eso?

–Se llama Kendrick...

El voluminoso vehículo se torció, cortando las palabras de Ben-Ami. El hombre del Mossad había reaccionado tan de golpe ante el nombre, que estuvo a punto de salirse del camino.

–*¿Evan Kendrick?* –preguntó, afirmando el volante, con los ojos muy abiertos por la sorpresa.

–Sí.

–¡El grupo Kendrick!

–¿El qué? –preguntó Yaakov, observando el rostro del conductor.

–La compañía que dirigía aquí.

–Su carpeta viene desde Washington, esta noche, en avión –dijo Ben-Ami–. La tendremos por la mañana.

–¡No la *necesitamos*! –exclamó el agente del Mossad–. Tenemos un legajo sobre él, tan grueso como las tablas de Moisés. ¡Y también tenemos el de Emmanuel Weingrass... que muy a menudo desearíamos *no* tener!

–Eres demasiado veloz para mí.

–Ahora no, Ben-Ami. Nos llevaría varias horas y una buena cantidad de vino... ¡Maldito Weingrass; él me hizo decir eso!

–¿Quieres ser más claro, por favor?

–Más breve, amigo mío; no necesariamente más claro. Si Kendrick ha vuelto, *está* en algo, y está aquí para cobrar una cuenta de cuatro años de antigüedad... una explosión que costó la vida de setenta y tantos hombres, mujeres y niños. Eran su familia. Tendrías que conocerlo para entender eso.

–¿*Tú* lo conociste? –preguntó Ben-Ami, inclinándose hacia adelante–. ¿Lo *conoces*?

–No mucho, pero lo bastante para entender. Quien mejor lo conocía, figura paterna, compañero de tragos, confesor, consejero, genio, su mejor amigo, era Emmanuel Weingrass.

–El hombre a quien a todas luces desapruebas –intervino Yaakov, con los ojos todavía fijos en el rostro del conductor.

–Lo desapruebo de todo corazón –admitió el agente de inteligencia israelí–. Pero no carece totalmente de valor. Ojalá no fuera así, pero lo es.

–¿Valor para el *Mossad*? –preguntó Ben-Ami.

Fue como si el agente sentado al volante sintiera una repentina oleada de turbación. Bajó la voz en la respuesta.

–Lo usamos en París –dijo, tragando saliva–. Se mueve en círculos extraños, tiene contacto con gente de la periferia. En realidad, *Dios*, cómo me duele admitirlo, ha sido un tanto eficaz. Gracias a él encontramos a los terroristas que habían bombardeado el restaurante kosher de la rue du Bac. Nosotros solucionamos el problema, pero algún tonto del demonio le permitió participar en la captura. ¡Estúpido, *estúpido*! Y para su mérito –agregó el conductor a desgana, aferrando el volante con firmeza–, nos llamó a Tel Aviv con informaciones que abortaron otros cinco incidentes por el estilo.

–Salvó muchas vidas –dijo Yaakov–. Vidas judías. ¿Y sin embargo lo desapruebas?

–¡No lo *conoces*! Sabes, nadie presta mucha atención a un *bon vivant* de setenta y ocho años, un *boulevardier* que se pavonea por el Montaigne con una, cuando no con dos "modelos" parisienses a quienes ha vestido en Saint-Honoré con fondos recibidos del Grupo Kendrick.

–¿Y en qué forma disminuye eso su valor? –preguntó Ben-Ami.

–¡Nos envía las *cuentas* de sus cenas en La Tour d'Argent! ¡Tres mil, cuatro mil shekels! ¿Cómo podemos negarnos? *Presta servicios*, y fue testigo en un hecho particularmente violento, en el cual tomamos las cosas en nuestras manos. Cosa que de vez en cuando nos recuerda, cuando los pagos se demoran.

–Yo diría que tiene derecho –dijo Ben-Ami, asintiendo–. Es un agente del Mossad en un país extranjero, y debe mantener su cobertura.

–Atrapado, estrangulado, nuestros testículos en una tenaza –susurró el conductor en voz baja, para sí–. Y todavía falta lo peor.

–¿Perdón? –dijo Yaakov.

–Si alguien puede encontrar a Evan Kendrick en Omán, ese alguien es Emmanuel Weingrass. Cuando lleguemos a Mascate, a nuestro cuartel central, haré una llamada a París. *¡Maldición!*

–*Je regrette* –dijo la operadora del conmutador del Hotel Pont Royale, en París–. Pero Monsieur Weingrass se ha ausentado por unos días. Ha dejado, sin embargo, un número de teléfono en Montecarlo...

–*Je suis désolée* –dijo la operadora de L'Hermitage, en Montecarlo–. Monsieur Weingrass no se encuentra en sus habitaciones. Tiene que cenar esta noche en el Hôtel de Paris, enfrente del casino.

–¿Tiene el número, por favor?

–Pero es claro –respondió la mujer, emocionada–. Monsieur Weingrass es un hombre *muy* encantador. Esta noche nos trajo flores a todas, la oficina está repleta. Una persona tan encantadora... Su número es...

–*Désolé* –entonó el operador del Hôtel de Paris, con untuosa simpatía–. El comedor está cerrado, pero el muy generoso Monsieur Weingrass nos informó que estaría en la mesa once, en el casino, por lo menos durante las próximas dos horas. Si hay algún llamado para él, sugirió que la persona que lo busca telefonease a Armand, en el casino. El número es...

–*Je suis très désolé* –murmuró Armand, oscuro factótum del Casino de París, en Montecarlo–. El encantador Monsieur Weingrass y su no menos encantadora dama no tuvieron suerte en nuestra ruleta, esta noche, de modo que decidió ir a la sala de juego de Loew, junto al agua... un establecimiento inferior, por supuesto, pero con croupiers competentes; los franceses, es claro, no los italianos. Pregunte por Luigi, un cretense casi analfabeto, pero él le buscará a Monsieur Weingrass. Y hágale llegar mi afecto, y dígale que lo espero aquí mañana, cuando cambie su suerte. El número es...

–*¡Naturalmente!* –rugió el desconocido Luigi, triunfante–. ¡Mi queridísimo amigo de toda la vida! El señor Weingrass. Mi hermano hebreo, que habla el lenguaje de Como y Lago di Garda como un nativo... no el *napoletano*; bárbaros, entiende... ¡lo tengo delante de mi vista!

–¿Querría pedirle que venga al teléfono? *Por favor.*

–Está muy concentrado, signore. Su dama está ganando mucho dinero. No es de buena *fortuna* interrumpirlo.

–¡Dígale a ese *canalla* que venga al teléfono ahora mismo, o sus bolas hebreas serán sumergidas en leche hirviente de cabra árabe!

–*¿Che cosa?*

–¡Haga lo que le digo! ¡Dígale que el nombre es *Mossad!*

–*¡Pazzo!* –dijo Luigi, sin dirigirse a nadie en especial, y depositó el teléfono en su atril–. *¡Instabile!* –agregó, mientras se dirigía con cautela a la aullante mesa de dados.

Emmanuel Weingrass, con su bigote perfectamente encerado debajo de una nariz aguileña que hablaba de un pasado aristocrático, y su cuidado cabello blanco que ondulaba sobre su cabeza escultórica, se encontraba de pie, sereno, entre los cuerpos convulsos de los frenéticos jugadores. Vestido con una chaqueta de color amarillo canario, y una corbata de lazo de cuadros rojos, recorrió la mesa con la mirada, más interesado en los jugadores que en el juego, consciente, de vez en cuando, que uno de los jugadores ociosos o uno de los excitados integrantes del grupo de espectadores lo miraba a su vez. Entendía, como entendía la mayor parte de las cosas relacionadas con él, y aprobaba algunas y desaprobaba muchas, muchas más. Miraban su cara, un tanto más compacta de lo que debería ser, la cara de un anciano que no había perdido sus configuraciones infantiles, joven aún a pesar de los años, y ayudada por su vestimenta elegante, aunque un tanto exótica. Quienes lo conocían veían otras cosas. Veían que sus ojos eran verdes y vivos, aun en reposo, los ojos de un vagabundo, tanto intelectual como geográficamente, nunca satisfechos, nunca en paz, recorriendo siempre paisajes que quería explorar o crear. Se sabía a primera vista que era excéntrico; pero nadie conocía la medida de esa excentricidad. Era un artista y un hombre de negocios, mamífero y Babel. Era él mismo, y para su mérito había aceptado su genio arquitectónico como parte del juego infinitamente tonto de la vida, un juego que, en forma involuntaria, terminaría demasiado pronto para él, y era su esperanza de que terminase mientras dormía. Pero había cosas por las cuales vivir, cosas que experimentar mientras estaba vivo; según sus cálculos, próximo a los ochenta, tenía que ser realista, por más que le disgustase y lo asustara. Miró a la joven llamativamente voluptuosa que se encontraba junto a él, ante la mesa, tan vibrante, tan vacía. La llevaría a la cama, quizá le acariciaría los pechos... y después se dormiría. *Mea culpa*. ¿Qué sentido tenía?

–¿Signore? –susurró el italiano de etiqueta al oído de Weingrass–.

Hay un llamado telefónico para usted, alguien por quien nunca en la vida podría sentir respeto.

–Esa es una frase extraña, Luigi.

–Te insultó, mi querido amigo y respetado huésped. Si quieres le responderé en el lenguaje de los bárbaros que con tanta justicia se merece.

–No todos me quieren como tú, Luigi. ¿Qué dijo?

–¡Lo que dijo no lo repetiría delante del más grosero croupier de aquí!

–Eres muy leal, amigo mío. ¿Te dio su nombre?

–Sí, un signor Mossad. ¡Y te digo que está trastornado, *pazzo*!

–La mayoría de ellos lo están –dijo Weingrass, mientras se encaminaba con rapidez hacia el teléfono.

10

Las primeras luces eran cada vez más amenazadoras. Azra levantó la vista hacia el cielo de la mañana y se maldijo –incluyendo al rudo Yosef en sus juramentos– por haber tomado un giro equivocado en la Torre Kabritta y derrochado de ese modo varios minutos preciosos. Los tres fugitivos se habían rasgado los pantalones carcelarios bien arriba de los tobillos, en la mitad de las pantorrillas, y arrancado las mangas de los hombros. Sin la luz del sol, podían pasar por peones traídos de Líbano o de los barrios bajos de Abu Dhabi, que gastaban sus riales en la única distracción que les resultaba accesible: las prostitutas y el whisky disponibles en el Shari el Mishkwiyis, la isla interior de la ciudad.

Se encontraban a la entrada de hormigón de los empleados, en el Hospital Waljat, a menos de doscientos metros de los portones de la embajada norteamericana. A la derecha, una calle angosta cortaba la ancha avenida. A la vuelta de la esquina había una hilera de tiendas, imposibles de distinguir detrás de los postigos de hierro. Todos los negocios quedaban interrumpidos mientras durase la locura. A la distancia, dentro de los portones de la embajada, estaban los pelotones andrajosos de jóvenes letárgicos que caminaban con pasos lentos, con el peso de las armas haciéndoles caer los brazos y los hombros, en cumplimiento de lo que se les ordenaba hacer en nombre de su jihad, su guerra santa. Pero el letargo desaparecía con los primeros rayos del sol, y una energía maniática estallaría con la primera oleada de mirones, en especial los equipos de radio y televisión... y principalmente con esos equipos.

Los niños enfurecidos estaban a punto de ocupar el escenario, en el término de una hora.

Azra estudió la amplia plaza que se extendía delante de los portones. Enfrente, en el lado norte, había tres edificios blancos de oficinas, de dos pisos, uno al lado del otro. Las ventanas con cortinas estaban a oscuras, no había luces en ninguna parte, cosa que de todos modos no tenía importancia. Si había hombres adentro, vigilando, se encontraban demasiado lejos de los portones para oír lo que diría en voz baja por entre las rejas, y la luz era todavía demasiado tenue para que se lo identificara en forma definida... si en verdad había llegado al puesto la noticia de la fuga. Y aunque hubiese llegado, el enemigo no montaría un ataque irreflexivo sobre la base de vagas posibilidades; las consecuencias eran demasiado mortíferas. En realidad, la plaza se encontraba desierta, fuera de una hilera de mendigos, de ropas andrajosas, acuclillados delante de las paredes de piedra arenisca de la embajada, con las escudillas para la limosna por delante, varios de ellos con sus propios excrementos a la vista. Los más sucios de esos harapientos no eran agentes potenciales del sultán o de gobiernos extranjeros, pero otros podían serlo. Clavó la vista en cada uno de estos últimos, buscando movimientos repentinos, bruscos, que revelasen que el hombre no estaba habituado a la postura inmóvil de un mendigo. Sólo aquel cuyos músculos estuvieran adiestrados para soportar la interminable tensión de la posición de un mendigo podía mantenerse quieto durante un lapso prolongado. Nadie se movía, nadie desplazaba una pierna; no era una prueba, pero sí lo único que podía pedir. Azra hizo chasquear los dedos en dirección de Yosef, y sacó de abajo de la camisa la MAC-10 y la tendió al terrorista de más edad.

–Voy allá –dijo en árabe–. Cúbreme. Si alguno de esos mendigos hace algún movimiento raro, espero que estés ahí.

–Adelante. Iré detrás de ti, a la sombra del hospital, y me escurriré de puerta en puerta por el lado derecho. Mi puntería no tiene igual, de modo que si se produce un solo movimiento en falso, el mendigo quedará sin vida.

–No te anticipes, Yosef. No cometas el error de disparar cuando no hace falta. Yo *tengo* que llegar hasta uno de esos imbéciles de adentro. Me desplomaré como si no fuese la mejor mañana de mi vida. –El joven palestino se volvió hacia Kendrick, quien se acurrucaba entre el ralo follaje de la pared del hospital.– Tú, Bahrudi –murmuró en inglés–. Cuando Yosef llegue al primer edificio, allí, sal con lentitud y síguelo, ¡pero por amor de Dios, no te dejes ver! Deténte de vez en cuando para rascarte, escupe con frecuencia, y recuerda que tu aspecto no corresponde al de alguien que tiene una buena postura.

–¡Esas cosas las sé! –mintió Evan con énfasis, impresionado por lo que iba conociendo acerca de los terroristas–. ¿Crees que no he empleado esas tácticas un millar de veces más que tú?

–No sé qué pensar –repuso Azra con sencillez–. Sé que no me gustó la forma en que pasaste ante la mezquita Zawawi. Los mullahs y los almuédanos se estaban congregando... Tal vez eres mejor en las refinadas capitales de Europa.

–Te aseguro que soy competente –dijo Kendrick con tono helado, sabiendo que debía mantener la versión árabe de la fuerza, que se manifestaba en una fría modestia. Pero su teatralización quedó desinflada enseguida, cuando el joven terrorista sonrió. Era una sonrisa auténtica, la primera que observaba en el hombre que se hacía llamar Azul.

–Estoy seguro –dijo Azra, asintiendo–. Estoy aquí, y no como un cadáver en el desierto. Gracias por eso, Amal Bahrudi. Y ahora mantiene la vista fija en mí. Ve hacia donde yo te diga.

Azul giró con rapidez, se puso de pie y caminó con pasos vacilantes a través del corto trecho de pastos del hospital, y hacia la ancha avenida que llevaba a la plaza propiamente dicha. Pocos segundos después, Yosef echó a correr, noventa grados a la derecha de su superior, cruzando la angosta calle a cinco metros de la esquina, y pegado al costado del edificio que proyectaba las sombras más densas. Cuando la figura aislada, solitaria, de Azra quedó a la vista, trastabillando hacia los portones de la embajada, Yosef dio la vuelta a la esquina; el último objeto que vio Evan fue la mortífera pistola ametralladora MAC-10, sostenida en la mano izquierda, baja, del seco sargento-capataz. Kendrick sabía que era el momento de actuar, y una parte de su ser deseó de pronto estar de nuevo en Colorado, al sudoeste de Telluride, en la base de las montañas y en paz temporaria con el mundo. Y entonces volvieron las imágenes, llenando su pantalla interior: *Trueno*. Una serie de explosiones ensordecedoras. *Humo*. Paredes que se derrumban de repente, por todas partes, en medio de niños aterrorizados, a punto de morir. *¡Niños!* Y mujeres –*madres* jóvenes– que gritaban de horror y en protesta, mientras toneladas de escombros caían desde treinta metros de altura. Y hombres indefensos –amigos, esposos, *padres*–, que rugían, desafiantes, contra la cascada infernal que sabían que sería su tumba inmediata... ¡El *Mahdí*!

Evan se puso de pie, hizo una inspiración profunda y echó a caminar hacia la plaza. Llegó al pavimento del lado norte, delante de las tiendas cerradas, con los hombros encorvados; se detenía a menudo para rascarse y escupir.

–La mujer tenía *razón* –susurró el árabe de piel oscura y ropa occidental, mientras atisbaba por entre una tablilla floja, en un comercio cerrado que apenas veintidós días atrás era un atrayente café dedicado a vender café de cardamomo, tortas y frutas–. ¡El cerdo de más edad estaba tan cerca que habría podido tocarlo cuando pasó! Te digo que contuve la respiración.

–*¡Shhh!* –previno el hombre que se hallaba a su lado, de vestimenta árabe completa–. Ahí viene. El norteamericano. Su estatura lo denuncia.

–Otros también lo denunciarán. No sobrevivirá.

–¿Quién *es* él? –preguntó el hombre de túnica, apenas audible la voz susurrada.

–No tenemos por qué saberlo. Lo único que importa es que arriesga su vida por nosotros. Escuchamos a la mujer, esas son nuestras órdenes.

–Afuera, la figura encorvada de la calle pasó ante la tienda y se detuvo para rascarse la ingle mientras escupía en la acera. Más allá, en diagonal, del otro lado de la plaza, otra figura, borrosa bajo la vaga luz, se acercaba a los portones de la embajada.– Fue la mujer –continuó el árabe de vestimenta occidental, todavía espiando por entre los listones flojos–, quien nos dijo que los buscáramos en los muelles, en los barcos más pequeños, y en los caminos del norte y el sur, y aun aquí, donde menos se los esperaba. Bueno, ve a ella y dile que lo inesperado ha ocurrido. Luego llama a los otros, en los Wadis de Kalbah y Bustafi, y hazles saber que ya no necesitamos continuar buscando.

–Por supuesto –dijo el hombre de túnica, yendo hacia la parte trasera del café desierto y oscuro, con su profusión de sillas fantásticamente encaramadas sobre las mesas, como si los propietarios esperasen a parroquianos extraterrestres, que despreciaban el suelo. Luego el árabe se detuvo, y regresó con rapidez junto a su colega–. ¿Y después qué hacemos *nosotros*?

–La mujer te lo dirá. *¡Date prisa!* El cerdo de los portones hace gestos hacia alguien de adentro. Allí van ellos. *¡Adentro!*

Azra aferró las barras de hierro, y su mirada se dirigió al cielo; los haces de luz se hacían más intensos, de minuto en minuto, en el este. Muy pronto el opaco gris oscuro de la plaza sería remplazado por el vivo sol cegador de Mascate; ello ocurriría en cualquier momento, como todos los días, al alba, en un estallido de luz que era repentinamente total y absoluta. *¡Rápido! ¡Préstenme atención, idiotas, torpes! El enemigo está en todas partes, mirando, escudriñando, esperando el instante de atacar, y ahora yo soy una presa de extraordinario valor. ¡Uno de nosotros tiene que llegar a Bahrein, al Mahdi! Por el amor del maldito Alá de ustedes, ¿quiere alguien venir aquí? ¡No puedo levantar la voz!*

¡Alguien lo hizo! Un joven de manchada ropa de fajina se apartó, vacilante, de su grupo de cinco hombres, con los ojos entrecerrados bajo la luz todavía tenue, pero cada vez más intensa, atraído por la visión de la persona de extraño aspecto que se encontraba en el costado izquierdo de los enormes portones cerrados con cadenas. A medida que se aproximaba, lo hacía con pasos más rápidos, y su expresión cambió poco a poco, de interrogante a asombrada.

–*¿Azra?* –exclamó–. ¿Eres *tú*?

–*¡Cállate!* –murmuró Azul, y unió ambas palmas varias veces, a través de las rejas. El adolescente era uno de las decenas de reclutas a quienes había instruido en el uso básico de las armas de repetición, y si recordaba bien, no era un discípulo destacado entre tantos como él.

–¡Dijeron que habías partido en una misión secreta, en una tarea tan sagrada, que debíamos agradecer a Alá todopoderoso por tu fuerza!

–Fui capturado...

–¡Alabado sea Alá!

–¿Por qué?

–¡Porque mataste a los infieles! Si no hubiese sido así, estarías entre los benditos brazos de Alá.

–Me fugué...

–¿Sin matar a los infieles? –preguntó el joven, con tristeza en la voz.

–Están todos muertos –respondió Azul con exasperada firmeza–. Y ahora escucha a...

–¡Alabado sea Alá!

–¡Que Alá se *calle*! ¡Cállate *tú* y escúchame! Debo entrar enseguida. Ve a buscar a Yateem o Ahbyahd... corre como si tu vida dependiera de ello...

–¡Mi vida es *nada*!

–¡La mía es algo, *maldición*! Haz que venga alguien, con instrucciones. *¡Corre!*

La espera produjo palpitaciones en el pecho y las sienes de Azul, mientras miraba el cielo, observaba la luz del este que estaba a punto de inflamar esa parte infinitesimal de la tierra, a sabiendas de que cuando eso ocurriese él estaría acabado, muerto, incapaz ya de combatir contra los *canallas* que le habían robado la vida, borrado su infancia con sangre, arrebatado a sus padres y a los de Zaya en una ráfaga de disparos sancionados por los asesinos de Israel.

Lo recordaba con tanta claridad, con tanto dolor... Su padre, un hombre dulce, brillante, que había sido estudiante de medicina en Tel Aviv hasta que, en su tercer año, las autoridades consideraron que estaba mejor adaptado para la vida de farmacéutico, para dejar su lugar a un judío inmigrante, en la escuela de medicina. Era una práctica común. Excluir a los árabes de las profesiones estimadas, era el credo israelí. Pero a medida que pasaban los años, el padre se convirtió en el único "doctor" de la aldea de la Orilla Occidental; los médicos gubernamentales que llegaban de visita de Be'er Sheva eran incompetentes, obligados a ganarse sus shekels en los pueblos pequeños y los campamentos. Uno de esos médicos se quejó, y fue como si la escritura hubiese quedado grabada en el Muro de los Lamentos. La farmacia se cerró.

–Tenemos nuestras vidas poco espectaculares que vivir; ¿cuándo nos dejarán *vivirlas*? –había gritado el padre y esposo.

La respuesta llegó para una hija llamada Zaya y un hijo que se convirtió en Azra el terrorista. La Comisión Israelí de Asuntos Arabes de la Orilla Occidental volvió a emitir un pronunciamiento. El padre de ambos era un revoltoso. Se ordenó a la familia que saliera de la aldea.

Viajaron al norte, hacia Líbano, hacia cualquier lugar que los aceptara, y en el trayecto de su éxodo se detuvieron en un campamento de refugiados llamado Shatila.

Mientras el hermano y la hermana miraban desde atrás de la baja pared de piedra de un jardín, vieron como su madre y su padre eran asesinados como tantos otros, con el cuerpo destrozado por entrecortados disparos de balas que los derribaron al suelo, manando sangre de los ojos y la boca. Y arriba, en las colinas, el repentino tronar de la artillería israelí fue, para los oídos de los niños, el sonido de un triunfo impío. Alguien había aprobado la operación con energía.

Y así nació Zaya Yateem, convertida, de dulce niña en helada estratega, y su hermano, conocido por el mundo como Azra, el nuevo príncipe heredero de los terroristas.

Los recuerdos se interrumpieron con la visión del hombre que corría dentro de los portones de la embajada.

–*¡Azul!* –gritó Ahbyahd; los mechones blancos de su cabello resultaban evidentes bajo la creciente luz; su voz era un áspero susurro asombrado mientras corría por el patio–. En nombre de Alá, ¿qué *ocurrió*? Tu hermana está fuera de sí, pero entiende que no puede salir, como mujer, a esta hora, y especialmente contigo aquí. Hay ojos por todas partes... ¿Qué te *ocurrió* a ti?

–Te lo diré cuando estemos adentro. Ahora no hay tiempo. ¡De prisa!

–¿Cuando *estemos?*

–Yo, Yosef y un hombre llamado Bahrudi... ¡viene en nombre del *Mahdí*! ¡Pronto! El sol casi ha salido. ¿Adónde vamos?

–¡Dios todopoderoso... el *Mahdí*!

–¡*Por favor*, Ahbyahd!

–La pared del este, a unos cuarenta metros de la esquina sur, hay una vieja tubería de desagüe...

–¡La conozco! Hemos estado trabajando en ella. ¿Ahora está limpia?

–Hay que encorvarse mucho y trepar con lentitud, pero sí, está limpia. Hay una abertura...

–Debajo de tres grandes rocas que salen del agua –dijo Azra, asintiendo con rapidez–. Haz que alguien vaya allá. ¡Es una carrera contra el alba!

El terrorista llamado Azul se apartó de los portones cerrados con cadenas, y con rapidez creciente, despojándose lenta y sutilmente de su postura anterior, dio la vuelta al borde sur del muro. Se detuvo, apoyó la espalda en la piedra y su mirada vagó por la hilera de tiendas cerradas. Yosef salió parcialmente de un portal enmaderado; había estado observando a Azra, y quería que el joven jefe lo supiera. El hombre mayor silbó, y en pocos segundos "Amal Bahrudi" salió de una estrecha calleja de entre los edificios; manteniéndose entre las sombras, corrió para unirse a Azra en el portal. Azra hizo un ademán hacia la izquierda, indicando un camino apenas pavimentado, frente a él, que corría paralelo al muro de la embajada; estaba más allá de la hilera de tiendas de la plaza; al otro lado sólo había un erial de escombros y pastos de la arena. A la distancia, hacia el ígneo horizonte, se extendía la costa rocosa del Golfo de Omán. Uno tras otro, los fugitivos corrieron por el camino, con sus rasgadas ropas carcelarias y duras sandalias de cuero, más allá de los muros de la embajada en donde se advertía el repentino y sobrecogedor resplandor del sol. Con Azra a la cabeza, llegaron a un pequeño promontorio sobre la rompiente. Con agilidad y pies seguros, el nuevo príncipe heredero del mundo de asesinos bajó por las enormes peñas, deteniéndose de vez en cuando para hacer señas a quienes lo seguían, señalando los retazos de verde musgo marino en los cuales un hombre podía perder la vida al resbalar y caer en las rocas dentadas de abajo. En menos de un minuto llegaron a la base del bajo risco, donde las gigantescas piedras se unían al agua. Se encontraba señalada por tres peñas que formaban un triángulo, en cuya base había una abertura como la boca de una caverna, de no más de un metro de ancho, y continuamente embestida por la resaca.

–¡Ahí está! –exclamó Azra, con júbilo y alivio en la voz–. ¡Sabía que podía encontrarla!

–¿Qué *es*? –gritó Kendrick, tratando de hacerse escuchar por encima del retumbo de las olas.

–Una antigua línea de cloacas –rugió Azul–. Construidas hace cientos de años, una alcantarilla comunal, continuamente lavada por agua de mar traída por esclavos.

–¿Perforaron la *roca?*

–No, Amal. Acanalaron la superficie e inclinaron en ángulo las peñas de arriba; la naturaleza se ocupó del resto. Un acueducto al revés, si quieres. El ascenso es empinado, pero alguien tenía que construirlo, y entonces hay apoyos para los pies... pies de esclavos, como nuestros pies palestinos, ¿no?

–¿Cómo llegamos hasta ahí?

–Caminamos por el agua. Si el profeta Jesús pudo caminar *sobre* ella, lo menos que podemos hacer nosotros es hacerlo a *través* de ella. *Vengan*. ¡La *embajada*!

Sudando copiosamente, Anthony MacDonald trepó por la escalera abierta del muelle, al costado del antiguo depósito. El crujido de los escalones bajo su peso se unió a los sonidos de madera y cuerdas que brotaban de los muelles, donde cascos y drizas tensas rascaban los embarcaderos. Los primeros rayos amarillos del sol latían en las aguas del puerto, quebradas por esquifes y añejos barcos que iban en busca de la pesca del día, pasando ante vigilantes patrullas marítimas que, de vez en cuando, hacían señas a una embarcación para que se detuviese, a fin de ser examinada con mayor detención.

Tony había ordenado a su conductor que llevase el coche en marcha lenta, de vuelta a Mascate, con las luces apagadas, hasta llegar a una calle trasera del As Saada, que cruzaba la ciudad hasta los muelles. Sólo cuando encontraron focos callejeros, ordenó MacDonald al conductor que encendiera las luces. No tenía la menor idea de hacia dónde corrían los tres fugitivos, o dónde esperaban ocultarse con la luz del día, con un ejército de policías que los buscaban, pero supuso que lo harían en casa de uno de los agentes menos conocidos del Mahdí en la ciudad. Los esquivaría; había demasiadas cosas que conocer, demasiadas cosas contradictorias que entender antes de un encuentro casual con el joven y ambicioso Azra. Pero existía un lugar al cual podía ir, un hombre a quien podía ver sin temor a ser visto a su vez. Un asesino a sueldo, que obedecía órdenes a ciegas por dinero, un despojo humano que establecía contacto con clientes en potencia, sólo en las sucias callejas de el Shari el Mishkwiyis. Sólo quienes debían saberlo conocían su vivienda.

Tony se izó por el último tramo de escalera, hasta la baja y gruesa puerta de arriba, que comunicaba con el hombre a quien iba a ver. Cuando llegó al último peldaño se inmovilizó, la boca abierta, los ojos saltándosele de las órbitas. De pronto, sin previo aviso, la puerta se abrió sobre aceitados goznes cuando el asesino semidesnudo se precipitaba a la pequeña plataforma, con un cuchillo en la izquierda; la larga hoja, filosa como una navaja, brillaba al sol, y en la derecha tenía una pequeña pistola calibre 22. La hoja se detuvo a ras de la garganta de MacDonald, el caño del arma se le hundió en la sien izquierda; incapaz de respirar, el obeso inglés se tomó de ambas barandas para no caer hacia atrás, por los escalones.

–Eres *tú* –dijo el hombre flaco, de mejillas hundidas, retirando la pistola, pero manteniendo el cuchillo en el lugar–. No debes venir aquí. ¡Nunca debes venir aquí!

MacDonald tragó aire, rígido el inmenso cuerpo, y habló con voz ronca, sintiendo la hoja del psicópata en la garganta.

–Si no se tratase de una emergencia, no lo habría hecho, eso está muy claro.

–¡Lo que está claro es que he sido *engañado*! –replicó el hombre, moviendo el cuchillo–. Maté al hijo de ese importador de la misma manera en que podría matarte a ti ahora. Le corté la cara a esa muchacha, y la dejé en la calle, con las faldas cubriéndole la cabeza, y fui *engañado*.

–Nadie tuvo esa intención.

–¡Alguien la *tuvo*!

–Te compensaré. Debemos hablar. Como mencioné, se trata de una emergencia.

–Habla aquí. No entrarás. ¡*Nadie* entra!

–Muy bien. Si quieres tener la bondad de dejar que me enderece, en lugar de colgar, para salvar mi vida, de esta escalera demasiado antigua...

–*Habla.*

Tony se afirmó en el tercer escalón a contar de arriba, sacó un pañuelo y se enjugó la frente transpirada, con la vista clavada en el cuchillo.

–Es imperativo que llegue hasta los jefes que se encuentran dentro de la embajada. Como ellos no pueden salir, por supuesto, yo debo entrar.

–Es demasiado peligroso, en especial para quien te lleve adentro, ya que tendrá que quedarse afuera. –El esquelético asesino apartó la hoja de la garganta de MacDonald, sólo para reacomodarla con un giro de la muñeca; la reluciente punta se apoyaba ahora en la base del cuello del inglés.– Puedes hablar con ellos por teléfono, la gente lo hace continuamente.

–Lo que tengo que decir –lo que debo pedirles– no se puede explicar por teléfono. Es vital que sólo los jefes escuchen mis palabras y yo las de ellos.

–Puedo venderte un número que no figura en las listas.

–Figurará en alguna parte, y si tú lo tienes, también lo tendrán otros. No puedo correr el riesgo. Adentro. *Debo* entrar.

–Eres difícil –dijo el psicópata, con una contracción del párpado izquierdo, dilatadas las dos pupilas–. ¿Por qué eres difícil?

–Porque soy inmensamente rico, y tú no. Necesitas dinero para tus extravagancias... tus hábitos.

–¡Me *insultas*! –escupió el asesino a sueldo, con voz estridente pero no alta; el hombre, casi demente, tenía conciencia de los pescadores y obreros de los muelles que iban a sus tareas matutinas, tres pisos más abajo.

–Sólo soy realista. Adentro. ¿Cuánto?

El asesino tosió su fétido aliento en la cara de MacDonald, retiró la hoja y posó su mirada lacrimosa en su benefactor de antes y ahora.

–Te costará mucho dinero. Más de lo que nunca pagaste hasta hoy.

–Estoy dispuesto a aceptar un aumento razonable; no exorbitante, entiendes, sino razonable. Siempre habrá trabajo para ti...

–Hay una conferencia de prensa a las diez de esta mañana, en la embajada –interrumpió el hombre parcialmente drogado–. Como de costumbre, los periodistas y la gente de la televisión será elegida a último momento, sus nombres anunciados en los portones. Tienes que estar allí, y dame un número de teléfono para que pueda darte un nombre dentro de las próximas dos horas.

Tony así lo hizo: su hotel y habitación.

–¿Cuánto, mi querido muchacho? –agregó.

El asesino bajó el cuchillo y enunció la cantidad en riales omaníes; equivalía a tres mil esterlinas inglesas, o más o menos cinco mil dólares norteamericanos.

–Tengo gastos –explicó–. Hay que pagar sobornos, o el que soborna muere.

–¡Es *escandaloso*! –exclamó MacDonald.

–Olvídalo todo.

–Aceptado –dijo el inglés.

Khalehla se paseó por su habitación del hotel, y aunque había dejado los cigarrillos por sexta vez en sus treinta y dos años, fumó uno tras otro; su mirada se dirigía a cada instante al teléfono. En modo alguno podía operar desde el palacio. Esa conexión ya había sido puesta en peligro. ¡El *maldito* hijo de puta!

Anthony MacDonald –cifra, ebrio... agente extraordinario de alguien– tenía su eficiente red en Mascate, pero ella no carecía de recursos, por su parte, gracias a una compañera de cuarto de Radcliffe que ahora era la esposa del sultán... gracias a que Khalehla le había presentado un árabe a su mejor amiga, varios años atrás, en Cambridge, Massachusetts. ¡*Dios*, cómo se movía el mundo en círculos cada vez más reducidos, veloces y familiares! Su madre, californiana nativa, había conocido a su padre, estudiante de intercambio de Port Said, mientras los dos estudiaban en la escuela de graduados en Berkeley, ella egiptóloga, él candidato al doctorado en Civilización Occidental, ambos embarcados en carreras académicas. Se enamoraron y se casaron. La rubia joven de California y el egipcio de cutis aceitunado.

Con el tiempo, con el nacimiento de Khalehla, los anonadados abuelos de ambas partes, racialmente absolutos, descubrieron que en los niños había algo más que la simple pureza de la raza. Las barreras cayeron en una repentina oleada de amor. Cuatro individuos maduros, dos parejas predispuestas a aborrecerse, franquearon las brechas de la cultura, la piel y las creencias, al encontrar alegría en una niña, y otros placeres mutuamente compartidos. Se hicieron inseparables, el banquero y su esposa de San Diego, y el adinerado exportador de Port Said y su única esposa árabe.

–*¿Qué estoy haciendo?* –se gritó Khalehla para sus adentros. Esos no eran momentos para pensar en el pasado, ¡el presente lo era *todo*! Y entonces se dio cuenta de por qué sus pensamientos se habían extraviado: por dos razones, en verdad. Las presiones se habían vuelto demasiado grandes; necesitaba unos minutos para sí, para pensar en ella misma y en aquellos a quienes quería, aunque sólo fuese para tratar de encender el odio que había por todas partes. La última era la segunda, la razón más importante. Los rostros y las palabras pronunciadas en una cena, hacía tiempo, se encontraban agazapadas en segundo plano, en especial las palabras, que repercutían en las paredes de su mente; habían impresionado a una joven de dieciocho años a punto de viajar a Norteamérica.

–Los monarcas del pasado tenían muy poco que ofrecer para su mérito, en general –había dicho su padre aquella noche, en El Cairo, cuando toda la familia se hallaba reunida, incluidos los abuelos–. Pero entendían algo que nuestros dirigentes actuales no tienen en cuenta... que no pueden tener en cuenta, en realidad, a menos que traten de convertirse en monarcas, cosa que no parecería decorosa en estos tiempos, por más que algunos lo *intenten*.

–¿Y de qué se trata, joven? –preguntó el banquero de California–. No me he desentendido del todo de una monarquía. Republicana, es claro.

–Bueno, empezando por nuestros propios faraones, y pasando luego por los sumos sacerdotes de Grecia, los emperadores de Roma y todos los reyes y reinas de Europa y Rusia, organizaban matrimonios de modo de incorporar a las diversas naciones a sus familias centrales. En cuanto una persona conoce a otra en esas circunstancias, cenando, bailando, cazando, y aun contando chistes, resulta difícil mantener un prejuicio estereotipado, ¿no?

Todos se habían mirado, alrededor de la mesa, y hubo sonrisas y suaves asentimientos.

–Pero en esos círculos, hijo mío –señaló el exportador de Port Said–, las cosas no siempre terminan tan bien. No soy un erudito, pero hubo guerras, familias enfrentadas con los suyos, ambiciones frustradas.

–Es cierto, respetado padre, ¿pero cuánto peor habría podido ser sin esos matrimonios arreglados? Mucho, muchísimo peor, me temo.

–¡Me niego a ser usada como una herramienta geopolítica! –había exclamado la madre de Khalehla, riendo.

–En realidad, querida mía, todo ha sido arreglado entre nosotros por nuestros tortuosos padres, aquí presentes. ¿Tienes alguna idea de las ventajas que obtuvieron con nuestra alianza?

–La única ventaja que he visto es la encantadora joven que es mi nieta –dijo el banquero.

–Viajará a Norteamérica, amigo mío –dijo el exportador–. Tus beneficios podrían reducirse.

–¿Cómo te sientes, querida? Toda una aventura para ti, me parece.

–No es la primera vez, abuela. Los hemos visitado mucho a ti y al abuelo, y he recorrido unas cuantas ciudades.

–Pero ahora será diferente, querida. –Khalehla no recordaba quién había dicho esas palabras, pero fueron el comienzo de uno de los capítulos más extraños de su vida.– Vivirás allí –agregó, quienquiera que hubiese sido.

–No puedo esperar. Todos se muestran tan amistosos, una se siente tan necesitada, tan querida.

Una vez más, quienes rodeaban la mesa se miraron. El banquero fue quien rompió el silencio.

–Puede que no siempre sientas así –dijo en voz baja–. Habrá momentos en que no seas necesitada, querida, y eso te confundirá, y por cierto que te dolerá.

–Resulta difícil creerlo, abuelo –dijo una joven efervescente a quien Khalehla apenas recordaba.

El californiano dirigió una breve mirada a su yerno, con ojos doloridos.

–Cuando miro hacia atrás, a mí también me resulta difícil creerlo. No olvides nunca, jovencita: si surgen problemas o si las cosas se vuelven difíciles, toma el teléfono, y yo llegaré en el avión siguiente.

–Oh, abuelo, no puedo imaginarme haciendo eso.

Y no lo hizo, aunque hubo momentos en que estuvo a punto de hacerlo, y sólo la detuvieron el orgullo y las fuerzas que pudo reunir. *¡Shvartzeh Arviyah!*... "¡Negra-árabe!", fue su primera introducción al odio individual. No el odio ciego, irracional, de las muchedumbres que corren enloquecidas por las calles, blandiendo pancartas y carteles toscamente preparados, maldiciendo a un enemigo invisible, lejano, al otro lado de fronteras distantes, sino de jóvenes como ella, en una comunidad pluralista de estudio, de compartir aulas y cafeterías, donde la valía de una persona era fundamental, desde el ingreso, pasando por una constante evaluación, hasta la graduación. Uno contribuía al conjunto, pero como *él* o como *ella*, no como un robot institucional, salvo, tal vez, en los campos de juego, y aun en éstos se reconocía el comportamiento individual, y más a menudo en la derrota, en forma conmovedora.

Pero durante mucho tiempo no había sido un individuo; se había perdido *a sí misma*. Eso fue erradicado, trasladado a un abstracto e insidioso colectivo racial llamado árabe. Sucio árabe, tortuoso árabe, árabe asesino

–árabe, árabe, *árabe*–, ¡hasta que no pudo soportarlo más! Se quedaba sola en su habitación, rechazaba los ofrecimientos de conocidos de los dormitorios, de visitar los salones del colegio para beber algo; dos veces habían bastado.

La primera habría debido ser suficiente. Fue al lavatorio para damas, y lo encontró bloqueado por dos estudiantes varones; eran estudiantes judíos, por cierto, pero también estudiantes *norteamericanos*.

–¡Tenía entendido que ustedes, los árabes, no beben! –gritó el joven borracho de la izquierda de ella.

–Es una opción que una decide –respondió ella.

–¡Me dicen que ustedes, los *Arviyah*, mean en el suelo de sus tiendas! –gritó el otro, con expresión obscena.

–Estás mal informado. Somos muy puntillosos. Por favor, déjame pasar...

–Aquí no, árabe. No sabemos qué puedes dejar en el asiento del inodoro, y tenemos con nosotros un par de *yehudiyah*. ¿Entendiste el mensaje, árabe?

Pero el punto de ruptura llegó al final de su segundo semestre. Había trabajado bien en un curso dictado por un renombrado profesor judío, lo bastante para ser elegida por el tan buscado profesor que, en su opinión, había logrado los mejores resultados. El premio, un acontecimiento anual en su clase, era un ejemplar, con una dedicatoria personal, de una de sus obras. Muchos de sus compañeros, judíos y no judíos, se acercaron a felicitarla, pero cuando salió del edificio, otros tres, el rostro oculto con máscaras de medias, la detuvieron en un sendero arbolado de la parte de atrás de su dormitorio.

–¿Qué hiciste? –preguntó uno de ellos–. ¿Le amenazaste con volarle la casa?

–¿O con acuchillar a sus hijos con una filosa daga árabe?

–¡Demonios, no! ¡Llamaría a Arafat!

–¡Te vamos a dar una lección, *Shvartzeh Arviyah*!

–¡Si el libro es tan importante para ti, *tómalo*!

–No, árabe, tómalo *tú*.

La violaron.

–¡Esto es por Munich!

–¡Esto es por los chicos del kibbutz de Golán!

–Esto es por mis primos de las playas de Ashdod, donde ustedes, canallas, lo *mataron*. –No hubo satisfacción sexual para los atacantes, sólo la furia de infligir un castigo a la *árabe*.

Se arrastró a medias y a medias se tambaleó hacia su dormitorio, y en esos momentos apareció en su vida una persona muy importante. Cierta Roberta Aldridge, la inestimable Bobbie Aldridge, la hija iconoclasta de los Aldridge de Nueva Inglaterra.

–*¡Escoria!* –gritó Bobbie hacia los árboles de Cambridge, Massachusetts.

–¡No lo *cuentes* nunca! –suplicó la joven egipcia–. ¡No *entiendes*!

–No te preocupes por eso, querida. En Boston tenemos una frase que significa lo mismo desde Southie hasta Beacon Hill. "¡El que da, *recibe*!" ¡Y esos hijos de su madre *recibirán*, te doy mi palabra!

–*¡No!* Me buscarán... ¡tampoco ellos entenderán! No odio a los judíos... mi mejor amiga desde la infancia es la hija de un rabino, uno de los colegas más cercanos de mi padre. *No* odio a los judíos. ¡Dirán que los odio, porque para ellos soy nada más que una sucia árabe, pero no es cierto! Mi familia no es así. No odiamos.

–Cálmate, chica. Yo no dije nada acerca de los judíos, fuiste tú. Yo dije "hijos de su madre", que es un término que incluye a cualquiera, por decirlo así.

–Esto ha terminado. Todo terminó para mí. Me iré.

–¡Con un demonio, te irás! Verás a mi médico, que sabe de estas cosas, y luego te mudarás conmigo. *¡Cielos,* no he tenido una causa en casi dos años!

Alabado sea Dios, y Alá, y todas las demás deidades de arriba. Tengo una amiga. Y de alguna manera, dentro del dolor y el odio de esos días nació una idea que se convirtió en un compromiso. Una joven de dieciocho años supo qué haría con el resto de su vida.

Sonó el teléfono. ¡El pasado estaba terminado, *olvidado*, el presente *era* todo! Corrió al teléfono ubicado al lado de la cama , y tomó el receptor.

–*¿Sí?*

–Está aquí.

–*¿Dónde?*

–En la embajada.

–¡Oh *Dios* mío! ¿Qué ocurre? ¿Qué hace?

–Está con otros dos...

–¿Son tres, no *cuatro*?

–Sólo hemos visto a tres. Uno se encuentra en los portones, entre los mendigos. Ha estado hablando con los terroristas de adentro.

–¡El *norteamericano*! ¿Dónde está *él*?

–Con el tercer hombre. Los dos se mantienen en las sombras; sólo el primer hombre se muestra. El es quien toma las decisiones, no el norteamericano.

–¿Qué quieres decir?

–Nos parece que está haciendo arreglos para entrar.

–*¡No!* –gritó Khalehla–. No *pueden*... *¡él* no puede, no *debe*! ¡Deténlos, deténlo a *él*!

–Esas órdenes deben venir de palacio, señora...

–¡Esas órdenes las doy *yo*! ¡Te lo han *dicho*! Una cosa era el cercado de los prisioneros, pero no la embajada, *¡nunca* la embajada, no para *él*! ¡Sal y tómalos, deténlos, mátalos, si hace falta! ¡Mátalo a *él*!

–*¡De prisa!* –gritó el árabe de túnica a su colega del frente del restaurante cerrado, y corrió el cerrojo de su ametralladora a la posición de disparar–. Tenemos órdenes de tomarlos ahora, detenerlos, detener al norteamericano. Matarlo, si hace falta.

–*¿Matarlo?* –preguntó el asombrado funcionario de palacio.

–Esas son las órdenes. *¡Matarlo!*

–Las órdenes llegan demasiado tarde. Se han ido.

ULTRAMAXIMO SEGURO
NO HAY INTERCEPTACIONES
ADELANTE

La figura del oscuro cuarto estéril tocó las letras del teclado con furiosa precisión.

¡He descifrado los códigos de acceso de Langley, y es la locura! No la CIA, porque el enlace no omite nada. Por el contrario, la insania está en el hombre. ¡Ha entrado a la embajada! No podrá sobrevivir. Lo descubrirán... en el excusado, en una comida con o sin utensilios, con una sola reacción ante una frase. ¡Ha estado ausente demasiado tiempo! He verificado todas las posibilidades, y mis dispositivos ofrecen muy pocas esperanzas. Es posible que mis dispositivos y yo hayamos sido demasiado rápidos en abrir juicios. Tal vez nuestro mesías nacional no es más que un tonto, pero todos los mesías han sido considerados tontos e idiotas, hasta que se demostró lo contrario. Esa es mi esperanza, mi oración.

11

Los tres prisioneros fugitivos gatearon en la oscuridad, en la antigua línea de cloacas, cubierta de musgo, hasta una abertura enrejada, en el suelo de piedra del patio oriental de la embajada. Forcejeando, con las manos y los pies raspados, ensangrentados, salieron a la luz enceguecedora del sol, sólo para encontrarse con una escena que Evan Kendrick deseó con toda el alma que hubiera permanecido en la oscuridad. Sesenta o más rehenes habían sido sacados del techo al patio, para su magra alimentación y abluciones matinales. Una letrina se componía de planchas de madera con agujeros circulares, sobre cajones: los hombres se encontraban separados de las mujeres por una gran cortina transparente, arrancada de una de las ventanas de la embajada. La degradación era completa, dado que los guardias, varones y mujeres, se paseaban delante de los rehenes, varones y mujeres, reían y hacían bromas, en voz alta, en cuanto a las dificultades funcionales que experimentaban sus cautivos. El papel higiénico, atormentadoramente mantenido fuera del alcance de las manos temblorosas, antes de entregarlo por último, consistía en hojas impresas de las computadoras de la embajada.

Al otro lado, a plena vista de la gente humillada y asustada de las letrinas, los rehenes habían formado una fila hasta tres largas mesas angostas, con hileras de platos metálicos que contenían pan seco y trocitos de queso dudoso. Entre los platos, espaciados, había sucios jarros llenos de un líquido blanco grisáceo, presuntamente leche de cabra diluida, que se servía con parquedad en los cuencos de madera de los prisioneros, por un grupo de terroristas armados, ubicados detrás de las mesas. De vez en cuando se negaba a un rehén un plato o un cucharón de leche; los ruegos eran inútiles; terminaban en una bofetada, un puñetazo o un golpe con un cucharón en la cara, cuando los gritos eran demasiado fuertes.

De pronto, cuando los ojos de Kendrick todavía procuraban habituarse a la intensa luz, un chico de no más de catorce o quince años, la cara bañada en lágrimas, las facciones contraídas, gritó, desafiante:

–¡*Canalla* piojoso! ¡Mi madre está enferma! ¡No hace más que vomitar esta basura! Denle algo decente, hijos de puta...

Las palabras del chico fueron acalladas por el golpe del caño de un rifle en la cara, que le desgarró la mejilla izquierda. En lugar de apaciguarlo, el golpe lo enfureció. Se precipitó sobre la mesa, aferró de la camisa al hombre del rifle, se la arrancó del pecho, con lo cual platos metálicos y jarros cayeron de la mesa y se estrellaron contra el suelo. En instantes, los terroristas cayeron sobre él, lo apartaron del hombre barbudo a quien acababa de tirar al suelo, lo aporrearon con las culatas de los rifles y propinaron puntapiés a su cuerpo, que se retorcía en la piedra del patio. Varios otros rehenes varones, coléricos y enardecidos por la acción del joven, se precipitaron, gritando con voz débil, ronca, agitando patéticamente los brazos contra sus arrogantes enemigos, mucho más fuertes. Lo que siguió fue una brutal represión de la minirrebelión. A medida que los rehenes caían, eran golpeados y pateados hasta quedar inconscientes, como reses ablandadas y procesadas en un matadero.

–*¡Animales!* –rugió un anciano, sosteniendo sus pantalones y caminando con pasos inseguros desde las tablas, intacto en su decisión y dignidad–. ¡Animales *árabes*! ¡Salvajes *árabes*! ¿Ninguno de ustedes tiene una pizca de decencia civilizada? ¿El matar a golpes a hombres débiles, indefensos, los convierte en héroes del *Islam*? ¡En ese caso, tómenme y distribúyanse más medallas, pero en nombre de Dios, dejen de hacer lo que están *haciendo*!

–¿Del *Dios* de quién? –gritó un terrorista sobre el cuerpo del chico inconsciente–. ¿Un Jesús cristiano, cuyos fieles arman a nuestros enemigos para que puedan diezmar a nuestros niños con bombas y cañones? ¿O un Mesías vagabundo, cuyo pueblo roba nuestras tierras y mata a nuestros padres y madres? ¡Aclaren quién es su Dios!

–*¡Basta!* –ordenó Azra, y se adelantó con rapidez. Kendrick lo siguió, incapaz de dominarse, pensando que momentos antes habría podido arrebatar el arma MAC-10 del hombro de Azul y disparado contra los terroristas. De pie junto al chico ensangrentado, Azra continuó, con voz indiferente: – La lección ha sido dada; no aleccionen en exceso, o aturdirán a aquellos a quienes quieren enseñar. Lleven a esta gente a la enfermería, al médico rehén... y busquen a la madre del chico. Tráiganla también aquí, y denle una comida.

–*¿Por qué,* Azra? –protestó el palestino–. ¡No hubo esas consideraciones para con *mi* madre! A ella...

–Ni con la *mía* –interrumpió Azul con firmeza–. Y míranos ahora. Lleva a este chico para que esté con su madre. Que alguien les hable sobre el exceso de celo, y que finja que eso le importa.

Kendrick miró con repugnancia mientras se llevaban los cuerpos sangrantes, laxos.

–Hiciste lo correcto –dijo a Azra en inglés, con palabras fríamente prácticas, hablando como un técnico–. Uno no siempre quiere hacerlo, pero hay que saber cuándo detenerse.

El nuevo príncipe de los terroristas estudió a Evan con ojos opacos.

–Hablé en serio. Míranos ahora. La muerte de los nuestros nos vuelve diferentes. Un día éramos niños, al siguiente somos adultos, no importa la edad, y somos expertos en materia de muerte, porque los recuerdos no nos abandonan nunca.

–Entiendo.

–No, no entiendes, Amal Bahrudi. La tuya es una guerra ideológica. Para ti la muerte es un acto político. Eres un creyente apasionado, no me cabe duda... pero aun así, crees en la política. Esa no es mi guerra. No tengo otra ideología que la de la supervivencia, para poder cobrar una muerte con otra... y sobrevivir.

–¿Para qué? –preguntó Kendrick, de pronto muy interesado.

–Cosa rara, para vivir en paz, cosa que mis padres tuvieron prohibida. Para que todos nosotros vivamos en nuestra tierra, que nos fue robada, entregada a nuestros enemigos y pagada por naciones ricas, para atenuar su culpa por los crímenes contra un pueblo, que no eran nuestros crímenes. Ahora somos las víctimas, ¿podemos hacer otra cosa que luchar?

–Si piensas que eso no es política, te sugiero que lo medites un poco más. Sigues siendo un poeta, Azra.

–Con un cuchillo y una ametralladora, así como con mis pensamientos, Bahrudi.

Hubo otro alboroto en el patio, más benigno. Dos figuras salieron corriendo de una puerta; una de ellas era una mujer que llevaba un velo, la otra un hombre con mechones blancos en el cabello. Zaya Yateem y Ahbyahd, el llamado Blanco, pensó Evan, rígido, remoto. El saludo entre el hermano y la hermana fue extraño; se estrecharon la mano con formalidad, se miraron, y luego se abrazaron. La tutoría universal de una hermana mayor sobre un hermano menor –éste tan a menudo torpe, impulsivo, en opinión de la hermana mayor, más experimentada– tendía puentes sobre razas e ideologías. Era inevitable que el niño menor se hiciera cada vez más fuerte, fuese el brazo musculoso de la casa, pero la hermana mayor siempre estaría ahí para guiarlo. Ahbyahd se mostró luego menos formal, abrazó al más joven y más fuerte miembro del Consejo de Operaciones, y lo besó en ambas mejillas.

–Tienes mucho que decirnos –exclamó el terrorista llamado Blanco.

–En efecto –admitió Azra, y se volvió hacia Evan Kendrick–, gracias a este hombre. Es Amal Bahrudi, de Berlín Este, que el Mahdí nos ha enviado a Mascate.

Por encima de su velo, la mirada urgente, y aun violenta, de los ojos de Zaya, escudriñaron el rostro de Evan.

–Amal Bahrudi –repitió–. He oído ese nombre, por supuesto. Los hilos del Mahdí llegan a grandes distancias. Estás muy lejos de tu propio trabajo.

–E incómodo –dijo Kendrick en el lenguaje culto de Riyadh–. Pero otros son vigilados, monitoreados en todos sus movimientos. Se pensó que debía venir alguien inesperado, y Berlín Este es un lugar conveniente desde el cual viajar. La gente jurará que uno está todavía allí. Cuando el Mahdí me llamó, respondí. En verdad fui yo el primero en establecer el contacto con la gente de él, en relación con un problema que ustedes tienen aquí, y que tu hermano te explicará. Puede que tengamos objetivos diferentes, pero todos avanzamos en colaboración recíproca, en especial cuando nuestros gastos están pagados.

–Pero tú –dijo Ahbyahd, ceñudo–. El Bahrudi de Berlín Este, el que va a todas partes, a cualquier parte. ¿Fuiste descubierto?

–Es cierto que tengo la reputación de ir a un lado y otro –y se permitió la insinuación de una sonrisa–. Pero en verdad no quedará fortalecida por lo que me ocurrió aquí.

–¿Fuiste traicionado, entonces? –preguntó Zaya Yateem.

–Sí. Sé quién fue, y lo encontraré. Su cadáver flotará en el muelle...

–Bahrudi nos hizo salir –interrumpió Azra–. Mientras yo pensaba, él *hacía*. Merece la reputación que tiene.

–Vamos adentro, mi querido hermano. Hablaremos allí.

–Mi querida hermana –dijo Azul–. Tenemos traidores aquí, eso es lo que Amal vino a decirnos... eso, y otra cosa. Están tomando fotos y sacándolas afuera, *¡vendiéndolas!* Si sobrevivimos, seremos perseguidos durante años... ¡un registro de nuestras actividades, para que lo vea todo el mundo!

La hermana estudió al hermano, interrogantes los ojos oscuros, por encima del velo.

–¿Fotos? ¿Tomadas por cámaras ocultas, con refinamientos técnicos para su funcionamiento, y no descubiertas por nadie? ¿Tenemos estudiantes de fotografía tan avanzados entre nuestros hermanos y hermanas de aquí, la mayoría de los cuales apenas sabe leer?

–¡El *vio* las fotos! ¡En Berlín Este!

–Hablaremos dentro.

Los dos ingleses se hallaban sentados delante del amplio escritorio, y el fatigado agregado, todavía de salida de baño, hacía lo posible por mantenerse despierto.

–Sí, amigos –dijo, bostezando–. Llegarán en cualquier momento, y si no les molesta que lo diga, espero que haya algo de cierto en lo que me dicen. El MI-Seis tiene enormes problemas, y no les encanta que un par de nuestros propios británicos les roben unas preciosas horas de sueño.

–¡Mi amigo Dickie, aquí presente, estuvo en los Granaderos!

–exclamó, protector, Jack–. Si *él* afirma que hay algo que debe decirle, creo que tiene que prestarle atención. En fin de cuentas, ¿para qué estamos aquí?

–¿Para ganar dinero destinado a sus firmas? –sugirió el agregado.

–Bueno, es claro, esa es una parte pequeña del asunto –dijo Jack–. Pero ante todo somos *ingleses*, y no lo olvide. No queremos que el Imperio se hunda en el olvido. ¿De acuerdo, Dickie?

–Ya se hundió –dijo el agregado, ahogando otro bostezo–. Hace cuarenta años.

–Sabe –interrumpió Dickie–. Mi amigo Jack está en metales ferrosos, pero yo me dedico a los textiles, y le digo que por la forma en que ese tipo iba vestido, al contrario de la forma en que estaba vestido antes... no anda en nada bueno. La tela no sólo determina al hombre, sino que además coincide con sus actividades... así ha sido desde que se tejió el primer lino, tal vez aquí, en esta parte del mundo, ahora que lo pienso...

–MI-Seis tiene la información –interrumpió el agregado, con la expresión apagada de un hombre aturdido por la repetición–. Pronto estarán aquí.

Y así fue. Cinco segundos después de la frase del agregado, dos hombres de camisa abierta, ambos necesitados de una buena afeitada, y ninguno de los dos de aspecto muy agradable, entraron en la oficina. El segundo llevaba un gran sobre de papel de manila; habló el primero.

–¿Ustedes, caballeros, son la razón de que estemos aquí? –preguntó, dirigiéndose a Dickie y a Jack.

–Richard Harding, a mi izquierda –dijo el agregado–. Y John Preston a la derecha. ¿Puedo salir?

–Perdón, viejo –respondió el segundo hombre, acercándose al escritorio y abriendo el sobre–. Estamos aquí porque usted nos llamó. Eso le da derecho a quedarse.

–Es usted demasiado bondadoso –dijo el hombre de la embajada sin mucho entusiasmo–. Pero no los llamé, no hice más que transmitirles informaciones que dos ciudadanos británicos *insistieron* en que transmitiese. Eso me da derecho a dormir un poco, ya que no me dedico a la especialidad de ustedes.

–En realidad –interrumpió Jack Preston–, fue Dickie quien insistió, pero siempre he sentido que en momentos de crisis no debe pasarse por alto instinto ni piedra alguna, y Dickie Harding, un ex granadero, sabe, ha tenido instintos muy finos... en el pasado.

–Maldición, Jack, eso no tiene nada que ver con los instintos, sino con lo que llevaba *puesto*. Quiero decir que un tipo podría sudar la gota gorda en invierno, en las montañas de Escocia, con esas telas, y si el brillo de su camisa indicara seda o poliester, se asfixiaría, lisa y llanamente. *Algodón*. El algodón puro, liviano, es la única tela para este clima. Y el corte de su conjunto, bueno, yo te *dije*...

–Me perdona, señor? –Con los ojos vueltos por un instante hacia el cielo raso, el segundo hombre sacó del sobre un manojo de fotos y las presentó entre Preston y Harding, interrumpiendo el diálogo.– ¿Quiere mirarlas y ver si reconoce a alguien?

Once segundos más tarde quedaba terminada la tarea.

–¡*Ese* es él! –exclamó Dickie.

–Creo que sí –convino Jack.

–Y los dos están locos –dijo el primer hombre del MI-Seis–. Se llama MacDonald y es un chico de sociedad, que ya viene borracho desde El Cairo. Su padre es el dueño de la compañía para la cual él trabaja, una firma de piezas de automóviles, y se encuentra aquí porque es un estúpido rematado, y porque el segundo de la filial de El Cairo lo dirige todo. Esto, en cuanto a sus instintos a esta hora de la mañana. ¿Puedo preguntar dónde pasaron la noche?

–Bueno, Dickie, yo *dije* que era posible que estuvieras reaccionando en exceso, sobre la base de elementos muy superficiales...

–Un minuto, por favor –interrumpió el segundo hombre del MI-Seis, sacando una foto de pasaporte ampliada, y estudiándola–. Hace un año, más o menos, uno de nuestros militares acantonados aquí se comunicó con nosotros y quiso promover una reunión respecto de un problema de E. E. que le parecía que estaba a punto de crearse.

–¿Un qué? –preguntó el agregado.

–"Evaluación de equipos"... debe entenderse como espionaje. No quiso explicar mucho por teléfono, es claro, pero señaló que nos asombraríamos cuando conociéramos al sospechoso. "Un inglés borrachín, hinchado, que trabaja en El Cairo", o cosa por el estilo. ¿Podría ser éste el hombre?

–*Sin embargo* –continuó Jack–, yo insté a Dickie a seguir adelante, ¡a no callar!

–Vamos, de veras, viejo, no mostraste tanto entusiasmo. Sabes, todavía estamos a tiempo a tomar ese avión que tanto te preocupa.

–¿Qué sucedió en la reunión? –preguntó el agregado, inclinándose hacia adelante, con la mirada fija en el segundo hombre del MI-Seis.

–Nunca se llevó a cabo. Nuestro militar fue muerto en los muelles, con la garganta cortada delante de un depósito. La definieron como un robo, ya que no le quedó nada en los bolsillos.

–*Creo* que deberíamos tomar ese avión, Dickie.

–¿El *Mahdí*? –exclamó Zaya Yateem, sentada detrás del escritorio, en lo que tres semanas antes era la oficina del embajador norteamericano–. ¿Tienes que llevar a uno de nosotros ante él, en Bahrein? *¿Esta noche?*

–Como se lo dije a tu hermano –dijo Kendrick, sentado en una silla, al lado de Ahbyahd, y de frente a la mujer–. Es probable que las instrucciones estuvieran en la carta que te entregué.

–Sí, sí. –Zaya habló con rapidez, con impaciencia–. Me lo explicó en los pocos momentos en que estuvimos juntos. Pero te *equivocas*, Bahrudi. No tengo manera directa de llegar al Mahdí... nadie sabe quién es.

—Supongo que te comunicas con alguien que, a su vez, se comunica con él.

—Es natural, pero podría llevar un día, o quizá dos. Las vías para llegar a él son complicadas. Se hacen cinco llamadas, y se retransmiten diez veces cinco a números no conocidos de Bahrein, y sólo *uno* de ellos puede comunicarse con el Mahdí.

—¿Qué ocurre en una emergencia?

—No están permitidas —intervino Azra, apoyándose contra una pared, junto a una ventana de la catedral, iluminada por el sol—. Ya te lo dije.

—Y *eso*, mi joven amigo, es ridículo. No podemos hacer *con eficacia* lo que hacemos sin tener en cuenta lo inesperado.

—Admitido. —Zaya Yateem asintió, y luego meneó la cabeza con lentitud—. Pero mi hermano tiene razón. Se espera de nosotros que sigamos adelante en cualquier emergencia durante semanas enteras, si hace falta. De lo contrario, como jefes, no se nos encomendaría nuestras misiones.

—Muy bien —dijo el parlamentario del Noveno Distrito de Colorado, sintiendo que el sudor se le deslizaba por el cuello, a pesar de la fresca brisa matinal que entraba por las ventanas abiertas—. Entonces explica al Mahdí por qué no estaremos en Bahrein esta noche. Yo hice mi parte, incluida, creo, la salvación de la vida de tu hermano.

—En eso tiene razón, Zaya —admitió Azra, y se apartó de la pared—. Ahora yo sería un cadáver en el desierto.

—Por lo cual estoy agradecida, Bahrudi. Pero no puedo hacer lo imposible.

—Creo que será mejor que lo intentes. —Kendrick miró a Ahbyahd, a quien tenía a su lado, y luego se volvió hacia la hermana—. Tu Mahdí realizó muchos esfuerzos y gastos para hacerme venir, y supongo que eso significa que *él* tiene una emergencia.

—La noticia de tu captura explicaría lo que sucedió —dijo Ahbyahd.

—¿Te parece que las fuerzas de seguridad de Omán comunicarán que me capturaron, sólo para tener que admitir que me fugué?

—Es claro que no —contestó Zaya Yateem.

—El Mahdí tiene los cordones de tu bolso —agregó Kendrick—. Y podría influir sobre los míos, cosa que no me agrada.

—Nuestros abastecimientos son escasos —intervino Ahbyahd—. Necesitamos lanchas rápidas de los Emiratos, o todo lo que hemos hecho resultará inútil. En lugar de asediar, *nosotros* nos encontraremos en estado de sitio.

—Puede que haya una solución —dijo Zaya, levantándose de repente, las manos apoyadas en el escritorio; los ojos oscuros, por encima del velo, parecían ensimismados, pensativos—. Hemos programado una conferencia de prensa para esta mañana; será vista en todas partes, y sin duda la verá también el propio Mahdí. En cierto momento de mi presentación mencionaré que enviamos un mensaje urgente a nuestros amigos. Un mensaje que exige una respuesta inmediata.

—¿Para qué serviría eso? —interrogó Azra—. Todas las comunicaciones están monitoreadas, eso lo sabemos. Ninguno, de entre la gente del Mahdí, correrá el riesgo de ponerse en contacto con nosotros.

–No necesitan hacerlo –interrumpió Evan, inclinándose hacia adelante en el asiento–. Entiendo lo que dice tu hermana. La respuesta no tiene por qué ser verbal, no hace falta una comunicación. No pedimos instrucciones, las *damos*. Es lo que tú y yo conversamos hace varias horas, Azra. Yo conozco a Bahrein. Elegiré un lugar donde podamos estar, y haré que uno de tus contactos de aquí, en Mascate, se lo haga conocer, diciéndole que ese es el mensaje urgente del cual habló tu hermana durante la conferencia de prensa. –Kendrick se volvió hacia Yateem.– *Eso* es lo que pensabas, ¿verdad?

–Sólo pensaba en apresurar el proceso de llegar hasta el Mahdí. Pero lo tuyo *es* plausible.

–¡Es la solución! –exclamó Ahbyahd–. ¡Bahrudi nos la ha dado!

–Nada queda solucionado a esta altura –dijo la mujer del velo, otra vez sentada–. Está el problema de hacer que mi hermano y el señor Bahrudi lleguen a Bahrein. ¿Cómo se hará?

–Ya ha sido tenido en cuenta –respondió Evan, aceleradas las palpitaciones del pecho, asombrado ante su dominio, su voz tranquila. *¡Estaba más cerca! ¡Más cerca del Mahdí!*–. Le dije a Azra que tengo un número telefónico, que no te daré, que no puedo darte. Pero con unas pocas palabras conseguiré un avión.

–¿Así, sin *más*? –exclamó Ahbyahd.

–Nuestro benefactor de aquí, en Omán, tiene métodos con los cuales ni siquiera has soñado.

–Todas las llamadas telefónicas que entran y salen son interceptadas –objetó Azra.

–Lo que yo diga puede escucharse, pero no lo que dice la persona a quien llamo. Eso me lo aseguraron.

–¿Un dispositivo mezclador? –preguntó Yateem.

–Forman parte de nuestros equipos, en Europa. Un simple cono aplicado sobre el micrófono. La distorsión es absoluta, salvo en la conexión directa.

–Haz tu llamada –dijo Zaya; se puso de pie y caminó con rapidez en derredor del escritorio, mientras Kendrick hacía lo propio y la reemplazaba en la silla. Evan discó, tapando los números con la mano.

–*¿Sí?* –La voz de Ahmat se escuchó antes del segundo timbrazo.

–Un avión –dijo Kendrick–. Dos pasajeros. ¿Dónde? ¿Cuándo?

–*¡Dios mío!* –estalló el joven sultán de Omán–. Déjame pensar... El aeropuerto, es claro. Hay un recodo en el camino, a medio kilómetro antes del sector de carga. Alguien te recogerá en un coche de la guarnición. Diles que ha sido robado, para poder pasar ante los guardias.

–¿Cuándo?

–Llevará tiempo. La seguridad es muy densa en todas partes y es preciso tomar medidas. ¿Puedes darme un punto de destino?

–La letra veintidós dividida por dos.

–V... dividida... una I inclinada... ¿Irán?

–No. Los números.

–Veintidós... dos. *¿B?*

–Sí.

–¡Bahrein!

–Sí.

–Eso ayuda. Haré algunas llamadas. ¿Cuándo lo necesitas?

–En el apogeo de las festividades de aquí. Tenemos que aprovechar la confusión para salir.

–Eso sería alrededor del mediodía.

–Lo que tú digas. De paso, hay un médico... tiene algo que yo podría necesitar para mi salud.

–El cinturón para llevar dinero. Te lo deslizarán.

–Muy bien.

–El recodo antes del sector de carga. Tienen que estar allí.

–Estaremos. –Evan colgó.– Debemos estar en el aeropuerto a las doce del mediodía.

–¡El *aeropuerto*? –gritó Azra–. ¡Nos *arrestarán*!

–En el camino, antes del aeropuerto. Alguien robará un auto de la guarnición, y *ellos* nos recogerán.

–Haré que uno de nuestros contactos en la ciudad los conduzca –dijo Zaya Yateem–. A él le darás la ubicación en Bahrein, el lugar de reunión. Tienen por lo menos cinco horas hasta el momento de la partida.

–Necesitaremos ropas, una ducha y un poco de descanso –dijo Azra. No recuerdo cuándo fue la última vez que dormí.

–Me gustaría examinar tu operación –señaló Kendrick, poniéndose de pie–. Podría aprender algo.

–Lo que quieras, Amal Bahrudi –dijo Zaya Yateem acercándose a Evan–. Salvaste la vida de mi querido hermano, y no existen palabras adecuadas para expresar mi agradecimiento por eso.

–Sólo hazme llegar a ese aeropuerto al mediodía –respondió Kendrick, sin calor alguno en la voz–. Para decirlo con franqueza, quiero volver a Alemania lo antes posible.

–Al mediodía –convino la terrorista.

–¡Weingrass estará aquí al *mediodía*! –exclamó el funcionario del Mossad a Ben-Ami y a la unidad de cinco hombres de la Brigada Masada. Se encontraban en el sótano de una casa, en el Jabal Sa'ali, a minutos de las hileras de tumbas inglesas en las cuales veintenas de corsarios habían sido enterrados siglos atrás. El primitivo sótano de piedra había sido convertido en centro de control de la inteligencia israelí.

–¿Cómo llegará aquí? –preguntó Ben-Ami, quien se había quitado el ghotra de la cabeza, los jeans azules y la suelta camisa oscura, mucho más naturales en él–. Su pasaporte fue emitido en Jerusalén, y no es el más bien recibido de los documentos.

–A Emmanuel Weingrass no se lo pone en tela de juicio. No cabe duda de que tiene más pasaportes que *bagels* hay en la Plaza Jabotinski de Tel Aviv. Nos ha dicho que no hagamos nada hasta que llegue. "Absolutamente *nada*", fueron sus palabras exactas.

–No parece que lo desaprobaras tanto como antes –dijo Yaakov, Azul según su nombre de código, hijo de un rehén o jefe de la unidad Masada.

–¡Porque no tendré que firmar sus cuentas de gastos! No las *habrá*. No tuve más que mencionar el nombre de Kendrick, y dijo que ya venía.

–Eso no significa que no querrá cobrar sus gastos –replicó Ben-Ami, riendo entre dientes.

–Oh, no, le hablé con mucha claridad. Le pregunté cuánto nos costaría su ayuda, y respondió en forma inequívoca: "¡Un carajo, esto corre por mi cuenta!" Es una expresión norteamericana que nos absuelve de todo gasto.

–¡Estamos perdiendo *tiempo*! –exclamó Yaakov–. Deberíamos estar explorando la embajada. He estudiado los planos; hay media docena de formas de entrar y sacar a mi padre.

Las cabezas giraron y los ojos miraron con asombro al joven jefe llamado Azul.

–Entendemos –dijo el agente del Mossad.

–Lo siento. No quise decir eso.

–Entre todos, tú eres quién más derecho tiene a decirlo –dijo Ben-Ami.

–No habría debido decirlo. Vuelvo a pedir disculpas. ¿Pero, por qué habríamos de esperar a ese *Weingrass*?

–Porque él consigue resultados, y sin él no los lograríamos.

–¡Entiendo! Ustedes, los del Mossad, dan volteretas. ¡Ahora quieren ayudar al *norteamericano*, no a nuestro primer objetivo! ¡Maldición, *sí*, mi *padre*!

–El resultado podría ser el mismo, Yaakov...

–¡*No* soy Yaakov! –rugió el joven jefe–. Para ti soy sólo Azul... el hijo de un padre que vio cómo separaban a sus propios padres en Auschwitz, aferrados uno al otro, antes de conducirlos a las cámaras de gas. ¡Quiero a mi padre *afuera* y a *salvo*, y puedo *hacerlo*! ¡Cuánto más puede sufrir ese hombre? Una infancia de horror, viendo cómo los chicos de su edad eran ahorcados por robar basura para comer, sodomizados por cerdos de la Wehrmacht, ocultándose, muriéndose de hambre en los bosques de toda Polonia hasta que llegaron los aliados. Bendecido más tarde con tres hijos, sólo para ver a tres de ellos muertos, mis hermanos *muertos*, asesinados en Sidón por sucios cerdos... terroristas *árabes*. ¿Y ahora tengo que preocuparme por un *cowboy* norteamericano, un *político* que quiere ser un héroe para poder actuar en filmes y que su foto aparezca en las cajas de cereales?

–Según lo que me han dicho –dijo Ben-Ami con serenidad–, nada de eso es cierto. Ese norteamericano arriesga su vida sin ayuda de su propia gente, sin perspectivas de futuras recompensas, si queda con vida. Como nos dice nuestro amigo, aquí presente, hace lo que hace por un motivo no muy distinto del tuyo. Para reparar un terrible daño que se le hizo a él, a su familia, por decirlo así.

–¡Al *demonio* con él! ¡Era una familia, no un *pueblo*! ¡Yo digo que vayamos a la embajada!

–Y yo digo que no –dijo el agente, depositando la pistola, lentamente, en la mesa–. Ahora estás a las órdenes del Mossad, y harás lo que te digamos.

–*¡Cerdos!* –gritó Yaakov–. ¡*Todos* ustedes son unos cerdos!

–En efecto –dijo Ben-Ami–. Todos nosotros.

10 y 48 a.m. Hora de Omán. La conferencia de prensa controlada había terminado. Los reporteros y los equipos de televisión guardaban sus anotadores y recogían sus aparatos, prontos a ser guiados por los salones de la embajada, hasta los portones exteriores, patrullados por un centenar de jóvenes y de mujeres con velos, que marchaban delante de ellos, ida y vuelta, con las armas listas para disparar. Pero dentro del salón de conferencias, un hombre obeso pasó por entre los guardias con palabras untuosas, y se acercó a la mesa a la cual se sentaba Zaya Yateem. Habló, con rifles apuntados a su cabeza.

–Vengo de parte del Mahdí –susurró–, quien paga hasta el último chelín que deben.

–¿Tú *también*? La emergencia de Bahrein tiene que ser grave, en verdad.

–Perdón...

–¿Ha sido registrado? –preguntó Zaya a los guardias, quienes asintieron–. Suéltenlo.

–Gracias, señora... *¿qué* emergencia en Bahrein?

–Por supuesto, no lo sabemos. Uno de los nuestros irá allá esta noche, para que se lo digan, y volverá a nosotros con las noticias.

MacDonald contempló los ojos que se asomaban por encima del velo, y un agudo dolor hueco se formó en su enorme pecho. *¿Qué estaba pasando? ¿Por qué Bahrein se volvía contra él? ¿Qué decisiones se habían adoptado que lo excluían? ¿Por qué? ¿Qué había hecho esa sucia puta árabe?*

–Señora –continuó el inglés con voz lenta, midiendo las palabras–. La emergencia de Bahrein es un hecho nuevo, en tanto que a mí me ocupa otro hecho igualmente grave. A nuestro benefactor le agradaría que se le aclarase, enseguida, el motivo de la presencia de la mujer Khalehla aquí, en Mascate.

–¿Khalehla? No hay ninguna mujer llamada Khalehla entre nosotros, aquí, pero es cierto que los nombres carecen de sentido, ¿no es verdad?

–No aquí, no aquí *adentro*, sino afuera, y en contacto con tu gente... con tu propio hermano, en verdad.

–¿Mi *hermano?*

–En efecto. ¡Tres prisioneros fugados corrieron al encuentro de ella en el camino al Jabal Sham, al encuentro del enemigo!

–¿Qué estás *diciendo?*

–No estoy diciendo, señora; estoy exigiendo. *Nosotros* exigimos una explicación. El Mahdí insiste en ello con suma energía.

–¡No tengo la menor idea de lo que dices! Es cierto que tres prisioneros se fugaron, y uno de ellos era mi hermano, junto con Yosef y el otro emisario de nuestro benefactor, un hombre llamado Bahrudi, de Berlín Este.

–*Este...* Señora, hablas con demasiada rapidez para mí.

–Si vienes en verdad de parte del Mahdí, me asombra que no lo conozcas. –Yateem se interrumpió y sus grandes ojos recorrieron el rostro de MacDonald.– Por otro lado, podrías venir en nombre de cualquiera, de cualquier lugar.

–¡Mientras esté en Mascate, soy la *única* voz del Mahdí! Llama a Bahrein y entérate tú misma, señora.

–Sabes muy bien que esos llamados no están permitidos. –Zaya hizo chasquear los dedos para llamar a los guardias, quienes se precipitaron hacia la mesa.– Lleven a este hombre a la sala del consejo. Después despierten a mi hermano y a Yosef, y busquen a Amal Bahrudi. Se convoca a otra conferencia. *¡Ahora!*

Las ropas que Evan eligió para sí eran una mezcla del código de vestimenta de los terroristas: pantalones de color caqui, sin planchar; una sucia chaqueta de campaña de estilo norteamericano, y una camisa abierta hasta la mitad del pecho. Aparte de su edad y sus ojos, su aspecto era similar al de la mayoría de los *punks* fanáticos que habían capturado la embajada. Inclusive la edad era disimulada por la piel oscurecida, y la visera de una gorra de tela le hacía sombra a los ojos. Para completar la imagen que quería ofrecer, un cuchillo con su vaina iba unido a su chaqueta, y el bulto de un revólver resultaba evidente en el bolsillo derecho. Se tenía fe en el "hombre de confianza"; había salvado la vida de Azra, príncipe de terroristas, y se movía con libertad por la embajada tomada, de una repugnante escena a la siguiente, de uno a otro grupo de rehenes asustados, extenuados, desesperanzados.

Esperanza. Era lo único que podía dar, a sabiendas de que en último análisis tal vez sería falsa, pero debía darla, darles *algo* a lo cual aferrarse, para pensar en ello por lo menos en las horas más oscuras, más aterradoras de la noche.

–*¡Soy un norteamericano!* –susurraba a los conmovidos rehenes cuando encontraba a tres o más juntos, y sus ojos no dejaban de mirar en derredor, a los punks merodeadores que creían que estaba insultando a sus prisioneros con repentinos, audibles estallidos de cólera–. *¡Nadie los ha olvidado! ¡Hacemos todo lo que podemos! No se molesten si les grito. Tengo que hacerlo.*

–¡Gracias a *Dios*! –era la constante respuesta inicial, seguidas por lágrimas y descripciones de horror, que invariablemente incluían la ejecución pública de los siete rehenes condenados.

–¡Nos matarán a todos! ¡No les importa! ¡A estos asquerosos *animales* no les importa la *muerte*... la nuestra o la de *ellos*.

–*Hagan lo posible por mantenerse con calma, ¡y lo digo en serio! Traten de no mostrar temor, eso es muy, muy importante. No los enfrenten, pero no se arrastren ante ellos. El verlos asustados es como un narcótico para ellos. Recuérdenlo.*

En cierto momento, Kendrick se irguió de repente y gritó injuriosamente a un grupo de cinco norteamericanos. Su mirada vigilante había distinguido a uno de los guardias personales de Zaya Yateem; el hombre caminaba con rapidez hacia él.

–¡Tú! *¡Bahrudi!*

–Sí.

–Zaya tiene que verte enseguida. ¡Ven, la sala del consejo!

Evan siguió al guardia por el techo y bajó tres tramos de escalera, hasta un largo corredor. Se quitó la gorra, ahora empapada de transpiración, y fue conducido a la puerta abierta de una amplia oficina de la embajada. Entró, y cuatro segundos más tarde su mundo quedó hecho trizas por las últimas palabras que esperaba escuchar.

–¡Cielos! ¡Tú eres *Evan Kendrick*!

12

–*¿Meen ir ráh-gill da?* –dijo Evan con la mente y el cuerpo paralizados, obligándose a moverse con soltura, mientras preguntaba a Zaya quién era el hombre obeso que había hablado en inglés.

–Dice que viene en nombre del Mahdí –respondió Azra, poniéndose entre Yosef y Ahbyahd.

–¿Qué quiso decir?

–Ya lo oíste. Dijo que eres alguien llamado Kendrick.

–¿Quién es ése? –preguntó Evan, dirigiéndose en inglés a Anthony MacDonald, tratando desesperadamente de mantenerse sereno mientras se adaptaba, no sólo a la visión del hombre a quien no veía desde hacía casi cinco años, sino a su presencia en esa sala. *¡MacDonald!* El fatuo ebrio de sociedad de la colonia británica de El Cairo.– Mi nombre es Amal Bahrudi, ¿cuál es el tuyo?

–¡Sabes muy bien quién soy! –gritó el inglés, pinchando el aire con el índice y mirando por turno a los cuatro consejeros árabes, en especial a Zaya Yateem–. ¡No es Amal no sé cuántos, y *no* viene en nombre del Mahdí! ¡Es un norteamericano llamado Evan Kendrick!

–Estudié en dos universidades norteamericanas –dijo Evan, sonriente–, pero nadie me dijo nunca que fuese un Kendrick. Otras cosas sí, pero no un Kendrick.

–¡Estás *mintiendo*!

–Al contrario, debo decir que tú eres quien miente, si dices que trabajas para el Mahdí. Me mostraron las fotos de todos los europeos que trabajan, digamos, confidencialmente para él, y por cierto que tú no figurabas entre ellos. Te recordaría con mucha claridad, porque, digamos, de nuevo, tienes una cara y un cuerpo muy destacados.

–¡Embustero! *¡Impostor!* ¡Trabajas con Khalehla la prostituta, la *enemiga*! ¡Esta mañana temprano, antes del alba, iba a encontrarse contigo!

–¿De qué hablas? –Kendrick miró a Azra y Yosef.– Nunca oí hablar de Khalehla, ni como amiga *ni* como prostituta, y antes del alba mis amigos y yo corríamos para salvar la vida. No teníamos tiempo para juegos, te lo aseguro.

–Les digo que *miente*. ¡Yo estaba allí y la vi! ¡Los vi a todos ustedes!

–¿Nos *viste*? –preguntó Evan, con las cejas enarcadas–. ¿Cómo?

–Salí fuera del camino...

–¿Nos viste y no nos *ayudaste*? –interrumpió Kendrick, furioso–. ¿Y dices que vienes de parte del *Mahdí*?

–Es verdad, inglés –dijo Zaya–. ¿Por qué no los ayudaste?

–¡Porque quería averiguar cosas, por eso! Y ahora las *he* averiguado. ¡Khalehla... *él*!

–Tienes extraordinarias fantasías, sea cual fuere tu nombre, que yo *no* conozco. Pero una de ellas podemos despejarla con facilidad. Estamos en camino a Bahrein, para encontrarnos con el Mahdí. Te llevaremos con nosotros. No cabe duda de que al gran hombre le encantará volver a verte, ya que eres tan importante para él.

–Estoy de acuerdo –dijo Azra con firmeza.

–*¿A Bahrein?* –rugió MacDonald–. ¿Y cómo demonios piensan *llegar* allá?

–¿Quieres decir que no lo sabes? –dijo Kendrick.

Emmanuel Weingrass, con el delgado pecho palpitante de dolor por el acceso de tos más reciente, se apeó de la limusina delante del cementerio de Jabal Sa'ali. Se volvió hacia el conductor, quien mantenía abierta la portezuela, y habló con tono reverente, con exagerado acento británico.

–Rezaré por mis antepasados británicos... tan pocos, sabes. Regresa dentro de una hora.

–¿Uar? –preguntó el hombre, levantando un dedo–. *¿Iss'a?* –repitió en árabe, usando la palabra equivalente a "hora".

–Sí, mi amigo islámico. Es una profunda peregrinación que hago todos los años. ¿Entiendes eso?

–¡Sí, sí! *El sallah. ¡Allahoo Akbar!* –respondió el conductor, asintiendo con rapidez, diciendo que entendía las oraciones, y que Dios era grande. También miró el dinero que tenía en la mano, más del que esperaba, sabiendo que recibiría aún más cuando volviese dentro de una hora.

–Y ahora vete –dijo Weingrass–. Quiero estar solo... *sibni fihahlee*.

–¡Sí, sí! –El hombre cerró la portezuela, corrió a su asiento y se alejó.

Manny se permitió un breve espasmo, una vibrante tos que se sumó a la anterior, y miró en derredor para orientarse; luego cruzó el cementerio, en dirección de la casa de piedra que se erguía en un campo, a varios centenares de metros de distancia. Diez minutos más tarde se lo conducía al sótano, donde la inteligencia israelí había instalado su puesto de mando.

–*Weingrass* –exclamó el agente del Mossad–, ¡me alegro de volver a verte!

–No, no es verdad. Nunca te alegraste de verme o de escucharme por teléfono. No conoces nada acerca del trabajo que haces, no eres más que un contador... y por añadidura minúsculo.

–Vamos, Manny, no empecemos...

–Yo digo que empecemos enseguida –interrumpió Weingrass, mirando a Ben-Ami y a los cinco miembros de la unidad Masada–. ¿Alguno de ustedes, deformes, tiene whisky? Sé que este *zohlah* no lo tiene –agregó, insinuando que el hombre del Mossad era tacaño.

–Ni siquiera vino –respondió Ben-Ami–. No se lo incluyó en nuestras provisiones.

–Sin duda distribuidas por *éste*. Muy bien, contador, dime todo lo que sepas. ¿Dónde está mi hijo, Evan Kendrick?

–Aquí, pero eso es lo único que sabemos.

–Típico. Siempre estuvieron tres días atrasados respecto del sabbath.

–*Manny...*

–Cálmate. Tendrías un paro cardíaco, y no quiero que Israel pierda a su peor contador. ¿Quién puede decirme algo más?

–¡*Yo* puedo decirte más! –gritó Yaakov, Azul según su nombre de código–. En este momento –hace *horas*– deberíamos estar estudiando la embajada. ¡Debemos hacer un trabajo que no tiene nada que ver con tu *norteamericano*!

–¿De manera que además de un contador tiene un vehemente? –dijo Weingrass–. ¿Algún otro?

–Kendrick está aquí sin apoyo –contestó Ben-Ami–. Se lo trajo en avión en forma encubierta, pero ahora se encuentra librado a sus recursos. Si lo capturan, no será reconocido.

–¿De dónde sacaste esa información?

–De uno de nuestros hombres de Washington. No sé quién, ni de qué departamento o agencia.

–Necesitarías un listín telefónico. ¿Cuán seguro es este teléfono? –preguntó Weingrass, sentándose a la mesa.

–No hay garantías –dijo el agente del Mossad–. Fue instalado a toda prisa.

–Por la menor cantidad posible de shekels, estoy seguro.

–*¡Manny!*

–Oh, cállate. –Weingrass sacó del bolsillo un anotador, lo hojeó y clavó la vista en un nombre y un número. Tomó el teléfono y discó. Pocos segundos después estaba hablando.

–Gracias, mi querido amigo de palacio, por ser tan cortés. Mi nombre es Weingrass, insignificante para ti, por supuesto, pero no para el gran sultán,

Ahmat. Como es natural, no querría molestar a su ilustre persona, pero si pudieras hacerle saber que he llamado, tal vez él pueda devolverme un gran favor. Deja que te dé un número, ¿quieres? –Así lo hizo, leyendo los dígitos del teléfono.– Gracias, mi querido amigo, y permíteme que te diga, con todo respeto, que este es un asunto muy urgente, y que el sultán podría elogiarte por tu diligencia. Una vez más, gracias.

El arquitecto otrora renombrado colgó el teléfono y se recostó en la silla, respirando profundamente para cortar el repiqueteante eco que crecía en su pecho.

–Y ahora esperemos –dijo, mirando al agente del Mossad–. Y abriguemos la esperanza de que el sultán tenga más cerebro y dinero que tú... ¡Dios mío, volvió! ¡Después de cuatro años me escuchó, y mi hijo ha *vuelto*!

–¿Por qué? –preguntó Yaakov.

–El Mahdí –dijo Weingrass en voz baja, furioso, mirando al suelo.

–*¿Quién?*

–Ya lo sabrás, joven fogoso.

–El no es tu hijo, Manny.

–Es el único hijo que siempre he querido... –Sonó el teléfono. Weingrass lo tomó y se lo llevó al oído.

–¿Sí?

–*¿Emmanuel?*

–En una ocasión, cuando nos encontramos en Los Angeles, te mostraste mucho menos formal.

–Alabado sea Alá, jamás lo olvidaré. Me hice revisar cuando volví aquí.

–Dime, joven apestoso, ¿obtuviste una buena calificación por esa tesis sobre economía, en tu tercer año?

–Sólo una *B*, Manny. Habría debido hacerte caso. Me dijiste que la hiciera mucho más complicada... que les gustaban las complicaciones.

–¿Puedes hablar? –preguntó Weingrass, con voz repentinamente seria.

–*Yo* puedo, pero tú no. Desde este extremo todo es estático. ¿Me entiendes?

–Sí. Nuestro conocido mutuo. ¿Dónde está?

–Camino de Bahrein, con otras dos personas de la embajada... se suponía que sólo habría uno más, pero eso se cambió a último momento. No sé por qué.

–Porque hay un hilo que conduce hacia alguien más, sin duda. ¿No hay otros?

Ahmat hizo una breve pausa.

–No, Manny –dijo en voz baja–. Hay otro con quien no debes inmiscuirte ni reconocer su presencia. Es una mujer, y se llama Khalehla. Te digo eso porque confío en ti y porque debes saber que está ahí, pero nadie más tiene que saberlo nunca. Su presencia aquí tiene que ser mantenida tan en secreto como la de nuestro amigo; su descubrimiento sería una catástrofe.

–Eso es mucho decir, jovencito. ¿Cómo reconoceré a ese problema?

–Espero que no tengas motivos para necesitar reconocerlo. *Ella* está escondida en la cabina del piloto, que permanecerá cerrada con llave hasta que lleguen a Bahrein.

–¿Eso es lo único que me dirás?

–Sobre ella, sí.

–Tengo que moverme. ¿Qué puedes hacer por mí?

–Enviarte en otro avión. En cuanto pueda, nuestro amigo llamará para decir qué ocurre; cuando llegues, comunícate conmigo; esta es la manera. –Ahmat dio a Weingrass su número telefónico privado, con mezclador.

–Debe de ser una nueva central –dijo Manny.

–No es una central –respondió el joven sultán–. ¿Estarás en este número?

–Sí.

–Te llamaré para informarte de lo que hemos arreglado. Si hay algún vuelo comercial que salga enseguida, sería más fácil ubicarte en él.

–Lo siento, eso no puedo hacerlo.

–¿Por qué no?

–Todo tiene que ser ciego y sordo. Llevo conmigo siete pavos reales.

–¿Siete...?

–Sí, y si crees que habrá problemas –catástrofes, por ejemplo–, prueba con esos pájaros *inteligentísimos*, de plumaje azul y blanco.

Ahmat, sultán de Omán, ahogó una exclamación.

–¿El *Mossad*? –susurró.

–Tú lo has dicho.

–¡La gran *mierda*! –exclamó Ahmat.

El pequeño jet Rockwell para seis pasajeros voló hacia el nordeste, a diez mil metros por encima de los Emiratos Arabes Unidos, y el Golfo Pérsico, en su ruta de mil trescientos kilómetros hasta los dominios del jeque de Bahrein. Anthony MacDonald, inquietantemente silencioso y confiado se encontraba sentado, solo, en la primera fila de dos asientos, y Azra y Kendrick, juntos, en la última. La puerta de la cabina del piloto se hallaba cerrada, y según el hombre que los había recibido en el coche de guarnición "robado", para llevarlos luego, por el sector de carga, hasta el extremo más alejado del aeropuerto de Mascate y el avión, la puerta permanecería cerrada hasta que los pasajeros salieran del aparato. Nadie debía verlos; en el Aeropuerto Internacional de Bahrein, en Muharraq, los recibiría alguien que los escoltaría a través de inmigración.

Evan y Azra repasaron varias veces el programa, y como el terrorista nunca había estado en Bahrein, tomó notas... ante todo de las ubicaciones y de la ortografía de sus nombres. Para Kendrick era imperioso que él y Azra se separasen, al menos por una hora. El motivo era Anthony MacDonald, el más improbable de los agentes del Mahdí. El inglés podía constituir un atajo para llegar al Mahdí, y si lo era, Evan abandonaría al príncipe heredero de los terroristas.

–Recuerda, escapamos juntos del Jabal Sham, y si piensas en Interpol, para no hablar de las unidades de inteligencia combinadas de Europa y Norteamérica, habrá alertas para buscarnos por todas partes, y con nuestras fotos. No podemos correr el riesgo de que nos vean juntos a la luz del día. Después de la puesta del sol, el peligro es menor, pero aun entonces debemos adoptar precauciones.

–¿Qué precauciones?

–Comprar ropas diferentes, por empezar; estas tienen el sello de gente de clase baja, y están bien para Mascate, pero no aquí. Toma un taxi a Manamah, que es la ciudad situada del otro lado de la calzada, en la isla grande, y pide una habitación en el Hotel Aradous, en el Wadi Al Ahd. Hay una tienda para hombres en el vestíbulo; cómprate un traje occidental y hazte cortar el cabello en la peluquería. ¡Anótalo todo!

–Lo estoy haciendo. –Azra escribió más de prisa.

–Inscríbete con el nombre de... Ahora que lo pienso, Yateem es un apellido común en Bahrein, pero no corramos el riesgo.

–¿El apellido de mi madre, Ishaad?

–Las computadoras de ellos están demasiado cargadas. Usa Farouk, todos lo hacen. T. Farouk. Me comunicaré contigo dentro de una o dos horas.

–¿Qué harás?

–¿Qué puedo hacer? –dijo Kendrick, a punto de decir la verdad–. Me quedaré con el embustero inglés que dice trabajar para el Mahdí. Si por casualidad es cierto, y sus comunicaciones se interrumpieron, el encuentro de esta noche podrá arreglarse con facilidad. Pero para decirlo con franqueza, no le creo, y si miente, como pienso que lo hace, tengo que saber para *quién* trabaja.

Azra miró al hombre a quien conocía como Amal Bahrudi, y habló con suavidad.

–Vives en un mundo más complicado que el mío. Nosotros conocemos a nuestros enemigos; les apuntamos con nuestras armas y tratamos de matarlos para que no nos maten ellos. Pero me parece que no se puede estar seguro, y que en lugar de disparar tus armas en el calor de la batalla, primero tienes que preocuparte por saber *quién* es el enemigo.

–Tú tuviste que infiltrarte y considerar la posibilidad de la existencia de traidores; las precauciones no son muy diferentes.

–La infiltración no resulta difícil cuando miles de personas se visten como nosotros, hablan como nosotros. Es un problema de actitud. En cuanto a los traidores, en Mascate fracasamos, tú nos enseñaste eso.

–¿Yo?

–Las *fotos*, Bahrudi.

–Es claro. Perdón. Pensaba en otras cosas. *Era verdad, pero no podía volver a hacerlo* –pensó Kendrick–. *El joven terrorista lo miraba con curiosidad. Debía eliminar todas las dudas. ¡Enseguida!* Pero hablando de esas fotos, tu hermana tendrá que presentar pruebas de que ha liquidado todo ese traicionero asunto. Yo sugiero otras fotos. Cadáveres delante de una cámara destrozada, con declaraciones que se puedan hacer circular... confesiones grabadas, por supuesto.

–Zaya sabe lo que debe hacer; es la más fuerte de entre nosotros, la más abnegada. No descansará hasta que haya registrado todas las habitaciones, buscado a todos los hermanos y hermanas. En forma metódica.

–¡Palabras, poeta! –reprochó Evan con aspereza–. Quizá no entiendes. Lo que ocurrió en Mascate, lo que descuidadamente *se permitió* que sucediera, podría afectar nuestras operaciones en todas partes. Si se llega a saber y queda sin castigo, ¡los agentes de todas partes acudirán a infiltrarnos, se insinuarán para denunciarnos con cámaras y grabadores!

–Está bien, está bien –dijo Azra, asintiendo, sin querer escuchar más críticas–. Mi hermana se ocupará de todo. No creo que se sintiera convencida hasta que vio lo que hiciste por nosotros en Jabal Sham, hasta que entendió lo que podías hacer por teléfono. Emprenderá con rapidez las acciones que corresponden, te lo aseguro.

–Bien, ahora descansa, poeta iracundo. Tenemos por delante una larga tarde y una larga noche.

Kendrick se recostó en el asiento, como dispuesto a dormitar, con los ojos entrecerrados clavados en la espalda de Anthony MacDonald, en su enorme cabeza calva, que se asomaba en la primera fila. Había muchas cosas en las cuales pensar, tantas que tener en cuenta, que no le quedaba tiempo para analizar, y menos aún para intentarlo. ¡Pero por sobre todo *había* un Mahdí, *el* Mahdí! ¡Y no rodeaba a Kartum y a George Gordon a mediados de la década de 1800, sino que vivía y manipulaba el terror, cien años más tarde, en Bahrein! Y *existía* una compleja cadena que conducía hasta el monstruo. ¡Estaba oculta, enterrada, eslabonada en forma profesional, pero existía! Había encontrado un apéndice terrorista, apenas un tentáculo, pero formaba parte del cuerpo. El asesino sentado a su lado podía llevar al conducto principal, así como cada cable eléctrico de un edificio lleva, en definitiva, a la fuente central de energía. *Se hacen cinco llamadas, diez veces cinco, a números que no figuran en las listas, y sólo una puede llegar hasta el Mahdí*: Zaya Yateem, quien sabía lo que decía. Cincuenta llamados, cincuenta números telefónicos... ¡uno entre cincuenta hombres o mujeres desconocidos que sabía dónde estaba el Mahdí, *quién* era!

Había creado una emergencia, tal como Manny Weingrass siempre le había dicho que inventase emergencias, cuando trataba con clientes potenciales que no querían o no podían comunicarse entre sí. *Dile al primer tipo que necesitas tener una respuesta para el miércoles, o nos iremos a Riyadh. Dile al segundo payaso que no podemos esperar más allá del jueves, porque en Abu Dhabi hay una cantidad de trabajo que puede ser nuestro con sólo pedirlo.*

Esto no era lo mismo, por supuesto... apenas una variación de la técnica. Los jefes terroristas de la embajada en Mascate estaban convencidos de que existía una emergencia para su benefactor, el Mahdí, ya que había convenido en que el "Amal Bahrudi" de Berlín Este llevase a uno de ellos a Bahrein. A la inversa, se había dicho a las fuerzas del Mahdí, por la televisión internacional, que se había enviado un "mensaje urgente" a los "amigos", y que requería una "respuesta inmediata"... *¡emergencia!*

Manny, ¿lo hice bien? ¡Tengo que encontrarlo, combatirlo... matarlo por lo que nos hizo a todos nosotros!

Emmanuel Weingrass, pensó Evan, con los ojos a punto de cerrársele, a punto de caer sobre él el peso muerto del sueño. Pero no podía impedirlo; una carcajada silenciosa repercutió en su garganta. Recordó el primer viaje de ambos a Bahrein.

–Y ahora, por amor de Dios, ten en cuenta que estamos tratando con un pueblo que dirige un archipiélago, no una masa de tierra que tiene fronteras con otra masa de tierra, y que ambas partes, por conveniencia, llaman un país. Este es el dominio de un jeque, compuesto de más de treinta malditas islas en el Golfo Pérsico. No es nada que puedas medir en hectáreas, y ellos no quieren que lo hagas... esa es su fuerza.

–¿Adónde quieres llegar, Manny?

–Trata de entenderme, mecánico inculto. Recurre a ese sentimiento de fuerza. Este es un Estado independiente, una colección de erupciones del mar que protegen los puertos de las tormentas del Golfo, y que se encuentran situadas, en forma conveniente, entre la península de Qatar y la costa de Hasa, en Arabia Saudita; esta última tiene suma importancia a causa de la influencia saudita.

–¿Qué demonios tiene que ver eso con las canchas de golf de una isla piojosa? ¿Tú juegas al golf, Manny? Yo nunca pude permitirme ese lujo.

–Perseguir una pelotita blanca a lo largo de cuatrocientas hectáreas, mientras la artritis te está matando y el corazón se te destroza de furia, nunca fue mi idea de una ocupación civilizada. Pero sé lo que ponemos en esta maldita cancha de golf.

–¿Qué?

–Recuerdos de cosas pasadas. Porque es un constante recordatorio del presente de ellos, un recordatorio para todos. Su fuerza.

–¿Quieres bajar de la órbita, por favor?

–Lee las crónicas históricas de Asiria, Persia, los griegos y los romanos. Echa una mirada a los primeros dibujos de los cartógrafos portugueses y a los cuadernos de bitácora de Vasco de Gama. En uno u otro momento, toda esa gente luchó por el dominio del archipiélago... los portugueses lo retuvieron durante cien años... ¿por qué?

–Estoy seguro de que tú me lo dirás.

–Por su ubicación geográfica en el Golfo, por su importancia estratégica. Durante siglos, ha sido un codiciado centro comercial, y de los depósitos financieros del intercambio...

Evan Kendrick, mucho más joven, se había erguido en el asiento en ese momento, al entender entonces adónde quería llegar el excéntrico arquitecto.

–Eso es lo que ocurre ahora –había interrumpido–; el dinero que llega de todo el mundo, a los saltos.

–Como Estado independiente, sin temor de ser conquistado en el mundo de hoy –aclaró Weingrass–, Bahrein sirve por igual a aliados y enemigos. De modo que nuestro magnífico club, en esta piojosa cancha de golf, será un reflejo de su historia. Lo haremos con murales. Un hombre de negocios levanta la vista y ve los cuadros, sobre el bar, y todas esas cosas reflejadas en

ellos, y piensa: ¡Cielos, qué lugar, este! ¡Todos lo querían! ¡El dinero que gastaron...! Y entonces se siente más ansioso aún de trabajar aquí. Todo el mundo sabe que los negocios se hacen en las canchas de golf, joven analfabeto. ¿Por qué crees que quieren construir una?

Después que construyeron el edificio del club, un tanto grotesco, en la cancha de golf de segunda categoría, el Grupo Kendrick recibió contratos para tres bancos y dos edificios del gobierno. Y Manny Weingrass fue perdonado personalmente por uno de los más importantes ministros, por haber perturbado el orden en un café del camino Al Zubara.

Me opongo a esta operación subsidiaria, y quiero que conste –dijo Yaakov, Azul según su nombre de código, de la Brigada Masada, cuando los siete hombres subieron al jet, en el extremo oriental del aeropuerto de Mascate. Emmanuel Weingrass se unió enseguida al piloto y se sentó en el asiento adyacente, tosiendo con suavidad, profundamente, mientras se ceñía el cinturón de seguridad. El agente del Mossad había quedado en tierra; tenía cosas que hacer en Omán; su pistola se encontraba en poder del delgado Ben-Ami, quien no la enfundó hasta que la unidad de cinco hombres ocupó sus asientos en el avión.

–Constará, amigo mío –contestó Ben-Ami mientras el avión corría por la pista–. Por favor, trata de entender que hay cosas que no se nos pueden decir, para bien de todos. Somos activistas, soldados, y los que adoptan las decisiones están en el alto mando. Ellos hacen su trabajo y nosotros el nuestro, que consiste en obedecer órdenes.

–Entonces debo oponerme a una odiosa comparación –dijo el miembro de la unidad cuyo nombre de código era Gris–. "Obedecer órdenes" no es una frase que me resulte muy sabrosa.

–Te recuerdo, señor Ben-Ami –dijo el nombre de código Anaranjado–. Durante las tres últimas semanas nos hemos adiestrado para una única misión, que todos creemos que podemos llevar a cabo, a pesar de las profundas dudas que hay en casa. Estamos preparados, listos para todo, y de pronto la abortan y viajamos a Bahrein, en busca de un hombre a quien no conocemos, que tiene un plan que no hemos visto.

–Si *hay* un plan –dijo el nombre de código Negro–. Y no sencillamente una deuda del Mossad con un desagradable anciano que quiere encontrar a un *norteamericano*, un "hijo" gentil que en realidad no es su hijo.

Weingrass se dio vuelta; el avión ascendía con rapidez, los motores parcialmente enmudecidos por el veloz ascenso.

–¡Escúchenme, *imbéciles*! –gritó–. Si ese *norteamericano* ha ido a Bahrein con un terrorista árabe demente, significa que lo hizo por muy buenos motivos. Tal vez no se les haya ocurrido, musculosos intelectuales jugadores de dados, pero Mascate no fue planeada por esos yo-yo subhumanos que juegan con armas. El cerebro, si me perdonan una oscura referencia, está en Bahrein, y eso es lo que él busca, ¡a ese es a *quien* quiere encontrar!

–Tu explicación, si es cierta –dijo el nombre de código Blanco–, no incluye un plan, señor Weingrass. ¿O quieres que echemos suertes a los dados en relación con ese tema?

–Puede que las posibilidades sean peores, sabihondo, pero no, no lo haremos. Cuando hayamos aterrizado e instalado el negocio, llamaré a Mascate cada quince minutos, hasta que tengamos la información que necesitamos. Y *entonces* tendremos un plan.

–*¿Cómo?* –preguntó Azul, colérico, con suspicacia.

–Lo elaboraremos, muchacho vehemente.

El enorme inglés quedó rígido de incredulidad cuando el terrorista Azra comenzó a alejarse con el funcionario de Bahrein. El silencioso hombre de uniforme había salido al encuentro del jet Rockwell más allá del último hangar de mantenimiento, en el aeropuerto de Muharraq.

–*Espera* –gritó MacDonald, lanzando una mirada enloquecida a Evan Kendrick, quien se hallaba de pie a su lado–. *¡Deténte!* No puedes dejarme con este hombre. ¡Te lo *dije*, no es quien dice ser! ¡No es uno de los nuestros!

–No, no lo es –admitió el palestino, deteniéndose y mirando por sobre el hombro–. Es de Berlín Oriental, y me ha salvado la vida. Si dices la verdad, te juro que salvará la tuya también.

–No *puedes*...

–Debo –interrumpió Azra, volviéndose hacia el funcionario, y asintiendo.

El hombre de Bahrein, sin comentarios en sus palabras ni en su expresión, se dirigió a Kendrick.

–Como puedes ver, mi socio está saliendo del hangar. Te escoltará por otra salida. Bienvenido a nuestro país.

–*¡Azra!* –gritó MacDonald, con voz ahogada por el rugido de los motores del jet.

–Tranquilo, Tony –dijo Evan, cuando el segundo funcionario de Bahrein se acercó a ellos–. Estamos entrando ilegalmente, y podrías hacer que nos fusilaran.

–*¡Tú! ¡Sabía* que eras tú! *¡Eres* Kendrick!

–Por supuesto que lo soy, y si alguno de los tuyos de aquí, de Bahrein, supiera que usaste mi nombre, tu encantadora y enamorada Cecilia –se *llama* Cecilia, ¿no?– sería viuda antes de poder pedir otro trago.

–Por *Cristo*, no puedo creerlo. ¡Vendiste tu firma y volviste a Norteamérica! ¡Me dijeron que te habías convertido en un político, o algo así!

–Con la ayuda del Mahdí, es posible que llegue a ser presidente.

–¡Oh, *Dios* mío!

–Sonríe, Tony. A este hombre no le gusta lo que hace, y no querría que piense que somos unos desagradecidos. *¡Sonríe*, gordo hijo de puta!

Khalehla, con pantalones de color tostado, chaqueta de aviación y gorra de oficial, con visera, estaba junto a la cola del jet Harrier, viendo lo que pasaba a treinta metros de distancia. El joven asesino llamado Azul había sido llevado afuera; el parlamentario norteamericano y el increíble MacDonald salían con otro hombre uniformado, quien los llevaba por un laberinto de callejas de cargas que no pasaban por inmigración. Ese Kendrick, ese aparente conformista con cierta causa terrible, era más competente de lo que había creído. No sólo había sobrevivido a los horrores de la embajada –algo que a ella le parecía imposible nueve horas atrás, y que la había hecho caer en el pánico– sino que ahora había separado al terrorista del agente de los terroristas. *¿Qué tramaba? ¿Qué estaba haciendo?*

–¡Date prisa! –llamó al piloto, quien hablaba con un mecánico junto al ala de estribor.

El piloto asintió, levantó brevemente los brazos en ademán de desesperación, y los dos se dirigieron hacia la salida reservada para el personal de vuelo previamente autorizado. Ahmat, el joven sultán de Omán, había oprimido todos los botones de su importante comando de Mascate. Los tres pasajeros del jet debían ser conducidos a un tramo del nivel inferior del aeropuerto, que estaba mucho más atrás de la fila de taxis de la terminal principal, donde se habían instalado señales temporarias para los taxis, cada uno de ellos conducido por un miembro de la policía secreta de Bahrein. A ninguno de ellos se le había dado información alguna, sino una única orden: comunicar el punto de destino de cada pasajero.

Khalehla y el piloto se despidieron y se separaron, él en dirección al Centro de Control de Vuelo, para recibir sus instrucciones de regreso a Mascate, ella al sector designado, en el cual se cruzaría con el norteamericano y lo seguiría. Necesitaría toda la habilidad de que era dueña para mantenerse fuera de la vista mientras seguía a Kendrick y MacDonald. Tony la descubriría en un instante, y el norteamericano, evidentemente despierto, podía mirar dos veces y recordar una calle oscura, sucia, del Shari el Mishkwiyis, y una mujer que tenía un arma en la mano. El hecho de que no le hubiera apuntado a él, sino a cuatro personas de esa calle de basura, que trataban de asaltarla o algo peor, no sería creído con facilidad por una persona que vivía al borde del peligro verdadero. Las decisiones y la paranoia convergían en esos infinitos rincones de una mente que se encontraba bajo una fuerte tensión. Iba armado, y el estallido de una imagen podía desatar una respuesta violenta. Khalehla no temía por su vida; ocho años de adiestramiento, incluidos cuatro años en el violento Medio Oriente, le habían enseñado a anticiparse, a matar antes de ser muerta. Lo que la entristecía era que ese hombre decente no debería morir por lo que hacía, pero era muy posible que ella tuviese que ser su verdugo. Y se hacía más posible con cada minuto que pasaba.

Llegó al sector antes que los pasajeros del jet de Omán. El tránsito, en el nivel de *Llegadas*, era espantoso: limusinas con ventanillas de vidrios ahumados; taxis; coches corrientes, nada destacados; camionetas de todo tipo. El ruido y el humo de los escapes era abrumador en el recinto de cielo raso bajo. Khalehla encontró un lugar sombrío, entre dos recipientes de carga, y esperó.

El primero en aparecer fue el terrorista llamado Azra, acompañado por un oficial uniformado. Este último llamó a un taxi, que aceleró hasta llegar al joven toscamente vestido. Este se introdujo en el vehículo y leyó un trozo de papel que llevaba en la mano, para dar instrucciones al conductor.

Varios minutos más tarde, el extraño norteamericano y el increíble Anthony MacDonald salieron al pavimento. ¡Algo andaba *mal*!, lo supo Khalehla en el acto, sin pensar, sólo observando. ¡Tony se comportaba como antes en El Cairo! Había agitación en cada movimiento de su enorme corpachón, un derroche de energía que ansiaba atención, en los ojos que se le saltaban de las órbitas; sus expresiones faciales en continuo cambio eran las de un ebrio que pide respeto... todo en contradicción con el soberbio control que necesita un operador de cobertura profunda, con una red de informantes en una situación volátil de envergadura mundial. ¡Todo estaba *mal*!

¡Y entonces ocurrió! Cuando el taxi aceleró junto a la acera, MacDonald embistió de pronto con su enorme torso contra el norteamericano, lanzándolo a la calle cubierta, delante del coche. Kendrick rebotó en la capota, su cuerpo arrojado al aire, en medio del tránsito precipitado del sector, parecido a un túnel. Chirridos de frenos, silbatos, y el congresal del Noveno Distrito de Colorado quedó empalado, curvado en torno del guardabrisas hecho trizas de un pequeño sedán japonés. *¡Dios, está muerto!*, pensó Khalehla, y corrió hacia el pavimento. Y entonces él se movió... ambos brazos se *movieron* cuando el norteamericano trató de levantarse, y se derrumbó al hacerlo.

Khalehla corrió hacia el coche, atravesó un grupo de policías y de policía secreta de Bahrein, que habían convergido sobre la escena de los hechos, haciendo estallar el bazo de un hombre inmóvil por medio de un puñetazo malévolo, preciso. Khalehla arrojó su cuerpo sobre Kendrick, quien tenía movimientos espásticos, mientras sacaba el arma de su chaqueta de vuelo. Habló al uniformado más cercano, apuntándole el arma a la cabeza.

–Me llamo Khalehla, y eso es lo único que necesitas saber. Este hombre me pertenece, y va conmigo. Haz circular la información, y sácanos de aquí, o te mataré.

La figura entró a la carrera en la habitación estéril, tan agitada, que cerró la puerta con violencia a su espalda, tropezando casi en la oscuridad, cuando se dirigía hacia su equipo. Con las manos temblorosas, dio vida a su artefacto.

ULTRAMAXIMO SEGURO
NO HAY INTERCEPTACIONES
ADELANTE

¡Algo ha sucedido! Irrupción o destrucción, el cazador o el cazado. El último informe habla de Bahrein, pero sin detalles, sólo que el hombre se encontraba en un estado de ansiedad extrema, y pedía ser llevado de inmediato allí en avión. Por supuesto, eso da a entender que o bien se escapó de la embajada, que se lo sacó por medio de subterfugios o que nunca entró en ella. ¿Pero por qué Bahrein? Todo es demasiado incompleto, como si quien sigue al hombre oscureciera los hechos por razones personales... posibilidad nada improbable, si se tiene en cuenta todo lo que ocurrió en los últimos años, y los poderes de citación del Congreso y de los diversos fiscales especiales.

¿Qué ha ocurrido? ¿Qué sucede ahora? ¡Mis dispositivos piden información a gritos, pero no puedo darles nada! Verificar un nombre sin referencias específicas no hace más que provocar la emisión de datos históricos enciclopédicos insertados hace tiempo, y puestos al día. A veces creo que mi propio talento me vence, pues veo más allá de los factores y ecuaciones, y encuentro visiones.

¡Pero él es el hombre! Mis dispositivos me lo dicen, y yo confío en ellos.

13

Evan luchó contra la cinta adhesiva que le inmovilizaba el hombro, y entonces tuvo conciencia de una sensación de ardor que se le extendía por toda la parte superior del pecho, acompañada por el intenso olor del alcohol para frotaciones. Abrió los ojos, y se sobresaltó al descubrir que se hallaba sentado en una cama, con la espalda apoyada en varias almohadas. Estaba en un dormitorio de mujer. Un tocador, con una silla baja, dorada, contra la pared, a su izquierda. Delante de un gran espejo de tres cuerpos, rodeado de bombillas, había una profusión de lociones y perfumes en adornados frasquitos. Altas ventanas catedralicias flanqueaban la mesa de tocador, y la cascada de sus cortinados, de color melocotón, era de una tela translúcida que, virtualmente, hablaba –a gritos, como el resto del mobiliario rococó– de importantes honorarios de algún decorador. Delante de la ventana más alejada había una butaca de raso, y a su lado una mesita para el teléfono, con revistero; la tapa era de mármol de color rosa. La pared de frente a la cama, a unos seis metros de distancia, se componía de una larga hilera de armarios con espejos. A la derecha de él, más allá de la mesa de noche, había un escritorio de color marfil con otra butaca dorada, y luego la cómoda más larga que hubiese visto; era laqueada, de color melocotón –*pêche*, habría insistido Manny Weingrass–, y se extendía a todo lo largo de la pared. El piso estaba cubierto de una suave alfombra gruesa, blanca, cuya fibra parecía capaz de masajear los pies descalzos de quien caminase sobre ella, si se animaba. Lo único que faltaba era un espejo encima de la cama.

La puerta esculpida se encontraba cerrada, pero oyó voces detrás de ella, la de un hombre y la de una mujer. Hizo girar la muñeca para mirar su reloj; no lo tenía. *¿Dónde estaba? ¿Cómo había llegado allí? ¡Oh, Dios! El aeropuerto... había sido lanzado contra un coche –dos coches acelerados– y una multitud se reunió en torno de él hasta que, cojeando, se lo llevaron. ¡Azra! ¡Azra lo esperaba en el Hotel Aradous!... ¡Y MacDonald! ¡Desaparecido! ¡Oh mi Dios, todo se ha desmoronado!* Al borde del pánico, apenas consciente del último sol de la tarde que entraba a raudales por las ventanas, se sacó la sábana de encima y bajó de la cama, vacilante, con una mueca de dolor a cada paso que daba, pero *podía* moverse, y eso era lo único que importaba. También estaba desnudo, y de pronto se abrió la puerta.

–Me alegro de que pudieras levantarte –dijo la mujer de piel aceitunada mientras Kendrick se tambaleaba de vuelta hacia la cama y la sábana de color *pêche*, en tanto que ella cerraba la puerta–. Eso confirma el diagnóstico del médico; acaba de irse. Dijo que estabas muy golpeado, pero que los rayos X no mostraban fracturas de huesos.

–*¿Rayos X?* ¿Dónde *estamos* y quién demonios eres *tú*, señora?

–¿Entonces no me recuerdas?

–Si éste –exclamó Evan, furioso, señalando la habitación con un movimiento circular de la mano– es tu modesto pied-à-terre en Bahrein, te aseguro que nunca lo he visto. No es un lugar que uno olvide con facilidad.

–No es mío –dijo Khalehla, meneando la cabeza con la huella de una sonrisa y acercándose a los pies de la cama–. Pertenece a un miembro de la familia, un primo del Emir, un hombre de edad con una esposa joven –la más joven de todas–, y los dos están en Londres. El está muy enfermo, lo cual explica la existencia de los equipos médicos en el sótano, abundancia de equipos. La jerarquía y el dinero tienen sus privilegios en todas partes, pero en especial aquí, en Bahrein. Tu amigo, el sultán de Omán, ha hecho que esto fuese posible para ti.

–Pero alguien hizo posible que él se enterase de lo que había ocurrido... ¡Para que *él* lo hiciera posible!

–Fui yo, por supuesto.

–Te *conozco* –interrumpió Kendrick, ceñudo–. Sólo que no puedo recordar de dónde o cómo.

–No estaba vestida así, y nos vimos en circunstancias igualmente desagradables. En Mascate, en una oscura calleja sucia que sirve como calle...

–*¡Ciudad podrida!* –exclamó Evan, con los ojos muy abiertos, la cabeza rígida–. Ciudad de fango. El-Baz. Eres la mujer del arma; trataste de *matarme*.

–No, no es cierto. Me protegía de cuatro matones, tres hombres y una muchacha.

Kendrick cerró los ojos por un instante.

–Lo recuerdo. Un chico con pantalones de color caqui, recortados, que se sostenía el brazo.

–No era un chico –objetó Khalehla–. Era un drogadicto tan necesitado como su amiga, y los dos me habrían matado *a mí* para pagar a sus proveedores árabes por lo que necesitaban. Yo te seguía a ti, nada más y nada menos. Información, ése es mi trabajo.

–¿Para *quién*?

–Para la gente con la cual trabajo.

–¿Cómo me conocías?

–Eso no lo contestaré.

–¿Para quién trabajas?

–En el sentido más amplio, para una organización que trata de encontrar soluciones para los múltiples horrores del Medio Oriente.

–¿Israelí?

–No –respondió Khalehla con serenidad–. Mis raíces son árabes.

–Eso no me dice nada en absoluto, pero por cierto que me asusta.

–¿Por qué? ¿Es tan imposible que un norteamericano piense que los árabes queremos encontrar soluciones equitativas?

–Acabo de venir de la embajada en Mascate. Lo que vi allí no era bonito... no era una belleza árabe.

–Para nosotros tampoco. Pero permíteme que cite a un parlamentario norteamericano que dijo en la Cámara de Representantes que "un terrorista no nace, se hace".

Asombrado, Evan miró con atención a la mujer.

–Ese fue el único comentario que hice para las *Actas del Congreso*. El *único*.

–Lo hiciste después de un discurso especialmente malévolo de un representante de California, quien en la práctica pidió la matanza en masa de todos los palestinos que vivían en lo que él llamó Eretz Israel.

–¡No conocía la diferencia entre *Eretz* y *Biarritz*! Era un gusano que creía estar perdiendo los votos judíos en Los Angeles. El mismo me lo dijo el día anterior. Me confundió con un aliado y pensó que yo lo aprobaría... ¡Maldito sea, me hizo un *guiño*!

–¿Usted todavía cree en lo que dijo?

–Sí –respondió Kendrick, vacilando, como si pusiera en duda su propia respuesta–. Nadie que haya caminado por entre la mugre de los campamentos de refugiados podría pensar que algo remotamente normal podría salir de ellos. Pero lo que vi en Mascate iba demasiado lejos. Ni hablar de los gritos y los cánticos salvajes; había algo helado, una brutalidad metódica que se alimentaba de sí misma. Esos animales disfrutaban.

–La mayoría de esos *jóvenes* animales nunca tuvo hogar. Sus primeros recuerdos son los de vagar por entre la basura de los campamentos, tratando de encontrar algo que comer, o ropas para sus hermanos y hermanas menores. Sólo unos pocos de ellos posee el mínimo de algún oficio, o siquiera una educación básica. Esas cosas nunca estuvieron a su alcance. Son proscritos en su propia tierra.

–¡Dile eso a los chicos de Auschwitz y Dachau! –dijo Evan con furia fría, contenida–. Esa gente está *viva*. Forma parte de la raza humana.

–Empate, señor Kendrick. No tengo respuesta; sólo vergüenza.

–No quiero tu vergüenza. Quiero salir de aquí.

–No estás en condiciones de continuar lo que estabas haciendo. Mírate. Estás agotado, y encima de eso has sido seriamente herido.

Con la sábana hasta la cintura, Kendrick se apoyó en el borde de la cama. Habló con lentitud.

–Tenía una pistola, un cuchillo y un reloj, entre varias otras cosas de valor. Querría que me los devolvieran, por favor.

–Creo que deberíamos discutir la situación...

–No hay nada que discutir –dijo el parlamentario–. Absolutamente nada.

–¿Supongamos que te dijera que hemos encontrado a Tony MacDonald?

–¿Tony?

–Yo trabajo en El Cairo. Me gustaría poder decir que lo habíamos descubierto hace meses, quizá hace años, pero no sería verdad. La primera insinuación que tuve fue esta mañana, antes del alba, en realidad. Me siguió en un coche sin luces...

–¿En el camino de más allá de Jabal Sham? –preguntó Evan, interrumpiendo.

–Sí.

–Entonces tú eres Cawley, o algo por el estilo. Cawley la... enemiga, entre otras cosas.

–Me llamo *Khalehla*; las dos primeras sílabas se pronuncian como el puerto francés de Calais; y en verdad soy la enemiga de él, pero no las otras cosas, que puedo imaginar con facilidad.

–Me seguías. – Una afirmación.

–Sí.

–Entonces estabas enterada de la "fuga".

–Otra vez, sí.

–¿Ahmat?

–Confía en mí. Eso se remonta a mucho tiempo atrás.

–Entonces confía en la gente para la cual trabajas.

–Eso no puedo contestarlo. Dije que confía en *mí*.

–Esa es una afirmación retorcida... dos afirmaciones retorcidas.

–La situación es retorcida.

–¿Dónde está *Tony*?

–Encerrado en una habitación del Hotel Tylos, en Carretera del Gobierno, con el nombre de Strickland.

–¿Cómo lo encontraste?

–Por medio de la compañía de taxis. En el trayecto se detuvo en una tienda de artículos deportivos, de la cual se sospecha que vende armas ilegales. Está armado... Digamos que el conductor colaboró.

–¿"Digamos"?.

–Bastará con eso. Si MacDonald hace algo, serás informado enseguida. Ya ha hecho once llamadas telefónicas.

–¿A *quién*?

–Los números no figuraban en la guía. Dentro de una hora, más o menos, un hombre irá a la Central Telefónica, cuando las llamadas comiencen a disminuir, y obtendrá los nombres. Te serán entregados en cuanto él los consiga y pueda llegar a un funcionario o un teléfono público.

–Gracias. Necesito esos números.

Khalehla acercó la pequeña butaca rococó a la mesa de tocador y se sentó frente a Kendrick.

–Dime lo que estás haciendo, congresal. Déjame ayudarte.

–¿Por qué habría de hacerlo? No quieres devolverme la pistola, el cuchillo o el reloj, o determinada prenda que tal vez ya hayas vendido. Ni siquiera me dices para quién trabajas.

–En cuanto a tu pistola, tu cuchillo, tu reloj *y* tu bolso, y un cinturón para llevar dinero, con unos cincuenta mil dólares norteamericanos, *y* tu encendedor de oro, *y* una cajetilla aplastada de cigarrillos norteamericanos no exportables –cosa que fue una tontería de tu parte–, podrás tenerlos si me convence de que lo que estás haciendo no provocará la matanza de doscientos treinta y seis norteamericanos en Mascate. Los árabes no podemos tolerar esa posibilidad; ya se nos desprecia bastante por las cosas horribles que no podemos detener. En cuanto a la pregunta de para quién trabajo, ¿por qué habría de interesarte más de lo que le interesa a tu amigo y mi amigo Ahmat? Tú confías en él, y él confía en mí. De modo que tú también puedes confiar en mí. A es igual a B que es igual a C. Por lo tanto A es igual a C. De paso, tus ropas han sido fumigadas, lavadas, planchadas. Están en el primer armario de la izquierda.

Evan, torpemente encaramado en el borde de la cama, contempló, con los labios entreabiertos, a la sagaz muchacha.

–Eso es decir demasiado, amiga. Tendré que pensar en tu lógica alfabética.

–No conozco tu programa, pero creo que no tienes mucho tiempo.

–Entre las once y media y la medianoche de hoy –dijo Kendrick, sin intención de revelar otra cosa que un límite de tiempo–. Un joven estuvo conmigo en el avión. Es un terrorista de la embajada de Mascate.

–Se inscribió en el Hotel Aradous, en el Wadi Al Ahd, como "T. Farouk".

–*¿Cómo...?*

–Otro conductor que colaboró –respondió Khalehla, y se permitió una sonrisa más amplia–. "Digamos" –añadió.

–Sea quien fuere aquél para quien trabajas, tiene gran influencia en muchos lugares.

–Cosa rara, la gente para la cual trabajo nada tiene que ver en esto. No llegarían tan lejos.

–Pero tú sí.

–Por fuerza. Por motivos personales; además, ellos tienen sus límites.

–Eres un caso, Cawley.

–Khalehla... *Khalehla*. ¿Por qué no llamas a tu amigo al Aradous? Compró ropa en el hotel y además se hizo cortar el pelo. Supongo que esas fueron tus instrucciones. Pero llámalo; tranquilízalo.

–Casi colaboras en exceso... como los conductores.

–Porque no soy tu enemiga y quiero colaborar. Llama a Ahmat, si quieres. El te dirá lo mismo. De pasada, al igual que tú, yo también tengo el número del triple cinco.

Fue como si un velo invisible hubiera sido apartado de la cara de la mujer árabe, una cara encantadora, llamativa, pensó Evan mientras estudiaba los grandes ojos castaños que encerraban tanto interés y curiosidad. Sin embargo se maldijo en silencio por ser el aficionado, ¡por no saber qué era lo real y qué lo falso! *Entre las once y treinta y la medianoche*. Esa era la hora cero, el lapso de treinta minutos en que captaría un eslabón, *el* eslabón con el Mahdí. ¿Podía confiar en esa mujer tan eficiente que le decía unas cuantas cosas, y no más? Y por lo demás, ¿podía hacerlo él solo? Ella conocía el número del triple cinco... ¿cómo lo había *conseguido*? De pronto la habitación comenzó a girar, el sol que entraba por las ventanas se convirtió en un estallido de rocío anaranjado. ¿Dónde estaban las *ventanas*?

–¡*No*, Kendrick! –gritó Khalehla–. ¡*Ahora* no! ¡No te derrumbes *ahora*! ¡Haz la llamada, yo te *ayudaré*! ¡Tu amigo tiene que saber que todo está *bien*! ¡Es un terrorista en *Bahrein*! ¡No tiene adónde ir... *debes* hacer la *llamada*!

Evan sintió las duras bofetadas en la cara, los golpes dolorosos que hicieron que la sangre se precipitara a la cabeza, una cabeza sostenida de pronto en el brazo derecho de Khalehla, mientras la mano izquierda de ésta tomaba un vaso de la mesa de luz.

–¡Bebe esto! –ordenó, acercándole el vaso a los labios. El lo hizo así. El líquido le estalló en la garganta.

–*¡Cristo!* –rugió.

–Vodka y coñac de ciento veinte grados –dijo Khalehla con una sonrisa, mientras continuaba sosteniéndolo–. Me los dio un británico del MI-Seis llamado Melvyn. "Si logras que alguien se beba tres de estos, puedes venderle cualquier cosa", fue lo que me dijo Melvyn. ¿Puedo venderte algo, congresal? ¿Como por ejemplo una llamada telefónica?

–No compro nada. No tengo dinero. Lo tienes tú.

–Haz la llamada, por favor –dijo Khalehla, soltando a su prisionero y retirándose a la butaca dorada–. Creo que es sumamente importante.

Kendrick sacudió la cabeza, tratando de concentrarse en el teléfono.

–No sé el número.

–Yo lo tengo aquí. –Khalehla introdujo la mano en su chaqueta de avión y sacó un trozo de papel.– El número es cinco nueve cinco nueve uno.

–Gracias, señorita secretaria. –Evan tomó el teléfono, sintiendo mil dolores en el cuerpo cuando se inclinó para ponérselo en el regazo. El agotamiento se extendía; apenas pudo moverse, apenas consiguió discar.

–*¿Azra?* –dijo al escuchar la voz del terrorista–. ¿Estudiaste el mapa de Manamah? Bien. Te recogeré en el hotel a las diez. –Se interrumpió y dirigió la vista hacia Khalehla.– Si por algún motivo me demoro, te encontraré en la calle del extremo norte de la mezquita Juma, donde se une con el Camino Al Khalifa. Yo te veré. *¿Entendido?* Bien. –Tembloroso, Kendrick colgó el teléfono.

–Tienes una llamada más que hacer, congresal.

–Dame un par de minutos. –Kendrick se recostó en las almohadas. ¡*Dios*, qué cansancio!

–En verdad deberías hacerlo ahora. Tienes que decirle a Ahmat dónde estás, qué hiciste, qué sucede. La espera. Merece escucharlo de ti, no de mí.

–Está bien, *está bien*. –Con un enorme esfuerzo, Evan se inclinó hacia adelante y tomó el teléfono, que todavía estaba en la cama.– Aquí, en Bahrein, es discado directo. Lo había olvidado. ¿Cuál es el código para Mascate?

–Nueve-seis-ocho –respondió Khalehla–. Primero disca cero-cero-uno.

–Tendría que hacer que le cobrasen la llamada al sultán –dijo Kendrick, mientras discaba–; casi no podía ver los números.

–¿Cuándo fue la última vez que dormiste? –preguntó Khalehla.

–Hace dos... tres días.

–¿Y la última vez que comiste?

–No lo recuerdo... ¿Y tú? También tú estuviste bastante atareada, Madame No Tan Butterfly.

–Tampoco yo lo recuerdo... Oh, sí, comí. Cuando salí de el Shari el Mishkwiyis, me detuve en esa espantosa panadería de la plaza y compré un poco de baklava de naranja. Más por averiguar cómo era que por otro motivo.

Evan levantó la mano; la línea privada desconocida del sultán estaba llamando.

–*¿Iwah?*

–Ahmat, habla Kendrick.

–¡Qué alivio!

–Estoy furioso.

–¿Qué? ¿De qué hablas?

–¿Por qué no me hablaste de ella?

–*¿De ella?* ¿De quién?

Evan entregó el teléfono a una sobresaltada Khalehla.

–Soy yo, Ahmat –dijo, turbada. Once segundos más tarde, después que la voz del joven sultán, perplejo y colérico, pudo escucharse en toda la habitación, Khalehla continuó:– O hacía eso, o dejaba que la prensa se enterase de que un parlamentario norteamericano armado, con cincuenta mil dólares encima, había llegado en vuelo directo a Bahrein, sin pasar por la Aduana. ¿Cuánto tiempo haría falta antes de que se enterasen de que había volado en un avión fletado por la casa real de Omán? ¿Y cuánto antes que se especulase acerca de su misión en Mascate?... Usé tu nombre ante un hermano del Emir, a quien conozco desde hace años, y él nos consiguió un lugar... Gracias, Ahmat. Aquí está.

Kendrick tomó el teléfono.

–Ella es una preciosura, mi viejo-joven amigo, pero supongo que estoy mejor aquí que donde habría podido estar. No me des más sorpresas, ¿estamos?... ¿Por qué estás tan callado?... Déjalo, aquí está el programa, y recuerda: ¡no más intromisiones, salvo que yo lo pida! Tengo a nuestro muchacho de la embajada en el Hotel Aradous; y la situación MacDonald, que supongo que conoces... –Khalehla asintió y Evan continuó con rapidez:–

Entiendo que sí. Se lo está monitoreando en el Tylos; nos darán una lista de las llamadas que ha estado haciendo, cuando deje de hacerlas. De pasada, los dos están armados. –Extenuado, Kendrick describió los detalles del lugar del encuentro, tal como habían sido transmitidos a los agentes del Mahdí.– Sólo necesitamos uno, Ahmat, un hombre que pueda conducirnos a él. Yo manejaré personalmente el potro del tormento hasta que consigamos la información, porque no la obtendría de otra manera.

Colgó el auricular y se desplomó sobre las almohadas.

–Necesitas comida –dijo Khalehla.

–Pide comida china –dijo Evan–. Tú tienes los cincuenta mil, no yo.

–Haré que la cocina te prepare algo.

–*¿A mí?* –Con los párpados entrecerrados, Kendrick miró a la muchacha de cutis aceitunado sentada en la ridícula butaca rococó dorada. Tenía los ojos inyectados en sangre y rodeados de ojeras azules, por el cansancio, y las arrugas de su atrayente rostro eran mucho más pronunciadas de lo que justificaba su edad.– ¿Y tú?

–Yo no importo. Tú sí.

–Estás a punto de caerte de ese trono liliputiense, reina madre.

–Puedo manejarlo, gracias –dijo Khalehla, erguida y desafiante, parpadeando.

–Ya que no quieres darme mi reloj, ¿qué hora es?

–Las cuatro y diez.

–Todo está en su lugar –dijo Evan, echando las piernas al suelo, por debajo de la sábana–, y estoy seguro de que este establecimiento llamativamente civilizado puede ocuparse de hacer una llamada para despertarnos. "El descanso es un arma", eso lo leí alguna vez. Se han ganado y perdido más batallas por medio del sueño y la falta de sueño que por la potencia de fuego... Si tienes la modestia de mirar hacia otro lado, tomaré una toalla del que supongo que es el cuarto de baño más grande de Bahrein, ése de ahí, y me buscaré otra cama.

–No podemos salir de esta habitación, como no sea para salir de la casa.

–¿Por qué?

–Eso es lo convenido. El Emir no aprecia a la joven esposa de su primo; por lo tanto, la profanación causada por tu persona se limita a las habitaciones de ella. Hay guardias afuera, para hacer cumplir la orden.

–¡No puedo *creerlo*!

–Yo no establecí las reglas, sólo te conseguí un lugar donde estar.

Cuando los ojos se le cerraban, Kendrick volvió a rodar sobre la cama, hacia el lado más lejano de ella, tapándose con la sábana para recorrer la distancia.

–Muy bien, señorita Cairo. Si no quieres seguir resbalándote de esa tonta butaca, o caer de cara al suelo, aquí está tu lugar para la siesta. Antes que aceptes, dos cosas: no ronques, y asegúrate de que me levante a las ocho y media.

Veinte atormentadores minutos más tarde, incapaz de mantener los ojos abiertos, y habiendo caído dos veces del asiento, Khalehla se introdujo en la cama.

Lo increíble se produjo; increíble porque ninguno de los dos lo esperaba, ni lo buscaba, ni había considerado remotamente la posibilidad. Dos personas asustadas, extenuadas, sintieron la presencia del otro, y más dormidos que despiertos, se acercaron; primero se tocaron, y luego, de a poco, con vacilaciones, tendieron las manos y por último se aferraron; labios hinchados se separaron, palpando, buscando con desesperación el húmedo contacto que prometía la liberación de sus miedos. Hicieron el amor en un estallido de frenesí... no como extraños que imitan a animales, sino como un hombre y una mujer que se habían comunicado, y que de alguna manera sabían que tenía que haber un toque de calor, de consuelo, en un mundo enloquecido.

–Supongo que debería decir que lo siento –dijo Evan, con la cabeza en las almohadas, el pecho palpitante, como si tragase el último aliento.

–Por favor, no lo hagas –dijo Khalehla en voz baja–. Yo no lo lamento. A veces... a veces todos necesitamos recordar que somos parte de la raza humana. ¿No fueron esas tus palabras?

–Creo que en un contexto diferente.

–En verdad, no. Pensándolo bien, no... Duérmete, Evan Kendrick. No volveré a pronunciar tu nombre.

–¿Qué significa eso?

–Duérmete.

Tres horas más tarde, casi al minuto, Khalehla bajó de la cama, recogió sus ropas de la alfombra blanca y se vistió en silencio, mientras miraba al norteamericano inconsciente. Escribió una nota en una hoja del papel de la casa reinante y la depositó en la mesa de noche, al lado del teléfono. Luego fue al tocador, abrió un cajón y sacó las pertenencias de Kendrick, incluida la pistola, el cuchillo, el reloj y el cinturón con el dinero. Dejó todo en el suelo, al lado de la cama, salvo la cajetilla de cigarrillos norteamericanos usada a medias, que estrujó y se metió en el bolsillo. Fue hacia la puerta y salió en silencio.

–*¡Esmah!* –susurró al guardia uniformado de Bahrein, diciéndole en una sola palabra que obedeciera sus órdenes–. Hay que despertarlo a las ocho y media en punto. Yo misma me comunicaré con esta casa para hacer que eso se cumpla. *¿Entendido?*

–*¡Iwah, iwah!* –respondió el guardia, con el cuello rígido y asintiendo en señal de obediencia.

–Es posible que haya una llamada telefónica para él, preguntando por el "visitante". Hay que interceptarla, escribir la información, ponerla en un sobre y pasarlo por debajo de la puerta. Yo arreglaré eso con las autoridades. Son nada más que nombres y números telefónicos de gente que realiza negocios con su firma, *¿entendido?*

–*¡Iwah, iwah!*

–Bien. –Con suavidad, significativamente, Khalehla depositó en el bolsillo del guardia una cantidad de dinares de Bahrein que equivalían a cincuenta dólares norteamericanos. Lo había comprado para toda la vida, o por lo menos para cinco horas. Bajó por la ornamentada escalinata curva hasta el enorme vestíbulo y la tallada puerta del frente, que un guardia le abrió con una obsequiosa reverencia. Salió al hormigueante pavimento, donde túnicas y trajes oscuros se precipitaban en ambas direcciones, y buscó un teléfono público. Vio uno en la esquina y corrió hacia él.

–Esta llamada será aceptada, se lo aseguro, operadora –dijo Khalehla, después de dar los números que se le había dicho que usara en una emergencia extrema.

–*¿Sí?* La voz, a ocho mil kilómetros de distancia, era áspera, brusca.

–Me llamo Khalehla. Creo que tú eres la persona con quien debía comunicarme.

–En efecto. La operadora dijo "Bahrein". ¿Tú lo confirmas?

–Sí. El está aquí. He estado varias horas con él.

–¿Qué ocurre?

–Habrá una reunión, entre las once y treinta y la medianoche, cerca de la mezquita Juma y el Camino Al Khalifa. Yo debería estar allí, señor. El no está en condiciones; no puede manejarlo.

–¡De *ninguna* manera!

–¡Es un *niño* en comparación con esa gente! ¡Yo puedo *ayudar*!

–También puedes *involucrarnos*, ¡y ni hablar de eso, y tú lo sabes tan bien como yo! ¡Y ahora *vete* de allí!

–Pensé que dirías eso... *señor*. ¿Pero puedo explicarte cuáles considero que son los elementos negativos de la ecuación, en esta operación especial?

–¡No quiero oír ninguna de esas tonterías! ¡*Vete* de allí!

Khalehla hizo una mueca cuando Frank Swann colgó el teléfono con un golpe, en Washington, D. C.

–El Aradous y el Tylos, los conozco a los dos –dijo Emmanuel Weingrass en el teléfono, en la pequeña y segura oficina del aeropuerto de Muharraq–. T. Farouk y Strickland... ¡*Dios* mío, no puedo creerlo! ¿Ese narciso ebrio del *Cairo*?... Oh, perdón, Apestoso, me olvidé. Quise decir ese ramo de lilas francesas de Argelia, a eso me refería. Adelante. –Weingrass anotó la información de Mascate, que le comunicaba un joven por quien comenzaba a sentir un enorme respeto. Conocía a hombres que doblaban en edad a Ahmat, y que tenían el triple de su experiencia, que se habrían sentido agobiados con las tensiones que soportaba el sultán, sin hablar de la ofensiva prensa occidental, que no tenía la menor idea de su valentía. Valentía para los riesgos que podían provocar su caída y muerte.– Muy bien, ya lo tengo todo...

Eh, Apestoso, eres un gran tipo. Creciste hasta convertirte en un verdadero *mensch*. Por supuesto, es probable que lo hayas aprendido todo de mí.

–De ti aprendí una cosa, Manny, una verdad muy importante. A saber, hacer frente a las cosas tales como son, y no presentar excusas. Ya fuese por diversión o por dolor. Me dijiste que una persona podía vivir con el fracaso, pero no con las excusas que le quitaban el derecho de fracasar. Necesité mucho tiempo para entenderlo.

–Muy amable de tu parte, joven. Transmíteselo al niño que esperas, según he leído. Llámalo el agregado Weingrass a los Diez Mandamientos.

–Pero Manny...

–¿Sí?

–Por favor, no uses en Bahrein esas corbatas de lazo amarillas o de lunares rojos. Se puede decir que te destacan, ¿entiendes lo que quiero decir?

–¿Ahora eres mi *sastre*?... Me mantendré en contacto contigo, *mensch*. Deséanos buena cacería a todos.

–Ese es mi deseo. Sobre todo, me gustaría estar contigo.

–Lo sé. No estaría aquí si no lo supiera... si nuestro amigo no lo supiese. –Weingrass colgó el teléfono y se volvió hacia los seis hombres que había detrás de él. Estaban encaramados en mesas y sillas, varios con sus armas secundarias; otros revisaban la carga de las baterías de sus radios manuales, todos escuchaban y observaban con atención al anciano.– Nos separamos –dijo éste–. Ben-Ami y Gris vendrán conmigo al Tylos. Azul, lleva a los demás al Hotel Aradous... –Manny se interrumpió, presa de un repentino acceso de tos; el rostro se le enrojeció y el delgado cuerpo se le sacudió con violencia. Ben-Ami y los miembros de la unidad Masada se miraron; ninguno se movió, pues cada uno sabía por instinto que Weingrass rechazaría toda ayuda. Pero una cosa les resultaba clara a todos. Estaban viendo a un hombre moribundo.

–¿Agua? –preguntó Ben-Ami.

–No –contestó Manny con sequedad, mientras el acceso de tos se aplacaba–. Un maldito resfrío de pecho, tiempo del demonio en Francia... Muy bien, ¿dónde estábamos?

–Yo debía llevar a los demás al Hotel Aradous –respondió Yaakov, de nombre de código, Azul.

–Consíganse algunas ropas decentes, para que no los echen del vestíbulo. Aquí en el aeropuerto hay tiendas, bastará con unas chaquetas limpias.

–Estas son nuestras ropas de trabajo –objetó Negro.

–Las guardan en bolsas de papel –dijo Weingrass.

–¿Qué debemos hacer en el Aradous? –Azul se bajó de la mesa en la cual se encontraba sentado.

Manny miró sus anotaciones, y luego al joven jefe.

–En la habitación Dos-cero-uno hay un hombre que se llama Azra.

–La forma arábiga de "azul" –interrumpió Rojo, mirando a Yaakov.

–Integra el consejo terrorista de Mascate –intervino Anaranjado–. Dicen que dirigió el equipo que atacó el kibbutz Teverya, cerca de Galilea, y mató a treinta y dos personas, incluidos nueve niños.

–Plantó bombas en tres caseríos de la Orilla Occidental –agregó Gris–, e hizo volar una farmacia, para después pintar en una pared, con aerosol, el nombre "Azra". Después de la explosión, la pared fue armada como si fuese un rompecabezas, y ahí estaba. El nombre Azra. Lo he visto en la televisión.

–*Cerdo* –dijo Yaakov en voz baja, ajustando las correas de su arma debajo de la chaqueta–. Cuando lleguemos al Aradous, ¿qué hacemos? ¿Le ofrecemos té con tortas, o sólo una medalla por su humanitarismo?

–¡No se dejen ver por él! –replicó Weingrass con aspereza–. Pero no dejen de mantenerlo vigilado. Dos de ustedes tomen habitaciones cerca de la de él; vigilen la puerta. No beban un vaso de agua, no usen el cuarto de baño; no dejen de vigilar su puerta ni un solo minuto. Los otros dos, ocupen posiciones en la calle, uno en el frente, el otro en la salida de los empleados. Manténganse en contacto radial unos con otros. Establezcan códigos simples, de una palabra... en árabe. Si él se mueve, muévanse con él, pero no dejen que sospeche ni por un momento que están ahí. Recuerden que es tan competente como ustedes; también él ha tenido que sobrevivir.

–¿Debemos escoltarlo en silencio a alguna cena privada? –preguntó Azul con tono sarcástico–. Este es un plan sin el esquema más rudimentario.

–El esquema lo aportará Kendrick –dijo Manny, quien por primera vez no enfrentó el insulto–. Si en verdad tiene uno –agregó con suavidad, con voz preocupada.

–*¿Cómo?* –Ben-Ami se levantó de su silla, pero no con ira, sino con asombro.

–Si todo sale según lo previsto, se encontrará con el árabe a las diez en punto. Con su terrorista de Mascate a la zaga, espera ponerse en contacto con uno de los agentes del Mahdí, alguien que pueda llevarlo al Mahdí en persona, o a algún otro que pueda hacerlo.

–¿Sobre qué *base*? –preguntó el incrédulo Ben-Ami, del Mossad.

–En realidad no está mal. La gente del Mahdí piensa que existe una emergencia, pero no sabe de qué se trata.

–¡Un *aficionado*! –rugió Rojo, de la unidad Masada–. Habrá apoyos, y zánganos ciegos, y apoyos para *ellos*. ¿Qué demonios estamos *haciendo* aquí?

–¡Están aquí para anular a los apoyos y a los zánganos *y* a los apoyos de *ellos*! –gritó Weingrass en respuesta–. Si tengo que decirles lo que deben buscar, vuelvan a empezar de nuevo con los niños exploradores en Tel Aviv. Ustedes siguen; protegen; quitan de en medio a los *tipos malos*. Le abren camino a ese aficionado que está arriesgando la vida. Ese Mahdí es la clave, y si todavía no lo han entendido, yo no puedo remediarlo. Una palabra de él, de preferencia con una pistola apuntada a su cabeza, y todo se paraliza en Omán.

–No carece de méritos –dijo Ben-Ami.

–¡Pero no tiene *sentido*! –exclamó Yaakov–. Digamos que este Kendrick consigue llegar a tu Mahdí. ¿Qué hace entonces, qué *dice*? –Azul pasó a una gruesa caricatura de un acento norteamericano.– Eh, amigo, tengo un trato de primera para ti, muchacho. Llama a tus estúpidos matones y yo te daré mis nuevas botas de cuero. *¡Ridículo!* Recibirá una bala en la cabeza en el momento en que le pregunten "¿Cuál es la emergencia?"

–Eso tampoco carece de mérito –repitió Ben-Ami.

–¡Ahora tengo abogados! –vociferó Manny–. ¿Piensan que mi hijo es estúpido? ¿Levantó un Imperio de la construcción sobre la base de su *mishegoss*? En cuanto tenga algo concreto –un nombre, una ubicación, una compañía–, se comunica con Mascate, y nuestro común amigo, el sultán, llama a los norteamericanos, los británicos, los franceses y a cualquier otro en quien confíe, que se haya instalado en Omán, y *ellos* se ponen a trabajar. La gente de ellos aquí, en Bahrein, cierra el cerco.

–Mérito –dijo Ben-Ami de nuevo, con un asentimiento.

–No carece de él –convino Negro.

–¿Y qué harás *tú*? –preguntó Yaakov, un tanto más calmado, pero todavía desafiante.

–Enjaularé a un zorro gordo que ha estado devorando a una cantidad de gallinas, en un gallinero acerca del cual nadie sabía nada –contestó Weingrass.

Kendrick abrió los ojos de golpe. Un sonido, un roce... una intrusión en el silencio del dormitorio, que nada tenía que ver con el tránsito del otro lado de las ventanas catedralicias. Era algo más próximo, más personal, en cierto modo íntimo. Pero no era la mujer, Khalehla; ella se había ido. Parpadeó por un momento al mirar las almohadas hundidas, a su lado, y a pesar de todo lo que su mente trataba de ensamblar, sintió una súbita tristeza. Porque las pocas y breves horas con ella habían hecho surgir una calidez entre ellos que era sólo una parte del frenético acto de amor, que en sí mismo no se habría dado sin ese sentimiento de calidez.

¿Qué hora es? Hizo girar la muñeca y... su reloj no estaba en ella. ¡*Maldición*, todavía lo *tenía* la puta! Rodó en la cama y bajó las piernas al suelo, sin pensar en la sábana. Las plantas de sus pies se posaron sobre objetos duros; bajó la vista hacia la alfombra de oso polar y volvió a parpadear. Todo lo que habían contenido sus bolsillos se encontraba allí... todos, menos la cajetilla de cigarrillos, que en ese momento ansiaba mucho. Y entonces su vista se vio atraída por una hoja de papel con orla dorada, en la mesa de noche; la tomó.

Creo que los dos fuimos bondadosos, uno con el otro, cuando cada uno necesitaba un poco de bondad. Nada que lamentar, salvo una cosa. No volveré a verte. Adiós.

Ningún nombre, ninguna dirección a la cual escribir, sólo *Ciao, amigo*. Como esos dos barcos que se cruzan en el Golfo Pérsico, o como dos personas tensas, lastimadas, a última hora de una tarde en Bahrein. Pero ya no era una tarde, se dio cuenta. Apenas pudo leer la nota de Khalehla; sólo los últimos rayos anaranjados de la puesta de sol pasaban ahora por las ventanas.

Tomó su reloj; eran las siete y cincuenta y cinco; había dormido casi cuatro horas. Estaba muerto de hambre, y sus años en los desiertos, las montañas y los rápidos le habían enseñado a no viajar mucho con el estómago vacío. Un "guardia", había dicho ella. "Afuera", había explicado. Evan arrancó la sábana de la cama, se envolvió en ella y cruzó la habitación. Se detuvo; en el suelo había un sobre. Ese era el sonido que había oído, un sobre pasado por abajo de la puerta, empujado, movido hacia atrás y hacia adelante a causa de la gruesa alfombra. Lo levantó, lo abrió y leyó. Una lista de dieciséis nombres, direcciones y números telefónicos. *¡MacDonald!* La lista de las llamadas que había hecho en Bahrein. ¡Un paso más cerca del Mahdí!

Evan abrió la puerta; los saludos entre el guardia uniformado y él fueron despachados con rapidez, en árabe.

–Ahora estás despierto, señor. No debías ser molestado hasta las ocho y media.

–Te agradecería si ahora me molestaras con un poco de comida. La mujer dijo que podía conseguir algo de comer de la cocina.

–Por cierto, señor, lo que desees.

–Lo que puedas encontrar. Carne, arroz, pan... y leche, me gustaría un poco de leche. Y todo lo más pronto que sea posible, por favor.

–¡Enseguida, señor! –El guardia se volvió y corrió por el pasillo, hacia la escalera. Evan cerró la puerta y quedó inmóvil un momento, para orientarse en la habitación, ahora a oscuras. Encendió una lámpara en el borde de la interminable cómoda, y luego cruzó la gruesa alfombra hacia otra puerta, que daba a uno de los cuartos de baño más opulentos de Bahrein.

Diez minutos más tarde salió, duchado y afeitado, ahora vestido con una bata corta, de tela de toalla. Fue hacia el armario donde Khalehla había dicho que estaba su ropa... "fumigada, lavada y planchada". Abrió la puerta espejada, y apenas reconoció el extraño surtido de ropas que había reunido en la embajada de Mascate; todo daba la impresión de un respetable uniforme paramilitar. Dejó todo en las perchas, depositó la vestimenta en la butaca, regresó a la cama y se sentó, mientras contemplaba sus pertenencias depositadas en el suelo. Sintió la tentación de revisar su cinturón en el cual guardaba el dinero, para ver si faltaba alguno de los billetes grandes, pero resolvió no hacerlo. Si Khalehla era una ladrona, no quería saberlo, por lo menos en ese momento.

Sonó el teléfono, y su áspera campanilla fue menos un timbrazo que un prolongado chillido metálico. Durante un momento miró el instrumento, preguntándose... *¿quién?* Tenía la lista de MacDonald; esa era la única llamada que Khalehla había dicho que podía esperar. *¿Khalehla?* ¿Había cambiado de idea? Con una oleada de sentimiento no previsto, tomó el teléfono y se lo llevó al oído. Ocho segundos más tarde pedía a Dios no haberlo hecho.

–*Amreekanee* –dijo la voz masculina, chata y monótona, que expresaba odio–. Si sales de esa casa antes de la mañana, eres hombre muerto. Mañana vuelve con discreción al lugar del cual viniste, y en el cual debes estar.

14

Emmanuel Weingrass llevó la radio de Gris a los labios y habló.

–Adelante, y recuerda que debes mantener la línea abierta. ¡Tengo que escucharlo *todo*!

–Si me perdonas, Weingrass –replicó Ben-Ami desde las sombras, al otro lado de Camino del Gobierno–. Me sentiría un poco más seguro si también escuchara nuestro amigo Gris. Tú y yo no somos tan competentes como esos jóvenes, en estas situaciones.

–No tienen un cerebro en su cabeza colectiva. Nosotros tenemos dos.

–Esto no es *shul*, Emmanuel; esto es lo que se llama el campo, y puede resultar muy desagradable.

–Tengo una gran confianza en ti, Benny, muchacho, siempre que garantices que estas radios infantiles pueden escucharse a través del acero.

–Son tan claras como cualquier dispositivo electrónico que se haya creado nunca, con la función agregada de la transmisión directa. No hay más que oprimir los botones adecuados.

–No *se* oprimen –dijo Weingrass–, lo haces *tú*. Adelante, hablaremos después, cuando oigamos qué dice ese MacDonald-Strickland.

–Primero envía a Gris, por favor. –De entre las sombras próximas a la marquesina del Hotel Tylos, Ben-Ami se unió a las afanosas multitudes que rodeaban la entrada. La gente iba y venía; casi todos eran hombres, casi todos de vestimenta occidental, junto con unas pocas mujeres de ropas exclusivamente occidentales. De los taxis descendían pasajeros mientras otros se introducían en ellos, luego de dar una propina a un acosado portero cuya única tarea era abrir y cerrar puertas, y de vez en cuando hacer sonar un estridente silbato, para que un mísero botones acarrease equipaje. Ben-Ami se hundió en ese alboroto y entró. Momentos más tarde, a través del ruido de fondo del vestíbulo se lo escuchó discar; bizqueando, irritado, Manny levantó la radio entre él y el hombre llamado Gris, mucho más alto y musculoso. Las primeras palabras de la Habitación 202 fueron borrosas, y luego habló el agente del Mossad.

–*¿Shaikh Strickland?*

–*¿Quién es?* –El cauteloso murmullo del inglés era claro ahora; Ben-Ami había sintonizado mejor la radio.

–*Estoy abajo... Anah hénah littee gáhrah...*

–*¡Maldito negro estúpido!* –exclamó MacDonald–. *¡No hablo esa jerga! ¿Por qué llamas del vestíbulo?*

–*Estaba probándote, señor Strickland* –interrumpió Ben-Ami enseguida–. *Un hombre que se encuentra bajo tensión se traiciona muy a menudo. Habrías podido preguntarme adónde me llevaba mi viaje, lo cual tal vez conduciría a un código subsiguiente. Y entonces habría sabido que no eras el hombre...*

–*¡Sí, sí, entiendo! ¡Gracias a Dios que estás aquí! Te ha llevado bastante tiempo. Te esperaba hace media hora. Tenías que decirme algo. ¡Dilo!*

–*Por teléfono no* –respondió con firmeza el infiltrador del Mossad–. *Por teléfono nunca, deberías saberlo.*

–*Si piensas que te dejaré entrar en mi habitación...*

–*En tu lugar, yo no lo haría* –interrumpió Ben-Ami otra vez–. *Sabemos que estás armado.*

–*¿Sí?*

–*Tenemos conocimiento de todas las armas que se venden bajo cuerda.*

–*Sí, sí... es claro.*

–*Abre la puerta y deja puesto el pasador. Si mis palabras son las incorrectas, mátame.*

–*Sí... bueno. Estoy seguro de que eso no será necesario. Pero entiéndeme, seas quien fueres, ¡una sola sílaba equivocada, y eres un cadáver!*

–*Practicaré mi inglés, Shaikh Strickland.*

Una lucecita verde parpadeó de pronto en la pequeña radio que Weingrass tenía en la mano.

–¿Qué demonios es *eso*? –preguntó Manny.

–Transmisión directa –contestó Gris. Dámela. –El comando de Masada tomó el instrumento y oprimió un botón.– Adelante.

–¡Está solo! –dijo la voz de Ben-Ami–. ¡Tenemos que actuar con rapidez, capturarlo ahora!

–No hacemos *nada*, ¡pedazo de imbécil del Mossad! –replicó Weingrass, y se apoderó de la radio–. ¡Hasta esos mutantes de Operaciones Consulares del Departamento de Estado pueden oír lo que se les acaba de *decir*, pero no el sagrado *Mossad*! ¡Este sólo escucha su *propia* voz, y tal vez la de Abrahán, si recibe un llamado en código de una caja de copos de maíz!

–Manny, no me hace falta eso –dijo Ben-Ami con voz lenta, dolorida, en la radio.

–Necesitas oídos, ¡eso es lo que necesitas, *ganza macher*! Ese narciso espera en cualquier momento un contacto con el Mahdí... alguien que no lo llamará desde el vestíbulo, sino que irá directamente a su habitación... ¡y *ahí* es cuando nos unimos a la fiesta y los apresamos a los dos! ¿Qué habías pensado? ¿Que derribaríamos la puerta, por cortesía del Neanderthal que tengo a mi lado?

–Bueno, sí...

–Eso tampoco lo necesito –murmuró Gris en voz baja.

–No me extraña que ustedes, idiotas, fracasaran en Washington. ¡Creyeron que *santo y seña* era un buzón del Mossad, y no un programa de televisión!

–¡Manny!

–¡Lleva tu culo secreto hasta el segundo piso! Estaremos allí dentro de dos minutos, ¿de acuerdo, Campanilla?

–Señor Weingrass –dijo Gris, y los músculos de su delgada mandíbula temblaron, furiosos, mientras apagaba la radio–. Es probable que seas el hombre más irritantemente ofensivo que he conocido nunca.

–¡Qué palabras! En el Bronx te habrías recibido una paliza por eso... si diez o doce de mis compinches italianos o irlandeses hubieran podido contigo. *¡Vamos!* –Manny cruzó el Camino del Gobierno, seguido por Gris, quien continuaba meneando la cabeza, no en desacuerdo, sino para despojarse de los pensamientos que le cruzaban por la cabeza.

El corredor del hotel era largo y la alfombra estaba gastada. Era la hora de la cena, y la mayoría de los huéspedes habían salido. Weingrass se quedó en un extremo; trató de fumar un Gauloise, pero lo aplastó, dejando un agujero en la alfombra, cuando le provocó un retumbo devastador en el pecho. Ben-Ami se encontraba ante el ascensor más lejano; era el eterno huésped de hotel irritado, a la espera de un ascensor que nunca llegaba. Gris estaba más cerca de la habitación 202, apoyado con negligencia contra la pared, cerca de una puerta ubicada a unos cinco metros, en diagonal respecto de la del "señor Strickland". Era un profesional; adoptaba la postura de un joven que espera con ansiedad a una mujer con quien tal vez no estaba destinado a encontrarse, hasta el punto de dar la impresión de que hablaba a través de la puerta.

Eso se produjo, y Weingrass quedó impresionado. El portero uniformado de la entrada con marquesina del Tylos salió de pronto de un ascensor, con la gorra galoneada en la mano; se acercó a la habitación 202. Se detuvo, golpeó, esperó a que la puerta, con la cadena puesta, se abriese, y habló. La cadena fue desprendida. De repente, con la velocidad y la decisión agresivas de un atleta olímpico, Gris se apartó de la pared, se precipitó hacia las dos figuras de la puerta, y de alguna manera logró extraer una pistola de algún lugar oculto mientras lanzaba el cuerpo, en una embestida lateral, entre sus dos enemigos, agrupándolos, de alguna manera, como una única entidad y derribándolos al suelo. Dos disparos sordos brotaron de la pistola del comando; la pistola que Anthony MacDonald tenía en la mano voló, lo mismo que dos de sus dedos.

Weingrass y Ben-Ami convergieron hacia la puerta y se precipitaron al interior, cerrándola tras de sí.

–¡*Dios* mío, *mírenme*! –gritó el inglés, en el suelo, apretándose la sangrante mano derecha–. *¡Cristo!*

–Trae una toalla del cuarto de baño –ordenó Gris con serenidad, dirigiéndose a Ben-Ami. El agente del Mossad hizo lo que le indicaba el hombre de menor edad.

–¡Yo no soy nada más que un *mensajero*! –gritó el portero, retorciéndose al lado de la cama, asustado–. ¡Vine a entregar un mensaje!

–Un *cuerno* eres un mensajero –dijo Emmanuel Weingrass, de pie al lado del hombre caído–. Eres perfecto, pedazo de hijo de puta. Sabes quién viene, quién se va... eres los *ojos* de ellos. Oh, quiero *hablar* contigo.

–¡No tengo *mano*! –chilló el obeso MacDonald, mientras la sangre le caía por el brazo.

–¡Toma! –dijo Ben-Ami, arrodillándose y envolviendo con una toalla los dedos mutilados del inglés.

–No hagas eso –ordenó Gris, y tomó la toalla y la apartó a un lado.

–Me dijiste que la trajera –protestó Ben-Ami, confundido.

–He cambiado de idea –dijo Gris, y su voz fue repentinamente fría; sostuvo hacia abajo el brazo de MacDonald, y la sangre chorreó entonces de los dos dedos mutilados.– *Sangre* –continuó el hombre del comando Masada, hablando con serenidad al inglés–, en especial la sangre del brazo derecho, de la *aorta*, que la saca del corazón, no tiene adónde caer, sino al suelo. ¿Me entiendes, *khanzeer*? ¿Me entiendes, *cerdo*? Dinos lo que queremos saber, o la vida se te irá a chorros. ¿Dónde está el Mahdí? ¿Quién es?

–¡No lo *sé*! –gritó Anthony MacDonald, tosiendo; las lágrimas le rodaban por las mejillas y los carrillos–. Como todos los demás, llamo a un número telefónico... ¡Y alguien me llama *a su vez*! ¡Eso es lo único que *sé*!

El comando levantó la cabeza de golpe. Estaba adiestrado para escuchar cosas y percibir vibraciones que otros no oían ni percibían.

–*¡Abajo!* –susurró con aspereza a Ben-Ami y Weingrass–. ¡Rueden hacia las paredes! ¡Detrás de sillas, de *cualquier* cosa!

La puerta se abrió de golpe. Tres árabes de delgadas túnicas blancas, con los rostros tapados por la tela, irrumpieron por el espacio abierto, listas sus pistolas ametralladoras con silenciador; sus blancos eran evidentes: MacDonald y el portero del Tylos, cuyos cuerpos postrados, aullantes, se agitaron, convulsos, bajo la ráfaga de balas, hasta que no salieron más sonidos de sus bocas sangrantes. De pronto, los asesinos tuvieron conciencia de los otros que se encontraban en la habitación; giraron, y sus armas hendieron el aire en busca de nuevos blancos, pero no eran rivales para el mortífero Gris de la Brigada Masada. El comando había corrido hacia la izquierda de la puerta abierta, con la espalda pegada contra la pared, con su UZI arrancada de las correas, desde abajo de la chaqueta. Con una ráfaga prolongada, derribó en el acto a los tres verdugos. No hubo reflejos. Cada uno de los cráneos quedó hecho pedazos.

–*¡Afuera!* –gritó Gris, trastabillando hacia Weingrass y poniendo al anciano de pie–. ¡A la escalera de al lado de los ascensores!

–Si nos detienen –agregó Ben-Ami, corriendo hacia la puerta–, somos tres personas presas de pánico por los disparos.

En el Camino del Gobierno, mientras descansaban en una calleja que iba hacia el bulevar Shaikh Hamad, Gris maldijo de pronto entre dientes, más contra sí mismo que a sus compañeros.

–¡Maldición, maldición, *maldición*! ¡Tuve que *matarlos*!

–No tenías otra alternativa –dijo el agente del Mossad–. Uno de los dedos de ellos en el disparador, y podíamos estar todos muertos... sin duda que por lo menos uno de nosotros.

–Pero aun con uno solo de ellos vivo, habríamos podido averiguar tanto... –replicó el hombre de la unidad Masada.

–Nos enteramos de algo, Campanilla –dijo Weingrass.

–¡Quieres *terminar* con eso!

–En realidad es una denominación afectuosa, jovencito...

–¿Qué hemos sabido, Manny?

–MacDonald habló demasiado. En su pánico, el inglés dijo cosas, a otras personas, por teléfono, que no habría debido decir, de modo que tuvo que ser muerto por tener la boca demasiado grande.

–¿Cómo explica eso lo del portero? –preguntó Gris.

–Prescindible. Abrió la puerta de MacDonald para el pelotón de fusilamiento del Mahdí. Tu arma hizo el ruido verdadero, las de *ellos* no... Y ahora que conocemos lo de la boca de MacDonald y lo de su ejecución, podemos dar por supuestos dos hechos vitales... como los factores de tensión, cuando diseñas un balcón en el frente de un edificio, con un peso desplazado del centro, sobre otra inclinación descentrada.

–¿De qué *demonios* hablas, Manny?

–Mi muchacho, Kendrick, hizo un mejor trabajo de lo que posiblemente sepa. En realidad no sabe lo que ocurre, y al matar al bocón, ahora *nadie* puede decírselo. Cometió un error, ¿qué te parece? El *Mahdí* cometió un error.

–Si tus esquemas arquitectónicos son tan abstrusos como tú, señor Weingrass –dijo Gris–, espero que ninguno de tus diseños sea aprobado para los edificios, en Israel.

–¡Oh, las *palabras* que usa este chico! ¿Estás seguro de que no estudiaste en la Escuela de Ciencias del Bronx? No importa. Vamos a observar la escena en la mezquita Juma... Dime, Campanilla, ¿alguna vez *cometiste* un error?

–Creo que cometí uno al venir a Bahrein...

Emmanuel Weingrass no escuchó la respuesta. El anciano estaba doblado en dos, con un acceso de tos, contra la pared de la oscura callejuela.

Aturdido, Kendrick contempló el teléfono que tenía en la mano, y luego lo colgó con furia... con furia, frustración y temor. *"Si sales de esa casa antes de la mañana, eres hombre muerto... Vuelve con discreción al lugar del cual viniste, y en el cual debes estar.* Si necesitaba alguna confirmación final de que estaba acercándose al Mahdí, la tenía, para lo que le servía. Era virtualmente un prisionero; si daba un solo paso fuera de la elegante casa, sería hombre muerto, derribado por hombres que esperaban que apareciera. Ni siquiera sus ropas "fumigadas, lavadas y planchadas" serían vistas como otra cosa de lo que eran: vestimenta limpia de un terrorista. Y no era posible tomar en serio la orden de que volviese al lugar del cual venía. Aceptó el hecho de que no habría muchos deseos de matar a un parlamentario norteamericano, ni siquiera a uno cuya presencia en Bahrein podía ser vinculada con suma facilidad con los horrores de Mascate, en donde antes había trabajado. Un Omán eliminado, borrado por las bombas, que era lo que cada vez pedía con mayor insistencia un gran sector del público norteamericano, no podía convenirle al Mahdí..., pero éste tampoco podía permitir que el parlamentario volviese a Washington. A pesar de la falta de pruebas claras, sabía demasiadas cosas que otros, mucho más experimentados en las artes negras, podían utilizar con provecho; la solución del Mahdí resultaba muy evidente. El curioso norteamericano entremetido sería otra víctima más de esos tiempos terribles... junto con otros, por supuesto. Una matanza en la terminal de un aeropuerto; un avión que estallaba en el aire; una bomba en un café... tantas posibilidades, siempre que entre los muertos figurase un hombre que se había enterado de demasiadas cosas.

Al final, todo era tal como lo había concebido al comienzo. El y el Mahdí. El *o* el Mahdí. Y ahora había perdido, con tanta seguridad como si se encontrase en un edificio desventrado y miles de toneladas de cemento y acero se desplomaran sobre él.

Hubo unos golpes secos en la puerta.

–*Odkhul* –dijo en árabe, indicando al visitante que entrase, e instintivamente recogió el arma de la alfombra blanca. El guardia entró, balanceando con destreza una gran bandeja en la palma de la mano izquierda. Evan metió el arma debajo de la almohada y se puso de pie mientras el soldado llevaba su comida al escritorio blanco.

–¡Todo listo, señor! –exclamó el guardia, y había no poco triunfo en su voz–. Yo en persona elegí cada cosa por su adecuada exquisitez. Mi esposa me dice que habría debido ser un chef, antes que un guerrero...

Kendrick no escuchó el resto del autoelogio del guerrero. En cambio, se sintió de pronto hipnotizado ante la visión del hombre. Tenía un metro ochenta de estatura, más o menos, hombros respetables y una cintura envidiablemente delgada. Fuera de esa cintura irritante, tenía la *talla* de Evan, o poco menos. Kendrick miró la ropa limpia, almidonada, de la butaca, y luego volvió a observar el vivo uniforme rojo y azul del frustrado chef-guerrero. Sin pensarlo, tomó el arma escondida mientras el soldado, canturreando como un *cuciniere supremo*, depositaba en el escritorio los platos humeantes. El único pensamiento que revoloteaba en la mente de Kendrick era que una vestimenta limpia de un terrorista sería un blanco para una salva de balas; no así el uniforme de un Guardia Real de Bahrein, y menos el de uno que salía de una casa real. Si no hacía nada, estaría muerto por la mañana... en alguna parte, de alguna manera. Tenía que hacer *algo*, de manera que lo hizo. Dio la vuelta a la enorme cama, se detuvo detrás del guardia y golpeó con todas sus fuerzas, con la culata del arma, la cabeza del soldado.

El guardia cayó al suelo, inconsciente, y una vez más, sin pensarlo, Evan se sentó al escritorio y comió con más rapidez de lo que nunca había comido en su vida. Doce minutos más tarde, el soldado se encontraba maniatado y amordazado en la cama, mientras Kendrick se estudiaba delante de un espejo del armario. El uniforme arrugado, azul y rojo, habría podido ser mejorado por los dedos experimentados de un sastre, pero con todo, y en las sombras de las calles nocturnas, resultaba aceptable.

Registró la hilera de armarios hasta encontrar un bolso de plástico, en el cual introdujo sus ropas de Mascate. Miró el teléfono. Sabía que no lo usaría, que no *podía* usarlo. Si sobrevivía en la calle, afuera, llamaría a Azra desde otro aparato.

Sin la chaqueta, con la funda del arma en el hombro, en su lugar, Azra se paseaba, colérico, por la habitación del Hotel Aradous, consumido por ideas de traición. ¿Dónde estaba *Amal Bahrudi*... el hombre de ojos azules que se *hacía llamar* Bahrudi? ¿Sería en verdad otra persona, alguien a quien el tonto, inflado inglés, llamaba "Kendrick"? ¿Era todo una trampa, una trampa para capturar a un miembro del consejo de la organización de Mascate, una trampa para apoderarse del terrorista conocido en árabe como Azul?... *¿Terrorista?* ¡Cuán típico de los asesinos sionistas del Irgún Zvai Leumi y de la Haganah! ¡Con cuánta facilidad borran las matanzas de "Jephthah" y Deir Yasin, para no hablar de sus verdugos sustitutos de Sabra y Shatila! Roban un país, y venden lo que no tienen el derecho de vender, y matan a un niño porque lleva una bandera palestina –"un accidente, un exceso", lo llaman–, ¡pero los terroristas somos *nosotros*!... Si el Hotel Aradous *era* una trampa, no permanecería encerrado en una habitación; pero si no lo era, tenía que quedarse donde se pudiera establecer contacto con él. El Mahdí lo era todo, sus llamamientos eran una orden, pues les proporcionaba los medios para abrigar una esperanza, para difundir su mensaje de legitimidad. ¿Cuándo los *entendería* el mundo? ¿Cuándo dejarían de tener importancia los Mahdís del mundo?

Sonó el teléfono, y Azra corrió hacia él.

–*¿Sí?*

–Me vi demorado, pero ya voy hacia allá. Me encontraron; casi resulté muerto en el aeropuerto, pero escapé. Es posible que a esta altura hayan encontrado tu pista.

–*¿Qué?*

–Filtraciones en el sistema. Vete, pero no pases por el vestíbulo. Hay una escalera destinada a ser una salida para casos de incendio. Se encuentra en el extremo sur del corredor, me parece. Norte o sur, uno u otro. Usala y pasa por la cocina del restaurante, hasta la salida de los empleados. Saldrás al Wadi Al Ahd. Cruza; yo te recogeré.

–*¿Eres* tú, Amal Bahrudi? ¿Puedo confiar en ti?

–Ninguno de los dos tiene otra opción, ¿verdad?

–Esa no es una respuesta.

–No soy tu enemigo –mintió Evan Kendrick–. Nunca seremos amigos, pero no soy tu enemigo. No puedo permitírmelo. Y estás perdiendo tiempo, poeta, parte del cual es mío. Estaré ahí dentro de cinco minutos. ¡Date prisa!

–Ya voy.

–Ten cuidado.

Azra colgó el teléfono y fue hacia sus armas, que había limpiado varias veces y colocado en la cómoda, en una prolija hilera. Tomó la pequeña automática Heckler y Koch P96, se arrodilló, se levantó la pernera izquierda del pantalón, e insertó el arma dentro de las tiras entrecruzadas de la que tenía debajo de la parte trasera de la rodilla. Se puso de pie, tomó la pistola Mauser Parabellum, más grande y potente, y la introdujo en la funda del hombro, para seguir luego con el cuchillo de caza enfundado. Se encaminó hacia una silla en la cual había depositado la chaqueta de su traje recién comprado, se la puso y fue hacia la puerta; salió con rapidez al corredor.

Nada le había parecido extraño, a no ser por su concentración en la ubicación de la escalera y por su deseo de ganar tiempo... tiempo ahora medido en minutos y en segmentos de minutos. Fue hacia su derecha, en dirección del extremo sur del corredor, y su mirada tuvo conciencia en parte de una puerta que se cerraba, no de una puerta abierta, sino apenas entreabierta. Sin importancia: un huésped descuidado; una mujer occidental que llevaba demasiadas cajas de compras. Luego, como no vio la indicación de una salida por una escalera, se volvió con rapidez para mirar hacia el otro extremo, el lado norte del corredor. Una segunda puerta, abierta no más de cinco centímetros, se cerró a toda velocidad, y en silencio. La primera ya dejaba de ser insignificante, porque sin duda la segunda no lo era. Su habitación era vigilada. ¿Por *quién*? ¿Quiénes eran *ellos*? Azra siguió caminando, ahora hacia el extremo norte del corredor, pero en cuanto pasó ante la segunda puerta giró contra la pared, metió la mano dentro de la chaqueta para tomar el cuchillo de caza, de larga hoja, y esperó. Segundos más tarde, la puerta se abrió; giró en torno del marco, y en el acto enfrentó a un hombre de quien sabía que era su enemigo, un hombre muy atezado, musculoso, casi de su edad... ¡toda su persona denunciaba que tenía adiestramiento en el desierto, un *comando* israelí! ¡En lugar de un arma, el sobresaltado judío tenía una radio en la mano; estaba desarmado!

Azra dirigió el arma hacia adelante, a la garganta del israelí. En un movimiento fulminante, la hoja fue desviada; el terrorista la dirigió hacia abajo, y tajeó la muñeca del hebreo; la radio cayó al suelo alfombrado, mientras Azra cerraba la puerta de un puntapié.

Tomándose la muñeca, el israelí levantó el pie derecho y golpeó con destreza de experto la rodilla izquierda del palestino. Azra se tambaleó; otro zapato con punta de acero le dio en el costado del cuello, y otro se estrelló contra sus costillas. Pero el ángulo era correcto; el israelí perdía el equilibrio. El terrorista se lanzó hacia adelante, con el cuchillo como prolongación del brazo, apuntando hacia el vientre del comando. Brotó la sangre, cubrió la cara de Azra, mientras el israelí, nombre de código Anaranjado, de la Brigada Masada, caía al suelo.

El palestino se esforzó por levantarse; intensos relámpagos de dolor le recorrieron las costillas y la rodilla, los tendones de su cuello se encontraban casi paralizados. De pronto, sin un roce ni el ruido de una pisada, la puerta se abrió de golpe, haciendo volar la cerradura. El segundo comando –más joven, con los gruesos brazos desnudos abultados por la tensión, mientras la mirada furiosa examinaba la escena que tenía delante– llevó la mano hacia atrás de la cadera derecha, en busca de un arma enfundada. Azra se precipitó contra el israelí, estrelló al comando contra la puerta, cerrándola. El arma de Azul cayó al suelo en espiral, librando su mano derecha para interceptar el brazo del palestino, que caía junto con la hoja ensangrentada del cuchillo. El israelí martilló con la rodilla en las costillas del terrorista, mientras hacía girar el brazo atenazado en el sentido de las agujas del reloj, forzando a Azra hacia el suelo. ¡Pero el palestino no soltaba el cuchillo! Ambos hombres se separaron, agazapados, mirándose, con el desprecio y el odio pintados en los dos pares de ojos.

–¡Si quieres matar judíos, trata de matarme *a mí*, cerdo! –gritó Yaakov.

–¿Por qué *no*? –replicó Azra, y blandió el cuchillo hacia adelante, para atraer al israelí–. ¡Tú matas árabes! ¡Mataste a mi madre y a mi padre, como si tú mismo hubieras oprimido el disparador!

–¡Tú mataste a mis dos hermanos en las patrullas de Sidón!

–¡Es posible! ¡Así lo espero! ¡Estuve *allí*!

–¡Eres *Azra*!

Como dos animales enloquecidos, los jóvenes se arrojaron el uno sobre el otro con violencia desnuda; la eliminación de una vida –una vida odiada– era la única razón de su existencia en la tierra. La sangre brotó de la carne desgarrada, cuando hubo ligamentos desgarrados y huesos quebrados, en medio de gritos de venganza y odio. Por último se produjo el final, tan volcánico como la erupción inicial; la pura fuerza bruta fue la vencedora.

El cuchillo penetró en la garganta del terrorista, fue invertido y llevado hacia arriba por el comando de la Brigada Masada.

Extenuado y empapado en sangre, Yaakov se apartó del cuerpo de su enemigo. Miró a su camarada muerto, nombre de código Anaranjado, y le cerró los ojos.

–*Shalom* –susurró–. Que encuentres la paz que todos buscamos, amigo mío.

No había tiempo para la congoja, pensó, mientras abría los ojos. El cuerpo de su camarada, así como el de su enemigo, tenían que ser sacados de allí. Debía estar preparado para lo que seguía; tenía que comunicarse con los demás. ¡El asesino Azra estaba muerto! Ahora podían volar de regreso a Mascate, *tenían* que hacerlo! ¡Con su *padre*! Dolorido, Azul cojeó hasta la cama y arrancó la colcha, dejando ver la pistola ametralladora UZI de su camarada muerto. La tomó, se la colgó torpemente del hombro y fue hacia la puerta para observar el corredor. *¡Su padre!*

En las sombras lejanas del Wadi Al Ahd, Kendrick supo que no podía seguir esperando, ni correr el riesgo de usar un teléfono. A la inversa, ¡tampoco podía permanecer entre el follaje de enfrente del Aradous y no hacer *nada*! El tiempo corría y el contacto del Mahdí esperaba encontrar al títere Azra, príncipe recién coronado de los terroristas, en el lugar de la cita. Ahora estaba tan claro, se dio cuenta. Lo habían descubierto, o bien por los sucesos del aeropuerto, o por una filtración en Mascate... los hombres del pasado, víctimas del pánico, con los cuales había hablado; hombres que, a diferencia de Mustafá, se negaban a verlo y podían haberlo traicionado en bien de su propia seguridad, como uno de ellos había matado a Musty por la misma razón. *"¡No podemos complicarnos! Es una locura. ¡Nuestros familiares están muertos! ¡Nuestros hijos han sido violados, desfigurados... muertos!"*

La estrategia del Mahdí era evidente. Aislar al norteamericano y esperar a que el terrorista llegase solo al lugar de la cita. Capturar al joven asesino y anular de esa manera la trampa, porque no hay trampa sin el norteamericano, apenas un palestino suelto, prescindible. Matarlo, pero primero averiguar qué había sucedido en Mascate.

¿Dónde estaba Azra? Habían pasado treinta y siete minutos desde el momento en que hablaron. ¡El árabe llamado Azul se había demorado en treinta y dos minutos! Evan miró su reloj por undécima vez y maldijo en silencio, furioso; sus palabras no pronunciadas eran a la vez un pedido de ayuda y un estallido de cólera ante las nubes arremolinadas de la frustración. ¡Tenía que *moverse*, hacer algo! Descubrir dónde estaba el terrorista, porque sin Azra tampoco había una trampa para el Mahdí. El contacto de éste no se mostraría ante alguien a quien no conocía, alguien a quien no reconocía. ¡Tan *cerca*! ¡Tan *lejos*, en la distancia de la realidad!

Kendrick arrojó el bolso de plástico, que contenía sus ropas almidonadas de Mascate, al interior más denso de los arbustos que bordeaban el pavimento del Wadi Al Ahd. Cruzó el bulevar, en dirección de la entrada de empleados, apuesto y erguido Guardia Real, arrogante, ocupado en cosas de la realeza. Cuando recorrió con rapidez la calleja empedrada, en dirección de la entrada de servicio, varios de los empleados que salían le dirigieron obsequiosas reverencias; era evidente que abrigaban la esperanza de no ser detenidos y registrados en busca de los pequeños tesoros que habían robado del hotel... a saber, jabón, papel higiénico y platos de comida reunida de las cenas de occidentales cansados del viaje en jet, o ebrios, demasiado agotados como para comer. Procedimiento normal; Evan había estado allí, por eso había elegido el Hotel Aradous. Otra vez Emmanuel Weingrass. El impredecible Manny y él habían huido del Aradous por la cocina, porque un hermanastro del Emir se había enterado de la promesa de Weingrass a una hermanastra de ese regio hermano, de conseguirle la ciudadanía norteamericana en Estados Unidos, si se acostaba con él... privilegio que Manny en modo alguno podía conseguirle.

Kendrick pasó por la cocina, llegó a la escalera del sur y subió con cautela hasta el segundo piso. Extrajo el arma de debajo de su chaquetilla escarlata y abrió la puerta. El corredor se hallaba desierto, y en verdad era la hora de la noche en que los visitantes opulentos de Bahrein estaban en los cafés y en los casinos ocultos. Caminó de costado, por la pared de la izquierda, hasta la habitación 202, pisando con cuidado en la gastada alfombra. Escuchó; no había un solo sonido. Golpeó con suavidad.

–*Odkhúloo* –dijo una voz en árabe, diciendo que entrasen, no a uno, sino a *más* de uno.

Extraño... *raro*, pensó Evan mientras tomaba el pomo de la puerta. ¿Por qué el plural, por qué *más* de uno? Hizo girar el picaporte, giró de vuelta hacia la pared y abrió la puerta con el pie derecho.

Silencio, como si la habitación fuese una cueva desierta, y la voz fantástica una grabación desencarnada. Kendrick apretó con fuerza el arma poco familiar, no querida pero necesaria, se deslizó alrededor del marco y entró... ¡Oh *Dios*! ¡Lo que vio lo paralizó de horror! Azra se encontraba derrumbado contra la pared, con un cuchillo clavado en el cuello, los ojos abiertos en la expresión de muerte, la sangre cayéndole todavía, en hilos, por el pecho.

–Tu amigo, el cerdo, está muerto –dijo una voz tranquila detrás de él.

Evan giró para enfrentar a un joven tan ensangrentado como Azra. El asesino herido se apoyaba contra la pared, apenas capaz de seguir en pie, y en la mano tenía una pistola ametralladora UZI.

–¿Quién *eres*? –susurró Kendrick–. ¿Qué demonios has *hecho*? –agregó, ahora a gritos.

El hombre cojeó con rapidez hacia la puerta y la cerró; el arma seguía apuntando a Evan.

–Maté a un hombre que habría matado a mi gente tan pronto como la hubiese encontrado, que me habría matado a mí.

–¡Cielos, eres *israelí*!

–Tú eres el norteamericano.

–¿Por qué lo *hiciste*? ¿Qué estás *haciendo* aquí?

–No es elección mía.

–¡Esa no es una respuesta!

–Tengo la orden de no dar respuestas.

–¿Tenías que *matarlo*? –gritó Kendrick; giró e hizo una mueca ante la visión del palestino muerto, mutilado.

–Para usar las palabras de él, "¿por qué no?" Matan a nuestros niños en los patios de las escuelas, hacen estallar aviones y ómnibus llenos de nuestros ciudadanos, ejecutan a nuestros inocentes atletas en Munich, disparan a la cabeza de ancianos sencillamente porque todos son judíos. Se arrastran por las playas y matan a nuestros jóvenes, nuestros hermanos y hermanas... *¿por qué?* Porque son *judíos* que *por fin* viven en una franja infinitesimal de tierra árida, salvaje, que hemos domesticado. *¡Nosotros! No* otros.

–El no tuvo la posibilidad...

–¡*Ahórrame* eso, norteamericano! Sé lo que viene a continuación, y me llena de disgusto. Al final es lo mismo que ha sido siempre. Por debajo, en susurros, el mundo sigue queriendo culpar a los judíos. Después que nos han hecho de todo, continuamos siendo los irritantes pendencieros. Bueno, escucha esto, aficionado entremetido, no necesitamos tus comentarios, ni tu culpa, ni tu piedad. ¡Sólo queremos lo que nos pertenece! Hemos salido de los campamentos y los hornos y las cámaras de gas, para reclamar lo que es nuestro.

–¡*Maldito* seas! –rugió Evan, con un gesto furioso hacia el cadáver sangrante del terrorista–. ¡Hablas como él! ¡Como *él*! ¿Cuándo *terminarán* todos con esto?

–¿Qué puede importarte a ti? Vuelve a tu tranquilo condominio y a tu elegante club campestre, norteamericano. Déjanos en paz. Vuelve al lugar en el cual debes estar.

Nunca sabría si fueron las palabras repetidas, que había escuchado apenas una hora antes, por teléfono, o las repentinas imágenes de bloques de hormigón que caían en cascada sobre setenta y ocho seres queridos indefensos, aullantes; o la conciencia de que el odiado Mahdí se le escapaba. En ese momento sólo supo que se precipitaba sobre el atónito israelí herido, con lágrimas de furia rodándole por las mejillas.

–¡*Canalla* arrogante! –gritó, arrancando la UZI de manos del joven y arrojándola al otro lado de la habitación, golpeando al debilitado comando contra la pared–. ¿Qué *derecho* tienes a decirme qué hacer o adónde ir? ¡Vemos que se matan y se hacen volar entre sí, y todo lo demás, en nombre de ciegos credos! ¡Gastamos vidas y dinero, y derrochamos inteligencia y energía, tratando de imbuirlos de un poco de razón, pero *no*, ninguno de ustedes se mueve un centímetro! ¡Tal vez *deberíamos* dejar que se maten unos a otros, que los fanáticos se destrocen, para que quede *alguien* que tenga un poco de sensatez! –De pronto Kendrick se apartó y corrió a través de la habitación, y recogió la UZI. Volvió al israelí, con el arma ominosamente apuntada hacia el comando.– ¿Quién *eres* y por qué estás aquí?

–Mi nombre de código es Azul. Esa es mi respuesta y no te daré otra...

–¿Nombre de código *cuál*?

–Azul.

–Oh *Dios* mío... –musitó Evan, mirando a Azra, muerto. Giró de nuevo hacia el israelí y, sin comentarios, entregó la pistola ametralladora al estupefacto comando–. Adelante –dijo con suavidad–. Dispara contra esta porquería de mundo. No me importa. –Y con estas palabras, fue hasta la puerta y salió.

Yaakov miró al norteamericano, la puerta cerrada y después el cadáver caído en el suelo, contra la pared. Bajó el arma con la mano izquierda, y con la derecha sacó del cinturón la potente radio miniaturizada. Oprimió un botón.

–*Itklem* –dijo la voz de Negro, afuera del hotel.

–¿Te comunicaste con los otros?

–Lo hizo Código *R*. Están aquí... o más bien debería decir que ahora los veo llegar por el Al Ahd. Nuestro colega de más edad está con *R*; *G* está con el mayor, pero algo le ocurre a éste. *G* lo sostiene. ¿Y tú?

–Ahora no te sirvo, tal vez más tarde.

–*¿Anaranjado?*

–Se ha ido...

–*¿Qué?*

–No hay tiempo. También el cerdo. El blanco está saliendo; va de uniforme rojo y azul. Síguelo. Ha pasado del límite. Llámame a mi habitación, estaré allí.

Como aturdido, Evan cruzó el Wadi Al Ahd y fue en línea recta hacia las malezas donde había arrojado su bolso de plástico. No importaba si estaba allí o no; sólo que se sentiría más cómodo, sin duda podría moverse con más rapidez y ser un blanco menos visible que ahora, con las ropas de Mascate. De todos modos, había llegado hasta ese punto; no podía volver. *Un solo hombre*, se repetía una y otra vez. ¡Si pudiera encontrarlo dentro de los parámetros del lugar de reunión... el *Mahdí*! ¡*Tenía* que encontrarlo!

El bolso estaba donde lo había dejado, y las sombras de las malezas eran adecuadas para su propósito. Acuclillado entre los arbustos más densos, se cambió de ropa con lentitud, prenda por prenda. Salió al pavimento y se dirigió con rumbo al oeste, hacia el camino Shaikh Isa y la mezquita Juma.

–*Itklem* –dijo Yaakov en la radio, acostado en la cama, en su habitación limpia, con toallas ceñidas alrededor de las heridas, y repasadores calientes y tibios, mojados, dispersos sobre la colcha.

–Es *G* –dijo Código Gris–. ¿Cómo estás?

–Tajos, principalmente. Alguna pérdida de sangre. Me curaré.

–¿Entonces estás de acuerdo que mientras tanto yo me haga cargo?

–Así tiene que ser.

–Quería oírlo de ti.

–Ya lo oíste.

–Tengo que escuchar algo más. Con el cerdo eliminado, ¿quieres que dejemos esto y volvamos a Mascate? No puedo obligarte, si tu respuesta es afirmativa.

Yaakov miró al cielo raso, con los conflictos desencadenados en su interior, las urticantes palabras del norteamericano ardiéndole todavía en los oídos.

–No –dijo con voz vacilante–. Llegó demasiado lejos, arriesga demasiado. Quédate con él.

–Sobre *W*. Me gustaría dejarlo aquí. Contigo, tal vez...

–El nunca lo permitiría. El que está ahí es su "hijo", ¿recuerdas?

–Tienes razón, olvídalo. Podría agregar que es imposible.

–Dime algo que no sepa.

–Lo haré –interrumpió Gris–. El blanco dejó el uniforme y pasó frente a nosotros, al otro lado de la calle. *W* lo vio. Camina como un muerto.

–Tal vez lo está.

–Fuera.

Kendrick cambió de idea, y modificó su rumbo hacia el Juma. El instinto le decía que no se apartase de la muchedumbre, camino de la mezquita. Después de doblar al norte, en la ancha Bab al Bahrein, se dirigiría hacia el camino Al Khalifa. Los pensamientos lo bombardeaban, pero eran pensamientos dispersos, inconexos, nada claros. Estaba internándose en un laberinto, eso lo sabía, pero también sabía que dentro del laberinto había un hombre, u hombres, vigilando, esperando a que apareciera el muerto Azra. Esa era su única ventaja, pero era considerable. Sabía a quién y qué buscaban, pero ellos no lo conocían a él. Describiría círculos alrededor del lugar de la cita, como un halcón, hasta que viese a *alguien*, al que *correspondía*, que entendiese que podía perder la vida si no lograba llevar al príncipe coronado de los terroristas ante el Mahdí. Ese hombre se traicionaría, tal vez detendría a algunas personas para mirarlas a la cara, con creciente ansiedad a cada minuto que pasaba. Evan encontraría a alguien y lo aislaría... lo apresaría y lo *quebraría...* ¿O acaso se engañaba y lo cegaba su obsesión? Ya no importaba, nada importaba, sólo un paso tras otro en el duro pavimento, abriéndose camino por entre los transeúntes nocturnos de Bahrein.

Los grupos. Los *intuía*. Hombres que se agrupaban en torno de *él*. ¡Una mano le tocó el hombro! Giró y movió el brazo para quitarse la mano de encima. Y de pronto sintió la aguda punta de una aguja que penetraba en su carne, cerca de la base de la columna vertebral. Y luego, oscuridad. Total.

El teléfono despertó de golpe a Yaakov; lo tomó.

–*¿Sí?*

–¡Tienen al norteamericano! –dijo Gris–. ¡Y lo que viene más al caso: *existen!*

–¿Cuándo ocurrió? *¿Cómo?*

–Eso no interesa; de todos modos, no conozco las calles. ¡Lo que importa es que sabemos *adónde* lo han llevado!

–¿Qué saben *qué*? ¿*Cómo?* ¡Y no me digas que *eso* no tiene importancia!

–Lo hizo Weingrass. *Maldición*, fue Weingrass. Sabía que ya no podía seguir a pie, ¡de modo que le dio a un árabe delirante *diez mil dólares* por su destartalado taxi! ¡Ese *al hammee* estará borracho durante seis meses! Nosotros seguimos al hombre y vimos cómo ocurría todo. ¡*Maldición*, fue *Weingrass*!

–Domina tus tendencias homicidas –ordenó Yaakov, con una sonrisa imposible de dominar, que se desvaneció enseguida–. ¿Dónde tienen al hombre –*¡mierda!*–, a Kendrick?

–En un edificio llamado el Sahalhuddin, en el camino Tuijar...

–¿Quién es el dueño?

–Danos tiempo, Azul. Dale tiempo a *Weingrass*. Está reclamando todas las deudas que tiene pendientes en Bahrein, y no me gustaría pensar en lo que diría la Comisión de Moral de Jerusalén si se nos vincula con él.

–*¡Contéstame!*

–Parece que seis firmas ocupan el complejo. Es cuestión de proceder por eliminación...

–Que alguien venga a buscarme –ordenó Yaakov.

De modo que encontraste al Mahdí, congresal –dijo el árabe de piel oscura y túnica de un blanco puro, con una toca de seda blanca coronada por un puñado de zafiros. Se encontraban en una amplia habitación, de cielo raso abovedado, cubierto de mosaicos; las ventanas eran altas y angostas, los muebles escasos, y todos de madera oscura, lustrada; el enorme escritorio de ébano se parecía más a un altar o un trono que a una superficie funcional de trabajo. El cuarto tenía un ambiente como de mezquita, como el de los aposentos de un sumo sacerdote de una orden poderosa, en un país alejado del resto del mundo.– ¿Ahora estás satisfecho? –continuó el Mahdí desde atrás del escritorio–. ¿O tal vez te desilusiona que sea un hombre como tú... no, no como tú o cualquier otro, pero aun así un hombre?

–¡Eres un *asesino*, pedazo de hijo de *puta*! –Evan trató de levantarse de la silla de grueso respaldo recto, pero fue aferrado por dos guardias que lo flanqueaban y vuelto a sentar.– *¡Asesinaste* a setenta y ocho personas inocentes... hombres, mujeres y niños que gritaban mientras el edificio se derrumbaba sobre ellos! ¡Eres una *basura*!

–Fue el comienzo de una guerra, Kendrick. Todas las guerras tienen bajas, que no se limitan a los combatientes. Afirmo que gané esa importante batalla... desapareciste durante cuatro años, y en esos años realicé avances extraordinarios, que no habría podido lograr contigo aquí. O con ese abominable judío, Weingrass, y su boca flatulenta.

–*¿Manny...?* ¡Nos hablaba continuamente de ti, nos *prevenía*!

–¡Esa clase de bocas las *silencio* con una espada terriblemente veloz! Eso puedes interpretarlo como una bala en la cabeza... Pero cuando oí hablar de ti, supe que habías regresado por aquella primera batalla, de hace cuatro años. Hasta hace nueve horas, *Amal Bahrudi*, me impusiste una bonita cacería.

–*¿Sí?*

–Los Soviets no carecen de hombres que prefieren figurar en listas de pagos adicionales. Bahrudi, el euroárabe, fue muerto hace varios días en Berlín Oriental... Y aparece el nombre de Kendrick, un árabe muerto, de ojos azules y pronunciadas facciones occidentales, a quien se ve de pronto en Mascate... la ecuación era imaginativa en alto grado, casi increíble, pero cerraba. Debes de haber tenido ayuda, no tienen tanta experiencia en estos asuntos.

Evan miró el atrayente rostro de pómulos salientes y ojos ardientes, que lo miraba con fijeza a su vez.

–Tus ojos –dijo, meneando la cabeza, quitándose de encima los últimos efectos de la droga que se le había suministrado en la calle–. Esa cara que es una máscara chata. Te he visto alguna vez.

–Por supuesto, Evan. *Piensa*. –El Mahdí se quitó con lentitud el ghotra y dejó ver un cabello negro de apretados rizos, salpicado de erupciones de gris. La frente alta, lisa, era destacada ahora por las oscuras cejas arqueadas; era el rostro de un hombre que se entrega con facilidad a una obsesión, y recurre a ella en el acto, para lo que pueda servirle.– ¿Me encuentras en una tienda iraquí? ¿O tal vez en el podio de cierto arsenal del Medio Oeste?

–*¡Cristo!* –musitó Kendrick, y las imágenes se aclararon–. Fuiste a vernos en Basrah, hace siete u ocho años, y nos dijiste que nos harías ricos si rechazábamos el trabajo. Dijiste que existían planes para quebrar a Irán, quebrar al Sha, y que no querías aeropuertos modernos en Irak.

–Y se *produjo*. Una verdadera sociedad islámica.

–*¡Tonterías!* Sin duda administras, a esta altura, sus yacimientos petrolíferos. Y eres tan islámico como mi abuelo escocés. Eres de Chicago, ése es el arsenal del Medio Oeste, y fuiste *expulsado* de Chicago hace veinte años, ¡porque ni siquiera tu electorado negro, al cual dejaste desangrado, podía soportar tus vociferantes *estupideces* fascistas! Les quitaste sus millones y viniste aquí, a difundir tu basura y ganar más millones. *Dios mío*. ¡Weingrass sabía quién demonios eras, y te dijo que te lo *metieras* en alguna parte! ¡Dijo que eras *estiércol*, estiércol *barato*, si no recuerdo mal, y que si no salías de prisa de esa tienda de Basrah, perdería la paciencia *de veras* y te arrojaría a la cara algún blanqueador, para poder decir que sólo le había disparado a un nazi *blanco!*

–Weingrass es, o era, un judío –dijo el Mahdí con serenidad–. Me injurió porque la grandeza que esperaba se le escapaba, pero ella comenzó a florecer para mí. Los judíos odian el éxito de todos los que no sean de su especie. Por eso son los agitadores del mundo...

–¿A quién diablos quieres engañar? ¡Te llamó *Shvartzeh* podrido, y eso nada tenía que ver con blancos o negros, o ninguna otra cosa! Eres pus y odio, Al Falfa, o como te llamaras, y el color de tu piel no viene al caso...

Después de Riyadh, esa batalla *tan* importante, ¿a cuántos otros mataste, *asesinaste*?

–Sólo a los que hacía falta en nuestra guerra sagrada para el mantenimiento de la pureza de la raza, la cultura y la creencia, en esta parte del mundo. –Los labios del Mahdí de Chicago, Illinois, formaron una sonrisa lenta, fría.

–¡Maldito *hipócrita* de mierda! –gritó Kendrick. Incapaz de dominarse, volvió a precipitarse fuera de la silla, y sus manos, como dos garras, volaron a través del escritorio, hacia la vestimenta del asesino manipulador. Otras manos lo aferraron antes que pudiese tocar al Mahdí; fue arrojado al suelo, recibió puntapiés simultáneos en el vientre y en la columna vertebral. Tosió y trató de ponerse de pie; mientras estaba de rodillas, el guardia de la izquierda lo tomó del cabello y le echó la cabeza hacia atrás, en tanto que el hombre de la derecha le acercaba un cuchillo a un costado de la garganta.

–Tus gestos son tan patéticos como tus palabras –dijo el Mahdí, levantándose detrás del escritorio–. Estamos muy avanzados en la construcción de un reino, y el Occidente paralizado no puede hacer nada para impedirlo. Hemos opuesto a un pueblo contra otro, con fuerzas que ellos no pueden dominar; dividimos a fondo y dominamos por completo, sin hacer un solo disparo. Y tú, Evan Kendrick, nos has sido de gran utilidad. Tenemos fotos tuyas, tomadas en el aeropuerto, cuando volaste desde Omán; y también de tus armas, de tus documentos falsos y de tu cinturón con el dinero, que parece sumar cientos de miles de dólares. Contamos con pruebas documentales de que tú, un parlamentario norteamericano que usa el nombre de Amal Bahrudi, logró entrar en la embajada de Mascate, donde mataste a un elocuente y bondadoso dirigente llamado Nassir, y más tarde a un joven combatiente por la libertad llamado Azra... todo ello durante los días de una preciosa tregua convenida por todos. ¿Eras un agente de tu brutal gobierno? ¿Cómo podía ser de otro modo? Una oleada de repugnancia se extenderá por las así llamadas democracias... el torpe belicista ha vuelto a hacerlo, sin consideración por las vidas de los suyos.

–*Tú*... –Evan se levantó de un brinco, aferró la mano que sostenía el cuchillo, arrancó la cabeza de la mano que lo tomaba del cabello. Recibió un golpe en la nuca y fue derribado de nuevo al suelo.

–Las ejecuciones han sido adelantadas –continuó el Mahdí–. Se reanudarán mañana por la mañana... provocadas por tus insidiosas actividades, que se harán públicas. El resultado será el caos y el derramamiento de sangre, gracias a los precipitados y despreciables norteamericanos, hasta que se encuentre una solución, nuestra solución... *mi* solución. Pero nada de esto te molestará, congresal. Habrás desaparecido de la faz de la tierra, gracias, sin duda, a tu muy molesto gobierno, que no desdeña recurrir al castigo por los fracasos atribuibles a alguien, a la vez que emite febriles desmentidas. No habrá *corpus delicti*, ni pista alguna de tu paradero. Mañana, con la primera luz del día, serás llevado en avión rumbo al mar, con un cerdo sangrante y desollado atado a tu cuerpo desnudo, y caerás en las aguas de Qatar, infestadas de tiburones.

15

–¡No hay nada *aquí*! –gritó Weingrass, de pie, examinando los papeles de la mesa del comedor de un funcionario de Bahrein, a quien había conocido cuando el Grupo Kendrick construyó un club campestre isleño, en el archipiélago, años atrás–. Después de todo lo que hice por ti, Hassán, todos los honorarios pequeños y no tan pequeños que te hice llegar, ¿*esto* es lo que me das?

–¿Habrá más Emmanuel? –respondió el nervioso árabe, nervioso porque las palabras de Weingrass habían sido escuchadas por Ben-Ami y los cuatro comandos sentados a cinco metros de distancia, en la sala occidentalizada de las afueras de la ciudad. Se había llamado a un médico para suturar y vendar a Yaakov, quien se negaba a quedarse acostado; estaba sentado en una butaca. El hombre llamado Hassán lo miró y mencionó, aunque sólo fuese para cambiar el tema de su pasado con el arquitecto–. Ese joven no tiene buen aspecto, Manny.

–Se mete en riñas, ¿qué puedo decirte? Alguien trató de robarle los patines. ¿Qué más habrá, y cuándo? Estas son compañías, y los productos o servicios que venden. ¡Yo tengo que ver nombres, *gente*!

–Eso es lo que vendrá. No es fácil convencer al Ministro de Reglamentaciones Industriales de que salga de su casa a las dos de la mañana, para ir a su oficina, a cometer un acto ilegal.

–En Bahrein, reglamentaciones e industriales son palabras que se excluyen mutuamente.

–¡Esos son documentos secretos!

–¡Un imperativo, en Bahrein!

–¡Eso no es *cierto*, Manny!

–Oh, cállate y tráeme un whisky.

–Eres *incorregible*, viejo amigo.

–Háblame de eso. –La voz de Gris llegó desde la sala. Había vuelto del teléfono, que usaba con permiso, pero sin ser interrogado, cada quince minutos.

–¿Puedo traerles algo, caballeros? –preguntó Hassán, pasando por la arcada del comedor.

–El café de cardamomo es más que suficiente –respondió Ben-Ami–. Y además es delicioso.

–Hay bebidas alcohólicas, si desean... como, por supuesto, habrán entendido por las palabras del señor Weingrass. Esta es una casa religiosa, pero no imponemos nuestras creencias a los demás.

–¿Quiere poner eso por escrito, señor? –dijo Negro, riendo entre dientes–. Se lo entregaré a mi esposa y le diré que usted es un mullah. Tengo que cruzar la ciudad para comer tocino con mis huevos.

–Gracias, pero nada de alcohol, señor Hassán –dijo Gris, palmeando la rodilla de Negro–. Con un poco de suerte, esta noche tendremos que trabajar.

–Y con un poco más de suerte no me cortarán las manos –dijo el árabe en voz baja, yendo hacia la cocina. Se detuvo, interrumpido por el sonido de las campanillas de la puerta de calle. Había llegado el correo de alto rango.

Cuarenta y ocho minutos más tarde, con hojas impresas de computadora desparramadas en la mesa del comedor, Weingrass estudiaba dos hojas concretas, yendo de una a otra.

–Háblame de esta Zareeba Limitada.

–El nombre proviene del lenguaje sudanés –respondió el funcionario de túnica, que se había negado a ser presentado a nadie–. En forma aproximada, se traduce como campamento protegido, rodeado de rocas o de follaje denso.

–¿El Sudán...?

–Es una nación de Africa...

–*Sé* lo que es. Kartum.

–Esa es la capital...

–¡Cielos, y yo creía que la capital era Buffalo! –interrumpió Weingrass–. ¿Cómo es que figuran tantas subsidiarias en la lista?

–Es un holding; sus intereses son muy amplios. Si una compañía desea licencias gubernamentales para exportaciones e importaciones múltiples, es más fácil emitirlas con la protección corporativa de una firma muy sólida.

–Bosta de caballo.

–¿Perdón?

–Es la forma que se usa en el Bronx para decir: "¡Oh, por Dios!" ¿Quién la dirige?

–Hay un directorio.

–Siempre hay un directorio. Te pregunté quién la dirige.

–Para decirlo con franqueza, nadie lo sabe, en realidad. El principal funcionario ejecutivo es un hombre afable –he tomado café con él–, pero no parece un hombre especialmente agresivo, si entiendes lo que quiero decir.

–De manera que hay algún otro.

–No puedo saberlo...

–¿Dónde está la lista de directores?

–Delante de ti. Está debajo de la hoja de la derecha.

Weingrass levantó la hoja y tomó la de abajo. Por primera vez en dos horas, se sentó en una silla, y su mirada recorrió una y otra vez la lista de nombres.

–*Zareeba... Kartum* –decía en voz baja, y de vez en cuando cerraba los ojos con fuerza, arrugada la cara por repetidas muecas, como si tratara de recordar, con desesperación, algo que había olvidado. Por último tomó un lápiz y rodeó un nombre con un círculo; luego empujó la hoja, a través de la mesa, hacia el funcionario de Bahrein, quien todavía seguía de pie, rígido.

–Es un negro –dijo el correo de alto rango.

–¿Quién es blanco y quién es negro aquí?

–En general, eso se ve por las facciones. Por supuesto, siglos enteros de mezcla afroárabe oscurecen a veces el problema.

–¿Es un problema?

–Para algunos, no para la mayoría.

–¿De dónde proviene?

–Es un inmigrante, su país de origen figura ahí.

–Dice "no revelado".

–Por lo general, eso significa que la persona ha huido de un régimen autoritario, casi siempre fascista o comunista. A esas personas las protegemos, si representan una contribución para nuestra sociedad. Resulta evidente que él lo es.

–*Sahibe al Farrahkhaliffe* –dijo Weingrass, subrayando cada una de las partes del nombre–. ¿Qué nacionalidad es esa?

–No tengo idea. En parte africana, es evidente; en parte árabe, más evidente aún. Resulta coherente.

–¡*Error*, amigo! –exclamó Manny, sobresaltando a todos los que estaban en las dos habitaciones–. ¡Es un puro alias *fraudulento*, norteamericano! Si es quien creo, ¡es un negro hijo de puta de Chicago, que fue expulsado por su propia *gente*! Se enfurecieron porque había depositado el dinero de ellos, unos veinte *millones*, dicho sea de paso, en cómodos bancos de este lado del Atlántico. Hace unos dieciocho, veinte años, era un fanático arrollador, muy fogoso, llamado Al Farrah... su podrido ego no le permitió abandonar esa parte de su pasado, la parte del coro de "aleluyas". Sabíamos que el gran tipo estaba en el directorio de una importante corporación, pero no sabíamos en cuál. Además, buscábamos por el lado equivocado. ¿Kartum? ¡Un *cuerno*! ¡En el barrio sur de *Chicago*! Ahí está tu *Mahdí*.

–¿Está *seguro*? –preguntó Hassán, desde la arcada–. ¡La acusación es terrible!

–Estoy seguro –dijo Weingrass con voz tranquila–. Habría debido matar al canalla en esa tienda de Basrah.

–¿Perdón? –El funcionario de Bahrein estaba visiblemente sacudido.

–No importa...

–¡Nadie ha salido del edificio Sahalhuddin! –dijo Gris, adelantándose hasta la arcada.

–¿Estás seguro?

–Le pagué a un conductor de taxi, muy dispuesto a aceptar una suma de dinero considerable, a la cual se agregaría algo más, si hacía lo que pedía. Lo llamo cada tantos minutos, a un teléfono no público. Los dos coches están todavía ahí.

–¿Puedes confiar en él? –preguntó Yaakov desde su silla.

–Tengo su nombre y su número de licencia.

–¡Eso no significa nada! –protestó Manny.

–Le dije que si mentía, lo encontraría y lo mataría.

–Retiro mi afirmación, Campanilla.

–*¿Quieres...?*

–Cállate. ¿Qué parte del Sahalhuddin ocupa la compañía Zareeba?

–Los dos pisos de arriba, si no me equivoco. Los pisos de abajo son arrendados por sus subsidiarias. Zareeba es la propietaria del edificio.

–Muy conveniente –dijo Weingrass–. ¿Puedes conseguirnos los planos estructurales al día, incluidos los sistemas de seguridad y contra incendios? Esas cosas las entiendo bastante bien.

–¿A *esta* hora? –exclamó el funcionario–. ¡Son las tres de la mañana pasadas! No sabría *cómo...*

–Prueba con un millón de dólares norteamericanos –interrumpió Manny con suavidad–. Te los enviaré desde París. Palabra.

–¿Qué?

–Divide la suma como te parezca. El que está ahí es mi *hijo. Consíguelos.*

El pequeño cuarto estaba a oscuras, la única luz eran los blancos rayos de la luna que entraban por una ventana situada muy arriba, en la pared... demasiado alta para llegar a ella, porque no había muebles, fuera de un catre bajo, con la lona rasgada. Un guardia le había dejado una botella de *seebertoo ahbyahd*, un entumecedor whisky local, para sugerir que lo que le esperaba era mejor enfrentarlo en el atontamiento de una borrachera. Se sintió tentado; estaba asustado, el miedo lo consumía, lo hacía sudar hasta el punto de dejarle la camisa empapada, el cabello mojado. Lo que le impedía descorchar la botella y apurarla eran los restos de la furia... y un último acto que quería ejecutar. Lucharía con toda la violencia que pudiese reunir, con la esperanza, tal vez, en el fondo de la mente, de una bala que lo terminase todo con rapidez.

Cristo, ¿cómo pudo pensar alguna vez que lo lograría? ¿Qué le hizo creer que estaba capacitado para hacer lo que personas más experimentadas consideraban un acto suicida? Por supuesto, la pregunta era la respuesta: *era* un poseso. Le quemaban los ardientes vientos del odio; si no lo hubiese intentado, lo habrían consumido. Y no había fracasado del todo; perdería la vida, pero sólo porque logró cierta proporción de éxito. ¡Había *probado* la existencia del Mahdí! Había abierto una senda por la densa selva del engaño y la manipulación. Otros lo seguirían; eso ofrecía algún consuelo.

Volvió a mirar la botella, el blanco líquido que lo sacaría de eso. Sin darse cuenta, movió la cabeza con lentitud, de atrás hacia adelante. El Mahdí había dicho que sus gestos eran tan patéticos como sus palabras. Nada sería patético en ese avión que volaría sobre los bajíos de Qatar.

Cada uno de los soldados de la Brigada Masada había entendido desde el principio, y cada uno revisó la cinta de plástico que le envolvía la muñeca izquierda, para asegurarse de que la pequeña cápsula de cianuro se encontraba dentro de su burbuja visible. Nadie llevaba documentos, ni pista alguna de identificación; sus ropas de "trabajo", hasta los zapatos y los burdos botones de los pantalones, habían sido compradas por agentes del Mossad en Benghazi, Libia, el centro nuclear de reclutamiento de terroristas. En esos días de sustancias químicas inyectadas, las anfetaminas y las escopolaminas, ningún miembro de la unidad Masada podía permitirse el lujo de ser capturado con vida cuando sus acciones pudiesen ser vinculadas, siquiera en forma remota, con los sucesos de Omán. Israel no podía permitirse que se lo responsabilizara por la matanza de doscientos treinta y seis rehenes norteamericanos, y era preciso evitar el espectro de la intromisión israelí, aun al costo del impío suicidio de cada hombre enviado al sudoeste de Asia. Cada uno de ellos entendía; cada uno había presentado la muñeca en el aeropuerto de Hebrón, para que el médico asegurase la cinta de plástico. Cada uno miró cuando el médico se llevó rápidamente la mano izquierda a la boca, donde se unieron los duros dientes y la blanda burbuja redonda. Un rápido mordisco produjo la muerte.

El Tuijar se encontraba desierto, la calle y las lámparas envueltas en bolsones de neblina que llegaba del Golfo Pérsico. El edificio conocido con el nombre de Sahalhuddin se hallaba a oscuras, con excepción de varias oficinas iluminadas en el último piso, y cinco pisos más abajo, el apagado resplandor de las luces de neón del vestíbulo, al otro lado de las puertas de vidrio de la entrada, donde un hombre aburrido leía un periódico ante un escritorio. Junto a la acera estaba aparcado un pequeño sedán azul y una limusina negra. Dos guardias privados, uniformados, negligentes, estaban delante de las puertas, lo cual significaba que era probable que también hubiese seguridad en la parte trasera del edificio. La había: un solo hombre. Gris, Negro y Rojo volvieron al destartalado taxi aparcado a doscientos metros hacia el oeste, en la esquina del camino Al Mothanna. Adentro, en el asiento trasero, se hallaba el herido Yaakov; adelante, Ben-Ami y Emmanuel Weingrass, este último estudiando todavía, bajo las luces del tablero, los planes estructurales del edificio. Gris comunicó la información por una ventanilla abierta; Yaakov les dio sus instrucciones.

–Tú, Negro y Rojo, ocúpense de los guardias y entren. Gris, tú síguelos con Ben-Ami y corta los cables...

–¡Espera, Aguila! –dijo Weingrass, volviéndose en el asiento delantero–. Esta reliquia del Mossad que tengo sentada a mi lado no sabe nada de sistemas de alarma, salvo, tal vez, cómo ponerlos en funcionamiento.

–Eso no es del todo cierto, Manny –protestó Ben-Ami.

–¿Puedes seguir cables precodificados, hasta donde han sido modificados adrede, a fin de llevarlos a receptáculos falsos, para gente como tú? ¡Desencadenarías un festival italiano! Yo iré con ellos.

–*Señor Weingrass* –apremió Azul desde el asiento trasero–. Supongamos que empiezas a toser... que tienes uno de esos ataques que hemos presenciado con tanta tristeza...

–No lo haré –respondió el arquitecto con sencillez–. Ya te dije que el que está ahí es mi hijo.

–Le creo –dijo Gris desde la ventanilla–. Y yo soy quien tendrá que pagar si me equivoco.

–Te estás convenciendo, Campanilla.

–¿Quieres hacer el *favor*...?

–Oh, cállate. Vamos.

Si hubiese existido a esa hora, un observador desinteresado en el Tuijar, los minutos siguientes le habrían parecido los complicados movimientos de un gran reloj, en el cual cada rueda dentada hacía girar otra, que a su vez comunicaba movimiento al frenético impulso del mecanismo, aunque ningún diente abandonaba la secuencia o hacía un movimiento en falso.

Rojo y Negro eliminaron a los dos guardias privados de adelante, antes que ninguno de ellos supiese que existía una presencia hostil a cien metros de él. Rojo se quitó la chaqueta, se introdujo en la chaquetilla de uno de los guardias, la abotonó, se puso la gorra con visera, se la caló y corrió con rapidez a las puertas de vidrio, donde dio unos golpecitos ligeros, apoyando la mano izquierda en las nalgas, suplicando, en las sombras, con gestos humorísticos, que se le permitiera entrar para aliviarse. Los intestinos exigentes son una calamidad universal; el hombre de adentro rió, dejó el periódico y oprimió un botón en el escritorio. Activada la chicharra, Rojo y Negro entraron a la carrera, y antes que el recepcionista nocturno se diese cuenta del error que había cometido, estaba inconsciente, tendido en el suelo de mármol. Gris los siguió, arrastrando a un guardia desvanecido, por la puerta de la izquierda, que sostuvo antes de que se cerrase, y detrás de él iba Emmanuel Weingrass, llevando la chaqueta abandonada por Rojo. Al instante, Negro salió corriendo en busca del segundo guardia, mientras Weingrass mantenía abierta la puerta. Todos adentro, Rojo y Gris maniataron y amordazaron a los tres hombres de seguridad, detrás del amplio escritorio de recepción, mientras Negro sacaba del bolsillo una larga jeringa, le quitaba el protector de plástico, comprobaba el nivel de contenido e inyectaba a cada uno de los árabes inconscientes en la base del cráneo. Los tres comandos arrastraron luego a los tres inmóviles empleados del Sahalhuddin a los rincones más lejanos del vasto vestíbulo.

–¡Sal de la *luz*! –susurró Rojo; la orden iba dirigida a Weingrass–. ¡Ve al vestíbulo, junto a los ascensores!

–¿Qué...?

–¡Oigo algo afuera!

–*¿Sí?*

–Dos o tres personas, tal vez. *¡Rápido!*

Silencio. Y al otro lado de las gruesas puertas de vidrio, dos norteamericanos evidentemente bebidos se tambaleaban en el pavimento; las palabras de una melodía familiar se escucharon, más bien habladas con suavidad que cantadas. *A las mesas de Mory, al lugar que tanto amamos...*

–Hijos de puta, ¿los *escuchaste*? –preguntó Weingrass, impresionado.

–Ve a la puerta de atrás –dijo Gris a Negro–. ¿Conoces el camino?

–Miré los planos... por supuesto que lo conozco. Esperaré tu señal y eliminaré al último. Mi elixir mágico todavía está hasta la mitad. –Negro desapareció por un corredor del sur, mientras Gris cruzaba a la carrera el vestíbulo del Sahalhuddin; Weingrass estaba ahora delante de él, rumbo a la puerta de acero que comunicaba con el sótano del edificio.

–*¡Mierda!* –exclamó Manny–. ¡Está con llave!

–Era de esperar –dijo Gris, sacando del bolsillo una cajita negra y abriéndola–. No es un problema. –El comando sacó de la caja un gel que tenía la consistencia de la arcilla, lo pegó en torno de la cerradura e insertó una mecha de dos centímetros.– Atrás, por favor. No estallará, pero el calor es intenso.

Weingrass observó con asombro cuando el gel adquirió primero un color rojo intenso al encenderse, y luego el azul más azul que hubiese visto nunca. El acero se derritió ante su vista, y todo el mecanismo de la cerradura cayó al suelo.

–Eres un *campeón*, Campa...

–¡No lo *digas*!

–Vamos –aceptó Manny. Encontraron el sistema de seguridad; se encontraba contenido en una enorme plancha de acero, en el extremo norte del complejo subterráneo del Sahalhuddin.– Es un Guardián perfeccionado –pronunció el arquitecto, y sacó del bolsillo izquierdo un par de pinzas para cortar cables–. Hay dos falsos receptáculos por cada seis cables... cada cable cubre de quince a veinte mil pies cuadrados de posible entrada... lo cual, considerando las dimensiones de la estructura, equivale, tal vez, a no más de dieciocho cables.

–Dieciocho cables –repitió Gris, vacilante–. Eso significa seis falsos receptáculos.

–Así es, Campa... Olvídalo.

–Gracias.

–Si cortamos uno de esos, tenemos un grupo de rock aturdiendo a toda la calle.

–¿Cómo puedes saberlo? Dijiste que los cables precodificados habían sido alterados... para aficionados como Ben-Ami. ¿Cómo *puedes* saberlo?

–Por cortesía de los mecánicos, amigo mío. Los haraganes que trabajan en estas cosas detestan tener que leer diagramas, de modo que hacen más fáciles las cosas, para ellos o para cualquiera que tenga que ocuparse del servicio de los sistemas. En cada cable falso ponen una marca, generalmente con pinzas, arriba, en dirección de la terminal principal. De ese modo, se presentan después de instalar el sistema y dicen que se pasaron una hora buscando los falsos, porque los diagramas no eran claros... nunca lo son.

–¿Supongamos que te equivocas, señor Weingrass? ¿Supongamos que aquí hubo un "mecánico" honrado?

–Imposible. No abundan –replicó Manny, y sacó del bolsillo derecho una linterna pequeña y un formón–. Vamos, quita la plancha, tenemos más o menos de ochenta a noventa segundos para cortar doce conductores. ¿Te lo imaginas? Ese canalla, Hassán, dijo que estas baterías son débiles. *¡Vamos!*

–Puedo usar *plastique* –dijo Gris.

–¿Y con ese calor poner en funcionamiento todas las alarmas, incluido el sistema de rociado contra incendios? *¡Meshuga!* Te enviaré de vuelta a la *shul*.

–Me estás haciendo enojar *mucho*, señor...

–Cállate. Haz tu trabajo, te conseguiré una medalla. –El arquitecto tendió a Gris el formón que había tomado de Hassán, sabiendo, por los planos de seguridad del Sahalhuddin, que haría falta.– Hazlo rápido, estas cosas son muy sensibles.

El comando insertó el formón debajo del cierre de la plancha, y con la fuerza de tres hombres normales empujó hacia adelante, haciendo saltar la plancha.

–¡Dame la linterna! –dijo el israelí–. ¡Tú busca los cables!

Uno a uno, ansioso, Emmanuel Weingrass pasó de derecha a izquierda, con el haz de luz en cada cable de color. *Ocho, nueve, diez... once*.

–¿Dónde está el *doce*? –gritó Manny–. ¡Encontré todos los falsos conductores! ¡Tiene que haber uno *más*! ¡Sin eso se activarán *todos*.

–*Aquí*. ¡Hay una marca aquí! –exclamó Gris, tocando el séptimo cable–. Está al lado del tercer conductor falso. ¡Te lo *salteaste*!

–¡Lo *tengo*! –Weingrass se derrumbó de golpe en un acceso de tos; se dobló en el suelo, esforzándose, más allá de su capacidad de resistencia, por detener el ataque.

–Adelante, señor Weingrass –dijo Gris con suavidad, tocando el delgado hombro del anciano–. Suéltalo. Nadie puede oírte.

–Prometí que *no*...

–Hay promesas cuyo cumplimiento está fuera de nuestras posibilidades, señor.

–¡Deja de ser tan podridamente *cortés*! –Manny tosió en su último espasmo, y con torpeza, dolorido, se puso de pie. El comando, adrede, no le prestó ayuda.– Muy bien, soldado –dijo Weingrass, haciendo una profunda inspiración–. El lugar es seguro... desde nuestro punto de vista. Busquemos a mi muchacho.

Gris se mantuvo en su lugar.

–A pesar de tu personalidad menos que generosa, señor, te respeto

–dijo el israelí–. Y en nombre de todos nosotros, no puedo permitirte que nos acompañes.

–*¿Cómo?*

–No sabemos qué hay en los pisos de arriba.

–*Yo* sí, hijo de puta. ¡Mi *muchacho* está arriba! Dame una pistola, Campanilla, ¡o enviaré un telegrama al Ministro de Defensa de Israel para decirle que eres dueño de un criadero de *cerdos*! –Weingrass propinó de pronto un puntapié en los tobillos al comando.

–¡Incorregible! –masculló Gris, sin mover la pierna–. *¡Imposible!*

–*Vamos, bubbelah*. Una pistolita. Sé que tienes una.

–Por favor, no la uses a menos de que yo te lo diga –dijo el comando, y se levantó la pernera izquierda del pantalón y dejó al descubierto el pequeño revólver asegurado detrás de la rodilla.

–Por cierto, ¿nunca te dije que yo formé parte de la Haganah?

–¿La *Haganah*?

–Seguro. Yo y Menahem estuvimos en una cantidad de luchas duras...

–Menahem nunca formó parte de la *Haganah*...

–Debe de haber sido otro calvo. ¡Ven, vamos!

Ben-Ami, con la Uzi entre las manos, en las sombras de la entrada del Sahalhuddin, se mantenía en comunicación por radio.

–¿Pero, por qué está él *contigo*? –preguntó el agente del Mossad.

–¡Porque es un hombre imposible! –replicó la voz irritada de Gris.

–¡Esa *no* es una respuesta! –insistió Ben-Ami.

–No tengo otra. *Fuera*. Hemos llegado al sexto piso. Me comunicaré contigo cuando resulte factible.

–Entendido.

Dos de los comandos flanqueaban las amplias puertas de la derecha del descansillo; el tercero se encontraba en el otro extremo del corredor, fuera de la única otra puerta que mostraba luz por la hendidura de abajo. A desgana, Emmanuel Weingrass permanecía en la escalinata de mármol; su ansiedad le producía ruidos en el pecho, pero su decisión los reprimía.

–*¡Ahora!* –susurró Gris, y ambos hombres abrieron la puerta de golpe, con los hombros, y en el acto se dejaron caer al suelo cuando dos árabes de túnica, uno en cada extremo de la habitación, se volvieron y dispararon sus armas de repetición. No podían competir con las Uzis; ambos cayeron con dos ráfagas de las pistolas ametralladoras israelíes. Un tercer hombre y un cuarto echaron a correr, uno de túnica blanca, desde atrás del enorme escritorio de ébano, el otro desde el costado izquierdo.

–*¡Deténgase!* –gritó Gris–. ¡O morirán los *dos*!

El hombre de piel oscura, con la vestimenta de una lujosa aba, permaneció inmóvil, con los ojos enfurecidos, clavados en el israelí.

–¿Tienen la menor idea de lo que han *hecho*? –preguntó en voz baja, amenazadora–. La seguridad de este edificio es la mejor de Bahrein. Las autoridades estarán aquí en pocos minutos. Dejen sus armas o serán *muertos*.

–¡Hola, *basura*! –gritó Emmanuel Weingrass, entrando en la habitación trabajosamente, como ocurre con los ancianos cuando sus piernas no funcionan tan bien como antes, en especial después de una gran excitación–. El sistema no es tan bueno, y menos cuando han subcontratado quinientos o seiscientos.

–*¿Tú?*

–¿Y quién, si no? Habría debido hacerte volar hace años, en Basrah. Pero sabía que mi muchacho volvería para buscarte, *escoria* de la tierra. Sólo era cuestión de tiempo. ¿Dónde *está*?

–Mi vida por la de él.

–No estás en condiciones de negociar...

–Tal vez *sí* –interrumpió el Mahdí–. Está en camino a un aeródromo no identificado, donde un avión lo llevará hacia el mar. Punto de destino: los bajíos de Qatar.

–Los *tiburones* –dijo Weingrass en voz baja, con furia fría.

–En efecto. Una de las ventajas de la naturaleza. Y bien, ¿negociamos? Sólo yo puedo detenerlos.

El anciano arquitecto, tembloroso el cuerpo frágil, mientras hacía una profunda inspiración, miró al hombre alto, negro, de túnica, y respondió, con voz densa:

–Negociamos. Y por Dios todopoderoso, será mejor que me lo entregues, o te perseguiré con un ejército de mercenarios.

–Siempre fuiste un judío tan melodramático, ¿verdad? –El Mahdí miró su reloj.– Hay tiempo. Como es habitual en esos vuelos, no puede haber contacto radial tierra-aire, ni un examen forense posterior de un avión. Tienen que levantar vuelo con la primera luz. Una vez afuera, haré el llamado; el avión no partirá, pero sí lo harán tú y tu pequeño ejército de lo-que-sean.

–Ni pienses siquiera en alguna triquiñuela, bola de estiércol... Es un trato.

–*¡No!* –Gris sacó el cuchillo y se lanzó sobre el Mahdí, tomándolo de las ropas y derribándolo sobre el escritorio.– *No* hay condiciones, ni *tratos*, ni negociaciones de *ninguna* clase. ¡Sólo se trata de tu vida en este momento! –Gris clavó la punta de su hoja en la carne de abajo del ojo izquierdo del hombre de Chicago. El Mahdí aulló cuando la sangre le corrió por la mejilla y le entró en la boca abierta.– ¡Haz tu llamado *ahora*, o pierdes primero *este* ojo y luego el *otro*! Y después de eso no te importará dónde penetre mi cuchillo; no lo verás. –El comando estiró el brazo, tomó el teléfono del escritorio y lo depositó con un golpe al lado de la cabeza sangrante.– ¡Este es tu negocio, *escoria*! Dame el número. Yo discaré... nada más que para asegurarme de que es un aeródromo y no algún cuartel privado. *¡Dámelo!*

–*¡No...* no, no *puedo*!

–¡Voy a clavar la hoja!

–¡No, *espera*! ¡No hay tal aeródromo, no hay un avión!

–*¡Mentiroso!*

–*Ahora* no. *Más tarde*.

–¡Pierdes tu primer ojo, *embustero*!

–¡Está aquí! ¡Por Dios, *deténte*! ¡Está *aquí!*

–*¿Dónde?* –rugió Manny, corriendo hacia el escritorio.

–En el ala oeste... hay una escalera en el vestíbulo, a la derecha, un pequeño sector de depósito debajo del techo...

Emmanuel Weingrass no escuchó nada más. Salió corriendo de la habitación, gritando con todo el aliento que le quedaba.

–¡Evan! *¡Evan!*

Tenía alucinaciones, pensó Kendrick; una persona muy querida para él, desde el pasado, lo llamaba, le daba valor. El singular privilegio de un hombre condenado, consideró. Levantó la vista desde el catre, hacia la ventana; la luna se alejaba, su luz se iba apagando. No vería otra luna. Pronto no habría otra cosa que oscuridad.

–¡Evan! *¡Evan!*

Era tan de Manny. Siempre había estado ahí, cuando su joven amigo lo necesitaba. Y al final estaba ahí para darle consuelo. *Oh Señor, Manny, ¡espero que de alguna manera te enteres de que he vuelto! Que por último te escuché. ¡Lo encontré, Manny! ¡Otros también lo encontrarán, lo sé! Por favor, ten un poco de orgullo de mí...*

–¡Maldición, Kendrick! ¿Dónde diablos *estás*?

¡*Esa* voz no era una alucinación! Ni las ruidosas pisadas en la escalera! ¡Y *otras* pisadas! *Cristo*, ¿ya estaba *muerto*?

–¿Manny...? *¿Manny?* –gritó.

–¡Aquí está! ¡Esta es la habitación! ¡Derríbala, musculoso!

La puerta del cuartito estalló con el ruido de un trueno ensordecedor.

–*¡Maldito seas*, muchacho! –exclamó Emmanuel Weingrass, al ver que Kendrick se levantaba, tambaleándose, de su catre carcelario–. ¿*Esta* es la forma de comportarse de un respetable parlamentario? ¡Me pareció que te había *enseñado* mejores modales!

Con lágrimas en los ojos, padre e hijo se abrazaron.

Se encontraban todos en la sala occidentalizada de Hassán, en las afueras de la ciudad. Ben-Ami había monopolizado el teléfono desde que Weingrass lo abandonó, después de una prolongada llamada a Mascate y una animada conversación con el joven sultán, Ahmat. Dos metros más allá, en torno de la gran mesa del comedor, se hallaban sentados siete funcionarios que representaban a los gobiernos de Bahrein, Omán, Francia, el Reino Unido, Alemania Occidental, Israel y la Organización de Liberación Palestina. Según se había convenido, no había un representante de Washington, pero no existía nada que temer en términos de los intereses clandestinos de Norteamérica, en lo relativo a cierto parlamentario. Emmanuel se encontraba en esa mesa, sentado entre el israelí y el hombre de la OLP.

Evan se hallaba al lado del herido Yaakov, ambos en butacas, uno junto al otro, cortesía para los dos más doloridos. Habló Azul.

–Escuché tus palabras en el Aradous –dijo con tono suave–. He estado pensando en ellas.

–Eso es lo único que te pido que hagas.

–Resulta difícil, Kendrick. Hemos sufrido tanto, no *yo*, por supuesto, sino nuestros padres y madres, nuestros abuelos y abuelas...

–Y varias generaciones, antes que ellos –agregó Evan–. Nadie que tenga una pizca de inteligencia o sensibilidad puede negarlo. Pero en cierto modo, también *ellos*. Los palestinos no fueron responsables de los pogroms del Holocausto, pero como el mundo libre se encontraba henchido de culpa –como era muy *justo* que lo estuviera–, se convirtieron en las nuevas víctimas, sin saber por qué.

–Lo sé. –Yaakov movió la cabeza con lentitud, asintiendo–. He oído a los fanáticos de la Orilla Oeste y de Gaza. He escuchado a los Meir Kahanes, y me asustan tanto...

–¿Te asustan?

–Por supuesto. Usan las palabras que se usaron contra nosotros durante, digamos, generaciones... ¡Y sin embargo *matan*! ¡Mataron a mis dos hermanos, y a tantos otros, incontables...!

–Eso debe detenerse en algún momento. Es un derroche tan espantoso.

–Tengo que pensar.

–Es un comienzo.

Los hombres de alrededor de la mesa del comedor se pusieron bruscamente de pie. Se saludaron unos a otros con la cabeza, y cruzaron, de a uno, la sala, hacia la puerta del frente, rumbo a sus coches, sin reconocer la presencia de nadie más en la casa. El huésped, Hassán, cruzó la arcada y habló a sus últimos invitados. Al principio resultó difícil escuchar sus palabras, ya que Emmanuel Weingrass se encontraba doblado en dos, en el comedor, con un acceso de tos. Evan comenzó a ponerse de pie. Yaakov meneó la cabeza y tomó a Kendrick del brazo. Evan entendió, asintió y volvió a sentarse.

–La embajada norteamericana de Mascate será desalojada dentro de tres horas. Los terroristas serán escoltados a un barco, en el muelle, proporcionado por el Sahibe al Farrahkhliffe.

–¿Y qué pasa con *él?* –preguntó Kendrick, colérico.

–En esta habitación, y *sólo* en ella, se dará esa respuesta. La Casa Real me ha dado orden de informar que no debe salir de aquí. ¿Queda eso entendido y aceptado?

Todas las cabezas asintieron.

–Sahibe al Farrahkhliffe, a quienes ustedes conocen como el Mahdí, será ejecutado sin juicio ni sentencia, por sus crímenes contra la humanidad, tan injuriosos, que no merecen la dignidad de la jurisprudencia. Como dicen los norteamericanos, lo haremos "a nuestra manera".

–¿Puedo hablar? –preguntó Ben-Ami.

–Por supuesto –respondió Hassán.

–Se han hecho arreglos para que mis colegas y yo volemos de regreso a Israel. Como ninguno de nosotros tiene pasaporte ni documentos, el Emir ha proporcionado un avión y procedimientos especiales. Debemos estar en el aeropuerto a la hora en punto. Deben perdonarnos por nuestra brusca partida. Vamos, caballeros.

–Deben perdonarnos a *nosotros* –dijo Hassán, asintiendo–. Por no disponer de los medios para agradecerles.

–¿Tienes algo de whisky? –preguntó Rojo.

–Lo que quieras.

–Cualquier cosa de la cual puedas prescindir. Es un viaje largo, terrible, el del regreso, y *odio* volar. Me asusta.

Evan Kendrick y Emmanuel Weingrass se encontraban sentados uno al lado del otro, en sendas butacas, en la sala de Hassán. Esperaban sus instrucciones de un acosado, aturdido embajador norteamericano, a quien sólo se le permitía comunicarse por teléfono. Era como si los dos viejos amigos nunca se hubieran separado... el estudiante muchas veces desconcertado y el profesor estridente. Pero el estudiante era el jefe, y el maestro entendía.

–Ahmat debe de estar volando en el espacio, de puro alivio –dijo Evan, bebiendo coñac.

–Un par de cosas lo retienen en tierra.

–¿Sí?

–Parece que hay un grupo que quería librarse de él, enviarlo de regreso a Estados Unidos, porque consideraban que era demasiado joven e inexperto para manejar las cosas. El los llamó sus arrogantes príncipes mercaderes. Los ha hecho ir a palacio para enderezarlos.

–Ese es un tema. ¿Qué más?

–Existe otro grupo que quería tomar las cosas en sus manos, hacer volar la embajada, si era preciso, cualquier cosa, con tal de recuperar su país. Son los chiflados de las ametralladoras; y también son los que reclutó Op Cons para sacarte del aeropuerto.

–¿Qué piensa hacer él con ellos?

–No mucho, a menos que quieras que tu nombre sea pronunciado a gritos desde los minaretes. Si los convoca, mencionarán a gritos sus vinculaciones con el Departamento de Estado, y todos los dementes de Medio Oriente tendrán otro caos.

–Ahmat sabe lo que debe hacer. Dejarlos en paz.

–Hay un último elemento, y eso tiene que hacerlo él solo. Tiene que hacer volar ese barco, y matar a todos los canallas asquerosos.

–*No*, Manny, esa no es la manera. La matanza seguiría y seguiría...

–¡Te equivocas! –gritó Weingrass–. *¡Te equivocas!* ¡Se pueden tomar medidas ejemplarizadoras una y otra *vez*, hasta que todos ellos conozcan el precio que deben pagar! –De pronto el anciano arquitecto fue presa de una tos prolongada, resonante, espasmódica, que provenía de las cavidades más hondas e irritadas del pecho. El rostro se le enrojeció, y las venas del cuello y la frente se destacaron, azules.

Evan apretó el hombro de su amigo, para sostenerlo.

–Hablaremos de eso más tarde –dijo cuando la tos cesó–. Quiero que vuelvas conmigo, Manny.

–¿Por *esto*? –Weingrass negó con la cabeza, a la defensiva.– Es nada más que un resfrío de pecho. Un tiempo horrible en Francia, eso es todo.

–No pensaba en eso –mintió Evan, y deseó que su mentira fuese convincente–. Te necesito.

–¿Para qué?

–Puede que me ocupe de varios proyectos, y quiero tu asesoramiento. –Era otra mentira, más floja, de modo que agregó, enseguida:– Además, mi casa tiene que ser remodelada por completo.

–Me parecía que acababas de construirla.

–Estaba en otras cosas, y no presté mucha atención. El diseño es terrible; no veo la mitad de las cosas que supuestamente debía ver, las montañas y los lagos.

–Nunca fuiste muy competente para la lectura de la esquemática exterior.

–Te necesito. Por favor.

–Tengo otras cosas que hacer en París. Debo enviar dinero, di mi palabra.

–Envía el mío.

–¿Un millón?

–Diez, si quieres. Estoy aquí, y no en la panza de un tiburón... No voy a rogártelo, Manny, pero por favor, te necesito *de veras*.

–Bueno, tal vez por una o dos semanas –dijo el irascible anciano–. También en París me necesitan, sabes.

–Los precios brutos caerán en toda la ciudad, ya lo *sé* –replicó Evan, con suavidad, aliviado.

–¿Qué?

Por fortuna sonó el teléfono, e impidió que Kendrick tuviese que repetir la frase. Habían llegado las instrucciones.

–Soy el hombre a quien no conoces, con quien nunca hablaste –dijo Evan en el teléfono público, en la Base Andrews de la Fuerza Aérea, en Virginia–. Me dirijo a los rápidos y las montañas, donde estuve en los últimos cinco días. ¿Entendido?

–Entendido –respondió Frank Swann, director delegado de Operaciones Consulares del Departamento de Estado–. Ni siquiera intentaré agradecerte.

–No lo hagas.

–No puedo. No conozco tu nombre.

ULTRAMAXIMO SEGURO
NO HAY INTERCEPTACIONES
ADELANTE

La figura se encorvaba sobre el teclado, con ojos vivaces, mente despierta, aunque tenía el cuerpo agobiado por el cansancio. Inspiraba con fuerza, como si cada inspiración pudiese mantener su cerebro en funcionamiento. Hacía casi cuarenta y ocho horas que no dormía, a la espera de los acontecimientos de Bahrein. Había habido un oscurecimiento, una suspensión de las comunicaciones... silencio. El pequeño círculo del personal del Departamento de Estado y de la Agencia Central de Inteligencia que debía recibir informaciones, también respiraba profundamente, sin duda, pensó, aunque antes no lo hacían. Antes contenían el aliento. Bahrein representaba el duro filo irreversible de lo definitivo, con un final nada claro. Pero ya no. Todo había terminado, y el blanco se encontraba en vuelo. Había ganado. La figura se dedicó a tipear.

Nuestro hombre lo ha logrado. Mis dispositivos están extáticos, porque si bien se negaron a comprometerse, indicaron que él podía llegar a tener éxito. A su manera inanimada, también contemplaron mi visión.

El blanco llegó esta mañana, en forma muy encubierta, creyendo que todo ha terminado, que su vida volverá a su anormal normalidad, pero se equivoca. Todo está en su lugar, y los registros se encuentran redactados. Es preciso encontrar los medios, y se los encontrará. Caerá el rayo, y él será la pantalla que cambie a una nación. Para él, todo ha comenzado apenas.

LIBRO SEGUNDO

ULTRAMAXIMO SEGURO
NO HAY INTERCEPTACIONES
ADELANTE

¡Los medios han sido hallados! Como en las antiguas escrituras védicas, un dios de fuego ha llegado como mensajero para el pueblo. Se ha hecho conocer ante mí, y yo ante él. El expediente de Omán está completo. ¡Todo! Y lo obtuve por medio del acceso y la penetración, y se lo entregué todo. Es un hombre notable, como creo, en forma realista, como lo soy yo, y él tiene una abnegación que iguala a la mía.

Con el expediente completado, e ingresado en su totalidad, termina este diario. Está a punto de iniciarse otro.

16

Un año más tarde
Domingo 20 de agosto, 8 y 30 p.m.

Una a una, como silenciosas carrozas graciosas, las cinco limusinas habían depositado a sus dueños delante de los escalones de mármol que conducían a la entrada, con su columnata, de la finca de las orillas de la bahía de Chesapeake. Quienes llegaban lo hacían distanciados entre sí, de modo que los mirones, repentinamente curiosos, no recibían una sensación de urgencia, ya sea en la carretera o por las calles de la opulenta aldea de la costa oriental de Maryland. Era apenas otra tranquila reunión social de los inmensamente ricos, una visión corriente de ese enclave de los agentes del poderío financiero. Un próspero banquero local podía mirar por su ventana y ver el paso de las relucientes limusinas, y abrigar el deseo de tener el privilegio de escuchar la conversación de los hombres mientras bebían su coñac o jugaban al billar, pero ese era el límite de sus cavilaciones.

Los inmensamente ricos eran generosos con su ambiente extraurbano, y la gente del pueblo era más rica gracias a ellos. Las migajas de sus mesas proporcionaban con frecuencias premios adicionales: estaban los ejércitos de domésticos y jardineros cuyos parientes abultaban las listas de pagos, sin provocar jamás una queja de los dueños, siempre que las fincas estuviesen bien cuidadas, cuando regresaran de Londres, París o Gstaad. Y para quienes se encontraban en la escala ascendente de las profesiones, estaba de vez en cuando el dato bursátil, frente a un trago amistoso en la taberna comercialmente pintoresca del centro de la ciudad. Los banqueros, los comerciantes y los residentes siempre respetuosos sentían afecto por sus señores, protegían, con tranquila firmeza, la intimidad de esos distinguidos hombres y mujeres. Y si la protección de esa intimidad significa, en ocasiones, violar una que otra ley, el precio resultaba ínfimo, y en cierto sentido era moral, si se tenía en cuenta la forma en que los traficantes de murmuraciones lo retorcían todo, en forma desproporcionada, para vender sus periódicos y revistas. El hombre de la calle podía emborracharse perdidamente, o tener una riña sangrienta con su esposa o su vecino, o aun sufrir un accidente automovilístico, y nadie le sacaba fotos grotescas para difundirlas en los periódicos sensacionalistas. ¿Por qué se elegía a los ricos para ofrecer material de lectura espeluznante a personas que no poseían ni una pizca del talento de ellos? Los ricos *eran* diferentes. Daban trabajo y hacían generosas contribuciones a las campañas de caridad, y a menudo lograban que la vida fuese un poco más fácil para aquéllos con quienes entraban en contacto, y entonces, ¿por qué habría de perseguírselos?

Esa era la lógica de la gente del pueblo. Resultaba ser una pequeña comodidad para la policía local, y mantenía sus libros más limpios; producía relaciones más armoniosas. Y además creaba una cantidad de secretos bien guardados en ese enclave privilegiado en el cual se encontraba situada la finca de la bahía de Chesapeake.

Dentro de la inmensa casa, en el ala más próxima al agua, la biblioteca, de alto cielo raso, era masculina. Predominaban el cuero y la madera lustrada, en tanto que ventanas catedralicias daban hacia los esculpidos terrenos de afuera, iluminados por reflectores, y los anaqueles, de dos metros de alto, formaban una imponente pared de conocimientos, allí donde lo permitía el espacio. Sillones de suave cuero castaño, con lámparas de pie a sus costados, flanqueaban las ventanas; en el extremo derecho del aposento había un amplio escritorio de madera de cerezo, y detrás de él una silla giratoria, de cuero negro y respaldo alto. Para completar los aspectos típicos de la habitación, había una gran mesa circular en el centro, lugar de reunión para conferencias que necesitaban la seguridad del ambiente campestre.

Pero con esos muebles y ese ambiente terminaban las apariencias corrientes, y se hacía evidente lo extraordinario, si no lo extraño. En la superficie de la mesa, delante de cada asiento, había una lámpara de bronce, con la luz dirigida hacia un anotador amarillo, de tamaño oficio, que formaba parte del decorado. Era como si los pequeños círculos de luz intensa hicieran que a quienes rodeaban la mesa les resultara más fácil concentrar la atención en las anotaciones que hacían, sin la distracción de las caras –y los ojos– iluminados a pleno, de quienes se encontraban al lado o enfrente. Porque no había otras luces en la habitación; los rostros entraban en las sombras o salían de ellas, las expresiones eran discernibles, pero no para un examen prolongado. En el extremo occidental de la biblioteca, adosado a la moldura superior de la pared, sobre los anaqueles, había un largo tubo negro que, cuando se manipulaba un mando eléctrico, dejaba caer una pantalla plateada que descendía hacia el piso de parquet, hasta la mitad, como ahora. Era para conveniencia de otro equipamiento nada común.

En la pared oriental, más allá y por encima de la mesa, empotrada, y llevada hacia adelante por medio de mandos electrónicos, como ahora, había una consola de componentes audiovisuales, que incluía proyectores para televisión inmediata y grabada, filmes, diapositivas fotográficas y registros de voz. Gracias a la tecnología de un disco periscópico de control remoto, instalado en el techo, la refinada unidad era capaz de captar transmisiones por satélite y de onda corta, procedentes de todo el globo. En ese momento, una lucecita roja brillaba en el cuarto lateral; se había insertado un cilindro de diapositivas, listo para funcionar.

Todos estos equipos eran, por cierto, poco comunes en una biblioteca, aun para los ricos, pues su inclusión requería otro ambiente: el de una sala de estrategia, lejos de la Casa Blanca o el Pentágono, o los estériles salones de la Agencia de Seguridad Nacional. Un botón oprimido, y el mundo, anterior y actual, era ofrecido para su estudio, para juicios emitidos en aislado claroscuro.

Pero en el extremo de la derecha de ese extraordinario salón había un curioso anacronismo. Sola, a metros de distancia de la pared cubierta de libros, se veía una antigua estufa Franklin, cuya chimenea llegaba hasta el cielo raso. A su lado se encontraba un cubo metálico lleno de carbón. Lo especialmente extraordinario era que la estufa resplandecía, a pesar del apagado murmullo del aire acondicionado central que imponía la noche cálida y húmeda de la bahía de Chesapeake.

Pero la estufa era parte intrínseca de la conferencia que estaba a punto de realizarse en las costas de Cynwid Hollow. Todo lo que se escribía sería quemado, lo mismo que los anotadores, pues nada de lo que se dijese entre esas personas podía ser comunicado al mundo exterior. Era una tradición nacida de la necesidad internacional. Podían derrumbarse gobiernos, las economías ascender y derrumbarse a consecuencia de sus palabras; las decisiones que se adoptaran podían precipitar guerras o evitarlas. Eran los herederos de la organización silenciosa más poderosa del mundo libre.

Eran cinco.

Y eran seres humanos.

–El presidente será reelegido por una mayoría abrumadora, dentro de dos años, a contar de noviembre próximo –dijo el hombre de cabello blanco y aristocráticas facciones aguileñas de la cabecera de la mesa de conferencias–. No necesitamos nuestras proyecciones para determinarlo. Tiene al país en la palma de la mano, y a no ser que se produzcan errores catastróficos, que sus asesores más razonables impedirán, nadie puede hacer nada para impedirlo, ni nosotros. En consecuencia, debemos prepararnos para lo inevitable, y tener a nuestro hombre en su lugar.

–Una denominación extraña, "nuestro hombre" –comentó un individuo delgado, calvo, de mejillas hundidas y grandes ojos bondadosos, asintiendo–. Tendremos que actuar con rapidez. Pero las cosas podrían cambiar. El presidente es una persona tan encantadora, tan atractiva, tan deseosa de agradar... de que lo quieran, imagino.

–Tan hueco –interrumpió en voz baja un negro de anchos hombros y edad mediana, sin animosidad en la voz; sus ropas, de impecable corte, indicaban buen gusto y opulencia–. No siento rencor hacia él, pues sus instintos son decentes; es un hombre decente, tal vez un buen hombre. Eso es lo que ve la gente, y es probable que tenga razón. No, no se trata de él. Se trata de los mestizos que están detrás de él... tan atrás, que lo más probable es que no sepa que existen, salvo como contribuyentes a sus campañas.

–No lo sabe –dijo el cuarto miembro de la mesa, un hombre obeso, de edad mediana, cara de querubín y los ojos impacientes de un estudioso debajo de una revuelta mata de cabello rojo; su chaqueta de mezclilla, con refuerzos en los codos, lo identificaban como a un académico.– Y apostaría diez de mis patentes a que se producirá algún profundo error de cálculo antes que termine su primer período.

–Perdería la apuesta –dijo el quinto integrante de la mesa, una mujer de edad, de cabello plateado, elegantemente vestida con un vestido de seda negra, con un mínimo de joyas. Su voz, culta, tenía las inflexiones y las cadencias que a menudo se describen como propias del Atlántico Medio.– No porque lo subestime, cosa que en realidad hace, sino porque él y quienes están detrás de él consolidarán su creciente consenso, hasta que resulte políticamente invencible. La retórica será oblicua, pero no habrá decisiones profundas hasta que su oposición quede casi muda. En otras palabras, están reservando la artillería pesada para el segundo período.

–Entonces usted está de acuerdo con Jacob en que debemos actuar con rapidez –dijo el canoso Samuel Winters, señalando con la cabeza a Jacob Mandel, de cara enjuta, sentado a su derecha.

–Por supuesto, Sam –respondió Margaret Lowell, y se alisó al descuido el cabello; luego se inclinó de pronto hacia adelante, los codos apoyados con firmeza en la mesa, las manos entrelazadas. Era un movimiento bruscamente masculino en una mujer muy femenina, pero nadie lo advirtió. Sus opiniones eran el punto focal.– En términos realistas, no estoy segura de que podamos actuar con suficiente rapidez –dijo con rapidez, con voz queda–. Es posible que tengamos que considerar un enfoque más brusco.

–*No*, Peg –intervino Eric Sundstrom, el erudito pelirrojo de la izquierda de Lowell–. Todo debe ser perfectamente normal, acorde con una administración en ascenso, que convierte los débitos en haberes. Ese *tiene que ser* nuestro enfoque. Toda desviación respecto del principio de la evolución natural, ya que la naturaleza es impredecible, provocaría intolerables alarmas. Ese consenso mal informado se agruparía en defensa de la causa, enardecido por los mestizos de Gid. Tendríamos un Estado policial.

Gideon Logan hizo un movimiento de asentimiento con su gran cabeza negra, y una sonrisa le frunció los labios.

–Oh, bailarían en torno de las fogatas de campamento, atraerían a todas las personas bien pensantes y harían arder el trasero del cuerpo político. –Hizo una pausa, y miró a la mujer del otro lado de la mesa.– No hay atajos, Margaret. Eric tiene razón.

–No hablaba en términos de melodrama –insistió Lowell–. Nada de disparos de rifle en Dallas, ni de chicos trastornados y bebidos. Sólo hablaba del tiempo. *¿Tenemos* tiempo?

–Si lo usamos correctamente, lo tenemos –dijo Jacob Mandel–. El factor clave es el candidato.

–Entonces, procedamos a buscarlo –interrumpió el canoso Samuel

Winters–. Como todos saben, nuestro colega, el señor Varak, ha completado su búsqueda, y se siente convencido de haber hallado a nuestro hombre. No los aburriré con sus muchas eliminaciones, salvo para decir que si no existe una unanimidad completa entre nosotros, los examinaremos... a todos. El estudió nuestras líneas orientadoras... los elementos positivos que buscamos y los negativos que queremos eludir; en esencia, los talentos que estamos convencidos que deben existir. Según mi opinión, he descubierto a un candidato brillante, aunque en todo sentido inesperado. No hablaré en nombre de nuestro amigo, él lo hace muy bien por su cuenta, pero sería negligente si no declarase que en nuestras numerosas conferencias ha mostrado la misma adhesión a nosotros que según se dice su tío, Anton Varak, mostró a nuestros predecesores hace quince años. –Winters calló, y sus penetrantes ojos grises se clavaron por turno en cada una de las personas que rodeaban la mesa.– Tal vez haga falta un europeo despojado de sus libertades para entendernos, para entender las razones de nuestra existencia. Somos los herederos de Inver Brass, rescatado de su muerte por quienes nos precedieron. Nosotros mismos habríamos sido elegidos por esos hombres, si sus abogados hubieran determinado que nuestras vidas continuaran tal como ellos lo habían previsto. Cuando nos entregaron los sobres lacrados, cada uno de nosotros entendió. Ya no habría más ventajas de las que buscábamos en la sociedad en la cual vivíamos, ni más beneficios, ni más puestos anhelados, fuera de los que ya poseemos. Gracias a las capacidades que tenemos, con la ayuda de la suerte, la herencia o la desdicha de otros, hemos llegado a una libertad que se concede a muy pocos en este terrible mundo nuestro, tan perturbado. Pero esa libertad impone una responsabilidad, y la aceptamos, como lo hicieron nuestros predecesores, años atrás. Y consiste en usar nuestros recursos para hacer del nuestro un país mejor, y en ese camino, es de esperar, un mundo mejor. –Winters se respaldó contra la butaca, las palmas vueltas hacia arriba mientras meneaba la cabeza y hablaba a tientas, casi interrogante.– Dios sabe que nadie nos eligió, nadie nos ungió en nombre de la divina gracia, y por cierto que ningún relámpago celeste cayó del cielo para revelar un mensaje olímpico, pero hacemos lo que hacemos porque podemos hacerlo. Y lo hacemos porque *creemos* en nuestro desapasionado juicio colectivo.

–No se ponga a la defensiva, Sam –interrumpió Margaret Lowell con suavidad–. Puede que seamos privilegiados, pero también somos diferentes. No representamos un único color del espectro.

–No sé con seguridad cómo debo tomar eso, Margaret –dijo Gideon Logan, con las cejas arqueadas en sorpresa fingida, mientras los miembros de Inver Brass reían.

–Querido Gideon –replicó Lowell–. No me había dado cuenta. ¿Palm Beach a esta altura del año? Está realmente bronceado.

–Alguien tenía que cuidar sus jardines, señora.

–Si lo hizo usted, no me cabe duda de que me he quedado sin hogar.

–Es posible concebirlo, sí. Un consorcio de familias de Puerto Rico ha arrendado la propiedad, señora; una comuna, en verdad. –Risas apagadas ondularon en derredor de la mesa.– Perdón, Samuel, nuestra superficialidad no viene al caso.

–Al contrario –intervino Jacob Mandel–. Es una señal de salud y perspectiva. Si alguna vez nos alejamos de la risa, en especial de la relacionada con nuestras flaquezas, no tendremos nada que hacer aquí... Si me perdonan, los ancianos de los pogroms europeos nos enseñaron esa lección. La consideraban uno de los principios de la supervivencia.

–Y tenían razón, por supuesto –convino Sundstrom, todavía riendo–. Pone una distancia, por breve que sea, entre la gente y sus problemas. ¿Pero podemos volver al candidato? Estoy totalmente fascinado. Sam dice que es una elección brillante, pero en todo sentido *inesperada*. Yo habría pensado lo contrario, dado –como dijo Peg– el factor tiempo. Pensé que sería alguien de las alas, de las alas políticas de un Pegaso, si les parece.

–De veras, algún día tengo que leer uno de sus libros –interrumpió Mandel de nuevo, y otra vez con suavidad–. Parece un rabino, pero no lo entiendo.

–No lo intente –dijo Winters, dirigiendo a Sundstrom una sonrisa bondadosa.

–El candidato –repitió Sundstrom–. ¿Debo entender que Varak ha preparado una presentación?

–Con su habitual cuidado para los detalles –respondió Winters, moviendo la cabeza hacia la izquierda, para indicar la encendida luz roja de la consola empotrada que tenía tras de sí–. A lo largo del trayecto ha descubierto algunas informaciones extraordinarias en relación con los sucesos que ocurrieron hace un año, casi con exactitud.

–*¿Omán?* –preguntó Sundstrom, entrecerrando los ojos por encima de la luz de su lámpara de bronce–. La semana pasada se realizaron servicios recordatorios en más de una decena de ciudades.

–Que lo explique el señor Varak –dijo el canoso historiador, mientras oprimía un botón embutido en la superficie de la mesa. El sonido bajo de un zumbador llenó la habitación; segundos más tarde se abrió la puerta de la biblioteca y un hombre rubio, robusto, de unos treinta y tantos años, se internó en la luz atenuada y se detuvo. Iba vestido con un traje de verano, de color tostado, y corbata de color rojo oscuro; sus anchos hombros parecían poner en tensión la tela de su chaqueta.

–Estamos prontos, señor Varak. Entre, por favor.

–Gracias, señor. –Milos Varak cerró la puerta, eliminando la tenue luz del corredor, y fue hasta el otro extremo del salón. De pie delante de la pantalla plateada, hizo una cortés reverencia en dirección de los miembros de Inver Brass. El resplandor de las lámparas de bronce que se reflejaba en la mesa iluminaba su rostro, acentuando los pómulos prominentes y la amplia frente, debajo de la cabellera rubia, lacia, peinada con pulcritud. Sus párpados eran vagamente oblicuos, y denunciaban una ascendencia eslava, influida por las tribus de Europa oriental; los ojos eran serenos, sabios y un tanto fríos.– ¿Puedo decir que me alegro de verlos a todos de nuevo? –dijo en un inglés preciso, con el acento de Praga en la voz.

–Nos alegramos de verlo, Milos –respondió Jacob Mandel. Los otros lo siguieron con breves frases.

–Varak. –Sundstrom se respaldó en su asiento.

–Se lo ve bien, Milos. –Gideon Logan asintió.

–Parece un jugador de rugby. –Margaret Lowell sonrió.– No deje que los Pieles Rojas lo vean. Necesitan gente como usted.

–El juego es demasiado confuso para mí, señora.

–Para ellos también.

–He hablado a todos acerca de sus progresos –dijo Winters, y agregó con suavidad–, tales como usted cree que son. Antes de revelar la identidad del hombre que nos postula, ¿querría repasar las líneas orientadoras?

–Sí, señor. –La mirada de Varak recorrió la mesa, mientras ordenaba sus pensamientos.– Por empezar, señor, su hombre debe ser físicamente atrayente, pero no "bonito" o femenino. Alguien que satisfaga las exigencias máximas de sus creadores de imágenes... alguien que fuese menos que eso presentaría demasiados obstáculos para el tiempo de que disponemos. Por lo tanto, un hombre a quien los hombres puedan identificar con las virtudes masculinas de esta sociedad, y a quien las mujeres encuentren atrayente. No debe ser un ideólogo inaceptable para los segmentos activos del electorado. Por otra parte, debe tener el aspecto de ser lo que se denomina "un hombre en sí mismo", estar por encima de la posibilidad de ser comprado por intereses especiales, y con antecedentes que confirmen ese juicio. Por supuesto, no tiene que tener secretos perjudiciales que ocultar. Por último, el superficial es el aspecto más vital de la búsqueda. Nuestro hombre tiene que poseer esas atrayentes cualidades personales que lo ayuden a impulsarlo hacia el primer plano político por medio de una presentación pública acelerada. Una figura de calidez real o proyectada, y de buen humor, tranquilo, con actos de valentía documentada en su pasado, pero nada que pueda explotar para dejar en la sombra al presidente.

–Su gente no aceptaría eso –dijo Eric Sundstrom.

–De todos modos, no tendrán otra opción, señor –respondió Varak, con suave tono convincente–. La manipulación se llevará a cabo en cuatro etapas. En el lapso de tres meses, nuestro hombre, anónimo en lo fundamental, se hará visible con rapidez; en seis será más o menos bien conocido; y al final del año tendrá un cociente de reconocimiento similar al de los dirigentes del Senado y la Cámara, en los mismos sectores demográficos. Estas pueden ser consideradas las fases uno a tres. La cuarta fase, varios meses antes de las convenciones, será coronada por presentaciones en las tapas de *Time* y *Newsweek*, así como por editoriales elogiosos en los principales periódicos y en las redes. Con la adecuada financiación en los terrenos correspondientes, todo esto puede garantizarse. –Varak hizo una pausa, y luego continuó:– Es decir, garantizarse con el candidato adecuado, y yo creo que lo hemos hallado.

Los miembros de Inver Brass miraron a su coordinador checo con suave asombro, y luego se miraron, con cautela, unos a otros.

–En ese caso –ofreció Margaret Lowell–, y si baja de la montaña, yo me casaré con él.

–Yo también –dijo Gideon Logan–. Al demonio con los matrimonios interraciales.

–Perdónenme –interrumpió Varak–. No quise pintar con tonos

románticos al candidato. Es una persona muy normal, y las cualidades que le atribuyo son en su mayor parte el resultado de la confianza nacida de su riqueza, que se ganó con un trabajo durísimo, y corriendo riesgos en los lugares oportunos y en los momentos oportunos. Se siente cómodo consigo mismo y con los demás, porque no busca nada de los otros, y sabe de cuánto es capaz.

–¿Quién es? –preguntó Mandel.

–¿Me permiten que lo muestre? –dijo Varak , hablando con respeto, y sin responder, mientras sacaba del bolsillo una unidad de control remoto y se apartaba de la pantalla–. Es posible que algunos de ustedes lo reconozcan, y entonces tendré que retirar mi frase sobre su anonimato.

Un rayo de luz brotó de la consola, y la cara de Evan Kendrick llenó la pantalla. La foto era en colores, lo cual acentuaba el intenso atezado de Kendrick, así como el comienzo de una barba y los mechones de cabello castaño claro que le caían sobre las orejas y la nuca. Miraba con los ojos entrecerrados por el sol, al otro lado del agua, con expresión a la vez concentrada y aprensiva.

–Parece un hippie –dijo Margaret Lowell.

–Las circunstancias podrían explicar su reacción –respondió Varak–. Esto fue tomado la semana pasada, en la cuarta semana del viaje anual que hace por los ríos con rápidos, en las Montañas Rocosas. Viaja solo, sin acompañantes ni guías. –El checoslovaco continuó con las diapositivas, dejando cada una durante unos segundos. Las fotos mostraban a Kendrick en varias escenas de navegación por los rápidos, equilibrando con esfuerzo, en varias ocasiones, su embarcación de plástico, y escorando entre la traicionera intrusión de rocas dentadas, rodeado por rociaduras de aguas y espumas enloquecidas. Los bosques montañeses del fondo servían para acentuar la peligrosa pequeñez del hombre y de su transporte, contra el impredecible gigantismo de la naturaleza.

–¡*Espere* un momento! –exclamó Samuel Winters, mirando ahora con sus gafas de montura de carey–. Deje esa –continuó, estudiando la foto–. No me había hablado de esta. Está tomando el recodo, en dirección al campamento de base que está más abajo del Salto Lava.

–Así es, señor.

–Entonces tiene que haber pasado por los rápidos de Clase Cinco de más arriba.

–Sí, señor.

–¿Sin un *guía*?

–Sí.

–¡Está loco! Hace varias décadas navegué por esas aguas con *dos* guías, y me llevé un susto mortal. ¿Por qué lo hizo?

–Hace años que lo hace... siempre que vuelve a Estados Unidos.

–¿Vuelve? –Jacob Mandel se inclinó hacia adelante.

–Hasta hace cinco años era ingeniero de construcción y urbanización. Su trabajo se concentraba en el Mediterráneo oriental y en el Golfo Pérsico. Esa parte del mundo está tan alejada de las montañas y los ríos como sea posible imaginarlo. Creo que encontraba cierto alivio en el cambio de escenario. Dedicaba una semana, más o menos, a los negocios, y después viajaba al noroeste.

–Y sin compañía –dijo Eric Sundstrom.

–En esos días no, señor. A menudo llevaba consigo una acompañante.

–Entonces resulta evidente que no es un homosexual –señaló la única integrante femenina de Inver Bass.

–Nunca sugerí que lo fuera.

–Tampoco mencionó nada acerca de una esposa o una familia, y eso me parecería un aspecto importante. Unicamente dijo que ahora viaja solo en lo que, sin duda alguna, son sus vacaciones.

–Es soltero, señora.

–Ese podría ser un problema –intercaló Sundstrom.

–No necesariamente, señor. Tenemos dos años para encarar la situación, y dados los factores de probabilidad, un matrimonio durante un año de elecciones podría tener cierto atractivo.

–Con la asistencia del presidente más popular de la historia, sin duda –dijo Gideon Logan, riendo entre dientes.

–La posibilidad no está excluida, señor.

–*Dios*, está cubriendo las bases, Milos.

–Un momento, por favor. –Mandel se acomodó las gafas con montura de acero–. Usted dice que trabajó en el Mediterráneo hace cinco años.

–En ese entonces se dedicaba a la producción. Vendió la compañía y se fue del Medio Oriente.

–¿Por qué?

–Se produjo un trágico accidente, que costó las vidas de casi todos sus empleados, y de las familias de éstos. La pérdida lo afectó muy profundamente.

–¿El fue responsable del accidente? –continuó el corredor de Bolsa.

–En modo alguno. Otra firma fue acusada de usar materiales de calidad inferior.

–¿Se benefició de alguna manera con la tragedia? –preguntó Mandel, endurecida de pronto su suave mirada.

–Al contrario, señor, eso lo estudié muy a fondo. Vendió la compañía en menos de la mitad de su valor en el mercado. Hasta los abogados del conglomerado que la adquirió se mostraron asombrados. Estaban autorizados a pagar el triple de ese precio.

Las miradas de Inver Brass volvieron a la gran pantalla, y a la foto de un hombre y su embarcación, que tomaban un pronunciado recodo en los rápidos.

–¿Quién tomó las fotos? –preguntó Logan.

–Yo, señor –contestó Varak –. Lo seguí. Nunca me vio.

Las diapositivas continuaron, y de pronto hubo un cambio brusco. Ya no se veía al "candidato" con la tosca ropa de navegante de las aguas blancas, o con pantalones y remera, al lado de un fuego de campamento, cocinando, solo, sobre las llamas. Ahora se lo fotografiaba afeitado, con el cabello cortado y peinado, y vestido con un traje oscuro, caminando por una calle conocida, con un portafolios en la mano.

–Eso es en Washington –dijo Eric Sundstrom.

–Ahora es la escalinata que sube a la Rotonda –agregó Logan, con la diapositiva siguiente.

–Está en la Colina –interpuso Mandel.

–*¡Lo conozco!* –dijo Sundstrom, y se oprimió las sienes con los dedos de la mano derecha–. Conozco la *cara*, y hay una historia detrás de esa cara, pero no sé cuál es.

–No es la que estoy a punto de relatar, señor.

–Muy bien, Milos. –La voz de Margaret Lowell era inflexible.– Suficiente. ¿Quién demonios es?

–Se llama Kendrick. Evan Kendrick. Es el representante del Noveno Distrito de Colorado.

–¿Un *parlamentario*? –exclamó Jacob Mandel mientras la foto de Kendrick en la escalinata del Capitolio permanecía en la pantalla–. Nunca oí hablar de él, y me parecía que conocía a casi todos, allí. De nombre, por supuesto, no personalmente.

–Es más o menos nuevo, señor, y su elección no fue muy difundida. Se postuló con la línea partidaria del presidente, porque en ese distrito la oposición no existe..., ganar la primaria equivale a ser elegido. Lo menciono porque el congresal no parece coincidir en términos filosóficos con las numerosas políticas de la Casa Blanca. Durante la primaria prescindió de los problemas nacionales.

–Franqueza a un lado –dijo Gideon Logan–, ¿usted sugiere que tiene la independencia de alguien como, digamos, Lowell Weicker?

–En una forma muy sosegada, sí.

–Sosegado y nuevo, y con un electorado un poco menos que imponente –dijo Sundstrom–. Desde ese punto de vista, su anonimato está a salvo. Demasiado a salvo, tal vez. En épocas de decisiones políticas importantes, no hay nada más desechable que un parlamentario recién elegido, desconocido, de un distrito anónimo. Denver está en el Primero, Boulder en el Segundo y Springs en el Quinto. ¿Dónde está el Noveno?

–Al suroeste de Telluride, cerca de la frontera de Utah –respondió Jacob Mandel, y luego se encogió de hombros, como disculpándose por sus conocimientos–. Hubo unas acciones mineras, muy especulativas, que investigamos hace varios años. Pero el hombre de la pantalla *no* es el congresal con quien nos reunimos, y que trató de convencernos, con cierta desesperación, de que apoyáramos la emisión.

–¿Y la apoyaron, señor? –preguntó Varak.

–No –repuso Mandel–. Para ser franco, la especulación iba más allá de los riesgos calculados del capital empresario.

–¿Lo que en Norteamérica llaman un posible "incendio"?

–No teníamos pruebas, Milos. Nos retiramos, nada más.

–¿Pero el representante parlamentario de ese distrito hizo lo posible para conseguir el apoyo de ustedes?

–En efecto, así fue.

–Por eso Evan Kendrick es ahora el representante, señor.

–¿Sí?

–Eric –interrumpió Gideon Logan, levantando la cabeza para mirar al académico inventor de la tecnología espacial–, usted dijo que lo conocía, o por lo menos que conocía su rostro.

–Sí, estoy *seguro*. Ahora que Varak nos ha dicho quién es, creo que lo conocí en uno de esos interminables cócteles de Washington o Georgetown, y recuerdo con claridad que alguien me dijo que detrás de él había toda una historia.

–Pero Milos ha dicho que la que él nos iba a contar era otra –dijo Margaret Lowell–. ¿No es así? –preguntó, mirando a Varak.

–Sí, señora. No cabe duda de que el comentario que le hicieron al profesor Sundstrom se refería a la naturaleza de la elección de Kendrick. La compró literalmente con cólera, enterró a su contendiente bajo un alud de publicidad local y con una serie de costosas asambleas, que fueron más bien circos públicos, y no reuniones políticas. Se dijo que cuando el titular se quejó de que se estaban violando las leyes electorales, Kendrick le hizo frente con sus abogados... no para discutir la campaña, sino, por el contrario, la conducta de su oponente en el cargo. Las quejas cesaron en el acto, y Kendrick ganó con facilidad.

–Se podría decir que pone su dinero donde está su indignación –señaló Winters en voz baja–. Pero usted tiene para nosotros una información mucho más fascinante, señor Varak, y como ya la he escuchado, repetiré lo que dije antes. Es extraordinaria. Por favor, continúe.

–Sí, señor. –El checo oprimió el control remoto, y la foto siguiente apareció en la pantalla con un chasquido apagado. Desaparecieron Kendrick y la escalinata de la Rotonda, reemplazados por una visión panorámica de multitudes histéricas que corrían por una calle estrecha, flanqueada por edificios de carácter evidentemente islámico, ante tiendas con letreros en árabe.

–*Omán* –dijo Eric Sundstrom, mirando a Winters–. Hace un año.
–El historiador-vocero asintió.

Las diapositivas se sucedieron con rapidez, una tras otra, exhibiendo escenas de caos y carnicería. Había cadáveres perforados por las balas y paredes marcadas por la metralla, portones derribados en la embajada, y filas de aterrorizados rehenes arrodillados detrás de un enrejado, en un techo; había primeros planos de aullantes jóvenes que blandían armas, la boca abierta en el grito de triunfo, salvajes los ojos de fanáticos. De pronto las imágenes se detuvieron y la atención de Inver Brass se concentró en una diapositiva que parecía tener poca relación. Mostraba a un hombre alto, de piel oscura, la cara de perfil, saliendo de un hotel, la cabeza cubierta por un ghotra; luego la pantalla se dividió, y una segunda foto mostró al mismo hombre, cruzando a la carrera una feria árabe, delante de una fuente. Las fotos permanecieron en la pantalla; el desconcertado silencio fue quebrado por Milos Varak.

–Ese hombre es Evan Kendrick –dijo con sencillez.

El desconcierto dejó paso al asombro. Exceptuado Samuel Winters, los otros se inclinaron hacia adelante, más allá del resplandor de las lámparas de bronce, para estudiar la figura ampliada en la pantalla. Varak continuó.

–Estas fotos fueron tomadas por un agente de la CIA con autorización

Cuatro-Cero, cuya tarea era mantener vigilado a Kendrick siempre que fuera posible. Ella, la agente, hizo un trabajo notable.

–*¿Ella?* –Margaret Lowell enarcó las cejas en señal de aprobación.

–Una especialista en el Medio Oriente. Su padre es egipcio, su madre una americana de California. Habla el árabe con fluidez, y es utilizada a menudo por la Agencia en situaciones de crisis en esa región.

–¿En esa región? –susurró Mandel, atónito–. ¿Qué hacía *él allí*?

–Un momento –dijo Logan, clavados los ojos oscuros en Varak–. Interrúmpame si me equivoco, pero si recuerdo bien hubo un artículo en el *Washington Post*, el año pasado, que sugería que un norteamericano desconocido había intervenido en Mascate, en esa época. Muchas personas pensaron que podía tratarse del texano Ross Perot, pero la historia no continuó. Fue abandonada.

–No se equivoca, señor. El norteamericano era Evan Kendrick, y la historia se anuló por la presión de la Casa Blanca.

–¿Por qué? Habría podido sacar enormes ventajas políticas de ella... si en verdad su contribución condujo al acuerdo.

–Su contribución *fue* el acuerdo.

–Entonces, la verdad es que no entiendo –señaló Logan, mientras miraba a Samuel Winters.

–Nadie lo entiende –dijo el historiador–. No hay explicación, apenas un expediente enterrado en los archivos, que Milos logró obtener. Fuera de ese documento, en ninguna parte hay nada que indique una relación entre Kendrick y los sucesos de Mascate.

–Inclusive existe un memorándum al Secretario de Estado, en el cual se desmiente tal relación –interrumpió Varak–. No deja en buena posición al congresal. En esencia, sugiere que era un oportunista que buscaba sus propios intereses, un político que deseaba avanzar por la vía de la crisis de los rehenes, porque había trabajado en los Emiratos Arabes, y en especial en Omán, y que trataba de intervenir con fines publicitarios. Se recomendaba no tocarlo en bien de la seguridad de los rehenes.

–¡Pero es evidente que lo *tocaron*! –exclamó Sundsdtrom–. ¡Lo tocaron y lo *usaron*! No habría podido entrar allí si no lo hubieran usado; todos los vuelos comerciales se encontraban suspendidos. Dios mío, debe de haber volado en forma clandestina.

–Y también resulta evidente que no es un oportunista que busca sus propios intereses –agregó Margaret Lowell–. Lo vemos aquí, ante nuestros ojos, y Milos nos dice que logró poner fin a la crisis, y sin embargo, nunca pronunció una palabra acerca de su participación. Si lo hubiera hecho, lo sabríamos.

–¿Y *no* hay explicación? –preguntó Gideon Logan, dirigiéndose a Varak.

–Ninguna aceptable, señor, y he recurrido a las fuentes.

–¿La Casa Blanca? –preguntó Mandel.

–No, el hombre que debía tener conocimiento del reclutamiento, el que dirigía el centro nervioso de aquí, en Washington. Se llama Frank Swann.

–¿Cómo lo encontró a *él*?

–No lo encontré yo, señor, sino Kendrick.

–¿Pero cómo encontró usted a *Kendrick*? –insistió Margaret Lowell.

–Lo mismo que el señor Logan, también yo recordé la historia de un norteamericano en Mascate, que fue abandonada en forma tan brusca por los medios. Por motivos que en realidad no puedo explicar, decidí rastrearla... tal vez pensé que podía involucrar a alguien ubicado muy arriba, alguien a quien debíamos tener en cuenta, si la historia tenía alguna verosimilitud. –Varak hizo una pausa, y una leve sonrisa, poco característica, le frunció los labios.– Es frecuente que las medidas de seguridad más evidentes hagan dar un traspié a quienes desean estar seguros. En este caso, eso fue lo que ocurrió con los libros de entradas del Departamento de Estado. Desde los asesinatos de hace varios años, todos los visitantes, sin excepción, deben firmar al entrar y al salir, y pasar por entre detectores de metal. Entre los millares que así lo hicieron durante la crisis de los rehenes se encontraba el nombre improbable de un reciente parlamentario de Colorado que visitaba a un señor Swann. Ninguno de los dos representaba nada para mí, por supuesto, pero nuestras computadoras estaban mejor informadas. El señor Swann era el experto más destacado del Departamento de Estado en asuntos del Asia del sudoeste, y el congresal era un hombre que había logrado su fortuna en los Emiratos, Bahrein y Arabia Saudita. En el pánico de la crisis, alguien había olvidado eliminar de los libros el nombre de Kendrick.

–De manera que usted fue a ver a ese Swann –dijo Mandel, quitándose las gafas de montura de acero.

–Así es, señor.

–¿Y qué le dijo?

–Que estaba equivocado por completo. Que habían rechazado el ofrecimiento de Kendrick, de ayudar, porque no tenía nada que aportar. Agregó que Kendrick no era más que uno de entre varias decenas de personas, gente que había trabajado en los Emiratos Arabes, que habían hecho ofrecimientos similares.

–Pero usted no le creyó –intervino Margaret Lowell.

–Tenía buenos motivos para no creerle. El parlamentario Kendrick no volvió a firmar su salida, después de la visita al Departamento de Estado, esa tarde. Era el miércoles 11 de agosto, y su nombre no figura en ninguna parte, en los libros de salida. Resulta evidente que salió por medio de algún arreglo especial, lo cual significa, casi siempre, la iniciación de una cobertura, y de una cobertura profunda.

–Operaciones Consulares –dijo Sundstrom–. El enlace encubierto de Estado con la CIA.

–Una conciliación establecida de mala gana, pero necesaria –agregó Winters–. En la oscuridad se pisan muchos pies. Ni falta hace decir que el señor Langley continuó sus averiguaciones.

–El héroe de Omán revelado –dijo Gideon Logan con tono suave, mientras miraba a la figura de la pantalla–. ¡Mi *Dios*, qué gancho!

–Un parlamentario luchador, por encima de todo reproche –agregó Mandel–. Un enemigo probado de la corrupción.

–Un hombre valiente –dijo la señora Lowell–, quien arriesgó su vida por doscientos norteamericanos a quienes no podía conocer, y que no buscó nada para sí...

–Cuando habría podido tener todo lo que quisiera –completó Sundstrom–. Y por cierto que cualquier cosa en el terreno de la política.

–Cuéntenos todo lo que averiguó sobre Evan Kendrick, si quiere, señor Varak –dijo Winters, mientras él y los otros hombres tomaban sus anotadores amarillos rayados.

–Antes de hacerlo –respondió el checo, con una leve vacilación en la voz–, debo decirles que la semana pasada volé a Colorado, donde encontré una situación que no puedo explicar del todo en este momento. Prefiero decirlo ahora. Un hombre de edad vive en la casa de Kendrick, en las afueras de Mesa Verde. Me enteré de que se llama Emmanuel Weingrass, y que es un arquitecto con doble ciudadanía, en Israel y Estados Unidos; hace unos meses fue objeto de una operación de cirugía mayor. Desde entonces se encuentra convaleciendo, como huésped del congresal.

–¿Cuál es la importancia de eso? –interrogó Eric Sundstrom.

–No estoy seguro de que la tenga, pero vale la pena destacar tres hechos. Primero, hasta donde puedo determinarlo, ese Weingrass apareció salido de la nada, poco después del regreso de Kendrick de Omán. Segundo, existe una evidente relación estrecha entre los dos, y tercero, cosa un tanto inquietante, la identidad del anciano, así como su presencia en Mesa Verde, es un secreto guardado celosamente, pero mal. El propio Weingrass es quien lo viola; ya sea por su edad, o por naturaleza, se muestra muy gregario con los obreros, en especial con los hispanos.

–Eso no es necesariamente negativo –dijo Logan, con una sonrisa.

–Habría podido formar parte de la operación de Omán –señaló Margaret Lowell–. Y eso tampoco es negativo.

–Por supuesto –coincidió Jacob Mandel.

Sundstrom volvió a hablar.

–Sin duda tiene una considerable influencia sobre Kendrick –dijo, mientras escribía en su anotador–. ¿No diría usted lo mismo, Milos?

–Lo supondría. Sólo quiero que sepan cuándo hay algo que *yo* no sé.

–Yo diría que es un elemento positivo –afirmó Samuel Winters–. Desde cualquier punto de vista. Continúe, señor Varak.

–Sí, señor. Como sé que nada debe salir de esta habitación, he preparado el legajo del congresal para su proyección en diapositivas. –El checo manipuló la unidad de control remoto, y las dos fotos de Kendrick disfrazado, en las violentas calles de Mascate, fueron remplazadas por una hoja escrita a máquina, con letras grandes y las líneas separadas por tres espacios.– Cada diapositiva –continuó Varak– representa más o menos la cuarta parte de una página normal; por supuesto, todos los negativos fueron destruidos en el laboratorio de abajo. Hice lo que pude para estudiar al candidato lo más a fondo posible, pero puede ser que haya omitido detalles que les interesen. De modo que no vacilen en hacerme preguntas. Los miraré, y si cada uno, por turno, asiente cuando ha terminado de leer y de tomar nota, sabré cuándo debo pasar a la otra diapositiva... Durante una hora, más o menos, verán la vida del congresal Evan Kendrick... desde su nacimiento hasta la semana pasada.

Con cada diapositiva, Eric Sundstrom fue el primero en asentir. Margaret Lowell y Jacob Mandel compitieron por el honor de ser los últimos, pero hacían tantas anotaciones como Gideon Logan. El vocero, Samuel Winters, casi no tomaba notas; estaba convencido.

Tres horas y cuatro minutos más tarde, Milos Varak apagó el proyector. Dos horas y siete minutos luego de ese momento, concluyeron las preguntas, y Varak salió de la habitación.

–Para parafrasear a nuestro amigo, fuera de contexto –dijo Winters–. Un asentimiento de cada uno de usted equivale a una aceptación. Meneen la cabeza, si quieren negar. Comenzaremos con Jacob.

Con lentitud, pensativos, los miembros de Inver Brass, uno a uno, dieron su asentimiento con un movimiento de cabeza.

–Queda convenido, entonces –continuó Winters–. El congresal Evan Kendrick será el próximo vicepresidente de Estados Unidos. Llegará a la presidencia once meses después de la elección del titular. El nombre de código es Icaro, que debe entenderse como una advertencia, un ferviente ruego de que, como lo han hecho muchos de sus predecesores, no trate de volar demasiado cerca del sol y se precipite al mar. Y que Dios se apiade de nuestras almas.

17

El representante Kendrick, del Noveno Distrito de Colorado, se encontraba sentado al escritorio de su oficina, contemplando a su secretaria, de rostro severo, quien parloteaba sobre correspondencia prioritaria, agendas de la Cámara, trabajos previos a las intervenciones en las cuales pediría la palabra, y funciones sociales a las cuales *debía* asistir, a pesar de las opiniones de su ayudante principal. Los labios de ella se abrían y cerraban con la velocidad de un fuego de ametralladora, y los sonidos que emanaban no eran mucho más bajos que esos disparos, en términos de decibeles.

–*Bien*, congresal, esa es la lista para la semana.

–No es poca cosa. ¿Pero no puede enviar una circular a todos, diciendo que padezco de una enfermedad social, y que no quiero contagiar a ninguno de ellos?

–Evan, *basta* –exclamó Ann Mulcahy O'Reilly, una veterana de Washington, muy decidida, de mediana edad–. ¡Se lo está criticando aquí, y yo no lo toleraré! ¿Sabe lo que dicen en la Colina? Dicen que a usted no le importa un rábano, que gasta una cantidad de dinero nada más que para reunirse con muchachas tan adineradas como usted.

–¿Y usted cree que es así, Annie?

–¿Cómo demonios puedo creerlo? Nunca *va* a ninguna parte, nunca *hace* nada. ¡Daría gracias a los santos si lo pescaran desnudo con la ramera más loca de Washington! Entonces sabría que *está* haciendo algo.

–Tal vez no quiero hacer nada.

–¡Maldición, debería hacer algo! He pasado en limpio sus posiciones respecto de una decena de problemas, y están a años luz de distancia del ochenta por ciento de los payasos de aquí, pero nadie les presta atención.

–Las entierran porque no son populares, Annie; yo no soy popular. No me quieren en ninguno de los dos campos. Los pocos que me dedican alguna atención me han puesto tantos rótulos, que se eliminan entre sí. No pueden ubicarme en ningún casillero, y entonces me entierran, cosa que no resulta muy difícil, porque yo no me quejo.

–Dios sabe que *yo* no estoy de acuerdo con usted muchas veces, pero puedo reconocer un cerebro en funcionamiento cuando lo veo... Olvídelo, congresal. ¿Cuáles son sus respuestas?

–Más tarde. ¿Llamó Manny?

–Dos veces; le pedí que llamara después. Quería poner en marcha mi sesión con usted.

Kendrick se inclinó hacia adelante; sus ojos celestes estaban fríos, casi al borde de la cólera.

–No vuelva a hacer eso nunca más, Annie. No hay nada tan importante para mí como ese hombre de Colorado.

–Sí, señor. –O'Reilly bajó los ojos.

–Perdón –dijo Evan enseguida–, eso no estuvo bien. Usted trata de cumplir con sus funciones, y yo no colaboro mucho. Lo siento.

–No se disculpe. Sé por qué cosas ha pasado con el señor Weingrass, y lo que él representa para usted... ¿cuántas veces le llevé a usted el trabajo al hospital? No tenía derecho a inmiscuirme. Por otro lado, *estoy* tratando de cumplir con mi labor, y usted no siempre es el jefe que más ayuda en la Colina.

–Hay otras colinas en las cuales preferiría estar...

–Tengo conciencia de ello, de manera que eliminaremos lo de las funciones sociales. –Anne O'Reilly se levantó de la silla y depositó una carpeta de archivo en el escritorio de Kendrick.– Pero creo que debería examinar una proposición de su colega senatorial de Colorado. Me parece que quiere rebanar la cumbre de una montaña e instalar allí un depósito de agua. En esta ciudad, eso equivale por lo general a un lago, seguido por edificios en torre, en condominio.

–Ese transparente hijo de *puta* –dijo Evan, mientras abría la carpeta.

–Y también llamaré al señor Weingrass por teléfono.

–¿Sigue siendo el *señor* Weingrass? –preguntó Evan, volviendo las hojas–. ¿No quiere ceder? Decenas de veces le oí a él pedirle que lo llamara Manny.

–Oh, de vez en cuando lo hago, pero no resulta fácil.

–¿Por qué? ¿Porque grita?

–Madre de Dios, no. No es posible ofenderse por eso, si una está casada con un detective irlandés... No, no es por los gritos.

–¿Y por qué, entonces?

–Un capricho humorístico, que él repite siempre. Me dice una y otra vez... en especial cuando lo llamo por el nombre de pila: "Querida, creo que ahí tenemos un número de vodevil. Lo llamaremos la Irlandesa Annie de Manny, ¿qué te parece?" Y yo le respondo: "No es muy bonito, Manny", y él replica: "Deja a mi amigo, el animal, y huye conmigo. El entenderá mi pasión inextinguible", y yo le digo que mi policía no entiende la suya propia.

–No se lo cuentes a tu esposo –sugirió Kendrick, riendo.

–Ah, pero ya lo hice. Lo único que *él* respondió fue que nos compraría los pasajes de avión. Por supuesto, él y Weingrass se emborracharon juntos un par de veces...

–¿Se emborracharon? Ni siquiera sabía que se habían visto.

–La culpa es mía... y siempre lo lamentaré. Fue cuando usted voló a Denver, hace unos ocho meses.

–Lo recuerdo. La conferencia estatal, y Manny estaba todavía en el hospital. Y yo le pedí a usted que fuera a verlo, y que le llevase el *Tribune* de París.

–Y Paddy me acompañó en el horario de visita nocturna. No soy una chica de tapa, pero ni siquiera yo ando por esas calles de noche, y mi policía tiene que servir para algo.

–¿Y qué pasó?

–Se entendieron muy bien. Esa semana tuve que trabajar una noche hasta tarde, y Paddy insistió en ir al hospital él solo.

Evan meneó lentamente la cabeza.

–Lo siento, Annie. No lo sabía. No quería meterlos a tu esposo y a ti en mi vida privada. Y Manny no me lo contó nunca.

–Puede ser por los frascos de Listerine.

–¿Los qué?

–Tienen el mismo color que el whisky claro. Lo llamaré por teléfono.

Emmanuel Weingrass se apoyó contra la formación rocosa de la cima de una colina perteneciente a la extensión de ciento veinte hectáreas de la propiedad de Kendrick, en la base de la montaña. Llevaba desabotonada hasta la cintura la camisa a cuadros, de mangas cortas, mientras tomaba y respiraba el aire puro de las Rocosas del sur. Se miró el pecho, todas las cicatrices de la operación quirúrgica, y durante un breve instante se preguntó si debía creer en Dios o en Evan Kendrick. Los médicos le habían dicho –meses después de la operación, y en numerosos exámenes posoperatorios– que habían extirpado las pequeñas células horribles que le devoraban la vida. Estaba limpio, dictaminaron. Se lo dijeron a un hombre que ese día, en esa roca, afirmaba tener ochenta años, mientras el sol caía sobre su cuerpo frágil. Frágil y no tanto, porque se movía mejor, hablaba mejor... y casi no tosía. Pero echaba de menos los cigarros Monte Cristo que tanto le gustaban, y los cigarrillos Gauloise. ¿Y qué podían hacerle? ¿Detener su vida unas semanas o unos meses antes de un final lógico?

Contempló a su enfermera, sentada a la sombra de un árbol cercano, al lado del permanente carrito para los palos de golf. Era una de esas mujeres que lo acompañaban a todas partes, las veinticuatro horas del día, y se preguntó qué haría frente a una proposición, así como estaba, apoyado con negligencia contra un peñasco. Esas posibilidades potenciales siempre le habían atraído, pero por lo general la realidad sólo lograba divertirlo.

–Hermoso día, ¿verdad? –gritó.

–Sencillamente encantador –fue la respuesta.

–¿Qué le parece si nos quitamos toda la ropa y lo disfrutamos de veras?

La expresión de la enfermera no cambió ni por un instante. Su respuesta fue serena, deliberada, y hasta bondadosa.

–Señor Weingrass, estoy aquí para cuidarlo, no para provocarle un paro cardíaco.

–No está mal. No está nada mal.

El radioteléfono del carrito de golf emitió un zumbido; la mujer fue hasta él y lo tomó. Luego de una breve conversación, coronada por una carcajada apagada, se volvió hacia Manny.

–Lo llama el congresal, señor Weingrass.

–No hay que reírse así con un congresal –dijo Manny, apartándose de la roca–. Le apuesto cinco contra veinte a que es Annie Glocamorra que ha estado contándole embustes respecto de mí.

–Ella me preguntó si ya lo había estrangulado. –La enfermera tendió el teléfono a Weingrass.

–¡Annie, esta mujer es una letch!

–Tratamos de ser útiles –dijo Evan Kendrick.

–Muchacho, esa chica tuya se aparta con demasiada rapidez del teléfono.

–Mujer prevenida vale por dos, Manny. Tú llamaste. ¿Todo va bien?

–¿Sólo debo llamar en casos de crisis?

–Muy pocas veces llamas, punto. Ese privilegio es casi exclusivamente mío. ¿Qué sucede?

–¿Te queda algo de dinero?

–No puedo gastar los intereses. Es claro. ¿Por qué?

–¿Conoces el agregado que construimos en la galería del oeste, para que tuvieras una buena vista?

–Por supuesto.

–He estado jugando con algunos bocetos. Creo que deberías tener una terraza arriba. Dos vigas de acero soportarían la carga; y tal vez haría falta una tercera, si pusieras un baño de vapor, vidriado, contra la pared.

–¿Vidriado...? Eh, me parece magnífico. Hazlo.

–Bien. Los plomeros vendrán por la mañana. Pero cuando esté terminado, *entonces* iré a París.

–Lo que tú digas, Manny. Pero dijiste que harías unos planos para una glorieta cerca de los arroyos, donde se unen.

–*Tú* dijiste que no querías caminar tanto.

–He cambiado de opinión. Es buen lugar para que uno se aparte, a pensar.

–Eso excluye al dueño de este establecimiento.

–Eres puro corazón. Iré la semana que viene, por unos días.

–No podré esperar –dijo Weingrass, levantando la voz y mirando a la enfermera–. ¡Cuando llegues, quítame de encima a estas maniáticas sexuales!

Eran las diez de la noche apenas pasadas cuando Milos Varak caminó por el corredor desierto del Edificio de Oficinas de la Cámara. Se le había permitido entrar por arreglo previo, como visitante nocturno de cierto congresal Alvin Partridge, de Alabama. Varak llegó a la pesada puerta de madera, con la placa de bronce en el centro del esculpido tablero, y golpeó. En unos segundos fue abierta por un hombre delgado, de poco más de veinte años, cuyos ojos miraban con ansiedad por detrás de sus grandes gafas con montura de carey. Fuese quien fuere, no era el gruñón presidente de la "Pandilla" Partridge, la comisión investigadora decidida a descubrir por qué los servicios armados obtenían tan poco por tanto. No en términos de los asientos de inodoro por valor de 1.200 dólares y las llaves para tubos por 700. Eso era demasiado flagrante para tomarlo en serio, e inclusive podía tratarse de errores corregibles. Lo que inquietaba a los "Pájaros" –otro apodo– eran los gastos excedidos en un 500 por ciento, y la limitación de las licitaciones en los contratos para la defensa. Por supuesto, lo que apenas habían comenzado a descubrir era un río de corrupción, con tantos tributarios, que no había suficientes exploradores para perseguirlos en las canoas de las cuales se disponía.

–Vengo a ver al congresal Partridge –dijo el hombre rubio; su acento checo no pasó inadvertido para el joven delgado de la puerta, pero sin duda lo interpretó mal.

–¿Usted...? –comenzó a decir, con torpeza, el aparente ayudante–. Quiero decir, cuando vio al guardia de abajo...

–Si me pregunta si fui revisado o no en busca de armas de fuego, por supuesto que sí, y usted debería saberlo. Lo llamaron desde Seguridad. El congresal, por favor. Me espera.

–Es claro, señor. Se encuentra en su despacho. Por aquí, señor. –El nervioso ayudante condujo a Milos a una segunda puerta grande. Golpeó.– Congresal...

–¡Dígale que pase! –ordenó una fuerte voz sureña desde adentro–. Y usted quédese allí y tome todas las llamadas. No me importa si es del presidente de la Cámara o el de la nación. ¡No estoy!

–Adelante –dijo el ayudante, y abrió la puerta.

Varak sintió la tentación de decir al agitado joven que era un enlace amistoso de la KGB, pero se abstuvo. El ayudante se encontraba allí por algún motivo; a esa hora llegaban muy pocas llamadas telefónicas al Edificio de Oficinas de la Cámara. Milos entró en la enorme sala, con gran profusión de fotos en el escritorio, las paredes y las mesas, testimonio, todas, en algún sentido, de la influencia, el patriotismo y el poder de Partridge. El hombre mismo, de pie ante una ventana encortinada, no resultaba tan impresionante como aparecía en las fotos. Era de baja estatura, excedido de peso, de cara abultada, colérica, y cabello teñido, que ya raleaba.

–No sé qué vendes, rubio –dijo el congresal, avanzando como una paloma enfurecida–, pero si es lo que pienso, te haré bajar tan rápido, que desearás tener un paracaídas.

–No vendo nada, señor, regalo algo. Algo de considerable valor, en verdad.

–*¡Mierda!* Necesitas alguna cobertura, ¡y no te la daré!

–Mis clientes no buscan cobertura, y por cierto que yo tampoco. Pero sugiero, congresal, que *usted* podría necesitarla.

–*¡Un carajo!* Te escuché por teléfono, habías *oído* algo, alguien había mencionado drogas y era mejor que yo *escuchara*, de modo que hice algunas averiguaciones, y descubrí lo que tenía que saber, lo que sabía que era la verdad. ¡Aquí estamos limpios, tan limpios como un río de Alabama! Y ahora quiero saber quién te envió *a ti*, qué ladrón de qué cueva de ladrones pensó que podía asustarme con esa clase de *imbecilidades*.

–No creo que quiera que esa clase de "imbecilidades" se haga pública, señor. La información es devastadora.

–*¿Información?* ¡Palabras! ¡Insinuaciones! ¡Rumores, *chismorreos*! ¡Como ese chico negro que trató de manchar a todo el Congreso con sus mentiras!

–Nada de rumores, nada de chismorreos –dijo Milos Varak, e introdujo la mano en el bolsillo del pecho de la chaqueta–. Sólo fotos. –El checo de Inver Brass arrojó el sobre blanco en el escritorio.

–*¿Qué?* –Partridge fue en el acto hacia el sobre, se sentó y lo abrió; sacó las fotos una por una y las sostuvo bajo la lámpara de mesa, de pantalla verde. Abrió muy grandes los ojos, mientras la cara se le ponía blanca, y luego roja de furia. Lo que veía iba mucho más allá de lo que habría podido imaginar. Había varias parejas, tríos y cuartetos de jóvenes, desnudos parcial o totalmente, que usaban pajitas con polvo blanco esparcido en la mesa, instantáneas tomadas de prisa, borrosas, de jeringas, píldoras y botellas de cerveza y whisky; y por último, claras fotos de varias parejas haciendo el amor.

–Las cámaras vienen en tantos tamaños, en estos días –dijo Varak–. La microtecnología las ha producido tan pequeñas como botones de una chaqueta o una camisa.

–¡Oh *Cristo*! –exclamó Partridge, atormentado–. ¡Esa es mi casa de Arlington! ¡Y *esa* es...!

–La casa del congresal Bookbinder, en Silver Springs, así como las de otros tres miembros de su comisión. Su trabajo lo obliga a estar mucho tiempo fuera de Washington.

–¿Quién las tomó? –preguntó Partridge, con voz apenas audible.

–Eso no lo contestaré, salvo para darle mi palabra de que la persona se encuentra a miles de kilómetros de distancia, sin los negativos, y de que no existen posibilidades de que vuelva a este país. Se podría hablar de un estudiante universitario de ciencias políticas, de un programa de intercambio.

–Hemos logrado tanto, y ahora se va todo al demonio... ¡Oh *Dios*!

–*¿Por qué*, congresal? –preguntó Varak, con sinceridad–. Estos jóvenes no son la comisión. No son sus abogados, ni sus contadores, y ni siquiera sus ayudantes principales. Son chicos que han cometido tremendos errores en el empecinado ambiente de la capital más poderosa del mundo. Líbrese de ellos; dígales que sus vidas y sus carreras están arruinadas, a menos de que reciban ayuda y se enderecen, pero no detenga el trabajo de su comisión.

–Nadie volverá a creernos nunca –dijo Partridge, mirando hacia adelante, como si hablara con la pared–. Somos tan podridos como cualquiera de aquellos a quienes perseguimos. Somos hipócritas.

–Nadie tiene por qué saber...

–*¡Mierda!* –estalló el congresal de Alabama; se precipitó sobre el teléfono, oprimió un botón y lo mantuvo apretado aun después de que su llamada fue atendida–. ¡Ven *aquí*! –gritó. El joven ayudante entró por la puerta mientras Partridge se enderezaba, junto al escritorio.– ¡Pedazo de hijo de *puta* de universidad de lujo! ¡Te pedí que me dijeras la verdad! *¡Mentiste!*

–¡No, *no* mentí! –gritó a su vez el joven, con los ojos humedecidos detrás de las gafas de montura de carey–. Me preguntaste qué ocurre... qué *está* pasando... y te respondí que *nada*... ¡nada está *pasando!* ¡Algunos de nosotros fuimos expulsados hace tres, cuatro semanas, y nos asustó a *todos*! ¡Muy bien, fuimos tontos, *estúpidos*, todos lo aceptamos, pero no hicimos daño a nadie, salvo a nosotros! Abandonamos todo aquello, y mucho *más*, pero tú y tus personajes importantes de aquí no se dieron cuenta. Tú y tu altanero personal nos hacen trabajar ochenta horas por semana, y después nos llaman chicos estúpidos, mientras usan las cosas que les damos para poner delante de las cámaras. Bueno, lo que nunca advertiste es que ahora tienes aquí un nuevo jardín de infantes. ¡Los otros se fueron todos, y ni siquiera te diste *cuenta*! Soy el único que queda, porque no *pude* irme.

–Ahora ya te fuiste.

–¡Tienes muchísima razón, emperador *Jones*!

–¿Quién?

–La alusión te encantaría –dijo el joven; se precipitó hacia afuera y cerró la puerta con un fuerte golpe.

–¿Quién era *ese*? –preguntó Varak.

–Arvin Partridge hijo –respondió el congresal en voz baja, sentándose, con la vista clavada en la puerta–. Es estudiante de abogacía de tercer año en Virginia. Todos eran estudiantes de abogacía, y los hacíamos trabajar como locos, todo el día, por unas monedas y el agradecimiento. Pero estábamos dándoles algo, también, y traicionaron la confianza que depositamos en ellos al dárselo.

–¿Qué era?

–Experiencia que nunca conseguirían en otra parte, ni en los tribunales ni en los libros; en ningún otro lugar, salvo aquí. Mi hijo buscó sutilezas legales y gramaticales, y lo sabe. Me mintió acerca de algo que puede destruirnos a todos. Nunca volveré a confiar en él.

–Lo siento.

–¡No es problema tuyo! –cortó Partridge, desaparecido de golpe su tono reflexivo–. ¡Muy bien basurero! –continuó con aspereza–. ¿Qué quieres de mí, para seguir manteniendo organizada la comisión? Dijiste que nada de coberturas, pero supongo que hay un par de decenas de maneras de decirlo sin decirlo. Tendré que pesar los pro y los contra, ¿no?

–No habrá negativos para usted, señor –dijo Varak, sacando varias hojas de papel plegadas y depositándolas en el escritorio, delante del congresal. Eran un resumen, con una pequeña foto de identificación en la esquina superior derecha de la primera hoja–. Mi cliente quiere que este hombre integre su comisión...

–¡Tienes *algo* contra él! –interrumpió Partridge.

–Absolutamente nada comprometedor, está por encima de todo reproche en relación con esas cosas. Lo repito, mi cliente no busca coberturas, ni extorsiones, ni proyectos de ley de la comisión, enviados o bloqueados en su tratamiento. Este hombre no conoce a mis clientes, ni ellos lo conocen a él en persona, ni él tiene conocimiento de nuestra reunión de esta noche.

–¿Y por qué *quieres*, entonces, que esté conmigo?

–Porque mis clientes creen que será un excelente agregado a su comisión.

–Un hombre no puede hacer gran cosa, eso lo sabes, ¿no?

–Por supuesto.

–Si lo introduces para que obtenga información, estamos protegidos contra las filtraciones. –Partridge miró las instantáneas bajo la lámpara de pantalla verde; las volvió y golpeó sobre el escritorio.– Por lo menos lo estábamos.

Varak se inclinó y tomó las fotos.

–Hágalo, congresal. Póngalo en la comisión. O, como usted dijo, todo se irá al demonio. Cuando se encuentre en su puesto, esto le será entregado, junto con los negativos. Hágalo.

La mirada de Partridge estaba clavada en las instantáneas que el hombre rubio tenía en la mano.

–Da la casualidad de que hay un lugar vacante. Bookbinder renunció ayer... por problemas personales.

–Lo sé.

El congresal miró a su visitante a los ojos.

–¿Quién demonios *eres*?

–Alguien que quiere mucho a su país de adopción, señor, pero eso no es importante. *Este* hombre sí lo es.

Partridge miró el resumen que tenía ante sí.

–Evan Kendrick –leyó–. Noveno de Colorado. He oído hablar muy poco de él, y lo que oí no me emocionó. Es un Don nadie, un Don nadie con dinero.

–Eso cambiará, señor –dijo Varak, y se volvió para dirigirse hacia la puerta.

–¡Congresal, *congresal*! –gritó el ayudante principal de Evan Kendrick; salió corriendo de la oficina y siguió por el corredor de la Cámara, para alcanzar a su empleador.

–¿Qué ocurrre? –preguntó Evan, retirando la mano del botón del ascensor, con aspecto de desconcierto cuando el joven, sin aliento, se detuvo delante de él–. No es muy tuyo, eso de levantar la voz por encima de un susurro *muy* confidencial, Phil. ¿El Noveno De Colorado quedó enterrado bajo un alud de lodo?

–Es posible que lo hayan desenterrado de uno muy antiguo. Es decir, desde el punto de vista de usted.

–Dime.

–El congresal *Partridge*. ¡El Partridge de *Alabama*!

–Es rudo, pero un buen hombre. Acepta riesgos. Me gusta lo que hace.

–Quiere que usted lo haga *con* él.

–¿Que haga qué?

–¡Que esté en su comisión!

–*¿Qué?*

–¡Es un enorme paso adelante, señor!

–Es un podrido paso atrás –refutó Kendrick–. Los miembros de su comisión son noticia nocturna casi todas las semanas, y aparecen los domingos por la mañana, cuando no están disponibles los más nuevos de nuestros cometas del Congreso. Eso es lo último que yo querría.

–Perdóneme, congresal, pero es lo primero que debería aceptar.

–¿Por qué?

El joven llamado Phil tocó el brazo de Kendrick, apartándolo de la gente que se reunía ante el ascensor.

–Usted me ha dicho que renunciará después de la elección, y yo lo acepto. Pero también me dijo que quiere tener voz en la designación de su sucesor.

–Mi intención es tenerla. –Evan asintió, ahora de acuerdo.– He luchado contra ese podrido aparato, y quiero mantenerlo apartado. Dios mío, venderían hasta la última montaña del sur de las Rocosas como una mina de uranio, si pudieran conseguir *una* exploración del gobierno... y que hubiera alguna filtración, por supuesto.

–No tendrá voz alguna, si rechaza a Partridge.

–¿Por qué no?

–Porque él lo *quiere* de verdad.

–*¿Por qué?*

–No estoy seguro, sólo sé que nunca hace nada sin una razón. Quizá quiere extender su influencia hacia el este, echar las bases para su progreso personal... ¿quién sabe? Pero controla a una enorme cantidad de delegaciones del Estado; y si usted lo insulta diciéndole: "No, gracias, amigo", lo considerará una arrogancia, y lo aislará, aquí y en casa. Quiero decir, es una presencia muy fuerte en la Colina.

Kendrick suspiró, con la frente arrugada.

–Supongo que siempre podré mantener la boca cerrada.

Era la tercera semana, después de la designación del congresal Evan Kendrick para la Comisión Partridge, suceso en todo sentido inesperado, que no emocionó a nadie en Washington, salvo a Ann Mulcahy O'Reilly, y por extensión a su esposo, Patrick Xavier, un teniente de policía trasplantado de Boston, cuyos talentos eran buscados y pagados por las autoridades de la capital agobiada por el delito. En general se suponía que el razonamiento que inspiraba la acción del presidente era que el anciano profesional quería que la luz de los focos se concentrase en él, no en los otros miembros de la comisión. Si esa suposición era correcta, Partridge no habría podido elegir mejor. El representante del Noveno Distrito de Colorado hablaba muy poco durante las audiencias televisadas bisemanales, fuera de pronunciar las palabras "Paso, señor presidente", cuando le tocaba el turno de interrogar a los testigos. En rigor, la frase más pronunciada que emitió en su breve estada con los "Pájaros" fue la de su respuesta de veintitrés segundos a la bienvenida del presidente de la comisión. Expresó en voz baja su asombro por haber sido honrado con la designación, y manifestó la esperanza de poder estar a la altura de la confianza del presidente en él. Las cámaras de televisión abandonaron su rostro en mitad de sus frases –en doce segundos exactos–, para tomar la llegada de un portero uniformado que recorría el salón, vaciando ceniceros.

–Damas y caballeros –dijo la voz baja del anunciador–, aun en audiencias como esta, el gobierno no omite las precauciones fundamentales... ¿Qué?... Ah, sí, el congresal Owen Canbrick ha completado su exposición.

Pero el martes de la cuarta semana ocurrió algo muy anormal. Era la mañana de la primera audiencia televisada de esa semana, y el interés era más intenso que de costumbre, porque el testigo principal era el representante de la Oficina de Gestión del Pentágono. El hombre era un joven coronel semicalvo, quien se había granjeado agresivamente una nombradía en el terreno de la logística, un soldado comprometido por entero, de convicciones inconmovibles. Era inteligente, rápido, y poseía un ingenio mordaz; era la artillería pesada de Arlington en lo referente a los civiles avaros y plañideros. Había muchos que esperaban con ansiedad el choque entre el coronel Robert Barrish y el presidente de la Comisión Partridge, igualmente inteligente, igualmente rápido y, por cierto, igualmente mordaz.

Pero lo anormal, esa mañana, fue la ausencia del congresal Arvin Partridge, de Alabama. El presidente no apareció, y ninguna cantidad de llamadas telefónicas del pelotón de ayudantes, que corrieron por toda la capital, logró ubicarlo. Sencillamente, había desaparecido.

Pero las comisiones del Congreso no giran sólo en derredor de sus presidentes, y menos cuando se trata de la televisión, de modo que las actuaciones continuaron con la falta de una orientación por parte de un congresal de Dakota del Norte, quien estaba bajo los efectos posteriores de la peor borrachera de su vida, situación nada común, ya que se sabía que el hombre no bebía. Se lo consideraba un tranquilo y abstemio ministro del Evangelio, quien se tomaba a pecho el mandato bíblico de convertir las espadas en arados. Y también era carne cruda para el león que era el coronel Robert Barrish.

–... y para terminar mi declaración ante esta inquisición *civil*, afirmo en forma categórica que hablo a favor de una sociedad fuerte y *libre*, en combate mortal con las fuerzas del mal que querrían desgarrarnos a la primera señal de debilidad por nuestra parte. ¿Nuestras manos deben quedar atadas por minúsculos procedimientos fiduciarios, académicos, que tienen muy escasa relación con el *statu quo ante* de nuestros enemigos?

–Si lo he entendido bien –dijo el presidente, de ojos legañosos–, permítame asegurarle que nadie pone en tela de juicio, aquí, su compromiso con la defensa de nuestra nación.

–Espero que no, señor.

–No creo...

–Un *momento*, soldado –dijo Evan Kendrick, en el extremo más lejano de la mesa.

–¿Perdón?

–Le pedí que esperase un minuto, ¿quiere, por favor?

–Mi rango es el de coronel del Ejército de Estados Unidos, y espero que se me trate de ese modo –dijo el oficial, irritado.

Evan dirigió una dura mirada al testigo, y olvidó por el momento el micrófono.

–Lo trataré como se me ocurra, pedazo de canalla arrogante. –Las cámaras brincaron, los audios se llenaron por todas partes de chillidos, pero era demasiado tarde para eliminar la frase.– ... salvo que usted en persona haya enmendado la Constitución, que dudo que haya elegido alguna vez –continuó Kendrick, estudiando los papeles que tenía delante, y riendo entre dientes–. Inquisición, una mierda.

–Me *ofende* su actitud...

–A una cantidad de contribuyentes les ofende la de usted –interrumpió Kendrick, mirando la foja de servicios de Barrish y recordando las palabras exactas de Frank Swann, más de un año atrás–. Permítame que le pregunte *coronel*: ¿Alguna vez disparó un arma?

–¡Soy un *soldado*!

–Los dos hemos establecido ya eso, ¿no? Sé que es un soldado; los civiles inquisidores le pagamos su salario... salvo que haya alquilado el uniforme. –La sala del Congreso resonó de risas apagadas.– Lo que le pregunté fue si alguna vez había disparado un arma.

–Innumerables veces. ¿Y usted?

–Varias, no innumerables, y nunca de uniforme.

–Entonces creo que la pregunta queda cerrada.

–No del todo. ¿Alguna vez usó un arma con el fin de matar a otro ser humano cuya intención era matarlo?

A nadie se le pasó por alto el silencio posterior. Todos escucharon la suave respuesta.

–Nunca estuve en combate, si a eso se refiere.

–Pero acaba de decir que participó en combates *mortales*, etc., etc., lo cual transmite a todos los aquí presentes, y al público, allá, que usted es algo así como un Davy Crockett moderno, que defiende el fuerte en el Alamo, o un sargento York, o tal vez un Indiana Jones que aniquila a los malos. Pero eso no es cierto, ¿verdad, coronel? Usted es un contador que trata de justificar el robo de millones –tal vez miles de millones– de dinero de los contribuyentes, bajo la bandera roja, blanca y azul del superpatriotismo.

–¡Pedazo de hijo de...! Cómo se *atreve*... –El salto de las cámaras y las interrupciones del sonido volvieron a llegar tarde, cuando el coronel Barrish se levantó de su asiento y golpeó en la mesa.

–¡La comisión entra en *receso*! –gritó el extenuado presidente–. ¡En receso, *maldición*!

En la sala de control en penumbra de una de las estaciones de las redes de Washington, un canoso director de noticiero se encontraba de pie en un rincón, estudiando el monitor del Congreso. Como la mayor parte de Norteamérica lo había visto hacer incontables veces, frunció los labios, pensativo, y luego se volvió hacia el ayudante que tenía a su lado.

–Quiero a ese congresal, sea quien demonios fuere, en mi programa del domingo próximo.

La trastornada mujer gritó en el teléfono:

–Te digo, madre, que nunca lo vi así en mi vida! Hablo en serio, estaba realmente *ebrio*. ¡Agradezco a Dios por el simpático extranjero que lo llevó a casa! Dijo que lo había encontrado afuera de un restaurante, en Washington, y que apenas podía caminar... ¿te imaginas? ¡Apenas podía *caminar*! Lo reconoció, y como era un buen cristiano le pareció que era mejor que no estuviese en la calle. ¡Lo que es tan demencial, madre, es que no sabía que nunca hubiera probado una gota de alcohol! *Bien*, resulta evidente que estaba *equivocada*. ¡Me pregunto cuántos *otros* secretos tiene mi abnegado sacerdote! Esta mañana afirmó que no podía *recordar* nada... *nada*, dijo... ¡Oh mi dulce *Jesús*! ¡*Madre*, acaba de entrar... mamá, está vomitando en la *alfombra*!

–¿Dónde demonios *estoy*? –murmuró Alvin Partridge padre, meneando la cabeza y tratando de concentrar la mirada en las sucias ventanas encortinadas de la habitación de motel–. ¿En algún nido de ratas?

–No está demasiado errado –dijo el rubio, acercándose a la cama–.

Sólo que los roedores que frecuentan este lugar lo hacen casi siempre por una o dos horas.

–*¡Tú!* –exclamó el representante de Alabama, mirando al checo–. ¿Qué me hiciste?

–No hice nada contra usted, sino por usted –respondió Varak–. Por suerte pude sacarlo de una situación potencialmente molesta.

–*¿Qué?* –Partridge se sentó y bajó las piernas de la cama; aunque todavía no se orientaba bien, se dio cuenta de que estaba vestido.– ¿Dónde? ¿Cómo?

–Uno de mis clientes cenaba en Carriage House, en Georgetown, donde usted se reunió con el congresal de Dakota del Norte. Cuando comenzó el episodio desagradable, me llamó. Una vez más, por suerte, vivo cerca y pude llegar a tiempo. De pasada, como es evidente, usted no está registrado aquí.

–¡*Espera* un momento! –gritó Partridge–. ¡Esa reunión entre el gran personaje y yo fue una trampa! La oficina de él recibe una llamada según la cual *yo* quiero verlo por asuntos urgentes de la comisión, y *mi* oficina recibe el mismo mensaje. Por la mañana recibimos la visita de ese estúpido del Pentágono, Barrish, de manera que los dos pensamos que será mejor que nos veamos. ¡Le pregunto qué pasa y él me hace la *misma pregunta*!

–Yo no sé nada de eso, señor.

–*¡Bosta de cerdo!...* ¿Qué episodio desagradable!

–Usted se excedió.

–*¡Bosta de conejo!* ¡Bebí un maldito martini, y ese padre celestial una limonada!

–Si eso es verdad, los dos tienen muy poca resistencia. Usted se desplomó sobre la mesa, y el sacerdote intentó beber la sal.

El presidente de la Comisión Partridge miró al checo con enojo.

–Narcóticos –dijo en voz baja–. ¡Nos pusieron narcóticos en la bebida!

–Yo nunca había pisado ese restaurante, antes de la noche de ayer.

–Y también eres un mentiroso, un embustero muy experto... *Cielos*, ¿qué hora es? –Partridge levantó la muñeca para mirar su reloj; Varak lo interrumpió.

–La audiencia ha terminado.

–*¡Mierda!*

–El sacerdote no se mostró muy eficiente, pero su nuevo designado produjo una impresión indeleble, señor. Estoy seguro de que verá algunas partes de su actuación en el noticiero de la noche, con algunas palabras suprimidas, por supuesto.

–Oh *Dios mío* –susurró el congresal para sí. Miró al checo de Inver Brass–. ¿Qué dijeron de mí? ¿De por qué no estuve presente?

–Su oficina emitió una declaración perfectamente aceptable. Se encontraba en un barco pesquero, en la costa oriental de Maryland. El motor falló, y tuvieron que echar anclas a una milla del embarcadero. Todo eso ha sido corroborado; no existen problemas.

–¿Mi oficina emitió esa declaración? ¿Por autorización de quién?

–De su hijo. Es un joven con una notable capacidad para perdonar. Lo está esperando afuera, en el coche.

El vendedor pelirrojo del salón de Saab resplandeció de asombro mientras firmaba los papeles y contaba diez billetes de cien dólares.

–Tendremos el coche preparado y listo para usted, a las tres de esta tarde.

–Me parece muy bien –dijo el comprador, quien había declarado, en el convenio de préstamo financiado, que su profesión era la de tabernero, en el Carriage House de Georgetown.

18

–Hora *cero*, señor Kendrick –dijo el coronel Robert Barrish, sonriendo en forma placentera a la cámara; su voz era la esencia misma de la razón–. Tenemos que estar preparados, y con una escalada prioritaria llevamos las cosas cada vez más adelante.

–O bien, a la inversa, sobrecargan los arsenales hasta tal punto, que un solo error de cálculo puede hacer saltar el planeta en pedazos.

–Oh, por favor –reprochó, condescendiente, el oficial militar–. Hace mucho tiempo que esa línea de racionalización ha sido convertida en *modus non operandi*. Somos profesionales.

–¿Está hablando de nuestra parte?

–Por supuesto que hablo de nuestra parte.

–¿Y qué pasa con el enemigo? ¿No son ellos profesionales, también?

–Si trata de equiparar el compromiso tecnológico de nuestros enemigos respecto del nuestro, creo que descubrirá que está tan mal informado acerca de eso como de la eficiencia de nuestro sistema de control de costos.

–Supongo que eso quiere decir que ellos no son tan competentes como nosotros.

–Sagaz deducción, congresal. Aparte de la superioridad de nuestro compromiso moral, un compromiso con Dios, el adiestramiento de alta tecnología de nuestras fuerzas armadas es el mejor del mundo. Si me perdona, debo decir, como integrante de un magnífico equipo, que estoy inmensamente orgulloso de nuestros espléndidos muchachos y muchachas.

–Caramba, también yo –dijo Evan, con una leve sonrisa en los labios–. Pero entonces *yo* tengo que decir, coronel, que me extravié respecto de su línea de razonamiento, ¿o estábamos hablando de escalada prioritaria? Me pareció que su comentario sobre el profesionalismo era una respuesta a mi observación sobre la posibilidad de un error de cálculo, con esos arsenales tan sobrecargados.

–Lo era. Sabe, señor Kendrick, lo que estoy tratando de explicarle, con suma paciencia, es que nuestro personal de armamentos tiene que atenerse a manuales de procedimientos que eliminan todo error de cálculo. Estamos virtualmente *asegurados contra errores*.

–Es posible que *nosotros* lo estemos –admitió Evan–. ¿Pero y el otro tipo? Usted dijo, me *pareció* que dijo, que no era tan listo, que no había equiparación, que no sé qué significa. ¿Y si *él* calcula mal? ¿Qué ocurre entonces?

–No volvería a tener una oportunidad de cometer otro error de cálculo. Con pérdidas mínimas para nosotros, lanzaríamos...

–¡Un momento, *soldado*! –interrumpió Kendrick, con voz repentinamente áspera, emitiendo nada menos que una orden–. Retroceda. "Con pérdidas mínimas para nosotros..." ¿Qué quiere decir *eso?*

–Estoy seguro de que usted sabe que no tengo libertad para hablar de esas cosas.

–Creo que será mejor que hable. ¿"Pérdidas mínimas" significa sólo Los Angeles, o Nueva York, o tal vez Albuquerque o Saint Louis? Dado que todos pagamos por esa protección de pérdidas mínimas, ¿por qué no nos pronostica cómo estará el tiempo?

–Si piensa que voy a poner en peligro nuestra seguridad nacional en una red de televisión... Bien, congresal, lo siento de veras, pero no creo que usted tenga derecho alguno a representar al pueblo norteamericano.

–¿A todo el pueblo? Nunca pensé que lo representara. Se me dijo que este programa era entre usted y yo... que yo lo había insultado en la televisión, y que usted tenía derecho a responder en el mismo terreno. Por eso estoy aquí. Por lo tanto, conteste, coronel. No siga lanzándome frases hechas del Pentágono; siento demasiado respeto por nuestros servicios armados para permitirle que se salga con la suya en ese aspecto.

–Si con eso de "frases hechas" está criticando a los abnegados dirigentes de nuestro establecimiento de defensa, hombres de lealtad y honor, quienes en primer lugar desean que nuestra nación siga siendo fuerte, entonces le digo que siento lástima por usted.

–Oh, déjese de esas cosas. No hace tanto tiempo que estoy aquí, pero entre las pocas amistades que he hecho se cuentan algunas figuras jerárquicas de Arlington que, probablemente, esbozan una mueca cuando usted sale con eso de *modus non operandi*. Lo que yo estoy tratando de explicarle, coronel, con mucha *paciencia*, es que no tiene un cheque en blanco, como no lo tengo yo ni mi vecino. Vivimos con realidades.

–¡Entonces déjeme que le *explique* las realidades! –interrumpió Barrish.

–Permítame *terminar* –dijo Evan, sonriendo ahora.

–Caballeros, *caballeros* –dijo el conocido director de noticieros.

–No estoy arrojando duda alguna en cuanto a su *compromiso*, coronel, –interrumpió Kendrick–. Usted cumple con su tarea y protege su negocio, eso lo entiendo. –Tomó un papel.– Pero cuando dijo, en la audiencia, tomé nota de ello, "procedimientos fiduciarios menores, académicos", me pregunté qué habría querido decir. ¿Está usted realmente por encima de la obligación de rendir cuentas? Si de veras lo cree así, dígaselo a Joe Smith, quien vive calle abajo y trata de balancear las cuentas de la familia.

–¡Ese mismo Joe Smith caerá de *rodillas* ante nosotros, cuando se dé cuenta de que estamos asegurando su supervivencia!

–Creo que acabo de escuchar una cantidad de gemidos en Arlington, coronel. Joe Smith no tiene que ponerse de rodillas ante nadie. Aquí no.

–¡Está sacando mis frases fuera de su contexto! ¡Sabe perfectamente *bien* lo que quise decir, congresal Partridge!

–No, coronel, él es el otro tipo. Yo soy el que ha sido enviado como reemplazante, por el flanco izquierdo.

–¡En efecto, por la *izquierda!*

–Interesante afirmación. ¿Puedo citar sus palabras?

–Yo lo *conozco* –dijo Narrish, con tono ominoso, amenazador–. No me hable del tipo de la calle, no finja que usted es como todo el mundo. –Hizo una pausa, y después, como si ya no pudiera dominarse, gritó:– ¡Ni siquiera está *casado!*

–Esa es la afirmación más exacta que ha pronunciado aquí. No, no lo estoy, pero si me está pidiendo una cita, será mejor que consulte con mi chica.

No hubo respuesta. La artillería pesada del Pentágono se descargó con un fogonazo, y las quemaduras de pólvora cubrieron todo su rostro, en la televisión nacional.

–¿Quién demonios *es*? –preguntó el señor Joseph Smith, del 70 de la calle Cedar, de Clinton, Nueva Jersey.

–No sé –contestó la señora Smith, delante de la televisión, al lado de su esposo–. Pero es simpático, ¿no?

–Lo de simpático, no lo sé, pero acaba de poner en su lugar a uno de esos altaneros oficiales que solían tirarme mucha mierda en Vietnam. Es mi amigo.

Es bueno –dijo Eric Sundstrom, de Inver Brass; se puso de pie y apagó el aparato, en su apartamento, que miraba hacia el parque Gramercy, en Nueva York. Apuró el resto de su vaso de Montrachet y miró a Margaret

Lowell y Gideon Logan, ambos sentados en butacas, al otro lado de la habitación.– Tiene una mente veloz, y sabe mantenerse frío. Conozco a Barrish, esa cobra; no hay nada que le agrade más que desangrar a alguien bajo los focos, en público. Kendrick lo enterró en su propia mierda.

–Además, nuestro hombre es simpático –agregó la señora Lowell.

–¿Qué?

–Bueno, es atrayente, Eric. Y eso no resulta un elemento negativo.

–Es divertido –dijo Logan–. Cosa decididamente positiva. Tiene la capacidad y la presencia de ánimo necesarias para pasar con rapidez de lo serio a lo divertido, y eso no es poca cosa. Lo mismo hizo durante la audiencia; no es accidental. Kennedy tenía también ese talento; veía ironías humorísticas en todas partes. Gente como esa... Aun así, me parece ver una nube gris a la distancia.

–¿Cómo es eso? –preguntó Sundstrom.

–Un hombre de percepción tan veloz no será fácil de dominar.

–Si es el hombre adecuado –dijo Margaret Lowell–, y tenemos todos los motivos para creer que lo es, eso no importará, Gideon.

–¿Y si no lo es? ¿Y si hay algo que no conocemos? Lo habremos lanzado *nosotros*, no el proceso político.

En Manhattan, entre las avenidas Quinta y Madison, en una casa de piedra arenisca de seis pisos de alto, el canoso Samuel Winters se hallaba sentado frente a su amigo Jacob Mandel. Se encontraban en el amplio estudio del último piso de Winters. En los distintos espacios de las paredes colgaban exquisitos gobelinos, y los muebles eran igualmente impresionantes. Pero la habitación resultaba cómoda. Era un aposento usado, cálido; las obras maestras del pasado estaban allí para servir, no sólo para ser observadas. El aristocrático historiador empleó el control remoto para apagar el televisor.

–¿Y bien? –preguntó Winters.

–Quiero pensar un momento, Samuel. –La mirada de Mandel recorrió el estudio.– Has tenido todo esto desde que naciste –dijo el agente de Bolsa, como una afirmación–. Y sin embargo, siempre trabajaste tanto...

–Elegí un terreno en el cual la posesión de dinero facilita mucho las cosas –respondió Winters–. De vez en cuando me sentí un poco culpable por eso. Siempre pude ir adonde quisiera, lograr acceso a archivos en los cuales otros no podían entrar, estudiar cuanto desease. Las contribuciones que realicé son pequeñas en comparación con lo mucho que me divertí. Mi esposa solía decir eso. –El historiador echó una mirada hacia el retrato de una encantadora mujer de cabello negro, vestida al estilo de la década del cuarenta; colgaba detrás del escritorio, entre dos enormes ventanas que daban a la calle Setenta y Tres. Mientras trabajaba, un hombre podía volverse fácilmente, y mirarlo.

–La echa de menos, ¿verdad?

–Muchísimo. Vengo aquí con frecuencia, a conversar con ella.

–Yo no creo que pudiera seguir adelante sin Hannah, pero, cosa extraña, si se tiene en cuenta lo que ella pasó en Alemania, ruego a Dios que sea la primera en irse. Creo que la muerte de otro ser querido sería un dolor demasiado grande para que ella lo soportara sola. ¿Eso suena muy espantoso de mi parte?

–Suena notablemente generoso... como todo lo que haces y dices, viejo amigo. Y además porque sé muy bien lo que tendrías que enfrentar a solas. Lo harías mejor que yo, Jacob.

–Tonterías.

–Debe ser por tu templo...

–¿Cuándo fue la última vez que estuviste en la iglesia, Samuel?

–Veamos. Mi hijo se casó en París cuando me fracturé la pierna, y no pude asistir, y mi hija se fugó con ese encantador cabeza de helio, que gana más dinero del que merece con esos filmes cuyos guiones escribe, y que no entiendo... de modo que tiene que haber sido en el 45, cuando regresé de la guerra. St. John Divine, por supuesto. *Ella* me hizo ir, cuando lo único que yo quería hacer era desnudarla.

–¡Oh, eres tremendo! No te creo nada.

–Haces mal.

–Podría ser peligroso –dijo Mandel, cambiando de pronto de tema, y volviendo a Evan Kendrick. Winters entendió; su viejo amigo había estado hablando, pero también pensando.

–¿En qué sentido? Todo lo que hemos averiguado acerca de él, y dudo de que haya mucho más por conocer, parecería negar cualquier obsesión por el poder. Y sin eso, ¿cuál es el peligro?

–Es ferozmente independiente.

–Tanto mejor. Inclusive podría llegar a ser un muy buen presidente. Nada de ataduras con los vociferadores, los que siempre dicen "sí, señor" y los sicofantas. Los dos lo hemos visto hacer volar en pedazos a la primera categoría; el resto es más fácil.

–Entonces no me he explicado con claridad –dijo Mandel–. Porque todavía no está claro para mí.

–O bien yo soy estúpido. ¿Qué estás tratando de decir?

–Supón que descubra quiénes somos. Supón que se entere que él tiene el nombre de código de Icaro, producto de Inver Brass.

–Eso es imposible.

–No se trata de eso. Salta por encima de la imposibilidad. En términos intelectuales, y ese joven tiene intelecto, ¿cuál sería su reacción? Recuerda que es ferozmente independiente.

Samuel Winters se llevó la mano a la barbilla y miró por la ventana que daba a la calle. Y luego su mirada se desplazó hacia el retrato de su esposa.

–Entiendo –dijo, mientras surgían en el foco de su mente inciertas imágenes de su propio pasado–. Se enfurecería. Se consideraría una parte de una corrupción mayor, unido a ella en forma irrevocable porque se lo estaba manipulando. Se encolerizaría.

–Y en esa cólera –presionó Mandel–, ¿qué te parece que haría? Dicho sea de paso, denunciarnos a la larga no tiene mayor importancia. Sería como los rumores de la Comisión Trilateral, que promovieron a Jimmy Carter porque Henry Luce puso a un oscuro gobernador de Georgia en la tapa de *Time*. Había mucho de cierto en esos rumores, pero a nadie le importó.

–¿Qué *haría* Kendrick?

Winters miró a su viejo amigo, abriendo mucho los ojos.

–Dios mío –dijo con voz tenue–. Huiría, disgustado.

–¿Eso te parece familiar, Samuel?

–Fue hace tantos años... las cosas eran diferentes...

–No creo que fuesen tan distintas. Mucho mejores que ahora, en verdad, pero no diferentes.

–Yo no ocupaba un cargo.

–Era tuyo con sólo quererlo. El brillante becado de la Universidad de Columbia, inmensamente rico, cuyo consejo era buscado por los sucesivos presidentes, y cuyas presentaciones ante las comisiones de la Cámara y el Senado modificaban la política nacional... Eras candidato a la gobernación de Nueva York, literalmente te empujaban a Albany, cuando te enteraste, apenas unas semanas antes de la convención, de que una organización política que no conocías había orquestado tu nominación y tu inevitable elección.

–Fue una sacudida total. No había oído hablar de eso, ni de ellos.

–Pero supusiste, con acierto o sin él, que ese aparato silencioso esperaba que hicieras lo que te ordenase, y huiste, no sin antes denunciarlo todo.

–Por disgusto. Iba en contra de todos los preceptos sobre un proceso político abierto, que yo había defendido siempre.

–Ferozmente independiente –agregó el agente de Bolsa–. Y lo que siguió fue un vacío de poder; hubo caos político, disgregación del partido. Los oportunistas aparecieron y tomaron el poder, y fueron seis años de leyes draconianas y de administración corrupta, de arriba abajo del Hudson.

–¿Me culpas a mí por todo eso, Jacob?

–Tiene relación, Samuel. César rechazó tres veces la corona, y se desencadenó el infierno.

–¿Estás diciendo que Kendrick podría negarse a asumir el cargo que se le ofrece?

–Tú lo hiciste. Te fuiste, ofendido.

–Porque personas que yo no conocía estaban comprometiendo enormes sumas de dinero, empujándome al cargo. ¿Por qué? Si se sentían automáticamente interesados en un mejor gobierno, y no en sus intereses personales, ¿por qué no lo hicieron en forma abierta?

–¿Por qué no lo hacemos nosotros, Samuel?

Winters dirigió una mirada dura a Mandel; sus ojos estaban tristes.

–Porque estamos jugando a ser Dios, Jacob. Tenemos que hacerlo, porque sabemos lo que otros no saben. Sabemos lo que ocurrirá si no actuamos a nuestra manera. De pronto, el pueblo de una gran república no tiene un presidente, sino un rey, el emperador de todos los Estados de la

Unión. Lo que no entienden es lo que hay detrás del rey. Esos chacales de segundo plano sólo pueden ser eliminados sacándolo a él. No hay otro camino.

–Entiendo. Soy cauteloso porque tengo miedo.

–Entonces debemos tener sumo cuidado, y asegurarnos de que Evan Kendrick nunca se entere de nuestra existencia. Así de sencillo.

–Nada es sencillo –objetó Mandel–. El no es tonto. Se preguntará porqué llueven sobre él todas las atenciones. Varak tendrá que ser un argumentista maestro... cada una de las secuencias tiene que conducir en forma lógica e inalterable hacia la siguiente.

–Yo también me lo decía –admitió Winters con tono suave, mirando una vez más el retrato de su difunta esposa–. Jennie solía decirme: "Es demasiado fácil, Sam. Todos los demás se enloquecen tratando de conseguir que los periódicos digan unas palabras sobre ellos, y tú eres objeto de editoriales enteros, que te elogian por cosas que ni siquiera estás seguro de haber hecho." Por eso empecé a hacer preguntas, por eso descubrí lo que había ocurrido, no quién, sino *cómo*.

–Y entonces te fuiste.

–Por supuesto.

–¿Por qué? Pregunto de veras, *¿por qué?*

–Tú acabas de contestarlo, Jacob. Me sentí ofendido.

–¿A pesar de todo lo que habrías podido haber aportado?

–Bueno, es evidente.

–¿Es justo, Samuel, decir que no fuiste presa de la *fiebre* de ganar ese cargo?

–Una vez más, es evidente. Admirable o no, nunca tuve que ganar *nada*. Como dijo Averell, en una ocasión: "Por fortuna o por desgracia, no he tenido que depender de mi puesto actual para comer." Creo que eso lo sintetiza todo.

–La fiebre, Samuel. La fiebre que nunca sentiste, el hambre que nunca te amenazó, tienen que hacer presa de Kendrick, de alguna manera. En último análisis, tiene que querer ganar, *necesitar* ganar, desesperadamente.

–El fuego en el vientre –dijo el historiador–. Todos habríamos debido pensar primero en eso, pero los demás supusieron que se precipitaría sobre la oportunidad que se le ofrecía. ¡Dios, qué *tontos* fuimos!

–No "los demás" –protestó el agente de Bolsa, levantando las palmas de las manos–. Yo no había pensado en eso hasta que entré en esta habitación, hace una hora. De pronto volvieron a mí los recuerdos de ti y tu... feroz independencia. Eras la brillante esperanza, un extraordinario elemento positivo, y te convertiste en un elemento negativo, ofendido en su moral, que se alejó y dejó que entraran todos los timoratos de dentro y fuera de la ciudad.

–Estás golpeando cerca del blanco, Jacob... Habría debido quedarme, lo supe durante años. En un acceso de ira, mi esposa me llamó una vez "el chico mimado de los Dos Zapatos Derechos". Afirmaba, como tú, que habría podido impedir muchas cosas, aunque no hiciera más que eso.

–Sí, habrías podido, Samuel. Harry Truman tenía razón, son los líderes quienes modelan la historia. Sin Thomas Jefferson no habría habido Estados Unidos, ni Tercer Reich sin Adolf Hitler. Pero ni hombre ni mujer alguno se convierte en un líder, si no quiere serlo. Deben tener una ardiente necesidad de llegar.

–¿Y piensas que nuestro Kendrick carece de ella?

–Sospecho que sí. Lo que vi en la pantalla de televisión, y lo que vi hace cinco días, durante la audiencia de la comisión, fue un hombre nada cauteloso, a quien le importaba muy poco de quién eran los huesos que sacudía, porque se sentía moralmente ofendido. Inteligencia, sí; valentía, sin duda; ingenio, simpatía... todo lo cual coincidimos que debía formar parte del compuesto ideal que buscamos. Pero también vi una veta de mi amigo Samuel Winters, de un hombre que podía apartarse de un sistema, porque no tenía adentro la fiebre que lo impulsara a buscar el premio.

–¿Y eso es tan malo, Jacob? No en lo relativo a mí, nunca fui tan importante, en verdad, ¿pero es tan importante que todos los que buscan un cargo tengan tanto fuego?

–Nadie entrega el negocio a una gerencia de tiempo parcial, si es su principal inversión. La gente espera, con justicia, un casero de tiempo completo, y cuando la vocación no está presente, agresivamente presente, lo intuye. Quiere que le den algo por su dinero.

–Bien –dijo Winters, con tono un tanto defensivo–, creo que la gente no se sintió del todo aburrida conmigo, y yo no ardía de fiebre. Por otro lado, no cometí demasiadas *gaffes*.

–Cielos, nunca tuviste ocasión de cometerlas. Tu campaña fue una blitzkrieg televisiva, con la mejor fotografía que haya visto nunca, y tu hermoso semblante fue un decidido elemento positivo, es claro.

–Tuve dos o tres debates, sabes... Tres, en realidad...

–Con sendos cerdos estúpidos, Samuel. Quedaron enterrados por la jerarquía simpática... eso le encanta a la gente. No dejaron de mirar el cielo, en este caso la televisión, para divisar al rey o al príncipe que acudía a mostrarles el camino con palabras consoladoras.

–Es una grandísima pena. Abraham Lincoln habría sido considerado un patán torpe, y se habría quedado en Illinois.

–O peor aún –dijo Jacob Mandel con una risita–. Abrahán el judío aliado a los anticristos, sacrificando a los niños gentiles.

–Y cuando se dejó crecer la barba, absoluta confirmación –coincidió Winters, sonriendo y poniéndose de pie–. ¿Un trago? –preguntó, conociendo la respuesta de su amigo y yendo hacia el bar, ubicado debajo de una tapicería francesa, sobre la pared de la derecha.

–Gracias. Lo de siempre, por favor.

–Por supuesto. –El historiador sirvió dos bebidas en silencio, una de bourbon, otra de Canadian, las dos con hielo solamente. Volvió a las butacas y tendió el bourbon a Mandel.– Muy bien, Jacob, creo que lo tengo todo armado.

–Sabía que podías preparar los tragos y pensar al mismo tiempo –dijo Mandel, sonriendo y levantando el vaso–. A tu salud, señor.

–*L'jaim* –respondió el historiador.

–¿Y entonces?

–De alguna manera, por algún medio, hay que infiltrar en Evan Kendrick esa fiebre de la cual hablas, esa necesidad de ganar el premio. Sin eso no resultará creíble, y sin *él* aparecerán los mestizos de Gideon: los oportunistas y los fanáticos.

–Creo que es así.

Winters sorbió su bebida, mientras su mirada se desviaba hacia un gobelino.

–Felipe y los caballeros de Crécy no fueron derrotados solamente por los arqueros ingleses y los largos cuchillos galeses. Tuvieron que vérselas con lo que Saint-Simon describió, trescientos años más tarde, como una Corte desangrada por los "viles corruptores burgueses".

–Tu erudición me desborda, Samuel.

–¿Cómo *inspiramos* esa fiebre en Evan Kendrick? Es tan tremendamente importante que lo hagamos... Ahora lo veo con claridad.

–Creo que empezaremos con Milos Varak.

Annie Mulcahy O'Reilly estaba fuera de sí. Por lo general, las cuatro líneas telefónicas normales del despacho del Congreso se usaban para los llamados hacia afuera; ese congresal no recibía tantos. Pero ese día no sólo era diferente; era una *locura*. En el lapso de veinticuatro horas, el personal más reducido, menos atareado de la Colina, se convirtió en el más frenético. Annie tuvo que llamar a sus dos empleadas de archivo, que *nunca* iban los lunes ("Vamos, Annie, me arruina un fin de semana decente"), para que transportasen sus graciosas cabezas a la oficina. Luego se comunicó con Phillip Tobias, el brillante aunque frustrado primer ayudante, y le pidió que olvidara su tenis y arrastrase su trasero promocional hasta el centro, si no quería que lo matara. ("¿Qué demonios ha sucedido?". "¿No viste el programa de Foxley, ayer?". "No, estaba navegando. ¿Por qué habría debido verlo?". "¡El estuvo en el programa!". "*¿Qué*? Eso no puede *hacerse* sin mi *aprobación*!". "Deben haberlo llamado a la casa." "El hijo de puta no me lo *dijo*." "Tampoco me lo dijo a mí, pero vi su nombre en las listas de última hora del *Post*." "*¡Cielos!* ¡Consígueme una cinta grabada, Annie! *¡Por favor!*". "Sólo si vienes aquí y nos ayudas a atender los teléfonos, queridito." "*¡Mierda!*". "Soy una dama, cerdo, no me hables así." "¡Perdón, *perdón*, Annie! Por favor. *¡La cinta!*")

Por último, y sólo porque estaba desesperada, y sólo porque su esposo, Patrick Xavier O'Reilly, tenía francos los lunes debido a que trabajaba en el turno de delitos concentrados de los sábados, llamó al detective irlandés y le dijo que si no iba a ayudarla, presentaría una denuncia por violación... que sólo era una expresión de deseos, agregó. La única persona con quien no pudo comunicarse fue con el congresal del Noveno Distrito de Colorado.

–Lo siento, lo siento de veras, señora O'Reilly –dijo el esposo árabe, de la pareja que se ocupaba de la casa de Kendrick, y de quien Annie sospechaba que era un cirujano sin empleo o el ex presidente de una universidad–. El congresal dijo que estaría ausente unos días. No tengo la menor idea de dónde está.

–Esa es una soberana *estupidez*, señor *Sahara*.

–Me adula con las dimensiones, señora.

–¡También *eso*! ¡Busque a ese sapo cornudo, servidor del público, y dígale que aquí nos estamos volviendo *monos*! ¡Y todo por su presentación en el programa de Foxley!

–Fue muy eficaz, ¿verdad?

–¿*Usted* se enteró también de eso?

–Vi su nombre en las listas de última hora del *Washington Post*, señora. Y también en el *Times* de Nueva York y Los Angeles, y en el *Chicago Tribune*.

–¿*El* recibe todos esos periódicos?

–No, señora, los recibo yo. Pero él puede usarlos cuando quiera.

–¡Alabado sea el señor!

En la oficina exterior, el pandemonio se había vuelto intolerable. Annie colgó el auricular y corrió a la puerta; la abrió, asombrada al ver a Evan Kendrick y su esposo abriéndose paso por entre una multitud de reporteros, ayudantes del Congreso y varias otras personas a quienes no conocía.

–¡Vengan *aquí!* –gritó ella.

Una vez adentro de la oficina de la secretaria, y con la puerta cerrada, el señor O'Reilly habló.

–Yo soy el Paddy de ella –dijo, sin aliento–. Encantado de conocerlo, congresal.

–Usted es mi defensor de bloqueo, amigo –respondió Kendrick, con un apretón de manos, y estudió con rapidez el alto pelirrojo de anchos hombros, de panza diez centímetros más grande de lo que permitía su considerable estatura, y de cara vagamente rubicunda que contenía un par de ojos verdes, sabios e inteligentes–. Me alegro de que llegáramos los dos al mismo tiempo.

–Con toda sinceridad, señor, no fue así. Mi loca esposa me llamó hace una hora, y pude llegar en unos veinte, veinticinco minutos. Vi el alboroto en el corredor, y pensé que tal vez usted llegaría. Lo esperé.

–¡Habrías podido informarme a *mí*, piojoso irlandés! ¡Nos estábamos volviendo locos aquí!

–¿Para que me acusaran de riña en lugar público, querida?

–De veras *es* un irlandés demente, congresal...

–Un *momento*, los dos –ordenó Evan, mirando hacia la puerta–. ¿Qué demonios haremos con esto? ¿Qué ha *ocurrido?*

–*Usted* estuvo en el programa de Foxley –dijo la señora O'Reilly–. Nosotros no.

–He tomado la decisión de no ver nunca esos programas –mascullló Kendrick–. Si los veo, se espera de mí que sepa algo.

–Ahora hay mucha gente que lo conoce.

–Estuvo *muy* bien, congresal –agregó el detective–. Un par de muchachos del departamento me llamaron para pedirme que le dijese a Annie que le agradeciera... yo te lo dije, Annie.

–Primero, no he tenido la oportunidad, y segundo, con toda esta confusión era probable que lo olvidara. Pero creo, Evan, que la manera más limpia de salir de esto es ir afuera y hacer algún tipo de declaración.

–Espera un momento –interrumpió Kendrick, mirando a Patrick O'Reilly–. ¿Por qué querría agradecerme nadie del departamento de policía?

–Por la forma en que enfrentó a Barrish y le dio una tunda.

–Me di cuenta de eso, ¿pero qué es Barrish para ellos?

–Es un paniagudo del Pentágono, con amigos en puestos importantes. Además, un rompebolas, si uno ha pasado unas cuantas noches sin dormir, vigilando a alguien, y en lugar de recibir un agradecimiento lo llenan de reproches.

–¿Qué vigilancia? ¿Qué pasó?

–*Señor* Kendrick –interrumpió Annie–. ¡Ahí afuera hay un *zoológico*! Tiene que mostrarse, *decir* algo.

–No, quiero escuchar esto. Adelante, señor... ¿puedo llamarlo Patrick, o Pat?

–"Paddy" me parece mejor. Así me llaman.

–Yo soy Evan. Olvídese de lo de "congresal"... yo quiero olvidarlo por completo. Por favor. Continúe. ¿Cómo estuvo Barrish relacionado con la policía?

–Bueno, yo no dije eso. El en persona está más limpio que una gaita irlandesa, que en realidad no es muy encantadora por dentro, pero es más puro que una sábana blanqueada al sol del mediodía.

–Los hombres de su especialidad no agradecen a la gente por propinar una tunda a la ropa limpia...

–Bueno, no fue lo más grande en que haya fracasado nunca; a decir verdad, en sí mismo fue algo menor, pero algo habría salido de eso, si hubiéramos podido seguirlo... Los muchachos seguían a un mozzarella de quien se sabía que blanqueaba dinero a través de Miami y algunos puntos del sudeste, como las islas Caimanes. En la cuarta noche de la vigilancia en el Hotel Mayflower, pensaron que ya lo tenían. Sabe, un tipo subió a la habitación del otro, a la una de la mañana, con un maletín grande. La una de la mañana... no era exactamente el comienzo ni el final de un día de trabajo, ¿eh?

–En modo alguno.

–Bueno, resultó que el tipo tenía inversiones legítimas con el mozzarella, y los libros del Pentágono mostraban que había estado en una conferencia de directivos hasta casi las once y media, y además tenía que tomar un avión a Los Angeles, a las ocho de la mañana, de modo que lo de la una quedaba explicado.

–¿Y el maletín?

–No pudimos tocarlo. Hubo mucha ofensa, mucha irritación, y se manejó mucho lo de la seguridad nacional. Parece que alguien había hecho una llamada telefónica.

–Pero no a un abogado –dijo Evan–. Por el contrario, a cierto coronel Robert Barrish, del Pentágono.

–Bingo. Nos metieron la cara en el fango, por dudar de las motivaciones de un norteamericano espléndido y leal, que ayudaba a mantener la fortaleza de la gran Norteamérica. A los muchachos les dieron una buena.

–Pero usted piensa distinto. Cree que en esa habitación hubo algo más que inversiones legítimas.

–Si camina como un pato y habla como un pato y parece un pato, por lo general se trata de un pato. Pero no ese tipo; no era un pato, era una comadreja de cola larga, cuyo nombre fue eliminado de nuestra *lista* de patos.

–Gracias, Paddy... Bien, señora O'Reilly, ¿qué digo ahí afuera?

–Lo que yo sugiera, es probable que nuestro muchacho, Phil Tobias, lo rechace, usted debería saberlo. Ya viene para aquí.

–¿Le cortó su tenis de los lunes por la mañana? Eso se llama valentía superior a las exigencias del deber.

–El es dulce y listo, Evan, pero no creo que sus consejos puedan servirle ahora; tiene que arreglárselas por su cuenta. Recuerde que esos buitres están convencidos de que usted ha estado exhibiéndose toda la semana pasada... todo un espectáculo, desde la audiencia de la comisión hasta el programa de Foxley. Si hubiera salido del paso con un par de frases, a nadie le importaría mucho, pero no fue así. Enfrentó a un peso pesado y lo hizo quedar como un bravucón parlanchín, y eso lo convierte a usted en noticia. Ahora quieren saber adónde piensa llegar.

–¿Qué me sugiere, entonces? Usted sabe adónde pienso llegar, Annie. ¿Qué *digo*?

Ann Mulcahy O'Reilly miró a Kendrick a los ojos.

–Lo que quiera, congresal. Pero dígalo en serio.

–¿La queja del cisne? ¿Mi canto del cisne, Annie?

–Sólo usted lo sabrá cuando llegue allá.

El alboroto de la oficina exterior se intensificó con el repentino estallido de los flashes y los móviles reflectores enceguecedores de los equipos de televisión, que blandían sus mortíferas minicámaras en medio del gentío. Se gritaron preguntas, tapadas por otros gritos. Varios de los periodistas más eminentes exigieron con arrogancia sus derechos a las posiciones más próximas y destacadas, de manera que el congresal del Noveno Distrito de Colorado se dirigió sencillamente al escritorio de su recepcionista, apartó a un lado el secante y el teléfono, y se sentó en él. Sonrió con valentía, levantó las dos manos varias veces y se negó a hablar. Poco a poco la cacofonía se fue atenuando, quebrada de vez en cuando por una voz estridente, que obtenía como respuesta una silenciosa mirada de fingido asombro de parte del escandalizado representante. Por último, se entendió que Evan Kendrick no abriría la boca hasta que no pudiese ser escuchado por todos. Se hizo el silencio.

–Muchas gracias –dijo Evan–. Necesito toda la ayuda posible para pensar en lo que quiero decir... antes que *ustedes* digan lo que quieren decir, lo cual es muy distinto, porque ya lo tienen *todo* pensado.

–*Congresal* Kendrick –gritó un irritante periodista televisivo, evidentemente molesto por su ubicación en la segunda fila–. ¿Es *verdad* que...?

–Oh, vamos, *por favor*, ¿quiere? –interrumpió Kendrick con firmeza–. Déme una oportunidad, amigo. Usted está habituado a esto, yo no.

–¡Esta no es la forma en que se lo vio en la televisión, señor! –replicó el que hasta ese momento había sido un reportero importante.

–Eso fue uno contra uno, según yo lo entiendo. Esto es uno contra todo el Coliseo que quiere una cena de león. Déjenme decir algo primero, ¿de acuerdo?

–Por supuesto, señor.

–Me alegro de que no haya sido usted el de la semana pasada, Stan... creo que su nombre es Stan.

–Lo es, señor.

–Me habría devorado la cabeza junto con su coñac.

–Usted es muy amable, señor.

–¿De veras? *Es* un elogio, ¿verdad?

–Sí, congresal. Ese es nuestro trabajo.

–Y yo lo respeto. Ojalá lo hicieran más a menudo.

–*¿Qué?*

–Uno de los integrantes más respetados de mi personal –continuó Kendrick con rapidez– me explicó que debía hacer una declaración. Eso asusta un poco, si a uno nunca se le ha pedido que emita una declaración...

–Usted se *postuló* para un cargo, señor –interrumpió otra reportera televisiva, agitando en forma muy evidente su cabellera rubia dentro del foco de su cámara–. Sin duda tiene que haber hecho declaraciones entonces.

–No si el titular representaba la versión de *Planeta de los simios* de nuestro distrito. Confírmelo, sostendré mis palabras. Ahora bien, ¿puedo continuar, o me voy? Seré muy franco con ustedes. En realidad me importa un rábano.

–Continúe, señor –dijo el caballero que era llamado con frecuencia Stan-el-hombre, con una atractiva sonrisa.

–Muy bien... El muy valioso miembro de mi personal también mencionó que algunos de ustedes, si no todos, podían abrigar la impresión de que la semana pasada estuve exhibiéndome. "Exhibiéndome." ... Tal como yo entiendo el término, significa llamar la atención mediante la ejecución de un acto en lo fundamental melodramático, con o sin sustancia, que atraiga la atención de las multitudes que miran, desde las tribunas, a la persona que ejecuta ese acto. Si esa definición es exacta, debo declinar el título de exhibicionista, porque no busco la aprobación de nadie. Una vez más, no me importa.

La momentánea conmoción fue contenida por las palmas del congresal, que empujaron el aire delante de su cara.

–Soy muy sincero en ese sentido, damas y caballeros. No espero estar mucho tiempo aquí.

–¿Tiene un problema de *salud*, señor? –preguntó un joven desde el fondo.

–¿Quiere hacer una pulseada?... No, no tengo tales problemas, que yo sepa...

–Yo fui campeón de box en la universidad, señor –agregó el juvenil reportero del fondo, incapaz de contenerse, en medio de los humorísticos abucheos de los demás–. Perdón, señor –dijo, avergonzado.

–No se disculpe, joven. Si yo tuviera su talento, tal vez desafiaría al jefe de maniobras del Pentágono *y* a su similar del Kremlin, y solucionaríamos todo al estilo antiguo. Un desafiante por cada bando, y nos ahorraríamos los batallones. Pero no, no tengo su capacidad, y además no tengo problemas de salud.

–Y entonces, ¿qué *quiso* decir? –preguntó un respetado columnista del *New York Times*.

–Me honra que usted esté aquí –dijo Evan, al reconocer al hombre–. No sabía que yo fuese digno de su tiempo.

–Creo que lo es, y mi tiempo no es tan valioso. ¿De dónde proviene, congresal?

–No estoy seguro, pero para contestar su primera pregunta, no tengo la certeza de que este sea mi lugar. En cuanto a la segunda, como no sé si debería estar aquí, me encuentro en la envidiable situación de decir lo que quiero sin pensar en las consecuencias... me refiero a las consecuencias políticas.

–Eso *es* una noticia –dijo el ácido Stan-el-hombre, escribiendo en su anotador–. Su declaración, señor.

–Gracias. Creo que me gustaría dejarla expresada. Como a mucha gente, no me gusta lo que veo. Estuve muchos años fuera de este país, y es posible que haya que alejarse para entender lo que tenemos... aunque sólo sea para compararlo con lo que otros no tienen. Se supone que no debe haber una oligarquía gobernando a este país, y sin embargo parecería que la hay. No puedo señalarla con el dedo, pero está ahí, ellos están ahí, lo sé. Y ustedes también. Quieren escalar, siempre *escalar*, señalar siempre a un adversario que ha escalado, a su vez, hasta la cima de su escala económica y tecnológica. ¿Dónde demonios nos detendremos? ¿Dónde se detendrán *ellos*? ¿Cuándo dejaremos de provocar pesadillas a nuestros hijos porque lo único que escuchan es la maldita promesa de la aniquilación? ¿Cuándo dejarán de escuchar eso los hijos de *ellos*?... ¿O seguiremos en ese ascensor diseñado en el infierno, hasta que ya no podamos descender, cosa que no importará mucho, en definitiva, porque afuera las calles estarán en llamas...? Perdónenme, sé que no es justo, pero de pronto ya no quiero más preguntas. Me vuelvo a las montañas. –Evan Kendrick bajó del escritorio y caminó con rapidez por entre el gentío estupefacto, hasta la puerta de su oficina. La abrió, apurando el paso, y salió al corredor.

–No se va a las montañas –susurró Patrick Xavier O'Reilly a su esposa–. Ese muchacho se queda aquí, en esta ciudad.

–¡Oh, *shhh!* –exclamó Annie, con lágrimas en los ojos–. ¡Acaba de separarse de toda la *Colina*!

–Tal vez de la Colina, muchacha, pero no de nosotros. Ha puesto el dedo en la llaga, sin demasiada delicadeza. Ellos ganan todo el dinero, y nosotros estamos muertos de miedo. Vigílalo, Annie, cuídalo. Es una voz que queremos escuchar.

19

Kendrick vagó por las calurosas, aplastantes calles de Washington, con la camisa abierta, la chaqueta colgada del hombro, sin saber adónde iba, tratando solo de despejarse la cabeza y de poner un pie delante del otro, sin rumbo. Más de una vez fue detenido por desconocidos cuyos comentarios estaban divididos casi en partes iguales, aunque se inclinaban a su favor, cosa que no estaba seguro de que le agradase.

–¡Hizo un magnífico trabajo ante ese imbécil, senador!
–No soy senador, soy congresal. Gracias, de todos modos.

–¿Quién se cree que *es*, congresal no sé cuántos? ¡Tratar de hacer una zancadilla a un magnífico y leal norteamericano como el coronel Barrish! ¡Maldito marica izquierdista y solterón!
–¿Puedo venderle algún perfume? El coronel me compró un frasco.
–*¡Repugnante!*

–*¡Eh*, hombre, vi el programa! Se mueve bien y canta en registro alto. ¡Ese hijo de puta querría mandar a todos los hermanos de vuelta a Vietnam, como carne cruda!

–No creo que lo haga, soldado. No discrimina. Todos somos carne cruda para él.

–¡El hecho de que sea listo no le da la razón, señor! Y el hecho de que él haya caído en una trampa –lo admitió, con sus propias palabras– no hace que esté equivocado. ¡Es un hombre comprometido con la fuerza de nuestra nación, y es evidente que usted no!

–Creo estar comprometido con la razón, *señor*. Eso no excluye la fuerza de mi país, o por lo menos así lo espero.

–¡Yo no vi evidencia alguna de eso!

–Lo siento. Estaba ahí.

Gracias, congresal, por decir lo que muchos de nosotros pensamos.

–¿Por qué no lo dicen *ustedes*?

–No estoy seguro. Dondequiera se vuelva uno, hay alguien gritándonos que nos mantengamos firmes. Yo era un jovencito de Bastogne, en el Bolsón, y nadie tuvo que decirme que fuera recio. Lo *fui*... y tuve mucho miedo. Ocurrió, eso fue todo; yo quería vivir. Pero ahora las cosas son distintas. No se trata de hombres contra hombres, ni de cañones y aviones. Son aparatos que vuelan por el aire y producen enormes agujeros en la tierra. No se les puede disparar, no es posible detenerlos. Lo único que se puede hacer es esperar.

–Ojalá usted hubiese estado en la audiencia. Acaba de decirlo mejor de lo que yo nunca habría podido hacerlo, con credenciales mucho menos impresionantes.

En realidad no quería hablar más; estaba cansado de hablar, y los desconocidos, en la calle, no lo ayudaban a encontrar la soledad que necesitaba. Tenía que pensar, aclarar las cosas, resolver qué debía hacer, y resolverlo pronto, aunque sólo fuese para dejar la decisión atrás. Había aceptado el nombramiento en la Comisión Partridge por un motivo específico: quería tener voz en la elección, en su distrito, del hombre que lo remplazaría, y su ayudante, Phil Tobias, lo había convencido de que la aceptación del llamamiento de Partridge le garantizaría una voz. Pero Evan se preguntaba si en verdad eso le importaba mucho.

En cierta medida, debía admitir que sí, pero no porque tuviese reclamaciones territoriales que hacer. Había entrado en un círculo político menor, como un hombre colérico, con los ojos abiertos. ¿Podía cerrar el negocio e irse de paseo, tan solo porque se sentía irritado por un breve alboroto de presentación ante el público? No llevaba un distintivo de moralidad en la solapa, pero había para él algo intrínsecamente desagradable respecto de quien se comprometía a algo y después se iba por alguna incomodidad personal. Por otro lado, y con palabras de otra época, había expulsado a los pillastres que estaban dejando exangüe al Noveno Distrito de Colorado. Había hecho lo que quería hacer. ¿Qué más podían querer de él, los votantes de su electorado? Los había despertado; por lo menos creía haberlo hecho, y no había ahorrado palabras ni dinero para tratar de hacerlo.

Pensar. Realmente, tenía que pensar. Lo más probable era que conservase la propiedad de Colorado durante algún tiempo, todavía no establecido; tenía cuarenta y un años; dentro de diecinueve, tendría sesenta. ¿Qué demonios importaba *eso*?... Importaba. Volvería al Asia del sudoeste, a los trabajos y a la gente con quien mejor sabía trabajar, pero lo mismo que Manny, no pensaba vivir sus últimos años, o con buena suerte una o dos décadas, en el mismo ambiente... Manny. Emmanuel Weingrass, el brillo personificado, autócrata renegado, un ser humano absolutamente imposible... pero el único padre que había conocido. Nunca conoció de veras a su propio padre; este hombre lejano había muerto construyendo un puente en Nepal, cuando él tenía apenas ocho años, y dejó a una esposa cínica y humorista, que como se había casado con un capitán indecentemente joven, del Cuerpo de Ingenieros del Ejército, durante la segunda guerra mundial, contaba en su haber con menos episodios de dicha matrimonial que Catalina de Aragón.

–*¡Eh!* –gritó un hombre obeso que acababa de salir de la puerta, cubierta por un dosel, de un bar de la Calle Dieciséis–. ¡Acabo de verlo! ¡Estuvo en la televisión, sentado en un escritorio! Fue ese programa de noticias de todo el día. *¡Aburrido!* No sé qué demonios dijo, pero algunos estúpidos aplaudieron y otros lo abuchearon. ¡Era *usted*!

–Debe de estar equivocado –dijo Kendrick, y apretó el paso. Buen Dios, pensó, la gente de Noticias por Cable había lanzado al aire, a toda prisa, la conferencia improvisada. Hacía apenas una hora y media que había salido de la oficina; alguien tenía mucha prisa. Sabía que Cable necesitaba constantes materiales, pero con todas las noticias que circulaban por Washington, ¿por qué *él*? En verdad, lo que le molestaba era una observación hecha por el joven Tobias durante los primeros días de Evan en el Capitolio. "El de Cable es un proceso de incubación, congresal, y podemos aprovecharlo. Es posible que las redes no lo consideren demasiado importante como para brindarle cobertura, pero estudian siempre las pequeñas notas de Cable para buscar lo poco común, lo que no es habitual... el relleno de ellos. Podemos crear situaciones en las cuales los muchachos de C morderán el anzuelo, y en mi opinión, señor Kendrick, con su atractivo y sus observaciones un tanto oblicuas..."

–Entonces no cometamos nunca el error, señor Tobias, de llamar a los muchachos de C, ¿de acuerdo? –La interrupción había desinflado al ayudante, quien se aplacó en parte ante la promesa de Evan de que el próximo habitante de la oficina sería mucho más maleable. Lo había dicho en serio; y también pensaba así ahora, pero le preocupaba la posibilidad de que fuese demasiado tarde.

Se encaminó hacia el Hotel Madison, a poco más de una calle de distancia, donde había pasado la noche del domingo... porque tuvo la presencia de ánimo para llamar a su casa de Virginia, para enterarse de si su presentación en el programa de Foxley había creado algún problema en su hogar.

–Sólo cuando se desea hacer alguna llamada telefónica, Evan –había contestado en árabe el doctor Sabri Hassán; era el idioma que ambos usaban por conveniencia, así como por otras razones–. Las llamadas no paran.

–Entonces me quedaré aquí. Todavía no sé dónde, pero le avisaré.

–¿Para qué molestarse? –había preguntado Sabri–. Es probable que, de todos modos, no pueda comunicarse. Me sorprende que lo haya logrado ahora.

–Bueno, por si llama Manny...

–¿Por qué no lo llama usted mismo y le dice dónde está, para que yo no tenga necesidad de mentir? A los periodistas de esta ciudad les falta tiempo para pescar a un árabe en una mentira; se precipitan sobre nosotros. Los israelíes pueden decir que lo blanco es negro, o que lo dulce es amargo, y el grupo de presión de ellos convence al Congreso de que es para bien de uno. No ocurre lo mismo con nosotros.

–Termine con eso, Sabri...

–Tenemos que dejarlo, Evan. Nosotros no le servimos, no le *serviremos*.

–¿De qué demonios habla?

–Kashi y yo vimos el programa esta mañana. Usted fue muy eficiente, amigo mío.

–Hablaremos de eso más tarde. –Se había pasado la tarde mirando béisbol y bebiendo whisky. A las seis y media puso las noticias, una red tras otra, sólo para verse en breves segmentos del programa de Foxley. Disgustado, pasó a un canal dedicado a las artes, que pasaba un filme en el cual se describían los hábitos de apareamiento de las ballenas de Tierra del Fuego. Se sintió asombrado y se quedó dormido.

Ahora el instinto le decía que retuviese la llave de su habitación, de modo que cruzó de prisa el vestíbulo de Madison, rumbo a los ascensores. Una vez dentro de la habitación, se quitó la ropa, hasta quedar en calzoncillos, y se tendió en la cama. Y tal vez por un síntoma de ego reprimido, o de pura curiosidad, tomó la unidad de control remoto y puso el canal de Noticias por Cable. Siete minutos más tarde se veía saliendo de su oficina.

–*Damas y caballeros, acaban de ver una de las conferencias de prensa más extraordinarias a las que haya asistido este reportero. No sólo extraordi-*

narias, sino extraordinariamente unilaterales. Este representante de Colorado ha planteado en su primer período temas de evidente importancia nacional, pero se niega a ser interrogado acerca de sus conclusiones. Se va. Es preciso decir, a su favor, que niega haberse "exhibido", porque no está seguro de que vaya a quedarse en Washington... y suponemos que se refiere a permanecer en el Gobierno. De todos modos, sus declaraciones fueron incitantes, para decirlo de algún modo.

El videotape se detuvo de golpe, remplazado por la cara en vivo de una reportera.

–Ahora pasamos al Departamento de Defensa, donde entendemos que un subsecretario a cargo de Disuasión Estratégica tiene preparada una declaración. Es tuyo, Steve.

Otro rostro, ahora el de un reportero de cabello oscuro y demasiados dientes, que miró a la cámara y susurró:

–El subsecretario Jasper Hefflefinger, a quien se busca siempre que alguien ataca al Pentágono, se ha precipitado a la brecha abierta por el congresal... *¿Quién?...* Henryk, de Wyoming... *¿cómo?...* ¡Colorado! Aquí tenemos al subsecretario Hefflefinger.

Otra cara. Un hombre carrilludo, pero bello, un rostro fuerte, con una cabellera plateada que exigía atenciones. Y con una voz que habría sido envidiada por los más destacados anunciadores de finales de la década del treinta y toda la del cuarenta.

–Le *digo* al congresal que *agradecemos* sus comentarios. ¡Nosotros queremos lo *mismo*, señor! Evitar la catástrofe, buscar la libertad...

El imbécil siguió y siguió, diciéndolo todo, pero sin decir nada, y sin referirse nunca a los temas de la escalada y la contención.

¿Por qué *yo*?, gritó Kendrick para sí. *¿Por qué yo?* ¡Al *demonio* con eso! ¡Con *todo*! –Apagó el televisor, tomó el teléfono y llamó a Colorado.– ¡Hola, Manny! –dijo, al escuchar el brusco saludo de Weingrass.

–¡*Muchacho*, eres una *buena pieza*! –gritó el anciano en el téléfono–. ¡En definitiva te eduqué bien!

–Deja eso, Manny. Quiero salir de esta mierda.

–¿Quieres *qué*? ¿No te viste en la *TV*?

–Por eso quiero irme. Olvídate del cuarto de baño vidriado y de la glorieta al lado de los arroyos. Lo haremos más tarde. Volvamos tú y yo a los Emiratos, vía París, por supuesto, tal vez podríamos pasar un par de meses en París, si quieres. ¿De acuerdo?

–¡*No* de acuerdo, payaso *meshugenah*! ¡Si tienes algo que decir, *dilo*! Siempre te enseñé, perdiéramos o no un contrato, a decir lo que creyeras que era correcto... Está bien, está bien, es posible que hayamos fallado un poco alguna vez, ¡pero *cumplíamos*! ¡Y *nunca* cobramos las postergaciones, aunque tuviéramos que pagarlas!

–Manny, eso no tiene nada que ver con lo que está pasando aquí...

–¡Tiene *todo* que ver! Estás construyendo algo... Y hablando de construir, adivina una cosa, mi muchacho *goy*.

–¿Qué?

–He empezado el baño de vapor de la terraza y terminado los planos para la glorieta junto a los arroyos. ¡*Nadie* interrumpe a Emmanuel Weingrass hasta que sus dibujos quedan terminados a su entera satisfacción!

–¡Manny, eres *imposible*!

–Puede que haya escuchado eso alguna vez.

Milos Varak caminó por un sendero de granza del parque Rock Creek, hacia un banco que dominaba un barranco a cuyo pie corrían aguas derivadas del Potomac. Era un sector remoto, pacífico, alejado de los pavimentos de hormigón de arriba, preferido por los turistas estivales que querían alejarse del calor y el ajetreo de las calles. Tal como esperaba el checo, el presidente de la Cámara de Representantes ya se hallaba allí, sentado en el banco, con la blanca cabellera cubierta por una gorra de paseo irlandesa, la visera caída casi hasta la mitad de la cara y el largo cuerpo, penosamente delgado, cubierto por un innecesario impermeable, dada la calurosa humedad de una tarde de agosto en Washington. El presidente no quería que nadie lo viese; no era su hábito normal. Varak se aproximó y habló.

–Señor presidente, muy honrado en encontrarme con usted, señor.

–La gran puta, ¡*es* un extranjero! –El rostro flaco, de ojos oscuros y blancas cejas arqueadas, era un rostro colérico, furioso, pero a la defensiva, y resultaba evidente que esta última característica le repugnaba.– ¡Si es algún maldito mandadero comunista, puede irse ahora mismo, *Iván*! No me voy a presentar para otro período. En enero próximo me voy, he terminado, kaput, ¡y lo que ocurrió hace treinta o cuarenta años no significa una condenada mierda! ¿Me ha entendido, *Boris*?

–Usted ha tenido una carrera destacada, y ha sido una fuerza positiva para su país, señor... que ahora también es el mío. En cuanto a que yo sea ruso, o agente del bloque oriental, he luchado contra ambos en los últimos diez años, como lo sabe mucha gente de este gobierno.

El político de ojos graníticos estudió a Varak.

–No tendría la valentía o la estupidez de decírmelo, si no pudiera corroborarlo –entonó con el acento penetrante de un hombre del norte de Nueva Inglaterra–. ¡De todos modos, me *amenazó*!

–Sólo para conseguir que me prestara atención, para convencerlo de que me viese. ¿Puedo sentarme?

–Siéntese –dijo el presidente, como si se dirigiera a un perro de quien esperase obediencia. Varak así lo hizo, dejando un amplio espacio entre ambos.– ¿Qué conoce acerca de los acontecimientos que pudieron haber ocurrido o no en algún momento de la década del cincuenta?

–Fue el 17 de marzo de 1951, para ser exactos –respondió el checo–. Ese día nació un varón en el Hospital de la Señora de la Merced, en Belfast, hijo de una joven que había emigrado a Norteamérica varios años antes. Había regresado a Irlanda, y su explicación era en verdad muy triste. Su esposo había muerto, y en medio de su dolor, ella quiso tener a su hijo en casa, en el seno de su familia.

–¿Y bien? –dijo el presidente, con mirada fría e inconmovible.

–Creo que usted lo sabe, señor. Aquí no había un esposo, pero sí un hombre que debe de haberla amado mucho. Un ascendente político joven, atrapado en un matrimonio desdichado, del cual no podía escapar a causa de las leyes de la Iglesia, y de la ciega adhesión a ellas de sus electores. Durante años, ese hombre, que era abogado, envió dinero a la mujer, y los visitó, a ella y a su hijo, con tanta frecuencia como le fue posible... como tío norteamericano, es claro.

–¿Puede probar quiénes eran esas personas? –interrumpió con sequedad el maduro presidente–. ¿No de oídas, o por rumores, o por la identificación de testigos cuestionables, sino con pruebas escritas?

–Puedo.

–¿Con qué? ¿Cómo?

–Hubo intercambio de cartas.

–*¡Mentiroso!* –bramó el septuagenario–. ¡Ella las quemó todas antes de morir!

–Me temo que quemó todas menos una –dijo Varak con suavidad–. Creo que tenía la intención de destruirla también, pero la muerte llegó antes de lo que esperaba. Su esposo la halló enterrada debajo de otras cosas, en su mesa de noche. Por supuesto, él no sabe quién es *E*, ni le interesa saberlo. Sólo se siente agradecido de que su esposa haya declinado el ofrecimiento de usted y permanecido al lado de él durante estos últimos veinte años.

El anciano se volvió, con lágrimas asomadas en los ojos, contenidas por disciplina.

–Mi esposa me había dejado entonces –dijo con voz apenas audible–. Nuestra hija y nuestro hijo estaban en la universidad, y ya no había motivos para seguir manteniendo la podrida ficción. Las cosas habían cambiado, las maneras de ver habían cambiado, y yo me encontraba en Boston, tan seguro como un Kennedy. Inclusive los chismosos de la diócesis mantuvieron la boca cerrada... por supuesto, hice saber a algunos de esos canallas mojigatos que si durante las elecciones había alguna intromisión de la Iglesia, incitaría a los extremistas negros y judíos a alborotar en la Cámara en relación con su sagrado privilegio de exención impositiva. Al obispo casi le dio un ataque de apoplejía, me lanzó a gritos toda clase de maldiciones por haber dado un infernal ejemplo público, pero también arreglé cuentas con él. Le dije que era probable que mi esposa también se hubiera acostado con él. –El canoso presidente, de cara surcada de arrugas, guardó silencio.– ¡Madre de *Dios* –exclamó, ahora evidentes las lágrimas–, quiero de vuelta a esa chica!

–Estoy seguro de que no se refiere a su esposa.

–¡Sabe con exactitud a quién me refiero, señor Sin Nombre! Pero ella no podía hacerlo. Un hombre decente le había dado un hogar y a nuestro hijo un apellido, desde hacía quince años. No podía dejarlo... ni siquiera por mí. Le diré la verdad. Yo también guardé su última carta. Las dos fueron las últimas que nos enviamos. "Nos reuniremos en el más allá, en el cielo –me escribió–. Pero ya no en esta tierra, mi querido." ¿Qué clase de *estupidez* era *esa*? ¡Habríamos podido tener una *vida*, una *buena* parte de esta condenada vida!

–Si me permite, señor, creo que fue la expresión de una mujer enamorada, que tenía tanto respeto por usted como por sí misma y su hijo. Usted tenía sus propios hijos, y las explicaciones del pasado pueden destruir el futuro. Usted tenía un futuro, señor presidente.

–Lo habría abandonado todo por...

–Ella no podía permitirle que lo hiciera, tal como no podía destruir al hombre que les había dado, a ella y al niño, un hogar y un nombre.

El anciano sacó el pañuelo y se secó los ojos, y su voz volvió de pronto a su tono áspero.

–¿De dónde demonios sabe usted todo esto?

–No fue difícil. Usted es el presidente de la Cámara de Representantes, el segundo en la línea de sucesión para la presidencia, y yo quería saber algo más acerca de usted. Perdóneme, pero la gente de más edad habla con más libertad que los jóvenes, en buena medida, ello se debe a su sentimiento no reconocido de la importancia, cuando se trata de presuntos secretos, y por supuesto, sabía que usted y su esposa, los dos católicos, se habían divorciado. Si se tiene en cuenta su estatura política en aquel momento, y el poderío de su Iglesia, esa tenía que haber sido una decisión importante.

–Cuernos, eso no lo discuto. De manera que buscó a gente de edad, que nos hubiese conocido en aquella época.

–La encontré. Me enteré de que su esposa, hija de un urbanista acaudalado que deseaba tener influencia política, y que literalmente financió las primeras campañas de usted, tenía una reputación menos que envidiable.

–Antes y después, señor Sin Nombre. Sólo que yo fui el último en enterarme.

–Pero se enteró –dijo Varak con firmeza–. Y en su furia y vergüenza, buscó otras compañías. En esa época estaba convencido de que no podía hacerse nada respecto de su matrimonio, de modo que buscó consuelo sustituto.

–¿Así se llama eso? Busqué a alguien que pudiera ser mía.

–Y la encontró en un hospital, adonde fue a donar sangre durante una campaña. Era una enfermera diplomada de Irlanda, que estudiaba para conseguir el título en Estados Unidos.

–Cómo *demonios*...

–La gente de edad habla.

–Pee Wee Mangecavallo –musitó el presidente, con los ojos repentinamente brillantes, como si el recuerdo le hubiese procurado una oleada de dicha–. Tenía un pequeño establecimiento italiano, un bar que servía buena comida siciliana, a unas cuatro calles del hospital. Nadie me molestó nunca allí... no creo que supieran quién era. Ese italiano canalla se *acordó*.

–El señor Mangecavallo tiene ahora más de noventa años, pero recuerda. Usted llevaba allí a su encantadora enfermera, y él cerraba el bar a la una de la mañana y los dejaba a los dos adentro; sólo les pedía que mantuvieran las tarantelas en el fonógrafo al volumen más bajo.

–Una bella persona.

–De memoria extraordinaria para alguien de su edad, pero me temo que sin el control de sí mismo que poseía de joven. Su recordación es casi un desvarío... y mientras bebe su chianti dice cosas que tal vez no habría dicho hace unos pocos años.

–A su edad, tiene derecho...

–Y usted le *hizo* confidencias, señor presidente –interrumpió Varak.

–No, en verdad no –refutó el anciano político–. Pero Pee Wee unía una cosa a la otra; no era difícil. Cuando ella se fue a Irlanda, yo solía volver allá, y durante un par de años lo hice con bastante frecuencia. Bebía más que de costumbre, porque, como dije, nadie me conocía, y a nadie le importaba, y Pee Wee siempre me llevaba a casa sin problemas, como se dice. Creo que tal vez he hablado demasiado.

–Volvió al establecimiento del señor Mangecavallo cuando ella se casó.

–*Oh*, sí, lo hice. Lo recuerdo como si hubiese sido ayer... recuerdo haber entrado, pero no me acuerdo de haber salido.

–El señor Mangecavallo tiene muy claro en la memoria ese día. Nombres, un país, una ciudad... una fecha... de separación, la llamó usted. Yo fui a Irlanda.

El presidente volvió de golpe la cabeza hacia Varak, furiosos e interrogantes los ojos, que no parpadeaban.

–¿Qué quiere de mí? Todo eso ha terminado, pertenece al pasado, y usted no puede hacerme daño. ¿Qué *quiere*?

–Nada que pueda avergonzarlo o lamentar, señor. Se podría realizar el examen más estricto de sus antecedentes, y usted sólo podría aplaudir la recomendación de mis clientes.

–Sus... *¿clientes?* ¿Recomendación?... ¿Alguna misión de la Cámara?

–Sí, señor.

–Dejando de lado todas las estupideces, ¿por qué habría de aceptar lo que me está diciendo?

–Por un detalle, relacionado con Irlanda, que no conoce.

–¿Qué es cuál?

–¿Ha oído hablar del asesino que se hace llamar Tam O'Shanter, el "comandante de ala" provisional del Ejército Republicano Irlandés?

–*¡Un cerdo!* ¡Una mancha en el escudo de todos los clanes irlandeses.

–Es su hijo.

Había pasado una semana, y para Kendrick constituía una prueba más del rápido olvido de la fama en Washington. Las audiencias televisadas de la Comisión Partridge habían sido suspendidas a pedido del Pentágono, que emitió dos declaraciones, en el sentido de que estaba revisando "en profundidad" ciertos registros financieros, y de que el coronel Robert Barrish había sido ascendido a brigadier general y enviado a la isla de Guam, para encargarse de esa tan vital avanzada de la libertad.

Cierto Joseph Smith, del 70 de la calle Cedar, en Clinton, Nueva Jersey, cuyo padre había estado con el 27º en Guam, rió a carcajadas mientras sobaba el pecho izquierdo de su esposa delante de la pantalla del televisor.

–¡Lo han *hundido*, querida! ¡Y ese cómo se llama lo *hizo*! ¡Es mi *amigo*!

Pero así como todos los breves períodos de euforia deben llegar a su fin, así también concluyó el alivio temporal experimentado por el representante del Noveno Distrito de Colorado.

–*¡Cristo!* –aulló Phil Tobias, ayudante principal del congresal, cubriendo el auricular con la mano–. ¡Es el *propio* presidente de la Cámara! ¡No un ayudante, ni un secretario, sino *él*!

–Tal vez deberías decírselo al otro "él" –dijo Annie O'Reilly–. Llamó a tu línea, no a la mía. No hables, encanto. Oprime el botón y anuncia. Está fuera de tu jurisdicción.

–¡Pero no está *bien*! Su gente tendría que haberme llamado a *mí*...

–*¡Hazlo!*

Tobias lo hizo.

–*¿Kendrick?*

–¿Sí, señor presidente?

–¿Tiene unos minutos libres? –preguntó el hombre de Nueva Inglaterra.

–Bueno, por supuesto, señor presidente, si lo considera importante.

–No llamaría en forma directa a un novato del demonio, si no creyese que es importante.

–Entonces sólo me queda abrigar la esperanza de que un presidente del demonio de la Cámara tenga algún tema vital que discutir –replicó Kendrick–. De lo contrario, le cobraré a *su* Estado mi tasa horaria de consulta. ¿Queda eso entendido, señor presidente?

–Me gusta tu estilo, muchacho. Estamos en bandos opuestos, pero me agrada tu estilo.

–Es posible que no le agrade cuando esté en su puesto.

–Eso me gusta aún más.

Asombrado, Kendrick se encontraba de pie delante del escritorio, contemplando en silencio los ojos evasivos del delgado y canoso presidente de la Cámara. El anciano irlandés acababa de hacer una afirmación extraordinaria, que cuando menos habría debido ser una proposición, pero que en cambio era una bomba en el camino de retirada de Evan respecto de Washington.

–¿La Subcomisión de Inspección y Evaluación? –dijo Kendrick con furia contenida–. ¿De *Inteligencia?*

–En efecto –respondió el presidente, mirando sus papeles.

–¿Cómo se atreve? ¡No puede *hacer* eso!

–Ya se ha hecho. Se ha anunciado su designación.

–¿Sin mi *consentimiento*?

–No lo necesito. No digo que los dirigentes de su partido hayan sido muy fáciles de convencer, usted no es el tipo más popular de su lado de la cerca, pero aceptaron, con un poco de persuasión. Usted viene a ser algo así como un símbolo del bipartidismo independiente.

–¿Símbolo? *¿Qué* símbolo? ¡Yo no soy un símbolo!

–¿Tiene una cinta grabada del programa de Foxley?

–Eso no es historia. ¡Está olvidado!

–¿O esa escenita que armó en su oficina, a la mañana siguiente? Ese tipo del *New York Times* escribió una espléndida columna sobre usted, lo convirtió en una especie de... ¿cómo era?; ayer la volví a leer... "una voz razonada en medio de la babel de graznidos enloquecidos".

–Todo eso fue hace varias semanas, y desde entonces nadie ha mencionado nada de importancia. Me he marchitado.

–Acaba de volver a florecer.

–¡Rechazo el nombramiento! No me interesa cargar con secretos relacionados con la seguridad nacional. No me quedaré en el gobierno, y pienso que es intolerable que se me coloque en... una situación de riesgo, para decirlo con franqueza.

–Usted se niega públicamente, y su partido lo abandonará... públicamente. Le endilgarán unos cuantos epítetos, como por ejemplo un prometedor adinerado e irresponsable, y revivirán a ese idiota que enterró junto con su dinero. Aquí se lo echa de menos. –El presidente hizo una pausa, y ahogó una risita.– Buscaron a cualquiera que tuviese cositas como jets privados y pisos de lujo, de Hawai al sur de Francia. No importaba un rábano a qué partido perteneciera, sólo querían algunas leyes... de cualquier procedencia. Diablos, congresal, si se niega es posible que nos esté haciendo un favor a todos.

–En efecto, es un presidente del demonio, señor presidente.

–Soy pragmático, hijo.

–Pero ha hecho tantas cosas decentes...

–Por ser práctico –interrumpió el anciano político–. No se las puede hacer con cubos de vinagre, se las tolera mejor con jarros de jarabe tibio, como el dulce jarabe de Vermont, ¿entiende cómo es eso?

–¿Se da cuenta de que con una sola frase ha condonado la corrupción política?

–¡Un *cuerno*! Sólo condoné la aceptación de la codicia menuda, como parte de la condición humana, ¡a cambio de leyes importantes que ayuden a la gente que las necesitan de veras! He logrado hacer pasar esas cosas, pedazo de estúpido, cerrando los ojos ante uno que otro favor, cuando quienes los recibían sabían que mis ojos no estaban cerrados del todo. Pedazo de hijo de puta adinerado, tú no puedes entender eso. Es claro, aquí tenemos a algunos millonarios, pero la mayoría no lo son. Viven con salarios anuales que tú derrocharías en un mes. *Dejan* su cargo porque no pueden hacer que sus dos o tres hijos vayan a la universidad con lo que ganan, y ni *hablar* de vacaciones. De modo que tienes razón, a veces parpadeo.

–¡Muy *bien!* –gritó Kendrick–. ¡Eso puedo entenderlo, pero lo que no entiendo es por qué se me designa para Inspección! En mis antecedentes no hay nada que me habilite para esa designación. Podría nombrarle a otros treinta o cuarenta que conocen mucho más que yo... cosa que no resulta muy difícil, porque yo no sé nada. Ellos siguen esas cosas, les encanta estar metidos en ese negocio estúpido... ¡repito, en mi opinión es un *negocio estúpido*! Llame a uno de ellos. Babean de sólo pensarlo.

–Ese tipo de apetito no es lo que buscamos, hijo –dijo el presidente con su acento casero, del Este, más pronunciado ahora; un acento que desmentía décadas de refinadas negociaciones políticas en la capital de la nación–. Un buen escepticismo saludable, como el que le mostraste a ese sinuoso coronel en el programa de Foxley, eso es lo que hace falta. Harías un verdadero aporte.

–Se equivoca, señor presidente, porque no tengo nada que aportar, ni el menor interés de hacerlo. Barrish usó y abusó de las generalidades, se negó, con toda arrogancia, a hablar en forma directa; sólo se dedicó a replicar. Fue muy distinto. Repito, no tengo interés alguno en Inspección.

–Bien, mi joven amigo, los intereses cambian con las condiciones, como en los bancos. Ocurre algo, y las tasas suben o bajan en consonancia con eso. Y algunos de nosotros estamos más familiarizados que otros en ciertas zonas *conflictivas* del mundo... y por cierto que en ese sentido estás muy capacitado. Como dice ese hermoso libro, los talentos enterrados no resultan ni una mierda de útiles a nadie, pero si se los saca a la luz pueden florecer. Como tu nuevo florecimiento.

–Si se refiere a la época que pasé en los Emiratos Arabes, por favor, recuerda que era un ingeniero de construcciones, cuyas únicas preocupaciones consistían en los trabajos y las ganancias.

–¿De veras?

–El turista corriente conoce más que yo acerca de la política y la cultura de esos países. Los de construcciones nos aislábamos mucho; teníamos nuestros propios círculos, y muy pocas veces salíamos de ellos.

–Eso me resulta difícil creerlo... casi imposible, en verdad. Tengo el informe del Congreso sobre tus antecedentes, jovencito, y te digo que me hizo caer mis buenas medias de Nueva Inglaterra. Te encuentras aquí, en Washington, y construiste aeródromos y edificios gubernamentales para los árabes, lo cual significa, por supuesto, que mantuviste una cantidad de conversaciones con los grandes figurones de allá. ¡Hablo de *aeródromos*!; eso es inteligencia militar, hijo! ¡Y después me entero de que hablas varios idiomas árabes, no uno, sino varios!

–Es un solo idioma, los demás son sólo dialectos.

–Te digo que eres invalorable, y tu deber patriótico es servir a tu país compartiendo con otros expertos todo lo que sabes.

–¡*No* soy un experto!

–Además –interrumpió el presidente, respaldándose en el asiento, con expresión pensativa–, dadas las circunstancias, con tus antecedentes y todo eso, si rechazaras la designación parecería que tienes algo que ocultar, algo que tal vez deberíamos investigar. Tienes algo que esconder, congresal. –De pronto, los ojos del presidente se clavaron en Evan.

¿Algo que esconder? ¡Tenía mucho que esconder! ¿Por qué lo miraba de ese modo el presidente? Nadie sabía lo de Omán, lo de Mascate y Bahrein. ¡Nadie lo sabría nunca! Eso había sido lo convenido.

–No hay nada que ocultar, pero hay mucho que dejar atrás –dijo Kendrick con firmeza–. Le haría un mal servicio a la subcomisión, sobre la base de una evaluación errónea de mis credenciales. Hágase un favor usted mismo. Llame a alguno de los otros.

–Ese hermoso libro, el más sagrado de los libros, tiene tantas respuestas, ¿verdad? –preguntó el presidente sin que viniera al caso, dejando vagar otra vez la mirada–. Muchos pueden ser llamados, pero pocos serán elegidos, ¿no es así?

–Oh, por amor de *Dios*...

–Ese podría muy bien ser el caso, jovencito –interrumpió el anciano irlandés, asintiendo–. Sólo el tiempo lo dirá, ¿no? Entretanto, la dirección de tu partido en el Congreso ha decidido elegirte. Y por lo tanto quedas elegido... salvo que tengas algo que ocultar, algo que debamos investigar... Y ahora, con viento fresco, tengo mucho que hacer.

–*¿Con viento fresco?*

–Vete de aquí, Kendrick.

20

Los dos cuerpos del Congreso, el Senado y la Cámara, tienen varias comisiones de objetivos coincidentes, con nombres parecidos, o casi. Está Asignaciones del Senado y Asignaciones de la Cámara, Relaciones Exteriores del Senado y Relaciones Exteriores de la Cámara, la Comisión Escogida de Inteligencia del Senado y la Comisión Elegida Permanente de la Cámara para Asuntos de Inteligencia, esta última con una poderosa Subcomisión de Inspección y Evaluación. Estas contrapartidas constituyen un ejemplo más del eficaz sistema de frenos y equilibrios de la república. La rama legislativa del gobierno, que refleja en forma activa las concepciones de un espectro mucho más amplio del cuerpo político que una rama ejecutiva encerrada en sí misma, o que la vitalicia rama judicial, debe negociar en su seno y llegar a un consenso, respecto de los centenares de problemas que se les presentan a sus dos brazos deliberantes. El proceso resulta claramente frustrante, claramente exasperante, y por lo general equitativo. Si la conciliación es el arte de gobernar en una sociedad pluralista, nadie lo hace mejor, o provocando más irritaciones, que la rama legislativa del gobierno de Estados Unidos, con sus innumerables comisiones, a menudo insufribles y las más de las veces ridículas. Esta valoración es exacta; una sociedad pluralista es, por cierto, numerosa, casi siempre insoportable para los tiranos en potencia, y casi siempre ridícula para aquellos que querrían imponer su voluntad a la ciudadanía. La moral de una persona nunca debería convertirse en la ley de otra, por la vía de la ideología, como pretenderían muchos de los integrantes del ejecutivo y el poder judicial. Es frecuente que estos casi fanáticos retrocedan a desgana ante los tumultos producidos por esas comisiones del Capitolio, pendencieras y de baja estofa. A pesar de infrecuentes e imperdonables aberraciones, la *vox populi* se escucha casi siempre, y el país vive mejor gracias a eso.

Pero en la Colina del Capitolio existen algunas comisiones cuya voz es atenuada por la lógica y la necesidad. Son los pequeños consejos limitados, concentrados en las estrategias, y formados por los diversos organismos de inteligencia del gobierno. Y tal vez porque las voces son quedas y los integrantes de esas comisiones son examinados a fondo por medio de estrictos procedimientos de seguridad, cierta aureola rodea a los *elegidos* para las comisiones selectas. Conocen cosas que otros no tienen el privilegio de conocer; son diferentes, y es posible suponer que constituyen una mejor raza de hombres y mujeres. También existe un entendimiento tácito entre el Congreso y los medios, para que estos últimos se frenen en los terrenos relacionados con esas comisiones; se designa a un senador o un congresal, pero su nombramiento no se convierte en una *cause célèbre*; sin embargo, tampoco hay sigilo; se efectúa el nombramiento y se ofrece una razón elemental, el acto y la razón se enuncian con sencillez, sin adornos. En el caso del representante del Noveno Distrito de Colorado, cierto congresal Evan Kendrick, se dijo que era ingeniero en construcciones, con amplia experiencia en el Medio Oriente, en especial en el Golfo Pérsico. Como eran escasos quienes conocían algo o nada acerca de la región, y como se aceptó que el congresal había sido un ejecutivo empleado en alguna parte del Mediterráneo, años atrás, la designación se consideró razonable, y no se la entendió como nada fuera de lo común.

Pero los directores de periódicos, los comentaristas y los políticos tienen aguda conciencia de los matices del reconocimiento creciente, porque ese reconocimiento es el acompañante del poder en el Distrito de Columbia. Existen comisiones y *comisiones*. Una persona designada para Asuntos Indios no pertenece a la misma categoría que otra enviada a Medios y Recursos: la primera hace lo menos posible para ocuparse de un pueblo hecho a un lado, privado en lo fundamental de sus derechos; la segunda explora los métodos y procedimientos para pagar a todo el gobierno, de manera que siga funcionando. Tampoco Ambiente tiene el mismo nivel que Servicios Armados. Los presupuestos de la primera son recortados en forma continua y abusiva, en tanto que los gastos para armamento superan todos los horizontes. La asignación de dinero es la leche materna de la influencia. Pero dicho con sencillez, pocas comisiones de la Colina pueden rodearse del nimbo, de la silenciosa mística que aletean sobre las vinculadas con el mundo clandestino de la inteligencia. Cuando se efectúan repentinas designaciones para estos consejos *selectos*, los ojos miran, los colegas susurran en los guardarropas y los medios se mantienen alertas ante los procesadores de palabras, los micrófonos y las cámaras. Es habitual que nada importante resulte de estos preparativos, y los nombres desaparecen en un cómodo e incómodo olvido. Pero no siempre, y si Evan Kendrick hubiera tenido conciencia de las sutilezas, habría corrido el riesgo de decirle al astuto presidente de la Cámara que se fuera al demonio.

Pero no tenía conciencia de tales sutilezas, ni habría importado mucho si la hubiera tenido; no era posible detener el avance de Inver Brass.

Eran las seis y media de la mañana, la mañana de un lunes; el sol estaba a punto de salir sobre las colinas de Virginia cuando Kendrick, desnudo, se zambulló en su piscina, confiando en que diez o doce largos en las frías aguas de octubre despejarían las telas de araña que le oscurecían la visión y se le extendían dolorosamente hacia las sienes. Diez horas atrás había bebido demasiadas copas de coñac con Emmanuel Weingrass, en Colorado, sentado en una glorieta ridículamente opulenta, riendo ambos ante los arroyos visibles que corrían bajo el suelo de vidrio.

–¡Pronto verás *ballenas*! –había exclamado Manny.

–Como les prometiste a los chicos, en ese río casi seco, no recuerdo dónde era.

–Teníamos una pésima carnada. Habría debido usar a una de las madres. Esa muchacha negra. ¡Era *espléndida*!

–Su esposo era un mayor, un *gran* mayor, de Ingenieros del Ejército. Se habría opuesto.

–La hija era una niña hermosa... Fue muerta con todos los otros.

–Oh *Dios*, Manny. *¿Por qué?*

–Es hora de que te vayas.

–No quiero irme.

–¡Tienes que ir! Tienes una reunión por la mañana, dentro de dos horas.

–Puedo salteármela. Me he salteado una o dos.

–*Una*, y con gran detrimento para mi bienestar. Tu jet espera en el aeródromo de Mesa Verde. Estarás en Washington dentro de cuatro horas.

Mientras nadaba, cada largo más veloz que el anterior, pensaba en la conferencia matinal de Inspección, y reconocía que le alegraba que Manny insistiera en su regreso a la capital. Las reuniones de la subcomisión le habían fascinado... fascinado, encolerizado, anonadado, pero más que nada fascinado. Sucedían tantas *cosas* en el mundo acerca de las cuales nada sabía, tanto favorables como contrarias a los intereses de Estados Unidos... Pero sólo en su tercera reunión entendió un error repetido en el enfoque de sus colegas respecto de los testigos de las distintas ramas de inteligencia. El error consistía en que buscaban defectos en las estrategias de los testigos para llevar adelante determinadas operaciones, cuando habrían debido cuestionar las operaciones mismas.

Resultaba comprensible, porque los hombres que desfilaban delante de Inspecciones para argumentar a favor de sus casos –siempre hombres, cosa que habría debido ser una pista– eran profesionales de palabra suave, de un violento mundo clandestino, que asordinaban todo lo que había de melodramático en ese mundo. Emitían su jerga esotérica en voz baja, aturdiendo a quienes escuchaban. Resultaba embriagador formar parte de esa clandestinidad global, aun en la función de asesor; alimentaba las fantasías adolescentes de los adultos maduros. No existía ningún coronel Robert Barrish entre esos testigos; eran, más bien, una corriente de hombres atrayentes, bien vestidos, de modestia y moderación coherentes, que se presentaban ante la subcomisión para explicar, en términos fríamente profesionales, lo que podían hacer si obtenían dinero, y por qué resultaba imperativo para la seguridad de la nación que esas cosas se hicieran. Con suma frecuencia, la pregunta era: *¿Ustedes pueden hacerlo?* No si era correcto, o si tenía sentido hacerlo.

Estos errores de juicio se producían lo bastante a menudo para inquietar al congresal de Colorado, quien había formado parte, por poco tiempo, del mundo salvaje y violento con el cual trataban los testigos. No podía verlo con romanticismo; lo odiaba. El miedo terrible, jadeante, que integraba el juego aterrador de eliminar y perder vidas humanas, en las sombras, pertenecía a una era oscura en la cual la vida misma sólo se medía por la supervivencia. En esa clase de mundo no se vivía; se resistía, con sudores y con dolores de vacío en el estómago, como Evan había resistido su brusca exposición a él. Pero sabía que ese mundo continuaba; habitantes de él lo habían salvado de los tiburones de Qatar. Sin embargo, en las sesiones siguientes hurgó, hizo preguntas cada vez más ásperas. Entendía que su nombre era pronunciado en voz baja, eléctrica, enfática, en los salones del Congreso, la Agencia Central de Inteligencia y aun la Casa Blanca. ¿Quién *era* ese agitador, ese buscapleitos? Le importaba un comino; eran preguntas legítimas, y seguiría formulándolas. ¿Quién demonios era sacrosanto? ¿Quién estaba por encima de las leyes?

Hubo un alboroto más arriba de él, gestos y gritos alocados, que percibió en forma vaga a través del agua que rodeaba su cara, en la piscina. Se detuvo en la mitad del largo y sacudió la cabeza, mientras se mantenía vertical, agitando las piernas. El intruso era Sabri, pero era un Sabri Hassán desconocido. El siempre sereno doctor en filosofía de Dubai, de edad mediana, parecía fuera de sí, se esforzaba por controlar sus acciones y palabras, pero sólo lo conseguía en parte.

–¡Tiene que *irse*! –gritó, cuando Evan se quitó el agua de los oídos.

–¿Qué... *cómo*?

–¡Omán! *¡Mascate!* ¡Se habla de eso en todos los canales, en todas las estaciones! ¡Inclusive hay fotos de usted vestido como uno de *nosotros*... en *Mascate*! ¡La radio y la televisión interrumpen a cada rato los programas para informar sobre los últimos hechos! La comunicación llegó hace unos minutos; los periódicos retienen sus ediciones de última hora de la mañana, para incluir nuevos detalles...

–*¡Dios!* –rugió Kendrick, y saltó de la piscina mientras Sabri le arrojaba una toalla.

–Los reporteros y el resto de esa gente llegarán sin duda dentro de unos minutos –dijo el árabe–. Descolgué el teléfono, y Kashi está cargando nuestro coche... perdóneme, el coche que usted nos proporcionó con tanta generosidad...

–¡Olvídate de eso! –gritó Evan mientras se dirigía hacia la casa–. ¿Qué hace tu esposa con el coche?

–Está poniendo la ropa de usted, suficiente para varios días, por si fuera necesario. Su coche podría ser reconocido; el nuestro está siempre en el garaje. Supuse que querría un poco de tiempo para pensar.

–¡Un poco de tiempo para planear un par de asesinatos! –convino Evan, y se precipitó por la puerta del patio, para lanzarse por la escalera de atrás, seguido de cerca por el doctor Hassán–. ¿Cómo *diablos ocurrió*? *¡Maldición!*

–Me temo que es nada más que el comienzo, amigo mío.

–*¿Qué?* –preguntó Kendrick, corriendo al vasto dormitorio principal, que daba hacia la piscina, y yendo a su cómoda, donde abrió de prisa cajones y sacó de prisa calcetines, ropa interior y una camisa.

–Las estaciones están llamando a toda clase de personas para pedirles sus comentarios. La mayoría son elogiosos, es claro.

–¿Qué otra cosa podrían *decir*? –dijo Evan; se puso los calcetines y los calzoncillos, mientras Sabri desplegaba su camisa lavada y se la tendía–. ¿Que todos eran partidarios de sus amigos terroristas de Palestina? –Se puso la camisa y corrió al guardarropa, para sacar un par de pantalones. Kashi, la esposa de Sabri, entró por la puerta.

–*¡Anahasfa!* –exclamó, pidiendo perdón, y se volvió.

–No hay tiempo para *eltakaled*, Kashi –prorrumpió el congresal, diciéndole que se olvidara de las tradiciones–. ¿Cómo te las arreglas con la ropa?

–Puede que no sea lo que usted elegiría, querido Evan, pero lo cubrirán –respondió la ansiosa esposa, de dulce rostro–. También se me ocurrió que podría llamarnos desde donde esté, y yo le llevaría cosas. Mucha gente de los periódicos conoce a mi esposo, pero no me conocen a mí. Nunca aparezco en público.

–Por tu decisión, no por la mía –dijo Kendrick; se puso una chaqueta y volvió a la cómoda en busca de la cartera, el dinero y el encendedor–. Puede que tengamos que cerrar esta casa, Kashi, e ir a Colorado. Allí podrías ser mi ama de casa oficial.

–Oh, eso es una tontería, querido Evan –rió la señora Hassán–. No es corrrecto.

–Tú eres el profesor, Sabri –agregó Kendrick, pasándose con rapidez un peine por el cabello–. ¿Cuándo piensas enseñarle?

–¿Cuándo me escuchará ella? Nuestras mujeres deben de tener ventajas que los hombres no conocemos.

–*¡Vamos!*

–Las llaves están en el coche, querido Evan...

–Gracias, Kashi –dijo Kendrick, y salió y bajó por la escalera con Sabri–. Dime –continuó Evan mientras ambos hombres cruzaban, por el pórtico, hacia el gran garaje que alojaba su convertible Mercedes y el Cadillac Cimarrón de Hassán–. ¿Cuánto conocen de toda la historia?

–Sólo puedo comparar lo que escuché con lo que me dijo Emmanuel, porque usted no dijo literalmente nada.

–No es que quiera ocultarte nada...

–Por favor, Evan –interrumpió el profesor–. ¿Cuánto hace que lo conozco? Se siente incómodo cuando se elogia a sí mismo, aunque sea en forma indirecta.

–¡Elogiarme, un *cuerno*! –exclamó Kendrick, mientras abría la puerta del garaje–. ¡Lo *arruiné* todo! ¡Yo era un hombre muerto, con un cerdo sangrante amarrado a la espalda, a punto de ser arrojado a los bajíos de Qatar! Lo hicieron otros, no *yo*. Me salvaron el afanoso trasero.

–Sin usted, ellos no habrían podido hacer nada...

–Olvídalo –dijo Evan, de pie junto a la portezuela del Cadillac–. ¿Cuánto han averiguado?

–En mi opinión, muy poco. Ni una pizca de lo que me dijo Emmanuel Weingrass, aun descontando sus exageraciones naturales. Los periodistas se desesperan en busca de detalles, y parece que no los encuentran.

–Eso no me dice mucho. ¿Por qué dijiste que era "sólo el comienzo", cuando nos alejamos de la piscina?

–Por el hombre que fue entrevistado, es evidente que sacado de su casa, de buena gana, un colega suyo en la Subcomisión de Inteligencia de la Cámara, un congresal llamado Mason.

–*¿Mason...?* –dijo Kendrick, ceñudo–. Tiene un importante perfil en Tulsa o Phoenix, no me acuerdo dónde, pero es un cero a la izquierda. Hace unas semanas hubo un movimiento discreto para sacarlo de la comisión.

–Esa no es para nada la manera en que se lo presentó, Evan.

–Estoy seguro de ello. ¿Qué dijo?

–Que tú eras el miembro más astuto de la comisión. Eras el hombre brillante, a quien todos miraban y escuchaban.

–*¡Tonterías!* Hablé con algunos, e hice un par de preguntas, pero nunca fue tanto, y en segundo lugar no creo que Mason y yo hayamos hecho nunca otra cosa que saludarnos. ¡Son *tonterías*!

–Pero se han difundido por todo el país...

El ruido de uno, y después de dos coches que se detenían con un chirrido de frenos delante de la casa, quebró el silencio del garaje cerrado.

–*¡Cielos!* –susurró Evan–. ¡Estoy acorralado!

–Todavía no –dijo el doctor Hassán–. Kashi sabe lo que tiene que hacer. Hará entrar a los que llegaron temprano; hablará en hebreo, dicho sea de paso, y los llevará al solario. Fingirá que no los entiende y de ese modo ganará tiempo... unos minutos, es claro. Ve, Evan, sigue el camino del prado, hacia el sur, hasta que llegues a la carretera. Dentro de una hora volveré a colgar el teléfono. Llámanos. Kashi te llevará lo que necesites.

Kendrick oprimió, repetidas veces, el botón cada vez que escuchaba la señal de "ocupado", hasta que, por último, y para su alivio, oyó el sonido de un timbrazo.

–Residencia del congresal Kendrick...

–Soy yo, Sabri...

–Me asombra *de veras* que hayas podido comunicarte. Y también estoy contento, porque puedo volver a descolgar el auricular.

–¿Cómo van las cosas?

–En forma calamitosa, amigo mío. Y también en tu oficina y en tu casa de Colorado. Todas sitiadas.

–¿Cómo lo sabes?

–Aquí nadie quiere irse, y lo mismo que tú, Emmanuel Weingrass se comunicó por fin con nosotros... con muchos insultos. Afirmó que hacía casi media hora que estaba intentándolo.

–Le llevo diez minutos de ventaja. ¿Qué dijo?

–La casa está rodeada, hay multitudes por todas partes. Parece que toda la gente de los periódicos y la televisión volaron a Mesa Verde, donde la mayoría quedaron inmovilizados, ya que tres taxis eran pocos para tantas personas.

–Todo eso tiene que enloquecer a Manny.

–Lo que lo enloquece, como dices, es la falta de instalaciones sanitarias.

–¡Oh Dios mío... están meando por todo el prado... su *paisaje*!

–En el pasado he escuchado muchas veces las furias de Emmanuel pero nunca como esta vez. Sin embargo, en medio de su estallido se las arregló para decirme que llamase a la señora O'Reilly, a tu oficina, ya que ella *no* podía comunicarse con nosotros.

–¿Qué dijo Annie?

–Que no te dejes ver durante un tiempo, pero –según sus propias palabras– "por amor de Dios", llámala.

–Creo que no lo haré –dijo Evan, pensativo–. A esta altura, cuanto menos sepa, mejor será para ella.

–¿Dónde estás? –preguntó el profesor.

–En un motel de las afueras de Woodbridge, frente a la ruta Noventa y Cinco. Se llama Los Tres Osos, y yo estoy en la Cabaña Veintitrés. Es la última de la izquierda, cerca de los bosques.

–Por la descripción, supongo que necesitas cosas. Comida, sin duda; no puedes salir y permitir que te vean, y en un motel con cabañas no puede haber servicio de hotel...

–No, comida no. En mitad del viaje me detuve en un bar.

–¿Nadie te reconoció?

–En el televisor había dibujos animados.

–¿Qué necesitas, entonces?

–Espera hasta que salgan las últimas ediciones de los matutinos, y envía a Jim, el jardinero, a Washington, para que compre todos los que pueda encontrar. En especial los grandes; tendrán a sus mejores hombres en la nota, y entrevistarán a otra gente.

–Le haré una lista. Después Kashi te los llevará.

Era la una y media de la tarde cuando la esposa de Sabri llegó al motel de Woodbridge, Virginia. Evan abrió la puerta de la Cabaña 23, satisfecho al ver que ella había llegado en la camioneta del jardinero. No se le había ocurrido eso, pero sus dos amigos de Dubai tenían suficiente sensatez como para no usar su Mercedes delante de los gentíos que rodeaban la casa. Mientras Kendrick mantenía abierta la puerta, Kashi hizo otros dos viajes rápidos hacia el vehículo, porque junto con el montículo de periódicos de todo el país había llevado alimentos, emparedados envueltos en plástico, dos botellas de leche en un cubo de hielo, cuatro platos calientes, divididos en forma equitativa entre comidas árabes y occidentales, y una botella de whisky.

–Kashi, *no* pienso quedarme aquí una semana –dijo Kendrick.

–Esto es para hoy y esta noche, querido Evan. Estás pasando por momentos de gran tensión, y tienes que comer. La caja que dejé en la mesa tiene cubiertos, y soportes metálicos debajo de los cuales pones el aparato para calentar. También hay mantelitos y ropa blanca, pero si me permites, si tienes que irte en forma repentina, por favor, llama, de modo que pueda venir a retirar la platería y la ropa blanca.

–¿Por qué? ¿El cabo de mar nos llevará al bergantín?

–*Yo* soy el cabo de mar, querido Evan.

–Gracias, Kashi.

–Pareces cansado, *yasahbee*. ¿No descansaste?

–No. Estuve viendo la maldita televisión, y cuanto más la miro más me enfurezco. Cuando uno está furioso, el descanso demora en llegar.

–Como dice mi esposo, y yo estoy de acuerdo con él, eran muy eficientes en la televisión. Y también dice que debemos dejarte.

–*¿Por qué?* Me lo dijo hace varias semanas, ¡y no sé *por qué*!

–Por supuesto que lo sabes. Nosotros somos árabes, y tú estás en una ciudad que desconfía de nosotros, en un terreno político que no nos tolera. Y no queremos causarte daño.

–¡Kashi, este *no* es mi terreno! ¡Me iré, estoy *harto* de esto! ¿Dices que esta es una ciudad que no confía en ustedes? ¿Y por qué habría de ser de otro modo? ¡Esta ciudad no confía en *nadie*! Es una ciudad de mentirosos y estafadores y gente falsa, de hombres y mujeres capaces de treparse a la espalda de cualquiera, con sus palos, para acercarse un poco más a la miel. Están haciendo un embrollo de un sistema muy bueno, succionan la sangre de todas las venas que consiguen perforar, proclaman la santidad patriótica de su causa, ¡mientras el país los mira, sentado, y aplaude lo que no sabe que está *pagando*! ¡Eso no es para mí, Kashi, me *voy*!

–*Querido* Evan –interrumpió la esposa árabe, con más firmeza de la que Kendrick le había escuchado nunca al hablar–. Estos artículos te ofenderán –continuó, clavados en él los ojos oscuros–, y para decir la verdad, hubo partes que nos ofendieron a Sabri y a mí.

–Entiendo –dijo Kendrick en voz baja, mirándola–. Todos los árabes son terroristas. Estoy seguro de que aquí lo han puesto en negrita.

–Muy destacado, sí.

–Pero eso no es lo que *tú* quieres decir.

–No. Te dije que te ofenderías, pero la palabra no es lo bastante fuerte. Te irritarás, pero antes que hagas nada que no puedas reparar, por favor, escúchame.

–¡Por amor de Dios, de qué se *trata*, Kashi!

–Gracias a ti, mi esposo y yo hemos asistido a numerosas sesiones de tu Senado y tu Cámara de Representantes. Y además, gracias a ti, hemos tenido el privilegio de presentar discusiones legales ante los jueces de tu Suprema Corte.

–No son exclusivamente míos. ¿Y entonces?

–Lo que vimos y oímos era notable. Problemas de Estado, y hasta leyes, discutidos en público, y no por simples peticionantes, sino por hombres cultos... Uno ve el lado malo, el lado maligno, y no cabe duda de que lo que uno dice contiene algo de verdad, ¿pero no existe otra verdad? Hemos visto a muchos hombres y mujeres apasionados, que se ponían de pie para defender aquello en lo cual creían, sin temor a ser despreciados o silenciados...

–Se los puede despreciar, pero no silenciar. Nunca.

–¿Y sin embargo *corren* riesgos por sus causas, a menudo riesgos muy profundos?

–Demonios, sí. Los ventilan en público.

–¿Por sus creencias?

–Sí... –Kendrick dejó que la palabra se evaporase en el aire. Lo que Kashi Hassán quería decir estaba claro; y también era una advertencia para él, en su momento de furia abrasadora.

–Entonces hay gente ***buena*** en lo que llamaste "un sistema muy bueno". Por favor, recuérdalo, Evan. Por favor, no los disminuyas.

–¿No *qué*?

–Me expreso mal. Perdóname. Debo irme. –Kashi fue con paso rápido hacia la puerta, y luego se volvió.– Te ruego, *yasahbee*, que si en tu cólera sientes que debes hacer algo drástico, en nombre de Alá, llama primero a mi esposo, o si quieres, a Emmanuel... Pero sin prejuicios, porque quiero a nuestro hermano judío como te quiero a ti, mi esposo podría estar un poco más tranquilo.

–Puedes contar con eso.

Kashi salió, y Kendrick se precipitó literalmente sobre los periódicos, los desplegó cada uno en la cama, las primeras planas en hileras sucesivas, visibles los titulares.

Si un alarido primitivo hubiera podido atenuar el dolor, su voz habría quebrado el vidrio de las sofocantes ventanas de la cabaña.

The New York Times
Nueva York, martes 12 de Octubre

SE DICE QUE EL CONGRESAL KENDRICK DE COLORADO
HABRIA INTERVENIDO EN LA CRISIS DE OMAN
Engañó a terroristas árabes, dice un memorándum secreto

The Washington Post
Washington, D. C., martes 12 de octubre

KENDRICK, DE COLORADO, REVELADO COMO ARMA SECRETA
DE ESTADOS UNIDOS EN OMAN
Descubiertos terroristas árabes conexión $

Los Angeles Times
Los Angeles, martes 12 de octubre

SECRETOS DOCUMENTOS REVELADOS MUESTRAN A KENDRICK,
REP. DE COLORADO, COMO CLAVE SOLUCION OMAN
Terroristas palestinos tenían respaldo árabe...
información todavía clasificada

Chicago Tribune
Chicago, martes 12 de octubre

CAPITALISTA KENDRICK CORTA ATADURAS
REHENES PRISIONEROS DE TERRORISTAS COMUNISTAS
Asesinos árabes disgregados en todas partes debido
a revelaciones

New York Post
Nueva York, martes 12 de octubre

¡EVAN, EL MENSCH DE OMAN, SE LA ENCAJO
A LOS ARABES!
¡Movimiento en Jerusalén para nombrarlo ciudadano
honorario de Israel! ¡Nueva York exige un desfile!

USA Today
Miércoles, 13 de octubre

¡"COMANDO" KENDRICK LO LOGRO!
¡Terroristas árabes piden su cabeza! ¡Nosotros queremos
una estatua!

De pie ante la cama, Kendrick, con la vista baja, recorría con rapidez un titular tras otro. Su mente estaba vacía de todo pensamiento, fuera de una única pregunta. *¿Por qué?* Y cuando la respuesta continuaba escapándosele, otra pregunta se fue dibujando poco a poco. *¿Quién?*

21

Si existía una respuesta a una u otra pregunta, no las hallaría en los periódicos. Estos se encontraban henchidos de fuentes "autorizadas" y "altamente ubicadas", y aun "confidenciales", casi todas anuladas por "sin comentarios", o bien "no tenemos nada que decir en este momento", y "los sucesos en cuestión están siendo analizados", todas las cuales eran declaraciones evasivas de confirmación.

Lo que había iniciado el furor era un memorándum de interdivisión, de máxima clasificación, con el membrete del Departamento de Estado. Había surgido a la superficie, sin firma, de archivos ocultos, y era de suponer que la filtración era obra de un empleado, o de varios, que sentían que se había cometido una gran injusticia con un hombre, debido a las irrazonables imposiciones de la seguridad nacional, y no cabía duda de que el miedo paranoico a las represalias terroristas encabezaba la lista. Se enviaron copias del memorándum, en forma concertada, a los periódicos, los servicios cablegráficos y las redes, y todas llegaron entre las 5 y las 6 de la mañana. Con cada memorándum había tres fotos distintas del congresal en Mascate. Quedaban anuladas las negaciones.

Había sido planeado, pensó Evan. La hora fue elegida para sobresaltar a la nación cuando despertaba en todo el país, y los boletines resultaban obligatorios a lo largo del día.

¿Por qué?

Lo notable eran los hechos revelados... tan notables por lo que omitían como por lo que exponían. Eran sorprendentemente exactos, hasta en detalles tales como el de que había sido llevado a Omán en avión, en forma ultrailegal, y sacado del aeropuerto de Mascate por agentes de inteligencia que le habían proporcionado vestimentas árabes, y aun el gel oscurecedor de la piel que hacía que sus facciones resultaran compatibles con "la zona de operaciones". *¡Cristo! ¡Zona de Operaciones!*

Había detalles generales, a menudo hipotéticos, de contactos que había establecido con hombres conocidos en el pasado, los nombres omitidos... espacios negros en el memorándum, por razones evidentes. Había un párrafo que se refería a su internación voluntaria en un cercado terrorista, donde estuvo a punto de perder la vida, pero donde conoció los nombres que tenía que saber para buscar a los hombres que había detrás de los fanáticos palestinos de la embajada, en especial un nombre... recortado, un espacio en negro en la copia. Había buscado a ese hombre –recortado, espacio en negro–, y lo obligó a desmantelar el conjunto de cuadros terroristas que ocupaban la embajada en Mascate. Ese hombre fundamental fue muerto –detalles eliminados, todo un párrafo en negro– y Evan Kendrick, representante del Noveno Distrito de Colorado, regresó, bajo protección, a Estados Unidos.

Se había llamado a expertos para examinar las fotos. Cada copia fue sometida a análisis espectográficos para verificar la autenticidad con respecto a la antigüedad de los negativos y a la posibilidad de alteraciones de laboratorio. Todo resultó confirmado, inclusive el día y la fecha, extraídos de un aumento de *20X* de un periódico que llevaba un transeúnte, en las calles de Mascate. Los periódicos más responsables señalaban la falta de fuentes alternativas que pudieran o no otorgar credibilidad a los hechos, tales como se los presentaba en forma esquemática, pero ninguno pudo poner en duda las fotos o la identidad del hombre que aparecía en ellas. Y ese hombre, el congresal Evan Kendrick, no pudo ser hallado en ninguna parte para confirmar o desmentir la increíble historia. *The New York Times* y el *Washington Post* buscaron a los pocos amigos y vecinos que pudieron encontrar en la capital, así como en Virginia y Colorado. Ninguno recordaba haber visto al congresal, u oído hablar de él, en el período en cuestión, un año atrás... y no porque necesariamente esperaran verlo, lo cual tal vez quería decir, en sí mismo, que lo habían recordado si hubiese estado en comunicación con ellos.

Los Angeles Times fue más allá, y sin revelar sus fuentes estableció una verificación de las llamadas telefónicas hechas por el señor Kendrick. Aparte de varias llamadas a distintas tiendas locales, y a cierto James Olsen, jardinero, sólo cinco de posible pertinencia se habían hecho desde la residencia del congresal, en Virginia, a lo largo de un período de cuatro semanas. Tres, a los departamentos de Estudios Arabes de las universidades de Georgetown y Princeton; uno al diplomático del Emirato Arabe de Dubai, quien había regresado a su hogar siete meses atrás; y el quinto a un abogado de Washington, quien se negó a hablar con la prensa. Al cuerno con la pertinencia; los perros de caza husmeaban, con la cola rígida, aunque la presa había desaparecido.

Los periódicos menos responsables, es decir, la mayoría de los que no disponían de recursos para financiar amplias investigaciones, y todas las publicaciones sensacionalistas, a las cuales las verificaciones les importaban un rábano, tuvieron un gran día seudoperiodístico. Tomaron el memorándum revelado, de clasificación máxima, y lo usaron como trampolín para las aguas embravecidas de la especulación heroica, a sabiendas de que sus ediciones serían arrebatadas por sus lectores nada escépticos. Muy a menudo, las palabras impresas son palabras veraces para los no informados... juicio condescendiente, sin duda, pero muy cierto.

Pero lo que faltaba en cada uno de los relatos eran las verdades, las verdades profundas, que fuesen más allá de las revelaciones asombrosamente exactas. No existía mención alguna de un valiente y joven sultán de Omán, quien había arriesgado su vida y su linaje para ayudarlo. Ni de los omaníes que lo habían protegido en el aeropuerto y en las callejas traseras de Mascate. O de una extraña mujer, notablemente profesional, que lo había rescatado en otro congestionado aeropuerto, en Bahrein, después que casi estuvo a punto de ser asesinado, y que le encontró refugio y un médico que le curó las heridas. Pero sobre todo, no había una sola palabra acerca de la unidad israelí, dirigida por un agente del Mossad, que lo salvó de una muerte que todavía lo hacía estremecerse de horror. O respecto de otro norteamericano, un anciano arquitecto del Bronx, sin cuya intervención habría muerto un año atrás, con sus restos devorados por los tiburones de Qatar.

En cambio, un tema recorría en común la totalidad de los artículos: todo lo *árabe* estaba teñido con el pincel de la brutalidad inhumana y el terrorismo. El solo vocablo, *árabe*, era sinónimo de espíritu implacable y barbarie, y no se concedía un solo vestigio de decencia a un pueblo entero. Cuanto más estudiaba Evan los periódicos, más se enfurecía. De pronto, en un estallido de furia, los barrió a todos de la cama.

¿Por qué?

¿Quién?

Y entonces sintió un terrible dolor hueco en el pecho. *¡Ahmat!* Oh Dios, ¿qué había *hecho* él? ¿Entendería el joven sultán, *podría* entender? Por omisión –por silencio–, los medios norteamericanos habían condenado a todo el reino de Omán, y dejado a cargo de insidiosas especulaciones su impotencia *árabe* frente a los terroristas, o peor aún, su *complicidad árabe* en la desaforada y salvaje matanza de ciudadanos norteamericanos.

Tenía que llamar a su joven amigo, comunicarse con él y decirle que no tenía dominio sobre lo que había sucedido. Kendrick se sentó en el borde de la cama, levantó el auricular mientras introducía la mano en los bolsillos del pantalón para buscar su cartera, apretando el auricular con la barbilla para sacar su tarjeta de crédito. Como no recordaba la secuencia de números para establecer la comunicación con Mascate, discó *O* para pedir una operadora. De pronto el tono de discar desapareció y durante un momento fue presa de pánico, los ojos muy abiertos, recorriendo las ventanas con la vista.

–¿Sí, veintitrés? –dijo una ronca voz masculina en la línea.

–Estaba tratando de llamar a la operadora.

–Aunque disque un código de área, le da con el tablero, aquí.

–Yo... tengo que hacer un llamado al exterior –balbuceó Evan, desconcertado.

–En este teléfono no puede.

–Con tarjeta de *crédito*. ¿Cómo consigo una operadora... lo cargo a mi número de tarjeta de *crédito*?

–Escucharé hasta que lo oiga dar el número, y hasta que sepa que se lo acepte como verdadero, ¿me entiende?

¡*No* entendía! ¿Era una *trampa?* ¿Había sido rastreado hasta un ruinoso motel de Woodbridge, Virginia?

–En verdad, no creo que eso sea aceptable –dijo vacilante–. Es una comunicación privada.

–Qué me dice –replicó la voz, burlona–. Entonces búsquese un teléfono público. Hay uno en el merendero, a unos ocho kilómetros, carretera abajo. Hasta luego, estúpido, ya perdí bastante tiempo...

–¡*Espere* un momento! Muy *bien*, salga de la línea. Pero cuando la operadora la acepte, quiero oírlo colgar, ¿entendido?

–Bueno, en verdad iba a llamar a Louella Parsons.

–¿A quién?

–Olvídelo, estúpido. Estoy discando. Los que se quedan todo el día son maniáticos sexuales o asaltantes.

En algún rincón lejano del Golfo Pérsico, un operador que hablaba en inglés con acento árabe informó que no había en Mascate, Omán, una central de prefijo 555.

–¡Dísquelo, por favor! –insistió Evan, y agregó un más quejumbroso: "*Por favor*".

Hubo ocho timbrazos hasta que escuchó la voz jadeante de Ahmat.

–*¿Iwah?*

–Es Evan, Ahmat –dijo Kendrick en inglés–. Tengo que hablar contigo...

–*¿Hablar* conmigo? –estalló el joven sultán–. ¿Tienes el descaro de *llamarme, canalla*?

–¿Entonces lo sabes? Lo... lo que están diciendo de mí.

–¿Que si *lo sé*? ¡Una de las cosas más bonitas de esto de ser un chico rico es que en el techo tengo platos que captan lo que quiero *de dónde* lo quiero! Inclusive te llevo ventaja, *ya Shaikh*. ¿Viste los informes de aquí y del Medio Oriente? ¿De Bahrein y Riyadh, de *Jerusalén* y *Tel Aviv*?

–Es evidente que no. Sólo he visto estos...

–Son todos la misma basura, ¡un bonito montículo para que te sientes en él! Que te vaya bien en Washington, pero no vuelvas aquí.

–Pero es eso lo que *quiero*. ¡Voy a *volver*!

–No, a esta parte del mundo no. Sabemos leer y oír, y miramos la televisión. ¡Lo hiciste todo tú *sólo*! ¡Se la *metiste* a los *árabes*! ¡Bórrate de mi memoria, hijo de puta!

–¡Ahmat!

–¡*Bórrate*, Evan. Nunca lo habría creído de ti. ¿Te vuelves poderoso en Washington llamándonos animales y terroristas? ¿Esa es la única manera?

–¡No hice eso, no lo *dije*!

–¡Lo hizo tu mundo! ¡Tal como lo dice una vez y otra y *otra*, hasta que resulta muy evidente que nos quieren a todos en cadenas! ¡Y el último maldito argumento escénico es *tuyo*!

–*¡No!* –protestó Kendrick, gritando–. ¡No es *mío*!

–Lee tu prensa. ¡Mírala!

–¡Esa es la prensa, no tú y yo!

–Tú *eres* tú –otro arrogante canalla, con tus ciegas hipocresías judeocristianas–, y yo soy *yo*, un árabe islámico. ¡Y no seguirás escupiéndome encima!

–Nunca lo haría, nunca *podría*...

–Ni a mis hermanos, cuyas tierras decretaste que debían serles arrebatadas, obligando a aldeas enteras a abandonar sus hogares y sus trabajos y sus insignificantes negocios minúsculos... ¡pequeños e insignificantes, pero propios durante generaciones!

–¡Por amor de Dios, Ahmat, estás hablando como uno de *ellos*!

–¿No me digas? –dijo el joven sultán, con furia y sarcasmo en sus palabras–. Supongo que con "ellos" te refieres a un chico de una de las miles y miles de familias a quienes se hizo marchar, bajo vigilancia armada, a campamentos dignos de cerdos. ¡De *cerdos*, no de familias! ¡No para madres y padres y niños!... Por favor, el señor sabelotodo, un *norteamericano* tan justo. ¡Si hablo como uno de ellos, caramba, lo siento! Y te diré lo que más me apena: haber llegado aquí tan tarde. Hoy entiendo mucho más de lo que entendía ayer.

–¿Qué demonios significa *eso*?

–Repito. Lee tu prensa, mira tu televisión, escucha tu radio. ¿Ustedes, gente superior, están preparándose para arrojar bombas nucleares sobre todos los sucios árabes, para no tener que seguir lidiando con nosotros? ¿O piensan dejar eso en manos de sus fríos amigos de Israel, que de todos modos les dicen lo que deben hacer? Ustedes no harán otra cosa que darles las bombas.

–¡No, *espera*! –gritó Kendrick–. ¡Esos israelíes me salvaron la vida!

–Ya lo creo que lo hicieron, ¡pero tú eras un accidente! ¡Eras nada más que un puente para lo que vinieron a hacer aquí, en su avión!

–¿De qué estás hablando?

–Será mejor que te lo diga porque nadie te lo dirá, nadie *imprimirá* eso. Les importaba una mierda de ti, Señor Héroe. Esa unidad vino aquí a sacar de la embajada a un hombre, un agente del Mossad, un estratega de alto rango que se hacía pasar por norteamericano naturalizado, contratado por el Departamento de Estado.

–Oh *Dios* mío –susurró Evan–. ¿Weingrass lo sabía?

–Si lo sabía, mantuvo la boca cerrada. Los obligó a seguirte en Bahrein. *Así* te salvaron la vida. No lo planearon. Les importa un comino de nadie ni de nada, salvo ellos mismos. ¡Los *judíos*! Lo mismo que tú, Señor *Héroe*.

–¡Maldición, *escúchame*, Ahmat! Yo no soy responsable por lo que ha ocurrido aquí, por lo que se publicó en los periódicos o lo que se dijo en la televisión. Es lo último que quería...

–*¡Tonterías!* –interrumpió el joven egresado de Harvard y sultán de

Omán–. Nada de eso habría podido informarse sin ti. Me enteré de cosas acerca de las cuales no tenía la menor idea. ¿Quiénes *son* esos agentes de inteligencia tuyos que corretean por mi país? ¿Quiénes son todos los contactos con los cuales te comunicaste?

–¡Mustafá, por empezar!

–*Muerto*. ¿Quién te hizo entrar en forma clandestina, sin *mi* conocimiento? Yo dirijo este maldito país; ¿quién tiene el *derecho*? ¿Soy un maldito imbécil en un juego de canicas?

–*Ahmat*, no sé nada acerca de esas cosas. Sólo sabía que tenía que *llegar* allá.

–¿Y yo soy un *accidente?* ¿No se me podía tener confianza?... ¡Por supuesto, soy un *árabe*!

–*Esa* es una estupidez. Estabas siendo protegido.

–¿De qué? ¿Una cobertura norteamericano-israelí?

–¡Oh, por amor de Dios, *basta*! No sabía nada de un agente del Mossad en la embajada, hasta este momento, en que me lo dijiste. ¡De haberlo sabido te lo habría *dicho*! Y ya que estamos en eso, mi joven repentinamente fanático, no tuve nada que ver con campamentos para refugiados, ni marcha de familias amenazadas por las armas...

–¡*Todos* ustedes lo hicieron! –gritó el sultán de Omán–. ¡Un genocidio por otro, pero *nosotros* no tuvimos nada que ver con el otro! *¡Vete!*

La comunicación se cortó. Había desaparecido de su vida un buen amigo y un buen hombre, que había ayudado a salvarle la vida. Tal como se esfumaban sus planes de volver a una parte del mundo que tanto amaba.

¡Antes de mostrarse en público, tenía que averiguar qué había sucedido y quién lo había hecho suceder, y *por qué*! Debía empezar por alguna parte, y esa "alguna parte" era el Departamento de Estado y un hombre llamado Frank Swann. Por supuesto, ni pensar en un ataque frontal contra el Estado. En cuando se identificara, sonarían alarmas, y como su cara se veía en forma repetida *ad nauseam*, en la televisión, y la mitad de Washington lo buscaba, cada uno de sus movimientos debía ser meditado con sumo cuidado. Primero lo primero: cómo llegar a Swann sin que éste o su oficina lo supieran. ¿Su oficina? Evan recordó. Un año atrás había entrado en la oficina de Swann y hablado con una secretaria, ofreciéndole varias palabras en árabe para expresar lo urgente de su visita. Ella desapareció en otra oficina, y diez minutos más tarde Swann y él conversaban en el complejo clandestino de computación. La secretaria no sólo era eficiente, sino protectora en alto grado, como en apariencia lo eran la mayoría de las secretarias en el tortuoso Washington. Y como esa secretaria protectora conocía muy bien a cierto congresal Kendrick, con quien había hablado hacía un año, era posible que se mostrase receptiva hacia otra voz también protectora de su jefe. Levantó el auricular, discó el código de área 202 de Washington y esperó a que la ronca voz del gerente del motel Los Tres Osos se escuchara en la línea.

–Operaciones Consulares, oficina del Director Swann –dijo la secretaria.

–Hola, habla Ralph, en ID –comenzó a decir Kendrick–. Tengo noticias para Frank.

–¿*Quién* habla?

–Está bien, soy un amigo de Frank. Sólo quería decirle que esta tarde, más adelante, se convoque a una reunión interdivisional.

–¿*Otra?* El no necesita eso.

-¿Cómo están sus horarios?

–¡Sobrecargados! Está en una conferencia hasta las cuatro de la tarde.

–Bueno, si no quiere que lo vuelvan a poner en la parrilla, tal vez debería acortar el día, tomar su coche y volver temprano a casa.

–¿Conducir? *¿El?* Preferiría descender en paracaídas en la selva de Nicaragua, antes que correr riesgos con el tránsito de Washington.

–Ya sabes a qué me refiero. Las cosas están un poco dudosas aquí. Podrían ponerlo en el asador.

–Está en él desde las seis de la mañana.

–Sólo trataba de ayudar a un amigo.

–En realidad, tiene una cita con el médico –dijo la secretaria de repente.

–¿Sí?

–Ahora sí. Gracias, Ralph.

–Nunca te he llamado.

–Por supuesto que no, encanto. Alguien de ID quería confirmar horarios.

Evan se encontraba en medio del gentío, esperando un ómnibus, en la esquina de la Calle Veintiuno, a la vista de la entrada del Departamento de Estado. Después de hablar con la secretaria de Swann, salió de la cabina y condujo con rapidez hasta Washington; se detuvo por unos instantes en el centro de compras de Alexandria, donde adquirió gafas oscuras, un sombrero de pescador de alas anchas, de lona, y una chaqueta de tela suave. Eran las 3 y 48 de la tarde; si la secretaria había seguido sus inclinaciones protectoras, Frank Swann, director delegado de Operaciones Consulares, saldría por las enormes puertas de vidrio en los siguientes quince o veinte minutos.

Lo hizo. A las 4 y 03, y de prisa, doblando a la izquierda y alejándose de la parada de ómnibus. Kendrick corrió tras el hombre del Departamento de Estado, permaneciendo a unos diez metros de él, y preguntándose qué medio de transporte tomaría Swann, quien no conducía. Si tenía la intención de caminar, Kendrick lo detendría delante de alguna plazoleta, o en algún lugar donde pudiesen conversar sin ser molestados.

No iba a caminar; estaba a punto de tomar un ómnibus con rumbo al este, por la Avenida Virginia. Swann se unió a varios otros que aguardaban el mismo vehículo, que ya llegaba calle abajo, hacia la parada. Evan corrió a la esquina; no podía dejar que el director de Op Cons tomase ese ómnibus. Se acercó a Swann y le tocó el hombro.

–Hola, Frank –dijo con tono afable, mientras se quitaba las gafas oscuras.

–*¿Tú?* –exclamó el asombrado Swann, y sobresaltó a los demás pasajeros en el momento en que se abrían las puertas del ómnibus.

–Yo –admitió Kendrick en voz baja–. Creo que será mejor que hablemos.

–*¡Cristo!* ¡Debes estar demente!

–Si lo estoy, tú me condujiste a eso, aunque no conduzcas...

Hasta allí llegó la breve conversación, porque de pronto una voz extraña llenó la calle, desde el costado del ómnibus.

–¡Es *él*! –rugió un hombre de aspecto raro, desgreñado, de grandes ojos saltones y largo cabello despeinado, que le caía sobre las orejas y la frente–. ¡Miren! *¡Vean!* ¡Es él! *¡Comando Kendrick!* ¡Lo he visto todo el día en la televisión... tengo siete televisores en mi apartamento! ¡No ocurre nada sin que yo me entere! ¡Es él!

Antes que Evan pudiera reaccionar, el hombre le arrancó de la cabeza el sombrero de pescador.

–*¡Eh!* –gritó Kendrick.

–¡Vean! ¡Miren! *¡Él!*

–¡Salgamos de aquí! –exclamó Swann.

Echaron a correr por la calle, perseguidos por el hombre de aspecto extraño; los abultados pantalones le aleteaban en el viento que creaba con su carrera. Llevaba el sombrero de Evan en la mano, y agitaba los brazos.

–¡Nos sigue! –dijo el director de Op Cons, mirando hacia atrás.

–¡Tiene mi sombrero! –dijo Kendrick.

Dos calles más adelante, una vacilante dama de cabello azul, con un bastón, descendía de un taxi.

–*¡Ahí!* –gritó Swann–. ¡El taxi! –Esquivando el tránsito, cruzaron a la carrera la ancha avenida. Evan se introdujo por la portezuela más próxima, mientras el hombre del Departamento de Estado daba la vuelta por el baúl hacia el otro lado; ayudó a apearse a la anciana pasajera, y sin querer propinó un puntapié al bastón. Este cayó al suelo, lo mismo que la dama de cabello azul.– Perdón, querida –dijo Swann, saltando al asiento trasero.

–¡Vamos! –gritó Kendrick–. ¡De prisa! ¡Salgamos de aquí!

–Ustedes dos, payasos, no habrán asaltado un banco, o algo por el estilo –dijo el conductor, mientras arrancaba.

–Serás un poco más rico si te das prisa –agregó Evan.

—Me doy prisa, me doy. No tengo licencia de piloto. Tengo que viajar por tierra, ¿entienden lo que quiero decir?

Al unísono, Kendrick y Swann se volvieron para mirar por la ventanilla trasera. En la esquina, el hombre de cabello revuelto y pantalones abultados escribía algo en un periódico; ahora llevaba el sombrero de Evan en la cabeza.

—El nombre de la compañía y el número del taxi —dijo en voz baja el director de Op Cons—. Adondequiera que vayamos, tendremos que cambiar de vehículo, por lo menos a una calle detrás de este.

—¿Por qué? No me refiero al cambio, sino a la calle de distancia.

—Para que nuestro conductor no vea en cuál nos metemos.

—Inclusive da la impresión de que supieras lo que haces.

—Espero que tú también lo sepas —respondió Swann, sin aliento; sacó un pañuelo y se enjugó la cara empapada en sudor.

Veintiocho minutos y un segundo taxi más tarde, el congresal y el hombre del Departamento de Estado caminaban con rapidez calle abajo, en un sector pobre de Washington. Levantaron la vista hacia el letrero de neón rojo al cual le faltaban tres letras. Era un bar mugriento, acorde con el ambiente que lo rodeaba. Asintieron y entraron, un tanto sobrecogidos por la intensa oscuridad del interior, aunque sólo fuese en contraste con el luminoso día de octubre que reinaba afuera, en la calle. La única fuente de luz, intensa y ruidosa, era un televisor atornillado a la pared, sobre el triste mostrador. Varios parroquianos encorvados, desgreñados, de ojos legañosos, confirmaron la categoría del establecimiento. Entrecerrando los ojos en la tenue luz que iban dejando atrás, Kendrick y Swann avanzaron hacia las regiones más oscuras, de la derecha del bar; encontraron un compartimento y se sentaron uno frente al otro.

—¿De veras insistes en que debemos hablar? —preguntó el canoso Swann, resoplando, la cara todavía roja y transpirada.

—Insisto hasta el punto de convertirte en el más flamante candidato a la morgue.

—*Ten cuidado*, soy cinturón negro.

—¿De qué?

Swann frunció el entrecejo.

—Nunca lo supe con seguridad, pero en los filmes siempre funciona, cuando nos muestran haciendo lo nuestro. Necesito un trago.

—Llama a un camarero —dijo Kendrick—. Yo me quedaré en las sombras.

—¿Sombras? —repitió Swann, levantando la mano con cautela para llamar a una pesada camarera negra de llameante cabello rojo—. ¿Dónde hay alguna luz aquí?

—¿Cuándo hiciste tus últimas tres flexiones seguidas, Muchacho Karateca?

—En la década del sesenta. Al comienzo de ella, creo.

—Fue entonces cuando pusieron lamparitas eléctricas aquí... Y ahora hablemos de mí. ¿Cómo demonios *pudiste, embustero*?

—¿Cómo *demonios* pudiste creer que lo *hice*? —exclamó el hombre de

Estado, silencioso de pronto, cuando la grotesca camarera se detuvo ante la mesa, con los brazos en jarra–. ¿Qué quieres beber? –preguntó a Evan.

–Nada.

–Aquí, eso no está bien. Ni es saludable, sospecho. Dos whiskies dobles, gracias. Canadian, si tiene.

–Olvídelo –dijo la camarera.

–Olvidado –aceptó Swann mientras la camarera se iba, con los ojos otra vez fijos en Kendrick–. Eres gracioso, señor congresal, y quiero decir que me das *risa*. ¡Operaciones Consulares quiere mi *cabeza*! ¡El Secretario de Estado ha emitido una directiva en la cual deja en claro que no sabe quién *soy*, ¡ese vacilante académico, bolsa de piojos! ¡Y los *israelíes* chillan porque creen que su precioso Mossad podría resultar comprometido por cualquiera que escarbe un poco, y los *árabes* de nuestras listas de pagos se quejan porque no se les reconoce ningún mérito! Y a las tres y media de esta tarde el presidente, el maldito *presidente*, me cayó encima por "incumplimiento de mis deberes". Déjame que te diga que entonó la frase como si supiera lo que estaba diciendo, lo cual significaba que *yo* sabía que había por lo menos otras dos personas en la línea... ¿*Tú* estás huyendo? ¡*Yo* estoy huyendo! Casi treinta años en este estúpido negocio...

–Así lo llamé yo –interrumpió Evan en voz baja–. Lo siento.

–Es *justo* que lo sientas –dijo Swann sin perder el ritmo–. ¿Porque quién hará esta mierda, salvo nosotros, los canallas más estúpidos que el sistema? Nos necesitas, Charlie, y no lo olvides. El problema es que no tenemos gran cosa que exhibir como compensación. Quiero decir que no debo correr a casa para asegurarme que han limpiado la piscina del fondo de las algas, con este calor... Principalmente, porque no tengo piscina, y porque mi esposa recibió la casa en el arreglo del divorcio, porque estaba harta de que yo saliera a comprar pan y volviera tres meses más tarde, ¡con el polvo de Afganistán todavía en las orejas! Oh, no, señor Congresal Ilegal, yo no fui quien te apuntó con el dedo. Al contrario, hice lo que pude para que *dejaran* de señalarte. No me queda gran cosa, pero quiero seguir limpio e irme con lo que pueda.

–¿Trataste de impedir que me señalaran?

–En voz baja, muy como de pasada, muy profesional. Inclusive le mostré a él una copia del memo que había enviado arriba, rechazándote.

–¿A él?

Swann miró a Kendrick con expresión desolada, mientras la camarera les llevaba las bebidas, tamborileando en la mesa, hasta que el hombre de Estado introdujo la mano en el bolsillo, miró la cuenta y pagó. La mujer se encogió de hombros ante la propina y se alejó.

–¿*El?* –repitió Evan.

–Adelante –dijo Swann con voz sin matices, bebiendo un gran trago de su whisky–. Clava otro clavo, ¿qué importancia tiene? Ya no queda tanta sangre.

–Supongo que eso significa que no sabes quién es. Quién es *él.*

–Oh, tengo un nombre y un puesto, y hasta una recomendación de primera línea.

–¿Y bien?

–El no existe.

–*¿Qué?*

–Lo que escuchaste.

–¿No *existe*? –insistió Kendrick, frustrado.

–Bueno, uno de ellos existe, pero no es el hombre que fue a verme. –Swann terminó su primer trago.

–No lo creo...

–Tampoco lo creyó Ivy, mi secretaria. Ivy la terrible.

–¿De *qué* hablas? –preguntó Kendrick, quejumbroso.

–Ivy recibió un llamado de la oficina del senador Allison, de un tipo con quien solía salir hace un par de años. Ahora es uno de los ayudantes principales del senador. Le pidió que concertara una cita para un hombre del personal que realizaba cierto trabajo confidencial para Allison, así que ella la concertó. Bien, resulta ser un tipo rubio, con un acento que yo ubiqué en algún lugar de Europa central, pero hablaba en serio, te conocía de cabo a rabo. Si tienes alguna cicatriz que sólo tu madre conoce, créeme, él cuenta con una foto de primer plano de ella.

–Es una locura –interrumpió Evan con suavidad–. *¿Para qué*, me pregunto?

–También yo me lo pregunté. Quiero decir: las preguntas que él hacía estaban cargadas de DP...

–¿Perdón?

–De datos previos referentes a ti. Me dio tanto como lo que podía obtener de mí. Era tan profesional, que estuve a punto de ofrecerle, allí mismo, un trabajo en Europa.

–¿Pero por qué *yo*?

–Como dije, yo también me lo pregunté. De manera que le pedí a Ivy que hablara con la oficina de Allison. Por empezar, ¿por qué un senador arrumbado tenía ese tipo de SS...?

–*¿Qué?*

–No me refiero a lo que piensas. "Super-sigiloso". Ahora que lo dices, supongo que hay una relación.

–¡*Por favor*, quieres mantenerte en el tema!

–Es claro –dijo Swann, y bebió su segundo whisky–. Ivy llama a su antiguo amigo, y él no sabe de qué le está *hablando*. Nunca la llamó, y nunca oyó *hablar* de ningún tipo del personal llamado... como se llamara.

–¡Pero ella tenía que saber con quién estaba hablando, por amor de Dios! Su voz... la conversación menuda, lo que se dijeron.

–Su antiguo amigo era de Georgia, y tenía laringitis cuando le telefoneó, así afirmó Ivy. Pero el sujeto que la llamó *de veras* conocía los lugares adonde iban... inclusive un par de moteles de Maryland, de los cuales Ivy prefería que su esposo no se enterase.

–Cielos, es una *operación*. –Kendrick estiró el brazo y tomó el vaso de Swann.– *¿Por qué?*

–¿Por qué me quitaste el whisky? No tengo piscina de natación, ¿recuerdas? Ni siquiera una casa.

De pronto el vociferante televisor de encima del bar estalló con el nombre de secas consonantes de "¡Kendrick!"

Ambos hombres volvieron la cabeza de golpe, con los ojos muy abiertos, incrédulos.

¡Ultimo momento! ¡La noticia de la hora, tal vez de la década! –gritó el periodista, en medio de una multitud de caras que atisbaban hacia la cámara–. *En las últimas doce horas, todo Washington ha estado tratando de encontrar al congresal Evan Kendrick, de Colorado, el héroe de Omán, pero sin resultados. Los peores temores, por supuesto, se concentran en la posibilidad de una represalia árabe. Se nos informa que el gobierno ha ordenado a la policía, los hospitales y las morgues que se mantengan alerta. Pero hace apenas unos minutos se lo vio en esta misma esquina, específicamente identificado por el señor Kasimer Bola... Bola... slawski. ¿De dónde es usted, señor?*

–*De ciudad de Jersey* –respondió el hombre de ojos enloquecidos, con el sombrero de Kendrick en la cabeza– *¡pero mis raíces están en Varsovia! ¡En la santa Varsovia de Dios!*

–*Entonces nació en Polonia.*

–*No exactamente. En Newark.*

–*¿Pero usted vio al congresal Kendrick?*

–*Sin duda alguna. Hablaba con un hombre canoso, un par de calles más allá, al lado de un ómnibus. ¡Y entonces, cuando grité "Comando Kendrick, es él", echaron a correr! ¡Yo lo sé! Tengo aparatos de televisión en todas las habitaciones, aun en el cuarto de baño. ¡Nunca me pierdo nada!*

–*Cuando dice un par de calles más allá, señor, en realidad se refiere a una esquina situada a dos calles y media del Departamento de Estado, ¿no es así?*

–*¡Ya lo creo!*

–*Estamos seguros* –agregó el reportero sinceramente confidencial, mirando a la cámara– *de que las autoridades investigan a Estado para ver si alguna persona como la que ha descrito nuestro testigo habría podido participar en esa extraordinaria cita.*

–*¡Yo los perseguí!* –gritó el testigo de los pantalones abultados, quitándose el sombrero de Evan–. *¡Tengo su sombrero! ¡Ve, es el sombrero del comando!*

–*¿Pero qué escuchó, señor Bolaslawski? ¿Al lado del ómnibus?*

–*¡Le digo que las cosas no siempre son lo que parecen! Nunca está de más la cautela. Antes de huir, el hombre de cabello canoso dio una orden al comando Kendrick. ¡Creo que tenía acento ruso, tal vez judío! Los comunistas y los judíos... no se puede confiar en ellos, ¿entiende lo que quiero decir? ¡Nunca se los ve dentro de una iglesia! No saben qué es la Santa Misa...*

El canal de televisión cambió de golpe a un anuncio publicitario que exaltaba las virtudes de un desodorante axilar.

–Me rindo –dijo Swann, recuperando por la fuerza su bebida, y apurándola de un trago–. Ahora soy un topo. Un judío ruso de la KGB, que no sabe qué es la Misa. ¿Quieres hacer alguna otra cosa por mí?

–No, porque te creo. Pero tú puedes hacer algo por mí, y es para interés de los dos. Tengo que averiguar quién me está haciendo esto, quién ha hecho aquello por lo cual se te culpa a ti, y por qué.

–Y si lo averiguas –interrumpió Swann, inclinándose hacia adelante–, ¿me lo dirás? *Eso* es de mi interés, mi único interés en este momento. Tengo que desprenderme de ese gancho y poner a algún otro en él.

–Tú serás el primero en saberlo.

–¿Qué necesitas?

–Una lista de todos los que saben que fui a Mascate.

–Eso no es una lista, sino un pequeño círculo cerrado. –Swann meneó la cabeza, no tanto en una negativa, sino para explicar.– No habría existido, si tú no hubieses dicho que quizá nos necesitarías en caso de que ocurriera algo que no pudieras manejar. Yo lo aclaré. No podríamos reconocerte a causa de los rehenes.

–¿Cuán cerrado es el círculo?

–Todo era verbal, ¿entiendes?

–Entiendo. ¿Cuán cerrado?

–La parte no operativa se limitaba a ese estúpido irremediable de Herbert Dennison, el rompebolas, jefe de personal de la Casa Blanca, y después a los secretarios de Estado y Defensa, y al presidente de los Jefes Conjuntos. Yo era el enlace de los cuatro, y puedo excluirlos. Todos tenían mucho que perder y nada que ganar, si aparecían en la superficie. –Swann se respaldó en el compartimiento, ceñudo.– La sección operativa funcionaba sobre la base de informaciones estrictamente limitadas. Estaba Lester Crawford, en Langley. Les es el analista de la CIA para las actividades encubiertas en la región, y al final su jefe de estación en Bahrein fue un no sé cuántos Grayson... *James* Grayson, eso es. Había armado un alboroto porque se permitía que tú y Weingrass salieran de su área; opinaba que la Compañía se había vuelto loca, y que estaba metida en una de esas situaciones de "capturado in fraganti, en acción". Capturado In fraganti, en Acción, CIA, ¿entiendes?

–Prefiero no entender.

–Y después había cuatro o cinco árabes de campo, los mejores que tenemos, nosotros y la Compañía, cada uno de los cuales estudió tu foto, aunque no se le suministró tu identidad. No podían decir lo que no conocían. Los dos últimos sabían quién eras; uno estaba allá, el otro aquí, en OHIO-Cuatro-Cero, manejando las computadoras.

–¿Las computadoras? –preguntó Kendrick–. *¿Lecturas impresas?*

–Tú sólo fuiste programado en la de él; de la unidad central te excluyeron. Se llama Gerald Bryce, y si él es el que da las órdenes, me entregaré al FBI como el topo judío del señor Bolaslawski para los Soviets. Es vivo y rápido, y un brujo en el manejo de los equipos, ninguno lo hace mejor que él. Algún día dirigirá Op Cons, si las chicas lo dejan en paz el tiempo suficiente para que pueda marcar un reloj.

–¿Un *playboy?*

–Por favor, *reverendo*, ¿vamos a misa? El muchacho tiene veintiséis años, y es mejor parecido de lo que nadie tiene derecho a serlo. Además es soltero, y muy competente en la cama... otros hablan de eso, él no, nunca. Creo que por eso me agrada. Ya no quedan muchos caballeros en el mundo.

–Ya me agrada a mí también. ¿Quién fue la última persona, allá, que me conocía?

Frank Swann se inclinó hacia adelante, acariciando el vaso vacío, contemplándolo antes de levantar la vista hacia Kendrick.

–Creía que ya te habrías dado cuenta tú mismo.

–¿Cómo? ¿Por qué?

–Adrienne Rashad.

–No me dice nada.

–Usó una cobertura...

–¿Adrienne...? ¿Una mujer? –Swann asintió. Evan frunció el ceño, y de pronto abrió los ojos y enarcó las cejas.– *¿Khalehla?* –murmuró. El hombre del Departamento de Estado volvió a asentir.– ¿Era de los tuyos?

–Bueno, no de los míos, pero sí uno de los nuestros.

–*Cielos*, ¡Me sacó del aeropuerto en Bahrein! Ese enorme hijo de puta de MacDonald me había empujado hacia la corriente de tránsito... estuve a punto de morir, y no sabía dónde estaba. *Ella* me sacó de allí... ¡No *sé* cómo demonios lo hizo!

–Yo sí –dijo Swann–. Amenazó con hacerles volar la cabeza a unos cuantos policías de Bahrein, a menos que hicieran circular su nombre de código y consiguieran autorización para sacarte de allí. No sólo obtuvo autorización, sino también un coche del garaje del sultán.

–Dices que era uno de los nuestros, pero no de los tuyos. ¿Qué significa eso?

–Es Agencia, pero también es especial, una verdadera intocable. Tiene contactos en todo el Golfo y el Mediterráneo; la CIA no permite que nadie se meta con ella.

–Sin ella, mi cobertura podía quedar anulada en el aeropuerto.

–Sin ella habrías sido el blanco de todo terrorista que anduviera por Bahrein, incluidos los soldados del Mahdí.

Kendrick guardó silencio por un instante; su mirada vagaba, sus labios estaban entreabiertos; un recuerdo.

–¿Te dijo dónde me escondió?

–Se negó a decírmelo.

–¿Podía hacer eso?

–Ya te dije que es especial.

–Entiendo –dijo Evan con suavidad.

–Creo que yo también –declaró Swann.

–¿Qué quieres decir con eso?

–Nada. Te sacó del aeropuerto, y unas seis horas más tarde establecía contacto.

–¿Eso no es habitual?

–Dadas las circunstancias, se podría decir que fue extraordinario. La tarea de ella consistía en mantenerte vigilado, e informar en el acto sobre cualquier movimiento drástico de tu parte, directamente a Crawford, en Langley, quien debía comunicarse conmigo para recibir instrucciones. No lo hizo, y en su información oficial omitió toda referencia a esas seis horas.

–Tenía que proteger donde nos ocultábamos.

–Por supuesto. Era preciso que fuese una casa de la nobleza, y nadie anda jorobando con el Emir o su familia.

–Es claro. –Kendrick volvió a guardar silencio, y miró hacia las regiones oscuras del decrépito bar.– Era una persona agradable –dijo con lentitud, vacilante–. Conversamos. Entendía tantas cosas... Yo la admiré.

–Eh, vamos, congresal. –Swann se inclinó sobre su vaso vacío.– ¿Le parece que es la primera vez?

–¿Qué?

–Dos personas en una situación difícil, un hombre y una mujer, y ninguno de los dos sabe si él o ella verán la luz de otro día u otra semana. De modo que se unen, es natural. ¿Y qué?

–Eso es muy ofensivo, Frank. Ella *significaba* algo para mí.

–Muy bien, seré franco. No creo que tú significaras nada para ella. Es una profesional que ha pasado por unas cuantas guerras negras en su ADO.

–¿Su qué? Habla en el idioma que quieras, en árabe, si te parece, pero di algo que se entienda.

–Area de Operaciones...

–Eso lo usaron en los periódicos.

–Yo no tengo la culpa. Si dependiera de mí, neutralizaría a cada uno de los canallas que escribió esos artículos.

–Por favor, no me digas qué quiere decir "neutralizar".

–No lo haré. Sólo te digo que en el trabajo de campo todos cometemos un error, de vez en cuando, si estamos fatigados o lisa y llanamente asustados. Nos tomamos unas pocas horas de placer seguro, y las consideramos una bonificación atrasada. ¿Me creerías si te digo que inclusive tengo disertaciones sobre el tema, para la gente que enviamos afuera?

–Ahora lo creo. Para ser sincero contigo... en aquel momento se me ocurrió que era algo por el estilo.

–Bueno. Olvídate de ella. Es estrictamente del Mediterráneo, y no tiene nada que ver con la escena local. Por empezar, es probable que tuvieras que volar a Africa del Norte para encontrarla.

–De modo que lo único que tengo es un hombre llamado Crawford, en Langley, y un jefe de estación en Bahrein.

–No. Tienes un hombre rubio, de acento centroeuropeo, que opera aquí, en Washington. Y que opera en forma muy profunda. En alguna parte obtuvo informaciones, y no de mí, no de OHIO-Cuatro-Cero. Búscalo.

Swann dio a Evan los números privados corrientes, de su oficina y su apartamento, y salió corriendo del sucio bar oscuro, como si necesitara aire. Kendrick pidió un whisky a la pesada camarera negra, de llameante cabellera roja, y le preguntó dónde estaba el teléfono público, en caso de existir uno.

–Si lo golpea dos veces en el costado izquierdo de abajo, le devolverá la moneda –informó la mujer.

–Si lo hago, se la daré a usted, ¿de acuerdo? –dijo Evan.

–Désela a su amigo –replicó la mujer–. Los tipos de traje nunca dejan propina, blancos o negros, son todos iguales.

Kendrick salió del compartimiento y se dirigió con cautela hacia la pared oscura y el teléfono. Era hora de llamar a su oficina. No podía descargar más presión en la señora Ann Mulcahy O'Reilly. Aguzando la vista, insertó la moneda y discó.

–Oficina del congresal...

–Soy yo, Annie –interrumpió Evan.

–Dios mío, ¿dónde *está*? ¡Son las cinco pasadas, y esto sigue siendo un loquero!

–Por eso no estoy ahí.

–¡Antes que me *olvide*! –exclamó la señora O'Reilly, sin aliento–. Manny llamó hace un rato, y habló con tono muy enfático, pero no alto... lo cual creo que significa que hablaba con toda la seriedad que podía.

–¿Qué dijo?

–Que no tiene que llamarlo por la línea de Colorado.

–*¿Qué?*

–Me dijo que le dijera *"allcott massghoul"*, sea eso lo que fuere.

–Está muy claro, Annie. –Weingrass había dicho *alkhatt mashghool*, que en árabe quería decir "la línea está ocupada", sencillo eufemismo por no decir manipulada o intervenida. Si Manny estaba en lo cierto, se podía usar un láser e identificar un llamado de afuera en un instante.– No haré llamado alguno a Colorado –agregó Evan.

–Me pidió que le dijera que cuando las cosas se calmasen, iría a Mesa Verde y me llamaría aquí para darme un número en el cual usted podría encontrarlo.

–Volveré a llamarte.

–Y bien, señor Superman, ¿es verdad lo que dicen todos? ¿Hizo realmente todas esas cosas en Omán, o donde fuere?

–Sólo algunas. Omiten a una cantidad de personas a quienes habrían debido incluir. Alguien está tratando de hacerme parecer lo que no soy. ¿Cómo te las arreglas?

–Con el habitual: "Sin comentarios", y: "Nuestro jefe no está en la ciudad" –respondió O'Reilly.

–Muy bien. Me alegro de saberlo.

–No, congresal, no está bien, porque algunas cosas no pueden manejarse así. Podemos con los chiflados y la prensa, y aun con sus paredes, pero no con el Mil Seiscientos.

–¿La *Casa Blanca*?

–El odioso jefe de personal. No podemos decirle: "Sin comentarios" al vocero del Presidente.

–¿Qué dijo?

–Me dio un número de teléfono para que usted lo llame. Es su línea privada, y se aseguró de que yo entendiese que menos de diez personas lo tienen, en Washington...

–Me pregunto si el Presidente será una de ellas –interrumpió Kendrick, sólo a medias en broma.

–El afirmó que sí, y en rigor dijo que hay una orden presidencial directa: usted tiene que llamar enseguida al jefe de personal de *él*.

–¿Una directa *qué*?

–Orden presidencial.

–Alguien tendría que hacer el favor de leerles la Constitución a esos payasos. La rama legislativa de este gobierno no acepta órdenes directas del ejecutivo, presidenciales o no.

–Le concedo que la elección de las palabras, por parte de él, fue estúpida –continuó Ann O'Reilly enseguida–, pero si me permite que termine de informarle lo que él dijo, tal vez entre en razón.

–Adelante.

–Dijo que entendían por qué usted no se dejaba ver, y que organizarían que lo recogiera algún coche sin identificación, donde usted dijese... Y ahora, ¿puedo hablar como una persona que conoce esta Ciudad Rara mejor que usted, *señor*?

–*Por favor.*

–No puede seguir huyendo, Evan. Tarde o temprano tendrá que mostrarse, y es mejor que antes de hacerlo se entere de lo que piensan. Le guste o no, se ocupan de su caso. ¿Por qué no averiguar cómo lo están haciendo? Con eso se podría evitar un desastre.

–¿Cuál es el número?

22

Herbert Dennison, jefe de personal de la Casa Blanca, cerró la puerta de su cuarto de baño privado y tomó la botella de Maalox, que tenía en el extremo de la derecha de la mesada de mármol. En una secuencia exacta, ingirió cuatro tragos del líquido que parecía tiza; por experiencia, sabía que eliminaría los ardores repentinos que sentía en la parte superior del pecho. Años atrás, en Nueva York, cuando comenzaron los ataques, se asustó tanto, que casi no podía comer o dormir, tan convencido estaba de que, después de sobrevivir al infierno de Corea, moriría en la calle, de un paro cardíaco. Su esposa de entonces –la primera de tres–, también estaba fuera de sí, sin poder decidir si debía llevarlo primero a un hospital o a su agente de seguros, para una ampliación de la póliza. Sin que él lo supiera, hizo esto último, y una semana más tarde Herbert cedió y se internó en el Centro Médico Cornell, para ser objeto de un examen médico a fondo.

El alivio llegó cuando los médicos decidieron que su corazón era tan fuerte como el de un toro joven, y le explicaron que los accesos esporádicos de incomodidad eran producidos por espasmos periódicos de exceso de ácido, provocado, sin duda, por tensiones. A partir de entonces, siempre tenía a mano botellas del líquido blanco, en dormitorios, oficinas, automóviles y portafolios. La tensión formaba parte de su vida.

El diagnóstico de los médicos había sido tan exacto que, a lo largo de los años, llegó a predecir, con cierto grado de razonabilidad, y con una diferencia de una o dos horas, en más o en menos, cuándo sería presa de los ataques de acidez. Durante sus días de Wall Street, llegaban, en forma invariable, con las locas fluctuaciones del mercado, o cuando reñía con sus pares, quienes continuamente trataban de desviarlo en su búsqueda de fortuna y posición. Eran todos una mierda, pensaba Dennison. Chicos elegantes, de fraternidades elegantes, socios de clubes elegantes, que ni se molestaban en escupir sobre él, y menos aún lo tenían en cuenta para asociarlo a esos clubes. ¿Y a quién le importaba un carajo? ¡En estos días, esos mismos clubes permitían ahora el ingreso de judíos y negros, y aun de puertorriqueños! Lo único que necesitaban hacer para eso era hablar como actores maricas, y comprar su ropa a Paul Stuart o a algún homosexual francés. ¡Bien, él había escupido sobre *ellos*! ¡Los *quebró*! En el mercado, tenía el instinto visceral de un peleador callejero, y había acaparado tanto, *ganado* tanto, que la maldita firma *tuvo* que nombrarlo presidente, porque de lo contrario se habría ido, llevándose varios millones consigo. Y modeló esa corporación hasta convertirla en la firma más pujante y agresiva de Wall Street. Lo logró con la eliminación de los zoquetes quejumbrosos, y de ese estúpido cuerpo de "aprendices", que devoraban dinero y hacían perder tiempo a todo el mundo. Tenía dos máximas, que se convirtieron en leyes sagradas de la corporación. La primera era: *Supera las cifras del año pasado o vete*. La segunda era igualmente lacónica: *Aquí no vienes a aprender; ya llegas sabiendo.*

A Herb Dennison nunca le importó un bledo si era querido o no; la teoría de que el fin justifica los medios le sentaba a la perfección, muchas gracias. En Corea había aprendido que los oficiales bondadosos recibían, a menudo, la recompensa de un ataúd de soldado raso, por su falta de disciplina dura y autoridad más dura aún. Tenía conciencia de que lo odiaban a más no poder, hasta el punto de que jamás bajaba la guardia ante la posibilidad de ser despedazado por una granada norteamericana, y sin perjuicio de las pérdidas, estaba seguro de que éstas habrían sido mayores si los blanduchos hubieran estado al frente de las tropas.

Como los chicos llorones de Wall Street: "Queremos crear confianza, Herb, continuidad..." O bien: "El joven de hoy es el funcionario corporativo del mañana... un funcionario fiel." *¡Imbecilidades!* La confianza, la continuidad, la fidelidad, no dan ganancias. ¡La confianza se obtiene haciéndole ganar dinero a otra gente, esa es la confianza, continuidad y fidelidad que buscan! Y quedó demostrado que tenía razón; su lista de clientes creció hasta que las computadoras estuvieron a punto de estallar, les quitó gente de talento a otras firmas, se aseguró de obtener servicios por lo que pagaba, o los muchachos nuevos también tenían que irse.

Por supuesto, era duro, y hasta implacable, muchos le decían en la cara que era las dos cosas, y también en letra de molde, y sí, había dejado mucho por el camino, pero lo principal era que en general tenía *razón*. Lo había demostrado en la vida militar y en la civil... y sin embargo, al final, en las dos, los llorones lo habían hecho a un lado. En Corea, el jefe del regimiento casi le había *prometido* el rango de coronel cuando lo dieran de baja; no cumplió. En Nueva York –¡*Cristo*, había sido peor, si eso era posible!– su nombre circuló como el nuevo miembro del Directorio de Industrias Wellington-Midatlantic, el directorio más prestigioso de las finanzas internacionales. Nunca se dio. En ambos casos, las fraternidades de las antiguas universidades lo derribaron en el momento del ascenso. De modo que tomó sus millones y dijo *¡A la mierda con todos!*

Y tuvo razón una vez más, porque encontró a un hombre que necesitaba su dinero y su considerable talento: un senador de Idaho, que había comenzado a hacer escuchar su voz asombrosamente sonora, apasionada, para decir cosas en las cuales Herb creía con fervor, pero al mismo tiempo un político que sabía reír y divertir a su público cada vez más amplio, a la vez que lo educaba.

El hombre de Idaho era alto y atrayente, tenía una sonrisa que no se veía desde Eisenhower y Shirley Temple, rebosaba de anécdotas y homilías que exaltaban los antiguos valores de la fuerza, la valentía, la independencia y, sobre todo –para Dennison–, la libertad de elección. Herb voló a Washington y estableció un pacto con el senador. Durante tres años, Dennison invirtió todas sus energías y varios millones –más otros millones de numerosos hombres anónimos a quienes les había hecho ganar fortunas–, hasta que tuvieron un fondo de reserva con el cual se podía comprar el papado, si hubiera estado en venta en forma más evidente.

Herb Dennison eructó; el sedante líquido blanco funcionaba, pero no con bastante rapidez; tenía que estar listo para el hombre que entraría en su oficina dentro de unos minutos. Bebió otros dos tragos y se miró al espejo, molesto ante la visión de su cabello gris cada vez más ralo, que peinaba, liso, hacia atrás, de ambos lados, la raya bien definida a la izquierda, la parte de arriba coherente con su imagen de seriedad. Mientras se miraba, deseó que sus ojos, de un gris-verdoso, fuesen más grandes; los abrió todo lo que pudo; seguían siendo pequeños. Y la leve papada reforzaba la sugestión de carrillos colgantes, recordatorio de que debía hacer un poco de ejercicio o comer menos; ninguna de las dos cosas le atraía. ¿Y por qué, con todo el maldito dinero que pagaba por sus trajes, no se parecía más a los hombres de los anuncios que le enviaban sus sastres británicos? Sin embargo, había en él un aire de fuerza imponente, destacado por su rígida postura y el avance del mentón, cosas, ambas, que había perfeccionado a lo largo de los años.

Volvió a eructar y bebió otro trago de su elixir personal. *¡Maldito Kendrick, hijo de puta!*, dijo para sí. Ese don nadie que de pronto es alguien era la causa de su enojo e incomodidad... Bueno, para decir la verdad, y *siempre* trataba de ser sincero consigo mismo, ya que no siempre con los demás, no era el don nadie/alguien por sí solo, sino el efecto que el canalla producía en Langford Jennings, Presidente de Estados Unidos. *¡Mierda, pis y vinagre!* ¿Qué tenía Langford en la cabeza? (En sus pensamientos, Herb se había frenado, y remplazado "Langford" por "el Presidente", y eso lo enfurecía aún más; formaba parte de la tensión, parte de la distancia que exigía la autoridad de la Casa Blanca, y Dennison lo odiaba... Después de la toma del mando, y de tres años de llamarlo por su nombre de pila, Jennings había hablado en voz baja a su jefe de personal durante uno de los bailes inaugurales; le habló con esa voz suave, jocosa, que rezumaba modestia y buen humor. "Sabes que a mí me importa poco y nada, Herb, pero pienso en el cargo –no en mí, en el *cargo*–, que casi impone que me llames 'Señor Presidente', ¿no opinas lo mismo?" *¡Maldición!* ¡Nada menos!)

¿Y qué *tenía* Jennings en la cabeza? En relación con ese fenómeno de Kendrick, el Presidente había aceptado con tranquilidad todo lo que le propuso Herb, pero las respuestas habían sido *demasiado* tranquilas, rayanas en el desinterés, y eso molestaba al jefe de personal. La voz meliflua de Jennings sonaba despreocupada, pero su mirada no expresaba falta de preocupación. De vez en cuando, Langford Jennings sorprendía a todo el mundo en la Casa Blanca. Dennison abrigaba la esperanza de que ése no fuera uno de tales momentos, muchas veces inquietantes.

Sonó el teléfono del cuarto de baño, y su proximidad hizo que el jefe de personal derramase Maalox en la chaqueta de su traje de Savile Row. Levantó con torpeza el auricular de pared, con la mano derecha, mientras abría con la izquierda el grifo del agua caliente y mojaba una toalla bajo el chorro. Mientras hablaba, pasó frenéticamente la tela mojada sobre las manchas blancas, satisfecho al ver que desaparecían.

–*¿Sí?*

–El congresal Kendrick ha llegado al Portón Este, señor. Lo están registrando, desnudo.

–*¿Qué?*

–Lo registran en busca de armas y explosivos...

–*¡Cielos*, nunca dije que fuese un *terrorista*! ¡Está en un coche del gobierno, con dos hombres del Servicio Secreto!

–Señor, usted indicó un alto grado de aprensión y desagrado...

–¡Háganlo subir enseguida!

–Es posible que tenga que vestirse, señor.

–*¡Mierda!*

Seis minutos más tarde, un Evan Kendrick ceñudamente furioso fue hecho pasar por una aprensiva secretaria. En lugar de agradecer a la mujer, la expresión de Evan comunicaba otro mensaje, más bien: *Salga de aquí, señora, quiero a este hombre para mí solo*. La secretaria salió en el acto, mientras el jefe de personal se acercaba con la mano tendida. Kendrick no estrechó la mano.

–He oído hablar de sus juegos y diversiones aquí, Dennison –dijo Evan en voz baja, helada–, pero cuando tiene la osadía de registrar a un miembro de la Cámara que viene por invitación suya, y es mejor que sea eso, basura; a mí no se me dirigen órdenes, ha ido demasiado lejos.

–¡Una total incomprensión de mis instrucciones, congresal! Por Dios, ¿cómo puede pensar otra cosa?

–Tratándose de usted, es muy fácil. Muchos de mis colegas ya han tenido choques con usted. Los relatos de horror son numerosos, incluido aquél en el cual le tiró un puñetazo al miembro de Kansas, que según entiendo lo dejó tendido a usted en el suelo.

–¡Eso es *mentira*! Hizo caso omiso de los procedimientos de la Casa Blanca, de los cuales *yo* soy responsable. Y puede que lo haya tocado, nada más que para mantenerlo en su lugar, pero eso fue todo. Y en ese momento me golpeó por sorpresa.

–No lo creo. Oí decir que lo llamó "comandante de pacotilla", y que usted se enfureció.

–¡Es una deformación! ¡Una deformación *total*! –Dennison hizo una mueca; el ácido lo hacía eructar.– Vea, pido perdón por el hecho de que lo desnudaran para registrarlo...

–No lo haga. No llegó a ocurrir. Acepté quitarme la chaqueta, pensando que era normal, pero cuando el guardia mencionó mi camisa y pantalones, intervinieron mis escoltas, mucho más despiertos.

–¿Y entonces por qué demonios está tan *molesto*?

–Por el hecho de que lo haya pensado siquiera, y si no lo pensó, que haya creado aquí una mentalidad que pudiese pensarlo.

–Podría defenderme de esa acusación, pero no me molestaré en hacerlo. Ahora vamos al Salón Oval y por amor de Dios, no confunda al hombre con todas esas tonterías árabes. Recuerde que él no sabe lo que ocurrió, y no servirá de nada tratar de explicar situaciones. Yo se lo aclararé todo más tarde.

–¿Cómo sé yo que usted es capaz de hacerlo?

–¿Qué?

–Lo que oyó. ¿Cómo sé que es capaz o digno de confianza?

–¿De qué habla?

–Creo que aclarará lo que quiera aclarar, y que le dirá lo que desee que él escuche.

–¿Quién demonios es usted para hablarme de esa manera?

–Alguien que probablemente sea tan acaudalado como usted. Y también alguien que se está yendo de esta ciudad, como estoy seguro de que Swann se lo dijo, de modo que su bendición política tiene poca importancia para mí... de todos modos no la aceptaría. ¿Sabe una cosa, Dennison? Creo que usted es una rata hecha y derecha. No de la simpática variedad del Ratón Mickey, sino el animal verdadero. Un roedor feo, comedor de basura, de cola larga, que difunde una horrible enfermedad. Se llama irresponsabilidad.

–No mezquina las palabras, ¿no es cierto, congresal?

–No necesito hacerlo. Me voy.

–¡Pero *él no*! Y lo quiero fuerte, persuasivo. Nos está conduciendo a una nueva era. Volvemos a tener *estatura*, y ya era tiempo. ¡Les estamos diciendo a las porquerías de este mundo que caguen o se salgan del inodoro!

–Sus expresiones son tan triviales como usted.

–¿Y *usted* qué es? ¿Algún maldito egresado de una universidad aristocrática, con un diploma de *inglés*? Déjese de esas cosas, congresal. ¡Aquí jugamos duro, estamos en *eso*! En esta administración, la gente mueve el vientre o se va. *¿Entendió* eso?

–Trataré de recordarlo.

–Y ya que está, recuerde que a él no le agrada el disenso. Todo tranquilo, ¿entendido? Nada de olas; todo el mundo es feliz, ¿entendido?

–Se está repitiendo, ¿no le parece?

–Consigo resultados, Kendrick. Ese es el nombre del juego duro.

–Usted es un aparato flaco y mezquino, le digo.

–Significa que no nos gustamos el uno al otro. ¿Y qué? No es gran cosa...

–*Eso* lo entendí –convino Evan.

–Vamos.

–No tan rápido –dijo Kendrick con firmeza, apartándose de Dennison y yendo hacia una ventana, como si la oficina fuera de él, no del hombre del Presidente–. ¿Cuál es el libreto? Esa *es* la palabra, ¿verdad?

–¿Qué quiere decir?

–¿Qué quiere de mí? –preguntó Kendrick, mirando hacia el prado de la Casa Blanca–. Ya que usted es el pensador, ¿por qué estoy aquí?

–Porque pasarlo a usted por alto sería contraproducente.

–¿De veras? –Kendrick se volvió, para mirar de nuevo al jefe de personal de la Casa Blanca.– ¿Contraproducente?

–Hay que reconocerlo, ¿eso está claro? El no puede sentarse sobre su trasero y fingir que usted no existe, *¿verdad?*

–Ah, ya entiendo. Digamos que en una de sus conferencias de prensa, divertidas aunque no demasiado esclarecedoras, alguien menciona mi nombre, cosa que ahora es inevitable. El no puede decir que no está seguro de si juego para los Jets o los Gigantes, ¿no es así?

–En efecto. Vamos. Yo modelaré la conversación.

–Quiere decir que la va a controlar, ¿no?

–Llámelo como quiera, congresal. Es el más grande Presidente del siglo XX, y no lo olvide. Mi tarea consiste en mantener el *statu quo*.

–No es *mi* tarea.

–¡Un cuerno, no lo es! Es la tarea de todos nosotros. Yo estuve en combate, jovencito, y vi a hombres que morían por defender nuestras libertades, nuestro modo de vida. ¡Le digo que fue una cosa condenadamente sagrada! Y este *hombre*, este *Presidente*, ha recuperado esos valores, esos sacrificios que tanto apreciamos. Ha empujado a este país en la dirección correcta, por la pura fuerza de su voluntad, de su *personalidad*, si prefiere. ¡Es el mejor!

–Pero no necesariamente el más inteligente –interrumpió Kendrick.

–Eso no significa una mierda. Galileo habría sido un pésimo Papa y un César aún peor.

–Supongo que ese es un argumento.

–Ya lo creo. Y ahora, el libreto... la *explicación* es sencilla y muy familiar. Algún hijo de puta dejó trascender la historia de Omán, y usted quiere que se la olvide lo antes posible.

–¿Sí?

Dennison hizo una pausa, y estudió el rostro de Evan como si fuese decididamente desagradable.

–Eso se basa en forma directa en lo que ese estúpido de Swann le dijo al presidente de los Jefes Conjuntos...

–¿Por qué Swann es un estúpido? El no difundió la historia. Trató de despistar al hombre que fue a verlo.

–Dejó que eso ocurriera. Era el director de esa operación, y dejó que eso pasara, y lo veré en la horca.

–Para tener la certeza de que los dos usamos el mismo libreto, ¿por qué quiero yo que todo se olvide lo antes posible?

–Porque podría haber represalias contra sus piojosos amigos árabes, allá. Eso es lo que usted le dijo a Swann, y lo que él les dijo a sus superiores. ¿Quiere modificar eso?

–No, por supuesto que no –dijo Kendrick con suavidad–. El libreto es el mismo.

–Muy bien. Programaremos una breve ceremonia, en la cual le agradecerá en nombre de todo el maldito país. Nada de preguntas, sólo una sesión limitada de fotos, y después usted desaparece. –Dennison señaló la puerta con un ademán; ambos hombres se dirigieron hacia ella.– ¿Sabe una cosa, congresal? –dijo el jefe de personal, con la mano en el picaporte–. El hecho de que usted apareciera como apareció ha arruinado una de las mejores campañas de rumores que pudiese desear una administración... es decir, en términos de relaciones públicas.

–¿Una campaña de rumores?

–Sí. Cuanto más tiempo guardáramos silencio, y desviáramos las preguntas por razones de seguridad nacional, más pensaba la gente que el Presidente había impuesto el arreglo de Omán por sí solo.

–Por cierto que insinuó eso –dijo Evan, sonriendo, no sin afabilidad, como si admirase un talento que no aprobaba necesariamente.

–Le digo que es posible que no sea un Einstein, pero aun así es un genio. –Dennison abrió la puerta.

Evan no se movió.

–¿Puedo recordarle que once hombres y mujeres fueron asesinados en Mascate? ¿Y que otros doscientos tendrán pesadillas por el resto de su vida?

–¡Es cierto! –respondió Dennison–. ¡Y él lo *dijo*... con *lágrimas* en los ojos! ¡Dijo que eran verdaderos héroes norteamericanos, tan valientes como los que combatieron en Verdún, en la cabecera de puente Omaha, en Panmunjom y en Danang! ¡El hombre lo *dijo*, congresal, y lo decía en *serio*, y nos sentimos *orgullosos*!

–Lo dijo mientras reducía las opciones, para que su mensaje resultase claro –admitió Kendrick–. Si alguna persona fue la responsable de haber salvado a los doscientos treinta y seis rehenes, tiene que haber sido él.

–¿Y entonces?

–No importa. Terminemos con esto.

–Usted es un loco, congresal. Y tiene razón, su lugar no está en esta ciudad.

Evan Kendrick se había encontrado una sola vez con el Presidente de Estados Unidos. El encuentro había durado unos cinco, seis segundos, durante una recepción en la Casa Blanca, en honor de los congresales recién incorporados, del partido del triunfador. Había sido obligatorio que él concurriese, según Ann Mulcahy O'Reilly, quien amenazó con hacer volar la oficina si Evan se negaba a ir. No se trataba de que el hombre no le agradase a Kendrick, le dijo varias veces a Annie; sólo que no coincidía con muchas de las cosas que Langford Jennings defendía... y tal vez más que muchas, quizás eran la mayoría. Y en respuesta a la pregunta de la señora O'Reilly, de porqué había sido candidato en la lista de él, sólo pudo responder que en una elección, el otro partido no tenía posibilidades de ser elegido.

La impresión predominante que había tenido Evan en ese breve apretón de manos, en la recepción, con Langford Jennings, fue más en lo abstracto que en lo inmediato, pero no del todo. El *cargo* intimidaba, a la vez que abrumaba. Que a un solo ser humano se le pudiera confiar tan tremendo poder global, llevaba hasta el límite la tensión del espíritu de cualquier hombre pensante. Una orden mal entendida durante algún horrible error de cálculo, podía hacer volar el planeta en pedazos. Y sin embargo... sin embargo... a pesar de la evaluación personal de Kendrick respecto del hombre, que incluía un intelecto menos que brillante y una tendencia a la excesiva simplificación, así como a la tolerancia de payasos tan entusiastas como Herbert Dennison, había en Langford Jennings una imagen notable, que era mayor de lo normal, una imagen que el ciudadano común ansiaba con desesperación para la presidencia. Evan había tratado de entender el tenue velo que protegía al hombre de un estudio más cercano, y por último llegó a la conclusión de que el estudio mismo carecía de importancia, en comparación con su impacto. Lo mismo ocurría con los impactos de Nerón, Calígula, cualquier cantidad de papas y emperadores locos y autoritarios, y los villanos definitivos del siglo XX, Mussolini, Stalin y Hitler. Pero ese hombre no mostraba la mala voluntad intrínseca de los otros; al contrario, transmitía una fuerte y abundante confiabilidad, que parecía irradiar de su ser interior. Jennings contaba, además, con la ventaja de un físico poderoso, atrayente, y una seguridad mucho más notable, y la pureza de sus convicciones lo era todo para él. Por lo demás, resultaba uno de los hombres más encantadores y simpáticos que Kendrick hubiera conocido.

–¡*Maldición*, cómo me alegro de volver a verlo, Evan! ¿Puedo llamarlo Evan, señor congresal?

–Por supuesto, señor presidente.

Jennings dio la vuelta al escritorio del Salón Oval para estrecharle la mano, y mientras lo hacía aferró el brazo izquierdo de Kendrick.

–Acabo de terminar de leer todo ese material secreto sobre lo que hizo, y le digo que me siento tan *orgulloso*...

–Hubo muchos otros que participaron, señor. Sin ellos, me habrían matado.

–Eso lo entiendo. ¡Tome asiento, Evan, siéntese, *siéntese*! –El Presidente volvió a su asiento; Herbert Dennison permaneció de pie.– Lo que usted hizo, Evan, como *persona*, será una lección de manual para varias generaciones de jóvenes en Norteamérica. Tomó el látigo en sus manos y lo hizo restallar.

–No lo hice yo solo, señor. Hay una larga lista de personas que arriesgaron su vida para ayudarme... y varios de ellos la perdieron. Como dije, habría muerto, a no ser por esa gente. Por lo menos una decena de omaníes, desde el joven sultán hacia abajo, y una unidad de comandos israelíes llegaron hasta mí cuando, literalmente, me quedaban pocas horas de vida. Mi ejecución ya había sido fijada...

–Sí, entiendo todo eso, Evan –interrumpió Langford Jennings, asintiendo y frunciendo el ceño, compasivo–. Y también entiendo que nuestros amigos de Israel insisten en que no haya insinuación alguna de la participación de ellos, y nuestra comunidad de inteligencia de aquí, de Washington, se niega a correr el riesgo de exponer a nuestro personal en el Golfo Pérsico.

–El Golfo de Omán, señor presidente.

–Estoy de parte de usted –dijo Jennings, y esbozó la famosa sonrisa modesta que había encantado a la nación–. No sé con seguridad si puedo distinguir a uno del otro, pero esta noche lo aprenderé. Como lo pintarían mis caricaturistas verdugos, mi esposa no me dará mi leche con galletitas hasta que no lo aprenda bien.

–Eso no sería justo, señor. Es una parte geográficamente compleja del mundo, si una persona no está familiarizada con ella.

–Sí, bueno, creo que de alguna manera puedo llegar a dominarla con un par de mapas escolares.

–No quise insinuar...

–Está bien, Evan, la culpa es mía. De vez en cuando me equivoco. El problema principal, aquí, es qué hacemos con usted. ¿Qué hacemos, dadas las limitaciones que se nos imponen debido a la necesidad de proteger la vida de agentes y subagentes que trabajan para nosotros en una parte explosiva del globo?

–Yo diría que esas limitaciones necesarias exigen que todo se mantenga en silencio, clasificado...

–Es un poco tarde para eso, Evan –interrumpió Jennings–. Las coartadas de la seguridad nacional sirven hasta cierto punto. Más allá de ese punto se provoca demasiada curiosidad; y entonces las cosas pueden volverse pesadas... y peligrosas.

–Además –agregó Dennison, rompiendo su silencio con tono áspero–, como se lo mencioné, congresal, el Presidente no puede, lisa y llanamente, hacer caso omiso de usted. No sería generoso ni patriótico. Ahora bien, tal como yo lo veo, y el Presidente está de acuerdo conmigo, programaremos una breve sesión de fotos aquí, en el Salón Oval, donde usted será felicitado por el Presidente, junto con una serie de tomas que lo mostrarán en lo que parecerá una conversación confidencial. Eso será coherente con el esfumado de inteligencia que piden nuestros servicios contraterroristas. El país lo entenderá. No hay por qué revelar nuestras tácticas a esos canallas árabes.

–A no ser por una cantidad de árabes, yo no habría llegado a ninguna parte, y usted lo sabe muy bien –dijo Kendrick, clavando los ojos, colérico, en el jefe de personal.

–Oh, lo sabemos, Evan –interrumpió Jennings, con expresión evidentemente divertida por lo que observaba–. Por lo menos *yo* lo sé. De pasada, Herb, esta tarde recibí una llamada de Sam Winters, y creo que tiene una magnífica idea, que no violaría ninguno de nuestros problemas de seguridad, y en rigor podría explicarlos.

–Samuel Winters no es por fuerza un amigo –replicó Dennison–. Se ha abstenido, en lo referente a apoyar diversas medidas políticas, que habríamos podido usar en el Congreso.

–Entonces significa que no estaba de acuerdo con nosotros. ¿Eso lo convierte en un enemigo? Demonios, en ese caso será mejor que envíe a la mitad de la guardia de infantería de marina a las casas de nuestras familias. Vamos, Herb, Sam Winters ha sido asesor de presidentes de los dos partidos hasta donde me alcanza la memoria. Sólo un tonto de remate rechazaría una llamada de él.

–Han debido comunicarlo conmigo.

–¿Se da cuenta, Evan? –dijo el Presidente, con la cabeza inclinada y una sonrisa de picardía–. Puedo jugar en el arenero, pero no me dejan elegir a mis amigos.

–Eso no fue lo que yo...

–Por cierto que fue eso lo que quiso decir, Herb, y está bien. Consigue que aquí se hagan cosas... como me lo recuerda constantemente, y *eso* también resulta positivo.

–¿Qué sugirió el señor Winters... el *profesor* Winters? –preguntó Dennison, pronunciando el título académico con tono sarcástico.

–Bueno, es un "profesor", Herb, pero no un maestro común y corriente, ¿verdad? Es decir, si quisiera, podría comprar un par de universidades aceptables. Por cierto que aquella de la cual yo egresé podría ser suya por un cheque que no echaría de menos.

–¿Cuál era su idea? –insistió el jefe de personal con ansiedad.

–Que yo otorgase a mi amigo Evan, aquí presente, la Medalla de la Libertad. –El Presidente se volvió hacia Kendrick.– Es el equivalente civil de la Medalla de Honor del Congreso, Evan.

–Lo sé, señor. No la merezco, ni la quiero.

–Bien, Sam me aclaró un par de cosas, y creo que tiene razón. Por empezar, usted la *merece*, y la quiera o no, yo quedaría como un canalla barato si no se la otorgase. Y *eso*, amigos, no lo acepto. ¿Está claro, Herb?

–Sí, señor presidente –dijo Dennison con voz ahogada–. Pero usted debería saber que si bien el representante Kendrick no ofrece oposición para la reelección, a fin de garantizarle a usted una banca en el Congreso, abriga la intención de renunciar a su puesto en el futuro inmediato. Dado que tiene sus propias objeciones, carece de sentido concentrar más atención en él.

–El sentido, Herb, es que no quiero ser un canalla barato. De todos modos, podría parecer mi hermano menor... podríamos sacar muchas ventajas de eso. Sam Winters me llamó la atención al respecto. La imagen de una familia norteamericana emprendedora, la llamó. No está mal, ¿verdad?

–No es *necesario*, señor presidente –replicó Dennison, ahora molesto, y su voz ronca expresó el hecho de que no podía empujar mucho más–. Los temores del congresal son válidos. Considera que podría haber represalias contra sus amigos del mundo árabe.

El Presidente se respaldó en su asiento, con los ojos clavados, inexpresivos, en su jefe de personal.

–Eso no va conmigo. Este es un mundo peligroso, y sólo conseguiremos hacerlo más peligroso si cedemos a ese tipo de tonterías especulativas. Pero en esa vena, explicaré al país –desde una posición de *fuerza*, no de temor– que no permitiré la exposición detallada de la operación de Omán, por razones de estrategia contraterrorista. Usted tenía razón en esa parte, Herb. En realidad, Sam Winters me lo dijo primero. Además, *no* quiero parecer un *canalla barato*. Sencillamente, no soy así. ¿Entendido, Herb?

–Sí, señor.

–Evan –dijo Jennings, y la sonrisa contagiosa volvió a arrugarle la cara–. Usted es un hombre como a mí me agradan. Lo que hizo fue *espléndido* –lo que leí al respecto–, ¡y este Presidente no será tacaño! De paso, Sam Winters mencionó que yo debería decir que trabajamos juntos. Qué demonios, mi *gente* trabajó con usted, y esa es la pura verdad.

–Señor presidente...

–*Prográmelo*, Herb. Yo miré mi calendario, si eso no le ofende. El martes próximo, a las diez de la mañana. De esa manera entraremos en los noticieros nocturnos de todas las redes, y el martes es una noche densa.

–Pero señor presidente... –comenzó a decir un Dennison aturdido.

–Además, Herb, quiero la Banda de la Infantería de Marina. En el Salón Azul. ¡Que me condenen si me porto como un canalla barato! ¡*Yo* no soy así!

Un furioso Herbert Dennison regresó a su oficina, con Kendrick a la zaga, dispuesto a cumplir la orden presidencial: especificar los detalles para la ceremonia de la entrega de la medalla, en el Salón Azul, el martes. Con la Banda de la Infantería de Marina.

–Estoy de veras en su lugar, ¿no, Herbie? –dijo Evan, tomando nota de los pasos de toro de Dennison.

–Está en mi lugar, y mi nombre no es Herbie.

–Oh, no sé. Ahí se lo vio como un Herbie. El hombre le hizo bajar la cabeza, ¿no?

–A veces el Presidente muestra tendencia a escuchar a personas a quienes no debería prestar atención.

Kendrick miró al jefe de personal, mientras caminaban por el amplio pasillo. Dennison hizo caso omiso de los intentos de saludos de numerosos miembros del personal que iban en dirección contraria, muchos de los cuales miraron a Evan con los ojos muy abiertos; sin duda lo habían reconocido.

–No entiendo –dijo Kendrick–. Aparte de nuestra mutua antipatía, ¿cuál es su problema? Soy *yo* quien debe quedarse aquí, donde no deseo estar; no usted. ¿Por qué grita tanto?

–Porque usted habla demasiado. Lo vi en el programa de Foxley, y en la escenita de su oficina, a la mañana siguiente. Es contraproducente.

–Le gusta esa palabra, ¿eh?

–Conozco muchas otras que puedo usar.

–No me cabe duda. Y es posible que tenga una sorpresa para usted.

–*¿Otra?* ¿Qué demonios es?

–Espere hasta que lleguemos a su oficina.

Dennison ordenó a su secretaria que retuviera todas las llamadas, salvo las de Prioridad Roja. La mujer asintió con rapidez, en obediente comprensión, pero explicó con voz amedrentada:

–Ahora tiene más de una docena de mensajes, señor. Casi todos son un pedido urgente de llamada.

–¿Son Prioridad *Roja*? –La mujer negó con la cabeza.– ¿Qué acabo de *decirle*? –Con estas corteses palabras, el jefe de personal empujó al congresal a su oficina y cerró ruidosamente la puerta.– Bien, ¿cuál es esa sorpresa suya?

–Sabe, Herbie, de veras, tengo que darle un consejo –respondió Evan, mientras iba con pasos lentos hacia la ventana ante la cual había estado antes; se volvió y miró a Dennison.– Puede ser todo lo grosero que quiera con el personal, o mientras ellos lo toleren, pero no vuelva a poner la mano encima de un miembro de la Cámara de Representantes, para empujarlo a su oficina como si estuviera a punto de administrarle una tunda.

–¡No lo *empujé!*

–Yo lo interpreté así, y eso es lo que importa. Tiene la mano pesada, Herbie. Estoy seguro de que mi distinguido colega de Kansas sintió lo mismo cuando lo sentó de culo.

En forma inesperada, Herbert Dennison calló un instante, y luego emitió una risa suave. La prolongada risa profunda era reflexiva, ni colérica ni hostil, y más bien reflejaba alivio que otra cosa. Se aflojó la corbata y se sentó como al descuido en una butaca de cuero, delante de su escritorio.

–Cielos, me gustaría tener diez o doce años menos, Kendrick, para zurrarle el trasero... habría podido hacerlo, aun a esa edad. Pero a los sesenta y tres uno aprende que la cautela es la parte más importante del valor, o lo que fuere. No quiero que vuelvan a derribarme; en estos días resulta más difícil ponerse de pie.

–Entonces no lo busque, no provoque. Usted es un hombre muy provocador.

–Siéntese, congresal... en *mi* sillón, ante *mi* escritorio. Vamos, *hágalo*. –Evan lo hizo.– ¿Qué se siente? ¿Un hormigueo en la columna vertebral, una oleada de sangre que acude a la cabeza?

–Nada. Es un lugar para trabajar.

–Sí, bueno, supongo que somos diferentes. ¿Sabe?, al otro extremo del pasillo está el hombre más poderoso de la tierra, y confía en mí, y para decirle la verdad, yo tampoco soy un genio. Sólo mantengo en funcionamiento la puerta-trampa. Aceito los engranajes, de modo que la rueda gire sin problemas, y el aceite que utilizo tiene mucha acidez, como yo. Pero es el único lubricante que poseo, y funciona.

–Supongo que esto tiene que ver con algo –dijo Kendrick.

–Pienso que sí, y no creo que se ofenda. Desde que estoy aquí, desde que estamos aquí, todos hacen reverencias ante mí, y me dicen toda clase de cosas elogiosas, con grandes sonrisas... pero con ojos que declaran que preferirían meterme una bala en la cabeza. Ya he pasado por eso; no me molesta. Pero ahora aparece usted y me dice que me vaya al diablo. De veras, eso es *vivificante*. Puedo asimilarlo. Es decir, me *gusta* que yo no le guste a usted, ni usted a mí... ¿se entiende eso?

–Supongo que se entiende en cierta forma retorcida. Pero es claro que usted representa a un hombre retorcido.

–¿Por qué? ¿Porque prefiero hablar en forma directa, en lugar de andarme con vueltas? Las promesas de labios para afuera y las vacuidades abyectas no son otra cosa que una pérdida de tiempo. Si pudiera librarme de las dos cosas, haríamos diez veces más cosas de las que hacemos ahora.

–¿Alguna vez le dijo eso a alguien?

–Lo intenté, congresal, como que Dios es mi testigo, lo intenté. ¿Y sabe algo? Nadie me cree.

–¿Usted lo creería, si estuviera en el lugar de ellos?

–Es probable que no, y puede que si ellos me creyeran, la puerta-trampa se convirtiese en la entrada a la celda de un loquero. Piénselo, Kendrick. Mi perversidad tiene más de una faceta.

–No soy competente para hacer comentarios al respecto, pero esta conversación hace que las cosas me resulten más fáciles.

–¿Más fáciles? Oh, ¿la sorpresa que iba a darme?

–Sí –admitió Evan–. Sabe, hasta cierto punto haré lo que usted quiere que haga... por un precio. Es mi pacto con el Demonio.

–Me halaga.

–No es mi intención. No tengo tendencia a las vacuidades abyectas, yo tampoco, porque me hacen perder *mi* tiempo. Según lo he entendido, yo soy "contraproducente" porque he armado un poco de alboroto en relación con varias cosas que me importan mucho, y que según entendí le resultan irritantes. ¿Voy bien, hasta ahora?

–Por ahora no va mal, muchachito. Es posible que parezca otra cosa, pero para mí, hay en usted mucho de esas protestas estúpidas de los pelilargos.

–Y tiene la impresión de que si me dan alguna plataforma habría mucho más, y eso le hiela *de veras* los adminículos. ¿He acertado otra vez?

–Ha dado de lleno en el culo de la mosca. No quiero que nada ni nadie interrumpa la voz de *él*, los compromisos de *él*. Nos ha sacado del escenario de los maricas, volamos a favor de un viento muy fuerte, y eso deja una buena sensación.

–No trataré de seguirlo por ese lado.

–Es probable que no pueda...

–Pero en lo fundamental, usted quiere dos cosas de mí –continuó Evan con rapidez–. La primera es que diga lo menos posible, y nada que ponga en tela de juicio la sabiduría que emana de esa puerta-trampa de usted. ¿Ando cerca?

–No podría acercarse mucho más sin ser arrestado.

–Y la segunda está en lo que dijo antes. Quiere que desaparezca... y que desaparezca pronto. ¿Cómo voy?

–Consiguió la sortija.

–Muy bien, haré las dos cosas... hasta cierto punto. Después de la pequeña ceremonia del martes, que ninguno de nosotros quiere, pero que debemos aceptar por el hombre, mi oficina se verá invadida por pedidos de los medios. Periódicos, radio, televisión, las revistas semanales... la mar en coche. Soy noticia, y ellos quieren vender su mercancía.

–No me está diciendo nada que no sepa o que no me agrade –interrumpió Dennison.

–Lo rechazaré todo –dijo Kendrick con tono tajante–. No concederé entrevistas. No hablaré en público respecto de tema alguno, y desapareceré tan pronto como pueda.

–Le daría un beso ahora mismo, a no ser que mencionó algo contraproducente, como "hasta cierto punto". ¿Qué demonios quiere decir eso?

–Quiere decir que en la Cámara votaré según me dice mi conciencia, y si se me replica, explicaré mis razones con tanto desapasionamiento como pueda. Pero eso, en la Cámara; fuera de la Colina no haré comentario alguno.

–La mayor parte del fuego antiaéreo de relaciones públicas la recibimos fuera de la Colina, no en ella –dijo con tono reflexivo el jefe de personal de la Casa Blanca–. Las *Actas del Congreso* y las cámaras de televisión no hacen mella en el *Daily News* y en *Dallas*. Dadas las circunstancias, y gracias a ese suave hijo de puta de Sam Winters, su ofrecimiento es tan irresistible, que me pregunto cuál será el precio. Porque tiene un precio, supongo.

–Quiero saber quién destapó mi historia. Quién dejó que se filtrara el caso de Omán en forma tan, *tan* profesional.

–¿Y piensa que *yo* no querría saberlo? –estalló Dennison, inclinándose hacia adelante–. ¡Arrojaría a los canallas al mar, en cápsulas de torpedo, a ochenta kilómetros de Newport News!

–Entonces ayúdeme a averiguarlo. Ese es mi precio, y acéptelo, o me verá repetir el programa de Foxley por todo el país, diciendo con exactitud lo que son usted y su gente. Un grupo de torpes hombres de Neanderthal, frente a un mundo complicado, que no logran entender.

–¿*Usted* es el maldito experto?

–Cielos, no. Sólo sé que *usted* no lo es. Lo miro y lo escucho, y lo veo apartar a tanta gente que podría ayudarlo, sólo porque en las rayas de su traje hay algo que no coincide con sus pautas preconcebidas... Y esta tarde me enteré de algo; lo vi, lo escuché. El Presidente de Estados Unidos habló con Samuel Winters, hombre a quien usted desaprueba, pero cuando explicó porqué no le agradaba, porque no les había dado el apoyo que habría podido resultarles útil en el Congreso, Langford Jennings dijo algo que me impresionó muchísimo. Le dijo a usted que si ese Sam Winters no coincidía con tal o cual medida política, eso *no* lo convertía en un *enemigo*.

–Es frecuente que el Presidente no entienda quiénes son sus enemigos. Encuentra muy pronto aliados ideológicos, y se aferra a ellos, a veces durante demasiado tiempo, para decirlo con franqueza, pero a menudo se muestra generoso en exceso, en lo referente a descubrir a quienes pretenden corroer aquello que él representa.

–Ese es el argumento más débil y presuntuoso que he escuchado nunca, *Herbie*. ¿De qué protege a su hombre? ¿De las opiniones distintas?

–Volvamos a su gran sorpresa, congresal. Ese tema me gusta más.

–Estoy seguro de ello.

–¿Qué sabe, que nosotros no sepamos y que nos ayude a averiguar quién dejó trascender la historia de Omán?

–En esencial, lo que he sabido por Frank Swann. Como jefe de la unidad OHIO-Cuatro-Cero, era el enlace con los secretarios de Defensa y Estado, así como presidente de los Jefes Conjuntos, conocedores, todos ellos, de mi misión. Pero él me dijo que los eliminara como posibles fuentes de filtraciones...

–*Demasiado* descabellado –interrumpió Dennison–. Tienen la cara completamente embarrada. No pueden contestar las preguntas más sencillas, cosa que los hace parecer unos idiotas absolutos. Dicho sea de paso, no son idiotas, y hace bastante tiempo que están en esto como para saber qué es un asunto de clasificación máxima, y por qué. ¿Qué más?

–Entonces, exceptuado usted, y con franqueza, lo exceptúo sólo porque mi aparición en la superficie resulta tan "contraproducente" como sus células grises fracturadas pueden entenderlo, quedan otras tres personas.

–¿Quiénes son?

–La primera es un hombre llamado Lester Crawford, de la Agencia Central de Inteligencia; la segunda, el jefe de estación de Bahrein, James Grayson. La última es una mujer, Adrienne Rashad, quien según parece es especial y opera desde El Cairo.

–Y qué hay con ellos?

–Según Swann, son los únicos que conocían mi identidad cuando me llevaron en avión a Mascate.

–Ese es personal *nuestro* –dijo Dennison, con tono significativo–. ¿Qué hay de su gente de allá?

–No puedo decir que sea imposible, pero me parece que la posibilidad es muy remota. Los pocos con quienes me comuniqué, fuera del joven sultán, están tan alejados de todo contacto con Washington, que tendría que considerarlos al final, si los tengo en cuenta. Ahmat, a quien conozco desde hace años, no vendría al caso, en verdad, por una cantidad de razones, empezando por su trono y, cosa igualmente importante, por sus vinculaciones con el gobierno. De los cuatro hombres con quienes hablé por teléfono, sólo uno respondió, y fue muerto por ello... sin duda con el consentimiento de los demás. Estaban tremendamente asustados. No querían tener nada que ver conmigo, ni reconocer mi presencia en Omán, y eso incluía a todos aquellos de quienes sabían que se habían encontrado conmigo, y que podían hacer que se sospechara de ellos. Usted habría debido estar allí para entender esto. Todos viven con el síndrome terrorista, con una daga apoyada en la garganta... y en la de cada uno de los miembros de su familia. Ha habido represalias, un hijo muerto, una hija violada y desfigurada porque algún primo o algún tío exigieron que se actuara contra los palestinos. No creo que ninguno de esos hombres hubiera pronunciado mi nombre ante un perro sordo.

–*Cristo*, ¿en qué clase de mundo viven esos malditos árabes?

–En un mundo en el cual la gran mayoría trata de sobrevivir y ganarse la vida, para ellos y sus hijos. Y nosotros no hemos ayudado, pedazo de canalla fanático.

Dennison inclinó la cabeza y frunció el ceño.

–Es posible que me haya merecido ese disparo, congresal, tendré que pensarlo. No hace mucho estaba de moda no simpatizar con los judíos, y ahora eso ha cambiado, y los árabes ocupan su lugar en el esquema de nuestras antipatías. Es posible que *todo* sea una estupidez, ¿quién sabe?... Pero lo que ahora quiero saber es quién lo hizo saltar a usted fuera de la protección del secreto máximo. Usted piensa que es alguien de nuestras filas.

–Tiene que serlo. Swann fue abordado, en forma fraudulenta, según viene a resultar, por un hombre rubio de acento europeo, que tenía datos muy personales sobre mí. Esa información sólo podía provenir de archivos gubernamentales... tal vez de la investigación de mis antecedentes parlamentarios. Trató de relacionarme con la situación de Omán, pero Swann lo negó con firmeza, y dijo que me había rechazado especialmente. Sin embargo, Frank quedó con la impresión de que el hombre no estaba convencido.

–Sabemos lo del rubio –interrumpió Dennison–. No podemos encontrarlo.

–Pero él hurgó y encontró a algún otro, alguien que, con o sin intención, confirmó lo que él buscaba. Si lo excluimos a usted, y si también excluimos a Estado, Defensa y los Jefes Conjuntos, tienen que ser Crawford, Grayson o la mujer Rashad.

–Elimine a los dos primeros –dijo el jefe de personal de la Casa Blanca–. Esta mañana temprano, interrogué a Crawford aquí, en esta oficina, y se mostró dispuesto a desafiarme a un juego de ruleta rusa por el solo hecho de haber sugerido la posibilidad. En lo que respecta a Grayson, me comuniqué con él en Bahrein, hace cinco horas, y casi le dio apoplejía el pensar que pudiéramos *creer* que él era la filtración. Me leyó el libro de operaciones negras, como si yo fuera el chico más tonto del vecindario, a quien hubiese que castigar con un encierro solitario por haberlo llamado desde una línea insegura, a territorio extranjero. Lo mismo que Crawford, Grayson es un profesional veterano. Ninguno de los dos correría el riesgo de arruinar el trabajo de su vida por usted, y a ninguno de los dos se le podría tender una trampa para que lo hiciera.

Kendrick se inclinó hacia adelante, en la silla de Dennison, con los codos apoyados en el escritorio. Miró hacia la pared del fondo de la oficina, mientras pensamientos en pugna batallaban en su espíritu. Khalehla, o Adrienne Rashad, le había salvado la vida, ¿pero se la había salvado sólo para venderlo? Además era amiga íntima de Ahmat, quien podía verse perjudicado por su relación con ella, y Evan ya había lesionado bastante al joven sultán, sin necesidad de agregar a la lista un agente de inteligencia que se había dado vuelta. Pero Khalehla lo había entendido cuando necesitaba comprensión; fue bondadosa cuando él necesitó bondad, porque estaba tan asustado... por miedo de perder la vida y por su incompetencia. Si ella había caído en la trampa de hablar de él, y si él puso al desnudo la incapacidad de ella, la mujer estaba acabada, en una tarea en la cual creía con intensidad... Pero si no había caído en una trampa, si por razones personales lo había denunciado... entonces lo único que *él* revelaría sería su traición. ¿Cuál era la verdad? ¿Juguete de alguien o embustera? Fuese lo que fuere, él debía averiguarlo por su cuenta, sin el espectro de la vigilancia oficial. Y ante todo, juguete o embustera, él tenía que saber con *quién* se había comunicado, o *quién* se había comunicado con ella. Pues sólo el "quién" podía responder "por qué" había sido denunciado como Evan de Omán. ¡Y eso tenía que saberlo! "Y entonces, de ustedes siete, uno sólo nos ha dado razón de sí."

–La mujer –asintió Dennison con un movimiento de cabeza–. La pondré en un asador giratorio, sobre el fuego más ardiente que nunca se haya conocido.

–No, nada de eso –replicó Kendrick–. Usted y su gente no se acercarán a ella hasta que yo lo diga... si alguna vez lo digo. Y vamos a dar un paso más. Nadie debe saber que usted la traerá aquí... bajo cobertura, creo que es la palabra. Absolutamente *nadie*. ¿Entendido?

–¿Quién demonios es *usted* para...?

–Ya hemos pasado por eso, Herbie. ¿Se acuerda del martes próximo, en el Salón Azul? ¿Con la Banda de la Infantería de Marina y todos los reporteros y las cámaras de televisión? Tendré una gran plataforma alta, a la cual podré subirme, si quiero, y expresar algunas cuantas opiniones. Créame, usted estará entre los primeros blancos, trasero en el suelo, y todo el resto.

–*¡Mierda!* ¿El extorsionado puede tener la osadía de preguntar por qué esa mujer es objeto de un trato preferencial?

–Por supuesto –contestó Evan, mirando al jefe de personal–. Esa mujer me salvó la vida, y usted no va a arruinar la de ella dejando que su propia gente sepa que usted la tiene en la mira de su tan publicitada escopeta de la Casa Blanca. Ya ha hecho demasiado de eso por estos lados.

–¡Está bien, está bien! Pero déjeme aclarar una cosa. Si ella es quien habló, entréguemela a mí.

–Eso depende –dijo Kendrick, echándose hacia atrás.

–¿De *qué*?, por amor de Dios.

–Del cómo y el por qué.

–¿Más enigmas, congresal?

–Para mí no –repuso Evan, y de pronto se puso de pie–. Sáqueme de aquí, Dennison. Además, ya que no puedo ir a casa, ni a la de Virginia ni a la de Colorado, sin que todo el mundo me caiga encima, ¿alguien, en este manicomio, querrá alquilarme una cabaña en el campo, con otro nombre? Pagaré por todo un mes, o por lo que haga falta. Sólo necesito unos cinco días para pensar, antes de volver a la oficina.

–Eso ya está arreglado –dijo con brusquedad el jefe de personal–. En realidad, la idea fue de Jennings: ponerlo en la congeladora durante el fin de semana, en una de esas casas estériles de Maryland.

–¿Qué cuernos es una casa estéril? Por favor, use un lenguaje que yo pueda entender.

–Pongámoslo así. Usted es el invitado del Presidente de Estados Unidos, en un lugar que nadie puede hallar, reservado para personas a quienes no queremos que se encuentren. Esto coincidía con mi meditada opinión de que Langford Jennings debía hacer las primeras declaraciones públicas acerca de usted. Ya ha sido visto aquí, y es inevitable que se sepa.

–Usted es el que escribe el libreto. ¿Qué decimos... qué dice *usted*, ya que estaré aislado?

–Muy fácil. Su seguridad. Es la principal preocupación del presidente, después de conversar con expertos en contraterrorismo. No se preocupe, nuestros escritores inventarán algo que hará llorar a las mujeres en sus pañuelos, y dejará a los hombres con deseos de salir y organizar un desfile. Y como Jennings tiene la última palabra en estas cosas, es probable que incluya una imagen deslumbrante de un poderoso caballero de la Mesa Redonda, que busca a un valiente hermano menor que participó en una peligrosa misión conjunta. *¡Mierda!*

–Y si la teoría de la represalia tiene algo de cierto –agregó Kendrick–, me convertirá en un blanco.

–Eso sería agradable –asintió Dennison de nuevo.

–Llámeme cuando haya hecho los arreglos relacionados con la mujer Rashad.

Evan se encontraba sentado en el sofá de cuero, en el estudio de la impresionante casa estéril de la costa oriental de Maryland, en el municipio de Cynwid Hollow. Afuera, dentro de los muros de los terrenos iluminados por reflectores, los guardias entraban en los sectores bañados por la luz y salían de ellos, mientras patrullaban hasta el último centímetro, los rifles preparados, la mirada alerta.

Kendrick se apartó del televisor al producirse la tercera repetición de la conferencia de prensa convocada en forma repentina por el Presidente Langford Jennings, relacionada con cierto congresal Evan Kendrick, de Colorado. Resultaba más escandalosa de lo que Dennison había proyectado, llena de pausas torturantes, acompañadas por una constante serie de sonrisas bien ensayadas, que transmitían en forma evidente el orgullo y el sufrimiento que bullían por debajo de la superficie del hombre que sonreía. El presidente volvió a decirlo todo de nuevo, en términos generales, y sin nada específico... salvo en un aspecto: *Hasta que se hayan adoptado todas las medidas de seguridad correspondientes, he pedido al congresal Kendrick, un hombre de quien todos nos enorgullecemos tanto, que permanezca en reclusión protectora. Y junto con este pedido, quiero hacer una severa advertencia. Si algún cobarde terrorista, de cualquier parte que fuere, hiciera algún intento contra la vida de mi buen amigo, mi estrecho colaborador, alguien a quien no quiero menos de lo que querría a un hermano menor, todo el poderío de Estados Unidos será empleado, en tierra, mar y aire, contra determinados enclaves de los responsables.* ¿Determinados? ¡Oh Dios mío!

Sonó un teléfono. Evan miró en derredor, para buscar dónde estaba el aparato. Se encontraba al otro lado de la habitación, sobre un escritorio; bajó las piernas del sofá y se encaminó hacia el instrumento, insistente e intruso.

–¿Sí?

–Ella viene en vuelo, en un transporte militar, con un agregado jerárquico de la embajada en El Cairo. Figura como ayudante de un secretario, el nombre no tiene importancia. La hora de llegada aproximada es las siete de la mañana, hora nuestra. Estará en Maryland a las diez, a más tardar.

–¿Qué sabe?

–Nada.

–Habrán tenido que decirle algo –insistió Kendrick.

–Se le dijo que eran instrucciones nuevas y urgentes de su gobierno, instrucciones que sólo podían transmitirse aquí, en forma personal.

–¿Y se creyó esa tontería?

–No tenía opción. Se la encontró en su apartamento de El Cairo, y desde entonces ha estado bajo custodia protectora. Que pase una pésima noche, canalla.

–Gracias, Herbie. –Evan colgó el auricular, a la vez aliviado y asustado por el enfrentamiento de la mañana siguiente con la mujer a quien había conocido con el nombre de Khalehla, una mujer con quien había hecho el amor en un frenesí de miedo y agotamiento. Ese acto impulsivo, y la desesperación que había conducido a él, debían ser olvidados. Tenía que determinar si volvía a encontrarse con un enemigo o con una amiga. No obstante, ahora había un programa, al menos para las próximas doce a quince horas. Era tiempo de llamar a Ann O'Reilly, y por su intermedio comunicarse con Manny. No importaba quién supiera dónde se encontraba; era huésped oficial del Presidente de Estados Unidos.

23

Emmanuel Weingrass estaba sentado en el compartimiento forrado de cuero artificial rojo, con el fornido y bigotudo dueño del café Mesa Verde. Las dos últimas horas habían sido muy tensas para Manny, un tanto reminiscentes de los locos días de París, cuando trabajaba con el Mossad. La situación de ahora no era para nada tan melodramática y sus adversarios en modo alguno mortíferos, pero aún así, se trataba de un hombre de edad avanzada, que tenía que ir de un lugar a otro sin ser visto o detenido. En París había pasado por entre avanzadas de terroristas, sin ser advertido, desde Sacré-Coeur hasta el Boulevard de la Madeleine. Allí, en Colorado, debía ir de la casa de Evan hasta el pueblo de Mesa Verde, sin ser detenido y encerrado por su equipo de enfermeras, todas las cuales corrían de un lado a otro a causa de la actividad de afuera.

–¿Cómo lo hizo? –preguntó González-González, el dueño del café, mientras servía a Weingrass un vaso de whisky.

–La necesidad más antigua del hombre civilizado, en segundo orden: la de intimidad, G-G. El excusado. Fui al excusado y salí por una ventana. Luego me mezclé con el gentío que tomaba fotos, con una de las cámaras de Evan, como un verdadero fotógrafo, ¿sabes?, hasta que tomé un taxi para venir aquí.

–*Eh*, hombre –interrumpió González-González–. ¡Esos tipos están ganando *dinero* hoy!

–¡Ladrones, son! Me metí en el taxi, y lo primero que me dijo el *goniff* fue: "Son cien dólares hasta el aeropuerto, señor." De modo que le contesté, sacándome el sombrero: "La Comisión Estatal para Taxis se mostrará muy interesada en conocer las nuevas tarifas de Verde", y él me dice: "Ah, es usted, señor Weingrass; fue una broma, señor Weingrass." Y entonces le contesto: "Cóbrales doscientos, y llévame al establecimiento de G-G."

Ambos hombres estallaron en risotadas, en el momento en que el teléfono público de la pared, más allá del compartimiento, estallaba en timbrazos en staccato. González apoyó la mano en el brazo de Manny.

–Que atienda García –dijo.

–¿Por qué? ¡Dijiste que mi muchacho ya había llamado dos veces!

–García sabe qué decir. Acabo de decírselo.

–¡Dímelo a *mí*!

–Le dará al congresal el número del teléfono de mi oficina, y le dirá que vuelva a llamar dentro de dos minutos.

–G-G, ¿qué demonios estás *haciendo*?

–Un par de minutos antes que entrase usted, llegó un *gringo* a quien no conozco.

–¿Y qué? Aquí viene mucha gente que no conoces.

–El no es de aquí, Manny. No tiene impermeable, ni sombrero, ni cámara, pero igual no es de aquí. Lleva traje... con chaleco. –Weingrass comenzó a volver la cabeza.– *No* –ordenó González, aferrando ahora el brazo de Weingrass–. De vez en cuando mira hacia aquí, desde su mesa. Piensa en usted.

–¿Qué hacemos, entonces?

–Espere, y levántese cuando yo se lo diga.

El camarero llamado García, colgó el auricular, tosió una vez y fue hacia el hombre pelirrojo, de traje oscuro y chaleco. Se inclinó y dijo algo junto a la cara del parroquiano bien vestido. El hombre miró con frialdad a su inesperado mensajero; el camarero se encogió de hombros y se dirigió hacia el bar. Con movimientos lentos, discretos, el hombre dejó algo de dinero en la mesa, se puso de pie y fue hacia la entrada.

–*Ahora* –susurró González-González, y se puso de pie e indicó a Manny, con un gesto, que lo siguiera. Diez segundos más tarde se encontraban en la desordenada oficina del dueño–. El congresal lo llamará dentro de un minuto –dijo G-G, indicando una silla, detrás de un escritorio que había conocido mejores tiempos, décadas atrás.

–¿Estás seguro de que era Kendrick? –preguntó Weingrass.

–La tos de García me dijo que sí.

–¿Qué le dijo José al tipo de la mesa?

–Que le parecía que el mensaje telefónico tenía que ser para él, pues ningún otro parroquiano coincidía con la descripción.

–¿Cuál era el mensaje?

–Muy sencillo, *amigo*. Era importante que viese a su gente de afuera.

–¿Nada más que *eso*?

–Salió, ¿no? Eso nos dice algo, ¿no?

–¿Como qué?

–*Uno*, tiene gente con la cual verse, ¿no? *Dos*, o bien esa gente está fuera de este gran establecimiento, o él puede hablarle por otro medio de comunicación... a saber, un teléfono en el coche, ¿no? *Tres*, no vino aquí con su elegante traje sólo para beberse una cerveza Tex-Mex, con la cual casi se ahoga... tal como mi buen vino chispeante le da a menudo arcadas a usted, ¿no? *Cuatro*, sin duda es *federal*.

–¿Del gobierno? –preguntó Manny, asombrado.

–Por supuesto, yo nunca estuve mezclado con los ilegales que cruzan las fronteras de mi amado país, hacia el sur, pero aun los inocentes como yo se enteran de esas cosas... Sabemos qué podemos esperar, amigo mío. *¿Comprende hombre?*

–Siempre lo dije –dijo Weingrass, sentándose detrás del escritorio–. Cuando uno encuentra aquí los más distinguidos tugurios, sin distinción de cualquier ciudad, puede aprender más acerca de la vida que en todas las cloacas de París.

–París, Francia, es muy importante para usted, ¿no es cierto, Manny?

–Se está desvaneciendo, *amigo*. No sé por qué, pero se desvanece. Algo está ocurriendo aquí con mi muchacho, y no puedo entenderlo. Pero es importante.

–El también significa mucho para usted, ¿no?

–Es mi *hijo*. –Sonó el teléfono, y Weingrass se lo llevó al oído, mientras González-González iba hacia la puerta.– *Cabeza hueca*, ¿eres *tú*?

–¿Qué tienes ahí, Manny? –preguntó Kendrick, desde la casa estéril de la costa oriental de Maryland–. ¿Te está cubriendo una unidad del Mossad?

–Algo mucho más eficaz –respondió el anciano arquitecto del Bronx–. No hay contadores públicos examinando los shekels ante una crema de huevo. Ahora *tú*. ¿Qué demonios *ocurrió*?

–¡No lo sé, juro que no lo *sé*! –Evan relató su día en detalle, desde la increíble noticia de Sabri sobre las revelaciones de Omán, mientras él estaba en la piscina, hasta su ocultamiento en un hotel barato de Virginia; desde su enfrentamiento con Frank Swann, del Departamento de Estado, hasta su llegada a la Casa Blanca, con escolta; desde su hostil encuentro con el jefe de personal de la Casa Blanca, hasta su eventual presentación al Presidente de Estados Unidos, quien se ocupó de embrollarlo todo al programar una ceremonia en el Salón Azul, para el martes... con la banda de la Infantería de Marina. Y por último, el hecho de que la mujer llamada Khalehla, quien le había salvado la vida en Bahrein, era en realidad una agente de la Agencia Central de Inteligencia, y estaba llegando en avión para que él la interrogase.

–Por lo que me dijiste, ella no tuvo nada que ver con la difusión de los hechos.

–¿Por qué no?

–Porque le creíste cuando te dijo que era una árabe llena de vergüenza, tú me lo dijiste. En ciertos aspectos, Cabeza Hueca, creo que te conozco mejor de lo que te conoces tú. No es fácil que te engañes en esas cosas. Eso es lo que te hizo tan competente en lo referente al Grupo Kendrick... El que esa mujer hablase sobre ti no habría hecho otra cosa que aumentar su vergüenza e inflamar aún más el loco mundo en el cual vive.

–Es la única que queda, Manny. Los otros no lo habrían hecho; no podían.

–Entonces hay otros más allá de los otros.

–Por amor de Dios, *¿quién?* Eran las únicas personas que sabían que estuve allí.

–Acabas de decir que ese Swann te dijo que un animal rubio, de acento extranjero, supuso que estabas en Mascate. ¿De dónde sacó *él* la información?

–Nadie puede encontrarlo, ni siquiera la Casa Blanca.

–Tal vez yo conozco gente que *puede* encontrarlo –interrumpió Weingrass.

–*No*, Manny –dijo Kendrick con firmeza–. Esto no es París, y esos israelíes no pueden actuar aquí. Les debo demasiado, aunque algún día me gustaría que me explicaras qué interés tenían en cierto rehén de la embajada.

–Nunca me lo dijeron –respondió Weingrass–. Sabía que existía un plan inicial, para el cual se había adiestrado la unidad, y supuse que estaba destinado a llegar a alguien de adentro, pero nunca hablaron de eso ante mí. Esa gente sabe cómo tener la boca cerrada... ¿Qué harás ahora?

–Mañana por la mañana me veré con la mujer Rashad. Ya te lo dije.

–Después de eso.

–No estuviste frente a la televisión.

–Estoy en lo de G-G. El sólo permite videotapes, ¿recuerdas? Tiene uno de la serie del 82, y en el bar casi todos creen que es de hoy. ¿Qué hay en la televisión?

–El Presidente. Anunció que estoy en retiro de protección.

–A mí me suena como la cárcel.

–En cierto sentido lo es, pero la prisión resulta tolerable, y el alcaide me ha concedido privilegios.

–¿Me darás un número?

–No lo conozco. No hay nada impreso en el teléfono, sólo una tira en blanco, pero te mantendré informado. Te llamaré si me traslado a otra parte. Nadie podría rastrear esta línea, y no importaría si lo hicieran.

–Muy bien, y ahora déjame que te pregunte algo. ¿Hablaste de mí con alguien?

–Por Dios, no. Puede que figures en mi expediente clasificado de Omán, y yo dije que mucha otra gente merecía elogio, pero nunca usé tu nombre. ¿Por qué?

–Me están siguiendo.

–*¿Qué?*

–Es algo que no me gusta. G-G dice que el payaso que me sigue es un federal, y que hay otros con él.

–Tal vez Dennison te encontró en el legajo, y te ha destinado alguna protección...

–¿De qué? Aun en París estoy a salvo... si no lo estuviera, hace tres años que habría muerto. ¿Y qué te hace pensar que figuro en algún legajo? Fuera de la unidad, nadie conoce mi nombre, y *ninguno* de nuestros nombres se usó en esa conferencia, la mañana en que nos fuimos todos. Por último, Cabeza Hueca, si me están protegiendo, sería una buena idea que me informaran de ello. Porque si soy lo bastante peligroso como para justificar ese tipo de protección, tal vez podría hacerle volar la cabeza a alguien de quien no sé que me está protegiendo.

–Como de costumbre –dijo Kendrick–, es factible que tengas unos pocos gramos de lógica. Lo averiguaré.

–Hazlo. Puede que no me queden muchos años, pero no me agradaría verlos interrumpidos por una bala en la cabeza... de cualquier bando que fuere. Llámame mañana, porque ahora tengo que volver a mi guarida de brujos, antes que los habitantes informen al brujo jefe de policía.

–Dale mis saludos a G-G –agregó Evan–. Y dile que cuando yo estoy en casa no debe dedicarse al negocio de importación. Y dale las gracias, Manny. –Kendrick colgó el auricular, con la mano todavía en él. Lo tomó y discó *0*.

–Operadora –dijo una voz femenina un tanto vacilante, después de más timbrazos de los que parecían normales.

–No sé por qué –comenzó a decir Evan–, pero tengo la idea de que usted no es una operadora común de la Compañía Telefónica Bell.

–*¿Señor?...*

–No importa, señorita. Me llamo Kendrick, y tengo que comunicarme con el señor Herbert Dennison, el jefe de personal de la Casa Blanca, lo antes posible... es urgente. Le pido que haga todo lo que pueda para encontrarlo y hacer que me llame dentro de los próximos cinco minutos. Si eso resulta imposible, me veré obligado a llamar al esposo de mi secretaria, quien es teniente de la policía de Washington, para decirle que estoy prisionero en un lugar que tengo la casi certeza de poder identificar con exactitud.

–¡Señor, *por favor*!

–Creo que soy razonable y muy claro –interrumpió Evan–. El señor Dennison debe comunicarse conmigo dentro de los próximos cinco minutos, a partir de ahora. Gracias, operadora, buenos días. –Kendrick volvió a colgar el auricular, pero ahora retiró la mano y fue hacia un bar adosado a la pared, que contenía un cubo de hielo y varias botellas de whisky caro. Se sirvió un trago, miró su reloj y se encaminó hacia una gran puerta-ventana que daba a los iluminados terrenos de atrás. Le divirtió la visión de un campo de croquet, bordeado por muebles de hierro forjado de color blanco; no le divirtió tanto la vista de un guardia de infantería de marina vestido con el informal uniforme no militar del personal de la finca. Se paseaba por un sendero del jardín, cerca del muro de piedra, con un rifle de repetición muy militar, sostenido delante del cuerpo. Manny tenía razón: estaba en la cárcel. Momentos más tarde sonó el teléfono, y el congresal de Colorado volvió a él.

–Hola, Herbie, ¿cómo estás?

–¿Cómo *estoy*, pedazo de hijo de puta? Estoy en la maldita ducha. *¡Mojado!* ¿Qué quieres?

–Quiero saber por qué siguen a Weingrass. Quiero saber por qué su nombre ha aparecido donde fuere, y será mejor que tengas una buena explicación, como quiero que lo sea su bienestar personal.

–Atrás, ingrato –dijo el jefe de personal con sequedad–. ¿Qué es un Weingrass? ¿Algo creado por Manischewitz?

–Emmanuel Weingrass es un arquitecto de renombre internacional. Es también un íntimo amigo mío, y se aloja en mi casa de Colorado, y por razones que no tengo por qué explicarte, su presencia allí es sumamente confidencial. ¿Dónde y a quién le has hecho conocer su nombre?

–No puedo hacer conocer lo que nunca he escuchado, imbécil.

–No me estarás mintiendo, ¿verdad, Herbie? Porque si me mientes, puedo hacer que las próximas semanas te resulten muy molestas.

–Si pensara que mintiéndote te quitaría de encima, lo haría, pero no tengo mentiras en lo que refiere a Weingrass. No sé quién es, lo juro.

–Leíste los informes de Omán, ¿verdad?

–Es un legajo, y está enterrado. Por supuesto que los leí.

–¿El nombre de Weingrass no aparecía allí?

–No, y en caso afirmativo lo recordaría. Es un apellido raro.

–Para Weingrass no lo es. –Kendrick hizo una pausa, pero no lo bastante prolongada para que Dennison interrumpiera.– ¿Alguien de la CIA o la NSA, o cualquiera de esos organismos, puede poner bajo vigilancia a un huésped mío sin informártelo?

–¡*Imposible*! –gritó el soberano de la Casa Blanca–. En lo que se refiere a ti y a lo que te concierne, ¡nadie se mueve un *centímetro* hacia un *costado* sin que yo lo sepa!

–Una última pregunta. En el legajo de Omán... ¿se mencionaba a la persona que voló conmigo desde Bahrein?

Le tocó a Dennison el turno de marcar una pausa.

–Eres un poco demasiado evidente, congresal.

–Y tú estás un poco más cerca de ese barro en la cara. Si te parece que soy una mala noticia para ti y tu hombre ahora, ni siquiera hagas especulaciones con las vinculaciones del arquitecto. Déjalo en paz.

–Lo dejaré en paz –convino el jefe de personal–. Con un apellido como Weingrass, puedo establecer otra vinculación, y me asusta. Como el Mossad.

–Bien. Ahora responde a mi pregunta. ¿Qué había en el lejago sobre el vuelo desde Bahrein a Andrews?

–El cargamento estaba compuesto por ti y un anciano árabe de ropas occidentales, un antiguo agente de Op Cons, que volaba para someterse a un tratamiento médico. Se llamaba Alí no sé cuántos. Estado le dio su visto bueno, y él desapareció. Esa es la verdad, Kendrick. En este gobierno, nadie tiene conocimiento de la existencia de un señor Weingrass.

–Gracias, Herb.

–Gracias por el "Herb". ¿Puedo hacer algo?

Evan miró hacia la puerta-ventana, y luego los terrenos iluminados y el guardia de infantería de marina, y todo lo que representaba la escena.

–Te haré un favor y te contestaré que no –dijo con suavidad–. Al menos por ahora. Pero puedes aclararme algo. Este teléfono está intervenido, ¿no es así?

–No es la intervención corriente. Hay una cajita negra, como la de los aviones. Sólo la puede retirar el personal autorizado, y las cintas se procesan con las medidas de seguridad más estrictas.

–¿Puedes interrumpir la operación, digamos por unos treinta minutos, hasta que me comunique con alguien? Créeme que preferirías que fuese así.

–Lo aceptaré... Por supuesto, hay una anulación en la línea, nuestra gente la usa mucho cuando está en esas casas. Dame cinco minutos, y después llama a Moscú, si quieres.

–Cinco minutos.

–¿Ahora puedo volver a mi ducha?

–Esta vez prueba con Clorox. –Kendrick colgó el auricular y sacó su cartera; deslizó el índice bajo la solapa, debajo de su licencia de conducir de Colorado. Sacó el trocito de papel de Frank Swann con los números de los dos teléfonos privados de éste y volvió a mirar su reloj. Esperaría diez minutos, y confiaría en que el director de Operaciones Consulares estuviese en uno de los dos lugares. En efecto; estaba en su apartamento, por supuesto. Después de breves saludos, Evan explicó dónde estaba... dónde creía estar.

–¿Cómo es eso de la "reclusión protectora"? –preguntó Swann, con voz que parecía cansada–. He estado en varios de esos lugares, cuando interrogábamos a desertores. Espero que tengas uno con caballerizas, o por lo menos dos piscinas, una de ellas adentro, es claro. Son todas iguales; creo que el gobierno las compra como un pago político para los ricos que se cansan de sus fincas y quieren comprar otras nuevas, gratis. Espero que alguien esté escuchando. Ya no tengo piscina.

–Hay un campo de croquet. Eso lo he visto.

–Minucias. ¿Qué puedes decirme? ¿Estoy un poco más cerca de que me dejen en paz?

–Es posible. Por lo menos intenté quitarte de encima algunas de las presiones... Frank, tengo que hacerte una pregunta, y los dos podemos decir lo que queramos, usar los nombres que nos parezca. El teléfono de aquí ya no está intervenido.

–¿Quién te dijo eso?

–Dennison.

–¿Y tú le *creíste*? De paso, me importa muy poco que esta transcripción llegue a manos de él.

–Le creí porque tiene una idea de lo que voy a decir, y quiere poner un par de miles de kilómetros entre la administración y lo que vamos a conversar. Dijo que estábamos en una "anulación".

–Tiene razón. Tiene miedo de que algún cañón suelto escuche tus palabras. ¿De qué se trata?

–De Manny Weingrass, y por su intermedio, de la vinculación con el Mossad.

–Ya te lo dije, eso no va –interrumpió el director delegado–. Muy bien, estamos *de veras* en anulación. Continúa.

–Dennison me dijo que en el legajo de Omán figura el cargamento del avión desde Bahrein hasta la Base de la Fuerza Aérea de Andrews como compuesto por mí y un anciano árabe, de vestimenta occidental, que era un subagente de Operaciones Consulares...

–Y a quien traían aquí para su tratamiento médico –interrumpió Swann–. Después de años de invalorable colaboración, nuestros servicios clandestinos le debían por lo menos eso a Alí Saada y su familia.

–Estás seguro de que se lo expresaba así?

–¿Quién podría saberlo mejor? Yo lo escribí.

–¿*Tu*? ¿Entonces sabías que era Weingrass?

–No resultó difícil. Tus instrucciones, retransmitidas por Grayson, eran muy claras. Exigías, exigías, repito, que una persona a quien no se nombraba, te acompañase en el avión, de regreso a Estados Unidos...

–Estaba encubriendo al Mossad.

–Por supuesto, y también yo. Sabes, traer a alguien de ese modo es contrario a las reglas, ni hablar de las leyes, salvo que figure en nuestros libros. De modo que lo puse en los libros con otro nombre.

–¿Pero cómo sabías que era Manny?

–Esa fue la parte más fácil. Hablé con el jefe de la Guardia Real de Bahrein, quien estaba asignado como tu escolta encubierta. Es probable que la descripción física fuese suficiente, pero cuando me dijo que el maldito viejo había asestado un puntapié en la rodilla a uno de sus hombres, porque te dejó tropezar cuando se introdujeron en el coche, en el aeropuerto, supe que era Weingrass. Su reputación, como se dice, siempre lo ha precedido.

–Te agradezco que lo hayas hecho –dijo Evan con suavidad–. Por él y por mí.

–Era la única manera de agradecerte que se me ocurrió.

–Entonces puedo suponer que en los círculos de inteligencia de Washington nadie sabía que Weingrass había tenido una participación en Omán.

–En absoluto. Olvídate de Mascate, él no figura en eso. Lisa y llanamente, no se cuenta entre los seres vivos, aquí.

–Dennison ni siquiera sabía quién era...

–Por supuesto.

–Lo están siguiendo, Frank. En Colorado, se encuentra bajo la vigilancia de alguien.

–No de los nuestros.

Doscientos setenta metros al norte de la casa estéril de la bahía de Chesapeake se encontraba la finca del doctor Samuel Winters, respetado historiador y, durante más de cuarenta años, amigo y consejero de Presidentes de Estados Unidos. En sus días de juventud, el académico, inmensamente adinerado, era considerado un destacado deportista; trofeos de polo, tenis, esquí y yatching se alineaban en los estantes de su estudio privado, como testimonio de su antigua capacidad. Ahora le quedaba al anciano educador un deporte más pasivo, que había sido, durante generaciones enteras, una pasión menor en la familia Winters, y que al comienzo hizo su aparición en el prado de su mansión de bahía Oyster, a principios de la década del veinte. El juego era el croquet, y cada vez que algún miembro de la familia construía una nueva propiedad, lo primero que se tenía en cuenta era un prado adecuado para el campo oficial, que nunca se apartaba de las dimensiones, 12 metros por 24, establecidas en 1882 por la Asociación Nacional de Croquet. De modo que una de las visiones que llamaban la atención del visitante de la finca del doctor Winters era el "campo" de croquet, a la derecha de la enorme casa que se erguía sobre las aguas del Chesapeake. Su encanto resultaba acentuado por las numerosas piezas de mobiliario de hierro forjado, blanco, que bordeaban el campo, zonas de descanso para quienes estudiaban sus próximos movimientos o bebían un trago.

La escena era idéntica a la del campo de croquet de la casa estéril, situada 270 metros al sur de la propiedad de Winters, y resultaba adecuado que así fuera, pues todas las tierras en que se levantaban ambas mansiones habían pertenecido al principio a Samuel Winters. Cinco años atrás –con la silenciosa resurección de Inver Brass–, el doctor Winters había donado, en forma discreta, la finca del sur al gobierno de Estados Unidos, para que la usara como casa "segura" o "estéril". Con el fin de impedir la llegada de afables curiosos y desviar las investigaciones hostiles de enemigos potenciales de Estados Unidos, nunca se reveló la transacción. Según los registros de propiedad archivados en el Ayuntamiento de Cynwid Hollow, la casa y los terrenos continuaban perteneciendo a Samuel y Martha Jennifer Winters –esta última ya fallecida–, y los contadores de la familia pagaban por ellos, todos los años, los impuestos exageradamente elevados, devueltos en secreto por un gobierno agradecido. Si alguno de los curiosos, amigo o enemigo, preguntaba por las actividades que se desarrollaban en esos aristocráticos terrenos, se les contestaba, invariablemente, que nunca se interrumpían, que limusinas y proveedores transportaban y abastecían a los grandes y los casi grandes del mundo académico e industrial, representantes, todos, de los variados intereses de Samuel Winters. Un pelotón de jóvenes y fuertes jardineros mantenían la pulcritud de los terrenos, y además constituían el personal de servicio, que atendía las necesidades del constante flujo de visitantes. La imagen que se transmitía era la de instalaciones multiuso de un multimillonario, lugar de reunión de pensadores, en el campo... demasiado abiertas y accesibles para ser otra cosa que lo que pretendían ser.

Con la intención de proteger la integridad de esa imagen, todas las facturas se enviaban a los contadores de Samuel Winters, quienes las pagaban en el acto y hacían llegar duplicados de esos pagos al abogado personal del historiador; a su vez, éste las entregaba por mano en el Departamento de Estado, para su reembolso encubierto. Era un arreglo sencillo, y ventajoso para todos los interesados, como lo era, para el doctor Winters, sugerir al Presidente Langford Jennings que el congresal Evan Kendrick podría beneficiarse con unos días de alejamiento de los reflectores de los medios, en la "casa segura" del sur de su propiedad, ya que en esos momentos no se desarrollaba actividad alguna. El Presidente, agradecido, coincidió con él; haría que Herb Dennison se ocupase de las medidas prácticas.

Milos Varak se quitó de la cabeza los grandes audífonos antiimpedancia y apagó la consola electrónica de mesa, que tenía ante sí. Hizo girar la silla hacia la izquierda, movió un interruptor en la pared cercana, y en el acto escuchó el ruido apagado de los engranajes que bajaban el disco direccional del techo. Luego se levantó y vagó sin rumbo en torno del refinado equipo de comunicaciones, en el estudio a prueba de sonidos, de los sótanos de la casa de Sam Winters. Estaba alarmado. Lo que acababa de escuchar en la intercepción telefónica de la casa estéril superaba su capacidad de comprensión.

Como lo confirmaba en forma tan inequívoca Swann, del Departamento de Defensa, en la comunidad de inteligencia de Washington nadie conocía a Emmanuel Weingrass. No tenían la menor idea de que "el anciano árabe" que había vuelto de Bahrein con Evan Kendrick *era* Weingrass. Según las palabras del propio Swann, su "agradecimiento" a Evan Kendrick por los esfuerzos de éste en Omán se refería al hecho de haber sacado a Weingrass de Bahrein en secreto, y al de mostrar el mismo sigilo en Estados Unidos, con el uso de un disfraz y una cobertura. El hombre y la cobertura habían desaparecido, en términos burocráticos; Weingrass era virtualmente "inexistente". Además, el engaño practicado por Swann resultaba obligatorio, debido a la vinculación de Weingrass con el Mossad, y Kendrick entendía a la perfección el engaño. En rigor, el congresal mismo había adoptado medidas extremas para ocultar la presencia y la identidad de su anciano amigo. Milos supo que el anciano había ingresado en el hospital con el nombre de Manfred Weinstein, y alojado en una habitación de un ala privada, con su propia puerta de ingreso, protegida, y que al salir fue llevado a Colorado en un jet privado, con Mesa Verde como punto de destino.

Todo era *privado*; el nombre de Weingrass nunca quedó registrado en parte alguna. Y durante los meses de su convalecencia, el irascible sólo salía de la casa de vez en cuando, y nunca para ir a lugares donde el congresal fuese conocido. *¡Maldición!*, pensó Varak. Fuera del cerrado círculo personal de Kendrick, que excluía a *todos*, salvo a una secretaria de confianza, al esposo de ésta, una pareja árabe en Virginia, y tres enfermeras muy bien pagadas, cuyos generosos salarios incluían la obligación de una reserva confidencial absoluta, ¡Emmanuel Weingrass no *existía*!

Varak volvió a la consola de mesa, liberó el botón que indicaba Grabar, rebobinó la cinta y encontró las palabras que deseaba volver a escuchar.

Entonces puedo suponer que en los círculos de inteligencia de Washington nadie sabía que Weingrass había tenido una participación en Omán.

En absoluto. Olvídate de Mascate, él no figura en eso. Lisa y llanamente, no se cuenta entre los seres vivos, aquí.

Dennison ni siquiera sabía quién era...

Por supuesto.

Lo están siguiendo, Frank. En Colorado, se encuentra bajo la vigilancia de alguien.

No de los nuestros.

–No de los nuestros... *¿De quiénes?*

Lo que alarmó a Varak fue la pregunta. Las únicas personas que sabían que *existía* un Emmanuel Weingrass, que habían sido informadas de lo mucho que ese anciano representaba para Evan Kendrick, eran los cinco miembros de Inver Brass. ¿Era posible que uno de ellos...?

Milos no quiso seguir pensando. En ese momento le resultaba demasiado penoso.

Adrienne Rashad despertó con la repentina turbulencia que había encontrado el avión militar. Miró al otro lado del pasillo, en el sector tenuemente iluminado, con sus comodidades inferiores a las de una primera clase. Era evidente que el agregado de la embajada en El Cairo se sentía molesto... asustado, para decirlo con mayor exactitud. Pero el hombre tenía suficiente experiencia en lo relativo a esos transportes, y había llevado consigo el consuelo de un amigo: en términos específicos, un enorme frasco forrado de cuero, que literalmente arrancó de su portafolios, y del cual bebió hasta que se dio cuenta de que su "cargamento" lo miraba. Avergonzado, le tendió el frasco. Ella meneó la cabeza y habló por encima del ruido de los motores.

–Son simples pozos.

–¡*Eh*, amigos! –gritó la voz del piloto por el intercomunicador–. Lamento lo de los pozos, pero me temo que este tiempo es inevitable hasta dentro de unos treinta minutos, más o menos. Tenemos que continuar en nuestro canal, y mantenernos apartados de las rutas comerciales. Habrían debido volar por cielos amistosos, gente. ¡Agárrense!

El agregado volvió a beber, esta vez de manera más prolongada y abundante que antes. Adrienne se volvió; la árabe que había en ella le decía que no debía observar el miedo de un hombre; la mujer occidental que tenía adentro le decía que, como experimentada aviadora militar, tenía que calmar el temor de su compañero. La síntesis triunfó en la discusión; dirigió una sonrisa tranquilizadora al agregado y volvió a sus pensamientos, interrumpidos por el sueño.

¿Por qué se le había ordenado en forma tan perentoria que regresara a Washington? Si existían nuevas instrucciones, tan delicadas que no era posible confiarlas a los mezcladores, ¿por qué Mitchell Payton no la había llamado para darle por lo menos una clave? No era muy del "Tío Mitch", eso de permitir intromisiones en el trabajo de ella, sin decirle algo al respecto. Inclusive con el embrollo de Omán, un año atrás, y si alguna vez hubo una situación prioritaria fue esa, Mitch le había hecho llegar instrucciones selladas, por correo diplomático, para decirle, sin explicaciones, que colaborase con Operaciones Consulares del Departamento de Estado, por muy ofendida que se sintiera. Lo hizo, y la ofendió, en verdad. Y ahora, como cosa caída del cielo, se le ordenaba que volviese a Estados Unidos, en virtual incomunicación, sin una sola palabra de Mitchell Payton.

El congresal Evan Kendrick. En las últimas dieciocho horas ese nombre había rodado por el mundo como el retumbo de un trueno inminente. Casi era posible ver las caras asustadas de quienes habían estado en relación con el norteamericano, que miraban hacia el cielo y se preguntaban si debían correr a protegerse, correr para salvar la vida, bajo la amenaza de la tormenta que estaba a punto de estallar. Habría vendettas contra quienes habían ayudado al entremetido hombre de Occidente. Se preguntó quién habría divulgado la historia... No, "divulgado" era una palabra demasiado inocua: ¡quién habría hecho *estallar* la historia! Los periódicos de El Cairo desbordaban con ella, y una rápida verificación le confirmó que en todo el Medio Oriente, Evan Kendrick era un santo inmaculado o un aborrecido pecador. Lo esperaban la canonización o una muerte lenta, según dónde estuvieran ubicados quienes lo juzgasen, inclusive en un mismo país. *¿Por qué?* ¿Era el propio Kendrick quien había hecho eso? ¿Ese hombre vulnerable, ese político improbable, que había arriesgado su vida para vengar un terrible crimen, decidía, después de un año de humildad y abnegación, buscar un premio político? En ese caso, no era el mismo hombre a quien había conocido tan íntimamente, por tan poco tiempo, un año antes. Con reservas, pero no con pena, recordó. Habían hecho el amor, –en forma improbable, frenética, quizás inevitable dadas las circunstancias–, pero esos momentos transitorios de espléndido consuelo debían ser olvidados. Si se la traía de vuelta a Washington a causa de un congresal repentinamente ambicioso, nunca habían existido.

24

Kendrick se hallaba de pie ante las ventanas de la casa estéril que miraban hacia el ancho camino circular para coches. Dennison lo había llamado hacía más de una hora, para decirle que el avión de El Cairo había aterrizado, y que la mujer Rashad había sido llevada a un auto gubernamental que aguardaba; viajaba a Cynwid Hollow, escoltada. El jefe de personal quería que Evan supiera que el agente de la CIA encargado del caso había protestado con energía cuando no se le permitió hacer una llamada telefónica desde la Base de la Fuerza Aérea de Andrews.

–Armó un tremendo alboroto y se negó a subir al coche –se había quejado Dennison–. Dijo que no tenía comunicaciones directas de sus superiores, y que la Fuerza Aérea se podía ir al demonio. ¡Maldita *puta*! Yo iba camino del trabajo, y me informaron por el teléfono de la limusina. ¿Sabes qué me *dijo*? "¿Quién demonios es *usted*?" ¡*Eso* me dijo! Y entonces, para revolver el cuchillo en la herida, aparta un poco el teléfono y pregunta en voz alta: "¿Qué es un Dennison?"

–Es por ese modesto perfil discreto que presentas, Herb. ¿Nadie te lo dijo?

–¡Los malditos se *rieron*! Entonces fue cuando *yo* le dije que estaba bajo las órdenes del Presidente, y que subía a ese coche o podía pasarse cinco años en Leavenworth.

–Es una cárcel para hombres.

–Lo *sé*. ¡*Ja!* Estará ahí dentro de una hora, más o menos. Recuerda: si ella es la que habló, me la das a mí.

–Es posible.

–¡Conseguiré una orden presidencial!

–Y yo la leeré en los noticieros de la noche. Con notas al pie.

–*¡Mierda!*

Kendrick estaba a punto de apartarse de la ventana, para servirse otra taza de café, cuando un sedán gris sin señas visibles apareció en la base del camino circular. Tomó la curva y se detuvo delante de la escalinata de piedra, donde un comandante de la Fuerza Aérea descendió en el acto del asiento trasero. Dio la vuelta con rapidez, alrededor del baúl, y abrió la portezuela del costado a su pasajera oficial.

La mujer a quien Evan había conocido con el nombre de Khalehla salió al sol de la mañana, parpadeando ante la claridad, molesta e insegura. Iba sin sombrero; el cabello oscuro le caía hasta los hombros, sobre una chaqueta blanca; llevaba pantalones verdes y zapatos de tacones bajos. Completaba el atuendo un gran bolso blanco. Mientras Kendrick la miraba, volvió a él el recuerdo del atardecer en Bahrein. Rememoró la sacudida que sintió cuando.ella atravesó la puerta del extravagante dormitorio real, molesto por haber corrido a cubrirse con la sábana. Y recordó que, a pesar de su pánico, desconcierto y dolor –o bien debido a las tres cosas sumadas–, le había llamado la atención el fresco encanto de su bien definido rostro euroasiático, y el brillo de inteligencia de sus ojos.

Estaba en lo cierto, *era* una mujer notable, que caminaba erguida, casi desafiante, aun ahora, hacia la maciza puerta de la casa estéril, dentro de la cual se enfrentaría con lo desconocido. Kendrick la observó con mirada desapasionada; en su reacción hacia ella no hubo una oleada de calor recordado... sólo una fría, intensa curiosidad. Le había mentido, en aquel atardecer de Bahrein, mentido a la vez en lo que dijo y en lo que no dijo. Se preguntó si volvería a mentirle.

El comandante de la Fuerza Aérea abrió la puerta ante Adrienne Rashad. Esta entró y se detuvo; miró a Evan, quien seguía ante la ventana. No había asombro en la mirada, sólo ese frío resplandor de intelecto.

–Me voy –dijo el oficial de la Fuerza Aérea.

–Gracias, comandante. –La puerta se cerró, y Kendrick se adelantó.

–Hola, Khalehla. *Era* Khalehla, ¿verdad?

–Lo que tú digas –respondió ella con serenidad.

–Pero entonces no es Khalehla, ¿eh? Es Adrienne... Adrienne Rashad.

–Lo que tú digas –repitió ella.

–Es un poco redundante; ¿no?

–Todo esto es muy estúpido, congresal. ¿Me hiciste volar hasta aquí para ofrecerte otro testimonio? Porque si es así, no lo haré.

–¿Testimonio? Eso es lo *último* que quiero.

–Bien, me alegro por ti. Estoy segura de que el representante de Colorado tiene todos los respaldos que necesita. De modo que *no* hace falta que alguien, cuya vida y la vida de muchos colegas depende del anonimato, se adelante para sumarse a los crecientes aplausos que recibes.

–¿Eso es lo que piensas? ¿Que quiero respaldos, aplausos?

–¿Qué *debo* pensar? ¿Que me apartaste de mi trabajo, me pusiste al desnudo ante la embajada y la Fuerza Aérea, tal vez destruiste una cobertura que he desarrollado en los últimos años, sólo porque me acosté contigo? Eso ocurrió una vez, pero te aseguro que no volverá a suceder.

–Eh, espera un momento, mujer inteligente –protestó Evan–. No estaba buscando un poco de acción rápida. Por amor de Dios, no sabía dónde estaba, ni qué había pasado, o qué ocurriría a *continuación*. Estaba muy asustado, y sabía que debía hacer cosas que no creía que *pudiese* hacer.

–Además, estabas extenuado –agregó Adrienne Rashad–. Yo también. Son cosas que ocurren.

–Eso fue lo que dijo Swann...

–Ese *canalla*.

–No, espera. Frank Swann no es un canalla...

–¿Quieres que use otra palabra? ¿Como alcahuete? Un tremendo alcahuete.

–Te equivocas. No sé qué tenías que ver con él, pero él debía realizar un trabajo.

–¿Por ejemplo el de sacrificarte a ti?

–Tal vez... Admito que la idea no resulte muy atrayente, pero él se hallaba acorralado en esos momentos.

–Olvídalo, congresal. ¿Por qué estoy aquí?

–Porque necesito saber algo, y tú eres la única que queda, que puede decírmelo.

–¿De qué se trata?

–¿Quién difundió la historia respecto de mí? ¿Quién violó el convenio que hice? Se me dijo que de entre los que sabían que fui a Omán, y eran muy pocos, un estrecho círculo cerrado, lo llamaron, *ninguno* habría tenido motivos para hacerlo, y todas las razones del mundo para *no* hacerlo. Aparte de Swann y de su jefe de computación, por quien él se hace responsable, había nada más que otras siete personas, en todo el gobierno, que lo sabían. Seis han sido verificadas, y con todas, la negativa ha sido absoluta. Tú eres la séptima, la única que queda.

Adrienne Rashad permaneció inmóvil, con el rostro pasivo, la mirada furiosa.

–Pedazo de *aficionado* ignorante, arrogante –dijo con lentitud, con voz ácida.

–Puedes decirme todas las cosas injuriosas que *quieras* –comenzó a decir Evan, colérico–, pero voy a...

–¿*Podemos* salir a caminar un poco, congresal? –interrumpió la mujer de El Cairo, yendo hacia una ancha puerta-ventana, al otro lado de la habitación, que miraba hacia un muelle, en la costa rocosa del Chesapeake.

–¿Qué?

–El aire es aquí tan opresivo como la compañía. Me gustaría *caminar*, por favor. –Rashad levantó la mano y señaló hacia afuera; luego asintió dos veces con la cabeza, como si reforzara una orden.

–Muy bien –murmuró Kendrick, desconcertado–. Ahí hay una entrada lateral.

–Ya la veo –dijo Adrienne-Khalehla, y se encaminó hacia la puerta del fondo. Salieron a un patio de losas que se unía a un prado trabajado, y a un sendero que descendía hacia el muelle. Si en algún momento hubo barcos amarrados a los pilotes, o asegurados a los amarraderos vacíos, ya habían sido retirados a causa de los vientos otoñales–. Continúa con tu arenga, congresal –siguió diciendo la agente encubierta de la CIA–. No hay que privarte de eso.

–*Espera* un poco, señorita Rashad, ¡o como demonios te llames! –Evan se detuvo en el sendero de hormigón blanco, a mitad de camino hacia la costa.– Si crees que lo que estoy diciendo equivale a una "arenga", estás lamentablemente equivocada...

–¡Por amor de Dios, sigue caminando! Tendrás toda la conversación que quieras, *más* de lo que quieras, maldito tonto... –La costa de la bahía, a la derecha del muelle, era una mezcla de arena oscura y piedras, tan común en el Chesapeake; a la izquierda se encontraba el cobertizo de los botes, también común. Pero lo que no era común, salvo para las fincas más amplias, era una profusión de altos árboles, a unos cincuenta metros al norte y al sur del muelle y el cobertizo. Proporcionaban cierta intimidad, más aparente que real, pero la visión de ellos había atraído a la agente de El Cairo. Se encaminó hacia la derecha, por la arena y las piedras, cerca de las olas que golpeaban con suavidad. Pasaron la orla de árboles y continuaron hasta llegar a una roca grande que se elevaba al borde del agua. Arriba, la inmensa casa no se veía.

–Aquí estará bien –dijo Adrienne Rashad.

–¿Estará *bien*? –exclamó Kendrick–. ¿A qué venía todo este pequeño ejercicio? Y ya que estamos, aclaremos un par de cosas. Aprecio el hecho de que es posible que me hayas salvado la vida, posible, en modo alguno *demostrable*, pero no acepto órdenes de ti, y según mi meditada opinión *no* soy un tonto del demonio, ¡y a pesar de mi condición de aficionado, tú me respondes *a mí* y no yo *a ti*! ¿Entendido, y bien entendido, señorita?

–¿Terminaste?

–Ni siquiera empecé.

–Entonces, antes que sigas, permíteme que responda a las cosas específicas que acabas de enunciar. Ese pequeño ejercicio fue para salir de allí. Supongo que sabes que se trata de una casa segura.

–Por supuesto.

–Y que todo lo que dices en cualquier habitación, incluido el cuarto de baño y la ducha, queda grabado.

–Bueno, yo sabía que el teléfono estaba...

–Gracias, Señor Aficionado.

–No tengo ninguna condenada cosa que *ocultar*...

–Baja la voz. Habla hacia el agua, como yo.

–¿Qué? *¿Por qué?*

–Vigilancia electrónica de la voz. Los árboles deforman el sonido, porque no hay haces visuales directos...

–¿Cómo?

–Los láser han perfeccionado la tecnología...

–*¿Qué?*

–¡Cállate! Susurra.

–Repito: no tengo una maldita cosa que ocultar. ¡Quizá *tú* sí, pero yo *no*!

–¿De veras? –preguntó Rashad, recostándose contra el peñasco y hablando hacia las pequeñas olas, que avanzaban con lentitud–. ¿Quieres comprometer a Ahmat?

–Lo he mencionado. Al Presidente. El tenía que saber cuánto ayudó ese joven...

–Oh, Ahmat te lo agradecerá. ¿Y su médico personal? ¿Y sus dos primos, que te ayudaron y te protegieron? ¿Y El-Baz, y el piloto que te llevó a Bahrein...? Todos podrían resultar *muertos*.

–Fuera de Ahmat, no mencioné a nadie en términos *específicos*...

–Los nombres no tienen importancia. Las funciones, sí.

–¡Por amor de Dios, era el Presidente de Estados Unidos!

–¿Y contrariamente a los rumores, se comunica también sin necesidad de un micrófono?

–Es claro.

–¿Sabes con *quién* habla? ¿Los conoces a todos, en persona? ¿Sabes cuán dignos de confianza son, en términos de seguridad máxima; lo sabe él? ¿Conoces a los hombres instalados ante los dispositivos de escucha, en esa casa?

–Por supuesto que no.

–¿Y qué me dices de mí? Soy una agente de campo, con una cobertura aceptable en El Cairo. ¿Hablaste de *mí*?

–Sí, pero sólo con Swann.

–No me refiero a lo que hiciste con alguien de autoridad, que lo sabía todo porque era el control; hablo de *ahí*. Si empezaste a interrogarme en esa *casa*, ¿no habrías podido mencionar a cualquiera de las personas que he nombrado, o a todas? Y para terminar, Señor Aficionado, ¿no es concebible que hayas mencionado al *Mossad*?

Evan cerró los ojos.

–Es posible que lo haya hecho –dijo con suavidad, cerrando los ojos–. Si hubiéramos entrado en una discusión.

–Una discusión resultaba inevitable, y por eso quise que saliésemos y bajásemos hasta aquí.

–¡Aquí están todos de nuestra parte! –protestó Kendrick.

–Estoy segura de ello –admitió Adrienne–, pero no conocemos las fuerzas o debilidades de personas a quienes nunca vimos ni podemos ver, ¿no es así?

–Eres una paranoica.

–Eso es parte del territorio, congresal. Y además, *eres* un condenado tonto, como creo haberlo demostrado ampliamente con tu falta de conocimientos respecto de las casas seguras. Pasaré por alto el asunto de quién da las órdenes a quién, porque no viene al caso, y volveré a tu primer punto. Es muy probable que *no* te haya salvado la vida en Bahrein, y que en cambio, gracias a ese canalla de Swann, te haya puesto en la situación insostenible que yo y algunos pilotos llamamos el punto sin regreso. No se esperaba que sobrevivieras, señor Kendrick, y yo me *opuse* a eso.

–¿Por qué?

–Porque me importaba.

–Porque *nosotros*...

–Eso tampoco viene al caso. Eras un hombre decente, que trataba de hacer una cosa decente para la cual no estabas pertrechado. Resultó que hubo otros que te ayudaron mucho más de lo que yo habría podido hacerlo. Estuve sentada en la oficina de Jimmy Grayson, y los dos nos sentimos aliviados cuando recibimos la noticia de que salías en vuelo de Bahrein.

–¿Grayson? El fue uno de los siete que sabía que yo estaba allí.

–No lo supo hasta las últimas horas –dijo Rashad–. Ni aun yo quise decírselo. Tuvo que saberlo por Washington.

–En lenguaje de la Casa Blanca, ayer por la mañana lo pusieron en el asador.

–¿Por qué?

–Para ver si era él quien había mencionado mi nombre.

–*¿Jimmy?* Eso es más estúpido aún que pensar que fui *yo*. Grayson tiene tantos deseos de ser director, que casi lo saborea. Y, además, tan pocas ganas de que le corten la garganta y le mutilen el cuerpo como las que tengo yo.

–Dices con suma facilidad esas palabras. Te salen con rapidez, tal vez con demasiada rapidez.

–¿Sobre Jimmy?

–No. Sobre ti.

–Entiendo. –La mujer que se había llamado Khalehla se apartó de la roca.– Piensas que he ensayado todo esto... conmigo misma, por supuesto, porque no podía comunicarme con ningún otro. Y es claro, soy medio árabe...

–Entraste en la habitación, ahí arriba, como si esperases verme. No fui una sorpresa para ti.

–Lo hice, y no lo fuiste.

–¿Por qué no? ¿En los dos sentidos?

–Por un proceso de eliminación, supongo... y por un arreglo, un hombre a quien conozco, y que me protege de las *verdaderas* sorpresas. Durante el último día y medio fuiste noticia en todo el Mediterráneo, congresal, y mucha gente tiembla, incluida yo. No sólo *por* mí, sino por muchos otros a quienes usé y de quienes abusé, para mantenerte a ti a la vista. Las personas como yo construyen una red basada en la confianza, y ahora esa confianza, mi elemento más vital, ha sido puesta en duda. De modo que ya ves, señor Kendrick, no sólo derrochaste mi tiempo y mi concentración, sino una buena cantidad de dinero de los contribuyentes para traerme aquí, para una pregunta que podía contestar cualquier agente de inteligencia con alguna experiencia.

–Podías haberme vendido, pudiste vender mi nombre por un precio.

–¿Para qué? ¿Por mi *vida*? ¿Por la vida de aquellos a quienes usé para buscarte, hombres que son importantes para mí y para la labor que realizo... una tarea que pienso que tiene un valor real, y que traté de explicarte en Bahrein? ¿De veras *crees* eso?

–¡Oh, cielos, no sé *qué* creer! –admitió Evan, resoplando y meneando la cabeza–. Todo lo que quería hacer, todo lo que planeaba, ha sido arrojado a la basura. Ahmat no quiere volver a verme, no puedo regresar... ni allá, ni a ningún otro lugar de los Emiratos o de los golfos. El se ocupará de que así sea.

–¿*Querías* volver?

–Más que ninguna otra cosa. Quería reanudar mi vida ahí donde había realizado mi mejor trabajo. Pero primero tenía que encontrar y eliminar a un hijo de puta que lo había arruinado todo, matado por matar... a tantos.

–El Mahdí –interrumpió Rashad, asintiendo–. Ahmat me lo dijo. Tú lo lograste. Ahmat es joven y cambiará. Con el tiempo entenderá lo que hiciste por todos, allá, y lo agradecerá... Pero acabas de responder a una pregunta. Sabes, yo pensé que tú mismo pudiste haberlo revelado todo, pero no lo hiciste, ¿verdad?

–*¿Yo?* ¡Estás *loca*! ¡Me voy de aquí dentro de seis meses!

–¿Entonces no hay ambición política?

–Cristo, *¡no!* ¡Me voy! Sólo que ahora no tengo adónde ir. Alguien está tratando de detenerme, haciéndome pasar por algo que no soy. ¿Qué demonios está *ocurriendo* conmigo?

–De primera intención, diría que te están exhumando.

–¿Que me están haciendo *qué*? *¿Quién?*

–Alguien que piensa que fuiste menospreciado. Alguien que cree que mereces aclamación pública, un lugar destacado.

–¡Cosa que no quiero! Y el Presidente no ayuda. ¡Me otorgará la Medalla de la Libertad, el martes, en el maldito Salón Azul, con toda la Banda de Infantería de Marina! Pero yo le dije que no quería eso, y el hijo de puta contestó que tenía que ir, porque se negaba a parecer un "canalla barato". ¿Qué clase de razonamiento es *ése*?

–Muy presidencial... –Rashad se interrumpió de repente.– Caminemos –dijo con rapidez, cuando dos miembros del personal, de traje blanco, aparecieron en la base del muelle–. No te des vuelta. Muéstrate despreocupado. Caminaremos por esta mala excusa de playa.

–¿Puedo hablar? –preguntó Kendrick mientras se ponía a la par de ella.

–Nada que tenga relación. Espera hasta que demos vuelta al recodo.

–¿Por qué? ¿Pueden oírnos?

–Es posible. No estoy segura. –Siguieron la curva de la costa hasta que los árboles ocultaron a los dos hombres del muelle.– Los japoneses han desarrollado relés direccionales, aunque nunca he visto uno –continuó Rashad, sin mayor ilación. Luego volvió a detenerse y miró a Evan, lo interrogó con sus ojos inteligentes–. ¿Hablaste con Ahmat? –preguntó.

–Ayer. Me dijo que me fuera al infierno, pero que no volviese a Omán. Nunca.

–Entiendes que eso lo confirmaré con él, ¿verdad?

Evan se sintió súbitamente asombrado, y luego colérico. *Ella* lo interrogaba a *él*, lo acusaba, verificaba lo que *él* decía.

–Me importa un bledo lo que hagas, mi única preocupación es lo que puedas haber *hecho*. Eres convincente, Khalehla... perdón, señorita Rashad, y es posible que creas en lo que dices, pero los seis hombres que sabían acerca de mí tenían todo que perder y ni una maldita cosa que ganar si decían que el año pasado estuve en Mascate.

–¿Y *yo* no tenía nada que perder, aparte de mi vida, y de la vida de aquéllos a quienes cultivé en el sector, algunos de los cuales, dicho sea de paso, me son muy queridos? Bájate de tu caballo, congresal, te ves ridículo. No sólo eres un aficionado, sino que además resultas insufrible.

–¡Sabes, es posible que hayas cometido un *error*! –exclamó Kendrick, exasperado–. Estaría casi dispuesto a concederte el beneficio de la duda... eso se lo sugerí a Dennison, y le dije que no permitiría que te condenaran por eso.

–Oh, eres demasiado bondadoso, señor.

–No, lo dije en serio. Me *salvaste* la vida, y si cometiste un error y pronunciaste mi nombre sin querer...

–No compliques tu estupidez –interrumpió Rashad–. Es mucho, *mucho* más probable que cualquiera de los otros cinco haya cometido el error, y no Grayson o yo. Vivimos en el terreno, no cometemos esa clase de errores.

–Caminemos –dijo Evan... no había guardias a la vista; sólo sus dudas y su confusión lo obligaban a moverse. Su problema consistía en que creía en ella, creía en lo que Manny Weingrass había dicho sobre ella: "*...no tuvo nada que ver con la denuncia... eso no habría hecho otra cosa que aumentar su vergüenza y hacer caer más infamia sobre el loco mundo en el cual vive*". Y cuando Kendrick protestó que los otros no habrían podido hacerlo, Manny había agregado: "*entonces hay otros más allá de los otros...*" Llegaron a un sendero de tierra, que conducía, por entre los árboles, en apariencia hasta el muro de piedra que limitaba la finca–. ¿Exploramos? –preguntó Evan.

–¿Por qué no? –respondió Adrienne con frialdad.

–Mira –continuó él, mientras bajaban por la ladera arbolada, uno al lado del otro–; oye, te creo...

–Muchas gracias.

–¡Está bien, te *creo*! Y por eso te diré algo que sólo saben Swann y Dennison; los otros no. Por lo menos no creo que lo sepan.

–¿Estás seguro de que debes hacerlo?

–Necesito ayuda, y ellos no pueden ayudarme. Quizá tú puedas; estuviste *allí*... conmigo... y sabes tantas cosas que yo no conozco. Cómo se silencian los hechos, cómo se transmiten informaciones secretas a quienes deben recibirlas, procedimientos por el estilo.

–Conozco algunos, no todos, por supuesto. Mi base está en El Cairo, no aquí. Pero continúa.

–Hace un tiempo, un hombre fue a ver a Swann, un hombre rubio, de acento europeo, que poseía mucha información sobre mí... Frank la llamó DP.

–Datos previos –dijo Rashad, interrumpiendo–. También se llama "detalles privilegiados", y por lo general provienen de las bóvedas.

–¿Bóvedas? ¿Qué bóvedas?

–En la jerga, se llaman así los archivos de inteligencia clasificada. Continúa.

–Después de impresionar a Frank, de impresionarlo *de veras*, fue directamente al grano. Le dijo a Swann que había terminado lo que fue enviado a hacer, por el Departamento de Estado, en Mascate, durante la crisis de los rehenes.

–*¿Qué?* –estalló ella, con una mano en el brazo de Kendrick–. ¿Quién era él?

–Nadie lo sabe. Nadie puede encontrarlo. La identidad que usó para llegar hasta Frank era falsa.

–Dios mío –murmuró Rashad, mientras miraba hacia la parte superior del sendero ascendente–. Nos quedaremos aquí un momento –dijo en voz baja, apremiante–. Siéntate. –Ambos se sentaron en el sendero de tierra, rodeados de gruesos troncos y follaje.– *¿Y?* –apremió la mujer de El Cairo.

–Bien, Swann trató de quitárselo de encima; inclusive le mostró una nota al secretario de Estado en la cual ambos nos burlábamos del rechazo del cual yo era objeto. Es evidente que el hombre no le creyó a Frank, y continuó hurgando, cada vez más hondo, hasta que lo consiguió todo. Lo que se conoció ayer por la mañana era tan preciso, que sólo podía provenir del legajo de Omán... de las bóvedas, como las llamas tú.

–Eso lo *sé* –musitó Rashad, y su furia se mezclaba en forma indeleble con su miedo–. ¡Dios mío, se *hizo* contacto con alguien!

–¿Con uno de los siete... de los *seis*? –corrigió enseguida.

–¿Quiénes eran? No me refiero a Swann y a su hombre de computación de OHIO-Cuatro... ¿Pero aparte de Dennison, Grayson y yo?

–Los secretarios de Estado y Defensa, y el presidente de Jefes Conjuntos.

–Ninguno de ellos resultaba siquiera abordable.

–¿Y *qué hay* del hombre de computación? Se llama Bryce, Gerald Bryce, y es joven. Frank lo respaldaba, pero es sólo una posición de él.

–Lo dudo. Frank Swann es un canalla, pero no creo que se lo pueda engañar de ese modo. Alguien como Bryce es la primera persona en la cual se piensa, y si es lo bastante listo como para dirigir ese tipo de operación, él lo sabe. Y también sabe que corre el riesgo de pasar treinta años en Leavenworth.

Evan sonrió.

–Entiendo que Dennison te amenazó con cinco años allá.

–Yo le contesté que era una cárcel para hombres –dijo Adrienne con una sonrisa.

–Yo también –dijo Kendrick riendo.

–Y entonces le dije que si me tenía reservadas más sorpresas, no pensaba treparme a la barca de Cleopatra y no hablar del coche del gobierno.

–¿*Por qué* entraste?

–Por pura curiosidad. Es la única respuesta que puedo darte.

–La acepto... Bueno, ¿en qué estamos? Los siete quedan eliminados, y entra un europeo rubio.

–No sé. –De pronto Rashad volvió a tocarle el brazo.– Tengo que hacerte algunas preguntas, Evan...

–¿*Evan?* Gracias.

–Lo siento. Congresal. Eso *fue* un error.

–Por favor, no lo sientas. Creo que tenemos derecho a usar nuestros nombres de pila.

–Ahora cállate *tú*...

–¿Pero no te molesta que te llame Khalehla? Me resulta más cómodo.

–También a mí. A la parte árabe que hay en mí siempre le ha molestado la posibilidad de negar a Adrienne.

–Formula tus preguntas... Khalehla.

–Muy bien. ¿Cuándo decidiste ir a Mascate? Si se tienen en cuenta las circunstancias, y lo que pudiste hacer, demoraste en ir allá.

Kendrick hizo una profunda inspiración.

–Había estado navegando en los rápidos de Arizona cuando llegué a un campamento de base llamado Saltos Lava, y escuché una radio, por primera vez en varias semanas. Supe que tenía que ir a Washington... –Relató los detalles de las frenéticas dieciséis horas, desde ùn campamento relativamente primitivo, en las montañas, a los salones del Departamento de Estado, y por último al refinado complejo de computadoras que era OHIO-Cuatro-Cero.– Ahí fue donde Swann y yo establecimos nuestro acuerdo, y donde yo partí y comencé a correr.

–Retrocedamos por un momento –dijo Khalehla, quien sólo en ese instante apartó la vista del rostro de Kendrick–. Contrataste un avión fluvial para ir a Flagstaff, donde trataste de fletar un jet para ir a Washington, ¿es así?

–Sí, pero en la oficina de alquiler de aviones me dijeron que era demasiado tarde.

–Estabas ansioso –sugirió la agente de campo–. Es probable que también te sintieras furioso. Debes de haber manejado un poco tu influencia. Un congresal del gran Estado de Colorado, etcétera.

–Más que un poco... y muchos más etcéteras.

–Llegaste a Phoenix y tomaste el primer vuelo comercial. ¿Cómo pagaste tu pasaje?

–Con una tarjeta de crédito.

–No estuvo bien –dijo Khalehla–, pero no tenías motivos para saberlo. ¿Cómo sabías con quién comunicarte, en el Departamento de Estado?

–No lo sabía, pero recuerda que había trabajado en Omán y los Emiratos durante años, de modo que sabía qué tipo de persona buscar. Y como había heredado una experimentada secretaria de Washington, que tiene los instintos de un gato callejero, le dije a *ella* qué debía buscar. Le dije que sin duda tendría que ser alguien de Operaciones Consulares de Estado, de las secciones para el Medio Oriente o Asia del Sudoeste. La mayor parte de los norteamericanos que han trabajado allí están familiarizados con esas personas... a menudo hasta el hartazgo.

–Así que esa secretaria de instintos de gata callejera comenzó a llamar y hacer preguntas. Eso debe de haber producido varios alzamientos de cejas. ¿Llevaba una lista de las personas a quienes llamaba?

–No sé. Nunca se lo pregunté. Todo era un poco frenético, y me mantuve en contacto con ella por medio de uno de esos teléfonos aire-tierra, durante el vuelo de Phoenix. Cuando aterrizamos, ella había reducido las posibilidades a cuatro o cinco hombres, pero sólo uno era considerado un experto en los Emiratos, y además era director de Op. Cons., Frank Swann.

–Me interesaría saber si tu secretaria llevaba una lista –dijo Khalehla, arqueando el cuello, pensativa.

–Le telefonearé.

–De aquí no. Además, no he terminado... De manera que fuiste a Estado para encontrarte con Swann, lo cual significa que pasaste por seguridad al entrar.

–Por supuesto.

–¿También pasaste por allí al salir?

–Bueno, en verdad no; me llevaron a la zona de estacionamiento y de allí a casa, en un coche del Departamento de Estado.

–¿A tu casa?

–Sí, iba camino de Omán, y debía reunir algunas cosas...

–¿Y el conductor? –interrumpió Khalehla–. ¿Te habló llamándote por tu nombre?

–No, nunca. Pero dijo algo que me sacudió. Le pregunté si quería entrar a comer un bocado o a beber un café mientras yo reunía mis cosas, y contestó: "Me podrían disparar si salgo de ese coche", o algo parecido. Y después agregó: "Usted es de OHIO-Cuatro-Cero".

–Lo cual significa que *él* no lo era –dijo Rashad con rapidez–. ¿Y estaban delante de tu casa?

–Sí. Y entonces bajé y vi otro coche, a unos treinta metros, detrás de nosotros, junto al encintado. Debe de haber estado siguiéndonos; no hay otras casas en ese tramo del camino.

–Un escolta armado –asintió Khalehla–. Swann te cubrió desde el primer momento. No contaba el tiempo o los recursos necesarios para seguir la pista de todo lo que te había ocurrido, menos uno.

Evan se mostró perplejo.

–¿Te molestaría explicarme eso?

–Menos uno es antes que llegaras hasta Swann. Un congresal acaudalado y enfurecido, que usa un avión contratado para ir a Flagstaff y arma un gran alboroto acerca de que necesita ir a Washington. Lo rechazan, de modo que vuela a Phoenix, donde sin duda insiste en tomar el primer vuelo, y paga con una tarjeta de crédito, *y* empieza a llamar a su secretaria, que tiene los instintos de una gata callejera, y le dice que busque a un hombre que no sabe con seguridad si existe, en el Departamento de Estado. Ella hace sus llamadas, frenética, creo que dijiste, y se comunica con una cantidad de personas que tienen que preguntarse por qué. Te consigue un quórum reducido... lo cual quiere decir que se ha comunicado con *muchos* de sus contactos que podían suministrarle tal información, y que también se habrán preguntado por qué, y tú apareces en Estado, exigiendo ver a Frank Swann. ¿Me equivoco? En tu estado de ánimo, ¿exigiste verlo?

–Sí. Me atendieron con rodeos, me dijeron que no estaba, pero yo sabía que estaba, mi secretaria lo había confirmado. Creo que me mostré bastante inflexible. Por último me permitieron ir a la oficina de él.

–Y después que hablaste con él, Swann adoptó su decisión de enviarte a Mascate.

–¿Y?

–Ese pequeño círculo cerrado del cual hablaste no era muy pequeño ni muy cerrado, Evan. Hiciste lo que habría hecho cualquier otro en esas circunstancias, debido a la tensión que experimentabas. Dejaste una cantidad de huellas en ese agitado viaje de Saltos Lava a Washington. Resultaba muy fácil seguirte la pista a Phoenix y Flagstaff, con tu nombre y tu enérgica insistencia en conseguir un medio de transporte rápido recordados por una cantidad de gente, en especial a causa de la hora de la noche. Después apareces en el Departamento de Estado, donde armas más alboroto, y de paso, registras tu entrada en seguridad, pero no tu salida, hasta que se te permite subir a la oficina de Swann.

–Sí, pero...

–Déjame terminar, por favor –interrumpió Khalehla otra vez–. Ya entenderás, y quiero que los dos tengamos el cuadro completo... Swann y tú conversan, establecen el acuerdo de tu anonimato y, como dijiste, partes y corres a Mascate. El primer tramo fue hasta tu casa, con un conductor que no formaba parte de OHIO-Cuatro-Cero, como tampoco los guardias del vestíbulo. El conductor había sido sencillamente destinado por un despachador, y los guardias de turno no hacían otra cosa que cumplir con sus deberes. No están en los círculos enrarecidos, nadie los convoca según agendas ultrasecretas. Pero son humanos; vuelven a casa y hablan con sus esposas y sus amigos, porque ha ocurrido algo *diferente* en sus trabajos siempre aburridos. Es posible que también respondan a preguntas que les hacen, con negligencia, personas a quienes consideraban burócratas del gobierno.

–Y de una u otra manera, todos ellos sabían quién era yo...

–Al igual que mucha otra gente, en Phoenix y Flagstaff; y una cosa les resultaba clara a todos. Ese hombre importante está molesto; ese congresal tiene una prisa del demonio; ese personaje tiene un problema. ¿Te das cuenta de la pista que dejaste?

–Sí, me doy cuenta, ¿pero quién la *buscaría*?

–No sé, y eso me inquieta más de lo que puedo explicártelo.

–¿Te inquieta a *ti*? ¿Quién ha hecho pedazos mi *vida*? ¿Quién lo *haría*?

–Alguien que encontró una apertura, una brecha que condujo hacia el resto de la pista, desde un remoto campamento llamado Salto de la Lava hasta los terroristas de Mascate. Alguien que encontró algo que le dio deseos de seguir buscando. Quizá fueron las llamadas que hizo tu secretaria, o el alboroto que armaste en la oficina de seguridad del Departamento de Estado, o inclusive algo tan loco como el escuchar un rumor de que un norteamericano desconocido había intercedido en Omán... no era nada loco; se lo publicó y se lo censuró... pero puede haber hecho pensar a alguien. Y entonces todas las otras cosas se ubicaron en sus respectivos lugares, y ahí estabas tú.

Evan cubrió la mano de ella con la propia.

–Tengo que saber quién fue, Khalehla, tengo que *saberlo*.

–Pero lo *sabemos* –dijo con suavidad, una voz tan tenue como si viese algo que habría debido ver antes–. Un hombre rubio, de acento europeo.

–*¿Por qué?* –Kendrick retiró la mano mientras la pregunta estallaba en su garganta.

Khalehla lo miró con expresión compasiva, pero por debajo de su preocupación seguía habiendo en sus ojos esa fría inteligencia analítica.

–La respuesta a eso tiene que ser tu principal interés, Evan, pero yo tengo otro problema, y por eso estoy asustada.

–No entiendo.

–Fuese quien fuere el hombre rubio, represente a quien represente, ha llegado a lo más profundo de nuestros sótanos, y sacó lo que nunca habría debido ser entregado. Estoy anonadada, Evan, *petrificada*, y estas palabras no son lo bastante fuertes para describir lo que siento. Hemos sido puestos en peligro, penetrados por donde la penetración habría debido ser imposible. Si ellos, fuesen quienes fueren, pueden extraer información de los lugares más profundos y seguros que existen, pueden también enterarse de muchas otras cosas a las cuales *nadie* debería tener acceso. Donde trabajan personas como yo, eso puede costar muchas vidas... y en forma muy desagradable.

Kendrick estudió su rostro tenso, atrayente, y vio el miedo en sus ojos.

–Lo dices en serio, ¿verdad? *Estás* asustada.

–También lo estarías tú si conocieras a los hombres y mujeres que nos ayudan, que ponen en peligro su vida para entregarnos información. Todos los días se preguntan si algo que hicieron o no hicieron los hará caer. Muchos de ellos se han suicidado, porque no podían soportar la tensión, otros enloquecieron y desaparecieron en los desiertos, prefiriendo morir en paz con su Alá antes que seguir adelante. Pero la mayoría *sigue* adelante, porque creen en nosotros, creen que somos justos y que queremos realmente la paz. A cada instante tratan con lunáticos que blanden armas, y a pesar de lo mal que están las cosas, no empeoran sólo gracias a ellos, y gracias a ellos no hay mucha más sangre en las calles... Sí, estoy asustada, porque muchas de esas personas son amigos... míos, y de mi padre y mi madre. La idea de que sean traicionados, como lo fuiste tú, Evan, *traicionado*, me hace querer arrastrarme por las arenas y morir como los que enloquecieron. Porque alguien, muy adentro, está abriendo nuestros archivos más secretos a otros de afuera. Lo único que esa persona necesitaba en tu caso era un nombre, tu nombre, y a gente que teme por su vida, en Mascate y Bahrein. ¿Cuántos otros nombres es posible descubrir? ¿Cuántos otros secretos conocer?

Evan se inclinó, y ahora no le cubrió la mano, sino que la tomó, la apretó.

–Si crees eso, ¿por qué no me ayudas?

–¿Ayudarte?

–Tengo que saber quién me está haciendo eso, y tú necesitas saber quién está allí, o aquí, haciendo que eso resulte posible. Yo diría que nuestros objetivos se empalman, ¿no te parece? Tengo a Dennison en una situación de la cual no puede salir, y puedo conseguir una discreta orden de la Casa Blanca para que te quedes aquí. En realidad, a él le encantaría la posibilidad de encontrar una filtración; para él es una obsesión.

Khalehla frunció el entrecejo.

–No funciona de esa manera. Además, yo estaría fuera de mi ambiente. Soy muy competente ahí donde estoy, pero fuera de mi elemento, de mi elemento *árabe*, no soy de primera.

–Número *uno* –replicó Kendrick con firmeza–. *Yo* te considero de primera porque me salvaste la vida, y entiendo que mi vida tiene cierta importancia. Y segundo, como mencioné, tienes experiencia en terrenos que yo no conozco. *Procedimientos*. "Vías encubiertas de asignación"..., eso lo aprendí como miembro de la Comisión Escogida para Inteligencia, pero no tengo la menor idea de lo que significa. Demonios, inclusive sabes qué son los "sótanos", cuando yo siempre pensé que eran lo que había debajo de la planta baja de los barrios suburbanos, que gracias a Dios nunca tuve que construir. Por favor, en Bahrein dijiste que querías ayudarme. ¡Ayúdame *ahora*! Ayúdate tú misma.

Adrienne Rashad replicó, mientras sus ojos oscuros escudriñaban los de él con frialdad:

–*Podría* ayudar, pero habría momentos en que deberías hacer lo que te dijese. ¿Podrás?

–No me enloquece saltar de algún puente, o de edificios altos...

–Sería en el terreno de lo que tú dirías, y con ciertas personas ante las cuales querría que lo dijeses. Y además, habría momentos en que no podría explicarte algunas cosas. ¿Podrías aceptar eso?

–Sí. Porque te he observado, te he escuchado y confío en ti.

–Gracias. –Le apretó la mano y se la soltó.

–Tendría que llevar a alguien conmigo.

–¿Por qué?

–En primer lugar, porque es necesario. Necesito un traslado temporal, y él podría conseguírmelo sin dar explicaciones... olvídate de la Casa Blanca, es demasiado peligrosa, demasiado inestable. En segundo término, me resultaría útil en zonas que no están a mi alcance.

–¿Quién es?

–Mitchell Payton. Es director de Proyectos Especiales... un eufemismo por: "No preguntes".

–¿Puedes confiar en él? Quiero decir, ¿totalmente, sin ninguna duda?

–Sin ninguna duda. El fue quien me examinó para mi ingreso en la Agencia.

–Esa no es precisamente una razón.

–Pero sí lo es el hecho de que lo llamara "tío Mitch" desde los seis años, en El Cairo. El era entonces un joven agente de operaciones que se hacía pasar por instructor en la universidad. Se hizo amigo de mis padres... mi padre era profesor allí, y mi madre es una norteamericana de California; también lo es Mitch.

–¿El te dará un traslado?

–Sí, por supuesto.

–¿Estás segura?

–No tiene otra alternativa. Ya te lo dije, alguien está entregando una parte de nuestra alma que no se encuentra en venta. Esta vez te toca a ti. ¿Quién será el próximo?

25

Mitchell Jarvis Payton era un bien plantado académico de sesenta y tres años, que había sido atraído a la Agencia Central de Inteligencia treinta y cuatro años antes, porque coincidía con una descripción que alguien había dado en esos momentos, en la división de gestión de personal. Ese alguien había desaparecido en otras ocupaciones, y no había un puesto en la lista, para Payton... sólo los requisitos con la anotación de *urgente*. Pero cuando sus empleadores en potencia se dieron cuenta de que no tenían una tarea específica para el empleado en potencia, ya era demasiado tarde. Había sido incorporado por los agresivos reclutadores de Los Angeles, y enviado a la sede de la CIA, en Langley, para su adoctrinamiento. Era una situación molesta, ya que el doctor Payton, en una oleada de fervor patriótico y personal, había enviado su renuncia, con efecto inmediato, a la Junta de Regentes del Estado. Era un comienzo nada auspicioso para una carrera que se desarrollaría en forma auspiciosa.

MJ, como se lo llamaba desde que podía recordar, había sido profesor asociado, de veintinueve años, con un doctorado en Estudios Arabes de la Universidad de California, donde a continuación enseñó. Cierta mañana fue visitado por dos caballeros del gobierno, quienes lo convencieron de que el país necesitaba con urgencia sus capacidades. Los detalles específicos, *por supuesto*, no estaban en condiciones de revelarlos, pero en la medida en que representaban la esfera más incitante de los servicios gubernamentales, daban por entendido que el puesto era en el extranjero, en la zona de sus conocimientos de experto. El joven soltero se precipitó sobre la oportunidad, y cuando se vio ante sus desconcertados superiores, en Langley, quienes se preguntaban qué hacer con él, sugirió, imperturbable, que había cortado sus vínculos con Los Angeles, y dio por supuesto que se lo enviaría a Egipto, cuando menos. Por consiguiente fue enviado a El Cairo. (*No conseguimos suficientes observadores en Egipto que entiendan el condenado idioma.*) En la universidad había estudiado literatura norteamericana, elegida porque Payton creía que no era muy abundante. Por esa razón, una agencia de empleo de Roma, en realidad una subsidiaria de la CIA, lo ubicó en la Universidad de El Cairo, como instructor árabe-parlante de literatura norteamericana.

Allí conoció a los Rashad, una pareja encantadora, que se convirtieron en una parte importante de su vida. En la primera reunión de profesores de Payton, se sentó al lado del renombrado profesor Rashad, y en las conversaciones previas a la conferencia se enteró de que Rashad no sólo había ido a la escuela de graduados de California, sino que se había casado con una compañera de estudios de MJ. Floreció una profunda amistad, al igual que la reputación de MJ en la Agencia Central de Inteligencia. Gracias a capacidades que no sabía que poseía, y que en ocasiones le asustaban, descubrió que era un embustero excepcionalmente convincente. Eran días de tumulto, de alianzas en rápido cambio, que era preciso verificar, y mantener fuera de la vista la difundida penetración norteamericana. Gracias a la fluidez de su árabe, y a su comprensión de que la gente podía ser motivada por palabras de simpatía, respaldadas con dinero, pudo organizar varios grupos de facciones en pugna, que le informaban acerca de sus respectivos movimientos. En compensación, entregaba fondos para las causas de ellos... gastos de poca monta para la entonces sacrosanta CIA, pero importantes contribuciones para los magros cofres de los fanáticos. Y gracias a los esfuerzos de él en El Cairo, Washington evitó una cantidad de situaciones molestas y potencialmente explosivas. Y así, como cosa típica de la red de egresados de universidades aristocráticas, en la comunidad de inteligencia de Washington, si alguien realizaba tan buena tarea donde estuviese, era preciso olvidar la convergencia de factores específicos que lo hacían tan competente, y llevarlo a Washington, para ver qué podía hacer allí. M.J. Payton fue la excepción en una larga línea de fracasados. Remplazó a James Jesus Angleton, el Zorro Gris de las operaciones clandestinas, como director de Proyectos Especiales. Y jamás olvidó lo que le había dicho su amigo Rashad, cuando llegó el momento de ascender.

–Nunca lo habrías logrado, MJ, si te hubieras casado. Tienes la confianza en ti mismo de quien nunca ha sido manipulado.

Era posible.

Pero una prueba de manipulación cayó sobre él con toda su fuerza cuando la empecinada hija de sus queridos amigos llegó a Washington, tan inflexible como siempre la había conocido. En Cambridge, Massachusetts, había ocurrido algo terrible, y ella estaba decidida a dedicar su vida –por lo menos una parte de su vida– a atenuar los fuegos de odio y violencia que estaban consumiendo su mundo mediterráneo. Nunca le contó al "tío Mitch" lo que le había pasado –en realidad no tuvo necesidad de hacerlo–, pero no aceptó una respuesta negativa. Tenía condiciones; hablaba el inglés y el francés con tanta fluidez como el árabe, y en esos momentos estudiaba el yiddish y el hebreo. El le sugirió los Cuerpos de Paz, y ella arrojó su bolso al suelo, delante de su escritorio.

–*¡No!* No soy una niña, tío Mitch, y no poseo esa clase de impulsos benévolos. ¡Si no quieres utilizarme, encontraré otros que lo hagan!

–Podrían ser los otros que no te sirvieran, Adrienne.

–Entonces impídemelo. ¡Tómame!

–Tendré que hablar con tus padres.

–¡No *puedes*! El está retirado... están retirados *los dos*, y viven al norte, en Baltim-on-the Sea. No harían otra cosa que preocuparse por mí, y en su inquietud causarían problemas. Encuéntrame trabajos de traducción, o un puesto flotante de consultora de exportadores... ¡no cabe duda de que puedes hacerlo! *Dios mío*, tío Mitch, ¡eras un instructor de poca monta en la universidad, y *nosotros* nunca dijimos nada!

–No lo sabías, querida...

–¡Un cuerno, no lo sabía! Los cuchicheos en la casa cuando llegaba un amigo del tío Mitch, y que yo debía quedarme en mi cuarto, y después, una noche, cuando de pronto llegaron tres hombres, todos llevando *pistolas* en el cinturón, a los cuales yo nunca había *visto*...

–Aquéllas eran emergencias. Tu padre entendió.

–Entonces entiéndeme tú ahora, tío Mitch. ¡Tengo que hacer eso!

–Está *bien* –consintió M. J. Payton–. Pero entiéndeme tú a *mí*, jovencita. Pasarás por un curso concentrado en Fairfax, Virginia, en un lugar que no figura en los mapas. Si fracasas, no podré ayudarte.

–De acuerdo –había contestado Adrienne Khalehla Rashad, sonriendo–. ¿Quieres apostar?

–Contigo no, pequeña tigresa. Ven, vamos a almorzar. No bebes, ¿verdad?

–No, de veras.

–Yo sí, y lo haré, pero sin apuestas contigo.

Y fue bueno, para el bolsillo de Payton, que no apostase. La candidata nº 1344 terminó el agotador curso de diez semanas en Fairfax, Virginia, a la cabeza de su clase. Al demonio con la liberación femenina; fue mejor que veintiséis varones. Pero por lo demás, pensó su "tío Mitch", tenía un motivo que los otros no poseían: la mitad de su personalidad era árabe.

Aquello había ocurrido más de nueve años atrás. Pero ahora, en ese viernes por la tarde, casi diez años después, ¡Mitchell Jarvis Payton se sintió consternado! ¡La agente de campo Adrienne Rashad, quien cumplía con su tarea en el Sector del Mediterráneo Occidental, en el puesto de El Cairo, acababa de llamarlo desde un teléfono público del Hotel Hilton, allí, en Washington! ¿Qué estaba haciendo *allí*, por Dios? Todos los agentes vinculados a Proyectos Especiales, y en especial *ese* agente, debían recibir sus órdenes por intermedio de *él*. ¡Era increíble! Y el hecho de que no fuese a Langley, sino que, por el contrario, insistiera en encontrarse con él en un restaurante apartado de Arlington, no calmó los nervios de MJ. En particular después que ella le dijo:

–Es absolutamente vital que no me encuentre con nadie a quien conozca, o que pueda conocerme, tío Mitch.

Más allá del tono ominoso de la frase, hacía años que no lo llamaba tío Mitch, desde su época universitaria. Su "sobrina" era una mujer perturbada.

Milos Varak descendió del avión en Durango, Colorado, y atravesó la terminal, hasta el mostrador de la agencia de alquiler de coches. Presentó una falsa licencia de conductor y una tarjeta de crédito también falsa, firmó el convenio, aceptó las llaves y fue guiado a la playa donde lo aguardaba su coche. En su portafolios había un detallado mapa de la parte sudoeste inferior de Colorado, con una lista de cosas tales como las maravillas del Parque Nacional de Mesa Verde, y las descripciones de hoteles, moteles y restaurantes, la mayoría de los cuales se encontraban en ciudades tales como Cortez, Hesperus, Marvel y, más al este, Durango, o en sus alrededores. La zona menos detallada era un punto denominado precisamente Mesa Verde; no correspondía la designación de "ciudad". Era una ubicación geográfica que figuraba más en la mente de la gente que en los libros; una tienda de ramos generales, una barbería, un pequeño aeropuerto privado y un café, el de G-G, constituían su industria. Por Mesa Verde se pasaba, no se vivía allí. Existía para conveniencia de granjeros, peones de campo y los inveterados viajeros que, invariablemente, se extraviaban al tomar por los caminos más pintorescos a Nueva México y Arizona. La anomalía del aeropuerto era para beneficio de la decena de privilegiados terratenientes que se habían construido fincas allí, y que sencillamente lo necesitaban. Pocas veces –o nunca– veían el tramo de camino de la tienda de ramos generales, la barbería y el café de G-G. Todo lo que necesitaban les llegaba por avión desde Denver, Las Vegas y Beverly Hills; de ahí al aeropuerto. La excepción era el congresal Evan Kendrick, quien, cosa asombrosa, había presentado su candidatura para un puesto político. Había cometido el error de pensar que Mesa Verde podía producir votos, cosa que habría sido cierta si la elección se hubiese efectuado al sur del Río Grande.

Pero Varak tenía muchos deseos de ver el tramo de carretera al cual los locales llamaban Mesa Verde, o Verde a secas, como le decía Emmanuel Weingrass. Quería ver cómo vestían los hombres, cómo caminaban, que habían hecho a sus cuerpos las tensiones del trabajo en el campo, o a sus músculos, a su postura. Durante las veinticuatro horas siguientes, o a lo sumo cuarenta y ocho, tendría que mezclarse con ellos. Milos tenía que realizar un trabajo que, en cierto sentido lo entristecía, fuera de toda posibilidad de medir su dolor, pero se trataba de algo que era preciso hacer. Si existía un traidor a Inver Brass, dentro de Inver Brass, Varak tenía que encontrarlo... o encontrarla.

Al cabo de una hora y treinta y cinco minutos de conducir, encontró el café llamado de G-G. No quería entrar tal como iba vestido, de modo que aparcó el coche, se quitó la chaqueta y entró en la tienda de ramos generales, en la acera de enfrente.

–Nunca lo he visto por aquí –dijo el anciano dueño, volviendo la cabeza mientras apilaba sacos de arroz en un estante–. Siempre es agradable ver una cara nueva. ¿Va a Nueva México? Le indicaré el camino correcto, no hace falta comprar nada. Siempre le digo eso a la gente, pero todos piensan que tienen que separarse de un poco de dinero, cuando lo único que necesitan es indicaciones.

–Muy amable, señor –dijo Milos–, pero me temo que yo debo separarme de algún dinero... no mío, es claro, sino de mi empleador. Es una coincidencia, pero debo comprar varios sacos de arroz. Lo omitieron en la entrega de Denver.

–Oh, uno de los importantes de las colinas. Tome lo que quiera, hijo... pero al contado, es claro. A mi edad, no anoto nada.

–No se me ocurriría, señor.

–Eh, usted es extranjero, ¿no?

–Escandinavo –respondió Varak–. Estoy en forma temporal, como remplazante, mientras el chofer está enfermo. –Milos tomó tres sacos de arroz y los llevó al mostrador; el dueño lo siguió, hacia la registradora.

–¿Para quién trabaja?

–Para la casa de Kendrick, pero él no me conoce...

–Eh, ¿qué me *dice* del joven Evan? ¡Nuestro propio congresal, el *héroe* de Omán! ¡Le digo que uno se siente orgulloso, como dice el Presidente! Vino aquí un par de veces... tres o cuatro, tal vez. El tipo más agradable que uno pueda conocer; muy como todos, ¿entiende lo que quiero decir?

–Me temo que nunca lo he visto.

–¡Sí, pero si está en la casa conoce al viejo Manny, eso es seguro! ¡Un gran tipo!, ¿eh? ¡Le digo que ese judío loco es de no creer!

–Así es.

–Son seis dólares y treinta y un centavos, hijo. Olvídese del centavo, si no lo tiene.

–Estoy seguro de tener... –Varak introdujo la mano en el bolsillo.– ¿Ese señor... Manny, viene aquí a menudo?

–En ocasiones. Dos, tres veces por mes. Viene con una de sus enfermeras, y después, cuando ella se da vuelta corre a lo de G-G. Todo un personaje. Aquí tiene su cambio, hijo.

–Gracias. –Milos tomó los sacos de arroz y se volvió hacia la puerta, pero de pronto lo detuvieron las siguientes palabras del dueño.

–Me parece que esas chicas lo han delatado, porque Evan se ha puesto más estricto, vigila mucho más a su viejo amigo, pero supongo que usted ya sabe eso.

–Sí, es claro –dijo Varak, y miró al hombre y sonrió–. ¿Cómo se enteró usted?

–Ayer –respondió el dueño–. Con todo el ajetreo en la casa, Manny tomó el taxi de Jake, para que lo llevase a lo de G-G. Yo lo vi, de manera que fui a la puerta y le grité sobre lo grandiosa que era la noticia, sabe. El me contestó gritando "mi querido", o algo así, y entró. Entonces vi que su otro coche llegaba a marcha muy lenta, por la calle, con un tipo hablando por *teléfono*... sabe, uno de esos teléfonos de *coche*. Estacionó delante de lo de

G-G y se quedó allí, mirando la puerta. Más tarde volvió a hablar por teléfono, y unos minutos después salió y entró en lo de González. Nadie más había entrado, de modo que calculé que estaba cuidando a Manny.

–Les diré que tengan más cuidado –dijo Milos, todavía sonriente–. Pero para asegurarme que estamos hablando del mismo hombre, o de uno de ellos, ¿qué aspecto tenía?

–Oh, era de la ciudad, es claro. Ropa elegante y cabello bien peinado.

–¿Cabello oscuro, entonces?

–No, como rojizo.

–Ah, ¿él? –dijo Varak con tono convincente–. Más o menos de mi estatura.

–No, yo diría que un poco más alto, tal vez más que un poco.

–Sí, es claro –convino el checo–. Supongo que a menudo nos vemos más altos de lo que somos. El es un poco más delgado, o quizá sea por su estatura...

–*Ese* es –interrumpió el dueño–. No lleva mucha carne en los huesos, no como usted, por cierto.

–Entonces conducía el Lincoln tostado.

–A mí me pareció azul, y grande, pero en estos días no distingo un coche de otro. Para mí todos son iguales.

–Bueno, gracias, señor. Por cierto que le diré al equipo que sea más discreto. No querríamos que Manny se moleste.

–Oh, no se preocupe, *yo* no le diré nada. Manny tuvo una gran operación, y si el joven Evan cree que necesita que lo vigilen un poco más, estoy de acuerdo. Quiero decir, el viejo Manny es un gran tipo... pero G-G le pone agua al whisky, cuando puede.

–Gracias de nuevo. Informaré al congresal sobre su espléndida colaboración.

–Creí que me había dicho que no lo conocía.

–Cuando me encuentre con él, señor. Adiós.

Milos Varak puso en marcha el coche alquilado, y tomó por el tramo de carretera, dejando atrás la tienda de ramos generales, la barbería y el café de G-G. *Un hombre alto y delgado, de cabello rojizo bien peinado, que conducía un sedán azul grande*. La cacería había comenzado.

–¡No puedo *creerlo*! –musitó Mitchell Jarvis Payton.

–Créelo, MJ –dijo Adrienne Rashad por encima del mantel rojo, a cuadros, del fondo del restaurante italiano de Arlington–. ¿Qué sabías realmente acerca de Omán?

–Fue una operación Cuatro-Cero, de Estado, con el enlace de Lester Crawford, quien quería una lista de nuestro mejor personal, que tuviese la más amplia gama de contactos en la cuenca del sudoeste. Eso es *todo* lo que sabía. Puede que haya otros más competentes que tú, pero no en lo que se refiere a los contactos.

–Tuviste que suponer que la operación se relacionaba con los rehenes.

–Es claro, todos lo supusimos, y para decirte la verdad, me sentí desgarrado. Tu amistad con Ahmat y su esposa no era un secreto para mí, y debí dar por entendido que también lo sabían otros. Sabes, no quería darle tu nombre a Les, pero tus trabajos anteriores para Proyectos lo imponían, y tus vinculaciones con la familia real lo hacían obligatorio. Además, me di cuenta de que si te omitía por razones personales y alguna vez te enterabas, me arrancarías la cabeza.

–Por cierto que lo habría hecho...

–Pero confesaré un pecado menor –dijo Payton con una sonrisa triste–. Cuando todo terminó, fui a la oficina de Crawford y aclaré que entendía las reglas, pero que necesitaba saber si tú estabas bien. Me miró con esos ojos de pescado que tiene, y dijo que estabas de nuevo en El Cairo. Creo que hasta le molestó decirme nada más que eso... ¡Y ahora *tú* me dices que toda la maldita operación fue revelada por uno de *nosotros*! ¡Una estrategia Cuatro-Cero no puede divulgarse durante años, a menudo durante décadas! Hay documentos que se remontan a la segunda guerra mundial, y que no verán la luz del día hasta mediados del siglo que viene, si la ven entonces.

–¿Quién controla esos documentos, MJ, esos archivos?

–Se los lleva a lugares ocultos... se los deposita en almacenes de todo el país, controlados por custodios del gobierno, y con sistemas de alarma de tan alta tecnología, que en el acto darían el alerta en Washington, y nos enteraríamos nosotros, así como los departamentos de Estado y Defensa, y las salas de estrategia de la Casa Blanca. Por supuesto, en los últimos veinte años, más o menos, debido a la proliferación de refinadas computadoras, casi todo eso está depositado en bancos de datos, con códigos de acceso que tienen que ser coordinados entre un mínimo de tres servicios de inteligencia y el Salón Oval. Cuando se consideran vitales los documentos originales, se los empaqueta y envía. –Payton se encogió de hombros, volvió hacia arriba las palmas de las manos.– Todo olvidado, querida. A prueba de errores, de robos.

–Es evidente que no –refutó la agente de campo de El Cairo.

–Lo es cuando esos documentos llegan al nivel de los controles de seguridad –replicó MJ–. De manera que me parece que será mejor que me digas todo lo que sabes, y todo lo que te dijo el congresal. Porque si lo que dices es verdad, tenemos en alguna parte un canalla infiltrado entre el momento de la decisión máxima y los bancos de datos.

Adrienne Khalehla Rashad se recostó contra el respaldo y comenzó a hablar. No ocultó nada a su tío Mitch de antes y de siempre, ni siquiera el accidente sexual que se había producido en Bahrein.

–No puedo decir que lo siento, en términos profesionales u otros, MJ. Los dos estábamos cansados y asustados, y para decirlo con franqueza, él es un hombre muy decente... fuera de su terreno, pero muy bueno, me parece. Volví a confirmarlo esta mañana, en Maryland.

–¿En la *cama*?

–Por Dios, no. Con lo que dijo, con lo que quiere. Por qué hizo lo que hizo, por qué llegó a congresal y ahora desea dejar su banca, como te dije. Estoy segura de que le han salido verrugas por todo el cuerpo, pero también sé que está muy furioso.

–Creo percibir en mi "sobrina" ciertos sentimientos que esperaba ver desde hace mucho, mucho tiempo.

–Oh, existen, sería una hipócrita si los negara, pero dudo de que haya nada permanente. En cierto modo, nos parecemos. Yo me proyecto, pero pienso que a los dos nos consume más lo que *nosotros* debemos hacer, como dos personas distintas, que lo que quiere el otro. Y sin embargo me gusta, MJ, me gusta de veras. Me hace reír, y no sólo de él, sino con él.

–Eso es muy importante –dijo Payton con ansiedad, y su sonrisa y el suave ceño fueron más tristes que antes–. Yo nunca encontré a nadie que pudiera hacerme reír auténticamente... no *con* ella. Por supuesto, es un defecto de mi personalidad. Soy demasiado exigente, y la paso peor a causa de eso.

–No tienes defectos *ni* verrugas –insistió Rashad–. Eres mi tío Mitch, y no quiero oír hablar de eso.

–Tu padre siempre hacía reír a tu madre. En ocasiones los envidiaba, a pesar de los problemas que tenían. El la *hacía* reír.

–Era un mecanismo de defensa. Mamá pensaba que él podía decir "divorcio" tres veces y entonces deberían separarse.

–Tonterías. El la adoraba. –Luego, con destreza, como si no se hubieran apartado de la crisis de Mascate, Payton volvió a ella.– ¿Por qué Kendrick insistió en el anonimato, en primer término? Sé que me lo dijiste, pero dímelo de vuelta, ¿quieres?

–Pareces suspicaz, y no deberías serlo. La explicación es muy lógica. El pensaba volver y retomar las cosas donde las había dejado cinco... seis años antes. No podía hacerlo con la carga de Omán sobre los hombros. No puede hacerlo *ahora*, porque todos piden su cabeza, desde los fanáticos palestinos hasta Ahmat, y hasta todos los que le ayudaron y tienen un miedo mortal a que se sepa. Lo que pasó en los dos últimos días demuestra que estaba en lo cierto. Quiere volver, y ahora no puede. Nadie lo deja.

Payton volvió a fruncir el entrecejo, desaparecida la tristeza y remplazada por una fría curiosidad, rayana en la duda.

–Sí, eso lo entiendo, querida, pero por otro lado sólo cuentas con la afirmación de él de que quería regresar... de que quiere regresar.

–Le creo –dijo Rashad.

–Puede que él mismo lo crea –comentó el director de Proyectos Especiales–. *Ahora*, por decirlo así, después de haberlo pensado mejor.

–Eso es muy enigmático, MJ. ¿Qué quieres decir?

–Puede que sea un punto de poca importancia, pero vale la pena tenerlo en cuenta. Un hombre que quiere desaparecer de Washington, pero desaparecer de veras, y no abrir una oficina jurídica, o establecer una firma de relaciones públicas, no se dedica por lo general a combatir contra los pesos pesados del Pentágono, o a participar en un programa dominical de una de las redes, que llega a la audiencia más vasta del país. *Ni* a ofrecer una provocativa conferencia de prensa personal, con garantías de obtener la más amplia difusión. Tampoco sigue siendo una *bête noire* en una subcomisión de inteligencia, en la cual formula preguntas duras, que tal vez no promuevan su nombre ante el público, pero que por cierto lo hacen circular por la capital. Tomadas en conjunto, estas actividades no son típicas de un hombre ansioso de abandonar el escenario político, o las recompensas que éste puede ofrecer. Ahí hay cierta incoherencia, ¿no te parece?

Adrienne Rashad asintió.

–Yo le pregunté todo eso, y al principio lo acusé inclusive de querer de mi parte otro testimonio de un testigo presencial, y de ser un caso grave de ambición política. Se enfureció, negó que tuviese esas motivaciones, insistió con vehemencia que sólo quería salir de Washington.

–¿Es posible que tenga que ver con el hecho de que lo ha pensado mejor? –sugirió Payton–. Lo pregunto con amabilidad, porque cualquier persona cuerda puede hacerlo. Digamos que este individuo de tanto éxito –y en efecto es un individualista; eso lo he visto yo mismo– se contagia con nuestro virus del Potomac y se dice que tiene que venir, usa todos los recursos de que dispone, incluyendo lo que hizo en Omán. De pronto despierta y piensa: Dios mío, ¿qué he hecho? ¿Qué estoy haciendo aquí? ¡No tengo nada que ver con esta gente!... No sería la primera vez, sabes. Hemos perdido a muchos hombres y mujeres muy competentes, en esta ciudad, porque llegaron a la misma conclusión: que *no* tenían nada que hacer aquí. La mayoría son personas intensamente independientes, que creen en sus opiniones, respaldadas casi siempre por éxitos en uno u otro terreno. Salvo que aspiren al poder por el puro impulso de un ego exigente –cosa que tu instinto respecto de Kendrick parece desechar, y yo *confío* en tu instinto–, esas personas no tienen paciencia para hacer frente a los laberintos de interminables debates y transacciones que son los subproductos de nuestro sistema. ¿Nuestro congresal podría ser así?

–De primera intención, diría que es su Perfil con *p* mayúscula, pero, una vez más, es sólo mi instinto.

–De modo que no es posible que tu atrayente joven...

–Oh, vamos, MJ –interrumpió Rashad–. Eso es tan *antediluviano*.

–Lo uso en lugar de un término que me niego a usar con mi sobrina.

–Acepto tu versión de una cortesía.

–Corrección, querida. ¿Pero no es posible que tu amigo despertara y se dijese: He cometido un terrible error al convertirme en un héroe, y ahora tengo que enmendarlo?

–Lo sería si él fuese un embustero, pero no creo que lo sea.

–Pero adviertes la incoherencia de su conducta, ¿no es cierto? Actúa de una manera, y después afirma ser lo contrario.

–Tú dices que él protesta demasiado, y yo digo que no es así, porque no miente, ni a sí mismo, ni a mí.

–Estoy explorando todas las posibilidades, antes de buscar a un canalla, que –si estás en lo cierto– fue tocado por otro canalla, uno rubio... ¿Kendrick te dijo por qué se enfrentó en público al Pentágono, así como a toda la industria de defensa, para no hablar de sus críticas, menos públicas pero también difundidas, contra nuestros servicios de inteligencia?

–Porque se encontraba en condiciones de decir esas cosas, y pensaba que era preciso decirlas.

–¿Así, sin más? ¿Esa es su explicación?

–Sí.

–Pero tenía que buscar los puestos que le diesen la oportunidad de hablar. Dios mío, la Comisión Partridge, después la Subcomisión Escogida para Inteligencia; son puestos políticamente codiciados, para decir lo menos. Por cada uno de esos cargos hay cuatrocientos congresales que venderían a sus esposas para obtenerlos. No caen en el regazo de un miembro; hay que *trabajar* por ellos, *luchar* por ellos. ¿Cómo explica eso?

–No puede. Le cayeron en el regazo. Y en vez de luchar por ellos, peleó para no obtenerlos.

–*¿Perdón?* –exclamó M. J. Payton, asombrado.

–Dijo que si no le creía, debía ir a hablar con su ayudante principal, quien tuvo que forzarlo para que aceptara el nombramiento con Partridge, y después ir a ver al Presidente de la Cámara en persona, y pedirle a ese viejo irlandés embrollón lo que Evan le había dicho que hiciera con su subcomisión. No quería ninguno de los dos puestos, pero se le explicó que si no los aceptaba, no podría decir nada respecto de su sucesor en el Noveno de Colorado. Eso es importante para él; por eso presentó su candidatura. Se libró de un estúpido del partido, y no quería que otro ocupara su lugar.

Payton se reclinó con lentitud contra el respaldo del asiento, y se llevó la mano a la barbilla, con los ojos entrecerrados. A lo largo de los años, Adrienne Rashad había aprendido cuándo debía guardar silencio y no interrumpir los pensamientos de su mentor. Hizo ambas cosas, preparada para cualquiera de varias respuestas, pero no para la que escuchó.

–Este es un juego diferente, querida. Si recuerdo bien, le dijiste a Kendrick que lo estaba exhumando alguien que creía que merecía ser elogiado por lo que había hecho. Me temo que se trata de algo mucho más profundo. Nuestro congresal está siendo programado.

–Dios mío, ¿para *qué*?

–No lo sé, pero me parece que es mejor que lo averigüemos. Con suma discreción y cautela. Nos encontramos frente a algo más bien extraordinario.

Varak vio el gran sedán de color azul oscuro. Se hallaba aparcado al costado del serpenteante camino, flanqueado de árboles, abierto en el bosque, a varios centenares de metros al oeste de la casa de Kendrick, y estaba desocupado. Había pasado ante los impresionantes terrenos, rodeados de setos, todavía bajo el asedio menor de unos pocos reporteros obstinados, esperanzados, con sus equipos de camarógrafos, y pensaba seguir hacia el norte, hasta un motel de las afueras de Cortez. Pero la visión del vehículo azul lo hizo cambiar de idea. El checo continuó hasta el recodo siguiente y condujo el coche hacia un apiñamiento de maleza silvestre que había delante de los árboles. En el asiento, a su lado, estaba su portafolios; lo abrió y sacó de él los elementos que le pareció que podría necesitar, algunos en forma imperativa, otros por las dudas. Los guardó en los bolsillos, descendió del coche, cerró la portezuela sin hacer ruido y tomó de nuevo la curva para volver al sedán azul. Se acercó a la portezuela trasera más próxima al bosque y estudió el vehículo en busca de trampas... dispositivos que hicieran sonar una alarma si alguien manipulaba la cerradura, o presionaba las portezuelas, o tal vez haces de luz que fueran de las ruedas delanteras a las traseras, activados por objetos sólidos que interrumpieran los haces.

Encontró dos de los tres, y uno tan importante, que le dijo una cosa: dentro del coche había secretos mucho más valiosos que ropas, joyas o inclusive documentos comerciales confidenciales. Se había practicado una hilera de agujeritos, después pintados, a lo largo del marco inferior de las ventanillas; emitirían un vapor no letal, que inmovilizarían a un intruso durante un lapso prolongado. Al principio habían sido concebidos y perfeccionados para diplomáticos destacados en países convulsos, donde resultaba casi tan importante rechazar a posibles atacantes como salvar vidas. Los conductores podían ponerlos en acción durante un ataque, o mediante alarmas, cuando el coche no se hallaba ocupado. Ahora se los vendía a las personas adineradas, en todo el mundo, y se decía que los proveedores de los mecanismos no podían satisfacer todos los pedidos.

Varak miró en derredor y se encaminó con paso rápido a la parte trasera del sedán; metió la mano en el bolsillo y se dejó caer al suelo en la cercanía del caño de escape. Se deslizó por debajo del coche y puso manos a la obra; menos de noventa segundos más tarde volvió a salir, se puso de pie y corrió hacia el bosque. La cacería había comenzado, y ahora empezaba la espera.

Cuarenta y un minutos después vio que una figura alta y delgada llegaba por la senda. El hombre iba de traje oscuro, con la chaqueta abierta, dejando ver un chaleco; tenía el cabello bien peinado, y era más rojo que castaño. Algún jefe, pensó Milos, debía recibir algunas instrucciones en materia de cosmética básica. Nunca se permitía que un empleado saliese a tareas de campo con cabello rojo; era sencillamente una tontería. El hombre abrió primero, con su llave, la portezuela delantera de la derecha, luego dio la vuelta y abrió la del lado del conductor. Pero antes de abrirla se acuclilló en un lugar en el cual, en apariencia, había un tercer dispositivo; se irguió y se introdujo en el vehículo. Lo puso en marcha.

El poderoso motor tosió varias veces, y de pronto hubo un fuerte repiqueteo debajo del chasis, y una expulsión de humo, seguida por el ruido de metal que estallaba. El caño de escape había estallado, acompañado por una explosión de vapor en todos los costados del coche. Varak se encorvó, con un pañuelo sobre la cara, y esperó a que desaparecieran las nubes de vapor, que se adhería a los árboles mientras subía al cielo. Se enderezó poco a poco.

El conductor, con una máscara quirúrgica en la cara y una pistola en la mano, también miró la nube de vapor ascendente, mientras giraba varias veces en el asiento, a la espera de un ataque. No lo hubo, y su confusión se percibió a las claras. Tomó el teléfono del coche, pero luego vaciló, y Milos entendió. Si el problema era una simple falla mecánica, y se comunicaba con sus controles, a tres, o trescientos, o tres mil kilómetros de distancia, sería objeto de severas críticas. Colgó el auricular y embragó el coche; el ruido fue tan atronador, que lo detuvo en el acto. No se llamaba la atención hacia un vehículo así en ninguna parte, en momento alguno; se buscaba otra alternativa, como hablar a un garaje y ser remolcado para una sencilla reparación exterior. ¿Y sin *embargo*...? Comenzó entonces otro período de espera. Duró unos veinte minutos; a pesar de su cabello rojo, el hombre era un profesional. Convencido en apariencia de que no se producía ataque alguno, descendió con cautela del coche y fue hacia la parte de atrás. Con la pistola en una mano, una linterna en la otra, siguió mirando en derredor, hacia todas partes, mientras Varak se escurría en silencio por entre la maleza. El pelirrojo se agazapó de repente y dirigió el haz de luz hacia la parte inferior del coche. Milos sabía que tenía unos pocos segundos para llegar al borde del camino, antes que el hombre descubriese el plástico que se hinchaba con el calor, y que había insertado en el escape, o viese las marcas producidas en el silenciador por el pequeño cuchillo-sierra, con filo de diamante. El momento llegó cuando Varak apartó por un instante el follaje a menos de tres metros del hombre agazapado.

–*¡Cristo!* –estalló el delgado pelirrojo bien vestido; saltó hacia atrás, giró primero a la derecha, luego a la izquierda, con la automática apuntada, ahora de espaldas a Milos. El checo alzó un tercer objeto que había sacado de su portafolios; era una pistola de dardos que funcionaba con CO_2. Una vez más, apartó las hojas que tenía ante sí y disparó con rapidez. El dardo narcótico dio en el blanco y se clavó en la nuca del hombre. El custodio pelirrojo giró con violencia y dejó caer la linterna mientras, con movimientos desesperados, trataba de llevar la mano a la nuca para sacarse la aguja clavada. Cuanto más frenéticos eran sus actos, más rápido acudía la sangre a la cabeza, precipitando también la circulación del suero. Sólo hicieron falta ocho segundos; el hombre cayó al suelo, luchando contra los efectos inevitables, para quedar por último inmóvil en el camino. Varak salió del bosque y arrastró con celeridad al pelirrojo hacia los arbustos; luego volvió a buscar la pistola y la linterna del hombre. Lo registró en busca de tarjetas de identificación indudablemente falsas.

No eran falsas. La figura inconsciente a sus pies era un agente especial de la Oficina Federal de Investigaciones. Entre sus documentos de identidad figuraba el de la unidad a la cual había sido destinado dos meses y diez días atrás... un día después de la reunión de Inver Brass en Cynwid Hollow, Maryland.

Milos arrancó el dardo, llevó al hombre hacia el camino y lo sentó detrás del volante del sedán azul. Ocultó la linterna y el arma debajo del asiento, cerró la portezuela y regresó a su coche alquilado, pasado el recodo.

Tenía que encontrar un teléfono y comunicarse con un hombre de la Oficina Federal, en Washington.

–No existen informaciones acerca de esa unidad –dijo el contacto de Varak en el FBI–. Pasó a través de los círculos de la administración, y se originó en California, en San Diego, creo.

–Ahora no hay una Casa Blanca en California –replicó Milos.

–Pero hay otra "Casa", por si lo olvidaste.

–*¿Qué?*

–Antes de continuar, Freno, necesitaremos algunos datos de tu parte. Se refiere a una operación en Praga, que está dando sus frutos allá. Es cosa de poca monta, pero resulta irritante. ¿Querrás ayudarnos?

–Por supuesto. Averiguaré lo que pueda. Y ahora, ¿qué es esa *casa* de San Diego, California, que puede hacer que la Oficina forme una unidad especial?

–Muy sencillo, Freno. Pertenece al Vicepresidente de Estados Unidos.

Entonces queda convenido. El congresal Evan Kendrick será el próximo Vicepresidente de Estados Unidos. Se convertirá en Presidente once meses después de la elección del titular.

26

Habían transcurrido cinco semanas después de la calamitosa ceremonia en el Salón Azul de la Casa Blanca, una calamidad agraviada por los incesantes intentos del maestro de ceremonias Dennison de concentrar la atención de todos en quien entregaba la Medalla de la Libertad, y no en quien la recibía. El director de la Banda de Infantería de Marina había entendido mal sus instrucciones. En lugar de tocar un obsesivo pianissimo de "Norteamérica la Bella", por debajo de la alocución del Presidente, se lanzó a una versión en fortissimo de la marcha "Estrellas y Franjas", y casi ahogó la voz del jefe de Estado. Sólo cuando el congresal Kendrick se adelantó para recibir la medalla y expresar su agradecimiento, la banda arrancó en un suave pianissimo, que agregó impacto emocional a las modestas palabras del galardonado. Para cólera del maestro de ceremonias, Kendrick se había negado a leer el breve discurso que Dennison le había entregado diez minutos antes del acto, con lo cual, en lugar de elogiar la "secreta pero extraordinaria ayuda" del Presidente, agradeció a todos aquellos a quienes no podía mencionar por su nombre, por salvarle la vida y contribuir a la solución de la crisis de Mascate. Ese momento en especial fué subrayado por un fuerte "*¡Mierda!*" susurrado desde las filas de los ayudantes de Langford Jennings que se hallaban en la plataforma.

El insulto final al maestro de ceremonias lo provocó él mismo. Durante la breve sesión de fotos, en la cual no se permitían preguntas, por causa de las estrategias antiterroristas, Herbert Dennison sacó del bolsillo, distraído, una botellita de Maalox y bebió de ella. De pronto lo enfocaron las cámaras, estallaron las luces estroboscópicas, mientras el Presidente de Estados Unidos giraba y le dirigía una mirada de furia. Fue demasiado para el jefe de personal con propensión a la acidez. Derramó el líquido, blanco como la tiza, sobre la chaqueta de su traje oscuro.

Al final, Langford Jennings, con un brazo pasado sobre los hombros de Evan, salió del salón, al corredor alfombrado.

–¡Salió *magnífico*, congresal! –exclamó el Presidente–. Si prescindimos de cierto imbécil de quien se supone que debe dirigir estas cosas.

–Tiene sobre sí muchas presiones, señor. Yo no sería tan duro con él.

–¿Con *Herb*? –dijo Jennings en voz baja, confidencial–. ¿Y tener que hacer lo que hace *él*? En modo alguno... supongo que le dio algo para leer y usted no quiso.

–Me temo que fue así.

–Bien. Se habría visto como una cosa barata, preparada. Gracias, Evan, hizo muy bien.

–No es nada –dijo Kendrick al hombrón carismático que continuaba asombrándolo.

Las cinco semanas siguientes fueron como Evan pensó que serían. Los medios pedían a gritos su atención. Pero él cumplió con la palabra que le había dado a Herbert Dennison, y continuaría cumpliéndola. Se negó a todas las entrevistas, con la simple declaración de que si aceptaba una se vería obligado a aceptar todas, lo cual significaría que no serviría bien a su electorado... un electorado que, dicho sea de paso, continuaba reteniendo. La elección de noviembre en el Noveno Distrito de Colorado fue un simple ritual; dadas las circunstancias, la oposición ni siquiera pudo encontrar un candidato. Pero en lo que se refiere a los medios, algunos se mostraron más directos que otros.

–Pedazo de hijo de puta –había bromeado el áspero Ernest Foxley, del programa Foxley–. Te di tu primera oportunidad, tu primera presentación decente.

–Creo que no entiendes –replicó Kendrick–. Nunca quise oportunidades ni presentaciones.

Luego de una pausa, el comentarista dijo:

–¿Sabes una cosa? Te creo. ¿Por qué será?

–Porque te digo la verdad, y tú eres competente en tu trabajo.

–Gracias, joven. Haré saber lo que pides, y trataré de quitarte de encima a los sabuesos, pero no nos des más sorpresas, ¿de acuerdo?

No había sorpresas que darle a *nadie*, pensó Kendrick, colérico, mientras conducía por la campiña de Virginia, en las primeras horas de la tarde de diciembre. Su casa de Fairfax se había convertido, en forma virtual, en una base de operaciones de Khalehla, y la propiedad había sido objeto de refinadas modificaciones gracias a Mitchell Payton, de la Agencia Central de Inteligencia. El director de Proyectos Especiales ordenó la construcción de una alta pared de ladrillo en la parte delantera de los terrenos; la entrada era por un ancho portón de hierro forjado, blanco, que funcionaba electrónicamente. Alrededor de la propiedad se instaló una cerca de la misma altura, hundida a fondo en el suelo; el metal verde era tan grueso, que habría hecho falta un explosivo, un soplete o una sierra manipulada con furia, para atravesarlo, y los ruidos habrían sido escuchados con facilidad por una unidad de guardias. Payton instaló luego un teléfono, "barrido" en forma constante, en el estudio de Evan, con luces internas en varias otras habitaciones, que decían a quienes las veían encenderse que debían llegar lo antes posible a aquel instrumento. Se había ubicado una computadora de comunicación al lado del teléfono, conectada con un *modem* que sólo tenía una derivación en la oficina privada del director. Cuando éste tenía una información que deseaba que Khalehla o el congresal evaluaran, se la transmitía en el acto, y todas las hojas impresas eran destruidas y quemadas.

En consonancia con las instrucciones públicamente enunciadas por el Presidente, Proyectos Especiales había actuado con rapidez al principio, y se responsabilizó por todas las medidas de seguridad montadas para proteger al héroe de Omán de las represalias terroristas. Kendrick se sintió impresionado, en un primer momento, por los métodos de seguridad. En el lapso de una hora, después que una limusina presidencial lo condujo desde la finca de Maryland, Mitchell Payton tenía un control total de sus movimientos... y en cierto sentido de su vida. El equipo de comunicaciones llegó más tarde, bastante más tarde, y la demora se debió a la obstinación de Khalehla. Esta se resistió a trasladarse a la casa de Kendrick, pero luego de dieciocho días de hotel, y de numerosos y molestos encuentros con Evan y su tío Mitchell, en lugares apartados, este último se puso firme.

–Maldición, querida, no tengo manera de justificar el costo de una casa segura para uno solo de los míos, ni enunciaría la razón si pudiera, y por cierto que no puedo instalar en el hotel el equipo que necesitamos. Además, he comunicado la información oficial, de El Cairo a Washington, de que renunciaste a la Agencia. No podemos tenerte más en el sector. De manera que, en verdad, me parece que no puedes elegir.

–He estado tratando de convencerla –interrumpió Kendrick, en la habitación privada de un restaurante, al otro lado del límite de Maryland–. Si le preocupan las apariencias, haré publicar en las *Actas del Congreso* que mi tía se encuentra en la ciudad. ¿Qué te parecería una tía mayor que se ha hecho cirugía facial?

–Oh, maldito estúpido. Está *bien*, lo haré.

–¿Qué equipo? –preguntó Evan, volviéndose hacia Payton–. ¿Qué necesitan?

–Nada que tú puedas comprar –respondió el director de la CIA–. Y son cosas que sólo podemos instalar nosotros.

A la mañana siguiente se acercó a la casa un camión de reparaciones telefónicas. Patrullas de la Agencia le abrieron paso, y hombres con uniformes de la compañía telefónica pusieron manos a la obra, mientras más de veinte albañiles completaban el muro y otros diez terminaban la impenetrable cerca. Operarios telefónicos trepaban a un poste tras otro, a partir de una caja de empalme, llevando cables de uno en uno, y tendiendo un cable separado hasta el techo de Kendrick. Otro grupo condujo un segundo camión por un camino del fondo, hasta el garaje, donde sacaron de su cajón la consola de la computadora y la llevaron al estudio de abajo. Tres horas y veinte minutos más tarde, el equipo de Mitchell Payton se encontraba en su lugar, y en funcionamiento. Esa tarde, Evan había recogido a Khalehla delante del hotel de ésta, en la Avenida Nebraska.

–Hola, tía.

–Quiero un pasador de seguridad en la puerta del cuarto para huéspedes –respondió ella, riendo mientras dejaba caer su bolso de nylon en el soporte de atrás del asiento, y entraba en el coche.

–No te preocupes, nunca bromeo con las parientas de edad.

–Ya lo hiciste, pero ahora no. –Se volvió hacia él, y agregó, con suave pero firme sinceridad:– Lo digo en serio, Evan. Esto no es Bahrein, estamos juntos en el trabajo, no en la cama. ¿De acuerdo?

–¿Por eso no querías venir antes?

–Por supuesto.

–No me conoces muy bien –dijo Kendrick, al cabo de unos momentos de silencio en medio del tránsito.

–Eso es nada más que una parte del asunto.

–Lo cual me lleva a una pregunta que quería hacerte, pero que pensé que la tomarías a mal.

–Adelante.

–Cuando entraste en esa casa de Maryland, el mes pasado, una de las primeras cosas que mencionaste fue Bahrein. Pero más tarde me dijiste que la casa tenía dispositivos de escucha, y que cualquier cosa que dijéramos se escucharía. ¿Por qué lo dijiste entonces?

–Porque quería que el tema quedase aclarado de la forma más rápida y completa que fuese posible.

–Eso quiere decir que otros, gente autorizada a leer las transcripciones, supondrían o sospecharían lo que había ocurrido.

–Sí, y yo deseaba que mi posición fuese clara, para que no hubiese errores. Mis afirmaciones posteriores fueron coherentes.

–El caso queda cerrado –dijo Evan, tomando por la carretera de Virginia.

–Gracias.

–Dicho sea de paso, he hablado de ti a los Hassán... perdón, no les dije todo, por supuesto. Están ansiosos por conocerte.

–Son la pareja de Dubai, ¿verdad?

–Son mucho más que una "pareja". Viejos amigos, de hace mucho tiempo.

–No lo dije en un sentido despectivo. El es profesor, ¿no?

–Con un poco de suerte, tendrá un puesto, ya sea en Georgetown o en Princeton, para la primavera que viene; había un problema de documentos, que pudimos dejar solucionado. De paso, para la sección "este mundo tan pequeño", adora a tu padre. Lo conoció una vez, en El Cairo, de modo que prepárate para recibir grandes respetos.

–Eso pasará pronto –rió Khalehla–. Ya se enterará de que no pertenezco a la pandilla de él o de mi padre.

–Pero puedes usar una computadora, ¿no es así?

–Bien, sí, puedo. Debo hacerlo a menudo.

–*Yo* no puedo. La esposa de Sabri, Kashi, tampoco, y por cierto que *él* no puede, de modo que tal vez se puede decir que tú estás muy lejos de nuestra pandilla.

–La adulación no te sienta, Evan. Acuérdate del pasador de seguridad en la puerta.

Habían llegado a la casa, donde Khalehla fue recibida en forma calurosa por Kashi Hassán; en el acto se formó entre ellas una amistad, como era tradicional entre las mujeres árabes.

–¿Dónde está Sabri? –había preguntado Kendrick–. Quiero que conozca a Khalehla.

–Está en tu estudio, querido Evan. Enseña a un caballero de la Agencia Central de Inteligencia cómo se opera con una computadora en caso de emergencia.

Habían pasado más de tres semanas desde que el eje Khalehla-Langley entró en pleno funcionamiento, y no estaban más cerca de averiguar algo, de lo que estaban desde la casa estéril de Maryland. Veintenas de personas que *habrían* podido tener el más leve acceso posible al legajo de Omán fueron puestas bajo los microscopios de inteligencia de Payton. Se estudió cada paso del procedimiento de máxima clasificación, en busca de fallas de personal; no se halló ninguna. El legajo mismo había sido redactado por Frank Swann, del Departamento de Estado, junto con Lester Crawford, de la Agencia, y la mecánica había incluido una sola procesadora; el tipeo se había realizado en tandas de mil palabras por tipeador, con omisión de todos los nombres propios, que más tarde fueron agregados por Swann y Crawford.

La decisión de pasar a la clasificación máxima se adoptó por *inspección*, un resumen sin detalles, pero con las más elevadas recomendaciones de los secretarios de Estado y Defensa, y de los Jefes Conjuntos, así como por la Agencia Central de Inteligencia. Se hizo todo sin el nombre de Kendrick, ni las identidades o nacionalidades de otras personas, o unidades militares; las informaciones básicas fueron presentadas a las comisiones del Senado y la Cámara, para su aprobación, al término de la crisis, quince meses atrás. Ambas aprobaciones parlamentarias llegaron en el acto; también se dio por entendido que la filtración de prensa del *Washington Post* había procedido de algún representante indiscreto de dichas comisiones.

¿Quién? ¿Cómo? ¿Por qué? Estaban de nuevo en el punto de partida: según todas las reglas de la lógica, y por eliminación, el legajo de Omán se encontraba fuera del alcance de cualquiera, y sin embargo había sido robado.

–Hay algo que *no* es lógico –había dictaminado Payton–. Un agujero en el sistema, y no lo encontramos.

–Es cierto –coincidió Kendrick.

La decisión de Payton respecto de las repentinas designaciones de Evan para la Comisión Partridge y la Subcomisión de Inteligencia había anonadado a Kendrick. Ni el manipulador Partridge ni el Presidente de la Cámara, también manipulador, debían ser abordados en forma directa. ¿Por qué *no*?, había objetado Evan. El era quien estaba siendo *programado*, tenía todo el derecho del mundo a encarar a los que eran cómplices voluntarios.

–No, congresal –había respondido Payton–. Si se los extorsionó para que te designaran, puedes estar seguro que se resistirán y emitirán alarmas. Nuestro rubio europeo y aquél para quien trabaja pasarán a una clandestinidad más profunda. No los detenemos; no podemos encontrarlos, eso es todo. Te recuerdo que lo que nos inquieta es el "por qué". ¿Por qué *tú*, un representante novato, relativamente apolítico, de un oscuro distrito de Colorado, eres empujado hacia el centro del escenario político?

–Eso ya se apagó bastante...

–Se ve que no miras mucha televisión –había dicho Khalehla–. Dos redes de cable hicieron retrospectivas relacionadas contigo.

–*¿Cómo?*

–No te lo dije. No tenía sentido. No habría hecho más que enfurecerte.

Kendrick bajó la ventanilla del Mercedes y sacó el brazo. La unidad móvil del gobierno era nueva, y el recodo para entrar en el camino de adelante se encontraba en mitad de una larga curva arbolada, al lado de otro recodo sin salida. Estaba previniendo a sus guardias, y le pareció que había en ello una pequeña ironía.. Sus pensamientos volvieron al "piojoso enigma", como Khalehla y él habían llegado a llamar todo el esquivo embrollo que le había arruinado la vida. Mitch Payton –ahora eran "Mitch" y "Evan"– había viajado la otra noche desde Langley.

–Estamos trabajando en algo nuevo –había dicho el director de Proyectos Especiales, en el estudio–. Sobre la base de que el europeo de Swann tuvo que ponerse en comunicación con mucha gente para compilar la información que tenía respecto de ti, reunimos algos datos por nuestra cuenta. Es posible que te ofenda, pero también nosotros estamos recorriendo tu vida.

–¿Cuántos años hacia atrás?

–Empezamos de cuando tenías dieciocho... es remota la posibilidad de que algo anterior tenga relación con esto.

–*¿Dieciocho?* Cielos, ¿no hay *nada* sagrado?

–¿Quieres que lo sea? En ese caso, lo abandonaré.

–No, es claro que no. Sólo que lo sacude a uno. ¿Puedes conseguir ese tipo de información?

–No es ni con mucho tan difícil como cree la gente. Las organizaciones de crédito, los legajos de personal y las verificaciones rutinarias de antecedentes lo hacen en forma permanente.

–¿Y para qué servirá?

–Hay varias posibilidades... en términos realistas, dos, supongo. Como dije, la primera es nuestro europeo, tan empecinadamente curioso. Si podemos establecer una lista de las personas a quienes tuvo que ver para averiguar cosas sobre ti, estaremos más cerca de encontrarlo a *él*, y me parece que todos estamos de acuerdo en que él es la pieza maestra... La segunda posibilidad es algo que no hemos intentado. Al tratar de hallar al esquivo hombre rubio, y a quien esté detrás de él, nos hemos concentrado en los hechos de Omán y en el legajo mismo. Hemos limitado nuestros micrófonos a terrenos orientados por el gobierno.

–¿Y dónde habríamos debido buscar, si no? –había preguntado Kendrick.

–En tu vida personal, me temo. Podría haber algo o alguien en tu pasado, tal vez un incidente que galvanizó a amigos, o a enemigos concebibles, que querían impulsarte hacia adelante, o a la inversa, y convertirte en un blanco. Y no te equivoques, congresal, *eres* un blanco en potencia, nadie se engaña en relación con eso.

–Pero MJ –interrumpió Khalehla–. Aunque encontrases personas que lo querían o lo odiaban, tendría que ser gente relacionada con Washington. El señor Jones de Ann Harbor, Michigan, amigo *o* enemigo, no podría ir a los bancos de datos de máxima clasificación, o a los archivos, y decir: "De pasada, aquí hay cierto legajo del cual me agradaría tener una copia, para poder fraguar un falso memorándum para los periódicos." No lo entiendo.

–Tampoco yo, Adrienne... ¿o debo llamarte "Khalehla", para lo cual necesitaré algún tiempo.

–No hay motivos para que me llames Khalehla...

–No interrumpas –dijo Evan, sonriendo–. Khalehla me parece muy bien.

–Sí, bueno, en verdad *no* entiendo –continuó Payton–. Pero como dije, hay un agujero en el sistema, una brecha que hemos pasado por alto, y tenemos que intentarlo todo.

–Y entonces, ¿por qué no encarar a Partridge y al presidente de la Cámara? –insistió Kendrick–. Si pude hacer lo que hice en Mascate, no puede resultar tan difícil obligarlos a hablar.

–Todavía no, joven. El momento no es oportuno, y el presidente de la Cámara está a punto de retirarse.

–Ahora no entiendo *yo*.

–MJ quiere decir que está trabajando con los dos –había explicado Khalehla.

Evan frenó el Mercedes en la larga curva de los bosques de Virginia, y esperó hasta ver a la unidad móvil en su espejo retrovisor; luego viró a la derecha, por el camino del prado que llevaba a su casa. Los guardias lo dejarían pasar. Ahora quería darse prisa; por eso había tomado por el atajo. Khalehla lo había llamado a la oficina para decirle que la lista de Mitchell Payton había llegado por la hoja impresa de la computadora. Su pasado estaba a punto de presentarse ante él.

Milos Varak tomó por el camino de tablas, hacia la enorme playa que se extendía delante del Hotel del Coronado, a cinco kilómetros del puente de San Diego. Había trabajado con tenacidad, durante semanas, para encontrar una grieta por la cual penetrar en el ambiente del Vicepresidente de Estados Unidos. La mayor parte del tiempo la pasó en Washington; no era fácil invadir el Servicio Secreto de la administración. Hasta que encontró a un hombre, un hombre abnegado, de fuerte físico y mente disciplinada, pero con una afición que si era revelada podía destruir sus logros, así como su carrera, y sin duda alguna su vida. Era un bien compensado alcahuete de varios miembros del gobierno, de alta jerarquía. Había sido preparado para su trabajo por los mayores de su "familia", quienes reconocieron sus capacidades potenciales y lo enviaron a las mejores escuelas parroquiales y a una gran universidad... importante pero no rica, porque esa imagen habría resultado incorrecta. Los hombres de más edad querían un joven bien educado, de buen aspecto, destacado, ubicado en un puesto que le permitiese dispensar favores a cambio de otros. ¿Y qué mejores favores existían que los relacionados con la parte de abajo del cinturón de un hombre débil, y qué mejor manera de conseguir la retribución de esos favores, que la del conocimiento de esas debilidades? Los hombres de más edad se sintieron complacidos, y lo estaban desde hacía años. Ese hombre provenía de la Mafia; era la Mafia; servía a la Mafia.

Varak se acercó a la figura solitaria, enfundada en un impermeable, de pie junto a las rocas de una escollera, a unos centenares de metros de la alta e imponente valla de la Estación Aeronaval.

–Gracias por encontrarte conmigo –dijo Milos con afabilidad.

–Cuando hablamos por teléfono me pareció que tenías cierto acento –dijo el hombre de facciones morenas, bien adiestrado, de buenos modales–. ¿Eres un correo cabeza roja? Porque si lo eres, te has encontrado con la golondrina que no corresponde.

–¿Un comunista? Soy lo más distinto de eso que se pueda imaginar. Soy tan norteamericano, que tus *consiglieri* podrían presentarme en el Vaticano.

–Eso es insultante, sin hablar de que es totalmente inexacto... Dijiste varias cosas muy estúpidas... Tan estúpidas, que provocaste mi curiosidad, y por eso estoy aquí.

–Sea por lo que fuere, te agradezco que hayas venido.

–La conclusión me resultó bastante clara –interrumpió el agente del Servicio Secreto–. Me amenazaste, señor.

–Lamento que te hayas ofendido, no fue mi intención amenazarte. Sólo dije que tenía conocimiento de ciertos servicios adicionales que proporcionabas...

–Deja de ser tan cortés...

–No hay motivos para ser descortés –dijo Varak con cortesía–. Sólo quería que entendieras mi posición.

El checo removió los pies en la arena y esperó hasta que el rugido de un jet que pasaba por encima de la Estación Aeronaval disminuyó en el cielo.

–Estás diciendo que *no* hay registros documentados, y el argumento es que no quieres hablar de nada concreto porque piensas que llevo conmigo un dispositivo de grabación. –Varak se desabotonó la chaqueta y la abrió.– Te invito, regístrame. Por mi parte, no me gustaría tener mi voz en la misma cinta en que apareciera la tuya... Por favor, adelante. Por supuesto, sacaré mi arma y la tendré en la mano, pero no te detendré.

El guardián de la Casa Blanca se mostró hosco, vacilante.

–Eres demasiado complaciente –dijo, inmóvil.

–Por otro lado –agregó Milos enseguida–, podemos prescindir de esta incomodidad, si lees algo que he preparado para ti. –El checo soltó su chaqueta, metió la mano en el bolsillo y sacó varias hojas de papel plegadas. Las desdobló y las tendió al agente del Servicio Secreto.

Mientras el hombre leía, sus ojos se entrecerraron y sus labios se abrieron, congelados en el comienzo de una mueca; en pocos segundos, un rostro razonablemente fuerte y atrayente se había vuelto desagradable.

–Eres hombre muerto –dijo en voz baja.

–Eso podría ser un acto de miopia, ¿no te parece? Porque si soy hombre muerto, sin duda también lo eres tú. Los capos caerían sobre ti como una jauría de perros rabiosos, en tanto que los de arriba esperarían las noticias de tu desagradable muerte, mientras beben su buen vino tinto. ¿Registros? ¿Qué *son*? Nombres, fechas, horas, lugares... y en forma coincidente, al lado de cada anotación, los resultados obtenidos con tu mercancía sexual, o más bien de tu extorsión para *convertirlos* en resultados. Facturas corregidas, contratos otorgados, proyectos gubernamentales votados a favor o en contra, según las asignaciones. Yo diría que hay un *buen* legajo. ¿Y adónde conduce todo eso? Déjame adivinar. A la fuente más improbable que se pueda imaginar... Un número telefónico que no figura en el listín, pero que se encuentra en el departamento de un miembro del Servicio Secreto del gobierno.

–Esas chicas están muertas. Los jóvenes han muerto...

–No los culpes. Tenían tan pocas opciones como tú ahora. Créeme, es mejor ayudarme que enfrentarme. No me interesan tus actividades paralelas; proporcionas servicios que, si no fueras tú, algún otro lo haría, con resultados más o menos parecidos. De ti sólo quiero información, y a cambio de eso quemaré cada una de las copias de estas hojas. Por supuesto, sólo cuentas con mi palabra, pero como es probable que vuelva a recurrir a tus conocimientos, sería muy estúpido si las divulgara, y te aseguro que no soy estúpido.

–Es evidente que no –admitió el soldado de la Mafia, con voz apenas audible–. ¿Por qué tirar un arma, cuando todavía puedes usarla?

–Me alegro de que entiendas mi posición.

–¿Qué tipo de información buscas?

–Es inocua, nada que pueda molestarte. Empecemos por la unidad del FBI asignada al Vicepresidente. ¿Ustedes no cumplen con su trabajo? ¿Necesitan una fuerza de tarea especial de la Oficina?

–Eso no tiene nada que ver con nosotros. Estamos aquí para tareas de protección. Ellos investigan.

–Ustedes no pueden proteger si no investigan.

–Son niveles diferentes. Si encontramos algo, se lo comunicamos a la Oficina.

–¿Qué encontraron, que exigiese la llegada de esta unidad?

–Nada –respondió el hombre–. Hace un par de meses se hicieron amenazas contra Víbora, y...

–¿Víbora?

–El Vicepresidente.

–No es un nombre de código muy afectuoso.

–Tampoco tiene un uso general. Sólo en el destacamento.

–Entiendo. Sigue... Esas amenazas. ¿Quién las hacía?

–Para eso está la unidad. Tratan de averiguarlo, porque todavía continúan llegando.

–¿Cómo?

–Llamadas telefónicas, cartas con letras recortadas y pegadas... llegan de distintos lugares, y eso enloquece a los federales, que tienen que rastrearlas.

–¿Sin éxito?

–Todavía no.

–Entonces son una fuerza de tarea *volante*, un día aquí, al siguiente en cualquier otra parte. ¿Los movimientos son coordinados desde Washington?

–Cuando Víbora está allí, por supuesto. Cuando está aquí, es aquí, y cuando viaja, ahí donde él se encuentre. La unidad es controlada por su equipo personal; de lo contrario se pierde mucho tiempo en verificaciones de ida y vuelta con Washington.

–Tú estuviste aquí hace cinco semanas, ¿no?

–Más o menos, sí. Regresamos hace unos diez días; él pasa mucho tiempo aquí. Como gusta de decir, el Presidente cubre el Este y él el Oeste, y la pasa mejor porque se aleja de la Ciudad Loca.

–Esa es una frase tonta, en boca de un Vicepresidente.

–Así es Víbora, pero eso no quiere decir que sea un tonto. No lo es.

–¿Por qué lo llaman Víbora?

–Si quieres saber la verdad, me parece que no lo queremos, ni a la gente con quien tiene relaciones amistosas... en especial aquí. Esos canallas nos tratan como si fuéramos criados portorriqueños. La otra tarde uno de ellos me dijo: "Chico, tráeme otro gin con agua tónica." Le contesté que era mejor que consultase con mis superiores del Servicio Secreto, para ver si yo estaba asignado a él.

–¿No tuviste miedo de que el Vice... de que Víbora se ofendiera?

–Caramba, no se mete con nosotros. Lo mismo que la unidad federal, sólo respondemos ante su jefe de personal.

–¿Quién es él?

–No es él, sino *ella*. Para ella tenemos otro nombre de código; no es tan bueno como Víbora, pero encaja. La llamamos Perra Dragón... oficialmente Patrona Delicada, cosa que a ella le agrada.

–Háblame de ella –dijo Varak, porque las antenas de toda una vida adulta captaban una señal.

–Se llama Ardis Vanvlanderen, y vino a bordo hace un año, como remplazante de un hombre muy capaz, que hacía un muy buen trabajo. Tan bueno, que recibió un magnífico ofrecimiento de uno de los amigos de Víbora. Ella andará por los cuarenta, y es una de esas duras mujeres ejecutivas que dan la impresión de que quieren cortarte las bolas cuando entras a su oficina, nada más que porque eres un varón.

–¿Una mujer nada atrayente, entonces?

–Yo no diría eso. Tiene una cara bastante decente, y un cuerpo agradable, pero sería difícil llegar a entusiasmarse con ella, a no ser que te guste ese tipo.

–¿Está casada?

–Hay un tipo que viene y dice que es el esposo, pero nadie le presta mucha atención.

–¿Qué hace él? ¿De qué se ocupa?

–Está en los círculos de sociedad de Palm Springs. Acciones, valores de Bolsa, siempre que no le impidan jugar al golf; así lo veo yo.

–Ese es dinero importante.

–Es un fuerte contribuyente, y jamás se pierde una superfiesta en la Casa Blanca. Ya conoces el tipo: cabello blanco ondulado, una panza enorme, muchos dientes brillantes y un esmoquin; siempre les sacan fotos cuando están bailando. Si fuese capaz de leerse un libro entero, es probable que lo nombrasen embajador en la corte de St. James... Me corrijo. Con el dinero que tiene, medio libro.

Varak estudió al guardia del Servicio Secreto. Era evidente que el hombre se sentía aliviado porque se le hacían preguntas tan inocuas. Sus respuestas eran más completas de lo necesario, rayanas en la falsa confidencia del chismorreo.

–Me pregunto por qué alguien como él manda a su esposa a trabajar, aunque sea para el Vicepresidente.

–No creo que él pueda decidir algo en ese sentido. A una tipa dura como ella no se le manda adonde no quiere ir. Además, una de las criadas nos dijo que era la esposa número tres o cuatro, de modo que es probable que Vanvlanderen haya aprendido a dejarlas sueltas, para que hagan lo suyo.

–¿Y dices que ella lo hace bien?

–Como dije, muy competente, muy profesional. Víbora no mueve un dedo sin ella.

–¿Cómo es *él*?

–¿Víbora? –De pronto otro jet despegó de la Estación Aeronaval, en medio del ruido atronador de los motores.– Víbora es Víbora –dijo el hombre de la Mafia cuando el ruido se alejó–. Orson Bollinger es un útil hombre de partido, con conocimiento íntimo de todo lo que pasa, y no pasa nada que no resulte útil a los muchachos de la trastienda de California, porque ellos lo arreglan.

–Eres muy astuto.

–Observo.

–Haces mucho más que eso. Sólo que te sugiero que seas más cauteloso en el futuro. Si yo puedo encontrarte, otros también pueden.

–*¿Cómo?* Maldito seas, *¿cómo?*

–Tenacidad. Y esperar, semanas enteras, un error que alguien tenía que cometer. Habría podido ser algún otro de los de tu equipo, por otra cosa –todos somos seres humanos, ninguno de nosotros vive en una congeladora–, pero resultaste ser tú. Estabas cansado, o tal vez bebiste un trago de más, o sencillamente te sentías demasiado seguro. Sea lo que fuere, hiciste una llamada telefónica a Brooklyn, Nueva York, y resultaba evidente que no era la forma en que debías hacerlo; no podía ser desde un teléfono público no identificable.

–*¡Frangie!* –susurró el *capo supremo*.

–Tu primo, Joseph "Dedos" Frangiani, segundo subjefe de la familia Ricci de Brooklyn, herederos de los intereses Genovese. Era lo que necesitaba, *amico*.

–¡Pedazo de extranjero, ruin, hijo de *puta*!

–No malgastes insultos conmigo... Una última pregunta, ¿y por qué no un poco de cortesía?

–*¿Qué?* –exclamó el furioso hombre de la Mafia, enarcadas las cejas negras, mientras la mano derecha iba en forma instintiva hacia la parte trasera de la chaqueta.

–*¡Quieto!* –rugió el checo–. Un centímetro más, y estás muerto.

–¿Dónde está tu *arma*? –dijo con voz ahogada el agente, sin aliento.

–No la necesito –respondió Varak, taladrando con la mirada a su asesino en potencia–. Estoy seguro de que lo sabes.

Con un movimiento lento, el hombre del Servicio Secreto puso la mano derecha delante del cuerpo.

–¡Una pregunta, nada más! –dijo, con el odio reflejado en el rostro–. Tienes una última pregunta.

–Esa Ardis Vanvlanderen. ¿Cómo te explicaron su designación como jefa de personal del Vicepresidente? En fin de cuentas, eres el hombre de seguridad personal de Bollinger, y trabajabas bien con el predecesor de ella.

–Somos la seguridad de él, no ejecutivos de una corporación. No hacían falta explicaciones.

–¿No se dijo nada? Es un puesto poco común para una mujer.

–Se dijo mucho, para que no pasáramos por alto ese aspecto, pero no se dieron explicaciones. Bollinger nos reunió a todos y nos dijo cuánto le complacía anunciar la designación de uno de los ejecutivos más prestigiosos del país, alguien que aceptaba el cargo al precio de un sacrificio personal tan grande, que deberíamos estar agradecidos a los poderes constituidos por el patriotismo de ella. El "ella" fue la primera noticia que tuvimos de que se trataba de una mujer.

–Interesante frase, esa de "los poderes constituidos".

–El habla de esa manera.

–Y no mueve un dedo sin ella.

–No creo que se atreviese a hacerlo. Ella es metal pesado, y mantiene la casa en orden.

–¿En el orden de quién?

–¿Cómo?

–No importa... Nada más por ahora, *amico*. Por favor, ten la bondad de irte tú primero, ¿quieres? Te llamaré, si te necesito.

El mafioso, con la caliente sangre ancestral del Mediterráneo agolpándosele en la cabeza, apuntó con el índice al checo y habló con voz ronca.

–No te metas con mi puta vida, si sabes lo que es bueno para ti.

–Espero mantenerme tan alejado de ti como me sea posible, signor Mezzano.

–¡No me llames alcahuete!

–Te llamaré como quiera, pero en cuanto a lo que es bueno para mí, eso lo decidiré yo. ¡Y ahora, *fila*! *¿Capisce?*

Milos Varak miró a su hostil informante que se alejaba por la arena, en silenciosa furia, hasta que el *mezzano* desapareció en el laberinto de accesos a la playa, rumbo al hotel. El checo dejó vagar los pensamientos... *ella vino a bordo hace un año; él es un fuerte contribuyente; Víbora no mueve un dedo sin ella*. Trece meses atrás había comenzado Inver Brass la búsqueda de un nuevo Vicepresidente de Estados Unidos, ya que el titular era considerado un títere de los contribuyentes invisibles del Presidente... hombres que tenían la intención de dirigir el país.

Eran pasadas las cuatro de la mañana, y Khalehla no paraba. Presionaba a Evan, cambiaba cassettes en el grabador y repetía una y otra vez los nombres, insistiendo en que cada vez que él reconociese algo describiera en detalle *todo* lo que pudiese recordar. La impresión de la computadora de la oficina de Mitchell Payton, en la Oficina Central de Inteligencia, abarcaba ciento veintisiete nombres escogidos, con sus correspondientes ocupaciones, matrimonios, divorcios y fallecimientos. En cada caso, la persona que aparecía en la lista había pasado mucho tiempo con Kendrick, o estuvo presente durante un período de intensa actividad, y era de suponer que había contribuido a sus decisiones académicas o las relacionadas con su carrera.

–¿De dónde demonios *sacó* él a toda esta gente? –preguntó Evan, paseándose por el estudio–. Juro que yo no recuerdo a la mitad de ellos, y la mayor parte de la otra mitad son manchas borrosas, fuera de los viejos amigos que siempre recordaré, y ninguno de ellos podría tener la más remota vinculación con lo que ocurre. Por Dios, tenía tres compañeros de cuarto en la universidad, otros dos en la escuela de graduados, y un sexto compartió un apartamento conmigo en Detroit, cuando yo tenía aquí un trabajo piojoso. Más tarde hubo por lo menos dos docenas de otros con quienes traté, sin éxito, de que me financiaran para ir al Medio Oriente, y algunos de ellos figuran en esa lista... no sé por qué, pero conozco a todos aquellos que viven en los suburbios, con verdes prados y clubes campestres, y universidades que apenas pueden pagarles a sus hijos... No tienen nada que ver con el *ahora*.

–Entonces volvamos de nuevo al Grupo Kendrick...

–No *existe* tal Grupo Kendrick –interrumpió Evan, furioso–. ¡Murieron todos, volaron, se ahogaron en hormigón!... Manny y yo somos los únicos que quedamos, tú lo sabes.

–Lo siento –dijo Khalehla con suavidad, y se sentó en el sofá, a beber el té. La hoja impresa estaba en la mesita del café, delante de ella–. Me refería a las relaciones que tuviste aquí, en Estados Unidos, *mientras* existió el grupo Kendrick.

–Ya hablamos de ellas. No había tantas... casi todas eran del equipo de alta tecnología.

–Vamos a repasarlas otra vez.

–Es una pérdida de tiempo, pero adelante.

–"Electrónica Sonar, Palo Alto, California" –leyó Khalehla, con la mano en la hoja–. El representante era un hombre llamado Carew...

–"Carew el Idiota" –dijo Kendrick con una risita ahogada–. Ese era el comentario de Manny. Compramos algunos dispositivos de escucha que no funcionaron, y todavía querían que los pagáramos después que los devolvimos.

–"Gráfica Drucker, Boston", el representante es un G. R. Shulman. ¿Hay algo?

–Gerry Shulman, buena persona, buen servicio; trabajamos con ellos durante años, nunca un problema.

–"Morseland Oil, Tulsa". El representante era alguien llamado Arnold Stanhope.

–Ya te hablé de él... de ellos.

–Háblame de nuevo.

–Hicimos unos cateos preliminares para ellos en los Emiratos. Insistían en exigir más de lo que estaban dispuestos a pagar, y como estábamos en crecimiento, pudimos darnos el lujo de dejarlos.

–¿Hubo asperezas?

–Es claro, siempre las hay cuando los tramposos descubren que no pueden hacer las cosas que están habituados a hacer. Pero no hubo nada que el silencio no pudiera curar. Además se encontraron con otros payasos, un grupo griego que entendió cómo era eso y entregó un estudio que parecía haber sido hecho en el lecho del Golfo de Omán.

–Filibusteros, cada uno de ustedes –dijo Khalehla, sonriendo y posando la mano sobre la hoja impresa–. "Inversiones Off Shore, Limited, con sede en Nassau, Bahamas; el contacto: Ardis Montreaux, ciudad de Nueva York." Les derivaron una cantidad de capitales...

–Que jamás tocamos, porque era una farsa –interrumpió Evan con sequedad–. Será mejor que ahí lo diga.

–Lo dice: "Saltéalo."

–¿Qué?

–Lo escribí yo. Fue lo que dijiste antes: "Saltéalo." ¿Qué es Inversiones Off Shore, Limited?

–*Era* –corrigió Kendrick–. Era una operación de alto rango, en escala internacional, puro enchapado... alto rango, internacional, pero igualmente enchapado. Se organiza una compañía con grandes cuentas suizas y puro aire, y después se la vende, y se transfieren los haberes, y los compradores se quedan con un globo lleno de helio.

–¿*Tú* te mezclaste con una cosa así?

–No sabía que era una cosa así. Era mucho más joven, y me impresionó tremendamente que quisieran incluirnos como parte de su estructura... pero más me impresionó el dinero que depositaron a nuestro nombre en Zurich. Es decir, quedé impresionado hasta que Manny dijo: "Probemos a retirar algo, sólo para ver." Sabía con exactitud lo que estaba haciendo; no pudimos retirar ni dos francos. Las firmas de Off Shore controlaban todos los retiros, todas las asignaciones.

–Una organización fraguada, y ustedes eran los testaferros.

–En efecto.

–¿Cómo te dejaste envolver en eso?

–Estábamos en Riyadh, y Montreaux fue en avión y me engatusó. No sabía que existieran atajos... de esa clase.

–Ardis Montreaux. Ardis... Un nombre extraño para un hombre.

–Porque no es un hombre... ella no es un hombre. Es mucho más recia.

–¿Una mujer?

–Puedes creérmelo.

–Con tu escepticismo innato, debe de haber sido muy persuasiva.

–Sabía manejar las palabras. Y también quiso cortarnos la cabeza cuando nos retiramos; afirmó que les estábamos costando millones. Weingrass le preguntó de quién eran los millones esa vez.

–Tal vez deberíamos...

–Saltéalo –interrumpió Evan con firmeza–. Se casó con un banquero inglés y vive en Londres. Se ha borrado.

–¿Cómo lo sabes?

Con una expresión de leve turbación, Kendrick respondió enseguida, y en voz baja:

–Me llamó un par de veces... en verdad, para disculparse. Saltéalo.

–Por supuesto. –Khalehla pasó a la siguiente firma de la hoja impresa. Mientras hablaba, escribió, después de Inversiones Off Shore, Limited. *Verificar.*

Ardis Montreaux Frazier-Pyke Vanvlanderen, de soltera Ardisolda Wojak, nacida en Pittsburg, Pennsylvania, entró en el vestíbulo de mármol del Hotel Westlake, en San Diego. Dejó caer su estola de armiño en el respaldo de una butaca de terciopelo y levantó la voz; su habla era un culto inglés del Atlántico medio, más bien un británico nasal, de teatro, que un norteamericano de dinero de antes, pero todavía aquejado de los ásperos tonos del eslavo de Monongahela, en el registro más alto.

–¡*Andy*, querido, he llegado! ¡Tenemos menos de una hora para llegar a La Jolla, de modo que *muévete*, encanto!

Andrew Vanvlanderen, fornido, de cabello blanco ondulado y vestido de esmoquin, salió del dormitorio, con un vaso de bebida en la mano.

–Ya te llevo una delantera, amor.

–Estaré lista en diez minutos –dijo Ardis, mirándose en un espejo del vestíbulo y arreglándose los rizos del cabello castaño perfectamente peinado. Estaba cerca de los cincuenta; era de estatura mediana, pero daba la impresión de ser más joven y más alta gracias a su postura erecta; su cuerpo era esbelto, coronado por pechos generosos y facciones bien coordinadas, destacadas por grandes ojos verdes, penetrantes–. ¿Por qué no pides el coche, encanto?

–El coche puede esperar. También La Jolla. Tenemos que hablar.

–¿Sí? –La jefa de personal del Vicepresidente miró a su esposo.– Estás muy serio. .

–Lo estoy. Recibí una llamada de tu antiguo amiguito.

–¿Cuál, querido?

–El único que cuenta.

–Dios mío, ¿llamó *aquí*?

–Le dije que...

–¡Eso fue una tontería, Andy, querido, una verdadera *tontería*! –Ardis Vanvlanderen salió con paso rápido, furiosa, del vestíbulo, y bajó a la sala en desnivel. Se sentó en una butaca de seda roja y cruzó las piernas con movimiento brusco, los grandes ojos clavados en su esposo.– ¡Puedes correr riesgos con el dinero... con mercancías, o tus estúpidos caballos, o con lo que se te ocurra, pero *no* en lo que se refiere a mí! ¿Queda entendido, querido?

–Escucha, perra, Perra *Dragón*, con todo lo que he pagado, si quiero información de primera mano la tendré. ¿Queda entendido *eso*?

–Está bien, está bien. Tranquilízate, Andy.

–¿Empiezas una historia y después me dices *a mí* que me tranquilice?

–Lo siento. –Ardis arqueó el cuello hacia atrás, en el sillón, y respiró en forma audible, con la boca abierta, los ojos cerrados por un instante. Segundos más tarde los abrió, bajó la cabeza y continuó.– De veras, lo siento. Ha sido un día especialmente terrible con Orson.

–¿Qué hizo ahora la Víbora? –preguntó Vanvlanderen, mientras bebía.

–Ten cuidado con esos nombres –dijo su esposa, con una carcajada suave–. No querríamos que nuestros gorilas cien por ciento norteamericanos se enteren de que nos burlamos de ellos.

–¿Cuál es el problema de Bollinger?

–Se siente inseguro de nuevo. Quiere una garantía escrita, inviolable, de que en julio próximo será candidato, o de lo contrario debemos depositar diez millones a su nombre, en una cuenta suiza.

Vanvlanderen tosió un trago de whisky en el vaso.

–¿Diez *millones*? –exclamó–. ¿Qué carajo se cree que es ese payaso?

–El Vicepresidente de Estados Unidos, con muy pocos secretos dentro del cráneo –respondió Ardis–. Le dije que no aceptaríamos a ningún otro, pero no fue suficiente. Creo que intuye que Jennings no lo considera un campeón mundial, y que quiere abandonarlo.

–¡Nuestro amado mago irresistible, Langford Jennings, no tiene nada que decir en este asunto!... ¿Tiene razón Orson? ¿Jennings lo *rechaza*?

–"Lo rechaza" es demasiado fuerte. Sólo prescinde de él, eso es lo que le oí decir a Dennison.

–*Ese* es uno que tiene que irse. Uno de estos días Herb se va a mostrar más curioso de lo que queremos que lo sea...

–Olvídate de él –interrumpió la señora Vanvlanderen–. Olvídate de Dennison, y de Bollinger, y hasta de tus estúpidos caballos. ¿Qué dijo mi viejo amigo vagabundo, cazador de gatos, que fuese tan importante como para que hicieras que llamase aquí?

–Cálmate. Telefoneó desde la oficina de mi abogado en Washington; compartimos la misma firma allí, ¿recuerdas? Pero ante todo, *no* olvidemos a Orson. Dale su garantía. Una o dos frases sencillas, y yo firmaré. Eso lo hará feliz, y feliz es mejor.

–¿Estás *loco*? –exclamó Ardis, adelantándose en el asiento.

–En modo alguno. Por empezar, él *estará* en la fórmula, o desaparecerá... como sucede casi siempre con los ex Vicepresidentes.

–Oh, caramba –dijo Ardis, estirando el "caramba" con admiración–. Eres mi tipo, Andy, querido. Piensas con tanta claridad, en forma tan definida...

–Largos años de aprendizaje, encanto.

–Bueno, ¿qué dijo ese viejo Hoyuelos trastornado? ¿Quién quiere arrancarle ahora la sensible piel?

–No la de él, la *nuestra*...

–Que es la de él, y no lo olvides. Por eso estoy aquí, mi amor, porque él nos presentó y nos reunió.

–Quiere que sepamos que el grupito de superhombres alucinados avanza a todo vapor. En los próximos tres meses, su congresal comenzará a ser el centro de editoriales en periódicos cada vez más fuertes. El tema será "el examen de sus posiciones", y aprobará todos los exámenes. Por supuesto, se trata de crear un mar de fondo. Nuestro Cupido está preocupado, muy preocupado. Y para decirte la verdad, yo también estoy sudando la gota. Esos benévolos lunáticos saben lo que hacen; todo esto podría resultar inmanejable. Ardis, tenemos *millones* en juego para los cinco años próximos. ¡Estoy preocupado *de verdad*!

–Por nada –dijo su esposa perfectamente peinada, poniéndose de pie. Permaneció inmóvil un rato, mirando a Vanvlanderen; sus grandes ojos verdes sólo parecían divertidos en parte–. Puesto que calculas que te ahorrarás diez millones con Bollinger, de una u otra manera –y *mi* manera es mejor, por cierto que más segura que cualquier otra alternativa–, creo que es razonable que deposites una suma igual para mí.

–No sé, pero no veo la razón indiscutible.

–Podría ser por tu amor imperecedero hacia mí... o tal vez por una de las más extraordinarias coincidencias de mi carrera, de flotar entre los ricos, los bellos, los poderosos y los políticamente ambiciosos, en especial en el terreno de la generosidad gubernamental.

–¿Cómo es eso?

–No recitaré la letanía de por qué hacemos lo que hacemos, o de por qué puso mis nada escasos talentos a tu servicio, pero ahora te haré partícipe de un secretito que me he reservado, ay, todas estas semanas.

–Estoy fascinado –dijo Vanvlanderen, dejando la bebida en una mesita de mármol y observando con atención a su cuarta esposa–. ¿De qué se trata?

–Conozco a Evan Kendrick.

–*¿Qué?*

–Nuestra breve relación se remonta a una cantidad de años, más de los que quiero contar, con franqueza, pero durante unas semanas tuvimos algo en común.

–Fuera de lo evidente, ¿qué?

–Oh, la parte de sexo fue agradable, pero poco importante... para ninguno de los dos. Eramos jóvenes, teníamos prisa y no nos quedaba tiempo para el afecto. ¿Recuerdas Inversiones Off Shore?

–¡Si él formaba parte de eso, podemos acusarlo de fraude! Por cierto que será suficiente para eliminarlo, si se trepa a bordo. *¿Estaba* en eso?

–Estaba, pero no puedes hacer nada. Se fue, con ruidosa indignación moral, y eso fue el comienzo del derrumbe del castillo de naipes. Y yo que tú, no me mostraría tan ansioso por acusar a los directores de Off Shore, salvo que estés cansado de mí, dulzura.

–*¿Tú?*

–Yo era la principal misionera. Recluté a los componentes.

–*Maldición.* –Vanvlanderen rió mientras tomaba el vaso y lo levantaba en un brindis a su esposa.– Por cierto que esos ladrones sabían a quien tomar para las tareas adecuadas... *Espera* un momento. ¿Conociste a Kendrick lo suficiente para acostarte con el hijo de puta, y nunca *dijiste* nada?

–Tenía mis razones...

–¡Es mejor que sean muy *buenas*! –estalló el fuerte contribuyente del Presidente–. ¡Porque si no lo son, es posible que te rompa el culo, *perra*! ¡Supongamos que te vio, te *reconoció*, se acordó de Off Shore y sumó dos más dos y le dio *cuatro*! ¡Yo no *acepto* esa clase de riesgos!

–Ahora me toca a mí el turno de decir "tranquilízate, Andy" –replicó la esposa del contribuyente–. La gente que rodea a un Vicepresidente no es noticia, ni se la tiene en cuenta como tal. ¿Cuándo fue la última vez que pudiste recordar el nombre de algún integrante del personal de un Vicepresidente? Son un grupo gris, amorfo... los *Presidentes* no permiten que sea de otro modo. Además, no creo que mi nombre haya figurado nunca en los periódicos, salvo como "el señor y la *señora* Vanvlanderen, invitados en la Casa Blanca". Kendrick sigue pensando que soy Frazier-Pyke, la esposa de un banquero, que vive en Londres, y si recuerdas, aunque nos invitaron a los dos para la ceremonia de la Medalla de la Libertad, fuiste tú sólo. Yo me borré.

–¡Esas no son razones! ¿Por qué no me lo *dijiste*?

–Porque sabía cuál sería tu reacción... sáquenla de la foto... cuando *yo* me di cuenta de que podía serte más útil en ella.

–¿Cómo, por amor de Dios?

–*Porque* lo conocía. Y también sabía que debía ponerme al día con él, pero no por medio de alguna firma privada de investigadores, que podía terminar quemándonos más tarde, de modo que tomé por la gran carretera oficial. La Oficina Federal de Investigaciones.

–¿Las amenazas contra Bollinger?

–Se detendrán mañana. Aparte de un hombre que seguirá aquí por motivos especiales, la unidad será llamada de vuelta a Washington. Esas amenazas fingidas eran las fantasías paranoicas de un lunático inofensivo, que yo inventé, y que supuestamente huyó del país. ¿Sabes, querido?, averigüé lo que quería saber.

–¿Qué es?

–Hay un viejo judío israelí, llamado Weingrass, a quien Kendrick idolatra. Es el padre que Evan nunca tuvo, y cuando existía el Grupo Kendrick lo llamaban "el arma secreta" de la compañía.

–*¿Municiones?*

–En modo alguno, querido –rió Ardis Vanvlanderen–. Era arquitecto, y muy bueno, e hizo trabajos bastante espectaculares para los árabes.

–¿Y qué hay con él?

–Se supone que está en París, pero no es así. Vive en la casa de Kendrick, en Colorado, sin anotación alguna en el pasaporte, ni autorización oficial de inmigración.

–¿Y con eso?

–El congresal, que pronto será ungido, trajo al anciano de vuelta, para una operación que le salvó la vida.

–*¿Y?*

–Emmanuel Weingrass tendrá una recaída que lo matará. Kendrick no se apartará de su lado, y cuando termine será demasiado tarde. *Quiero* los diez millones, Andy, querido.

27

Varak estudió a los miembros de Inver Brass, cada uno de los rostros que rodeaban la mesa reflejado a la luz de la lámpara de bronce que tenía delante. La concentración del checo estaba forzada al máximo, porque debía hacerlo en dos planos.

El primero era el de la información que comunicaba; el segundo, la reacción inmediata de cada uno a ciertos datos de esa información. Tenía que encontrar un par de ojos sospechosos, y no los hallaba. Es decir, no había momentáneos chispazos de asombro o de miedo en las caras de los miembros mientras, en forma lógica, gradual, se iba acercando al tema del actual Vicepresidente de Estados Unidos y su personal, tocando muy de pasada los "inocuos" detalles que había conocido por un hombre de la Mafia infiltrado en el Servicio Secreto. De manera que mientras hablaba con convicción, y transmitía aproximadamente el 80 por ciento de la verdad, continuaba vigilando los ojos, y el segundo nivel de su mente recordaba los datos más destacados de la vida que había detrás de cada cara reflejada en la luz.

Mientras contemplaba a cada uno de ellos a los ojos, las facciones acentuadas por el resplandor de las lámparas, sentía, como siempre, que se encontraba en presencia de gigantes. Pero uno de ellos no lo era; uno había revelado la existencia de Emmanuel Weingrass en Mesa Verde, Colorado, secreto desconocido para los departamentos más clandestinos de Washington. Uno de esos rostros sombreados que tenía era el de un traidor a Inver Brass. ¿Quién?

¿Samuel Winters? Fortuna antigua, de una dinastía norteamericana que se remontaba a los barones de los ferrocarriles y el petróleo, de finales del siglo XIX. Un erudito respetado, satisfecho con su vida privilegiada, asesor de presidentes del partido que fuere. Un gran hombre en paz consigo mismo. ¿O no?

¿Jacob Mandel? Un venerado genio financiero, quien había diseñado y aplicado reformas que revitalizaron la Comisión de Valores y Cambio, hasta convertirla en un elemento viable y más honorable para Wall Street. De la pobreza yiddish del East Side inferior a los salones de los príncipes del comercio, y se decía que ningún hombre decente que lo conociera podía considerarlo su enemigo. Lo mismo que Winters, lucía bien sus honores, y eran pocos los que no había logrado. ¿O existían otros que se esforzaba por conseguir, en secreto?

¿Margaret Lowell? Una vez más, dinero aristocrático, antiguo, de la órbita Nueva York-Palm Beach, pero con una variante virtualmente insólita en esos círculos. Era una brillante abogada, que desechaba las compensaciones del derecho corporativo y sucesorio en aras de la práctica de la abogacía. Trabajaba con denuedo en las viñas legales, a favor de los oprimidos, los desposeídos y los carentes de derechos. Teórica y práctica a la vez, se rumoreaba que sería la próxima mujer que se incorporase a la Corte Suprema. ¿O la abogacía era una tapadera suprema para la defensa de otras causas, *bajo* cobertura?

¿Eric Sundstrom? El científico brillante de la tecnología de la tierra y el espacio, poseedor de más de veinte patentes enormemente lucrativas, la mayor parte de cuyos ingresos era entregada a instituciones de ingeniería y medicina, para contribuir al avance de esas ciencias. Poseía un intelecto descollante, disimulado por una cara de querubín, de revuelto cabello rojo, una sonrisa pícara y un rápido sentido del humor... como si le avergonzaran sus dotes... Y aun se mostraba siempre dispuesto a fingir una leve ofensa, cuando se las señalaban. ¿O todo era una máscara, y la inocencia un disfraz?

¿Gideon Logan? Tal vez el más complejo del quinteto, y como era un negro, tal vez –una vez más– comprensible. Había amasado varias fortunas en bienes raíces, sin olvidar nunca su procedencia, y en sus urbanizaciones contrataba y apoyaba a firmas negras. Se decía que, con discreción, hacía más por los derechos civiles que ninguna otra institución del país. La administración de esos momentos, al igual que su predecesora, le había ofrecido una variedad de puestos en el gabinete, todos los cuales rechazó, en la creencia de que podía hacer más como una respetada fuerza independiente del sector privado, que si se lo identificaba con un partido político y sus prácticas. Trabajador infatigable, en apariencia sólo se permitía un lujo: una opulenta propiedad frente al océano, en las Bahamas, donde pasaba uno que otro fin de semana pescando en su Bertram de cuarenta y seis pies, con su esposa; estaba casado con ella desde hacía doce años. ¿O la leyenda que era Gideon Logan se encontraba incompleta? La respuesta era afirmativa. Varios años de su vida meteórica, de torbellino, eran lisa y llanamente desconocidos, como si no hubiesen existido.

–¿Milos? –preguntó Margaret Lowell, con el codo apoyado en la mesa, la cabeza en los dedos extendidos de la mano–. Por amor de Dios, ¿cómo hizo la administración para mantener en silencio las amenazas contra Bollinger? En particular con una unidad de la Oficina asignada a él con exclusividad.

¿Tachar a Margaret Lowell? Estaba abriendo la evidente lata de gusanos hallada por el jefe de personal del Vicepresidente.

–Tengo que suponer que fue con la dirección de la señora Vanvlanderen, debido a sus conocimientos ejecutivos, por decirlo así. *Observar los ojos de ellos. Los músculos de la cara... las mandíbulas... Nada. ¡No revelan nada! ¡Y sin embargo, uno de ellos sabe! ¿Quién?*

–Me doy cuenta de que es la esposa de Andrew Vanvlanderen –dijo Gideon Logan–, y que "Andy querido", como se lo llama, es un demonio en lo que se refiere a reunir fondos, pero por empezar, ¿por qué fue designada ella?

¿Tachar a Gideon Logan? Estaba removiendo los gusanos.

–Tal vez yo pueda contestar eso –respondió Jacob Mandel–. Antes de casarse con Vanvlanderen, era el sueño de un cazador de cabezas. Sacó de la bancarrota a dos compañías que conozco, y las convirtió en una fusión rentable. Tengo entendido que es desagradablemente agresiva, pero no es posible negar su talento administrativo. Sería buena para ese puesto, si mantuviese a raya a los sicofantes políticos.

¿Tachar a Jacob Mandel? No tenía escrúpulos en elogiarla.

–Una vez me topé con ella –dijo Eric Sundstrom, enfático–, y para decirlo con claridad, era una *perra*. Transferí una patente a la Escuela de Medicina de Johns Hopkins, y ella quiso hacer el corretaje del asunto.

–¿Qué había que corretear ahí? –preguntó el abogado Lowell.

–Nada en absoluto –respondió Sundstrom–. Trató de convencerme de que becas tan grandes necesitaban de alguien que las vigilara, para tener la seguridad de que el dinero iba adonde tenía que ir, y no para comprar calzoncillos anatómicos nuevos.

–Es probable que tuviera algo de razón –dijo el abogado, asintiendo, como por experiencia.

–Para mí, no. No con la *forma* en que habló, y siendo el decano de la Escuela de Medicina un buen amigo mío. Lo habría puesto tan a menudo contra la pared, que él habría devuelto la patente. Es una perra, una perra hecha y derecha.

Borrar a Eric Sundstrom? No tenía escrúpulo alguno en condenarla.

–Yo nunca me encontré con ella –interpuso Samuel Winters–, pero estaba casada con Emory Frazier-Pyke, un banquero muy ducho, de Londres. Recuerdas a Emory, ¿no es cierto, Jacob?

–Por supuesto. Jugaba al polo, y tú me presentaste como miembro de una rama comanditaria de los Rothschild... cosa que, por desgracia, me parece que él tomó en serio.

–Alguien me dijo –continuó Winters–, que el pobre Frazier-Pyke perdió una considerable cantidad de dinero en una empresa a la cual ella estaba asociada, pero que salió ganando una esposa. Se trataba de la gente de Inversiones Off Shore.

–Muy ducho, ¿eh? –agregó Mandel–. *Goniffs*, todos ellos. Habría debido consultar a sus caballos de polo, o aun al Rothschild comanditario.

–Quizá lo hizo. Ella no duró mucho tiempo, y el viejo Emory era amigo de lo recto y limpio. Y la mujer habría podido ser una ladrona.

¿Tachar a Samuel Winters? El traidor de Inver Brass no habría formulado esa suposición.

–De una u otra manera –comentó Varak sin énfasis–, por lo menos todos ustedes saben de ella.

–*Yo* no –dijo Margaret Lowell, casi a la defensiva–, pero después de oír a los demás, puedo decirles quién más la conoce... "saber de" es un poco demasiado insípido. Mi ex esposo, el gato callejero; fue por lo de Frazier-Pyke.

–*¿Walter?* –La voz y la expresión de Sundstrom eran humorísticamente interrogantes.

–Mi muchachito hacía tantos viajes de negocios a Londres, que pensé que estaba asesorando a la Corona, y a menudo mencionaba que ese Frazier-Pyke era su banquero allá. Y entonces, una mañana, la criada me telefoneó a la oficina y me dijo que Casanova tenía una urgente llamada de cierto "FP", de Londres, pero que no sabía dónde estaba él. Me dio el número, y yo llamé y le dije a alguien, supuse que era una secretaria, que el señor Lowell estaba en la línea, y quería hablar con "FP". A continuación me saludó una voz exuberante, que virtualmente me gritó: "¡*Querido*, mañana estaré en Nueva York y podremos tener cinco *días* juntos!" Contesté: "¡Qué bien!", y colgué.

–Viaja por los ambientes que le convienen para sus fines –dijo Gideon Logan–. Andy querido Vanvlanderen la tendrá rodeada de dinero y marta cebellina hasta que se aburra.

¡Varak debía cambiar el tema enseguida! Si tenía razón en cuanto a la existencia de un traidor allí, sentado a la mesa, y la *tenía*... lo que se dijese sobre Ardis Vanvlanderen llegaría a oídos de ésta, y él no podía permitir que siguieran más allá.

–Según las reacciones de todos –dijo con tono afable, despreocupado–, podemos dar por sentado que existen algunos oportunistas que son inmensamente capaces. Pero eso no tiene importancia. –*Observarlos. Cada una de las caras.*– Sirve bien al Vicepresidente, pero en lo esencial eso no nos interesa. Para volver a nuestro candidato, todo marcha según se ha programado. Los periódicos del Medio Oeste, comenzando por Chicago, serán los primeros en preguntarse sobre las credenciales de él, tanto en columnas como en editoriales. Se les ha proporcionado abundantes materiales con antecedentes de Kendrick, así como cintas de la Comisión Partridge, del programa Foxley y de la notable conferencia de prensa de él. A partir de ese núcleo, todo eso se difundirá hacia el Este y el Oeste.

–¿Cómo se los abordó, Milos? –preguntó el vocero, Samuel Winters–. A los columnistas y los periódicos, quiero decir.

–Por medio de una legítima comisión ad hoc que formamos en Denver. Cuando se la plantó, la simiente creció con rapidez. La filial de Colorado del partido se mostró muy entusiasta, en especial porque el dinero procedía de donantes que insistieron en conservar su anonimato. Los funcionarios del Estado han advertido la existencia de un candidato potencialmente viable, y los medios para lanzarlo, así como la atención que ello concentra en Colorado. Gane o pierda, *ellos* no pueden perder.

–Los "medios" podrían ser un problema legal –dijo Margaret Lowell.

–Nada importante, señora. Se entrega por partes, ninguna suma supera el límite legal impuesto por las leyes electorales... que en mi opinión son bastante oscuras, si no desconcertantes.

–Si necesito un abogado, te llamaré, Milos –agregó Lowell, sonriendo y acomodándose en el asiento.

–He proporcionado a cada uno una copia de los nombres de los periódicos, los editorialistas y los columnistas que participan en esta fase...

–Para ser quemadas en nuestra estufa de carbón –interrumpió Winters con suavidad.

"Por supuesto". "Es claro". "En efecto", dijo el coro de respuestas tranquilas.

¿Quién era el embustero?

–Dime, Varak –dijo el brillante Sundstrom, el querubín–. Por lo que sabemos, por todo lo que nos diste, nuestro candidato no ha exhibido ni una pizca de ese "fuego en el vientre" del cual tanto oímos hablar. ¿No se trata, en definitiva, de que tiene que *querer* el cargo?

–Lo querrá, señor. Por lo que hemos sabido, es lo que se podría llamar un activista recoleto, que sale del camarín cuando la situación exige que ponga a prueba su capacidad.

–Por Dios, Samuel, ¿además es un rabino?

–En modo alguno, señor Mandel –respondió el checo, y se permitió una tensa sonrisa–. Lo que quise decir, sin duda alguna con torpeza...

–Las palabras fueron encantadoras, Milos.

–Gracias, señor, muy amable. Pero lo que intento decir es que en dos ocasiones dramáticas de su vida, una de ellas peligrosísima para él en persona, eligió seguir las vías de acción más difíciles, porque le pareció que podía lograr con ello un cambio positivo. La primera fue su decisión de remplazar a un parlamentario corrupto; la segunda, por supuesto, fue lo de Omán. En pocas palabras, es preciso volver a convencerlo de que su persona y su capacidad son necesarias... singularmente necesarias para bien del país.

–No es una tarea fácil –dijo Gideon Logan–. Es evidente que se trata de un hombre que valora en forma muy realista sus aptitudes. Su conclusión podría ser... "No estoy capacitado." ¿Cómo superaríamos eso?

Varak recorrió la mesa con la mirada; su expresión era la de un hombre que trata de ser entendido.

–Sugiero que se haga en forma simbólica.

–¿Cómo es eso? –preguntó Mandel, quitándose las gafas de montura de acero.

–Por ejemplo, el actual Secretario de Estado, aunque criticado a menudo por sus colegas y por el personal de la Casa Blanca, porque se dice que es un académico testarudo, es la voz más razonable da la administración. Sé, en forma privada, que ha logrado frenar una cantidad de acciones precipitadas, recomendadas por los asesores del Presidente, porque éste lo respeta...

–Y es claro que *tiene* que respetarlo –exclamó Margaret Lowell.

–Yo creo que la alianza europea se desmoronaría sin él –comentó Winters.

–La alianza no *existiría* sin él –coincidió Mandel, con la ira reflejada en su rostro habitualmente pasivo–. Es un faro de racionalidad en un mar de bestiales hombres de Neanderthal.

–Si me permite, señor... ¿Su empleo de la palabra "faro" puede entenderse como un símbolo?

–Es lógico –respondió Gideon Logan–. Nuestro Secretario de Estado es, en todo sentido, un símbolo de moderación inteligente. La nación también lo respeta.

–Tiene la intención de renunciar –dijo Varak con sencillez.

–*¿Cómo?* –Sundstrom inclinó el cuerpo hacia adelante.– Su fidelidad hacia Jennings no se lo permitiría.

–Su sentido de la integridad no le permitiría quedarse –dijo Winters con tono terminante.

–Pero por fidelidad –explicó Varak–, ha aceptado concurrir a la conferencia de la OTAN, sobre el Medio Oriente, en la misión de la ONU en Chipre, dentro de tres semanas. Eso es, al mismo tiempo, una muestra de unidad y una manera de darles tiempo a los hombres del Presidente a fin de que encuentren un remplazante que resulte aceptable para el Congreso. Después se irá por "urgentes razones personales", la primera de las cuales es su frustración con respecto al Consejo Nacional de Seguridad, que continúa atacándolo.

–¿Le explicó eso al Presidente? –preguntó Lowell.

–Según mi fuente, no lo hizo –contestó Varak–. Como señaló el señor Mandel, es un hombre racional. Considera que será mejor y más fácil para el país remplazar a una persona, que a todo un consejo de asesores presidenciales.

–Trágico –dijo Winters–, pero inevitable, me imagino. ¿Pero qué relación tiene el Secretario de Estado con Evan Kendrick? No la veo.

–Está en el símbolo mismo –dijo Eric Sundstrom–. El tiene que entender su importancia. ¿Estoy en lo cierto, Milos?

–Sí, señor. Si Kendrick se convence de que es vital para su país tener un Vicepresidente fuerte, a quien tanto nuestros aliados como nuestros enemigos perciban como la voz de la razón en una presidencia imperial, en la cual es frecuente que el benévolo emperador esté desnudo, y de que el mundo respirará con más alivio gracias a ello, entonces, en mi opinión, volverá a hacer la difícil elección, y estará disponible.

–Por todo lo que hemos escuchado, supongo que será así –convino Gideon Logan–. ¿Pero quién demonios lo *convencerá* de eso?

–Al único hombre a quien querrá escuchar –dijo Milos Varak, preguntándose si estaba a punto de firmar una sentencia de muerte–. Emmanuel Weingrass.

Ann Mulcahy O'Reilly era una secretaria de Washington que no se alteraba con facilidad. A lo largo de los años, desde que ella y Paddy se habían trasladado desde Boston, había trabajado para los inteligentes y los torpes, los buenos en potencia y los ladrones en potencia; ya nada le asombraba demasiado. Pero, por otra parte, nunca había trabajado para nadie como el congresal Evan Kendrick. Este era el permanente residente a desgana en Washington, su político más persistentemente hostil y un héroe que se resistía con perversidad a serlo. Tenía más maneras de eludir lo ineludible que un gato con nueve vidas, y sabía desaparecer con la agilidad del Hombre Invisible. Pero a despecho de su tendencia a desaparecer, el parlamentario siempre dejaba abiertas líneas de comunicación; o bien llamaba con cierta regularidad, o dejaba un número en el cual se lo podía encontrar. Pero en los dos últimos días no se habían tenido noticias de Kendrick, ni un número donde fuera posible hallarlo. En sí mismos, estos dos hechos no habrían alarmado normalmente a la señora O'Reilly, pero otros dos sí lo lograron: a lo largo del día –desde las nueve y veinte de esa mañana–, no fue posible comunicarse con la casa de Virginia ni con la de Colorado, por teléfono. En ambos casos, las operadoras de Virginia y Colorado informaron sobre interrupciones del servicio, y la situación continuaba siendo la misma, ya cerca de las siete de la tarde. *Eso* inquietó a Annie O'Reilly. De manera que, como era lógico, levantó el auricular y discó el número de su esposo, en la central de policía.

–O'Reilly –dijo la voz hosca–. Cuerpo de detectives.

–Paddy, soy yo.

–Hola, tigresa. ¿Habrá guisado de carne?

–Todavía estoy en la oficina.

–Bueno. Tengo que hablar con Evan. Manny me llamó hace un par de días, por no sé qué historia de licencia de coches...

–De eso se trata –interrumpió la señora O'Reilly–. Yo también quiero hablar con él, pero no lo consigo. –Annie habló a su esposo sobre la extraordinaria coincidencia de que los teléfonos del parlamentario, en Virginia y Colorado, estuviesen descompuestos al mismo tiempo, y de que él no le había hablado en los últimos dos días, ni dejado un número al cual pudiera llamarlo–. Y eso no es propio de él, Paddy.

–Llama a Seguridad Parlamentaria –dijo el pesquisante con firmeza.

–Un cuerno, lo llamaré. Si le susurras el nombre del muchacho a Seguridad, echan a repicar las campanas, y ya sabes lo que él opina sobre esas campanas. Me cortaría la cabeza, si hay una explicación medianamente decente.

–¿Qué quieres que haga *yo*?

–¿No puedes ir a echar una mirada discreta a Fairfax, querido?

–Por supuesto, llamaré a Kearns, en Arlington, y le diré que envíe una radiopatrulla. ¿Cuál es la dirección?

–No, Paddy –replicó la señora O'Reilly enseguida–. Ya puedo oír las campanas. Así es la policía.

–¿A qué crees que me dedico para vivir? ¿Al ballet?

–No quiero que intervenga la policía, con sus informes y todo lo demás. La Agencia tiene guardias allí, y podrían hacerme polvo. Me refería a *ti*, encanto. Eres un amigo de esa gente, y da la casualidad que eres un policía que quiere hacer un favor a su esposa, quien da la casualidad que es la secretaria de Kendrick.

–Son demasiados "da la casualidad", tigresa... Pero bueno... Me gusta el guisado de carne.

–Con muchas patatas, Paddy.

–Y cebolla. Mucha cebolla.

–Las más grandes que pueda encontrar...

–Ya estoy yendo.

–Y Paddy, si esa modesta violeta ha descolgado los dos teléfonos, dile que sé lo de su amiguita de Egipto, y que podría divulgarlo si no me llama.

–¿Qué amiguita de...?

–Cierra la boca –ordenó la señora O'Reilly–. Manny lo dijo ayer, cuando estaba un poco enojado porque tampoco él podía encontrar a su muchacho. Date prisa. Esperaré el llamado aquí.

–¿Y qué hay de mi guisado de carne?

–Lo tengo en la congeladora –mintió la muchacha llamada, de soltera, Ann Mary Mulcahy.

Treinta y ocho minutos más tarde, después de tomar dos desvíos equivocados en la oscura campiña de Virginia, el detective de primera, O'Reilly, encontró el camino que llevaba a la casa de Kendrick. Era un camino que había recorrido cuatro veces, pero nunca de noche. Cada uno de los viajes lo había hecho para ver al anciano Weingrass después que salió del hospital, y para llevarle una botella de Listerine con el contenido cambiado, ya que las enfermeras mantenían el whisky fuera de su alcance. Paddy había entendido, con criterio justiciero, que si Manny, quien estaba a punto de cumplir los ochenta años y que habría debido no salir con vida de la mesa de operaciones, deseaba achisparse un poco, ¿quién tenía derecho a pensar que eso era un pecado? Cristo, en toda su gloria, había convertido el agua en vino, ¿y por qué un desdichado pecador llamado O'Reilly no habría de convertir entonces un enjuague bucal en whisky? Ambas cosas eran buenas para la causa cristiana, y él no hacía otra cosa que seguir el ejemplo divino.

No había faroles de alumbrado en la senda, y a no ser por la luz de sus focos delanteros, Paddy no habría descubierto el muro de ladrillo y el portón de hierro forjado blanco. Y entonces entendió por qué; no había luces delanteras en la casa. Daba la impresión de que ésta se hallaba cerrada, abandonada, ausentes sus dueños. Pero el dueño *no estaba ausente*, y aunque así fuera, había una pareja árabe, de un lugar llamado Dubai, que mantenía abierta la finca, pronta para cuando el dueño regresara. Cualquier cambio en la rutina, o el retiro de los guardias de la Agencia, habrían sido comunicados, sin duda, a Ann O'Reilly, la secretaria principal del parlamentario. Paddy detuvo el coche al costado del camino, abrió la guantera, tomó una linterna y salió. Por instinto, introdujo la mano dentro de la chaqueta y palpó la culata del revólver que llevaba en la funda del hombro. Se acercó a los portones, esperando que en cualquier momento se encendiesen los reflectores, o que el aullido de múltiples sirenas quebrase de pronto el silencio de la noche. Tales eran los métodos de los controles de la Agencia, de protección total.

Nada.

O'Reilly introdujo poco a poco el brazo por entre los barrotes de hierro forjado blanco... Nada. Luego posó la mano en la plancha central, entre las dos hojas del portón, y empujó. Se abrieron, y todavía *nada*.

Entró; con el pulgar de la mano izquierda oprimió el interruptor de la linterna, y volvió a introducir la derecha en la chaqueta. Lo que vio segundos después, bajo el haz de luz en movimiento, lo hizo girar, agazaparse contra la pared, sacar el arma de la funda.

–¡Santa María, madre de Dios, perdóname por mis pecados! –susurró.

A tres metros se hallaba tendido el cadáver de un joven guardia, de civil, de la Agencia Central de Inteligencia, horriblemente empapado en sangre que había manado de su garganta, con la cabeza casi separada del cuerpo. O'Reilly pegó la espalda a la pared de ladrillo, apagó en el acto la linterna, tratando de serenar sus nervios experimentados. Estaba familiarizado con la muerte violenta, y por lo mismo sabía que sin duda encontraría más de ella. Se irguió poco a poco y comenzó su búsqueda de otras muertes, a sabiendas de que los asesinos ya habían desaparecido.

Encontró otros tres cadáveres, cada uno de ellos mutilado, cada uno ultimado de improviso, a 90 grados de una circunferencia, uno del otro, para protección mutua. *¡Cielos! ¿Cómo?* Se inclinó y examinó el cuerpo del cuarto hombre, y lo que vio fue extraordinario. En el cuello del guardia se hallaba enterrada una aguja quebrada; era el resto de un dardo. La patrulla había sido inmovilizada por un narcótico, y luego, indefensa, muerta en forma obscena. No tuvieron conciencia de lo que ocurría. Ninguno de ellos se enteró de nada.

Patrick O'Reilly se encaminó con lentitud, con cautela, hacia la puerta del frente de la casa, aunque sabía que la cautela era innecesaria. Los actos, espantosos, terribles, habían sido consumados; sólo restaba realizar el recuento de las bajas.

Eran seis. Cada una de las gargantas estaba seccionada, cada uno de los cadáveres cubierto de sangre casi seca, cada rostro con una expresión atormentada. Pero los más obscenos de todos eran los cuerpos desnudos de la pareja de Kendrick, de Dubai. El esposo estaba encima de su mujer, las dos caras, rojas de sangre, pegadas. Y en la pared, garabateadas con sangre humana, las palabras:

¡Muerte a los traidores a Dios! ¡Muerte a los fornicadores del gran Satán!

¿Dónde estaba *Kendrick*? *¡Madre de Dios!* ¿Dónde *estaba*? O'Reilly recorrió la casa a la carrera, del sótano al desván, y de cuarto en cuarto, encendiendo todas las luces que pudo encontrar, hasta que toda la finca fue una llamarada de luz. ¡No había rastros del parlamentario! Paddy salió corriendo de la casa a través del garaje; vio que el Mercedes de Evan no se encontraba allí, y que el Cadillac estaba vacío. Volvió a registrar los terrenos, zigzagueando por el bosque y entre el follaje, dentro de los límites del cercado. *Nada.* No se veían señales de lucha, ni arbustos quebrados, ni rastros de violación de la cerca o marcas en la pared de ladrillo recién construida. *¡Los forenses!* La división forense del departamento encontraría huellas... *¡No!* Estaba pensando en procedimientos policiales, ¡y eso iba más allá de los métodos policiales... mucho, *mucho* más allá! O'Reilly corrió de vuelta a los portones de hierro forjado blanco, ahora bañados de luz, y luego a su coche. Se introdujo en él, hizo caso omiso de la radio y tomó el teléfono policial de su lugar, debajo del tablero. Discó, y sólo en ese momento se dio cuenta de que tenía la cara y la camisa empapadas de sudor, bajo el frío aire nocturno.

–Despacho del congresal Kendrick.

–Annie, déjame hablar –interrumpió el pesquisante en el acto, con suavidad–. Y no hagas preguntas...

–Conozco ese tono de voz, Paddy, de modo que debo hacer una pregunta. ¿El está bien?

–No hay rastros de él. Su coche no se encuentra aquí; él no está.

–Pero otros están...

–No más preguntas, tigresa, pero yo quiero hacerte una, y por todos los santos, será mejor que puedas contestármela.

–¿Qué?

–¿Quién es el contacto de Evan en la Agencia?

–El trata en forma directa con la unidad.

–*No*. Algún *otro*. Más arriba. ¡Tiene que haber *alguien*!

–¡Espera un minuto! –exclamó Annie, levantando la voz–. Por supuesto. Sólo que no habla de él... un hombre llamado Payton. Hace un mes, más o menos, me dijo que si ese Payton llamaba alguna vez, tenía que comunicarlo enseguida, y si Evan no estaba aquí debía buscarlo.

–¿Estás segura que es de la CIA?

–Sí, sí, lo estoy –repuso la señora O'Reilly, pensativa–. Una mañana me llamó desde Colorado, para decirme que necesitaba el número de ese Payton, y me indicó dónde podía encontrarlo, en su escritorio... en el cajón inferior, debajo de la libreta de cheques. Era el conmutador de Langley.

–¿Estará ahora ahí?

–Me fijaré. Espera. –La espera de no más de veinte segundos resultó insoportable para el detective, empeorada por la visión de la enorme casa iluminada, al otro lado de los portones abiertos. Era al mismo tiempo una invitación y un blanco. – ¿Paddy?

–*¡Sí!*

–Lo *tengo*.

–¡Dámelo! ¡Rápido! –Ella se lo leyó, y O'Reilly le dio una orden que no se podía desobedecer.– Quédate en la oficina hasta que te llame o pase a buscarte. *¿Entendido?*

–¿Hay alguna razón?

–Digamos que no sé hasta dónde llega esto, por arriba, por abajo o de costado, y que me gusta el guisado de carne.

–Oh *Dios* mío –murmuró Annie.

O'Reilly no oyó a su esposa; había desconectado la línea y en pocos segundos discaba el número que le había dado Annie. Al cabo de ocho atormentadores timbrazos, escuchó una voz de mujer en el teléfono.

–Agencia Central de Inteligencia, despacho del señor Payton.

–¿Usted es su secretaria?

–No, señor, este es el despacho de recepción. El señor Payton ha salido y ya no regresará.

–*Escúcheme*, por favor –dijo el pesquisante de Washington con absoluto dominio de sí–. Es urgente que me comunique en el acto con el señor Payton. Sean cuales fueren los reglamentos, es posible pasarlos por alto, ¿me entiende, muchacha? Es una emergencia.

–Por favor, identifíquese, señor.

–Por todos los demonios, no quiero, pero lo haré. Soy el teniente Patrick O'Reilly, Detective de Primera, Departamento de Policía del Distrito de Columbia. ¡*Tiene* que encontrarlo!

De pronto lo sobresaltó una voz masculina que intervino en la línea.

–*¿O'Reilly?* –dijo el hombre–. ¿Como el apellido de la secretaria de cierto parlamentario.

–El mismo, señor. ¿Usted no atiende su maldito *teléfono*... con perdón de mi lenguaje?

–Esta es una línea directa con mi apartamento... Puede cambiar los sistemas, operadora.

–Gracias, señor. –Hubo un chasquido en el teléfono.

–¿Sí, señor O'Reilly? Ahora estamos solos.

–Yo no. Me encuentro en compañía de seis cadáveres, a diez metros de mi coche. de mi coche.

–*¿Cómo?*

–Venga aquí, señor Payton. A la casa de Kendrick. Y si no quiere titulares periodísticos, detenga a cualquier unidad de relevo que venga hacia aquí.

–De acuerdo –respondió el desconcertado director de Proyectos Especiales–. El relevo entra a medianoche; lo cubren los hombres de adentro.

–También están muertos. Están todos muertos.

Mitchell Payton se acuclilló al lado del cadáver del guardia más próximo a los portones, e hizo una mueca bajo la luz de la linterna de O'Reilly.

–*Dios* mío, era tan joven. ¡Todos son tan *jóvenes*!

–*Eran*, señor –dijo el detective con sequedad–. No queda nadie vivo, ni afuera ni adentro. He apagado casi todas las luces, pero lo escoltaré, por supuesto.

–Tengo que... es claro.

–Pero no lo haré si no me dice dónde está el congresal Kendrick... *si* está, o si se suponía que estaría aquí, lo cual significaría que probablemente *no está*. Puedo llamar a la policía de Fairfax, y debería hacerlo. ¿Hablo con *claridad*?

–Con mucha claridad, teniente. Por el momento, esto *tiene* que seguir siendo un problema de la Agencia... una catástrofe, si lo prefiere. ¿He hablado con claridad?

–Responda a mi pregunta, o tenga la certeza de que cumpliré con mi obligación y llamaré a Fairfax. ¿*Dónde* está el congresal Kendrick? Su auto no está aquí, y quiero saber si debo sentirme aliviado o no por ese hecho.

–Si puede encontrar algún alivio en esta situación, es un hombre muy extraño...

–¡Me duele la muerte de estos hombres, desconocidos para mí, como me ha dolido la de centenares de otros, en su momento, pero *conozco* a Evan Kendrick! Ahora bien, si tiene la información, la quiero ahora mismo, o me voy a mi vehículo y me comunico por radio con la policía de Fairfax.

–Por amor de Dios, *no* me amenace, teniente. ¡Si quiere saber dónde está Kendrick, pregúnteselo a su esposa!

–¿Mi *esposa*?

–La secretaria del parlamentario, por si se le ha olvidado!

–¡Maldito *imbécil*! –estalló Paddy–. ¿Para qué demonios cree que he venido aquí? ¿Para hacer una visita de cortesía a mi viejo compinche de sociedad, el millonario de Colorado? ¡Estoy aquí, pequeño, porque Annie no tiene noticias de Evan desde hace dos días, y desde las nueve de la mañana su teléfono de aquí *y* el de Mesa Verde no suenan! Ahora, qué le parece, se podría decir que esa es una coincidencia, *¿verdad?*

–Los dos teléfonos... –Payton volvió la cabeza y miró hacia arriba.

–No se moleste –dijo O'Reilly, siguiendo la mirada del director–. Una línea ha sido cortada y empalmada con otra por un experto; el cable grueso que va al techo se encuentra intacto.

–*¡Cristo!*

–En mi opinión, usted necesita Su ayuda inmediata... *¡Kendrick!* ¿Dónde diablos *está*?

–En las Bahamas. Nassau, las Bahamas.

–¿Por qué pensó que mi esposa, su *secretaria*, sabía eso? ¡Y bueno será que tenga un muy buen motivo para pensarlo, *Niño Elegante*, porque si ésta es alguna maniobra de mierda para complicar a Annie Mulcahy en alguno de sus embrollos fracasados, haré que vengan más uniformes azules de los que usted tiene en Irán!

–Lo pensé porque él me lo dijo, teniente O'Reilly –dijo Payton con voz fría, la mirada vaga; en apariencia, sus pensamientos volaban.

–¡Jamás se lo dijo *a ella*!

–Es evidente –convino el director de la CIA, mirando ahora hacia la casa–. Pero fue muy explícito. Anteayer dijo que iba camino del aeropuerto, y que pasaría por la oficina y comunicaría la información a su secretaria, Ann O'Reilly. Pasó por allí; subió a la oficina; la unidad móvil lo confirmó.

–¿Qué hora era?

–Las cuatro y media, más o menos, si recuerdo los registros del móvil.

–¿Del miércoles?

–Sí.

–Annie no estaba allí. Los miércoles sale a las cuatro de la tarde, y Kendrick lo sabe. ¡Va a su loca clase de aerobismo!

–Es evidente que él se olvidó.

–No es probable. Venga conmigo, señor.

–¿Perdón?

–A mi coche.

–Tenemos que hacer aquí, teniente, y necesito hacer varias llamadas... desde *mi* coche. A solas.

–No hará absolutamente nada hasta que hable con la secretaria del parlamentario Kendrick. –Sesenta y cinco segundos después, con Payton de pie ante la portezuela abierta, la voz de la esposa de Patrick O'Reilly llegó por el auricular del teléfono.

–Despacho del parlamentario...

–Annie –interrumpió su esposo–. Cuando te fuiste de la oficina, el miércoles, ¿quién estaba allí?

–Sólo Phil Tobias. En estos días no hay mucho trabajo; las chicas se fueron antes.

–¿Phil cuánto?

–Tobias. Es el ayudante principal de Evan.

–¿No te dijo nada ayer, hoy? Acerca de si había visto a Kendrick, me refiero.

–No ha estado aquí, Paddy. No vino hoy *ni* ayer. Le dejé media docena de mensajes en su contestador, pero no he tenido noticias de él, mocoso altanero, encargado de Relaciones Públicas, ¿qué te parece?

–Te llamaré más tarde, tigresa. Quédate allí. *¿Entiendes?* –O'Reilly colgó el auricular y se volvió en el asiento para mirar al hombre de la Agencia Central de Inteligencia.– Ya oyó, señor. Creo que corresponde una disculpa de su seguro servidor. Recíbala, señor Payton.

–Ni la pido, ni la necesito, teniente. Hemos tenido tantos malditos fracasos en Langley, que si alguien piensa que su esposa puede estar enredada en uno de nuestros embrollos, no puedo culparlo de que nos critique.

–Me temo que eso fue:.. ¿Quién busca a Tobias? ¿Usted o yo?

–No puedo darle órdenes, O'Reilly. En la ley no hay cláusula alguna que me autorice, y francamente, existen las que dicen lo contrario, pero puedo pedirle su ayuda, y la necesito con desesperación. Puedo arreglar eso por esta noche, sobre la base de auténticos motivos de seguridad nacional; no le pasará nada, por no informar. Pero en lo que respecta a Tobias, sólo puedo suplicar.

–¿Suplicar qué? –preguntó el pesquisante, descendiendo del coche y cerrando la portezuela con suavidad.

–Que me tenga informado.

–Eso no necesita pedirlo...

–*Antes* que se difunda ningún informe oficial –agregó Payton.

–Eso sí tiene que pedirlo –contestó Paddy, mirando al director–. Por empezar, no puedo garantizarlo. Si lo ubican en Suiza, o aparece flotando en el Potomac, yo no estaría obligado a enterarme.

–Es evidente que pensamos de la misma manera. Pero usted tiene un punto de apoyo para su palanca, teniente. Perdóneme, pero he tenido que investigar a todos los que rodean a Evan Kendrick. El Departamento de Policía del Distrito de Columbia prácticamente lo sobornó, hace diez años, para que viniese de Boston a Washington...

–Me pagaron por la categoría, no hubo nada de dudoso.

–Una paga por categoría equivalente a la de jefe de detectives, puesto que usted rechazó hace dos años, porque no quería estar sentado a un escritorio.

–Santo Cielo...

–He tenido que ser muy minucioso... Y como su esposa trabaja para el parlamentario, creo que un hombre de su posición podría insistir en que se le informase si se llega a saber, cuando se sepa, algo relacionado con Phillip Tobias, ya que él también trabaja, o trabajaba, en la oficina de Kendrick.

–Supongo que podría... Pero eso me conduce a una o dos preguntas.

–Adelante. Cualquier pregunta que haga podría resultarme útil.

–¿Por qué está Evan en las Bahamas?

–Yo los mandé allá.

–¿*Los* mandó? ¿A la mujer egipcia también?... El viejo Weingrass le contó a mi esposa.

–Trabaja para nosotros; estaba en Omán. En Nassau hay un hombre que fue testaferro de una compañía con la cual Kendrick estuvo vinculado por poco tiempo. No tiene muy buena reputación, y tampoco la tenía la firma, pero nos pareció que valía la pena investigarlo.

–¿Con qué fin?

El director de Proyectos Especiales miró, por sobre el techo del coche, hacia la casa de Evan Kendrick, las ventanas en ese momento tenuemente iluminadas y lo que ahora había detrás de los vidrios.

–Todo eso vendrá después, O'Reilly. No le ocultaré nada, se lo prometo. Pero por lo que me describió, tengo trabajo que hacer. Necesito comunicarme con el grupo de las mortajas, y eso sólo puede hacerse desde mi coche.

–¿El grupo de las *mortajas*? ¿Qué diablos es eso?

–Un grupo de hombres del cual ninguno de los dos querría formar parte. Recogen cadáveres acerca de los cuales no pueden dar testimonio, y examinan, en el plano forense, evidencias que han jurado no revelar. Son necesarios, y respeto a cada uno de ellos, pero no querría *ser* uno de ellos.

De pronto estalló el timbre chirriante, en staccato, del teléfono del detective. Se había disparado en *Emergencia*, y el sonido repercutió en la noche silenciosa, fría, rebotando en el muro de ladrillo y penetrando en el bosque. O'Reilly abrió la portezuela, levantó el auricular y se lo llevó al oído.

–*¿Sí?*

–¡Oh *Dios*, Paddy! –gritó Ann Mulcahy O'Reilly, con voz amplificada por el parlante–. ¡Lo *encontraron*! ¡Encontraron a *Phil*! Estaba debajo de las escaleras del sótano. ¡Por *Dios*, Paddy! ¡Ellos dicen que tenía la *garganta* cortada! ¡Jesús, María y José, Paddy, está *muerto*!

–¿Cuando dices "ellos", a quiénes te refieres con *exactitud*, tigresa?

–A Harry y Sam, los hombres de mantenimiento del turno de la noche... Acaban de comunicarse conmigo, están asustadísimos, ¡y me pidieron que llamara a la policía!

–Lo has *hecho*, Annie. ¡Diles que se queden donde están. No deben tocar nada, ni decir nada, hasta que yo llegue! ¿Entendido?

–¿No *decir* nada...?

–Es una cuarentena, ya te lo explicaré después. Y ahora llama a Seguridad C, para que ubiquen a cinco hombres armados con rifles fuera de la oficina. Diles que tu esposo es agente de policía, y que *él* hizo el pedido a causa de amenazas contra *él*. *¿Entendido?*

–Sí, Paddy –respondió la señora O'Reilly, llorosa–. ¡Oh santo cielo, está *muerto*!

El pesquisante giró en su asiento. El director de la CIA corría hacia su coche.

28

Eran las cuatro y diecisiete de la tarde, hora de Colorado, y la paciencia de Emmanuel Weingrass se había agotado. Poco antes de las once de la mañana había descubierto que el teléfono no funcionaba, para enterarse luego que dos enfermeras lo habían sabido varias horas antes, cuando trataron de hacer alguna llamada. Una de las jóvenes viajó en coche a Mesa Verde, para usar el teléfono de la tienda de comestibles e informar a la compañía telefónica sobre la interrupción del servicio; regresó con la promesa de que el problema sería solucionado lo antes posible. "Posible" se había estirado a cinco horas, y eso le resultaba inaceptable a Manny. Un renombrado parlamentario –para no hablar del héroe nacional que era– merecía un tratamiento mucho mejor; era una afrenta que Manny no tenía la intención de tolerar. Y aunque no dijo nada a su aquelarre de brujas, tenía muy malos pensamientos... pensamientos inquietantes.

–¡Escuchad, pronosticadores del *thane* de Cawdor! –gritó a voz en cuello, en la galería vidriada, a las dos enfermeras que jugaban al rummy.

–¿De qué demonios hablas, Manny? –preguntó la tercera desde una silla en la cual se hallaba sentada, junto a la arcada de la sala, bajando el periódico que leía.

–Macbeth, analfabeta. ¡Estoy dictando la ley!

–La ley es lo único que podrías dictar en ese terreno, Matusalén... *¡Rummy!*

–Sabes tan poco de la Biblia, señorita Erudita... No seguiré alejado del mundo exterior. Una de ustedes me llevará en el coche al pueblo, donde llamaré al presidente de esa *meshugenah* compañía telefónica, si no quieren que orine toda la cocina.

–Antes que hagas eso te pondremos una camisa de fuerza –dijo una de las jóvenes que jugaban a los naipes.

–Espera un momento –replicó su compañera–. Puede llamar al congresal para que *él* ejerza un poco de presión. De *veras*, tengo que comunicarme con Frank. Volará mañana, ya te lo dije, y no he podido conseguir una reserva en el motel de Cortez.

–Yo estoy de acuerdo –dijo la enfermera de la sala–. Puede llamar desde la tienda de comestibles de Abe Hawkins.

–Conociéndoles a ustedes, queridas, había que suponer que saldría a relucir lo del sexo –dijo Manny–. Pero llamaremos desde el teléfono de la oficina de G-G. No confío en nadie que se llame Abrahán. Es probable que le haya vendido armas al ayatollah, y olvidado de recoger sus ganancias... Iré a buscar un suéter y mi chaqueta.

–Yo conduciré –se ofreció la enfermera de la sala; dejó caer el periódico en la silla y se puso de pie–. Ponte el abrigo, Manny. Hace frío, y sopla un fuerte viento de la montaña.

Weingrass masculló un epíteto de escaso calibre, cuando pasó ante la mujer, y se encaminó hacia su dormitorio, en el ala sur del primer piso. Una vez fuera de la vista, en el pasillo de piedra, apresuró el paso; tenía que recoger algo más que el suéter. Dentro de su amplio dormitorio, rediseñado por él de modo de incluir puertas de vidrio corredizas, en la pared del sur, que se abrían sobre una terraza de losas, se dirigió con rapidez a la cómoda alta; antes tomó y arrastró una silla hasta allí. Con cautela, trepó a la silla, estiró el brazo hasta la parte superior del imponente mueble y retiró una caja de zapatos. Bajó de nuevo, llevó la caja a la cama, la abrió y dejó al descubierto una automática calibre 38 y tres cargadores.

El ocultamiento era necesario. Evan había ordenado que se guardase bajo llave el estuche de su escopeta, lo mismo que las municiones, y que no se permitiese la entrada de armas manuales a la casa. Kendrick creía, con alguna lógica, que si su viejo amigo pensaba que su cáncer había vuelto, atentaría contra su propia existencia. Pero para Emmanuel Weingrass, después de la vida que había hecho, carecer de un arma era un anatema. G-G González había solucionado la situación, y Manny había forzado el mueble donde se guardaba la escopeta.

Introdujo un cargador, se puso los otros dos en los bolsillos y llevó la silla de nuevo al escritorio. Fue a su armario, sacó del estante un largo suéter grueso y se lo puso; cubría con eficacia los bultos. Después hizo algo que no hacía desde que se construyó la habitación rediseñada, ni siquiera cuando habían sido acosados por los reporteros y los equipos de la televisón. Inspeccionó las cerraduras de las puertas corredizas, cruzó hacia un interruptor rojo oculto detrás de las colgaduras y conectó la alarma. Salió del dormitorio, cerró la puerta y se unió a la enfermera del vestíbulo; ella le tendió el abrigo.

–Un bonito suéter, Manny.

–Lo conseguí en una subasta, en una tienda *après-ski* de Monte Carlo.

–¿Siempre tienes que dar una respuesta ingeniosa?

–No bromeo, fue así.

–Vamos, ponte el abrigo.

–Con eso puesto, siempre parezco un jasídico.

–¿Un qué?

–Heidi entre los edelweiss.

–Oh, no, yo lo veo muy masculino.

–*Oi*, salgamos de aquí. –Weingrass fue hacia la puerta, y luego se detuvo.– *¡Chicas!* –gritó, y su voz llegó hasta la galería.

–¿Sí, Manny?

–*¿Qué?*

–Por favor, escúchenme, hablo en serio. Me sentiría mucho más tranquilo, con ese teléfono que no funciona, si conectaran la alarma principal. Complázcanme en eso, amorosas. Para ustedes soy un anciano tonto, ya me doy cuenta de eso, pero en realidad me sentiría mejor si lo hicieran.

–Qué dulce...

–Por supuesto que lo haremos, Manny.

Esa estupidez de la humildad siempre da resultado, pensó Weingrass, mientras continuaba hacia la puerta.

–Vamos, de prisa –dijo a la enfermera que lo seguía, luchando para ponerse el abrigo–. Quiero llegar a los G-G antes que esa compañía telefónica cierre.

Los vientos de la montaña *eran* intensos; el tramo desde la maciza puerta delantera hasta el Saab Turbo de Kendrick, aparcado a mitad del camino circular para coches, se hizo forzando el cuerpo contra las ráfagas. Manny se protegió la cara con la mano izquierda, la cabeza vuelta hacia la derecha, cuando de pronto el viento y su incomodidad dejaron de tener importancia. Al principio creyó que las hojas arremolinadas y las bocanadas de polvo deformaban la poca visión que aún le quedaba... y después supo que no era así. Había movimiento, movimiento *humano*, detrás de los altos setos que daban hacia la carretera. Una figura se había precipitado hacia la derecha, trastabillando detrás de un sector especialmente denso del follaje... ¡Después otra! Esta siguió a la primera, y fue más lejos aún.

–¿Estás bien, Manny? –gritó la enfermera, cuando se acercaron al coche.

–¡Esto es un juego de niños en comparación con los desfiladeros de los Alpes Marítimos! –gritó a su vez Weingrass–. Entra. *Date prisa.*

–¡Oh, me encantaría ver los Alpes algún día!

–A mí también –masculló Weingrass; se introdujo en el Saab, con la mano discretamente colocada debajo del abrigo y el suéter, para llegar a la automática. La extrajo y la depositó entre el asiento y la portezuela, mientras la enfermera insertaba la llave y ponía en marcha el motor–. Cuando llegues al camino, dobla a la izquierda –dijo.

–No, Manny, te equivocas. La forma más rápida de llegar a Mesa Verde es por la derecha.

–Eso lo sé, cosita encantadora, pero aun así quiero que dobles a la izquierda.

–¡Manny, si tratas de hacerme alguna *broma* a tu edad, me enfureceré!

–Dobla a la izquierda, toma la curva y deténte.

–*Señor* Weingrass, si piensa por un *momento*...

–Voy a descender –dijo en voz baja el anciano arquitecto–. No quiero alarmarte, y te lo explicaré todo más tarde, pero ahora harás exactamente lo que te digo... *Por favor*. Conduce. –La asombrada enfermera no entendió las palabras de Manny, pronunciadas en voz baja, pero sí la expresión de sus ojos. No había en ellos teatralidad, ni ampulosidad. Sólo le daba una orden.– Gracias –continuó él, mientras ella conducía por entre la pared de altos setos y viraba a la izquierda–. Quiero que tomes el camino de Mancos hacia Verde...

–Eso nos demorará por lo menos diez minutos más...

–Lo sé, pero eso es lo que quiero que hagas. Ve en línea recta a lo de G-G, tan rápido como puedas, y dile que llame a la policía...

–*¡Manny!* –exclamó la enfermera, interrumpiendo y aferrando el volante con fuerza.

–Estoy seguro de que no es nada –dijo Weingrass enseguida, tranquilizador–. Lo más probable es que se trate de alguien a quien se le descompuso el auto, o de un caminante que se ha extraviado. Pero esas cosas es mejor confirmarlas, ¿no te parece?

–¡No sé *qué* me parece, pero sí sé que no te dejaré salir de este coche!

–Sí, me dejarás –refutó Manny, y levantó con negligencia la automática, como si inspeccionara el guardamonte; su acto no encerraba amenaza alguna.

–¡Buen *Dios*! –exclamó la enfermera.

–Estoy muy seguro, querida, porque soy un hombre cauteloso hasta el punto de la cobardía... Para aquí, por favor. –La mujer, casi al borde del pánico, hizo lo que se le decía; su mirada asustada se desplazó con rapidez del arma a la cara del anciano.– Gracias –dijo Weingrass; abrió la portezuela, y el aullido del viento fue repentino, poderoso–. Es probable que encuentre a nuestro inofensivo visitante adentro, bebiendo café con las chicas –agregó, y salió, cerrando la portezuela. El Saab se alejó a toda velocidad. No importaba, pensó Manny; las ráfagas de viento tapaban el ruido.

Y también los que podía hacer al regresar hacia la casa; ruidos inevitables, ya que se mantuvo fuera de la vista, al borde de la carretera; sus pies quebraban las ramas caídas a la vera del bosque. Se sintió agradecido ante las veloces nubes oscuras, tanto como con el abrigo oscuro; ambas cosas permitían que se lo viera apenas. Cinco minutos después, y varios metros más adentro del bosque, se detuvo junto a un árbol de grueso tronco, frente al centro de la pared del seto. Volvió a proteger la cara del viento y miró a través de la carretera, con los ojos entrecerrados.

¡Ahí estaban! Y no daban la impresión de haberse extraviado. Sus inquietantes pensamientos habían sido válidos. Más que parecer perdidos, los intrusos esperaban... algo o a alguien. Los dos hombres vestían chaquetas de cuero y se encontraban agazapados delante de los setos, hablándose el uno al otro con rapidez; el de la derecha miraba en forma constante, con impaciencia, su reloj pulsera. Weingrass no necesitaba que le dijeran qué quería decir eso; aguardaban a alguien, o *más* que a alguien. Con torpeza, sintiendo la edad físicamente, pero no en la imaginación, Manny se agachó y comenzó a andar a gatas, sin saber con certeza qué buscaba, pero sabiendo que debía encontrarlo, fuese lo que fuere.

Era una gruesa rama pesada, recién quebrada por el viento; la savia todavía manaba de las astillas que quedaban de su unión con el tronco. Tendría un metro de largo; era manejable. Poco a poco, con más envaramiento que esfuerzo, el anciano se puso de pie y regresó al árbol donde había estado oculto, en diagonal del lugar en que se hallaban los intrusos, a no más de quince metros, al otro lado del camino.

Era un juego de azar, pero también lo era lo que restaba de su vida, y las posibilidades eran mejores que en la ruleta o el *chemin de fer*. También los resultados se conocerían con mayor rapidez, y el jugador que había en Emmanuel Weingrass lo llevaba a hacer una apuesta razonable de que uno de los intrusos permanecería donde estaba por sensatez elemental. El anciano arquitecto se internó en el bosque, eligiendo su lugar con tanto cuidado como si estuviese perfeccionando el plano definitivo para el cliente más importante de su vida. Y lo era; el cliente era él mismo. *Utilización total del ambiente natural* había sido un axioma de su vida profesional; y ahora no se desvió de esa regla.

Había dos álamos, los dos anchos y separados por unos dos metros de distancia; formaban un portón natural en el bosque. Se ocultó detrás del tronco del de la derecha, aferró la pesada rama y la levantó hasta tenerla apoyada contra la corteza del árbol, sobre su cabeza. El viento soplaba al sesgo, y en medio de los múltiples ruidos del bosque abrió la boca y rugió en un breve cántico, un tercio humano y el resto animal. Estiró el cuello y observó.

Entre los troncos y el follaje más bajo, pudo ver a las figuras sobresaltadas, del otro lado del camino. Ambos hombres giraron, en su posición, acuclillados, y el de la derecha apretó el hombro de su compañero, en apariencia *–ojalá*, rezó Manny– dándole órdenes. El hombre de la izquierda se puso de pie, extrajo un arma de la chaqueta y se lanzó hacia el bosque, al otro lado del camino que iba hacia Mesa Verde.

Todo se iba acomodando. La sincronización y la dirección, los breves y seductores sonidos que empujaban a su presa hacia el fatal mar verde, con tanta seguridad como las sirenas habían seducido a Ulises. Weingrass emitió dos veces más los fantásticos llamados, y luego una tercera, tan pronunciada, que el intruso se precipitó hacia adelante, azotando las ramas que se le ponían al paso, el arma nivelada, hundiendo los pies en la tierra blanda... hasta llegar, por último, al portón del bosque.

Manny llevó hacia atrás la gruesa rama pesada y la dejó caer con todas sus fuerzas sobre la cabeza del hombre que corría. La cara quedó destrozada, la sangre brotó de todas las facciones, el cráneo se convirtió en una masa de huesos y cartílagos rotos. El hombre estaba muerto. Sin aliento, Weingrass salió de atrás del tronco y se arrodilló.

El hombre era un árabe.

Los vientos de las montañas continuaban su embestida. Manny sacó la pistola de la mano todavía tibia del cadáver, y con más torpeza y esfuerzo se dirigió otra vez hacia el camino. El compañero del intruso muerto era un núcleo loco de energía mal orientada; hacía girar a cada rato la cabeza hacia los bosques, hacia el camino de Mesa Verde y miraba su reloj. Lo único que no había hecho era exhibir un arma, y eso le decía otra cosa a Weingrass. El terrorista –y *era* un terrorista; los *dos* lo eran– era, o bien un aficionado hecho y derecho, o un profesional minucioso; nada intermedio.

Manny sintió el eco del golpeteo en su frágil pecho, y se permitió unos momentos para respirar, pero sólo unos momentos. La oportunidad podía no volver a presentarse nunca. Enfiló hacia el norte, de tronco en tronco, hasta estar unos veinte metros más arriba del hombre ansioso, quien seguía mirando hacia el sur. De nuevo la sincronización; Weingrass cruzó la carretera con tanta rapidez como pudo y permaneció inmóvil, observando. El presunto asesino se hallaba ahora al borde de la apoplejía; en dos ocasiones se lanzó por el camino hacia el bosque, y las dos veces regresó a los setos y se agazapó, mirando su reloj. Manny avanzó, con la automática empuñada en la venosa mano derecha. Cuando se encontraba a unos tres metros del terrorista, gritó.

–*¡Jezzar!* –rugió, llamando carnicero al hombre, en árabe–. ¡Si te mueves, estás muerto! *¿Fahem?*

El hombre de piel oscura giró, arañando la tierra mientras rodaba hacia los setos; la tierra suelta voló hacia la cara del anciano arquitecto. Por entre la lluvia de terrones, Weingrass entendió por qué el terrorista no había exhibido un arma; ésta se hallaba en el suelo, a su lado, a unos centímetros de su mano. Manny cayó hacia su izquierda, en el camino, mientras el hombre tomaba el arma y se precipitaba hacia adelante, enredándose en la espinosa red verde. Disparó dos veces; ¡las detonaciones apenas se oyeron! Fueron dos escupitajos al viento, fantásticamente atenuados; la pistola del terrorista estaba provista de silenciador. Pero las balas no eran silenciosas; una chilló en el aire, por encima de Weingrass, la segunda rebotó en el hormigón, cerca de su cabeza. Manny levantó la automática y oprimió el disparador. La serenidad de la experiencia, a pesar de los años, dio firmeza a su mano. El terrorista lanzó un grito en el viento y se derrumbó hacia adelante, entre los setos, con los ojos muy abiertos y un hilo de sangre chorreándole de la base de la garganta.

¡Date prisa, canalla decrépito!, se gritó Weingrass, esforzándose por ponerse de pie. *Están esperando a alguien! ¿Quieres ser un feo blanco senil en una galería de tiro? Te vendría bien que te hicieran volar esa cabeza de* meshugenah. *¡Silencio! ¡Todos los huesos me hierven de dolor!* Manny trastabilló hacia adelante, en dirección del cuerpo hundido dentro del seto. Se inclinó, tiró del cadáver y luego tomó los pies del hombre; con una mueca, usando hasta la última pizca de fuerza que había en él, arrastró el cuerpo a través del camino, en dirección del bosque.

Sólo quería tenderse en el suelo y descansar, permitir que se atenuase el martilleo que sentía en el pecho y tragar aire, pero sabía que no podía hacerlo. Debía seguir adelante; en primer lugar, tenía que capturar a alguien vivo. ¡Esa gente buscaba a su *hijo*! Era preciso obtener información... después podría seguir cualquier tipo de muerte.

Escuchó el ruido de un motor a la distancia... y después el ruido desapareció. Desconcertado, dio unos lentos y cautelosos pasos a un costado, por entre los árboles del borde del bosque, y atisbó hacia afuera. Un coche llegaba por el camino de Mesa Verde, pero o bien avanzaba en punto muerto o avanzaba por inercia, o de lo contrario el viento era demasiado fuerte. Se movía por *inercia*, pues sólo pudo escuchar el rodar de los neumáticos cuando se aproximó a la pared de altos setos, casi sin moverse, hasta detenerse por fin ante la primera entrada del camino circular. Adentro había dos hombres; el conductor, un hombre fornido, no joven, pero de no más de cuarenta años, se apeó primero y miró en torno. Era evidente que esperaba que alguien le saliese al encuentro o le hiciera una señal. Aguzó la mirada en la vaga luz de la tarde, y como no vio a nadie cruzó el camino, hacia el lado arbolado y se echó a caminar hacia adelante. Weingrass se metió la automática en el cinturón y se inclinó para tomar la pistola del segundo asesino, con su silenciador perforado unido al caño. Era demasiado larga para un bolsillo, de modo que, lo mismo que el árabe, la dejó a sus pies. Se irguió y se internó aún más entre la maleza; examinó el cilindro del arma. Quedaban cuatro balas. El hombre se acercó; ahora se encontraba directamente delante de Manny.

–*¡Yosef!* –El nombre fue empujado de golpe por el viento, gritado a medias por el compañero del conductor, cuyos pasos rápidos eran frenados por una pronunciada cojera. Manny se sintió perplejo; Yosef era un nombre hebreo; pero esos asesinos no eran israelíes.

–¡*Cállate*, muchacho! –ordenó el hombre de mayor edad, con aspereza, en árabe, mientras su compañero se detenía, sin aliento, ante él–. ¡Si vuelves a levantar la voz otra vez de ese modo, *en cualquier parte*, te enviaré de vuelta a Baaka en un ataúd!

Weingrass miró y escuchó a los dos hombres, que se encontraban a menos de cinco metros, en el borde de la carretera. Se sintió un tanto asombrado, pero ahora entendió el uso de la palabra árabe *walad*, "muchacho". El compañero del conductor *era* un muchacho, un joven de no más de dieciséis o diecisiete años, si los tenía.

–¡No me enviarás a ninguna parte! –replicó el joven con furia, y resultó evidente que tenía problemas para hablar, tal vez un labio leporino–. ¡Nunca volveré a caminar bien por culpa de ese cerdo! ¡Habría podido llegar a ser un gran mártir de nuestra santa causa, a no ser por *él*!

–Está bien, está bien –dijo el árabe de más edad, no sin cierta compasión–. Echate un poco de agua fría en el cuello, o la cabeza te estallará. Bien, ¿qué ocurre ahora?

–¡La radio del norteamericano! ¡Acabo de escucharla, y entiendo lo bastante para... para entender!

–¿Nuestra gente de la otra *casa*?

–No, nada de eso. ¡Los *judíos*! Ejecutaron al viejo Khouri. ¡Lo *ahorcaron*!

–¿Qué esperabas, Amán? Hace cuarenta años, todavía trabajaba con los alemanes nazis que quedaban en Africa del norte. Mató judíos, hizo volar *kibbutzim* y hasta un hotel en Haifa.

–¡Entonces debemos matar al asesino, Begin, y a todos los viejos del Irgún y Stern! ¡Khouri era un símbolo de grandeza para nosotros!

–Oh, cállate, muchacho. Esos ancianos combatieron más contra los británicos que contra nosotros. Ellos, *o* el viejo Khouri, no tienen nada que ver con lo que debemos hacer hoy. Tenemos que darle una lección a un sucio político que fingió ser uno de los nuestros. Se puso nuestras ropas y usó nuestro idioma, y traicionó la amistad que le ofrecimos. ¡*Ahora*, muchacho! Concéntrate en lo de *ahora*.

–¿Dónde están los otros? Tenían que salir al camino.

–No sé. Pueden haberse enterado de algo, o visto algo y entrado en la casa. Ahora están encendiendo luces; puedes verlas por entre esos arbustos altos. Cada uno de nosotros se arrastrará desde un lado de la entrada semicircular. Ve por entre las hierbas, hacia las ventanas. Es probable que nos enteremos de que nuestros camaradas están bebiendo café con quien esté allí, antes de rebanarle la garganta.

Emmanuel Weingrass levantó la pistola silenciosa y la apuntó contra el tronco de un árbol, moviéndola de un lado a otro entre los dos terroristas. ¡Los quería a los dos *con vida*! Las palabras árabes referidas a la "otra casa" lo habían enfurecido tanto, que sentía deseos de volarles la cabeza. ¡Querían matar a su *hijo*! Si lo habían hecho, lo pagarían caro, atormentados... juventud extraviada o vejez; eso no importaba. La única consecuencia sería un dolor terrible. Niveló el arma hacia la región pelviana de los dos asesinos, moviéndola de un lado a otro...

Disparó en el momento en que una súbita ráfaga de viento se arremolinaba en el camino, dos veces al hombre, una al joven. Fue como si ninguno de los dos pudiera entender. El joven se derrumbó, aullando; su compañero era de madera más fuerte... *mucho* más fuerte. Se puso de pie, trastabillando, giró hacia la fuente de los disparos y se precipitó hacia adelante; el fornido cuerpo era el de un monstruo furioso, dolorido.

–¡No te acerques más, *Yosef*! –gritó Manny, extenuado casi hasta el límite de sus fuerzas, y aferrándose al árbol–. ¡No quiero matarte, pero lo haré! ¡*Tú*, el del nombre hebreo, que matas *judíos*!

–¡Mi *madre*! –gritó el gigante que se aproximaba–. ¡Renuncio a *todos* ustedes! ¡Son los asesinos de mi *pueblo*! ¡Toman todo lo que es nuestro y *escupen* sobre nosotros! Soy medio judío, ¿pero quiénes son los *judíos* para matar a mi padre y afeitar la cabeza a mi madre, porque amaba a un *árabe*? ¡Los enviaré al *infierno*!

Weingrass se aferró al tronco del árbol, con las uñas sangrantes mientras las clavaba en la corteza, el largo abrigo negro ondulante al viento. La ancha figura oscura se precipitó fuera de la oscuridad del bosque, y sus enormes manos aferraron la garganta del anciano.

–*¡No!* –gritó Manny, y en el acto supo que no tenía otra alternativa. Disparó la última bala, que penetró en la arrugada frente que tenía ante sí. Yosef cayó, y su último gesto fue de desafío. Tembloroso, jadeante, Weingrass se apoyó contra el árbol; bajó la vista hacia el cuerpo del hombre torturado a causa de un insignificante problema territorial que obligaba a los seres humanos a matarse entre sí. En ese momento, Emmanuel Weingrass llegó a la conclusión que se le había escapado desde el momento en que tuvo capacidad para pensar; ahora conocía la respuesta. La arrogancia de las creencias ciegas conducía a todas las mendacidades del pensamiento humano. Lanzaba, con mala voluntad, a un hombre contra otro, en busca de lo no conocible y final. ¿Quién tenía el *derecho*?

–Yosef... *Yosef* –gritó el joven, rodando entre las malezas del borde del camino–. ¿Dónde estás? ¡Estoy herido, *herido*!

El niño no sabía, pensó Weingrass. Desde donde se retorcía, herido, no podía ver, y el viento de la montaña había apagado el disparo silencioso. El joven terrorista maniático no se daba cuenta de que su camarada Yosef estaba muerto, de que sólo él sobrevivía. Y su supervivencia ocupaba el primer plano de los pensamientos de Manny; no podía haber un nuevo mártir por una causa sagrada, por muerte autoprovocada. Allí no, ahora no; era preciso conocer detalles, hechos que podían salvar la vida de Evan Kendrick. ¡*En especial* ahora!

Weingrass introdujo los dedos ensangrentados en el bolsillo del abrigo y dejó caer al suelo el arma silenciosa. Reunió todas las fuerzas que le restaban, se apartó del árbol y caminó, con toda la rapidez que pudo, hacia el sur, a través del bosque, tropezando una y otra vez; sus frágiles brazos apartaban las ramas de su cara y su cuerpo. Viró hacia la carretera; llegó a ella y vio el coche del asesino a la distancia, en medio de la penumbra cada vez más densa. Había caminado suficiente. Se volvió y regresó por la superficie más lisa... *¡Rápido... más rápido! ¡Mueve tus malditas piernas inútiles! ¡Ese chico no tiene que moverse, no debe arrastrarse, no debe ver!* Sintió que la sangre se le agolpaba en la cabeza, los golpes que sentía en el pecho eran ensordecedores. ¡*Ahí* estaba el joven árabe. Se *había* movido... se movía, reptaba hacia el bosque. ¡En pocos instantes vería a su compañero muerto! ¡No podía ser!

–*¡Amán!* –gritó Weingrass, sin aliento, recordando el nombre usado por el medio judío, Yosef, como si fuera el suyo propio–. *¿Ayn ent? Kaif el-ahwal?* –continuó en árabe, preguntando al joven dónde estaba y cómo estaba–. *¡Itkallem!* –rugió contra el viento, ordenando al joven terrorista que respondiera.

–¡Aquí, aquí! –aulló el árabe en su propio idioma–. ¡Estoy herido! ¡En la cadera! ¡No puedo encontrar a Yosef! –El joven rodó sobre la espalda, para recibir a un inesperado camarada.– *¿Quién eres?* –gritó; se esforzó por sacar un arma de abajo de su chaqueta de campaña, cuando Manny se acercó–. ¡No te *conozco*!

Weingrass aplastó con el pie el codo del joven, y cuando la mano vacía salió de abajo de la tela, la pisó, apretándola contra el pecho del joven árabe.

–¡Basta de eso, niño idiota! –gritó Manny; su árabe era el de un oficial saudita que censura a un recluta–. No te hemos cubierto para que causes *más* problemas. Por supuesto que te hirieron, ¡y espero que te des cuenta de que es nada más que una herida, que no estás muerto, cosa que habría resultado muy fácil!

–¿Qué estás *diciendo*?

–¿Qué estabas *haciendo*? –gritó Manny, en respuesta–. ¡Corriendo por el camino, levantando la voz, arrastrándote en derredor de nuestro objetivo como un ladrón en la noche! Yosef tenía razón, deberías ser enviado de vuelta a Baaka.

–*¿Yosef?...* ¿Dónde *está* Yosef?

–En la casa, con los otros. Ven, te ayudaré. Nos uniremos a ellos. –Temeroso de caer, Weingrass se tomó de una rama, mientras el terrorista se erguía, tomado de una mano de Manny.– ¡Primero dame tu arma!

–*¿Qué?*

–Ellos piensan que eres demasiado estúpido. No quieren verte armado.

–No *entiendo...*

–No hace falta que entiendas. –Weingrass abofeteó al aturdido joven fanático, y al mismo tiempo introdujo su mano derecha dentro del pliegue abotonado de la chaqueta del chico, para sacar el arma del asesino en potencia. Era adecuada; una pistola calibre 22.– Con esto puedes matar mosquitos –dijo Manny, tomando al joven del brazo–. Ven. Salta en un pie, si te resulta más fácil. Te remendaremos.

Lo que quedaba del sol de la tarde fue oscurecido por las arremolinadas nubes negras de una tormenta que llegaba de las montañas. El anciano agotado, exhausto, y el joven herido se encontraban a mitad de camino, en la carretera, cuando de pronto se oyó el rugido de un motor, y los faros de un coche lanzado a toda velocidad los bañaron con su luz. El coche iba hacia ellos, desde el sur, de Mesa Verde. Con un chirrido de los neumáticos, el poderoso vehículo resbaló en una patinada y se detuvo de golpe a unos metros de Weingrass y su cautivo, quienes se precipitaban hacia los setos, la mano de Manny aferrada a la chaqueta de campaña del árabe. Un hombre bajó de un brinco del gran sedán negro mientras Weingrass –trastabillando, tropezando– introducía la mano en el bolsillo, en procura de su automática calibre 38. La figura que corría hacia ellos era una mancha borrosa en los ojos del anciano arquitecto. Levantó la mano para disparar.

–*¡Manny!* –gritó G-G González.

Weingrass cayó al suelo, aferrando todavía al terrorista herido.

–*¡Agárralo!* –ordenó a G-G con lo que pareció el último aliento de sus pulmones–. No lo sueltes... tómalo de los *brazos*. ¡A veces llevan cianuro!

Una de las enfermeras aplicó una inyección al joven árabe; estaría inconsciente hasta la mañana. Su herida de bala no era grave; la bala había atravesado la carne. Se la limpiaron, los bordes fueron unidos con tela adhesiva, y la hemorragia cesó. Luego fue llevado por González a una habitación para huéspedes, sus brazos y piernas amarrados a las cuatro esquinas de la cama, donde las enfermeras cubrieron su cuerpo desnudo con dos mantas, para impedir un trauma concebible.

–Es tan joven –dijo la enfermera que colocaba una almohada bajo la cabeza del adolescente árabe.

–Es un asesino –respondió Weingrass con tono helado, mirando la cara del terrorista–. Te mataría sin pensar un instante en la vida que elimina... tal como quiere matar a los judíos. Tal como nos *matará* a nosotros, si lo dejamos vivir.

–Eso es repugnante, señor Weingrass –dijo la otra enfermera–. Es un niño.

–Díselo a los padres de Dios sabe cuántos niños judíos a quienes no se les permitió llegar a la edad de él. –Manny salió de la habitación para reunirse con González, quien había salido de prisa para llevar a un garaje su coche, demasiado fácilmente reconocible. De regreso, se servía un gran vaso de whisky en el bar de la galería.

–Sírvete –dijo el arquitecto al entrar en la galería cerrada, yendo hacia su sillón de cuero–. Te lo pondré en la cuenta, como tú haces conmigo.

–¡Viejo loco! –escupió G-G–. *¡Loco!* Estás *loco*, ¿lo sabías? ¡Habrías podido ser muerto! *¡Muerto! ¿Entiendes?* ¡*Muerto*, *muerto*, viejo loco! ¡Tal vez podría aceptar eso, pero no cuando me provocas un ataque al corazón! No se vive tan bien con un ataque cardíaco, cuando es fatal, *¿entiendes?*

–Bueno, bueno, puedes beber, invita la casa.

–*¡Loco!* –volvió a gritar González, y bebió el whisky, en apariencia de un solo trago.

–Te entendí –admitió Manny–. Bebe otro. No empezaré a cobrarte hasta el tercero.

–¡No sé si irme o quedarme! –dijo G-G, sirviéndose otro trago.

–¿La policía?

–Como te dije, ¿quién tenía tiempo para la *policía*? Y si *yo* los llamaba, vendrían dentro de un mes. Tu chica, la enfermera... los está llamando. Sólo espero que haya encontrado a uno de los *payasos*. A veces hay que llamar a Durango para conseguir algo aquí.

Sonó el teléfono del bar... *sonó*, pero no era el timbre de un teléfono; era más bien el sonido de un zumbido constante. Weingrass se sobresaltó a tal punto, que casi cayó al suelo al levantarse de la silla.

–¿Quieres que lo atienda? –preguntó González.

–*¡No!* –rugió Manny, y caminó con rapidez, con pasos vacilantes, hacia el bar.

–No me arranques la *cabeza*.

–¿Hola? –dijo el anciano en el teléfono, obligándose a dominarse.

–¿Señor Weingrass?

–Quizá sí, y quizá no. ¿Quién es?

–Estamos en una intercepción láser de su línea. Me llamo Mitchell Payton...

–Lo conozco muy bien –interrumpió Manny–. ¿Mi muchacho está *bien*?

–Sí, lo está. Acabo de hablar con él en las Bahamas. Se ha despachado un avión militar de la Base Holmstead de la Fuerza Aérea, para recogerlo. Estará en Washington dentro de unas horas.

–¡*Manténgalo* allí! ¡Rodéelo de guardias! ¡No deje que se le *acerque* nadie!

–¿Qué ha sucedido allí, entonces?... Me siento tan inútil, tan incompetente. Habría debido apostar guardias... ¿Cuántos fueron muertos?

–Tres –dijo Manny.

–Oh *Dios* mío... ¿Cuánto sabe la policía?

–No sabe nada. Todavía no llegó.

–No *llegaron*... Escúcheme, señor Weingrass. Lo que voy a decirle le parecerá extraño, si no insano, pero sé lo que digo. Por el momento, este trágico suceso *debe* ser contenido. Tendremos muchas más posibilidades de atrapar a los canallas si evitamos el pánico y dejamos que trabajen nuestros propios expertos. ¿*Puede* entender eso, señor Weingrass?

–Entendido y convenido –respondió un anciano que había trabajado con el Mossad, y cierta impaciencia condescendiente se insinuó en su voz–. La policía será recibida afuera, y se le dirá que fue una falsa alarma... un vecino cuyo auto tuvo desperfectos y no pudo comunicarse con nosotros por teléfono, eso fue todo.

–Me había olvidado –dijo en voz baja el director de Proyectos Especiales–. Usted ya estuvo aquí.

–Estuve ahí –admitió Manny sin comentarios.

–¡Espere un momento! –exclamó Payton–. Dijo que tres habían muerto, pero está hablando conmigo, y está *bien*.

–Los tres eran *ellos*, no nosotros, señor CIA Incompetente.

–*¿Qué?... ¡Cristo!*

–El no ayudó mucho. Pruebe con Abrahán.

–Por favor, sea más *claro*, señor Weingrass.

–Tuve que matarlos. Pero el cuarto está vivo, y bajo sedantes. Traiga a sus expertos aquí antes de que lo mate a él también.

29

El jefe de la estación de la CIA en las Bahamas, un hombre bajo, muy atezado, de facciones abultadas, salió con rapidez de su oficina de la embajada, en la calle Queen. La policía de Nassau envió una escolta armada al Hotel Cable Beach, en las costas de Bay Road, donde cuatro policías uniformados acompañaron rápidamente a un hombre alto, de cabello castaño claro, y a una atrayente mujer de tez aceitunada, desde sus habitaciones del séptimo piso hasta un vehículo que aguardaba en el camino para coches, que había sido despejado con eficiencia, más allá del imponente vestíbulo de mármol. El director de operaciones del hotel, un despierto escocés llamado MacLeod, había trazado una ruta por los pasillos de servicio, vigilados por sus guardias de seguridad más dignos de confianza, hasta la iluminada entrada, frente a la cual dos enormes fuentes lanzaban chorros de agua, enfocados por los reflectores, hacia el cielo oscuro. Los dos ayudantes de MacLeod –un hombre inmenso, de humor afable y risa resonante, y que tenía el improbable apellido de Vernal, acompañado por una azafata joven y atrayente– explicaron con cortesía a quienes llegaban o se iban que sus demoras serían breves. Fueron persuasivos en sus explicaciones cuando la unidad de motociclistas de cinco hombres recorrió los terrenos dramáticamente oscurecidos. El jefe de estación lo hacía todo en términos personales; se le concedían favores. Conocía por su nombre a todos los que era preciso conocer en las Bahamas. Y ellos a él. En silencio.

Evan y Khalehla, protegidos por el muro policial, se introdujeron en el vehículo del gobierno, con un hombre de la CIA en el asiento delantero.

Kendrick no tenía deseos de hablar; Khalehla sólo podía apretarle la mano, sabiendo muy bien lo que estaba experimentando. La claridad de pensamiento lo había abandonado, remplazada por una congoja ardiente y una cólera furiosa. Las lágrimas se le habían agolpado a los ojos al conocer las muertes de Kashi y Sabri Hassán; no necesitaba que se le hablara de las mutilaciones, podía imaginar con facilidad, horriblemente, cómo eran. Pero las lágrimas fueron rápida e impulsivamente enjuagadas por un puño cerrado. Se acercaba a una rendición de cuentas... también eso estaba en sus ojos, en los centros de sus pupilas. *Furia.*

–Como podrá entender, congresal –dijo el jefe de la estación, volviéndose en parte, en el asiento contiguo al conductor–, no sé lo que está pasando, pero puedo decirle que un avión de la Base de la Fuerza Aérea de Holmstead, en Florida, viene a llevarlo de regreso a Washington. Llegará unos cinco o diez minutos después de nuestro arribo al aeropuerto.

–Ya lo sabemos –dijo Khalehla con tono afable.

–Tendría que haber estado aquí, pero me dijeron que hay mal tiempo a la salida de Miami, y varios vuelos comerciales siguen la misma ruta. Es probable que eso signifique que quisieron abastecer bien el avión para usted, señor... quiero decir, para los dos.

–Muy amable de parte de ellos –dijo la agente de campo de El Cairo, apretando la mano de Evan para comunicarle el hecho de que no necesitaba hablar.

–Si hay algo que le parece que podemos haber olvidado en el hotel, con gusto nos ocuparemos de...

–No hay *nada* –exclamó Kendrick, con un susurro áspero.

–Quiere decir que nos hemos ocupado de todo, gracias –dijo Khalehla, y atrajo la mano de Evan contra su pierna y la apretó con más firmeza aún–. Esta es una emergencia, por supuesto, y el congresal tiene muchas cosas en las cuales pensar. ¿Podemos dar por supuesto que pasaremos sin trámites por la aduana?

–Esta caravana saldrá por los portones de carga –respondió el hombre del gobierno, mirando breve y atentamente a Kendrick, para volverse enseguida, como si hubiera invadido la intimidad ajena, sin querer. El resto del viaje transcurrió en silencio, hasta que los altos portones de acero de la terminal de cargas se abrieron, y la procesión pasó y siguió hasta el extremo de la primera pista–. El F-106 de Holmstead aterrizará muy pronto –dijo el jefe de estación.

–Voy a descender –Evan tomó el picaporte y tiró de él. Estaba cerrado con llave.

–Preferiría que no lo hiciera, congresal Kendrick.

–Déjeme salir de este coche.

–Evan, es la tarea de él. –Khalehla tomó del brazo a Kendrick, con suavidad, pero con firmeza.

–¿La tarea incluye la obligación de asfixiarme?

–Yo estoy respirando muy bien...

–¡Tú no eres *yo*!

–Ya lo sé, querido. Nadie puede ser tú, en este momento. –Rashad volvió la cabeza y miró por la ventanilla trasera, recorriendo los edificios y los terrenos de la terminal.– Nuestra posición está tan limpia como puede estarlo –dijo, volviéndose hacia el agente de inteligencia–. Déjelo caminar. Yo me quedaré con él, y también pueden hacerlo los hombres.

–¿Una "posición limpia"? ¿Usted es de los nuestros?

–Sí, pero usted ya se ha olvidado de mí, *por favor*... El vuelo a Washington será bastante duro.

–Es cierto. Está bien. El tipo que estableció esa regla no está aquí. Sólo dijo: "No lo dejen bajar de ese vehículo", y lo manifestó en voz muy alta.

–MJ puede ser exagerado.

–¿MJ...? Vengan, vamos a tomar un poco de aire. Abra las puertas, por favor, conductor.

–Gracias –dijo Evan en voz baja a Khalehla–. Y *perdón*...

–No hay nada que perdonarte. Sólo te pido que no me conviertas en una embustera; que no te disparen. Podría arruinarme el día... Ahora *yo* pido perdón. No es hora de chistes tontos.

–Espera un minuto. –Kendrick iba a abrir la portezuela y se detuvo, con la cara a unos centímetros de la de ella, en la sombra.– Hace unos momentos dijiste que nadie podría ser yo ahora, y estoy de acuerdo. Pero una vez dicho eso, me alegro muchísimo de que tú seas tú. En este momento.

Caminaron bajo una breve llovizna de las Bahamas, hablando en voz baja, con el agente de la CIA a una distancia cortés, detrás de ellos, y los guardias flanqueándolos, con las armas ominosamente desenfundadas. De pronto, un pequeño sedán oscuro salió a toda velocidad de la zona de carga, y atravesó el campo, con un aullido del poderoso motor. Los guardias convergieron hacia Evan y Khalehla, los echaron al suelo, y el agente de la CIA se tendió sobre Kendrick y atrajo a la mujer Rashad hacia su lado. El pánico cesó con tanta rapidez como había comenzado. Hubo rápidos toques de una sirena de dos notas; el coche era un vehículo del aeropuerto. El jefe de la escolta de motociclistas enfundó el arma y se acercó al hombre que se apeaba del pequeño sedán. Hablaron en voz baja, y el agente de policía retornó hacia los estupefactos norteamericanos, quienes se ponían de pie.

–Hay una llamada telefónica para su amigo, señor –dijo al jefe de estación.

–Derívela aquí.

–No tenemos esos equipos.

–Quiero algo mejor que eso.

–Se me dijo que repitiera las letras "MJ".

–Eso está mejor –dijo Khalehla–. Yo iré con él.

–Eh, vamos –replicó el hombre de la CIA–. También hay otras reglas, y usted las conoce tan bien como yo. Resulta más fácil proteger a uno que a dos. *Yo* iré, y llevaré cuatro hombres. Usted quédese aquí con los otros y cúbrame, ¿de acuerdo? Este es el punto de reunión, y podría haber un piloto nervioso buscando un equipaje especial, principalmente usted.

El teléfono estaba en la pared de un depósito desierto. La llamada fue pasada a él, y las primeras palabras que Kendrick escuchó de Mitchell Payton hicieron que se le contrajeran todos los músculos del cuerpo, y que le ardiese el cerebro.

–Todavía tienes que escuchar lo peor. Hubo un ataque contra Mesa Verde.

–¡Cielos, *no*!

–¡Emmanuel Weingrass está bien! ¡Está *bien*, Evan!

–¿Está *lastimado*? *¿Herido?*

–No. En realidad, *él* causó las heridas... las muertes. Uno de los terroristas está aún con vida...

–¡Lo *quiero*! –gritó Kendrick.

–También nosotros. Nuestra gente está en viaje hacia allá.

–Mesa Verde era el apoyo de los terroristas para Fairfax, ¿no?

–Sin duda alguna. Pero en este momento es nuestra única esperanza de encontrar a los otros. Lo que sepa el sobreviviente, nos lo dirá.

–Manténganlo vivo.

–Tu amigo Weingrass se ha ocupado de eso.

–Regístrenlo en busca de cianuro.

–Eso ya se hizo.

–¡No se lo puede dejar solo ni un minuto!

–¡Lo sabemos!

–Por supuesto –dijo Evan, y cerró los ojos, la cara mojada de lluvia y sudor–. No estoy pensando, no puedo pensar. ¿Cómo lo tomó Manny?

–Con considerable arrogancia, para decir la verdad.

–Esa es la primera noticia decente que recibo.

–Tienes derecho a ella. Es un hombre realmente notable, para su edad.

–Siempre ha sido notable... a cualquier edad. Tengo que salir de aquí. Olvídate de Washington. Hazme volar directamente a Colorado.

–Supuse que harías ese pedido.

–¡No es un pedido, Mitch, es una exigencia!

–Por supuesto. Y también es la razón de que tu avión haya sido demorado. La Fuerza Aérea ha arreglado el abastecimiento de combustible para Denver y demás puntos del Oeste, y está aprobando un plan de vuelo por encima de las rutas comerciales. El avión tiene una velocidad máxima de Mach dos punto tres. Llegarás en menos de tres horas, y recuerda, no digas a nadie acerca de Fairfax. Weingrass ya ha frenado a Mesa Verde.

–*¿Cómo?*

–Que te lo diga él.

–¿De veras piensas que puedes silenciarlo todo?

–Podré, si voy a ver yo mismo al Presidente, y a esta altura me parece que no queda otra alternativa.

–¿Cómo pasarás por entre la guardia de palacio?

–Estoy trabajando en eso. Hay un hombre con quien estudié hace años, en mis primeros tiempos de historiador en potencia. Nos hemos mantenido en contacto no muy frecuente, y es un hombre influyente. Creo que conoces su nombre. Se llama Winters, Samuel Winters...

–*¿Winters?* Es el que le dijo a Jennings que me diese la Medalla de la Libertad en esa loca ceremonia.

–Lo recordé. Por eso pensé en él. Que tengas un buen vuelo, y mi cariño a mi sobrina.

Kendrick fue hasta la puerta del depósito, donde se encontraba su escolta de policía, dos adentro, dos afuera, las armas desenfundadas y niveladas ante el cuerpo. Hasta el jefe de la estación de la CIA, quien en la vaga luz parecía también un hombre de las Bahamas, tenía un revólver pequeño en la mano.

–¿Ustedes siempre llevan esas cosas encima? –preguntó Evan sin mucho interés.

–Pregúntaselo a tu amiga, que sabía que "la posición estaba limpia" –replicó el agente de inteligencia, e hizo pasar a Kendrick por la puerta.

–Bromeas. *¿Ella* tiene una?

–Pregúntaselo.

–¿Cómo subió al avión en Estados Unidos? ¿Los detectores de metal, y después la aduana de aquí?

–Uno de nuestros pequeños secretos, que no es tan secreto. Cuando pasamos nosotros, aparece por casualidad un inspector de equipajes o de aduana, y el detector se cierra durante unos segundos, y en el caso de aduana se avisa a un inspector que no debe encontrar.

–Eso es bastante indefinido –dijo Kendrick, mientras entraba en el coche oficial del aeropuerto.

–No en lugares como éste. Los inspectores no sólo trabajan para nosotros, sino que son monitoreados. Más lejos, nuestro equipo nos espera adentro. –El jefe de estación se sentó junto a Evan, en el asiento trasero del pequeño sedán, y el conductor tomó la pista a toda velocidad.

El enorme y esbelto jet militar conocido con la denominación Dardo Delta F-106 había llegado, y sus motores funcionaban a marcha lenta, en un rugido bajo, mientras Khalehla, junto a una rampa de escalones metálicos, conversaba con un oficial de la Fuerza Aérea. Sólo cuando se acercó a los dos reconoció Kendrick el tipo de avión en el cual estaba a punto de entrar; no fue un reconocimiento que lo tranquilizara. El jet era similar al que lo había llevado a Cerdeña, más de un año antes, en el primer tramo de su viaje a Mascate. Se volvió hacia el agente de inteligencia que caminaba junto a él, y le tendió la mano.

–Gracias por todo –dijo–. Lamento no haber sido una compañía más agradable.

–Podría escupirme en la cara, y aun así me sentiría orgulloso de haberlo conocido, congresal.

–Ojalá pudiera decir que se lo agradezco... ¿cómo se llama?

–Llámeme Joe, señor.

"Llámeme Joe". Un año atrás, un joven, en el mismo tipo de avión, se llamaba Joe. ¿Habría otro Omán, otro Bahrein en su futuro?

–Gracias, Joe.

–No hemos terminado del todo, señor Kendrick. Uno de esos muchachos de la FA, con el rango de coronel, o incluso superior, tiene que firmar un papel.

El firmante en cuestión no era un coronel, sino un brigadier general, y era negro.

–Hola otra vez, doctor Axelrod –dijo el piloto del F-106–. Parece que soy su chofer personal. –El hombrón le tendió la mano.– Así les gusta a los poderes constituidos.

–Hola, general.

–Aclaremos una cosa, congresal. Yo me salí de la raya la última vez, y usted me puso en su lugar, y tenía razón. Pero le diré que si ahora me trasladan a Colorado, lo votaré con seguridad.

–Gracias, general –dijo Evan, tratando de sonreír–. Pero no necesitaré más votos.

–Es una pena. He estado viéndolo, escuchándolo. Me gusta la amplitud de sus alas, y eso es algo que yo conozco.

–Tengo entendido que debe firmar un papel.

–No recibí ninguno en Cerdeña –dijo el oficial, aceptando un recibo del jefe de estación de la CIA–. ¿Está seguro de que aceptará un documentito de un negro engreído que anda por los cincuenta y usa traje de general, Señor Corbata de Universidad Aristocrática?

–Cierra la boca, *muchacho*, tengo sangre de indio paiute. ¿Te parece que tú tienes problemas?

–Lo siento, hijo. –El oficial de la Fuerza Aérea estampó su firma, y su carga especial subió a bordo.

–¿Qué ocurrió? –preguntó Khalehla cuando llegaron a sus asientos–. ¿Por qué llamó MJ?

Con las manos temblorosas, la voz entrecortada ante la repentina enormidad de todo aquello, ante la violencia y la casi muerte de Emmanuel Weingrass, él se lo contó. Había una impotencia dolorida en sus ojos y sus explicaciones vacilantes, asustadas.

–¡*Dios mío*, esto tiene que *parar*! ¡De lo contrario mataré a todos aquellos a quienes quiero! –Ella sólo pudo volver a apretarle la mano y hacerle saber que estaba allí. No podía luchar contra los rayos que le herían la mente. Eran demasiado personales, demasiado torturadores del alma.

A los treinta minutos de vuelo, Evan tuvo una convulsión y saltó de su asiento; corrió por el pasillo, al baño. Allí vomitó todo lo que había comido en las últimas doce horas. Khalehla corrió tras él, abriendo por la fuerza la angosta puerta y tomándolo de la frente, sosteniéndolo, diciéndole que lo soltara todo.

–*Por favor* –tosió Kendrick–. ¡Por favor, *sal* del aquí!

–¿Por qué? ¿Porque eres tan distinto de todos los demás? ¿Te duele y no lloras? ¿Lo contienes todo, hasta que algo tiene que ceder?

–No me entusiasma la piedad...

–Y no la estás recibiendo. Eres un hombre maduro que ha pasado por una terrible pérdida, y que estuvo a punto de sufrir una mayor... para ti la más grande. Espero ser tu amiga, Evan, y como amiga no siento piedad por ti, te respeto demasiado para eso, pero estoy *contigo*.

Kendrick se irguió, tomó toallas de papel, pálido y visiblemente conmovido.

–Sabes cómo hacer que un tipo se sienta bien –dijo, culpable.

–Lávate la cara y péinate. Estás hecho un asco. –Rashad salió del cuartito, pasando entre dos tripulantes uniformados y asustados.– El maldito idiota comió algún pescado en mal estado –explicó, sin mirar a ninguno de los dos hombres–. ¿Quiere cerrar la puerta uno de ustedes, por favor?

Pasó una hora; ayudantes de la Fuerza Aérea sirvieron bebidas, seguidas por una comida al horno de microonda, devorada con apetito por la agente de inteligencia de El Cairo, pero apenas probada por el congresal.

–Necesitas comer, amigo –dijo Khalehla–. Esto supera de lejos a cualquier comida comercial.

–Que la disfrutes.

–¿Y tú? La mueves de un lado para otro, pero no comes.

–Beberé otro trago.

Levantaron la cabeza de golpe ante el sonido de una chicharra, escuchada con facilidad por encima del rugido exterior de los motores. Para Evan, era cosa *déjà vu*; una chicharra había sonado un año atrás, y entonces lo habían llamado a la cabina de vuelo. Pero ahora el cabo que atendió el intercomunicador en el mamparo, se acercó a Khalehla y habló con ella.

–Hay una radiotransmisión para ti, señorita.

–Gracias –respondió Rashad, y se volvió y vio la alarma en el rostro de Kendrick–. Si fuera algo importante, pedirían hablar contigo. Cálmate. –Caminó por el pasillo, tomándose de los pocos asientos, muy separados, para conservar el equilibrio en la leve turbulencia, y se sentó en el asiento de frente al mamparo. El tripulante le entregó el teléfono; el cable retorcido en espiral era más que suficiente para llegar hasta ella. Cruzó las piernas y habló.

–Habla Lápiz Dos, Bahamas. ¿Quién es?

–Uno de estos días tendremos que librarnos de esa basura –dijo Mitchell Payton.

–Es útil, MJ. Si hubiera usado "Banana Dos", ¿cómo habrías reaccionado?

–Habría llamado a tu padre, para decirle que eres una chica mala.

–Nosotros no contamos. Nos conocemos... ¿Qué ocurre?

–No quiero hablar con Evan, está demasiado alterado para pensar con claridad. Tendrás que hacerlo tú.

–Lo intentaré. Dime.

–Necesito tu evaluación. La información que recibiste de ese tipo que fuiste a ver, de la gente de inversiones Off Shore, en Nassau... estás segura de que es digno de confianza, ¿verdad?

–Su información sí, él no, pero no podría disimularlo, si hubiera mentido por dinero. El hombre es un ebrio permanente, que vive de lo que le resta de su sensatez, que puede haber sido más aguda antes que su cerebro estuviese empapado de ginebra. Evan le mostró dos mil en efectivo, y créeme, por ese dinero habría entregado los secretos del tráfico de drogas.

–¿Recuerdas con exactitud lo que dijo acerca de la mujer Ardis Montreaux?

–Por supuesto. Dijo que seguía la pista de los movimientos de la puta del dinero, como la llamó, porque ella estaba en deuda con él, y algún día se la cobraría.

–Me refiero a la situación marital de ella.

–Es claro que me acuerdo, pero Evan te lo dijo por teléfono, yo lo escuché.

–Dímelo tú. No podemos cometer errores.

–Muy bien. Se divorció del banquero Frazier-Pyke, y se casó con un californiano adinerado, de San Francisco, llamado Von Lindemann.

–¿Mencionó específicamente a San Francisco?

–No. Dijo "San Francisco o Los Angeles", me parece. Pero fue muy concreto respecto de California, ese era el asunto. El nuevo esposo de ella era californiano, y enormemente rico.

–Y el nombre... trata de recordarlo con exactitud. ¿Estás segura de que era *Von Lindemann*?

–Bueno... sí. Lo conocimos en un compartimento del Junkanoo, y había una banda, pero *sí*, ese era el apellido. O si no es exacto, se aproxima mucho.

–*¡Banca!* –exclamó Payton–. Se *aproxima* mucho, querida. Ella se casó con un hombre llamado Van*vlanderen*, Andrew *Vanvlanderen*, de Palm Springs.

–La culpa del error la tiene la boca empapada de ginebra.

–Estamos más allá de la ginebra, agente de campo Rashad. Andrew Vanvlanderen es uno de los contribuyentes más destacados de Langford Jennings... eso tienes que entenderlo como un filón de primera importancia para las arcas presidenciales.

–Eso es interesante.

–Oh, inclusive estamos más allá de lo interesante. Ardisolda Wojak Montreaux Frazier-Pyke Vanvlanderen, una administradora reconocidamente dotada y de evidente talento, es en la actualidad jefe de personal del Vicepresidente Orson Bollinger.

–Eso es *fascinante*.

–Creo que la situación exige una visita informal, pero muy oficial, de uno de nuestros especialistas de Medio Oriente... Tú estarás en el sudoeste de Colorado, a una hora de distancia, apenas. Te elijo a ti.

–Por Dios, MJ, ¿sobre qué *base*?

–Supuestamente se hicieron amenazas contra Bollinger, y se le asignó una unidad del FBI. Guardaron silencio respecto de eso –demasiado silencio, en mi opinión–, y ahora, de pronto, hacen regresar a la unidad, y se declara concluida la emergencia.

–¿En coincidencia con los ataques contra *Fairfax* y *Mesa Verde*? –sugirió Khalehla, interrumpiendo.

–Parece una locura, ya lo sé, pero es así. Llámalo reacción de un viejo olfato profesional, pero percibo un olor de desperdicios de aficionados, que emana de San Diego.

–¿Eso abarca a la *Oficina*? –preguntó Rashad, asombrada.

–No... la usa. Estoy trabajando en una averiguación interagencias. Tengo la intención de entrevistar a todos los miembros de esa unidad.

–Todavía no me contestaste. ¿Cuál es la razón para que yo vaya a San Diego? Nosotros no trabajamos en el plano interno.

–La razón es la misma que yo tengo para interrogar a la unidad. Con respecto a esas amenazas contra Bollinger, estamos examinando la posibilidad de una participación terrorista. Sólo Dios sabe que si se nos presiona para que revelemos los sucesos de esta noche, tenemos todas las justificaciones posibles... No sé dónde está, querida, pero en alguna parte de esta demencia hay una vinculación... y está el hombre rubio de acento europeo.

Khalehla miró en derredor mientras hablaba. Los dos ayudantes conversaban en voz baja, en sus asientos, y Evan miraba, sin ver, por la ventanilla.

–Lo haré, por supuesto, pero no haces que mi vida resulte más fácil. Es evidente que mi muchacho tuvo relaciones con esa mujer Vanvlanderen... A mí no me molesta eso, pero a él sí.

–¿Por qué? Se me ocurre que es una forma extraña de moralidad. Eso pasó hace mucho tiempo.

–No entiendes, MJ. La moralidad no es lo del sexo. Lo engañaron, lo sedujeron, para convertirlo casi en un delincuente internacional, y no puede olvidarlo, y quizá tampoco perdonarse.

–Entonces te descargaré de tus preocupaciones por el momento. A esta altura no hay que decirle nada a Kendrick acerca de San Diego. En su estado de ánimo, Dios sabe qué haría si tuviera siquiera un atisbo de esa conexión, y no necesitamos locos furiosos sueltos. Inventa algo respecto de un viaje de negocios urgente, y sé convincente. Quiero que interrogues a esa dama tan extraña del otro campo. Yo te tendré preparada una escena para la mañana.

–Me ocuparé.

–Espero que hayas traído tus documentos de recambio de El Cairo.

–Por supuesto.

–Es posible que tengas que usarlos. Estamos pisando un hielo demasiado frágil. De paso, ninguno de los nuestros te conoce, ni tú a ellos. Si averiguo algo, te lo haré llegar de alguna manera por intermedio de Weingrass, en Colorado... Un hielo *muy* delgado.

–Hasta Evan se da cuenta de ello.

–¿Puedo preguntar cómo andan las cosas entre ustedes dos? Te prevengo que tengo un afecto desmesurado por él.

–Pongámoslo así. En Cable Beach teníamos un piso encantador, de dos dormitorios, y ayer por la noche lo oí pasearse por la sala, al otro lado de mi puerta, hasta cualquier hora de la mañana. Estuve a punto de salir y ordenarle que entrara.

–¿Por qué no lo hiciste?

–Porque es todo tan confuso para nosotros, a *él* lo consume tanto... y ahora, esta noche, tan horrible. No creo que ninguno de los dos pudiera manejar complicaciones personales.

–Gracias a Dios que estamos con el mezclador. Sigue tus instrucciones, agente de campo Rashad. Nos han sido muy útiles en Proyectos Especiales... Te llamaré por la mañana, para darte instrucciones. Buena cacería, querida sobrina.

Khalehla volvió a su asiento, bajo la mirada ansiosa de Evan.

–Otros mundos siguen adelante, y son igualmente mortíferos, me temo –dijo ella, ciñéndose el cinturón de seguridad–. Era el jefe de estación de El Cairo. Dos de nuestros contactos desaparecieron en el distrito de Sidi Barrani... es una conexión libia. Le dije qué y a quién debía buscar... ¿Cómo te sientes?

–Muy bien –contestó él, examinándole el semblante.

–*A nuestros distinguidos tripulantes y a nuestra no demasiado harapienta tripulación* –dijo la voz fuerte y profunda del general, desde el intercomunicador de la cabina de vuelo–. *Parece que estamos* destinados a repetirnos, doctor Axelrod. *¿Recuerda esa "isla del sur"?* –El piloto explicó que para evitar la conmoción, y la publicidad, de un "pájaro de la FA" que aterrizara en los aeropuertos de Durango o Cortez, tenían órdenes de ir directamente al de Mesa Verde. La pista era considerada oficialmente adecuada, *"pero cuando nos posemos podemos encontrar terreno pedregoso, de modo que cuando dé la orden, ciñan bien los cinturones. Iniciamos nuestro descenso; la llegada se calcula para dentro de cuarenta y cinco minutos... si puedo encontrar ese maldito lugar... ¿Recuerda, doctor?*

Como había predicho el general, con considerable discreción, el aterrizaje sacudió al avión con una serie de intensas vibraciones, y las erupciones del frenado de los jets repercutieron en todo el fuselaje. Afuera, en tierra, se expresaron agradecimientos, hubo adioses y el brigadier entregó su carga a un agente de campo de la Agencia Central de Inteligencia. Khalehla y Evan fueron llevados rápidamente a un sedán blindado, que había sido enviado en avión desde Denver; la escolta de motociclistas era un contingente de seis hombres armados, de la Policía del Estado, evidentemente ignorante del motivo por el cual la oficina del gobernador les hubiese ordenado ir al retirado "aeropuerto para millonarios", próximo al Parque Nacional de Mesa Verde.

–Permítame que lo ponga al tanto, congresal –dijo el hombre de la CIA, sentado, como su colega de las Bahamas, en el asiento delantero, al lado del conductor–. Aquí somos cinco, pero dos volarán a Virginia con el prisionero y los tres cadáveres... Le doy los detalles porque se me dijo que podía hablar delante de la dama, que usted tenía rango oficial, señorita.

–Gracias por su confianza –dijo la agente no reconocida de Proyectos Especiales.

–Sí, señorita... hemos reunido a media docena de guardabosques del parque para la noche, cada uno con conocimiento de la situación, cada uno un combatiente veterano, para proteger la casa y los terrenos de ustedes. Mañana llegará una unidad de Langley para ocupar los puestos de ellos.

–Cielos, ¿y qué pasa si hay otro *Fairfax*? –murmuró Evan.

Khalehla clavó el codo en el costado de Kendrick, y tosió mientras lo hacía.

–¿Perdón?

–No es nada. Continúe.

–Un par de puntos... y no me molesta decirles que ese viejo judío tendría que ser ubicado en el salón de la fama de alguien, si algún otro no lo encierra en una celda acolchada... pero ustedes dos necesitan conocer los hechos, la cobertura. Weingrass lo tenía todo preparado antes que llegáramos allá... ¡*Caray*, es un campeón!

–Se toma nota y se acepta –dijo Kendrick–. ¿Cuáles son los hechos?

–Las enfermeras saben muy pocas cosas; creen que había un solo terrorista, un fanático alucinado. Los tres cadáveres fueron ocultados en el bosque hasta que la policía se fue, y luego llevados por su amigo mexicano, González, al garaje, sin que las enfermeras lo viesen. Ellas estaban al otro lado de la casa, en la galería, con Manny... Por Dios ¿cómo consiguió que lo llamase "Manny"? De todos modos, González cerró con llave las puertas del garaje y regresó en el coche a su restaurante. El señor Weingrass nos garantiza que no hablará.

–Se puede confiar en el señor Weingrass.

–El arreglo no nos agrada, pero supongo que los tres se conocen de hace mucho tiempo.

–De hace mucho –dijo Kendrick.

–De modo que el congresal no debería hacer declaraciones acerca de la magnitud del ataque –interrumpió Khalehla–. ¿Es eso lo que está diciéndonos?

–Eso, exactamente. Todo es *contención*, señor Kendrick, esa es la orden de arriba, de Langley. Por lo que se refiere a la gente de aquí, somos personal del gobierno, no de la Agencia, no de la Oficina, no se ofrecen identificaciones, y no se las pide. Todos están demasiado asustados como para buscarse complicaciones, cosa que es habitual en estos casos. Un avión llegará a eso de las tres de esta mañana. El prisionero y sus amigos muertos serán llevados a Virginia. Será enviado a una clínica de interrogatorios, los otros a los laboratorios forenses. Y Manny dijo... Perdón, el *Señor Weingrass* dijo que debíamos aclararle todo esto.

–Está claro.

–Gracias, señor. ¡Caramba, ese Manny! ¿Sabe que me golpeó en el estómago cuando le dije que me encargaba de todo? ¡Quiero decir, me tiró un puñetazo en el vientre!

–Típico –dijo Kendrick, mientras miraba la carretera por la ventanilla de vidrios ahumados. Estaban apenas a diez minutos de la casa. De Manny.

Se abrazaron en la puerta; Evan apretó al anciano con más firmeza que éste a él. Luego Weingrass tironeó con suavidad de las orejas de Kendrick y dijo:

–¿Tus padres no te enseñaron modales? Detrás de ti hay una dama a quien tengo muchos deseos de conocer.

–Oh, perdón –dijo Evan, a la vez que retrocedía–. Manny, esta es Khalehla... Khalehla Rashad.

El anciano Weingrass se adelantó y tomó la mano de Khalehla.

–Venimos de un país revuelto, tú y yo. Tú eres árabe y yo judío, pero en esta casa no existen esas distinciones, esos preconceptos, y debo decirte que te quiero mucho por proporcionar tanta alegría a mi hijo.

–Dios mío, *eres* una maravilla.

–Sí –convino Manny, asintiendo dos veces.

–Yo también te quiero a ti, por todo lo que significas para Evan. –Khalehla rodeó con sus brazos al frágil arquitecto y apretó la cara contra la de él.– Siento como si te conociera de toda la vida.

–A veces le produzco ese efecto a la gente. Y a veces todo lo contrario, como si la vida de ellos hubiera sufrido un vuelco repentino, para peor.

–En la mía no ha sucedido eso –dijo Khalehla, y soltó a Manny, pero dejó el brazo sobre los hombros de éste–. He conocido a la leyenda, y resulta ser una persona espléndida –agregó, con una sonrisa cálida.

–No difundas esa información, señorita Agente Secreto. Arruinarás mi reputación... A nuestras cosas, antes que te presente a los demás. –Weingrass se volvió en el pasillo, y atisbó en torno de la arcada de piedra.– Bien. Las chicas están en la galería y eso nos da unos minutos.

–El hombre de la CIA nos informó –dijo Kendrick–. El que fue al aeropuerto, a recibirnos.

–Ah, te refieres a Joe.

–¿Joe?

–Todos son Joe, John, Jim... te darás cuenta de que no hay ningún Irving o Milton... olvídalo... Payton me dijo que ya sabes lo que ocurrió con los Hassán.

–Lo sabe –interrumpió Khalehla, tomando, distraída, la mano de Evan, y apretándola; el gesto no pasó inadvertido para Manny, y resultó evidente que lo conmovía–. Fue horrible...

–Todo es horrible, mi encantadora niña. ¡*Animales* que matan a los *suyos*! Kashi y Sabri hablaron con tanto cariño de ti, Adrienne Khalehla Rashad, y no necesito decirte lo que opinaban de mi hijo... De modo que los lloraremos en privado, cada uno para sí, recordando lo que significaron para nosotros. Pero eso tendrá que ser más tarde, no ahora...

–Manny –interrumpió Kendrick–. Tengo que tomar algunas medidas...

–Ya lo hice yo. Habrá un servicio islámico privado, y los restos irán en avión a Dubai, para ser enterrados en Ash Sharigah. Los ataúdes estarán sellados, por supuesto.

–Señor Weingrass...

–*Este* asunto está primero. Si me llamas "señor", no te querré tanto.

–Está bien... Manny. MJ no fue muy claro. MJ... es Payton.

–Lo sé, lo sé –interrumpió Weingrass–. Le dije que si hacía arreglar el teléfono podríamos mostrarnos más cordiales, de modo que creo que hizo asesinar a alguien, y en este momento funciona. Ahora somos Emmanuel y Mitchell, y él llama demasiado. Perdón, ¿querías preguntar algo?

–¿Cuál es mi cobertura aquí? Me siento como una idiota, pero lo cierto es que no sé. El agente de campo, el del coche, dijo que yo era oficial, ¿pero oficial *qué*? ¿Quién soy para esta gente?

–Mitchell sugirió que dijeras que eres una representante del Departamento de Estado que acompaña al congresal.

–*¿Estado?*

–Tal vez quiere culpar a alguien si las cosas no salen bien. Entiendo que es un pasatiempo popular en Washington.

–No, él no es así... Ah, *entiendo*. Si tengo que dar instrucciones, estoy en condiciones de hacerlo.

–¿No tendrías que mostrar algún documento de identidad del Departamento de Estado, si alguien lo pidiera? –preguntó Evan.

–Bien... sí.

–¿Quieres decir que tienes uno?

–Algo por el estilo.

–Eso es ilegal...

–Nos ponemos sombreros diferentes en distintos momentos, Evan.

–Además tienes un arma. Ese indio paiute, el jefe de estación de las Bahamas, me lo dijo.

–No habría debido decírtelo.

–¿Por casualidad no trabajas también para el Mossad? –preguntó Weingrass, sonriendo.

–No, pero tú sí... trabajabas. Y algunos de mis amigos más íntimos también están en él.

–Estás en buenas manos, *bubbelah*... Más asuntos. Mitchell quiere que Evan vea la mercancía de aquí... el del dormitorio y los cadáveres; están cubiertos con sábanas, en el garaje, y saldrán por expreso aéreo, por la noche.

–¿Y las enfermeras no *saben* que están ahí? –preguntó Kendrick con tono de incredulidad.

–Tu amigo Payton se mostró inflexible... "fanático", es la palabra. "Contención, contención", decía una y otra vez.

–¿Cómo los harás pasar ante ese grupo de guardabosques de afuera?

–Han alquilado un camión en Durango. Lo dejarán en el aeropuerto, donde alguien lo recogerá y traerá aquí. Luego lo guardarán en el garaje, fuera de la vista, y toda la operación será dirigida por hombres de Payton. Parece que saben lo que hacen.

–En efecto –dijo Khalehla con suavidad–. ¿Alguien habló con las chicas acerca de lo que deben decir, o más bien de lo que no deberían decir?

–Yo lo hice, y por primera vez me tomaron en serio, pero no sé cuánto tiempo durará eso. Todavía están muy sacudidas, y no conocen ni la cuarta parte de lo que ocurrió.

–Yo las reuniré, mientras tú y Evan hacen sus rondas macabras, y los respaldaré... en forma muy oficial. MJ tiene razón. Haré de Departamento de Estado.

–¿Por qué? –interrogó Evan–. Lo pregunto sólo por curiosidad.

–Para mantener a la Agencia fuera del asunto. No tenemos jurisdicción en el país, y alguna de ellas podría recordar, y dejar volar la imaginación. Cuanto más sencillo, mejor.

–Muy profesional –aprobó Weingrass–. ¿Cómo te presento, entonces?

–Soy nada más que la señorita Adrienne, del Departamento de Estado. ¿Te molesta mentir?

–Déjame pensar –dijo Manny, ceñudo–. Una vez dije una mentira... creo que fue en julio de 1937... Vamos. –Tomó el brazo de Evan y la mano de Khalehla, y los condujo, a través de la arcada de piedra, a la sala; gritó a las tres enfermeras, que se hallaban en la galería cerrada:– ¡*Aquí*, mi aquelarre de hechiceras, está el verdadero *brujo*! ¡Rindan homenaje al hombre que paga por sus orgías sexuales y sus excesivas cajas de moscatel!

–*¡Manny!*

–Me aman –dijo Weingrass en voz baja, mientras avanzaba a zancadas–. Juegan a los dados el derecho a acompañarme en la cama.

–Por amor de *Dios*...

–Cállate, querido. *Es* una maravilla.

–Se fracturó la pierna al saltar con nosotros del camión, más allá de Jabal Sham –dijo Kendrick, mirando al joven inconsciente, amarrado a la cama–. Es un chico.

–¿Pero tu identificación es positiva? –preguntó el agente de la CIA, de pie al lado de Emmanuel Weingrass–. Estuvo en Omán contigo, no cabe duda de eso.

–Ninguna. Nunca lo olvidaré. Había en él un fuego que no es fácil encontrar en muchos adolescentes de aquí... salvo entre la escoria urbana.

–Salgamos por la puerta trasera y vayamos al garaje.

–Ese es Yosef, –dijo Evan, cerrando los ojos–. Su madre era judía... y durante unas horas fue mi amigo. Me protegió... oh *Cristo*.

–*¡Basta!* –gritó Manny–. ¡Vino aquí a *matarte*!

–Por supuesto. ¿Por qué no? Yo fingí ser uno de ellos en su maldita causa sagrada... A la madre le afeitaron la cabeza, ¿te imaginas eso?

–Me lo dijo a gritos cuando trató de matarme –dijo Weingrass con sencillez–. Si te hace sentir mejor, yo no quise matarlo. Quería atrapar con vida a todos los que pudiese.

–Para quien conoce a Yosef, no tenías alternativa.

–No la tuve.

–Estos otros dos –interrumpió el impaciente agente de la CIA, levantando las sábanas–. ¿Los reconoces?

–Sí. Los dos estaban en el cercado, pero nunca supe cómo se llamaban. El de la derecha tenía pantalones sucios; el otro, largo cabello enmarañado, y miraba como si tuviese algún complejo mesiánico... me pareció que era un psicótico. Eso es lo único que puedo decirte.

–Ya nos has dicho lo que necesitamos saber. Todos estos hombres a quienes identificaste estuvieron contigo en Omán.

–Sí, conocía a cada uno de ellos... Querían su venganza, y si yo hubiese estado en su lugar no sé si habría pensado en forma diferente.

–Tú no eres un terrorista, congresal.

–¿Qué diferencia hay entre un terrorista y un "luchador por la libertad"?

–Por empezar, *señor*, los terroristas se especializan en matar a personas inocentes. Los hombres y mujeres comunes que están ahí por casualidad, chicos con mochilas, empleados –jóvenes o viejos, no importa–, que sencillamente se dedican a sus ocupaciones. ¿Cuál es tu argumentación, *señor*?

Kendrick estudió al agente de campo, sacudido de repente al recordar Fairfax y a los Hassán.

–Pido disculpas por una frase estúpida y fatua. La lamento de veras.

–Qué demonios –dijo el agente de la CIA, encogiéndose de hombros, para olvidar su ira momentánea–. Estamos todos demasiado tensos, y hay demasiados rótulos en circulación.

Volvieron a la casa, donde Khalehla hablaba con las enfermeras. Lo que decía contaba con la hechizada atención de las tres mujeres; éstas se hallaban inmóviles en sus sillas, con la mirada inteligente clavada en la "representante del Departamento de Estado". Evan y Manny entraron en silencio y fueron hacia el bar, mientras el agente de la CIA se dirigía hacia el cuarto de huéspedes, a ver a un colega y al prisionero.

–He explicado todo, congresal Kendrick –dijo Khalehla con voz oficial–, hasta donde me está permitido, por supuesto, y estas damas han prometido colaborar. Una tenía un visitante que llegaría mañana, pero lo llamará para decirle que hay una emergencia médica, y que no venga.

–Muchas gracias –murmuró Weingrass, sirviéndose un trago, bajo la mirada vigilante de Kendrick–. Ahora soy un cadáver.

–Gracias a *ti*, Manny –replicó la enfermera con sequedad.

–Yo quiero agradecerles a todas –dijo Evan enseguida–. Washington está convencido de que se trata de un incidente aislado, un joven lunático suelto...

–Lo mismo que Sirhan-Sirhan –interrumpió la enfermera que había ido a Mesa Verde para ver a González–, y la descripción no modificó los resultados.

–Les he dicho que el prisionero será trasladado al Este, bajo protección, esta noche, y que no se inquieten si escuchan ruidos en los terrenos o en el garaje.

–*Muy* profesional –masculló Weingrass.

–Yo tengo una sola pregunta –dijo la tercera enfermera, mirando a Khalehla–. Tú mencionaste que la cuarentena era temporal... Bueno, no es porque esté a punto de ser invitada al Grand Prix de Monte Carlo, ¿pero cuánto tiempo es "temporal"?

–Hay demasiada gente en el Grand Frix –intervino Manny, mientras bebía–. No se puede cruzar la calle, y los Bains de Mer enloquecen.

–No más de unos días –respondió Kendrick, hablando otra vez con rapidez–. Sólo quieren realizar las verificaciones habituales... Y si recibes esa invitación, Manny en persona te acompañará.

–Congresal, prueba con el Pato Loco.

–*Meshugah*.

Afuera hubo un repentino alboroto alarmante. Se escucharon gritos, y hubo un bocinazo.

–¡Apártense de las *ventanas*! –gritó el agente de la CIA, y atravesó la sala a la carrera–. ¡Al suelo! *¡Todos al suelo!*

Evan se lanzó hacia Khalehla, sorprendido al darse cuenta de que se había dejado caer entre las alfombras y rodaba sobre sí misma, hacia la base de una puerta corrediza, con una automática en la mano.

–¡Está bien, está *bien*! –gritó una voz desde el prado delantero.

–Es uno de los nuestros –dijo el hombre de la Agencia Central de Inteligencia, de rodillas, también con un arma en la mano–. ¿Qué *demonios...*? –Se puso de pie y corrió a la sala, seguido por Kendrick. La maciza puerta del frente se abrió, y una alarmada figura bien vestida entró, vacilante, escoltada por un guardabosque. Llevaba un maletín negro, de médico; estaba abierto; había sido registrado.

–No esperaba semejante recibimiento –dijo el médico–. Sé que no siempre se me acepta con gusto, pero esto es excesivo... *Congresal*, es un gran *honor*. –Se estrecharon las manos; el agente de la CIA miraba, desconcertado.

–Me temo que no nos conocemos, ¿verdad? –preguntó Evan, también perplejo.

–No, pero somos vecinos, aunque esté unos diez kilómetros más allá, hacia las colinas, me considero un vecino. Me llamo Lyons.

–Lamento lo de la recepción. Tendrá que culpar de ella a un Presidente sobreprotector. ¿Qué ocurre, doctor Lyons? ¿Por qué está aquí?

–Porque *él* no estaba *allí* –replicó el intruso, sonriendo con valentía–. Soy el nuevo médico del señor Weingrass. Si revisa su agenda, tenía que estar en mi consultorio de Cortez, a las cuatro de esta tarde. No llegó, y no podíamos comunicarnos con él por teléfono, de manera que, como esta casa está camino de la mía, pensé en venir a ver si había algún problema. –El médico se interrumpió y sacó un sobre del bolsillo.– De pasada, en consonancia con estas medidas sobreprotectoras, aquí está mi autorización del hospital Walter Reed, avalada por los funcionarios correspondientes de la administración. Debo mostrarla al señor Weingrass y sus enfermeras, o por lo menos a la que lo acompañó a mi consultorio. El está bien, ¿verdad?

–*¡Manny!* –gritó Kendrick, irritado.

Weingrass apareció en la arcada de la galería, con un vaso de bebida en la mano.

–¿Por qué me gritas?

–¿No tenías que estar esta tarde en el consultorio del doctor?

–Oh, sí, alguien llamó la semana pasada...

–Fue mi recepcionista, señor Weingrass –explicó el doctor Lyons–. Dice que usted tomó nota y convino en estar allí.

–Sí, bueno, hago eso de vez en cuando, pero me siento bien, ¿y para qué molestarlo, entonces? Además, usted no es mi médico.

–Señor *Weingrass*, su médico falleció hace varias semanas, de un ataque cardíaco. La noticia se publicó en los periódicos, y yo sé que usted recibió un anuncio acerca del funeral.

–Sí, bueno, tampoco voy a ellos. El mío ya está retrasado.

–De todos modos, ya que estoy aquí, ¿por qué no echamos una mirada?

–¿Qué buscaremos?

–Unos golpecitos en el tórax, y una pequeña muestra de sangre para el laboratorio.

–Me siento muy bien.

–Estoy seguro de ello –aceptó Lyons, asintiendo–. Es un examen de rutina, y no llevará más de un par de minutos... De veras, para mí es un honor conocerlo, congresal.

–Muchas gracias... Ve, Manny. ¿Quiere que una de las enfermeras lo ayude, doctor?

–En verdad no hace falta...

–¿Para que pueda ponerse lasciva ante mi pecho desnudo? –protestó Weingrass, interrumpiendo–. Vamos, doctor. Usted me golpea las costillas, y después va y se compra un Cadillac.

–Por lo menos una Ferrari –replicó Lyons, sonriendo a Kendrick.

Emmanuel Weingrass y su nuevo médico se dirigieron hacia el dormitorio, por el corredor de piedra.

30

Era la una y diez de la mañana, y el agotamiento pendía como círculos de pesada neblina inmóvil sobre la casa de Mesa Verde. El agente de campo de la CIA, con los ojos oscuros de fatiga, entró en la galería cerrada, donde Evan y Khalehla se hallaban sentados en el sofá de cuero, frente a Manny, en diagonal, en su sillón reclinable. Las tres enfermeras se habían ido, cada una a su habitación, liberadas de sus obligaciones para el resto de la noche; la presencia de guardias armados que patrullaban los terrenos, afuera, les había destrozado los nervios. El paciente sobreviviría a sus horas de sueño, sin ser visitado cada media hora. El doctor Lyons lo había garantizado.

–Washington está ansioso –anunció el fatigado agente de inteligencia–. El programa ha sido adelantado, de modo que iré ahora en busca del camión. El avión tiene que estar aquí dentro de una hora, lo cual significa que no tengo mucho tiempo. Quieren que el aparato llegue y se vaya.

–La torre de allí no funciona toda la noche, a no ser que haya un acuerdo previo –dijo Kendrick–. ¿Pensaron en eso?

–Hace horas, a tiempo para el vuelo de usted desde las Bahamas. La Fuerza Aérea trajo un equipo de controles desde Colorado Springs. La cobertura es una maniobra de adiestramiento de la FA, autorizada por la oficina de usted. Nadie se opone, y nadie hace preguntas.

–¿Por qué?

–Porque usted es usted, señor.

–¿Hay algo que podamos hacer aquí? –preguntó Khalehla, antes que Evan pudiese hacer un comentario.

–Sí –respondió el agente de campo–. Si no les molesta, preferiría que nadie estuviese levantado cuando regrese. Tenemos organizado esto al detalle, por fracciones de minutos, de manera que cuantas menos personas haya, mejor.

–¿Cómo piensa manejar a esos vaqueros que están ahí afuera, en el parque? –preguntó Weingrass, con una mueca que se veía con claridad que no tenía nada que ver con la pregunta que formulaba–. Un par de veces asomé la cabeza por la puerta, y esos dos llegaron y se precipitaron sobre mí como si fuese un oso fugitivo.

–Se les ha dicho que una personalidad extranjera llegará para ver al congresal... en rigor, *ése* es el motivo de que se encuentren aquí. Y como la reunión es muy confidencial... y por deferencia al visitante, que quiere que se mantenga así, todas las patrullas permanecerán fuera de la vista. Estarán a los costados de la casa, y en la glorieta.

–¿Y se tragaron esa tontería? –intervino Weingrass.

–No tienen motivos para ponerlo en duda.

–Porque es *él* –convino Manny, asintiendo.

–Y porque les pagan trescientos dólares a cada uno, por perder una noche de sueño.

–Muy profesional, señor Contención. Usted es más competente de lo que creía.

–Tengo que serlo... Bien, si no vuelvo a verlo, ha sido un verdadero placer, congresal. Es posible que algún día pueda contarles esto a mis chicos... No, por favor, no se levante, señor, tengo que darme prisa. Usted también, señorita Oficial, como diría el señor Weingrass. Y tú, Manny, te digo que ha sido toda una experiencia. *Creo* que me alegro de estar a tu lado.

–Es lógico, necesitas toda la ayuda que puedas conseguir... *Ciao*, joven. Que tengas una buena cacería, y si las ventajas son sólo de cinco a uno contra ustedes, serán los ganadores.

–Gracias, Manny, tengo la intención de que sea así. –El agente de inteligencia se volvió un instante hacia Evan y Khalehla, sentados aún en el sofá.– Lo digo en serio –agregó en voz baja–. Escuché la referencia a Fairfax en el coche y la dejé pasar, pero no fue fácil. Saben, aquí soy el único que conoce lo que ocurrió; por eso insistí en dirigir este equipo. El hijo de mi hermana mayor, mi sobrino, yo lo hice entrar en la Agencia, formaba parte de esa unidad. –El hombre de la CIA salió con paso rápido.

Por empezar, señor, los terroristas se especializan en matar a personas inocentes. Los hombres y mujeres comunes que están ahí por casualidad, chicos con mochilas, empleados –jóvenes o viejos, no importa–, que sencillamente se dedican a sus ocupaciones. ¿Cuál es tu argumentación, señor?

–Cuán terrible para él –dijo Khalehla–. Debe de sentir tanto dolor, tanta culpa.

–¿Quién de nosotros no lo siente? –preguntó Kendrick; su voz flotó, y luego se detuvo con brusquedad, con una repentina inspiración forzada.

–No puedes culparte por lo que ocurrió –insistió Khalehla.

–Por lo que *ocurre* –exclamó Kendrick–. ¡Está *ocurriendo*! ¿Cómo demonios entró esa gente en el país? ¿Quién los *dejó* entrar? ¿Dónde están nuestras presuntas medidas de seguridad *brillantes*, con las cuales arrestan a agentes soviéticos de quinta categoría, que después canjeamos por reporteros enviados a Moscú porque eso es buenas *Relaciones Públicas*, y después no podemos detener a una docena de asesinos que han venido a *matar*? ¿Quién hace que eso sea *posible*?

–Estamos tratando de averiguarlo.

–Se han demorado un poco, ¿no?

–*¡Basta!* –ordenó Weingrass, inclinándose hacia adelante y perforando el espacio con el índice–. ¡Esta muchacha no tiene nada que ver con lo que estás diciendo, y no lo toleraré!

–Lo *sé* –dijo Kendrick, tomando la mano de Khalehla–, y ella sabe que lo sé. Sólo que todo es tan demencial... me siento tan impotente, tan asustado... ¡Son maniáticos, y andan sueltos, y nunca los *encontraremos*! –Evan bajó la voz, y los ojos, henchidos de dolor, se detuvieron en la agente de campo de El Cairo.– Tal como no encontramos a los canallas que robaron ese legajo de Omán, "a prueba de robos", e hicieron conocer mis acciones por todo el mundo. ¿Cuánto tiempo ha pasado... ocho, diez semanas? No estamos más cerca que cuando comenzamos. Al menos ahora sabemos por qué lo hicieron. No fue para convertirme en héroe, o para impulsar mi presunta carrera de candidato político de Dios sabe qué... ¡Fue para prepararme para el asesinato! Una "muerte por venganza", creo que es la traducción literal del árabe. ¡El caso es que no estamos yendo a *ninguna* parte!

–Escúchame –dijo Khalehla con suavidad–. Voy a decir algo que tal vez no debería, pero a veces violamos una regla porque la esperanza también es importante... Han ocurrido otras cosas que no conoces –*están* ocurriendo, como dices tú–, y cada nueva información nos lleva un paso más adelante, hacia la verdad de todo este horrible embrollo.

–Eso es muy enigmático, joven.

–Manny, trata de entender. Evan entiende, porque tenemos un acuerdo. Sabe que en algunas ocasiones no puedo explicar las cosas.

–¿Puede preguntar por qué, un anciano que ha residido antes en tu territorio, una o dos veces?

–Si te refieres a tu trabajo con el Mossad, no deberías hacerlo... y perdóname por ser directa... La base tiene que ser una imperiosa necesidad de saber, porque lo que no sabes no puedes revelarlo.

–¿Los amitales y los pentotales? –preguntó Weingrass–. ¿La escopolamina, en otros tiempos? Vamos, mi encantadora niña, no estamos en las calles traseras de Marrakech, o en las montañas de las guerrillas de Ashot Yaaqov. ¿Quién usaría aquí productos químicos contra nosotros?

–Estoy segura de que el joven prisionero que identificó Evan, el que ahora viaja rumbo a una clínica de Virginia, pensaba probablemente de la misma manera. Dentro de veinticuatro horas, toda su vida estará grabada en una cinta.

–Eso no se aplica a nosotros –insistió Weingrass.

–Tal vez no, pero hay otra cosa que sí. Desde hace seis horas tenemos una pista, una pista *posible*, que puede llevarnos a escalones más altos de este gobierno de lo que desea cualquiera de nosotros. Si nos equivocamos, el congresal Kendrick, de Colorado, no podrá formar parte de eso; sencillamente, no podrá *saber* nada. Como consecuencia de ello, tampoco tú, Manny.

–Esa transmisión de radio en el avión... –dijo Evan, con una mirada dura a Khalehla–. En El Cairo no había un jefe de estación, ¿verdad? –Khalehla se encogió de hombros, le soltó la mano y tomó su bebida, que estaba en la mesita del café, delante del sofá.– Muy bien, nada de detalles –continuó Kendrick–, pero hablemos de la verdad... olvidemos lo negable, que me importa un comino. ¿Qué clase de verdad buscas? Dame una *visión general*... esta frase la he escuchado ad nauseam en Washington. ¿Qué clase de personas están haciendo qué a *quiénes*? Sean quienes fueren, han matado a mis amigos... a *nuestros* amigos. Tengo derecho a *saber*.

–Sí, lo tienes –dijo Khalehla con voz lenta, rígida en el sofá, mirando alternativamente a Evan y a Emmanuel Weingrass, y deteniéndose por último en Kendrick–. Tú mismo lo dijiste, lo pusiste en duda... por lo menos en relación con una parte de la verdad. Alguien *dejó* entrar a esos asesinos y permitió que mataran. Se distribuyeron pasaportes sin limitaciones, y como me resulta fácil imaginar su aspecto general, porque soy uno de ellos, esos documentos falsos tenían que ser muy buenos para ser aceptados por los expertos antiterroristas que nosotros y nuestros aliados tenemos en todos los puntos de inmigración, aquí y en el extranjero, incluidos los Soviets, puedo agregar. Más allá de esos documentos está la logística, las líneas de abastecimiento, sin las cuales los terroristas no pueden actuar. Armas, municiones, dinero, licencias de conductor y vehículos alquilados con anticipación; lugares donde puedan ocultarse y prepararse, inclusive hasta el detalle de las ropas más actuales fabricadas en este país, para el caso de que sean arrestados e interrogados. Después están los elementos tales como las reservas en ferrocarriles y compañías aéreas, todas hechas de antemano, y los billetes entregados antes de que ellos entren en una terminal, salvo cuando se encuentran en un andén o en una sala de espera a último momento. ¿Sabes?, nada carece de importancia para esa gente; todo es vital, hasta el último detalle, para el éxito de cualquier misión. –Khalehla se interrumpió y miró de uno a otro hombre.– Alguien ha hecho que estuviesen a disposición de ellos, y fuese quien fuere, o quienes fueren, no deberían *estar* en este gobierno, ni disponer de los accesos con que cuentan. Encontrarlos es más importante de lo que podría explicarlo.

–Eso lo dijiste sobre quienes robaron el legajo de Omán.

–Y tú crees que son las mismas personas.

–¿*No* lo son? A mí me resulta evidente.

–A mí no.

–El escenario. Es la explicación de un asesinato por venganza. *A mí.*

–Supónte que son cosas separadas –insistió Khalehla–. ¿Que una hace nacer a la otra? Han pasado diez semanas, ¿recuerdas? Ya ha pasado el ímpetu para asesinarte, en el ardor del sentimiento de venganza, que es intrínseco del *jaremat thaár*.

–Acabas de indicar todos los detalles que sería preciso tener en cuenta. Eso lleva tiempo.

–Si poseen los recursos que hacen falta para hacer lo que hicieron en diez semanas, habrían podido hacerlo en diez días, Evan.

Emmanuel Weingrass levantó la mano, con la palma hacia adelante; era un pedido de silencio, y esperaba ser obedecido.

–¿Ahora nos estás diciendo que en lugar de un enemigo mi hijo tiene dos? ¿Los árabes del valle de Baaka y algún otro, aquí, que trabaja con ellos o *contra* ellos? ¿Te parece que estás hablando con sensatez, encantadora niña?

–Dos *fuerzas*, las dos engañosas, una de ellas un enemigo mortífero, sí, por supuesto... A la otra no la conozco. Sólo sé lo que intuyo, y no presento evasivas. Cuando MJ no tiene las respuestas, culpa de ellos a lo que llama "los huecos". Creo que yo estoy recurriendo a eso. Hay demasiados huecos.

Weingrass volvió a hacer una mueca, y un eructo silencioso llenó sus flacas mejillas.

–Acepto tus percepciones –dijo–. Si Mitchell te despide alguna vez, te encontraré un empleo razonable en el Mossad, eludiendo a cierto contador que te dejaría morir de hambre. –De pronto el anciano arquitecto hizo una inspiración profunda y se respaldó en su asiento.

–Manny, ¿qué *pasa*? –dijo Khalehla–, y su pregunta hizo que Kendrick volviese la cabeza, alarmado.

–¿Estás bien? –preguntó Evan.

–Estoy preparado para las Olimpíadas –respondió Weingrass–. Sólo que en un momento dado siento frío, y al siguiente calor. Es a causa de todo ese correteo por los bosques, como un chico. Lyons me dijo que mi sístole estaba un poco alta, o tal vez era la otra, y que tenía algunas magulladuras donde no debía tenerlas... Le dije que a los cuarenta luchaba contra toros, en el sur. Necesito hacer descansar estos huesos, chicos. –El anciano se puso de pie.– ¿Querrías creer, Khalehla, que no soy un niño?

–Creo no sólo que eres joven, sino además una persona notable.

–En realidad es más adecuado decir que soy una persona extraordinaria –comentó Manny–. Pero en estos momentos siento los efectos de mi virtuosidad. Me voy a acostar.

–Iré a buscar a una de las enfermeras –dijo Kendrick, y comenzó a ponerse de pie.

–¿Para *qué*? ¿Para que pueda aprovecharse de mí, *violarme*? ¡Necesito descanso, muchacho...! Y deja que *ellas* descansen. Han trabajado mucho, y ni siquiera lo saben. Yo estoy muy bien, sólo que un poco cansado. Trata de correr en las Olimpíadas cuando *tú* tengas sesenta años.

–¿Sesenta?

–Cállate, hijo. Todavía puedo disputarte a esa encantadora muchacha.

–¿Puede ser por algo que te dio el doctor? –preguntó Khalehla, con una sonrisa cálida ante el cumplido.

–¿Y qué me dio? Nada. Sólo me sacó un poco de sangre para su *meshugenah* laboratorio, y me ofreció unas píldoras, que yo le dije que tiraría al inodoro. Es probable que se trate de muestras que consigue por nada, y que después las cobra lo bastante como para agregar una nueva ala en su aristocrática casa... *Ciao*, juventud.

Los dos observaron al anciano, cuando atravesó la arcada para salir por la sala, cada paso asentado con firmeza delante del siguiente, como si reuniera fuerzas que no sentía.

–¿Te parece que está bien? –preguntó Evan, cuando Weingrass desapareció de la vista.

–Creo que está extenuado –contestó Khalehla–. Intenta hacer lo que hizo él esta noche, olvídate de los sesenta *o* los ochenta; inténtalo mañana.

–Iré a verlo cada tanto.

–Nos turnaremos. De ese modo nos sentiremos mejor los dos, sin despertar a las enfermeras.

–Lo cual es otra manera de decir que se quedarán quietas, y lejos de las ventanas.

–Supongo que sí –admitió Rashad–. Pero aun así nos sentiremos mejor, aunque sea por las dos cosas.

–¿Quieres otro trago?

–No, gracias...

–Yo sí. –Kendrick se levantó del sofá.

–Todavía no he terminado.

–¿Qué? –Evan se volvió cuando Khalehla se levantó y se detuvo delante de él.

–No quiero un trago... pero te quiero a ti.

Kendrick la miró en silencio; sus ojos le recorrieron la cara, y por último se detuvieron en los ojos de ella.

–¿Es por piedad? ¿Quieres ser piadosa con el hombre confundido y dolorido?

–No recibirás piedad de mí, ya te lo dije. Te respeto demasiado, eso también te lo dije. Y en cuanto a lo del pobre hombre confundido y dolorido, ¿quién le tiene piedad a quién?

–No quise decir eso...

–Ya lo sé. Sólo que no sé con certeza qué quisiste decir.

–Te lo dije antes. No busco nada rápido, y menos contigo. Si eso es lo único que puedo obtener, lo tomaré, pero no es lo que busco.

–Hablas demasiado, Evan.

–Y tú eludes demasiado. Le dijiste a Manny que no eras evasiva, pero lo eres. Durante seis semanas, por lo menos, he tratado de acercarme a ti, quise que habláramos de *nosotros*, traté de derribar ese muro de cristal que has levantado, pero "nada que *hacer*", dice la dama.

–¡Porque estoy asustada, maldito seas!

–¿De qué?

–¡De los *dos*!

–Ahora eres tú quien habla demasiado!

–Bueno, en verdad no hablaste ayer por la *noche*. ¿Pensaste que no te oiría? ¡Paseándote como un mono enjaulado, ida y vuelta, delante de mi puerta!

–¿Por qué no la abriste?

–¿Por qué no la echaste abajo? –Los dos rieron en voz baja, y se abrazaron.

–¿Quieres un trago?

–No... Te quiero a ti.

No existía el frenesí de Bahrein. Había apremio, por supuesto, pero era la urgencia de enamorados, no de dos desconocidos que buscan una liberación en un mundo enloquecido. El mundo de ellos no era cuerdo –tenían demasiada conciencia de ello–, pero habían encontrado una semblanza de orden entre los dos, y el descubrimiento era espléndido y cálido, y de pronto se encontraba lleno de promesas, cuando antes sólo existía un vacío ocupado por la incertidumbre... respecto de cada uno de los dos.

Era como si fuesen insaciables. A la culminación siguió una conversación en voz baja, y el uno o el otro iban a ver a Emmanuel Weingrass; después volvían a conversar, los cuerpos se unían y volvían a precipitarse en la satisfacción que ambos ansiaban. No podían dejar de tomarse, de tironear, entrelazarse, rodar, hasta que los dulces jugos quedaban agotados... y sin embargo no podían dejar de soltarse... hasta que llegó el sueño.

El primer sol de la mañana abrió el día de Colorado. Agotado, pero extrañamente en paz, dentro de la tibia cueva temporaria que habían hallado para sí, Evan buscó a Khalehla. *No* estaba allí. Se acodó en la almohada; la ropa de ella estaba colgada de una silla, y entonces volvió a respirar. Vio que se encontraban abiertas las puertas de su cuarto de baño y del guardarropas, y entonces recordó y rió en silencio, con tristeza, para sí. El héroe de Omán y la experimentada agente de inteligencia de El Cairo habían ido a las Bahamas con un bolso de mano cada uno, y en la precipitación de los acontecimientos los habían dejado en el coche policial de Nassau o en un F-106 de la Fuerza Aérea. Ninguno de los dos lo advirtió hasta después de la primera carrera desenfrenada hacia la cama, luego de lo cual Khalehla había dicho, con voz adormilada:

–Compré una indecente bata para este viaje, más bien con esperanzas que con expectativa realista, pero creo que me la pondré. –Y entonces se miraron, con la boca y los ojos muy abiertos.– ¡Oh *Dios* mío! –exclamó ella–. ¿Dónde diablos la dejé? Quiero decir, ¿dónde *las* dejé? ¿Las *dos*?

–¿Tenías algo comprometedor en tu bolso?

–Sólo la bata... que no era adecuada para Rebecca de Sunnybrook Farm... ¡Oh Señor! ¡Somos un buen *par* de profesionales!

–Yo nunca afirmé que lo fuera...

–¿Y *tú* tenías...?

–Calcetines sucios y un manual sexual... más bien con esperanzas que con expectativa realista. –Volvieron a caer el uno en brazos del otro; lo humorístico de la situación les decía algo más acerca de sí mismos.– Habrías usado esa bata durante unos cinco segundos, antes que te la arrancase, y entonces tendrías que cobrarle al gobierno por la pérdida de objetos personales. Les he ahorrado por lo menos seis dólares a los contribuyentes... Ven aquí.

Uno de ellos había ido a ver a Manny; ninguno de los dos recordaba quién había sido.

Kendrick bajó de la cama y fue a su guardarropas. Poseía dos batas de baño; faltaba una, de modo que fue al cuarto de baño, para sentirse y verse razonablemente presentable. Después de una ducha y una afeitada, se puso demasiada agua de colonia, pero por lo demás, reflexionó, no le había resultado inútil, hacía casi veinte años, en la universidad, con una condiscípula cabeza hueca. ¿*Tanto* tiempo había pasado desde que le importaba la impresión que causara? Se puso la segunda bata, salió del baño y fue por el pasillo de piedra hasta la arcada. Khalehla se encontraba sentada ante la pesada mesa de pino, con tapa de cuero negro, de la sala, hablando en voz baja por teléfono. Lo vio y le dedicó una breve sonrisa, concentrada en la persona del otro lado de la línea.

–Está todo claro –dijo cuando Evan se acercó–. Seguiré en comunicación. Adiós. –Se levantó, envuelta en forma atrayente en la enorme bata, que le dibujaba el contorno del cuerpo. Unió los pliegues de la tela y fue hacia él; de pronto estiró los brazos y posó las manos sobre los hombros de él.– Bésame, Kendrick –ordenó con suavidad.

–¿No se supone que soy yo quien debe decir eso?

Se besaron hasta que Khalehla entendió que en un instante más habrían vuelto al dormitorio.

–Bueno, está bien, Kong, tengo cosas que decirte.

–¿Kong?

–Yo quería que derribaras una puerta, ¿recuerdas?... Cielos, cómo te olvidas de todo.

–Es posible que sea incompetente, pero espero no haber sido inadecuado.

–Es probable que tengas razón respecto de lo primero, pero decididamente no eres inadecuado, mi querido.

–¿Sabes cuánto, pero cuánto me encanta oírte decir eso?

–¿Qué?

–"Querido"...

–Es una expresión, Evan.

–En este momento creo que te mataría si supiera que la usaste con algún otro que no sea yo.

–Por favor.

–¿La usaste? ¿Lo *haces*?

–Me estás preguntando si me gusta acostarme de vez en cuando con alguien, ¿no es así? –respondió Khalehla con serenidad, apartando los brazos de él.

–Eso es bastante duro. No, es claro que no.

–Ya que estamos conversando, y que yo he pensado mucho, hablemos de eso. He tenido relaciones, como tú, y en varias ocasiones he dicho "querido", y aun "queridísimo", supongo, pero si quieres saber la verdad, insoportable egoísta, nunca llamé a nadie "*mi* querido". ¿Eso responde a tu pregunta, rata?

–Me bastará –dijo Evan, sonriendo y tratando de tomarla.

–No, por favor, Evan. Hablar es más seguro.

–Me pareció que me habías dado la orden de besarte. ¿Qué cambió?

–Tú tenías que hablar, y yo debía volver a pensar... Y no creo estar preparada para ti.

–¿Por qué no?

–Porque soy una profesional, y tengo un trabajo que hacer, y si quedo enganchada contigo, figurada y literalmente, no podré hacerlo.

–De nuevo, ¿por qué no?

–Porque, pedazo de idiota, estoy muy cerca de enamorarme de ti.

–Eso es todo lo que pido. Porque yo te amo.

–Oh, esas palabras son tan fáciles, tan rápidas... Pero no en mi trabajo, no en el mundo en el cual vivo. Llega la orden; maten a tal y cual, o hagan que lo maten... sea lo que fuere, soluciona una cantidad de problemas... Y qué pasa si ese tal y cual eres tú... mi querido. ¿Podrías *tú* hacerlo si se tratase de mí?

–¿De veras es posible que alguna vez se llegue a algo así?

–Ha ocurrido; podría ocurrir. Se llama omisión de terceros, como por ejemplo lo que *yo* sé, pero *ellos* saben hasta dónde puedo permitirme cosas. Sabes, eres un ser humano, magnífico o despreciable, según el punto de vista, y al prescindir de ti podríamos salvar a doscientas o cuatrocientas personas que viajan en un avión, porque *ellos* no podrían borrarte a *ti* si no te señaláramos con el dedo antes de un vuelo... Oh, mi pequeño mundo está repleto de moralidad afablemente omitida, porque sólo tenemos que tratar con una moralidad malévola.

–¿Y por qué sigues ahí? ¿Por qué no te vas?

Khalehla guardó silencio y lo miró fijamente.

–Porque salvamos vidas –respondió por último–. Y de vez en cuando ocurre algo que reduce la mala voluntad, la muestra como lo que es, y la paz está un poco más cerca. Muy a menudo hemos sido parte de ese proceso.

–Necesitas tener una vida más allá de eso, una vida propia.

–Oh, algún día la tendré, porque algún día ya no seré útil, por lo menos donde quiero serlo. Seré una mercancía conocida... primero una se vuelve sospechosa, después es descubierta y por último resulta inútil, y entonces es mejor irse de la ciudad. Mis superiores tratarán de convencerme de que puedo ser útil en otros puestos; me tentarán con el señuelo de la pensión, y una buena elección de sectores, pero creo que no morderé el anzuelo.

–Y según ese libreto, ¿qué harás?

–Por Dios, hablo seis idiomas con fluidez, y leo y escribo en cuatro. Junto con mis antecedentes, diría que poseo condiciones suficientes para una cantidad de puestos.

–Eso parece razonable, con excepción de una cosa. Falta un ingrediente.

–¿De qué hablas?

–De mí... De eso hablo.

–Oh, vamos, Evan.

–No –dijo Evan, meneando la cabeza–. Basta de "Oh, vamos", o "Por favor, Evan." Sé lo que siento, y creo saber lo que sientes tú, y hacer caso omiso de esos sentimientos es una estupidez y un derroche.

–Ya te le dije, no estoy preparada...

–Nunca creí que *jamás* lo estuvieras –interrumpió Kendrick, con voz suave y apagada–. ¿Sabes?, yo también he estado pensando, y he sido muy severo conmigo mismo. Casi toda mi vida he sido egoísta. Siempre aprecié la libertad que tengo, la de ir y hacer lo que quería... mal o bien, no importaba, siempre que pudiera hacerlo. Creo que el término es autosuficiente... el yo, el yo, el *yo*. Y entonces apareces tú y lo haces volar todo en pedazos. Me muestras lo que *no* tengo, y al mostrármelo me haces sentir como un idiota... No tengo a nadie con quien compartir nada, así de sencillo es. Nadie que me importe lo bastante como para correr y decirle: "Mira, lo hice", o inclusive "Perdón, no lo hice..." Sí, Manny está ahí, *cuando* está ahí, pero a pesar de su propia opinión, no es inmortal. Ayer por la noche dijiste que estabas asustada... bueno, el que está asustado ahora soy yo, mucho más allá de cualquier miedo que alguna vez haya pensado que podría llegar a experimentar. Se trata del miedo de perderte a ti. No soy muy competente para pedir o suplicar, pero te pediré y te suplicaré y haré lo que quieras: por favor, *por favor*, no me dejes.

–Oh Dios mío –dijo Khalehla, y cerró los ojos; las lágrimas rodaron lentas, separadas, por sus mejillas–. Hijo de puta.

–Ese es un comienzo.

–¡Te *amo*! –Se precipitó a sus brazos.– ¡No debo, no *debería*!

–Siempre estás a tiempo de cambiar de idea, dentro de veinte o treinta años.

–Me has arruinado la vida...

–Tú no me hiciste mucho más fácil la mía.

–¡*Muy* bonito! –dijo una voz sonora desde la arcada de piedra.

–*¡Manny!* –exclamó Khalehla; soltó a Evan, lo apartó y miró por sobre el hombro de él.

–¿Cuánto tiempo hace que *estás* ahí? –preguntó Kendrick con aspereza, haciendo girar la cabeza con brusquedad.

–Llegué en la parte de lo de rogar y suplicar –respondió Weingrass, de bata de baño de color escarlata–. Eso siempre da resultado, muchacho. La escena del hombre fuerte de rodillas. Nunca falla.

–¡Eres *imposible*! –gritó Evan.

–Es adorable.

–Soy las dos cosas, pero bajen la voz, despertarán a las brujas... ¿Qué demonios están haciendo aquí a esta hora?

–Esta hora es las ocho de Washington –dijo Khalehla–. ¿Cómo te sientes?

–*Ahhhhh* –respondió el anciano, agitando la palma de la mano derecha, de arriba abajo, mientras entraba en la sala–. Dormí, pero no dormí, ¿se entiende lo que quiero decir? Y ustedes, malditos payasos, no ayudaron mucho, con eso de abrir la puerta cada cinco minutos, ¿también sabes lo que quiero decir?

–No fue cada cinco minutos –dijo Khalehla.

–Tú tienes tu reloj de pulsera, yo tengo el mío... ¿Y qué dijo mi amigo Mitchell? Eso es lo de las ocho en Washington, si no me equivoco.

–No te equivocas –admitió la agente de inteligencia de El Cairo–. Estaba a punto de explicarlo...

–Bonita explicación. Los violines estaban en pleno *vibrato*.

–¡Manny!

–Cállate. Déjala hablar.

–Tengo que irme... por un día, quizá por dos.

–¿Adónde vas? –preguntó Kendrick.

–No puedo decírtelo... mi querido.

31

Bienvenidos al aeropuerto de Stapleton, en Denver, damas y caballeros. Si necesitan información con respecto a otros vuelos, nuestro personal tendrá el placer de ayudarlos, en la terminal. La hora aquí, en Colorado es: tres y cinco de la tarde.

Entre los pasajeros que bajaban por la rampa de salida había cinco sacerdotes de facciones de miembros de la raza blanca, pero de tez más oscura que la de la mayoría de los occidentales. Caminaban juntos, y hablaban en voz baja entre sí, en inglés pomposo, pero comprensible. Habrían podido pertenecer a una diócesis del sur de Grecia continental, o de las islas del Egeo, o quizá de Sicilia o Egipto. Habrían podido, pero no era así. Eran palestinos, y no sacerdotes. Se trataba de asesinos de la rama más extremista de la jihad islámica. Cada uno de ellos llevaba un bolso de mano, de tela negra; entraron juntos en la terminal y se dirigieron a un puesto de periódicos.

–*¡La!* –exclamó uno de los árabes más jóvenes, entre dientes, cuando tomó un periódico y recorrió los titulares–. *¡Laish!*

–*¡Iskut!* –susurró un compañero de más edad, apartando al joven y diciéndole que callara–. Si hablas, hazlo en inglés.

–¡No hay nada! ¡No informan *nada*! Algo anda mal.

–Ya sabemos que algo anda mal, tonto –dijo el jefe, conocido en todo el mundo terrorista como Ahbyahd, nombre que significaba "el canoso", a pesar de que su cabello corto era más entrecano que blanco–. Para eso estamos aquí... Toma mi bolso y lleva a los otros a la Puerta Número Doce.

Yo iré enseguida. Recuerda, si alguien los detiene, habla *tú*. Explica que los demás no hablan el inglés, pero no te extiendas en detalles.

–Les daré una bendición cristiana, con la sangre de Alá corriéndoles por la garganta.

–Guarda la lengua y el cuchillo para ti. ¡No más Washington! –Ahbyahd siguió a través de la terminal, mirando en derredor mientras caminaba. Vio lo que tenía que encontrar y se acercó a un escritorio de Ayuda para Viajeros. Una mujer de edad mediana lo miró y sonrió con afabilidad ante su expresión de evidente desconcierto.

–¿Puedo serle útil, Padre?

–Creo que es aquí donde se me dijo que preguntase –respondió con humildad el terrorista–. No tenemos tan buenos servicios en la isla de Lyndos.

–Tratamos de ser útiles.

–Tal vez tenga una... una nota para mí... nuevas instrucciones, me temo. Me llamo Demopolis.

–Ah, sí –dijo la mujer, y abrió la gaveta de la derecha del escritorio–. Padre Demopolis. Por cierto que está muy lejos de su país.

–El refugio franciscano, la oportunidad de toda una vida para visitar su espléndida nación.

–Aquí está. –La mujer sacó un sobre blanco y se lo tendió al árabe.– Nos lo entregó cerca del mediodía un hombre encantador, quien hizo una generosa contribución para "Ayuda al Viajero".

–Quizá yo pueda agregar mi agradecimiento –dijo Ahbyahd, sintiendo el pequeño objeto del centro del sobre, mientras buscaba su cartera.

–Oh, ni hablar de eso. Hemos sido pagados muy bien por una cosa tan menuda como guardar una carta para un religioso.

–Muy amable, señora. Reciba la bendición del Señor de las Hostias.

–Gracias, Padre. Le quedo reconocida.

Ahbyahd se alejó, apresurando el paso, y dobló hacia un rincón muy concurrido de la terminal. Abrió el sobre. Pegada con cinta plástica a la tarjeta en blanco del interior, había una llave de un armario de depósito en Cortez, Colorado. Sus armas y explosivos habían sido entregados a tiempo, lo mismo que el dinero, las ropas, un coche alquilado, no identificable, otros pasaportes, de origen israelí, para nueve sacerdotes maronitas, y pasajes aéreos para Riohacha, Colombia, donde se habían tomado medidas para hacerlos llegar en avión a Baracoa, Cuba, y otros puntos al este de esa ciudad. El punto de cita para el viaje a casa –a casa, pero no a casa, no a la Baaka; eso *no* era el hogar– era un motel de la carretera, cerca del aeropuerto de Cortez; a la mañana siguiente, un vuelo los llevaría a Los Angeles donde nueve sacerdotes serían "ayuda preautorizada", en Avianca, para Riohacha. Todo se había desarrollado según el plan... según los *planes* elaborados cuando el asombroso ofrecimiento llegó al valle del Baaka, en el Líbano. *Búsquenlo. Mátenlo. Hagan honor a su causa. Les daremos todo lo que necesiten, pero nunca nuestras identidades.* Pero esos planes precisos, esos regalos tan preciosos ¿habían dado su fruto? Ahbyahd no lo sabía; no podía saberlo, y por eso había llamado a un número telefónico de posta en Vancouver,

Canadá, para pedir que nuevos elementos letales se incluyesen en la entrega de Cortez. Habían pasado casi veinticuatro horas desde el ataque a la casa de Fairfax, Virginia, y cerca de dieciocho después de la embestida contra el hogar del odiado enemigo en Colorado. Su misión había sido concebida como un ataque combinado que anonadaría al mundo occidental, con sangre y muerte, para vengar a los hermanos muertos y demostrar que la seguridad total ordenada por el Presidente de Estados Unidos, para un solo hombre, no era una protección frente a la capacidad y los compromisos de un pueblo desposeído. La Operación Azra exigía la vida de un héroe norteamericano establecido como tal, que había compartido con ellos el pan y la congoja, y que había terminado traicionándolos. Ese hombre debía morir, junto con todos los que lo rodeaban, lo protegían. ¡Era preciso darle una lección!

Ese enemigo, el más aborrecible, no había sido encontrado en Fairfax; se suponía que la unidad de Yosef lo hallaría y mataría en su vivienda de las montañas del Oeste. ¡Pero, nada, *nada*! Los cinco del Comando Uno habían esperado en sus habitaciones de hotel, contiguas... y esperado, *esperado* a que sonase el teléfono, para escuchar las palabras: *Operación Azra está concluida. ¡El odiado cerdo ha muerto!...* Y nada. Pero lo más extraño de todo era que no había escandalosos titulares en los periódicos, ni hombres y mujeres escandalizados, angustiados, en la televisión, revelando otro triunfo de la santa causa. ¿Qué había *sucedido*?

Ahbyahd había recorrido cada uno de los pasos de la misión, y no podía encontrar un solo defecto. Todos los problemas concebibles, menos uno, habían sido previstos, y se encontraron las soluciones de antemano, bien por atajos de corrupción oficial en Washington, o por refinados medios tecnológicos, y por técnicos telefónicos sobornados o extorsionados, en Virginia y Colorado. El único problema imprevisto e imprevisible era un ayudante repentinamente sospechoso del despreciable político que debía ser eliminado de prisa. Ahbyahd había enviado al único "sacerdote" de la brigada que no había estado en Omán, a la oficina de Kendrick, un miércoles por la tarde, a última hora, antes del ataque contra Fairfax. El objetivo consistía sólo en confirmar las últimas informaciones que hablaban de la presencia del parlamentario norteamericano en la capital. La cobertura del "sacerdote" era inmaculada; sus documentos –religiosos y oficiales– estaban en orden, y llevaba consigo "saludos" de numerosos "viejos amigos", cada uno de ellos una persona viviente, del pasado de Kendrick.

El "sacerdote" fue sorprendido leyendo el calendario de escritorio de una secretaria, mientras esperaba que el ayudante saliera a la oficina desierta. El ayudante volvió a entrar en el acto; el "sacerdote" abrió en silencio la puerta y oyó que el joven telefoneaba, pidiendo con Seguridad Parlamentaria. Debía morir. Con rapidez, con eficiencia, llevado a punta de pistola a las entrañas del enorme Capitolio, y despachado en el acto. Pero tampoco esa muerte se había hecho pública.

¿Qué había *ocurrido*? ¿Qué *estaba* sucediendo? Los mártires de la misión sagrada no volverían, no *podían* volver al valle del Baaka sin el trofeo de la venganza, que buscaban con tanta desesperación, y que tanto merecían. ¡Era impensable! Si no había cita en Cortez, la sangre correría sobre la sangre en un lugar llamado Mesa Verde. El terrorista guardó la llave en el bolsillo, dejó caer al suelo de la terminal la tarjeta en blanco y el sobre, y se encaminó hacia la Puerta 12.

–*¡Dulzura!* –gritó Ardis Vanvlanderen al entrar en la sala de la oficina que se había construido para sí, en una habitación para huéspedes del Hotel Westlake, de San Diego.

–¿Qué pasa, encanto? –preguntó su esposo, sentado en un sillón de terciopelo, delante de un aparato de televisión.

–Tus problemas han terminado. ¡Esos miles de millones están a salvo durante los próximos cinco años! Sigue construyendo tus misiles y tus ultrasuperarchisónicos hasta que las vacas caguen uranio... ¡Lo digo en serio, mi amor, tus problemas han *terminado*!

–Ya lo sé, linda –dijo Andrew Vanvlanderen, sin moverse, con la vista clavada en la pantalla–. Lo veré y lo oiré en cualquier momento.

–¿De qué estás hablando? –Se detuvo y se quedó inmóvil, mirando a su esposo.

–Tienen que comunicarlo en cualquier momento. No pueden mantenerlo en silencio mucho tiempo más... ¡*Cielos*, han pasado casi veinticuatro *horas*!

–No tengo ni idea de lo que está tramando ese alterado cerebro tuyo, pero puedo decirte que Emmanuel Weingrass está al borde de ser eliminado. Había cierto médico de alquiler. Ha sido inyectado...

–Ahora está eliminado. También Kendrick.

–*¿Qué?*

–No podía esperarte, mi amor... ninguno de nosotros podía esperar. Había maneras mejores, más lógicas... *esperadas*.

–¿Qué demonios hiciste?

–He dado a un pueblo ultrajado la oportunidad de vengarse de alguien que los había engañado espantosamente. Encontré a los sobrevivientes. Sabía dónde buscarlos.

–Andy querido –dijo Ardis, sentándose frente a su esposo, clavados los grandes ojos verdes en el semblante frenético de él–. Repito la pregunta –agregó en voz baja–, ¿qué has hecho?

–He eliminado un obstáculo que ha debilitado la fuerza militar de este país hasta un punto inaceptable... que ha convertido al gigante más poderoso del mundo libre en un enano lamentable. Y el hecho de hacerlo me costó, a mí personalmente, algo así como ochocientos millones de dólares... y *miles de millones* a nuestro grupo.

–Oh mi *Dios*... No podías esperar... no podías *esperar*. ¡Recurriste a los *árabes*!

–Señor Presidente, *necesito* esos pocos días –rogó Mitchell Payton, inclinándose hacia adelante en la silla de respaldo recto, en una de las habitaciones de arriba, en la Casa Blanca. Era la una y cincuenta y cinco de la mañana. Langford Jennings se hallaba sentado en un extremo del sofá, de pijama y bata, con las piernas cruzadas; una pantufla se balanceaba en un pie, y su firme mirada interrogante no se apartaba del rostro del director de la CIA.– Me doy cuenta de que al venir en forma directa he violado varios centenares de limitaciones válidas, pero estoy tan alarmado como nunca lo he estado en mi vida profesional. Hace años un joven le dijo a su comandante en jefe que en la presidencia estaba creciendo un cáncer. Quien dice lo mismo, en esencia, es un hombre mucho mayor, sólo que en este caso el conocimiento respecto de la enfermedad, si existe, como yo lo creo, le ha sido ocultado.

–Usted está aquí, doctor Payton... –dijo Jennings, resonante la voz, inconfundible el miedo que había en ella–. Sí, *doctor* Payton... he debido enterarme con rapidez de algunas cosas... Está aquí porque Sam Winters me aclaró que si usted decía que se sentía alarmado, casi todos los demás estarían horrorizados. Por lo que usted me dijo, entiendo lo que él quiso decir. Estoy horrorizado.

–Me alegro de la intercesión de un viejo conocido. Sabía que él me recordaría; no tenía la certeza de que fuese a tomarme en serio.

–Lo tomó en serio... ¿Está seguro de que me lo ha dicho todo? ¿Todo el podrido embrollo?

–Todo lo que sé, señor, todo lo que hemos ido armando, admitiendo, por supuesto, que no tengo un "revólver humeante".

–Esa no es la frase favorita en este lugar.

–Con toda franqueza, señor presidente, si pensara que la frase tiene una validez cualquiera para este lugar, no estaría aquí.

–Aprecio su sinceridad. –Jennings bajó la cabeza y parpadeó; después la levantó, ceñudo, y habló con tono pensativo.– Está en lo cierto, no tiene validez, ¿pero por qué se siente tan seguro? Mis contrincantes me atribuyen toda clase de engaños. ¿Usted no se ha contagiado? Porque al mirarlo, y al saber lo que sé respecto de usted, no puedo imaginar que sea un ardiente partidario mío.

–No necesito estar de acuerdo con todo aquello en lo cual cree un hombre, para tener una opinión decente de él.

–Lo cual significa que yo estoy bien, pero que no votaría por mí, ¿no es así?

–Otra vez, ¿puedo hablar con franqueza, señor? El voto secreto es sagrado, en fin de cuentas.

–Con toda franqueza, *señor* –dijo el Presidente, y una lenta sonrisa le frunció los labios.

–No, no votaría por usted –respondió Payton, devolviendo la sonrisa.

–¿Problemas de cociente de inteligencia?

–¡No, por Dios! La historia nos muestra que una mentalidad excesivamente complicada, en el Salón Oval, puede resultar consumida por una infinidad de detalles. Por encima de cierto nivel, la inmensidad del intelecto no viene al caso, y con frecuencia es peligrosa. Un hombre cuya cabeza estalle de datos, y de conocimientos, teorías y contrateorías en pugna, tiende a mantener interminables debates consigo mismo, más allá del punto en que hacen falta decisiones... No, señor, no tengo problemas con su cociente de inteligencia, que es mucho más que suficiente para estos tiempos.

–¿Se trata de mi filosofía, entonces?

–¿Con franqueza?

–Con franqueza. Necesito saber ahora mismo si voy a votar por *usted*, y eso no es para nada un *quid pro quo*.

–Creo que lo entiendo –asintió Payton–. Muy bien, supongamos que su retórica me molesta a veces. Se me ocurre que reduce problemas muy complicados a... a...

–¿Simplificaciones? –sugirió Jennings en voz baja.

–El mundo de hoy es tan complicado y tumultuoso como el propio acto de la Creación, y no importa cómo se haya llegado a eso –replicó Payton–. Unos movimientos equivocados de unos pocos, y estaremos de nuevo donde comenzamos, como una bola de fuego, inerte, que vuela por la galaxia. Ya no existen las soluciones fáciles, señor presidente... Usted pidió franqueza.

–Y por cierto que la obtuve. –Jennings rió con suavidad, mientras descruzaba las piernas y se inclinaba hacia adelante, con los codos apoyados en las rodillas–. Pero permítame que le diga algo, doctor. Si trata de explicar esos problemas complicados, tumultuosos, durante una campaña electoral nunca llegará a estar en condiciones de buscar esas soluciones complejas. Termina quejándose desde las tribunas, pero no forma parte del equipo... ni siquiera participa en el juego.

–Me gustaría creer que no es así, señor.

–También a mí, pero no puedo. He visto caer a muchos hombres brillantes, eruditos, por haber descrito el mundo tal como sabían que era, a electorados que no querían saberlo.

–Sugiero que esos eran hombres que no servían, señor presidente. La erudición y el atractivo político no son mutuamente excluyentes. Algún día, una nueva raza de políticos se verá ante un electorado diferente, un electorado que acepte las realidades, las duras descripciones que usted mencionó.

–*Bravo* –dijo Jennings con voz queda, volviendo a respaldarse en el sofá–. Acaba de describir la razón de que yo sea quien soy... de por qué hago lo que hago, lo que he hecho... Todos los gobiernos, doctor Payton, desde que los primeros consejos tribales crearon los idiomas, frente a las hogueras, en sus cavernas, han sido un proceso de transición... hasta los marxistas lo admiten. No existe la *Utopía*; en el fondo de sus pensamientos, Tomás Moro lo sabía, porque nada es como era... la semana pasada, el año pasado, el siglo pasado. Por eso he usado la palabra "Utopía"... un lugar que no existe. Soy conveniente para mi tiempo, para mi momento en el cambio de las cosas, y espero, por Dios, que sea el cambio que usted imagina. Si soy el puente que nos lleva con vida a ese cruce, iré a mi tumba como un hombre muy feliz, y mis críticos pueden irse al demonio.

Silencio.

El otrora profesor Mitchell Jarvis Payton observó al hombre más poderoso del mundo, y sus ojos expresaron un leve asombro.

–Esa ha sido una afirmación muy erudita –dijo.

–No deje que se difunda, mi mandato desaparecería, y yo necesito a esos críticos... Olvídelo. Queda aprobado, MJ, votaré por usted.

–¿MJ?

–Ya se lo dije, tuve que reunir y leer datos a toda velocidad.

–¿Por qué soy "aprobado", señor presidente? Es una pregunta personal, tanto como profesional, si puedo formularla.

–Porque no respingó.

–¿Perdón?

–No estuvo hablando con Lang Jennings, un granjero de Iowa cuya familia ganó unos dólares porque su padre compró veinte mil hectáreas en la montaña, por los cuales los urbanizadores vendieron el alma. Ha estado hablando con la figura máxima del mundo occidental, el hombre que podría volver a convertir este planeta en la bola de fuego. En su lugar, yo me habría sentido asustado frente a ese tipo. Asustado y cauteloso.

–Estoy tratando de no sentirme de esas dos maneras, y ni siquiera estaba enterado de eso de las veinte mil hectáreas.

–¿Piensa que un hombre relativamente pobre podría ser Presidente?

–Tal vez no.

–Tal vez nunca. El poder es para los ricos, o para los casi empobrecidos, que no tienen nada que perder, y mucha influencia y publicidad que ganar... Pero dejando eso a un lado, *doctor* Payton, usted vino aquí por una puerta trasera, para hacer un pedido ofensivo: me pide que apruebe las actividades internas encubiertas de un organismo al cual la ley le prohíbe actuar en el plano interno. Además, y de pasada, quiere que le permita censurar una información extraordinaria, relacionada con una tragedia nacional, una matanza terrorista destinada a matar a un hombre con quien el país tiene una gran deuda. En esencia, me está pidiendo que viole una cantidad de reglas vitales e intrínsecas del juramento que hice al ocupar mi cargo. ¿Digo bien, hasta ahora?

–Le he dado mis razones, señor presidente. Existe una red de circunstancias, que se extienden desde Omán hasta California, y resulta claro que tiene que ser algo más que una coincidencia. Esos fanáticos, esos terroristas, matan por un objetivo que predomina por encima de todas las otras motivaciones. Quieren atraer la atención hacia sí mismos, exigen titulares, hasta llegar al límite del suicidio. Nuestra única esperanza de atraparlos, a ellos y a la gente que está detrás de ellos, consiste en frenar los titulares... Al sembrar confusión y frustración entre ellos, alguno puede cometer un error en el ardor de la ira, atacar a alguien a quien no deberían atacar, romper la cadena del secreto, y *tiene* que haber una cadena, señor. Esos asesinos *entraron* aquí, lo cual significa que había poderosas vinculaciones, en primer lugar. Recorren el país de uno a otro extremo, con armas; esa no es una hazaña de poca monta, si se piensa en nuestros procedimientos de seguridad... He hecho que un agente de campo de El Cairo viaje a San Diego, y el mejor hombre que tenemos en Beirut se dirige al valle del Baaka. Ambos saben qué deben buscar.

–*¡Cielos!* –exclamó Jennings. Se levantó del sofá de un salto y se paseó; la pantufla se le cayó del pie.– ¡No puedo creer que Orson forme *parte* de esto! No es mi favorito, pero no está loco... y tampoco es un suicida.

–Puede que *no* forme parte de eso, señor. El poder, aun el de un Vicepresidente, atrae a los poderosos en potencia... o a los más poderosos en potencia.

–*¡Maldición!* –gritó el Presidente, y fue hasta el escritorio reina Ana, sobre el cual había algunos papeles dispersos–. No, espere un momento –dijo, volviéndose–. Según sus propias palabras, está esa trama de circunstancias que se entienden, de alguna manera, desde la crisis de Omán, a través de todo el mundo, hasta San Diego. Dice que tiene que ser algo más que una coincidencia, pero eso es lo único que tiene. No posee ese tan publicitado revólver humeante, sino apenas un par de personas que se conocieron años atrás en el Medio Oriente, y una que de pronto aparece donde no se la espera.

–La mujer en cuestión tiene una historia de manipulaciones financieras marginales, por puestas muy elevadas. Difícilmente se sentiría atraída por un oscuro puesto político que se encuentra a años luz de sus compensaciones normales... Salvo que existieran otras razones.

–Andy querido –dijo el Presidente, como hablando consigo mismo–. El adulador Andy... Nunca supe eso de Ardis, por supuesto. Pensé que era ejecutiva de un banco, o algo por el estilo, que él conoció en Inglaterra. ¿Por qué querría Vanvlanderen que ella trabajase para Orson, por empezar?

–En mi opinión, señor, todo forma parte de la trama, de la cadena. –Payton se puso de pie.– Necesito su respuesta, señor presidente.

–"Señor presidente" –repitió Jennings, y meneó la cabeza como si no pudiera aceptar el título–. Me pregunto si esa palabra se le queda atravesada en la garganta.

–¿Perdón?

–Ya sabe lo que quiero decir, doctor. Aparece aquí a la una de la mañana, con ese libreto paranoide, para pedirme que cometa transgresiones censurables. Luego, cuando le hago unas cuantas preguntas, me dice: *A*, que no votará por mí; *B*, que soy simplista; *C*, que en el mejor de los casos soy el predecesor de hombres mejores que yo; *D*, que no sé diferenciar entre coincidencias y evidencias circunstanciales válidas.

–No dije *eso*, señor presidente.

–Lo insinuó.

–Usted me pidió franqueza, señor. Si hubiera pensado...

–Oh vamos, déjese de eso –dijo Jennings, volviéndose hacia el antiguo escritorio y hacia los papeles dispersos en él–. ¿Tiene conciencia de que no existe una sola persona, entre todo el personal de la Casa Blanca, de más de un millar, que me diga esas cosas? No incluyo a mi esposa y mi hija, pero ellas no forman parte del personal oficial, y, dicho sea de paso, las dos son más rudas que usted.

–Si lo ofendí, pido disculpas...

–No, *por favor*. Ya le dije que quedaba aprobado, y no querría anular la calificación. Tampoco permitiría que nadie, sino alguien como usted, me pidiese que hiciera lo que usted me pidió. Para decirlo con sencillez, no confiaría en ellos... Tiene luz verde, doctor. Vaya donde lo lleve ese tren, pero téngame informado. Le daré un número sacrosanto, que sólo posee mi familia.

–Necesito un mandato presidencial de "no comunicación".

–¿Para protegerse el trasero?

–Por cierto que no, señor. Yo también lo firmaré, y me haré plenamente responsable del pedido.

–¿Y por qué, entonces?

–Para proteger a quienes están debajo de mí, y que se encuentran involucrados, aunque no tengan la menor idea de por qué lo están. –Introdujo la mano en el bolsillo de la chaqueta y sacó una hoja de papel plegado.– Esto deja en claro que su personal no ha sido consultado.

–Muchísimas gracias. Con eso nos ahorcan a los dos.

–No, señor presidente. Sólo a mí. La "no comunicación" está incluida en el articulado de la Ley del Congreso de 1947 que institucionaliza a la CIA. Permite acciones extraordinarias por parte de la Agencia, en momentos de crisis nacional.

–Cualquier determinación por el estilo debería tener un límite de tiempo.

–Y la tiene, señor. Es por un período de cinco días.

–La firmaré –dijo Jennings, tomando el papel y buscando otro en el escritorio reina Ana–. Y mientras tanto, quiero que lea esto... en verdad, no tiene por qué hacerlo. Como todas las hojas impresas de la computadora de la oficina de prensa, lleva demasiado tiempo. Me llegó esta tarde.

–¿Qué es?

–Un análisis de una campaña para llevar al congresal Kendrick a la lista del partido, en junio próximo. –El Presidente calló un instante.– Como candidato vicepresidencial –agregó con suavidad.

–¿Puedo verla, por favor? –preguntó Payton, adelantándose, con la mano extendida.

–Pensé que querría verla –dijo Jennings, y ofreció la larga tira al director de Proyectos Especiales–. Me pregunté si la tomaría con tanta seriedad como Sam Winters lo tomó a usted.

–Sí, señor –repuso Payton, y ahora recorrió, con rapidez y cuidado, la hoja impresa, irritante para la vista.

–Si esa paranoia suya tiene alguna sustancia, puede que ahí encuentre una base para ella –dijo el Presidente, observando con atención a su inesperado visitante–. Mi gente de prensa dice que esto podría volar... alto y rápido. A partir de la semana próxima, siete respetables periódicos del Medio Oeste harán algo más que difundir el nombre de Kendrick; llegarán al borde de apoyarlo editorialmente. Tres de esos periódicos poseen estaciones de radio y televisión concentradas en zonas del norte y el sur, hablando de coincidencias, a todos ellos se les proporcionaron cintas audiovisuales de las presentaciones televisivas del parlamentario.

–¿Quién las ofreció? Aquí no lo dice; no lo encuentro.

–Ni lo encontrará. Son nada más que una endeble comisión ad hoc, de Denver, de la cual nadie oyó hablar, y no saben nada. Todo se difunde por Chicago.

–¡Es increíble!

–En verdad no –refutó Jennings–. El parlamentario podría llegar a ser un candidato atrayente. Hay en él algo así como una discreta electricidad. Proyecta confianza y fuerza. Podría prender... rápido y alto, como dice mi gente. La gente de Orson Bollinger, que supongo que es mi gente, podría estar teniendo un caso colectivo de diarrea.

–Esa no es la parte increíble de la cual hablo, señor presidente. Cuando me presentan una vinculación tan evidente, hasta yo tengo que retroceder. Es demasiado sencilla, *demasiado* visible. Es demasiado comprometedor, demasiado peligroso.

–No lo sigo, doctor. Pensé que diría algo así como "¡Ahá, mi querido Watson, aquí está la prueba!" Pero no lo dice, ¿verdad?

–No, señor.

–Si firmo este maldito papel inatacable, creo que tengo derecho a saber por qué.

–Porque en verdad *es* demasiado evidente. La gente de Bollinger se entera de que Kendrick está a punto de ser lanzado, en una campaña en escala nacional, para remplazar al Vicepresidente, ¿y entonces contratan a terroristas palestinos para *matarlo*? Sólo un maniático podría inventar ese libreto. Una sola falla de entre más de cien detalles, un solo asesino capturado con vida, y *tenemos* uno, y podrían ser rastreados... serán rastreados, si usted firma ese papel.

–¿A quién encontrará usted, entonces? ¿Qué encontrará?

–No sé, señor. Es posible que tengamos que comenzar por esa comisión ad hoc de Denver. Durante meses, Kendrick ha sido manipulado para darle una notoriedad política que nunca buscó... de la cual huyó, en realidad. Y ahora, en vísperas del impulso verdadero, surge esa obscenidad de Fairfax y el ataque abortado contra Mesa Verde, abortado por un anciano que en apariencia no deja que sus años sean un obstáculo para sus acciones. *Mató* a tres terroristas.

–Ya que estamos, quiero conocerlo –interrumpió Jennings.

–Lo arreglaré, pero es posible que llegue a lamentarlo.

–¿Por qué lo dice?

–Hay dos facciones, dos campos, y ninguno de los dos es torpe. Pero a primera vista, uno de ellos podría haber cometido una extraordinaria torpeza, que no tiene sentido.

–Otra vez me extravié...

–Me extravié yo mismo, señor presidente... ¿Quiere firmar esa papel? ¿Me concederá cinco días?

–Lo haré, doctor Payton, ¿pero por qué tengo la sensación de que estoy a punto de verme frente a la guillotina?

–Es una proyección errónea, señor. El público nunca dejará que le corten la cabeza.

–El público puede equivocarse muchísimo –dijo el Presidente de Estados Unidos, a la vez que se inclinaba sobre el escritorio reina Ana y firmaba el documento–. Esto también forma parte de la historia, profesor.

Los faroles callejeros de la costanera del Lago de Chicago parpadeaban bajo la nieve que caía, creando minúsculos estallidos de luz en el cielo de la habitación del Hotel Drake. Era poco más de las dos de la mañana, y el hombre rubio, musculoso, se encontraba dormido en su cama, respirando profunda y firmemente, como si su dominio de sí no lo abandonase nunca. De pronto, su respiración se interrumpió cuando estallaron los secos e intensos timbrazos del teléfono. Se sentó de golpe, bajó las piernas al suelo, por debajo de las mantas sueltas, y tomó el teléfono.

–¿Sí? –dijo Milos Varak, sin rastros de sueño en la voz.

–Tenemos un problema –dijo Samuel Winters, desde su estudio de Cynwid Hollow, en Maryland.

–¿Puede explicarlo, señor?

–No veo por qué no, por lo menos en pocas palabras y con abreviaciones. Esta línea está limpia, y no imagino que nadie interfiera en la suya.

–Abreviaciones, por favor.

–Hace unas siete horas, más o menos, ocurrió algo horrible en una casa de los suburbios de Virginia...

–¿Una *tormenta*? –interrumpió el checo.

–Si entiendo bien, sí, una tormenta espantosa, con enormes pérdidas.

–*¿Icaro?* –gritó casi Varak.

–No estaba ahí. Tampoco se encontraba en las montañas, donde se hizo un intento similar, pero resultó frustrado.

–*¡Emmanuel Weingrass!* –susurró el checo entre dientes–. El era el blanco. ¡Sabía que eso sucedería!

–No parecería que fuera así, ¿pero por qué lo dice?

–Más tarde, señor... Viajé desde Evanston a eso de las doce y media...

–Sabía que usted no estaba, empecé a llamar hace horas, pero no dejé mensajes, por supuesto. ¿Todo marcha según lo programado?

–Y adelantado al programa, pero no me refería a eso. En la radio no dijeron nada acerca de ninguna de las dos cosas, y eso es sorprendente, ¿verdad?

–Si las cosas salen como espero –repuso Winters–, no *habrá* nada, por lo menos durante varios días, si es que llega a haberlo.

–Eso es más sorprendente aun. ¿Cómo lo sabe, señor?

–Porque creo haberlo arreglado así. Un hombre de mi confianza ha ido a ver en privado a los Seiscientos, con mi intervención. Ahora está aquí. Si existe alguna posibilidad de atrapar a los responsables, él necesita ese oscurecimiento.

Con enorme alivio, Milos Varak entendió enseguida que Samuel Winters no era el traidor infiltrado en Inver Brass. Fuese quien fuere el informante, no prolongaría la búsqueda de los asesinos enviados por San Diego. Más allá de la verdad, del alivio, el coordinador checo tenía alguien en quien confiar.

–Señor, por favor, escúcheme con atención. Es imperativo, repito, imperativo, que convoque una reunión para mañana, lo más temprano que se pueda. Tiene que ser *durante* el día, señor, *no* por la noche. Cada hora tendrá importancia en cada una de las zonas horarias.

–Ese es un pedido alarmante.

–Llámelo una emergencia. *Es* una emergencia, señor... Y de alguna manera, en alguna *forma*, debo encontrar otra emergencia. Tengo que obligar a alguien a hacer algo.

–Sin detalles, ¿puede darme alguna razón?

–Sí. Ha ocurrido lo único que nunca pensé que podría ocurrir en el grupo. Hay alguien que no debería estar ahí.

–¡*Dios* mío!... ¿Está *seguro*?

–Estoy seguro. Hace unos segundos lo eliminé a usted como una posibilidad.

Eran las cuatro y veinticinco de la mañana, hora de California; las siete y veinticinco en el Este de Estados Unidos. Andrew Vanvlanderen se encontraba sentado en su sillón de terciopelo, con lo ojos vidriosos, en movimiento el robusto cuerpo, desgreñado el ondulado cabello blanco. En un estallido de cólera, arrojó de pronto el vaso de whisky, de gruesa base, hacia el televisor; rozó el gabinete de caoba y cayó, intacto, en la alfombra blanca. Furioso, tomó un cenicero de mármol y lo lanzó a la pantalla del programa Todo Noticias, de las veinticuatro horas. La convexa imagen de vidrio se quebró, y el aparato estalló con una fuerte detonación, mientras de las entrañas electrónicas brotaba un humo negro. Vanvlanderen lanzó un rugido incoherente, contra nada y contra todo, y sus labios temblorosos trataron de formar palabras que no encontraba. En pocos segundos, su esposa salió corriendo del dormitorio.

–¿Qué estás *haciendo*? –gritó.

–Hay... ¡*ajj*... nada, absolutamente *nada*! –chilló, con palabras confusas, el cuello y la cara arrebatados, hinchadas las venas de la garganta y la frente–. ¡Ni un *carajo*! ¿Qué *pasó*? ¿Qué *pasa*? ¡No pueden *hacer* eso! ¡Les pagué *dos millones*! –Y entonces, sin previo aviso, sin la menor indicación de otra cosa que el hecho de que era presa de una enorme cólera, Vanvlanderen se levantó trastabillando, con los brazos temblorosos, las manos violentamente sacudidas, presionando un muro de aire que no podía ver con ojos que se le saltaban de la órbitas, y cayó de bruces al suelo. Cuando la cara se le estrelló contra la alfombra, un furioso grito gutural fue el último sonido que brotó de su garganta.

Su cuarta esposa, Ardis Wojak Montreaux Frazier-Pyke Vanvlanderen, dio varios pasos hacia adelante, pálida, la piel tensa hasta parecer el pergamino de una máscara, y sus grandes ojos contemplaron a su esposo muerto.

–¡Pedazo de hijo de *puta*! –susurró–. ¿Cómo puedes dejarme con todo este embrollo, sea lo que *fuere*? ¡*Cualquier* cosa que sea, lo que hayas *hecho*!

32

Ahbyahd reunió a sus cuatro "sacerdotes" en la habitación de motel que compartía con el joven miembro de la misión que hablaba un inglés fluido, y que había estado en Omán. Eran las 5 y 43, hora de Colorado, y la larga vigilia había terminado. No habría reunión. El Comando Dos no había establecido contacto, lo cual significaba que Yosef y sus hombres estaban muertos. El curtido veterano que era medio judío, pero que abrigaba un odio consumado hacia todo lo que fuese occidental y judío, nunca permitiría que un solo miembro de su equipo fuera capturado con vida. Por eso había pedido que el joven tullido, de labio leporino, a quien no era posible negárselo, estuviese a su lado a todo momento.

A la primera señal de una captura siquiera concebible, te meteré una bala en la cabeza, niño. ¿Me entiendes?

Yo lo haré primero, anciano. Prefiero mi muerte gloriosa antes que una vida miserable.

Te creo, joven tonto. Pero por favor, recuerda las palabras de Azra. Vivo puedes combatir, muerto no.

El mártir Azra tenía razón, pensó Ahbyahd. Pero Azra no había definido el sacrificio final buscado por todos los que creían de verdad. Era el de morir *mientras* combatían. Por eso la jihad era impenetrable a las trampas, y aun a la muerte. Y el resonante silencio que había sido el resultado del ataque contra la casa de Virginia, y la ausencia de Yosef y sus hombres, sólo podían *ser* una trampa. Era la manera occidental de pensar: negar la hazaña, no reconocer nada; obligar a los cazadores a seguir buscando, y conducirlos a una trampa. Si la trampa significaba matar al enemigo, y en este caso la posibilidad de matar a un gran enemigo, ¿qué importaba la muerte? En su martirologio encontrarían un júbilo de dicha desconocido en la vida que llevaban aquí, en la tierra. Para el creyente no había mayor gloria que entrar en las suaves nubes de los cielos de Alá, con la sangre de los enemigos en las manos, en una guerra justa.

Este razonamiento era el que confundía a Ahbyahd. ¿No hablaban los cristianos, en forma incesante, de arrojarse a los brazos de Cristo, por las causas de Cristo, y no pedían guerras en nombre de él? ¿No exaltaban los judíos su condición de elegidos bajo el Dios de Abrahán, con exclusión de todos los demás, y no luchaban por su liberación, como lo habían hecho los macabeos, que murieron por sus creencias en la cima de Masada? ¿Alá debía ser considerado indigno de esa compañía? ¿Quién lo decretaba así? ¿Los cristianos y los judíos? Ahbyahd no era erudito, apenas un estudiante de temas tan difíciles, a decir verdad, pero eran cosas enseñadas por los ancianos, hombres impregnados de las enseñanzas del sagrado Corán. Las lecciones eran claras: sus enemigos eran rápidos para inventar y luchar por sus agravios, pero más rápidos aún para negar el dolor de los demás. Los cristianos y los judíos estaban en libertad de llamar a sus Todopoderosos en cualquier conflicto que los amenazara a *ellos*, y por cierto que continuarían negando la justa causa de los palestinos inferiores, pero no podían negarles su condición de mártires. No lo *harían* en un lugar distante, llamado Mesa Verde, a miles de kilómetros de La Meca.

—Mis hermanos —comenzó a decir el canoso, encarando a los cuatro hombres de su comando, en el mísero cuartucho del motel—. Ha llegado nuestra hora, y la encaramos con alborozo, sabiendo que un mundo mejor se abre ante nosotros, un paraíso en el cual seremos libres, no esclavos ni prendas de otros, aquí, en la tierra. Si por la gracia de Alá sobrevivimos para volver a luchar, llevaremos a nuestros hogares, a nuestros hermanos y hermanas, la santa muerte de la venganza que con tanta justicia nos pertenece. Y el mundo sabrá que lo hemos hecho, sabrá que cinco hombres valientes penetraron y lo destruyeron todo, dentro de dos fortalezas construidas por el gran enemigo para detenernos... Y ahora debemos prepararnos. Primero con oraciones, y luego con las dedicaciones más prácticas a nuestra causa. Según lo que sepamos, atacaremos donde menos esperan un ataque... y no con la protección de la noche, sino a la luz del día. A la puesta del sol estaremos con la hora sagrada de Salat el Mahgreb, o en brazos de Alá.

Era apenas pasado el mediodía cuando Khalehla descendió del avión y entró en la sala de espera del aeropuerto internacional de San Diego. En el acto tuvo conciencia de que era observada, ante todo porque su observador no fingía no hacerlo. El hombre anónimo, excedido de peso, de traje de gabardina arrugado y que le caía mal, comía rosetas de maíz de una caja de cartulina blanca. Asintió con la cabeza una vez, se volvió y se echó a caminar por el ancho pasillo atestado, hacia la terminal. Era una señal. Momentos más tarde Rashad lo alcanzó, y acompasó los pasos a los de él.

–Entiendo que no me esperabas para levantarme.

–En ese caso habrías estado de rodillas, rogándome que te llevara a casa, cosa que tal vez tendré que hacer.

–Tu modestia es tan irresistible como tú.

–Eso es lo que dice mi esposa, sólo que ella agrega "belleza".

–De qué se trata?

–Llama a Langley. Tengo la sensación de que se ha desatado el infierno, pero llama desde uno de estos teléfonos, no desde mi casa, si llegas a ir a mi casa. Esperaré más adelante; si somos un equipo, hazme una señal con la cabeza y sígueme... a una distancia respetuosa, por supuesto.

–Creo que me gustaría un nombre. Algo.

–Prueba con Shapoff.

–*¿Pan de Jengibre?* –dijo Khalehla, y miró brevemente al agente de campo tan altamente considerado, que era casi una leyenda en la Agencia–. ¿Berlín Oriental? ¿Praga? ¿Viena...?

–En realidad –interrumpió el hombre de desordenado traje de gabardina– soy un periodontista zurdo de Cleveland.

–Tenía una imagen distinta de ti.

–Por eso soy "Pan de Jengibre"... maldito nombre estúpido. Haz tu llamado.

Rashad se separó en el siguiente teléfono público. Ansiosa, y no familiarizada con los últimos procedimientos telefónicos, oprimió el botón de Operador, y mientras fingía un aturdido acento francés hizo un llamado a cobrar, a un número que había aprendido de memoria hacía tiempo.

–¿Sí? –dijo Mitchell Payton en el otro extremo de la línea.

–MJ, soy yo. ¿Qué ocurrió?

–Andrew Vanvlanderen murió esta mañana temprano.

–*¿Asesinado?*

–No, fue un ataque; lo hemos verificado. Había bastante cantidad de alcohol en su sangre, y estaba hecho un asco –sin afeitar, con los ojos inyectados en sangre, oliendo a sudor y a cosas peores–, pero fue un ataque.

–¡Maldición... *maldición*!

–También había una interesante colección de circunstancias... siempre circunstancias, nada limpio. Había estado sentado delante del televisor durante varias horas, y era evidente que lo había destrozado con un cenicero de mármol.

–Tan quisquilloso –dijo la agente de El Cairo–. ¿Qué dice su esposa?

–En medio de excesivas lágrimas y pedidos de soledad, la estoica viuda afirma que estaba deprimido por fuertes pérdidas en el mercado y en otras inversiones. Acerca de lo cual, por supuesto, insiste en que nada sabe, aunque es claro que sabe. El matrimonio tuvo que ser consumado sobre una declaración financiera guardada debajo del colchón.

–¿Verificaste la información de ella?

–Por supuesto. Su lista de inversiones podría mantener a varias naciones pequeñas. Dos de sus caballos llegaron a ganar la doble de Santa Anita, la semana pasada, y junto con unos cuantos más galopan hacia los millones de dólares en honorarios de servicio de yeguas.

–De modo que ella mentía.

–Ella mentía –coincidió Payton.

–Pero no necesariamente acerca de la depresión.

–Tratemos de poner otra palabra. Furia, quizá. Furia maniática, unida a un miedo histérico.

–¿No ocurrió algo? –sugirió Khalehla.

–Algo no se hizo público como cosa que *hubiese* ocurrido. Tal vez sucedió, tal vez no... tal vez fracasó. Tal vez, y este podría ser el disparador, *tal vez* varios de los asesinos fueron capturados vivos, como en verdad ocurrió con uno de ellos, en Mesa Verde.

–Y se puede hacer que la gente capturada hable volúmenes enteros, sin saberlo.

–En efecto. Lo único que hace falta es una fuente que pueda describir una ubicación, un método de viaje, un buzón. Contamos con esa fuente, esa persona. Existen demasiadas complicaciones como para ocultarlo todo. Quien esté detrás de esos asesinatos debe darse cuenta de esto, o por lo menos sospecharlo. Y eso puede haber pesado en los pensamientos de Andrew Vanvlanderen.

–¿Cómo van las cosas con el prisionero?

–Ahora está bajo, o como dicen los médicos, lo están levantando. Es un maniático. Lo ha intentado todo, desde la autoasfixia hasta tragarse la lengua. De resultas de ello, tuvieron que inyectarle tranquilizantes antes de darle los sueros, y eso hizo un poco más lentas las cosas. Los médicos me dicen que podríamos tener los primeros informes dentro de una hora, más o menos.

–¿Qué hago *yo* ahora, MJ? No puedo caerle encima a la viuda acongojada...

–Al contrario, querida –interrumpió Payton–. Eso es exactamente lo que harás. Vamos a convertir ese maldito debe circunstancial en un haber. Cuando una persona como la señora Vanvlanderen acepta un puesto que implica relaciones estrechas con el sucesor en potencia del Presidente de Estados Unidos, las consideraciones personales resultan secundarias... Presentarás abundantes disculpas, es claro, pero después sigues el libreto tal como lo hemos esbozado.

–Pensándolo bien –dijo Khalehla–, dadas las circunstancias, el momento no podría ser mejor. Soy la última persona que ella puede esperar. La sacudirá.

–Me alegro de que estés de acuerdo. Recuerda, puedes mostrarle compasión, pero antes que nada está el frío negocio de la seguridad nacional.

–¿Y qué hay de Shapoff? ¿Somos un equipo?

–Sólo si lo necesitas. Se lo hemos prestado a inteligencia naval, en calidad de asesor, y me alegro que esté ahí, pero prefiero que comiences sola. Establece las medidas para los contactos.

–Entiendo que él no ha recibido información.

–No, sólo sabe que debe prestarte la ayuda que puedas necesitar.

–Entiendo.

–Adrienne –dijo el director de Proyectos Especiales, prolongando el nombre–. Hay otra cosa que deberías saber. Puede que estemos un paso más cerca de nuestro europeo rubio y, cosa igualmente importante, de saber qué tiene que ver él en todo esto.

–¿Quién es? ¿Qué averiguaron?

–No sabemos *quién* es, pero yo diría que está trabajando para gente que quiere ver a Evan en la Casa Blanca... o al menos más cerca de ella.

–¡Por Dios! Jamás lo aceptaría, ni en mil *años*! ¡Quiénes *son* ellos?

–Personas muy ricas y de muchos recursos, calculo. –Payton le habló en pocas palabras sobre la inminente campaña nacional para lanzar a Kendrick a la vicepresidencia.– Jennings dijo que su gente está convencida de que eso podría volar... "alto y veloz", fueron sus palabras. Y en mi opinión, él no tendría la menor objeción.

–Hasta la reacción del propio Presidente –dijo Khalehla, con voz tranquila–. Cada paso, cada movimiento que se ha hecho, fueron pensados y analizados. Todos menos uno.

–¿A qué te refieres?

–A la reacción de Evan, MJ. El no aceptará.

–Tal vez ése es el zapato que no se ha dejado caer.

–Tendría que ser una bota de hierro, del tamaño del pie de la Esfinge... Y además *hay* dos grupos, uno que empuja a nuestro héroe parlamentario a la fórmula nacional, y el otro que hace todo lo posible por impedirlo.

–Yo llegué a la misma conclusión, y se lo dije al Presidente. Ponte a trabajar, Agente Rashad. Llámame cuando estés instalada en tu hotel. Puede que para entonces tenga noticias de nuestros médicos.

–Supongo que no puedo comunicarme con mis abuelos, ¿verdad? Viven cerca de aquí, ¿sabes?

–¿Estoy hablando con una niña de *doce* años? ¡Absolutamente no!

–Entendido.

Eran las tres y veinte de la tarde de invierno, hora normal del Este, y las limusinas se encontraban aparcadas en el camino para coches de la finca de Cynwid Hollow. Los conductores fumaban cigarrillos, conversaban en voz baja entre sí. Adentro se había iniciado la conferencia.

–Esta será una reunión breve –dijo Milos Varak, dirigiéndose a los miembros de Inver Brass sentados en sus sillas, con el resplandor de las lámparas iluminando sus rostros en el vasto estudio tenuemente iluminado–. Pero la información era tan vital, que recurrí al doctor Winters. Me pareció imperativo que fuesen informados.

–Es evidente –dijo Eric Sundstrom, irritado–. He dejado a todo un laboratorio sin saber qué tiene que hacer.

–A mí me sacaste del tribunal, Milos –agregó Margaret Lowell–. Supongo que con razón, como de costumbre.

–Yo volé desde Nassau –dijo Gideon Logan, riendo con suavidad–, pero no estaba haciendo nada, aparte de pescar, hasta que sonó ese maldito teléfono del barco. Además, no sacaba nada.

–Ojalá yo pudiese decir que fui por lo menos así de productivo, pero no puedo –declaró Jacob Mandel–. Estaba viendo un encuentro en Knicks cuando sonó el zumbador. En realidad, casi no lo escuché.

–Creo que deberíamos comenzar –dijo Samuel Winters, con voz cortante, en parte por impaciencia y en parte por otra cosa, supuestamente cólera–. La información es devastadora.

Margaret Lowell miró al canoso historiador.

–Es claro que lo haremos, Sam. Sólo estamos recobrando el aliento.

–Puede que yo haya hablado de pescar –dijo Gideon Logan–, pero mis pensamientos no estaban puestos en la pesca, Samuel.

El vocero de Inver Brass asintió, pero su intento de sonrisa no tuvo éxito.

–Perdónenme si parezco irritable. La verdad es que estoy asustado, y también lo estarán ustedes.

–Entonces no hay nada, en mis laboratorios, que sea tan importante como lo de ahora –dijo Sundstrom en voz baja, como si hubiese sido levemente censurado–. Por favor, continúe, Milos.

Vigilar cada cara, cada par de ojos. Estudiar los músculos de las mandíbulas, y alrededor de los párpados, y el borde de implantación del cabello. Estar atento a alguna deglución involuntaria de saliva, y a las venas pronunciadas en el cuello. Uno de los cuatro sentados cerca de mí conoce la verdad. Uno es el traidor.

–Los terroristas palestinos atacaron las casas del parlamentario Kendrick, en Virginia y Colorado. Hubo considerables pérdidas de vidas.

Una especie de pandemonio controlado estalló en esa habitación extraordinaria de la finca de la bahía de Chesapeake. Sus ocupantes se derrumbaron en sus asientos o se inclinaron sobre la mesa, conmovidos; gritos ahogados brotaron de labios tensos, los ojos se agrandaron de horror o se contrajeron con incredulidad, y las preguntas acosaron con rapidez a Varak, como las secas detonaciones de un rápido fuego de rifle.

–¡Kendrick resultó *muerto*?

–¿Cuándo *fue* eso?

–¡Yo no me enteré de nada!

–¿Alguien fue capturado *vivo*? –Esta última pregunta, y Milos Varak miró en el acto a quien la hacía, era Gideon Logan, con el moreno semblante enfurecido... ¿o era frenesí... o miedo?

–Contestaré todo lo que pueda –dijo el coordinador checo de Inver Brass–, pero debo decirles que no estoy plenamente informado. Se dice que Kendrick sobrevivió, y que se encuentra bajo custodia de protección. Los ataques se produjeron ayer por la tarde, a última hora, o tal vez poco antes del anochecer...

–*¿Tal vez?* –gritó Margaret Lowell–. *¿Ayer?* ¿Por qué no lo *sabe...* por qué no lo sabemos *todos*, por qué no lo sabe el *país*?

–Hay una censura total, según parece pedida por los servicios de inteligencia y otorgada por el Presidente.

–Sin duda destinada a ir en busca de los árabes –dijo Mandel–. Matan por publicidad, y si no la obtienen se vuelven más locos de lo que están. La gente demente se destaca...

–Y si se encuentran vivos tienen que salir del país –agregó Sundstrom–. ¿Pueden salir, Varak?

–Eso dependería del refinamiento de las medidas que hayan adoptado, señor. De lo que hizo posible que entrasen.

–¿Alguno de los palestinos fue *capturado* vivo? –insistió Gideon Logan.

–Sólo me es posible especular al respecto –respondió el checo; su mirada era neutra, pero detrás de esa neutralidad escudriñaba con intensidad–. Tuve la buena suerte de enterarme de lo que sé antes que la censura se hiciera total; la pérdida de vidas no había sido determinada en ese momento.

–¿Cuáles son sus suposiciones? –preguntó Sundstrom.

–En el mejor de los casos, existe apenas un diez a un quince por ciento de posibilidades de que alguno de los atacantes haya sido capturado con vida. El cálculo se basa en estadísticas del Medio Oriente. Es habitual que los equipos terroristas lleven cápsulas de cianuro cosidas a sus solapas, hojas de afeitar ocultas y jeringas pegadas con cinta plástica adhesiva a distintas partes del cuerpo; cualquier cosa que les permita suicidarse antes que revelar alguna información bajo la tortura o por efecto de drogas. Recuerden que, fuera de la imposibilidad de matar a sus enemigos, la muerte no es un sacrificio para esa gente. Por el contrario, es un rito de pasaje a una vida futura de goce, que no sobreabunda para ellos allí.

–Entonces es posible que uno o dos hayan sido capturados con vida –insistió Logan, en forma afirmativa.

–Es posible, según cuántos sean los que participaron. Es una prioridad, si se puede realizar.

–¿Por qué es tan importante, Gideon? –preguntó Samuel Winters.

–Porque todos tenemos conciencia de las medidas extraordinarias adoptadas para proteger a Kendrick –contestó el empresario negro, escudriñando la cara de Varak–, y creo que es imperioso saber cómo estos fanáticos ignorantes penetraron en esa seguridad. ¿Hay alguna opinión acerca de eso, Milos?

–Sí, señor. La mía, en modo alguno oficial, pero es apenas cuestión de algunos días antes que las unidades federales establezcan la relación que establecí yo.

–¿Cuál *demonios* es? –exclamó Margaret Lowell, con voz fuerte y cortante.

–Doy por supuesto que todos ustedes saben lo de Andrew Vanvlanderen...

–No –interrumpió Lowell.

–¿Qué pasa con él? –interrogó Gideon Logan.

–¿Deberíamos saberlo? –intervino Mandel.

–Murió –dijo Eric Sundstrom, echándose hacia atrás en el asiento.

–*¿Qué?* –La palabra brotó tres veces seguidas.

–Ocurrió esta mañana temprano, en California, demasiado tarde para los periódicos del Este –explicó Winters–. Como causa de la muerte se estableció que había sido un ataque cardíaco. Yo lo escuché por la radio.

–Yo también –agregó Sundstrom.

–Yo no escuché la radio –declaró Margaret Lowell.

–Yo estaba en un barco, y después en un avión –afirmó Gideon Logan.

–Yo, en un encuentro de baloncesto –dijo Jacob Mandel, con tono de culpabilidad.

–No es la noticia más importante del día –continuó Sundstrom, adelantando el cuerpo–. Las últimas ediciones del *Post* la publicaron en la página cuatro o cinco, creo, y Vanvlanderen era conocido en esta ciudad, por lo menos. Fuera de aquí y de Palm Springs, no muchas personas conocían su nombre.

–¿Cuál es la relación con los palestinos? –preguntó Logan, con los ojos oscuros fijos en Varak.

–Es posible dudar del presunto ataque cardíaco, señor.

Alrededor de la mesa, todas las caras eran como de granito: duras, inmóviles. Poco a poco, cada uno miró a los demás, y la enormidad de la insinuación los embistió como una inmensa ola poderosa.

–Esa es una afirmación extraordinaria, señor Varak –dijo Winters con voz queda–. ¿Querría explicarla como me la explicó a mí, por favor?

–Los hombres que rodean al Vicepresidente Bollinger, que en general son los más fuertes contribuyentes del partido, con intereses que proteger, se enfrentan entre sí. He sabido que existen distintas facciones. Una quiere remplazar al Vicepresidente por un candidato específico, otra desea mantenerlo y la tercera insiste en esperar hasta que el panorama político se aclare un poco.

–*¿Y entonces?* –entonó Jacob Mandel, quitándose las gafas de montura de plata.

–La única persona evidentemente *inaceptable* para todos es Evan Kendrick.

–¿*Y*, Milos? –dijo Margaret Lowell.

–Todo lo que hacemos implica un margen de riesgo, abogada –respondió Varak–. Yo he tratado de reducirlo al mínimo, a pesar del hecho de que he garantizado el anonimato de ustedes. De todos modos, para iniciar la campaña por el congresal Kendrick tuvimos que crear una comisión política que canalizara los materiales, y considerables fondos, sin que ustedes aparecieran a la vista. Eso llevó varias semanas, y es posible que la noticia haya llegado a San Diego... No resulta difícil imaginar las reacciones de la gente de San Diego, en especial la de la gente más partidaria de él. Kendrick es un auténtico héroe norteamericano, un candidato viable, que podría ser lanzado a la fórmula en la cresta de una ola de popularidad, como hemos querido que fuese. Esa gente podría ser presa de pánico y buscar soluciones rápidas, finales... Entre ellos deberían contarse los Vanvlanderen; y la señora Vanvlanderen, jefa de personal del Vicepresidente, tiene amplias vinculaciones en Europa y Medio Oriente.

–¡Buen *Dios*! –exclamó Sundstrom–. ¿Está sugiriendo que el Vicepresidente Bollinger es responsable de esos ataques terroristas, de esos *asesinatos*?

–Directamente no, señor. Podría ser más bien como las frases del rey Enrique en la Corte real, en relación con Thomas Becket: "¿Nadie me librará de ese sacerdote turbulento?" El rey no dio orden alguna, ni instrucciones; sólo hizo una pregunta punzante, tal vez mientras reía, pero sus caballeros entendieron. Y aquí se trata de que hay gente poderosa que consiguió que esos asesinos entraran al país, y que los abasteció una vez que estuvieron aquí.

–¡Es *increíble*! –dijo Mandel, aferrando sus gafas; su voz era un murmullo.

–Un momento –interrumpió Gideon Logan, con la enorme cabeza inclinada, la mirada todavía fija en el checo–. Usted sugirió también que el ataque de Vanvlanderen habría podido ser otra cosa. ¿Qué le hace sospechar eso, y si está en lo cierto, cómo se relaciona con los palestinos?

–Mis primeras sospechas respecto del ataque surgieron cuando me enteré de que en el plazo de una hora, después de la llegada del cuerpo al establecimiento de pompas fúnebres, la señora Vanvlanderen dio la orden de que fuese cremado en el acto; afirmó que tenían un pacto recíproco para ese procedimiento.

–Y el procedimiento en cuestión eliminaba toda posibilidad de una autopsia –asintió la abogada Lowell, aclarando lo evidente–. ¿Cuál es la vinculación palestina, Milos?

–Por empezar, la sincronización. Un deportista sano, sin historia previa de hipertensión, muere de repente, menos de veinticuatro horas después de los ataques contra las casas de Kendrick. Y después, por supuesto, el mayor conocimiento de los amplios contactos de la señora Vanvlanderen en el Medio Oriente... eso fue impulsado por los breves comentarios que hicimos acerca de ella en la última reunión. Son cosas que los investigadores federales unirán entre sí, en pocos días, y si son válidas, es probable que encuentren motivos para relacionarlas con las matanzas.

–Pero si Vanvlanderen *tenía* tratos con los terroristas, ¿por qué fue asesinado? –interrogó el desconcertado Sundstrom–. El era quien manejaba los hilos.

–Yo contestaré a eso, Eric –dijo Margaret Lowell–. La mejor manera de lograr que las evidencias resulten inaccesibles consiste en destruirlas. Se mata al correo, no a quien envía el mensaje. De esa manera no es posible encontrar al instigador.

–¡Demasiado, *demasiado*! –exclamó Jacob Mandel–. ¿Niveles tan altos de nuestro gobierno pueden ser semejante *basura*?

–Sabemos que pueden serlo, amigo mío –respondió Samuel Winters–. De lo contrario, nosotros no haríamos lo que estamos haciendo.

–Qué tragedia –dijo el financiero, meneando la cabeza con pena–. Una nación con tantas promesas, tan desgarrada por dentro. Harán que cambien todas las reglas, todas las leyes. ¿Para *qué*?

–Para ellos –contestó Gideon Logan en voz baja.

–¿Qué le parece que ocurrirá, Milos? –preguntó Margaret Lowell.

–Si mis especulaciones tienen algo de cierto, y la censura sigue su marcha, creo que se creará una versión de cobertura, que omitirá toda referencia a los funcionarios gubernamentales que tenían contacto con los terroristas. Se encontrarán chivos emisarios, muertos. Washington no puede permitirse el lujo de hacer otra cosa; la política exterior se convertiría en una carnicería.

–¿Y Bollinger? – Sundstrom se respaldó una vez más en el asiento.

–En el plano oficial, si los chivos emisarios son lo bastante convincentes, se lo podría descolgar del gancho, como dicen aquí... Eso es en términos oficiales, no en lo que tiene que ver con nosotros.

–Esa es una afirmación interesante, aunque no muy esclarecedora –dijo Winters–. ¿Querría aclararla?

–Por supuesto, señor. Si bien debo volver a Chicago, he hecho arreglos con cierto personal de la compañía telefónica de San Diego, para que me proporcionen listas de todas las llamadas hechas a la residencia de Bollinger, a su oficina, y a cada uno de los integrantes de su personal. Determinarán todos los números iniciales, y los nombres, incluidos los teléfonos públicos y la ubicación de éstos. A menos que me equivoque, tendremos suficientes municiones, aunque sólo sean circunstanciales, para convencer al Vicepresidente de que tenga la amabilidad de borrarse de la fórmula.

La última limusina salió del camino para coches, mientras Samuel Winters colgaba el auricular en la sala, con sus tapicerías y adornos, y se unía a Varak ante la gran ventana del frente.

–¿Quién *es*? –preguntó el checo, mirando al vehículo que se alejaba.

–Creo que lo sabrá antes que sea de día en California... El helicóptero llegará en pocos minutos. El jet ha sido autorizado para despegar a las cuatro y treinta en Easton.

–Gracias, señor. Confío en que no hayamos tomado todas esas medidas por nada.

–Su argumentación fue muy fuerte, Milos. Quienquiera que fuere, no se atreverá a hacer una llamada. El *o* ella tendrán que aparecer en persona. ¿Todo está preparado en el hotel?

–Sí. Mi conductor del aeropuerto de San Diego tendrá las llaves de la entrada de servicio y de las habitaciones. Usaré el ascensor de servicio.

–Dígame –dijo el aristocrático historiador canoso–. ¿Es posible que el libreto que presentó esta tarde sea correcto? *¿Podría* Andrew Vanvlanderen haber establecido contacto con los palestinos?

–No, señor, *no* es posible. Su esposa no lo habría permitido. Lo habría matado, si lo intentaba. Por supuesto, se podría seguir sin dificultades los rastros de ese tipo de complicados arreglos, pero ella nunca correría el riesgo. Es demasiado profesional.

A la distancia, sobre las aguas de la bahía de Chesapeake, se pudo escuchar el ruido de los rotores de un helicóptero. Fueron haciéndose más intensos.

Khalehla dejó caer el bolso en el suelo, arrojó las dos cajas y los tres bolsos de compras en la cama, y los siguió; apartó los bolsos a un costado cuando su cabeza cayó sobre el bulto de las almohadas. Había pedido a "Pan de Jengibre" Shapoff que la dejara en una tienda, para poder comprar algunas ropas, ya que las suyas se encontraban en El Cairo o en Fairfax, o en un coche policial de Bahrein, o en un jet de la Fuerza Aérea de Estados Unidos.

–Puras tonterías –dijo, en fatigada imitación de Scarlet O'Hara, mientras contemplaba el cielo raso–. Me gustaría pensar en *todo* lo de mañana –continuó, hablando para sí, en voz alta–, pero no puedo, maldición. –Se sentó, tomó el teléfono del hotel y discó los números adecuados para comunicarse con Payton en Langley, Virginia.

–¿Sí?

–MJ, ¿nunca vas a tu casa?

–¿Estás *tú* en tu casa, querida?

–Ya no sé dónde está mi casa, pero te revelaré un secreto, tío Mitch.

–¿Tío...? Cielos, debes de estar queriendo montar en un pony. ¿Qué ocurre?

–Mi hogar puede terminar por ser el de cierto amigo mutuo.

–Caramba, has *hecho* progresos.

–No, los hizo él. Inclusive habló de unos veinte o treinta años.

–¿Veinte o treinta años de qué?

–No sé. Un hogar verdadero, hijos y cosas por el estilo, supongo.

–Entonces saquémoslo con vida, Adrienne.

Khalehla meneó la cabeza, no en forma negativa, sino para volver a la realidad del momento.

–La culpa la tuvo el "Adrienne", MJ. Lo siento.

–No. Tienes derecho a tus visiones de felicidad, y tú sabes que yo te la deseo completa.

–Pero para ti nunca lo fue, ¿verdad?

–La elección fue mía, Agente de Campo Rashad.

–Te entiendo, amigo, ¿o debo decir *señor*?

–Di lo que quieras, pero escúchame. Ha llegado el primer informe de la clínica... sobre el prisionero. En apariencia viajan como sacerdotes... como sacerdotes maronitas, con pasaportes israelíes. Ese chico no sabe gran cosa; es un participante a quien se le permitió integrar el grupo a causa de Kendrick. Quedó tullido mientras estaba con el congresal en Omán.

–Lo sé, Evan me lo dijo. Estaban en un camión policial que iba al Jabal Sham. A sus ejecuciones, pensaron.

–Las cosas se vuelven borrosas en ese punto... a ese joven se le dijo muy poco, y era lógico, es muy inestable. Pero por lo que nuestros químicos han logrado entender, los dos equipos debían ponerse en contacto cerca de un aeropuerto... el "Comando Uno" se uniría al "Comando Dos", lo cual se supone que significa que los de Fairfax debían unirse a la unidad de Colorado *allá*.

–Eso implica demasiada organización, MJ, mucho kilometraje. Tienen agentes de viaje muy competentes que establecen sus itinerarios.

–Muy competentes y muy ocultos. Casi se podría decir que burocráticamente mimetizados.

–Hablando de eso, estoy dos pisos más arriba de la viuda acongojada.

–La oficina de ella ha sido alertada. Se le dijo que esperase tu visita.

–Entonces me arreglaré y pondré manos a la obra. De pasada, tuve que comprar unas cosas para vestirme, pero no pienso pagarlas. Digamos que no son para mí: un poco demasiado severas.

–Yo pensé, teniendo en cuenta las antiguas vinculaciones de la señora Vanvlanderen, que podrías ser un poco más elegante.

–Bueno, no son *tan* severas.

–No pensé que lo fueran. Llámame cuando hayas terminado.

Khalehla colgó el auricular, lo miró durante un instante y luego tomó su bolso del suelo. Lo abrió y sacó una hoja de papel en la cual había escrito el número de teléfono de Evan en Mesa Verde. Discó unos segundos más tarde.

–Residencia Kendrick –dijo una voz de mujer, que Khalehla reconoció como perteneciente a una de las enfermeras.

–¿Puedo hablar con el parlamentario, por favor? Habla la señorita Adrienne, del Departamento de Estado.

–Por supuesto, querida, pero tendrás que esperar mientras lo busco. Está afuera despidiéndose de ese simpático joven griego.

–¿De quién?

–Creo que es griego. Conoce a una cantidad de personas a quienes el congresal conoció en Arabia, o dondequiera que fuese.

–¿De qué estás hablando?

–Del sacerdote. Es un joven sacerdote de...

–*¡Saca a Evan de ahí!* –gritó Khalehla, mientras se ponía de pie, tambaleándose–. ¡Grita para llamar a los guardias! ¡Los *otros* están *ahí*! ¡Quieren *matarlo*!

33

Había sido tan sencillo, pensó Ahbyahd, mirando desde el bosque hacia la casa del odiado enemigo. Un sacerdote joven, sincero y agradable, cuyos documentos estaban en orden, que no tenía armas encima y que llevaba saludos de amigos del gran hombre. ¿Quién podía negar una breve audiencia a ese inocente religioso de un país distante, desconocedor de las formalidades que se debían cumplir con los grandes hombres? Su rechazo inicial había sido anulado por el propio enemigo; el resto quedaba a cargo de un creyente de gran capacidad de inventiva. Lo que restaba por hacer era todo responsabilidad de ellos. No fallarían.

¡El joven camarada salía de la casa! Estrechaba la mano al aborrecible "Amal Bahrudi", bajo la mirada vigilante de los guardias de civil, portadores de armas automáticas. Los creyentes no podían hacer otra cosa que calcular las dimensiones de la fuerza de guardia; eran un mínimo de doce hombres, y sin duda había más adentro. Por el amor de Alá, el primer ataque eliminaría a buena parte de ellos, mataría a la mayoría y heriría de gravedad a los demás, impidiéndoles funcionar.

Su camarada era escoltado por el camino circular, hacia el auto, cortésmente aparcado en la carretera, más allá de los altos setos. Sólo faltaban unos momentos. ¡Y el amado Alá les dirigía una mirada favorable! Aparecieron otros tres guardias, aumentando a siete el total de los que se hallaban delante de la casa. ¡Cumple con tu trabajo, hermano! ¡Conduce con *precisión*!

El camarada llegó al coche; inclinó la cabeza con cortesía, se persignó y una vez más intercambió un apretón de manos, con su único escolta oculto ahora de los otros por los setos. Abrió la portezuela; tuvo una breve tos, y se apoyó en el respaldo del asiento, mientras su mano derecha bajaba por la tela. De súbito, con la velocidad y seguridad de un verdadero creyente, giró con un puñal de doble filo en la mano, y lo hundió en la garganta del guardia antes que el hombre del gobierno pudiese ver lo que ocurría. El guardia cayó, manando sangre, mientras el terrorista aferraba el arma y el cuerpo al mismo tiempo; arrastró a este último a través del camino, hacia las malezas del borde del bosque. Miró en dirección de Ahbyahd, asintió, y corrió de nuevo al coche. A su vez, Ahbyahd hizo chasquear los dedos en dirección de los hermanos que tenía atrás, ocultos entre los árboles. Los tres hombres se deslizaron hacia adelante, vestidos, lo mismo que el canoso, con ropa paramilitar y aferrando las livianas subametralladoras, con granadas colgadas de sus chaquetas de campaña.

El asesino sentado detrás del volante, que hablaba el inglés, puso en marcha el motor, embragó y condujo a marcha lenta, negligente, hacia la entrada izquierda del camino circular. De golpe, con el motor rugiendo al máximo, hizo girar el vehículo con brusquedad a la derecha, hacia la entrada, mientras metía la mano debajo del tablero y movía un interruptor. Abrió la portezuela y enfiló con el coche, por el gran prado delantero, hacia los guardias que conversaban con el congresal, y saltó del coche en marcha, a la granza. Al tomar contacto con el suelo, escuchó los gritos de una mujer por encima de la cacofonía del motor atronador y los rugidos de las patrullas del gobierno. Una de las enfermeras había salido a la carrera por la puerta del frente, gritando en forma incoherente; al ver el coche lanzado a toda velocidad, sin conductor, se volvió y gritó de nuevo, esta vez a Kendrick, quien era el que más cerca se encontraba de la entrada de piedra.

–*¡Váyase!* –chilló, repitiendo las palabras que sin duda había escuchado unos momentos antes–. ¡Quieren *matarlo*!

El parlamentario corrió hacia la pesada puerta, tomó a la mujer del brazo y la empujó ante sí, mientras los guardias abrían fuego contra el monstruo de metal, vacío, que se precipitaba, enloquecido, fuera de control, y ahora viraba hacia el costado de la casa, en dirección de las puertas corredizas, de vidrio, de la galería. Adentro, Evan empujó la puerta con el hombro y la cerró con violencia. Esa acción, y el grueso tablero reforzado con acero, les salvaron la vida.

Los estallidos llegaron como atronadoras combustiones sucesivas de algún horno gigantesco, y destrozaron ventanas y paredes, encendieron cortinas, colgaduras y muebles. Delante de la casa, los siete guardias de la Agencia Central de Inteligencia cayeron, perforados por trozos de vidrio y metal que habían hecho volar los cuarenta kilos de dinamita asegurados a la parte inferior del motor del coche. Cuatro de ellos estaban muertos, con la cabeza y el cuerpo agujereados; dos se encontraban apenas con vida, y la sangre les manaba de los ojos y el pecho. Uno, cuya mano izquierda no era más que un muñón sangrante, había acumulado furia; su arma estaba lista para el fuego automático, mientras trastabillaba a través del prado hacia el terrorista de vestidura sacerdotal, quien reía como un demente; su subametralladora escupía fuego. Los dos hombres se aniquilaron el uno al otro, en el frío del día de Colorado, bajo el sol cegador de Colorado.

Kendrick se precipitó contra la pared de piedra del pasillo, aplastándose contra el abultado diseño de roca. Miró a la enfermera.

–¡Quédate donde estás! –ordenó mientras se deslizaba hacia el rincón de la sala. El humo ondulaba por todas partes, empujado por las brisas que entraban por las ventanas destrozadas. Oyó los gritos, afuera; desde sus posiciones de flanqueo, los guardias convergían; como profesionales que eran, se cubrían el uno al otro mientras avanzaban hacia nuevas posiciones. Luego hubo cuatro detonaciones, una tras otra... *¡granadas!* Las siguieron otras voces que gritaban en árabe: *¡Muerte a nuestros enemigos! ¡Muerte a un gran enemigo! ¡A la sangre se responderá con la sangre!* Se escucharon repetidos estampidos de armas automáticas, desde distintas direcciones. Estallaron otras dos granadas, una arrojada a través de las ventanas rotas, directamente en la sala, que destrozó la pared del fondo. Evan giró en busca de la protección de la piedra, y luego gritó, cuando los escombros se asentaban:

– ¡Manny! *¿Manny?* ¿Dónde *estás*? *¡Contéstame!*

No hubo respuesta; sólo el timbre en apariencia perverso, constante, del teléfono. Afuera, los disparos crecieron hasta alcanzar proporciones ensordecedoras, ráfaga tras ráfaga; las balas rebotaban en la piedra, golpeaban en la madera, chillaban, demenciales, en el aire. ¡Manny había estado en la galería, la galería con puertas de vidrio! Kendrick tenía que ir allá. ¡*Tenía* que ir! Corrió por entre el humo y el fuego de la sala, protegiéndose los ojos y las fosas nasales, cuando de pronto una figura voló a través de las destrozadas ventanas del frente, por entre los fragmentos de vidrio.

–*¡Ahbyahd!* –aulló Kendrick, paralizado.

–*¡Tú!* –rugió el palestino, el arma nivelada–. ¡Mi vida tiene gloria! *¡Gloria!* ¡*Alabado* sea el amado Alá! ¡Me traes una *gran* felicidad!

–¿Yo *valgo* eso para ti? ¿Tantos muertos? ¿Tanta carnicería? ¿De veras lo *valgo*? ¿Tu Alá te exige tanta muerte?

–¿Tú puedes hablar de *muerte*? –vociferó el terrorista–. ¡Azra muerto! ¡Yaakov muerto! ¡Zaya asesinada por judíos, desde los cielos, sobre la Baaka! ¡Todos los otros... centenares, miles... *muertos*! ¡Y ahora, *Amal Bahrudi*, un traidor tan despierto, te llevaré al *infierno*!

–¡*Todavía* no! –se escuchó la voz, entre susurrada y gritada, desde la arcada que daba a la galería. Las palabras fueron acompañadas por dos fuertes y resonantes disparos, que por el momento cubrieron el rápido fuego de afuera. Ahbyahd, el canoso, se arqueó hacia atrás bajo el impacto de la poderosa arma, destrozada una parte del cráneo. Emmanuel Weingrass, con la cara y la camisa cubiertas de sangre, el hombro izquierdo apoyado en el interior de la arcada, resbaló al suelo.

—*¡Manny!* —gritó Kendrick, corriendo hacia el anciano arquitecto; se arrodilló y le levantó del duro suelo la parte superior del cuerpo—. ¿Dónde te hirieron?

—¿Dónde no? —respondió Weingrass con voz ronca, con dificultades—. ¡Busca a las dos muchachas! Cuando... todo comenzó, fueron a las ventanas... Yo traté de detenerlas. ¡Búscalas, *maldito*!

Evan miró los dos cuerpos tendidos en la galería. Más allá, las puertas corredizas no eran otra cosa que marcos con agudos y filosos fragmentos de vidrio grueso. El coche-bomba había cumplido su tarea; quedaba muy poco de dos seres humanos, salvo piel rasgada a tiras y sangre.

—No queda nada que buscar, Manny. Lo siento.

—¡Oh, te llamas *Dios*, en tu *cielo* del carajo! —gritó Weingrass, con los ojos cubiertos de lágrimas—. ¡Qué más quieres, *estafador*! —El anciano se derrumbó, inconsciente.

Afuera, los disparos cesaron. Kendrick se preparó para lo peor; arrancó la Magnum 357 de la mano de Manny, preguntándose por un instante quién se la había dado, y en el acto supo que había sido G-G González. Depositó con suavidad a Weingrass en el suelo y se puso de pie. Se encaminó con cautela a la sala en ascuas, y fue atacado de pronto por el hedor del humo mojado... de los rociadores del cielo raso caía agua.

¡Un *disparo*! —Se dejó caer, y su mirada voló en todas las direcciones, seguida por su arma.

—*¡Cuatro!* —gritó una voz, al otro lado de las ventanas rotas—. ¡Cuento cuatro!

—¡Uno entró! —bramó otro—. ¡Acérquense y disparen a todo lo que se mueva! ¡Cristo, no necesito el recuento de nuestras bajas! ¡Y tampoco quiero que ninguno de estos canallas salga con *vida*! ¿Me *entienden?*

—Entendido.

—¡Está muerto! —gritó Evan con la voz que le quedaba—. Pero ahí hay otro, un hombre herido. Está vivo, y gravemente herido, y es uno de los nuestros.

—*¿Congresal?* ¿Es usted, señor Kendrick?

—Soy yo, y no quiero volver a escuchar ese título. —El teléfono sonó de nuevo. Evan se puso de pie y se dirigió, fatigado, hacia el chamuscado escritorio de pino, empapado por los rociadores. De pronto vio que la enfermera que le había salvado la vida entraba, vacilante, por la arcada de piedra del pasillo—. Quédate fuera de aquí —dijo—. No quiero que vayas allá.

—Te oí decir que había alguien herido, señor. Estoy adiestrada para eso.

El teléfono continuaba sonando.

—A *él* sí. A los otros no. ¡No quiero que veas a los otros!

—No soy una aficionada, congresal. Hice tres turnos en Vietnam.

—¡Pero estos eran tus *amigos*!

—También lo eran muchísimos otros —dijo la enfermera, sin comentario alguno en la voz—. ¿Es Manny?

—Sí.

El teléfono seguía sonando.

–Después de tu llamada, por favor, comunícate con el doctor Lyons, señor.

Kendrick tomó el teléfono.

–¿Sí?

–¡Evan, gracias al *Cielo*! ¡Habla MJ! Acabo de enterarme por Adrienne...

–Déjame en paz –dijo Kendrick; cortó y discó el número de información.

Al principio, la habitación dio vueltas; luego, el trueno lejano se hizo más fuerte, y los relámpagos estallaron en su mente.

–¿Quiere repetir eso, por favor, Operadora, para tener absolutamente en claro lo que acaba de decir?

–Por supuesto, señor. No hay en las listas ningún doctor Lyons en Cortez, ni en el distrito de Mesa Verde. En rigor, no hay nadie llamado Lyons –L-y-o-n-s– en toda la zona.

–¡Ese era su *apellido*! ¡Lo vi en la autorización del Departamento de Estado!

–¿Perdón?

–Nada... *¡Nada!* –Evan colgó el auricular con violencia, y en cuanto lo hubo hecho volvió a sonar.– *¿Sí?*

–¡Querido mío! ¿Estás *bien*?

–¡Tu maldito MJ lo *arruinó* todo! ¡No sé cuántos muertos hay, y Manny está sangrando como un cerdo degollado! ¡No sólo está casi muerto, sino que ni siquiera tiene un médico!

–Llama a Lyons.

–¡No *existe*!... ¿Cómo te enteraste de esto de aquí?

–Hablé con la enfermera. Dijo que había un sacerdote ahí, ¡y querido, *escúchame*! ¡Hace apenas unos minutos descubrimos que viajaban como sacerdotes! Me comuniqué con MJ, y está fuera de sí. ¡Está enviando a la mitad de Colorado, a todos los federales, y juramentados para mantener el secreto!

–Acabo de decirle que se fuera de paseo.

–El no es tu enemigo, Evan.

–¿Quién diablos lo *es*?

–¡Por amor de Dios, estamos tratando de *averiguarlo*!

–Son un poco lentos.

–Y ellos muy veloces. ¿Qué puedo decirte?

Kendrick, con el cabello mojado y el cuerpo empapado por los rociadores, miró hacia la enfermera, quien atendía a Weingrass. La mujer tenía los ojos llenos de lágrimas, y su garganta contenía la histeria por la visión de sus amigas, en la galería. Evan habló en voz suave.

–Dime que volverás a mí. Dime que todo esto terminará. Dime que no me estoy volviendo loco.

–Puedo decirte todas esas cosas, pero tienes que creerlas. Estás con vida, y eso es lo único que me importa ahora.

–¿Y qué hay de los otros que no están vivos? ¿Qué hay de Manny? ¿No cuentan?

–Ayer por la noche Manny dijo algo que me impresionó mucho. Hablábamos de los Hassán, Sabri y Kashi. Dijo que cada uno de nosotros los recordaremos y los lloraremos a nuestra manera... pero eso vendrá después. A algunos podrá parecerles frío, pero no a mí. El estuvo donde estuve yo, querido, y yo sé de dónde viene. Ninguno queda olvidado, pero por el momento debemos olvidarlos y hacer lo que es preciso hacer. ¿Tiene sentido eso para ti... querido?

–Estoy tratando de encontrarle sentido. ¿Cuándo volverás?

–Lo sabré dentro de un par de horas. Te llamaré.

Evan colgó el auricular mientras crecían los múltiples sonidos de sirenas y helicópteros que se aproximaban, concentrándose todos en un punto infinitesimal de la tierra, llamado, por error, Mesa Verde, en Colorado.

–Es un apartamento encantador –dijo Khalehla con suavidad, cruzando el vestíbulo de mármol, hacia la sala en desnivel de los aposentos de Vanvlanderen.

–Es conveniente –comentó la reciente viuda, con un pañuelo apretado en la mano mientras cerraba la puerta y se unía a la agente de inteligencia de El Cairo–. El Vicepresidente puede ser muy exigente, y tenía que ser esto, o dirigir otra casa cuando él está en California. Dos casas son un poco demasiado... la de él *y* la mía. Siéntese, por favor.

–¿Son todos así? –preguntó Khalehla al sentarse en el sillón indicado por Ardis Vanvlanderen. Se encontraba frente a un enorme, imponente sofá de brocado; la señora de la casa estableció con rapidez el orden de precedencia de los lugares para sentarse.

–No, en realidad mi esposo lo hizo remodelar a nuestro gusto. –La viuda se llevó el pañuelo a la cara, por un instante.– Supongo que debería habituarme a decir "mi difunto esposo" –agregó, y se sentó, con tristeza, en el sofá.

–Lo siento *tanto*, y para repetir lo que dije, pido disculpas por venir en un momento así. Es injusto, y se lo dije así a mis superiores, pero ellos insistieron.

–Tenían razón. Los asuntos del Estado deben continuar, señorita Rashad. Lo entiendo.

–Yo no estoy segura de entenderlo. Esta entrevista habría podido llevarse a cabo por lo menos mañana por la mañana, en mi opinión. Pero, una vez más, otros piensan de manera diferente.

–Eso es lo que me fascina –dijo Ardis, alisando la seda negra de su vestido de Balenciaga–. ¿Qué puede haber de tan vitalmente importante?

–Por empezar –respondió Khalehla, cruzando las piernas y eliminando una arruga de su traje gris oscuro, comprado por intermedio de Robinson, de San Diego–. Lo que hablamos debe quedar entre nosotras. No queremos que el Vicepresidente Bollinger se alarme en exceso. –La agente de El Cairo sacó un anotador de su bolso negro y se alisó el cabello oscuro, peinado hacia atrás y recogido en un rodete severo.– Como usted ya sabe, yo trabajo en el exterior, y se me trajo aquí para esta misión.

–Se me dijo que es una experta en asuntos del Medio Oriente.

–Ese es un eufemismo por actividades terroristas. Soy medio árabe.

–Ya lo veo. Es muy bella.

–Usted es *muy* bella, señora Vanvlanderen.

–Me las arreglo siempre que no piense en los años.

–Tengo la certeza de que tenemos edades muy cercanas.

–No hablemos tampoco de eso... ¿Cuál *es* el problema? ¿Por qué era tan urgente que me viese?

–Nuestro personal que trabaja en el valle del Baaka, en el Líbano, ha descubierto informaciones alarmantes e inquietantes. ¿Sabe qué es un "equipo de ataque", señora Vanvlanderen?

–¿Quién no lo sabe? –respondió la viuda, y tomó una cajetilla de cigarrillos de la mesita del café. Sacó uno y procedió a encenderlo–. Es un grupo de hombres, casi siempre hombres, enviados a asesinar a alguien. –Encendió el cigarrillo; su mano derecha tembló en forma casi imperceptible.– Eso, en lo que respecta a las definiciones. ¿Por qué está relacionado con el Vicepresidente?

–Por las amenazas que se hicieron contra él. La razón de la unidad que usted pidió a la Oficina Federal de Investigaciones.

–Eso ya ha terminado –dijo Ardis, e hizo una profunda inhalación–. Resultó ser algún tipo de chiflado psicótico, que sin duda ni siquiera poseía una pistola. Pero cuando comenzaron a llegar esas cartas repugnantes y esos llamados obscenos; sentí que no podíamos correr riesgos. Todo eso figura en el informe; lo perseguimos por una decena de ciudades, hasta que se subió a un avión en Toronto. Rumbo a Cuba, entiendo, y se lo tiene merecido.

–Es posible que no haya sido un chiflado, señora Vanvlanderen.

–¿Qué quiere decir?

–Bueno, no lo encontraron, ¿verdad?

–El FBI trazó un perfil muy completo, señorita Rashad. Se determinó que estaba mentalmente trastornado, no sé qué tipo clásico de esquizofrenia, con matices de un complejo de Capitán Vengador, o algo igualmente ridículo. En esencia, era inofensivo. Ese libro está cerrado.

–Nos gustaría volver a abrirlo.

–¿Por qué?

–Del valle del Baaka se nos dice que se han despachado dos o más equipos de ataque, presuntamente para asesinar al Vicepresidente Bollinger. Es posible que su chiflado haya sido el hombre de punta, a sabiendas o no, pero, de todos modos, la avanzada.

–¿El "hombre de punta"? ¿De qué habla? Ni siquiera puedo entender su lenguaje, sólo que suena absurdo.

–En modo alguno –replicó Khalehla con serenidad–. Los terroristas operan según el principio de publicidad máxima. Es frecuente que anuncien un objetivo, un blanco, mucho antes de la ejecución. Lo hacen de muchas maneras, con muchas variantes.

–¿Por qué querrían los terroristas matar a Orson... al Vicepresidente Bollinger?

–¿Por qué le pareció que las amenazas contra él debían tomarse en serio?

–Porque ellos estaban *allí*. Era lo menos que podía hacer.

–Y tenía razón –admitió la agente de inteligencia; vio que la viuda aplastaba el cigarrillo y tomaba otro, que encendió en el acto–. Pero para responder a su pregunta, si el Vicepresidente fuese asesinado, no sólo habría un vacío en una fórmula política que tiene asegurada la reelección, sino una considerable desestabilización.

–¿Con qué fin?

–El de la máxima publicidad. Sería un asesinato espectacular, ¿no es verdad? Y más aún, porque los documentos mostrarían que el FBI fue alertado, y luego se retiró, engañado por una estrategia superior.

–*¿Estrategia?* –exclamó Ardis Vanvlanderen–. *¿Qué* estrategia?

–Un chiflado psicótico que no era un chiflado, sino una diversión estratégica. Concentrar la atención en un chiflado inocente, y luego cerrar el libro, mientras los verdaderos asesinos ocupan sus puestos.

–¡Eso es una *locura*!

–Ha sido repetido una y otra vez. En la mentalidad árabe, todo avanza en forma geométrica, por etapas. Un paso conduce al siguiente, pero la vinculación existe, si se la busca. Y hablando de casos clásicos, esta diversión cumple con las reglas.

–¡No *fue* una "diversión"! ¡Hubo llamadas telefónicas, y los números fueron rastreados y ubicados en distintas ciudades, lo mismo que las cartas con letras pegadas y un lenguaje repugnante!

–Clásico –repitió Khalehla con voz suave, escribiendo.

–¿Qué hace?

–Reabro el libro... y tomo nota de sus convicciones. ¿Puedo hacerle una pregunta?

–Por supuesto –contestó la viuda, con voz controlada, pero tensa.

–Entre los muchos partidarios del Vicepresidente Bollinger, los muchos amigos, debería decir, aquí, en California, ¿se le ocurre alguno que pudiera no ser ninguna de las dos cosas?

–*¿Qué?*

–No es un secreto que el Vicepresidente se mueve en círculos de gente acaudalada. ¿Hay alguien con quien haya tenido alguna diferencia, o más de uno, quizás un grupo en especial? ¿Respecto de temas políticos, de gestión, de asignaciones gubernamentales?

–Por Dios, ¿qué está *diciendo*?

–Hemos llegado a la parte final, al motivo que me trae aquí. ¿Hay en California personas que preferirían tener otro candidato en la fórmula? Para decirlo con franqueza, ¿otro Vicepresidente?

–¡No puedo creer que estoy *escuchando* eso! ¿Cómo se *atreve*?

–No soy yo quien se atreve, señora Vanvlanderen. Se trata de algún otro. A la larga, las comunicaciones internacionales, por mucho que se las enturbie, pueden ser rastreadas. Es posible que al principio no se pueda llegar a una persona o personas definidas, pero sí a un sector, a una zona... Hay terceras partes involucradas en esta cosa tan terrible, y se encuentran aquí, en California del sur. Nuestra gente del Baaka ha determinado la procedencia de cablegramas iniciales, llegados por vía Beirut, y enviados desde Zurich, Suiza, fechados primitivamente... en San Diego.

–¿San Diego...? *¿Zurich?*

–Dinero. Una convergencia de intereses. Una parte quiere un asesinato espectacular, con publicidad máxima, en tanto que la otra desea eliminar al blanco espectacular, pero tiene que estar lo más lejos posible de la ejecución. Ambos objetivos exigen una gran cantidad de dinero. "Seguir la pista del dinero" es una máxima en nuestro trabajo. Ahora la estamos siguiendo.

–¿La siguen?

–Es apenas cuestión de días. Los bancos suizos colaboran, cuando se trata de drogas y terrorismo. Y nuestros agentes del Baaka están enviando descripciones de los equipos. Los hemos detenido antes, y los detendremos ahora. Encontraremos la conexión de San Diego. Sólo que pensamos que tal vez usted tuviese alguna idea.

–*¿Idea?* –exclamó la viuda, atónita, aplastando el cigarrillo–. ¡Ni siquiera puedo pensar, tan increíble es todo esto! ¿Está segura de que no se ha cometido un error enorme, *extraordinario*?

–No cometemos errores en estos asuntos.

–¡Bueno, *yo* creo que eso es tan egoísta como la misma mierda! –dijo Ardis; el lenguaje de Monongahela predominó sobre su inglés culto–. Quiero decir, señorita Rashad, que ustedes no son *infalibles*.

–En algunos casos tenemos que serlo; no podemos permitirnos el lujo de no serlo.

–Bueno, *eso* es una estupidez!... Quiero decir... quiero decir que si existen esos equipos de ataque, y si hay comunicaciones a Zurich y Beirut desde... desde la *zona* de San Diego, ¡cualquiera habría podido enviarlas, y dar cualquier nombre que se les ocurriese! ¡Es decir, hasta habrían podido utilizar *mi* nombre, por Dios!

–En el acto habríamos dado por descontada una cosa así. –Khalehla respondió a la pregunta no formulada, de "¿y que pasa si...?", mientras cerraba el anotador y lo guardaba de nuevo en su bolso.– Sería una treta, y demasiado evidente para tomarla en serio.

–¡Sí, a eso me refiero, a una treta! Alguien podría estar envolviendo a uno de los amigos de Orson, ¿no es posible eso?

–¿Con el fin de asesinar al Vicepresidente?

–Quizás el, ¿cómo lo llamó usted?, el *blanco* es algún otro, ¿no podría ser *así*?

–¿Algún otro? –preguntó la agente de campo, casi con una mueca cuando la inquieta viuda tomó otro cigarrillo.

–*Sí.* ¡Y complicar a un inocente partidario de Bollinger mediante el envío de cablegramas desde la zona de San Diego. Eso *es* posible, señorita Rashad.

–Muy interesante, señora Vanvlanderen. Comunicaré sus ideas a mis superiores. Habrá que tener en cuenta la posibilidad. Una doble omisión, con una falsa inserción.

–*¿Cómo?* –La voz chirriante de la viuda correspondía a una taberna de Pittsburgh, de épocas pretéritas.

–La jerga del oficio –dijo Khalehla, poniéndose de pie–. Para simplificar, significa disfrazar el blanco, omitir la fuente y presentar una falsa identidad.

–Ustedes tienen una manera muy extraña de hablar.

–Que tiene sus motivos... Nos mantendremos en constante contacto con usted, y conocemos los horarios de las actividades del Vicepresidente. Nuestra propia gente, todos los expertos en contraterrorismo, complementarán con discreción las fuerzas de seguridad del señor Bollinger en cada lugar.

–Sí... muy bien. –La señora Vanvlanderen, con el cigarrillo en la mano, el pañuelo olvidado en el sofá de brocado, escoltó a Rashad fuera de la sala, y hasta la puerta.

–Ah, y en cuanto a la teoría de la doble omisión-inserción –dijo la agente de inteligencia en el vestíbulo de mármol–. Resulta interesante, y la usaremos para presionar a los bancos suizos de modo que actúen con rapidez, pero en verdad no creo que dé resultados.

–*¿Qué?*

–Todas las cuentas suizas numeradas tienen códigos sellados, y por lo tanto inviolables, que remiten a sus puntos de origen. Muy a menudo son laberínticos, pero es posible seguir sus vericuetos. Aun el más codicioso jefe de la Mafia o el comerciante saudita en armamentos saben que son mortales. No tienen la intención de dejar millones a los gnomos de Zurich... Buenas noches, y una vez más, mis más profundas condolencias.

Khalehla volvió a la puerta cerrada de los aposentos de Vanvlanderen. Adentro pudo escuchar un grito de pánico contenido, acompañado de obscenidades; la única residente del apartamento hecho de medida estaba precipitándose al vacío. El libreto había *funcionado*. ¡MJ tenía razón! Las circunstancias negativas de la muerte de Andrew Vanvlanderen se habían invertido. Lo que antes debía anotarse en el Debe, ahora era un Haber. La viuda del contribuyente se estaba desmoronando.

Milos Varak se hallaba ante el escaparate, con sus luces apagadas, a treinta metros a la izquierda de la entrada del Hotel Westlake, a diez de la esquina donde se encontraba ubicada la entrada de servicio, en la intersección. Eran las 7 y 35 de la tarde, hora de California; se había adelantado a todos los vuelos comerciales de Washington, Maryland y Virginia. Estaba en su lugar para el momento de la revelación y, cosa de igual importancia, todo se encontraba preparado arriba, en el hotel. El personal de limpieza de la administración –una administración suficientemente preocupada por la pena de la acongojada viuda– contaba con un nuevo miembro, experimentado e instruido por el checo. Se habían instalado interceptaciones de frecuencia en todas las habitaciones; no podría haber conversación alguna que no fuese registrada por las cintas de Varak, activadas por la voz, en los aposentos contiguos.

Los taxis llegaban al hotel a razón de uno cada tres minutos, y Milos estudiaba a cada uno de los pasajeros que partían. Había visto a veinte o treinta de ellos, y perdido la cuenta, pero no su concentración. De pronto tuvo conciencia de algo no habitual: un taxi se detuvo a su *izquierda*, al otro lado de la calle de cruce, por lo menos a unos treinta metros de distancia. Un hombre se apeó, y Varak se introdujo más adentro de la entrada de la tienda de escaparates a oscuras.

–Lo escuché por la radio.

–Yo también.

–¡Es una puta!

–Y si están con vida, tendrán que salir del país. ¿Podrán salir...?

–¿Qué te parece a ti?

–No es la noticia más importante del día.

–¿Y Bollinger?

El hombre que llevaba un abrigo, con las solapas levantadas que le cubrían el rostro, cruzó la calle con rapidez, hacia la entrada del hotel. Pasó a tres metros del coordinador de Inver Brass. El traidor era Eric Sundstrom, y se trataba del hombre presa de pánico.

34

Ardis Vanvlanderen ahogó una exclamación.

–*Cielos*, ¿qué haces *tú* aquí? –gritó, y literalmente tiró del fornido Sundstrom para hacerlo pasar por la puerta, que cerró con violencia–. ¿Te has vuelto *loco*?

–Estoy muy cuerdo, pero tu cordura ha salido a almorzar... ¡Estúpida, estúpida, *estúpida*! ¿Qué pensaron que estabas *haciendo*, tú y ese imbécil de tu esposo?

–¿Los árabes? ¿Los equipos de ataque?

–¡Sí! Tontos del demonio...

–¡Todo eso es *ridículo*! –gritó la viuda–. Es una horrenda mescolanza. ¿Por qué habríamos... por qué habría *Andy* de querer que Bollinger fuese asesinado?

–¿Bollinger...? Estamos hablando de *Kendrick*, pedazo de puta! Los terroristas palestinos atacaron las casas de él, en Virginia y Colorado. Hay censura sobre las noticias, pero murieron muchas personas... aunque no el propio muchacho de oro.

–*¿Kendrick?* –musitó Ardis, y hubo pánico en sus grandes ojos verdes–. Oh Dios mío... y creen que los asesinos vienen aquí a matar a Bollinger. ¡Lo han entendido todo al *revés*!

–¿Lo han entendido? –Sundstrom quedó paralizado, con el rostro ceniciento.– ¿Qué estás diciendo?

–Será mejor que nos sentemos. –La señora Vanvlanderen salió del vestíbulo y bajó a la sala, al sofá y a sus cigarrillos. El pálido hombre de ciencia la siguió y luego giró hacia un bar, donde había botellas, jarras, vasos y un cubo de hielo. Sin mirar los rótulos, tomó una botella al azar y se sirvió un trago.

–¿Quiénes son *ellos*? –preguntó con voz queda, mientras se volvía y miraba a Ardis, quien encendía un cigarrillo, sentada en el sofá.

–Ella se fue hace una hora y media...

–¿Ella? *¿Quién?*

–Una mujer llamada Rashad, una experta en contraterrorismo. Está con una unidad de la CIA que colabora con Estado. ¡No mencionó a *Kendrick*!

–Cristo, han atado cabos. ¡Varak dijo que lo harían, y lo *hicieron*!

–¿Quién es Varak?

–Lo llamamos nuestro coordinador. Dijo que se enterarían de tus intereses del Medio Oriente.

–¿Mis *qué*? –gritó la viuda, con el rostro contraído, la boca abierta.

–Esa compañía Off Shore...

–Inversiones Off Shore –completó Ardis, otra vez anonadada–. ¡Fueron ocho meses de mi vida, pero eso es lo *único* que fue!

–Y de que tienes contactos en toda la región...

–¡*No* tengo contactos! –vociferó la señora Vanvlanderen–. ¡Me fui hace más de diez años, y nunca regresé! Los únicos árabes que conozco son unos cuantos que conocí en Londres y en Divonne... ¿Por qué habrían de *pensar* eso?

–¡Porque les diste muy buenos motivos para empezar a buscar, cuando hiciste cremar, esta mañana, a ese hijo de puta!

–¿A *Andy*?

–¿Había alguien más rondando por aquí, que cayó muerto de golpe? ¿O tal vez fue *envenenado*? ¡Como cobertura!

–¿Qué demonios estás diciendo?

–Del cuerpo de tu cuarto o quinto esposo; hablo de eso. En cuanto llega a la maldita empresa de pompas fúnebres, telefoneas para ordenar su cremación inmediata. ¿Te parece que eso no hará que la gente comience a hacerse preguntas... la gente a quien se le paga para preguntarse cosas por el estilo? Nada de autopsia, y las cenizas arrojadas en algún lugar, sobre el Pacífico.

–¡Yo no *hice* esa llamada! –rugió Ardis, y se levantó del sofá de un brinco–. ¡Nunca di esa *orden*!

–¡Lo *hiciste*! –bramó Sundstrom–. Dijiste que Andrew y tú tenían un pacto.

–¡No lo dije y no lo *teníamos*!

–Varak no nos trae información errónea –declaró con firmeza el científico.

–Entonces alguien le mintió a él. –La viuda bajó la voz de repente.– O él mintió.

–¿Por qué habría de hacerlo? Nunca mintió hasta ahora.

–No lo sé –dijo Ardis, sentándose y apagando el cigarrillo–. Eric –continuó, mirando al traidor de Inver Brass–. ¿Por qué viniste hasta aquí para decirme eso? ¿Por qué no llamaste? Tienes nuestros números privados.

–Varak, de nuevo. En realidad nadie sabe cómo puede hacer lo que hace... pero lo hace. Se encuentra en Chicago, pero ha hecho arreglos para que se le proporcione el número telefónico de cada llamada que llegue a la oficina y a la residencia de Bollinger, así como a la oficina y residencia de cada miembro de su personal. En esas condiciones, yo no hago llamadas telefónicas.

–En tu caso, podría resultar difícil explicarlo a ese consejo de lunáticos seniles al cual perteneces. Y las únicas llamadas que recibí fueron de la oficina y de amigos, con condolencias. Y también estuvo la mujer Rashad; nada de eso le interesaría al señor Varak o a tu sociedad de beneficencia de adinerados deformes.

–La mujer Rashad. Dijiste que ella no mencionó los ataques a las casas de Kendrick. Suponiendo que Varak estuviera errado, y que las unidades de investigación no hubieran reunido ciertos puntos y llegado a ti, y tal vez a algunos más de aquí, ¿por qué *no* lo hizo? Debía tener conocimiento de ellos.

Ardis Vanvlanderen tomó un cigarrillo; sus ojos traicionaban ahora una impotencia poco conocida para ella.

–Podría haber varias razones –dijo sin mucha convicción, mientras acercaba la llama del encendedor–. Por empezar, es frecuente que se pase por alto al Vicepresidente, cuando se trata de autorizaciones relacionadas con censuras de seguridad... Truman nunca tuvo conocimiento del proyecto Manhattan. Después está el asunto de evitar el pánico, *si* esos ataques existieron... y no estoy dispuesta a admitir que existieron. Tu Varak ha sido pescado en una mentira; es capaz de otra. Pero sin perjuicio de eso, si se conociera el volumen de los daños en Virginia y Colorado, podríamos perder el control del personal. A nadie le agrada pensar que puede ser muerto por terroristas suicidas... Por último, para volver a los ataques mismos. No creo que hayan ocurrido nunca.

Sundstrom siguió de pie, inmóvil, el vaso tomado con las dos manos, mientras miraba a su ex amante.

–Lo hizo, ¿no es cierto, Ardis? –dijo con voz suave–. Ese megalomaníaco de las finanzas no pudo soportar la posibilidad de que un pequeño grupo de "adinerados deformes" pudiera remplazar a su hombre por otro que cortase su tubería de succión de los millones, y que sin duda lo haría.

La viuda se derrumbó de nuevo en el sofá, arqueado el largo cuello, los ojos cerrados.

–Ochocientos millones –musitó–. Eso fue lo que dijo. Ochocientos millones para él solamente, y miles de millones para el resto de ustedes.

–¿El nunca te dijo qué hacía, que había hecho?

–¡Por Dios, no! Le habría metido una bala en la cabeza, y llamado a uno de ustedes para que lo hiciera desaparecer en México.

–Te creo.

–¿Los *otros* también me creerán? –Ardis se incorporó, con la mirada suplicante.

–Oh, creo que sí. Te conocen.

–¡Te juro, Eric, que no sabía *nada*!

–Dije que te creía.

–La mujer Rashad me dijo que estaban siguiendo los rastros del dinero que él enviaba por intermedio de Zurich. *¿Pueden* hacer eso?

–Si conocí bien a Andrew, les llevaría meses. Sus fuentes de depósitos codificados iban de Sudáfrica al Báltico. Meses, tal vez un año.

–¿Los otros sabrán eso?

–Veremos qué dicen.

–¿Qué...? *¡Eric!*

–Llamé a Grinell desde el aeropuerto de Baltimore. El no forma parte del personal de Bollinger, y Dios sabe que se mantiene en segundo plano, pero si tenemos un presidente del directorio, creo que todos convendremos en que es él.

–Eric, ¿qué estás diciéndome? –preguntó la señora Vanvlanderen, con voz opaca.

–Vendrá aquí dentro de unos minutos. –Sundstrom miró su reloj.

–Tienes esa mirada vidriosa, encanto –dijo Ardis, levantándose lentamente del sofá.

–Oh, sí –admitió el hombre de ciencia–. Aquella de la cual siempre te reías cuando no podía... digamos, cumplir.

–Tus pensamientos estaban siempre en otras cosas. Eres un hombre tan brillante.

–Sí, lo sé. Una vez dijiste que siempre sabías cuándo estaba solucionando un problema. Quedaba fláccido.

–Adoraba tu cerebro. Sigo adorándolo.

–¿Cómo podías adorarlo? Tú no tienes uno, así que, ¿cómo puedes saber?

–Eric, Grinell me da *miedo*.

–A mí no. Tiene cerebro.

El timbre de la puerta llenó con su sonido el apartamento de Vanvlanderen.

Kendrick se encontraba sentado en una sillita de lona, al lado de la camilla del jet que los llevaba a Denver. Emmanuel Weingrass, con heridas que la enfermera sobreviviente en Mesa Verde había impedido que continuaran sangrando, parpadeaba con ojos que la arrugada carne blanca que los rodeaba tornaba más oscuros.

–He estado pensando –dijo Manny con dificultad, pronunciando las palabras entre toses.

–No hables –interrumpió Evan–. Ahorra fuerzas. ¿Por favor?

–Oh, déjate de eso –replicó el anciano–. ¿Qué tengo? ¿Veinte años más, y nadie se acuesta conmigo?

–¿Quieres *parar*?

–No, no voy a parar. Cinco años que no te veo, y entonces nos reunimos, ¿y qué pasa? Te apegas demasiado... a *mí*. ¿Qué eres, un *feiguele* con afición a los ancianos... No contestes, Khalehla lo hará por ti. Ustedes dos deben haberse destrozado las cosas ayer por la noche.

–¿Por qué nunca hablas como una persona normal?

–Porque la normalidad me aburre, tal como tú estás empezando a aburrirme... ¿No sabes qué es toda esta mierda? ¿He criado a un idiota? ¿No puedes darte cuenta?

–No, no puedo darme cuenta, ¿de *acuerdo*?

–Esa muchacha encantadora dio en el blanco. Alguien quiere convertirte en una persona muy importante en este país, y a algún otro le dan fuertes movimientos intestinales a causa de esa perspectiva. ¿No puedes *ver* eso?

–Empiezo a verlo, y espero que gane el otro tipo. No quiero ser importante.

–Quizá deberías serlo. Tal vez ése sea tu lugar.

–¿Quién diablos lo dice? ¿Quién lo piensa?

–La gente que no te *quiere*... piénsalo. Khalehla nos dijo que esos maniáticos del demonio que vinieron a matarte no se treparon sin más a un avión, en París, ni bajaron de un barco de crucero. Contaban con ayuda, ayuda influyente. ¿Cómo dijo ella?... Pasaportes, armas, dinero... y hasta licencia de conductores, y ropas, y lugares donde ocultarse. Esas cosas, y en especial los documentos, no se compran en una tienda. Hacen falta contactos con gente de poder, en puestos elevados, y los que pueden tirar de ese tipo de hilos son los que quieren verte muerto... ¿Por qué? ¿El franco congresal representa un peligro para ellos?

–¿Cómo puedo ser un peligro? Me estoy yendo.

–Ellos no lo saben. Sólo ven a un *mensch* político que, cuando abre la boca, todos se callan en Washington y lo escuchan.

–No hablo tanto, de modo que los que escuchan son pocos, casi inexistentes.

–El caso es que cuando hablas, ellos no lo hacen. Tienes lo que se llama credenciales para ser escuchado. Lo mismo que yo, para decirlo con franqueza. –Weingrass tosió y se llevó a la garganta una mano temblorosa.

–Cálmate, Manny.

–Silencio –ordenó el anciano–. Escucha lo que tengo que decir... Esos canallas ven a un verdadero héroe norteamericano a quien el Presidente ha otorgado una gran medalla y lo ubicó en importantes comisiones del Congreso...

–Lo de las comisiones fue antes que la medalla...

–No interrumpas. Al cabo de unos meses, la secuencia de las cosas se vuelve borrosa... como sea, la intensificaste. Ese héroe enfrenta a los figurones del Pentágono, en la televisión nacional, *antes* de ser un héroe, y prácticamente los enjuicia a todos, así como a todos los grandes complejos industriales que abastecen el aparato. ¿Y qué hace después? *Exige* delimitación de responsabilidades. Palabra terrible, "responsabilidades"... todos los canallas la odian. Tienen que empezar a sudar, muchacho. Deben de estar pensando que tal vez el héroe en broma llegará a ser más poderoso, quizá presidirá una de esas comisiones, o inclusive será elegido para el Senado, donde podría producir daños de verdad.

–Exageras.

–¡Tu amiga no exageraba! –replicó Weingrass en voz alta, mirando a Kendrick a los ojos–. Nos dijo que tal vez su grupo de élite había penetrado en un centro nervioso del gobierno, muy arriba, más de lo que querían creer... ¿Todo esto no te presenta un plano concreto, aunque debo admitir que nunca fuiste el mejor lector de planos que haya conocido?

–Es claro que sí –repuso Evan, asintiendo lentamente–. No hay nación en el mundo que no tenga sus grados de corrupción, y dudo de que llegue a haberla nunca.

–Oh, *¿corrupción?* –entonó Manny, haciendo rodar los ojos, como si la palabra formara parte de un cántico talmúdico–. ¿Como cuando un tipo roba lápices en la oficina, por valor de un dólar, y otro se lleva un millón por excedentes en los costos, eso es lo que quieres decir?

–En lo fundamental, sí. O diez millones, si lo prefieres.

–¡*Tonterías* insignificantes! –gritó Weingrass–. Esa gente no trata con terroristas palestinos, que se encuentran a miles de kilómetros de distancia, con el único fin de apartarse realmente de una *matanza*. ¡No sabrían *cómo* hacerlo! Además, tú no miraste los ojos de esa muchacha encantadora, o quizá no sabes qué buscar en ellos. Nunca estuviste allí.

–Dice que sabe de dónde provienes porque tú *estuviste* allí. Muy bien, yo no, y entonces, ¿de qué estamos hablando?

–Cuando estás allí, tienes miedo –dijo el anciano–. Caminas hacia una cortina negra de la cual tendrás que tirar. Estás excitado; la curiosidad te mata, y también el miedo. Todas esas cosas. Te esfuerzas por reprimirlas, y aun procuras ocultarte a ti mismo que las sientes, y eso es parte del asunto, porque no puedes permitirte el lujo de perder una pizca de tu dominio sobre ti mismo. Pero todo está ahí. Porque una vez que se arranque la cortina sabes que estarás viendo algo tan *loco*, que te preguntas si alguien querrá creerlo.

–¿Todo eso lo viste en los ojos de ella?

–Lo suficiente, sí.

–¿Por qué?

–Porque está acercándose al borde, muchacho.

–*¿Por qué?*

–Porque no tratamos, ella no trata, con una simple corrupción, ni siquiera con una corrupción tremenda. Lo que hay detrás de la cortina negra es un gobierno dentro del gobierno, un grupo de criados que dirigen la casa del amo. –El anciano arquitecto tuvo de repente un espasmo de tos, le tembló todo el cuerpo, cerró los ojos. Kendrick le tomó los brazos; en unos instantes pasó la convulsión y Manny volvió a parpadear, a respirar profundamente.– Escúchame, mi hijo tonto –musitó–. Ayúdala, ayúdala de veras, y ayuda a Payton. ¡Encuentra a los canallas y *destrúyelos*!

–Por supuesto que lo haré, tú lo sabes.

–¡Los *odio*! Ese joven que está bajo los efectos de las sustancias químicas, ese Ahbyahd que conociste en Mascate... habríamos podido ser amigos de él en otro tiempo. Pero ese tiempo no volverá mientras existan canallas que se lanzan contra nosotros porque ganan miles de millones gracias al odio.

–No es tan sencillo, Manny...

–¡Esa es una parte más grande de lo que *crees*, en el asunto! ¡Yo lo he *visto*!... "Ellos tienen más que tú, de modo que te venderemos más de lo que *ellos* tienen"... ese es uno de los atractivos. O bien: "Te matarán si tú no los matas antes, de manera que aquí tienes la potencia de fuego... por un precio". Y así sube por la maldita escalera: "¡Gastaron veinte millones de dólares en un misil; pues nosotros invertiremos *cuarenta* millones!" ¿De veras queremos hacer volar este planeta de mierda? ¿O todos escuchan a los lunáticos que atienden a los hombres que venden odio y trafican con el miedo?

–En ese plano, es así de sencillo –dijo Evan, sonriendo–. Hasta es posible que lo haya mencionado yo mismo.

–Sigue mencionándolo, muchacho. No te alejes de esa plataforma de la cual hablamos... ante todo en relación con cierto Herbert Dennison, de quien también hablamos y a quien le diste un susto espantoso. Recuerda, tienes credenciales para ser escuchado, como yo. Usalas.

–Tendré que pensarlo, Manny.

–Bien, mientras lo piensas –tosió Manny, con la mano derecha sobre el pecho–, ¿por qué no piensas por qué tuviste que mentirme? Es decir, tú y los médicos.

–¿Qué?

–Ha vuelto, Evan. Ha vuelto, y es peor, porque nunca se fue.

–¿Qué ha vuelto?

–Creo que la frase suave es "El gran casino". El cáncer está floreciente.

–No, no lo *está*. Te hicimos una docena de tests. Y ya lo sabes... estás limpio.

–Díselo a estos pequeños imbéciles que me quitan el aire.

–Yo no soy médico, Manny, pero no creo que eso sea un síntoma. Durante las últimas treinta y seis horas pasaste por un par de guerras. Es un milagro que puedas respirar, siquiera.

–Sí, pero mientras me remiendan en el hospital, tú haces que me practiquen uno de esos pequeños análisis, y no me mientas. Hay algunas personas en París de quienes debo ocuparme, cosas que he guardado bajo llave, y que ellos deberían tener. De manera que no me mientas, ¿entiendes?

–No te mentiré –dijo Kendrick mientras en avión iniciaba su descenso hacia Denver.

Crayton Grinell era un hombre delgado, de mediana estatura y rostro permanentemente gris, cuyas facciones pronunciadas destacaban aún más. Cuando saludaba a una persona, por primera o quincuagésima vez, se tratase de un camarero o del presidente de un directorio, el abogado de cuarenta y ocho años, especializado en derecho internacional, saludaba a esa persona con una sonrisa tímida, que transmitía calidez. La calidez y la modestia eran aceptadas con facilidad, hasta que uno miraba a Grinell a los ojos. No es que fuesen fríos, porque no lo eran, pero tampoco eran especialmente amistosos; resultaban inexpresivos, neutros, los ojos de un gato curioso y cauteloso.

-Ardis, mi *querida* Ardis -dijo el abogado; entró en el vestíbulo y abrazó a la viuda, le palmeó el hombro con suavidad, como quien consuela a una tía un tanto desagradable que ha perdido a un esposo mucho más agradable.

-Fue repentino, Cray. Demasiado repentino.

-Por supuesto, pero todos tenemos que buscar algo positivo en nuestras penas, ¿no es así? Tú y él se ahorraron una enfermedad prolongada y dolorosa. Ya que el final tiene que llegar, mejor que sea rápido, ¿no?

-Supongo que tienes razón. Gracias por recordármelo.

-No es nada -Grinell se separó y miró a Sundstrom, quien se hallaba de pie en el gran salón en desnivel.- Eric, cuánto me alegro de verte -dijo con solemnidad, y cruzó el vestíbulo y bajó los escalones de mármol, para estrechar la mano al hombre de ciencia-. En cierto modo, está bien que los dos nos encontremos con Ardis en un momento como éste. Dicho sea de paso, mis hombres están afuera, en el pasillo.

-*¡Puta de mierda!* -Sundstrom murmuró las palabras, su aliento fue un susurro, mientras la acongojada señora Vanvlanderen cerraba la puerta; el ruido del cierre y el de sus tacones en el mármol cubrieron las palabras masculladas por su antiguo amante.

-¿Querrías un trago, Cray?

-Oh, no, gracias.

-Creo que yo sí -dijo Ardis, encaminándose hacia el bar.

-Pienso que debes beber algo -convino el abogado.

-¿Hay algo que pueda hacer? ¿En la parte legal, o con alguna medida, cualquiera que sea?

-Me imagino que lo harás, las cosas legales, digo. Andy querido tenía abogados por todos lados, pero yo abrigaba la impresión de que tú eras el principal.

-Sí, lo era, y todos estuvimos en comunicación durante el día entero. Nueva York, Washington, Londres, París, Marsella, Oslo, Estocolmo, Berna, Zurich, Berlín Occidental... me ocupo de todo personalmente, por supuesto.

La viuda permaneció inmóvil, con una jarra a mitad de camino hacia el vaso, mirando a Grinell.

-Cuando dije "en todas partes", no creí que llegara hasta *tan* lejos.

-Los intereses de él eran muy amplios.

-¿Zurich..? -dijo Ardis, como si el nombre de la ciudad se le hubiese escapado sin querer.

-¡Es en Suiza! -interrumpió Sundstrom con aspereza-. Y terminemos con las tonterías.

-Eric, de veras...

–No me vengas con "Eric, de veras", Cray. Ese canalla imbécil lo hizo. Contrató a los palestinos y les pagó desde Zurich... ¿Te acuerdas de Zurich, *dulzura*?... Te lo dije en Baltimore, Cray. ¡El lo *hizo*!

–No pude obtener una confirmación sobre los ataques a Fairfax y Colorado –dijo Grinell con serenidad.

–¡Porque nunca los *hubo*! –gritó la viuda; la mano derecha le tembló cuando sirvió bebida del pesado jarro de cristal.

–Yo no dije eso, Ardis –objetó el abogado con suavidad–. Sólo dije que no había podido obtener una confirmación. Pero más tarde recibí una llamada, sin duda hecha por un ebrio bien pagado, a quien le entregaron un teléfono después de discar el número, con lo cual quedaba eliminada la identidad de la fuente. Las palabras que evidentemente repitió eran muy familiares. "Están siguiendo el dinero", dijo.

–¡Oh *Dios*! –exclamó la señora Vanvlanderen.

–De manera que ahora tenemos dos crisis –continuó Grinell mientras iba hacia un teléfono de mármol ubicado en una mesa de mármol rojo, contra la pared–. Nuestro débil y ubicuo Secretario de Estado viaja a Chipre, para firmar un acuerdo que podría destruir la industria de defensa, y uno de los nuestros está vinculado con los terroristas palestinos... En cierto modo, desearía saber cómo lo hizo Andrew. Puede que nosotros seamos mucho más torpes. –Discó mientras la viuda y el científico lo miraban.– La conmutación de Proyecto Seis a Proyecto Doce, Mediterráneo, queda confirmada –dijo el abogado en el teléfono–. Y preparen la unidad médica, por favor.

35

Varak dio la vuelta a la esquina, a la carrera, hasta la entrada de servicio, y tomó el ascensor de carga hasta su piso. Luego se encaminó con rapidez hacia sus habitaciones y se precipitó al refinado equipo vertical de grabaciones, apoyado contra la pared, un tanto asombrado al ver que se había usado tanta cinta. Lo atribuyó a las diversas llamadas telefónicas recibidas por Ardis Vanvlanderen. Movió el interruptor que permitía la doble transmisión, en la cinta y en audio directo, se puso los audífonos y se sentó a escuchar.

Ella se fue hace una hora y media...

¿Ella? ¿Quién?

Una mujer llamada Rashad, una experta en contraterrorismo. Está con una unidad de la CIA...

El checo miró el carrete de cinta visible. ¡Había en él por lo menos veinticinco minutos de conversación grabada!

¿Qué hacía en *San Diego* la ex agente de operaciones de Egipto? Milos no le encontraba sentido a eso. La información discreta, pero oficial, de El Cairo y Washington, era que ella se había "mostrado dispuesta a transacciones". El había supuesto que se trataba de la operación Omán, y aceptado sin reservas que ella desapareciera. ¡*Tenía* que desaparecer... pero *no* lo había hecho! Continuó escuchando la conversación que se desarrollaba en las habitaciones de los Vanvlanderen. Hablaba Sundstrom.

Lo hizo, ¿no es cierto, Ardis? Ese megalomaníaco de las finanzas no pudo soportar la posibilidad de que un pequeño grupo de "adinerados defor-

mes" pudiera remplazar a su hombre por otro que cortase su tubería de succión de los millones, y que sin duda lo haría.

Y después Ardis Vanvlanderen.

Ochocientos millones, eso fue lo que dijo. Ochocientos millones para él solamente, y miles de millones para el resto de ustedes... ¡Yo no sabía nada!

Varak se sintió anonadado. ¡Había cometido *dos* enormes errores! El primero se refería a las actividades encubiertas de Adrienne Khalehla Rashad, y aunque le resultaba difícil aceptar ese error, podía hacerlo, porque ella era una experta agente de inteligencia. ¡Pero el segundo *no* lo aceptaría! ¡El falso escenario que había presentado a Inver Brass resultó ser *cierto*! Nunca se le había ocurrido que Andrew Vanvlanderen actuaría en forma independiente de su esposa. ¿Cómo *podía* ocurrírsele? El de ellos era una matrimonio al estilo de La Rochefoucauld, de conveniencia, de beneficio mutuo, y por cierto que no de afecto, y ni hablar de amor. Andy querido había violado las reglas. Un toro financiero en celo había derribado los portones de su corral y corrido al matadero. Varak escuchó.

Otra voz, otro nombre. Un hombre llamado Crayton Grinell. La cinta giró mientras el checo se concentraba en las palabras que se pronunciaban. Por último:

De manera que ahora tenemos dos crisis. Nuestro débil y ubicuo Secretario de Estado viaja a Chipre para firmar un acuerdo que podría destruir la industria de defensa... La conmutación del Proyecto Seis al Proyecto Doce, Mediterráneo, queda confirmada.

Varak se arrancó los audífonos. Lo que faltaba escuchar en las habitaciones de los Vanvlanderen quedaría grabado. Debía actuar con rapidez. Se levantó y cruzó la habitación a la carrera, hacia el teléfono. Lo tomó y marcó los números de Cynwid Hollow, Maryland.

–¿Sí?

–Señor, habla Varak.

–¿Qué ocurre, Milos? ¿Qué averiguó?

–Es Sundstrom...

–*¿Cómo?*

–Eso puede esperar, doctor Winters, pero hay otra cosa que no. El Secretario de Estado va a ir en avión a Chipre. ¿Usted puede averiguar *cuándo*?

–No necesito averiguarlo, lo sé. Y lo saben todos los que miran televisión o escuchan radio. Es toda una noticia...

–¿*Cuándo*, señor?

–Salió de Londres hace una hora. Se dieron las declaraciones habituales, respecto de acercar al mundo aún más a la paz, y ese tipo de cosas...

–¡En el *Mediterráneo*! –interrumpió Varak, dominando la voz–. Eso ocurrirá en el Mediterráneo.

–¿Qué?

–No lo sé. Una estrategia denominada Proyecto Doce, eso fue lo único que escuché. Ocurrirá en tierra o en el aire. Quieren detenerlo.

–¿*Quién* quiere hacerlo?

–Los contribuyentes. Un hombre llamado Grinell, Crayton Grinell. Si tratase de introducirme y averiguarlo, podrían capturarme. Hay hombres ante la puerta, y no puedo poner en peligro al grupo. Por cierto que nunca ofrecería informaciones en forma voluntaria, pero existen drogas...

–Sí, lo sé.

–Comuníquese con Frank Swann, en el Departamento de Estado. Dígale al conmutador que lo encuentre donde está, y use la frase "contención de la crisis".

–¿Por qué Swann?

–Es un especialista, señor. Dirigió la operación Omán para Estado.

–Sí, eso lo sé, podría tener que decirle más de lo que deseo decir... Es posible que haya una manera mejor, Milos. Siga en la línea, voy a ponerlo en retener. –Cada diez segundos que pasaban le parecieron a Varak minutos, ¡y después *fueron* minutos! ¿Qué estaba *haciendo* Winters? No tenían minutos que perder. Por último, el vocero de Inver Brass volvió al teléfono.– Voy a pasar a una llamada de conferencia, Milos. Se nos incorporará otro, pero queda entendido que ninguno de los dos tiene por qué identificarse. Confío en ese hombre por completo, y él acepta la condición. También él está en lo que usted denomina "crisis de contención", y posee muchos más recursos que Swann. –Hubo dos chasquidos en la línea, y Winters continuó.– Adelante, señores. Señor A, este es el señor B.

–Entiendo que usted tiene algo que decirme, señor A.

–Sí, en efecto –respondió Varak. El Secretario de Estado se encuentra en un peligro inminente. Hay personas que no quieren que concurra a la conferencia de Chipre, y tienen la intención de impedírselo. Están empleando un plan o una táctica llamada "Proyecto Doce, Mediterráneo". El individuo que dio la orden se llama Grinell, cierto Crayton Grinell, de San Diego. No conozco nada acerca de él.

–Entiendo... Permítame que lo diga con tanta delicadeza como me sea posible, señor A. ¿Se encuentra en condiciones de decirnos cuál es el paradero actual de ese Grinell?

–No tengo opción, señor B. El Hotel Westlake, Habitación Tres C. No sé cuánto tiempo permanecerá allí. Dése prisa, y envíe potencia de fuego. Tiene guardias.

–¿Querría tener la cortesía, señor A, de seguir en la línea durante un par de momentos?

–¿Para rastrear esta parte de la llamada?

–No haré eso. He dado mi palabra.

–La cumplirá –interrumpió Samuel Winters.

–Me resulta difícil –dijo el checo.

–Haré rápido.

Se escuchó un breve clic, y Winters habló.

–En verdad no podía elegir, Milos. El Secretario es el hombre más cuerdo de la administración.

–Tengo conciencia de ello, señor.

–¡No puedo pasar por encima de Sundstrom! *¿Por qué?*

–Sin duda por una combinación de razones, la menor de las cuales no son sus patentes en el terreno de la tecnología del espacio. Otros pueden construir los aparatos, pero el gobierno es el comprador principal. Espacio es ahora sinónimo de defensa.

–¡No puede querer más dinero! Lo *regala* casi todo.

–Pero si el mercado se hace más lento, lo mismo ocurre con la producción, y por lo tanto con la experimentación... y en el caso de él, esta última es una pasión.

Otro clic. –Aquí estoy de nuevo, señor A –dijo el tercer interlocutor–. Todos han sido alertados en relación con lo del Mediterráneo, y se han tomado medidas para arrestar a Grinell en San Diego, con toda la discreción posible, es claro.

–¿Por qué era necesario que yo siguiera en la línea?

–Porque, con franqueza, si no hubiese podido realizar los arreglos necesarios en San Diego –dijo Mitchell Payton–, pensaba recurrir a su patriotismo para obtener mayor ayuda. Es evidente que usted es un hombre experimentado.

–¿Qué clase de ayuda?

–Nada que pudiese comprometer nuestro entendimiento respecto de este llamado. Sólo el seguimiento de Grinell, si se fuera del hotel y llamara a nuestro intermediario con la información.

–¿Qué le hizo pensar que yo estaba en condiciones de hacer eso?

–No lo pensé. Sólo podía abrigar la esperanza, y había varias cosas que hacer con rapidez, ante todo lo del Mediterráneo.

–Para su información, no me encuentro en tales condiciones –mintió Varak–. No estoy cerca del hotel.

–Entonces es posible que yo haya cometido dos errores. Hablé de "patriotismo", pero por la forma en que habla es posible que éste no sea su país.

–Lo es ahora –dijo el checo.

–Entonces el país le debe mucho.

–Tengo que irme. –Varak colgó el auricular y regresó con rapidez al equipo grabador. Se sentó y se colocó los audífonos; su mirada se dirigió al carrete de cinta. Se había *detenido*. Escuchó. Nada. ¡Silencio! Desesperado, movió una sucesión de interruptores, de arriba abajo y de izquierda a derecha. No hubo respuesta con ninguno de ellos... nada de sonido. ¡El grabador activado por el sonido de la voz no funcionaba porque las habitaciones de los Vanvlanderen se encontraban vacías! ¡Tenía que *actuar*! ¡Pero en primer lugar debía encontrar a Sundstrom! Por el bien de Inver Brass, el traidor tenía que desaparecer.

Khalehla caminó por el ancho pasillo, en dirección de los ascensores. Había llamado a MJ, y después de describir el horror de Mesa Verde le hizo escuchar toda la conversación con Ardis Vanvlanderen, que había grabado en el minúsculo equipo disimulado en su anotador. Ambos quedaron satisfechos; la viuda acongojada había dejado atrás su congoja, en un mar de histeria. A los dos les resultaba evidente que la señora Vanvlanderen no había sabido nada del contacto de su difunto esposo con los terroristas, sino que se enteró después. La repentina aparición de una agente de inteligencia de El Cairo, con la información invertida que llevaba, había bastado para hacer que Ardis, la manipuladora, se volviera loca. El tío Mitch había respondido a sus antecedentes.

–Tómese un respiro, agente de campo Rashad.

–Me gustaría tomarme una ducha y hacer una cena tranquila. Creo que no he comido desde las Bahamas.

–Pida servicio de habitación. Respaldaremos una de sus escandalosas facturas. Se lo ha ganado.

–*Odio* el servicio de habitación. Todos esos camareros que traen comida para una mujer sola, se pavonean como si fuesen la respuesta a las fantasías sexuales de ella. Si no puedo tener una de las comidas de mi abuela...

–No *puede*.

–Bueno. Entonces conozco unos cuantos buenos restaurantes.

–Adelante. Para la medianoche tendré una lista de cada uno de los números telefónicos a los cuales ha llamado nuestra dolorida viuda. Coma bien, mi querida. Acumule energía. Es posible que tenga que trabajar toda la noche.

–Es demasiado generoso. ¿Puedo llamar a Evan, quien con un poco de suerte podría llegar a ser mi elegido?

–Puede, pero no lo encontrará. Colorado Springs envió un jet para llevarlos, a él y a Emmanuel, al hospital de Denver. Se encuentran en vuelo.

–Gracias, de nuevo.

–No es nada, Rashad.

–Muy amable, *señor*.

Khalehla oprimió el botón del ascensor, mientras sentía un retumbo en el estómago. *No* había comido después de lo que ingirió en el jet de la Fuerza Aérea, y esos alimentos habían resultado un tanto destruidos por las enzimas nerviosas producidas por el estado de Evan... los vómitos, y todo lo que significaban... Querido Evan, Evan brillante, Evan estúpido. El que corre riesgos, con más sentido moral del que coincide con su enfoque de la vida; se preguntó, por un instante, si poseería la misma integridad si hubiera fracasado. Era un interrogante abierto; era un hombre compulsivamente competitivo, que miraba con cierta arrogancia desde su sitial del que *no* fracasó. Y no resultaba difícil entender cómo había caído bajo el hecho, o el disparo, de Ardis Montreaux, en Arabia Saudita, diez o doce años atrás. La muchacha debía de haber sido algo digno de verse, una dama llamativa, en una carrera veloz, con la cara y el cuerpo correspondiente para esa pista. Pero él había huido de la araña... ese era *su* Evan.

Oyó el golpe de campanilla y las puertas del ascensor se abrieron. Por fortuna, estaba vacío; entró y oprimió el botón del vestíbulo. Las puertas se cerraron y comenzó el descenso, sólo para detenerse enseguida. Miró los números iluminados de encima de las puertas; el ascensor se detenía en el tercer piso. Era una simple coincidencia, pensó. MJ estaba seguro de que Ardis Vanvlanderen, propietaria del 3C, no se atrevería a salir del hotel.

Las puertas se abrieron, y mientras su mirada desinteresada continuaba fija hacia adelante, Khalehla sintió alivio al distinguir, en visión periférica, que el pasajero era un hombre solo, de cabello claro y lo que parecían ser hombros inmensos que llenaban la chaqueta, casi hasta el punto de poner la tela en tensión. Pero había algo de extraño en él, pensó. Como ocurre cuando una se encuentra sola con un único ser humano, en un recinto reducido, pudo intuir un elevado nivel de energía que emanaba de su compañero desconocido. Había un ambiente de ira, o de ansiedad, que parecía impregnar el ascensor. Luego sintió que él la miraba, no en la forma en que los hombres la medían en general –de manera furtiva, de reojo; estaba habituada a eso–, sino con fijeza, con mirada firme, intensa, inmóvil, de ojos que no veían.

Las puertas se cerraron mientras ella hacía una mueca negligente para sí; era la expresión de alguien que podía haber olvidado algo. Otra vez como al descuido, abrió el bolso como para buscar el objeto que le faltaba. Exhaló un suspiro audible, sus facciones se aflojaron; el objeto estaba ahí. Y estaba. Su pistola. El ascensor inició su descenso, mientras ella miraba al desconocido.

¡Quedó *paralizada*! Los ojos de él eran dos mundos de furia al rojo blanco, controlada, y el cabello corto, bien peinado, era rubio claro. ¡No podía ser *otro*! ¡El europeo rubio... era uno de *ellos*! Khalehla trastabilló en busca de la pared mientras extraía la automática, dejando caer el bolso y oprimiendo el botón de emergencia. Al otro lado de las puertas, sonó la alarma cuando el ascensor se detuvo con una sacudida y el hombre rubio se adelantó.

Khalehla disparó; la detonación resultó ensordecedora en el reducido espacio; la bala pasó por encima de la cabeza del intenso desconocido, como era la intención.

–¡Deténgase ahí! –ordenó ella–. Si sabe algo acerca de mí, sabe que la próxima bala penetrará en la frente.

–Usted es la mujer Rashad –dijo el rubio, con palabras cargadas de acento extranjero, la voz tensa.

–No sé quién es usted, pero sé *qué* es. ¡Basura podrida, eso es lo que es! Evan tenía razón. Durante todos estos meses, todas las versiones acerca de él, las comisiones parlamentarias, la cobertura en todo el mundo... ¡Fue para prepararlo para un asesinato palestino! ¡Así de *sencillo* era!

–No, está equivocada, equivocada –protestó el europeo, mientras el timbre de alarma continuaba, afuera, sus abrasivos campanilleos–. ¡Y *no* debe detenerme ahora! Está a punto de ocurrir una cosa espantosa, y he estado en comunicación con su gente de Washington.

–*¿Con quién?* ¿Con quién de Washington?

–No damos nombres...

–¡Tonterías!

–¡*Por favor*, señorita Rashad! Un hombre está *huyendo*.

–Tú no, Rubio...

De dónde llegaron los golpes y cómo fueron asestados con tanta velocidad, Khalehla no lo sabría nunca. Durante un instante hubo un movimiento borroso a su izquierda, y luego una mano que se precipitaba, con tanta velocidad como cualquier mano humana que hubiese visto, le golpeó el brazo derecho, seguido por un torcimiento, en sentido contrario a las agujas del reloj, de su muñeca derecha, que le arrancó el arma. Cuando había esperado que su muñeca quedase quebrada, sólo le ardió, como si hubiese sido escaldada durante un instante por una salpicadura de agua hirviente. Frente a ella, el europeo tenía su arma.

–No quise hacerte daño –dijo.

–Eres muy competente, escoria podrida. Eso te lo reconozco.

–No somos enemigos, señorita Rashad.

–No sé por qué, pero me resulta difícil creerlo. –El teléfono del ascensor sonó desde la caja de abajo del tablero, y su timbrazo repercutió en las cuatro paredes, en el pequeño espacio.– No saldrás de aquí –agregó Khalehla.

–*Espera* –dijo el hombre rubio, mientras los timbrazos persistían–. Tú viste a la señora Vanvlanderen.

–Ella te lo dijo. ¿Y qué?

–Habría podido decírmelo –interrumpió el europeo–. No la vi, pero la *he* grabado. Después tuvo visitantes. Hablaron de ti... ella y otros dos hombres, uno llamado Grinell.

–Nunca oí hablar de él.

–Los dos son traidores, enemigos de tu gobierno, de tu país, para ser exacto, tal como tu país fue concebido. –El teléfono siguió con sus insistentes timbrazos.

–Palabras muy veloces, señor Sin Nombre.

–¡No más *palabras*! –gritó el hombre rubio; metió la mano debajo de su chaqueta y sacó una delgada y larga automática negra. Hizo girar las dos armas, las tomó por los caños, las culatas extendidas hacia Khalehla–. Aquí tienes. Tómalas. ¡Dame una *oportunidad*, señorita Rashad!

Asombrada, Khalehla sostuvo las dos pistolas y miró a los ojos del europeo. Había visto esa misma súplica en muchos otros ojos. No era la mirada de un hombre que temiese morir por una causa, sino la de una persona furiosa ante la perspectiva de no vivir para continuarla.

–Muy bien –dijo con lentitud–. Puede que sí, y puede que no. ¡*Vuélvete*, con los brazos contra la pared! ¡Más atrás, con el peso del cuerpo sobre las manos! –El teléfono era ahora un timbre continuo, ensordecedor, mientras la agente de campo de El Cairo pasaba los dedos, como una experta, por el cuerpo del hombre rubio, concentrándose en las axilas, la cintura y los tobillos. No tenía más armas encima.– Quédate ahí –le ordenó, mientras se inclinaba para sacar el teléfono de su caja–. ¡No podíamos abrir el tablero del teléfono! –exclamó.

–Nuestro mecánico va hacia allá, señora. Estaba en su hora de almuerzo, pero acabamos de ubicarlo. Le pedimos muchas disculpas. Pero nuestros indicadores no hablan de incendio ni...

–Creo que somos nosotros quienes debemos pedir disculpas –dijo

Khalehla–. Todo fue un error... mi error. Oprimí el botón equivocado. Si me dice cómo hacerlo funcionar de nuevo, estaremos bien.

–¿Eh? Sí, sí, por supuesto –dijo la voz masculina, dominando su irritación–. En la caja del teléfono hay un interruptor...

Las puertas del vestíbulo se abrieron, y el europeo habló en el acto al gerente de vestimenta formal, quien los aguardaba.

–Hay una relación comercial con quien debía encontrarme aquí, hace un rato bastante largo. Me temo que me quedé dormido... un largo vuelo, desde París. Se llama Grinell, ¿usted lo vio?

–El señor Grinell y la aturdida señora Vanvlanderen salieron hace unos minutos, con sus invitados, señor. Supongo que había servicios en memoria de su esposo, un magnífico caballero.

–Sí, también era un socio mío. Debía asistir al servicio, pero no recibimos la dirección. ¿Usted la conoce?

–Oh, no, señor.

–¿La conocerá *alguien*? ¿El portero no habrá escuchado sus indicaciones a un taxi?

–El señor Grinell tiene su propia limusina... limusinas, en realidad.

–Vamos –dijo Khalehla en voz baja, tomando el brazo del rubio–. Te estás volviendo un poco demasiado evidente –continuó, mientras caminaban hacia la entrada del frente.

–Puede que haya fracasado, y eso es más importante.

–¿Cómo te llamas?

–Milos. Llámame Milos.

–Quiero algo más que eso. Yo tengo ese fuego, ¿recuerdas?

–Si podemos llegar a un entendimiento aceptable, te diré más.

–Tendrás que decirme *muchísimo* más, señor Milos, y no habrá ninguna de esas veloces maniobras tuyas. Tu pistola está en mi bolso, y la mía bajo mi abrigo, apuntada a tu pecho.

–¿Qué hacemos ahora, señorita Agente Supuestamente Retirada de Inteligencia Central, de Egipto?

–Comemos, canalla entremetido. Estoy muerta de hambre, pero tomaré cada uno de los trozos de comida con la mano izquierda. Si haces un sólo movimiento en falso a través de la mesa, nunca podrás tener hijos, y no sólo porque estés muerto. ¿Me explico?

–Debes ser muy competente.

–Bastante, señor Milos, bastante. Soy medio árabe, y no lo olvides.

Se sentaron frente a frente, en un gran compartimiento circular elegido por Khalehla, en un restaurante italiano situado dos calles al norte del hotel. Varak había detallado todo lo que escuchó por los audífonos, desde los aposentos de Vanvlanderen.

–Quedé anonadado. Nunca pensé, ni por un instante, que Andrew Vanvlanderen pudiera actuar en forma unilateral.

–¿Quieres decir, sin que su esposa le "metiera una bala en la cabeza" y llamara a uno de los otros para que lo hiciese desaparecer en México?

–Exactamente. Ella lo habría hecho, sabes. El era estúpido.

–No estoy de acuerdo, era muy inteligente, si se tiene en cuenta lo que quería hacer. Todo lo que se hizo a y por Evan Kendrick condujo a un lógico *jaremat tháar*, asesinato por venganza, en árabe. Tú te ocupaste de eso, señor Milos, a partir del primer momento en que te encontraste con Frank Swann en el Departamento de Estado.

–Nunca con esa intención, te lo aseguro. Nunca pensé que fuese remotamente posible.

–Te equivocabas.

–Me equivoqué.

–Volvamos al primer momento... ¡en realidad, volvamos a todo el maldito asunto!

–No hay nada a lo cual volver. No he dicho nada que tenga alguna sustancia.

–Pero sabemos mucho más de lo que crees. Sólo que tuvimos que desenredar la madeja, como dicen mis superiores... Un novato parlamentario a pesar suyo, manipulado para hacerlo participar en importantes comisiones del Congreso, puestos por los cuales otros habrían vendido a sus hijas para obtenerlos. Y luego, debido a la misteriosa ausencia de presidentes en las comisiones, aparece en la televisión nacional, cosa que conduce a mayor publicidad, coronada por la explosiva noticia mundial sobre su acción encubierta en Omán, para terminar con el otorgamiento, por parte del Presidente, de la más importante medalla que puede recibir un civil. La agenda está bastante clara, ¿verdad?

–Fue muy bien organizada, en mi opinión.

–Y ahora está a punto de lanzarse una campaña nacional para ubicarlo en la lista del partido; en la práctica, para convertirlo en el próximo Vicepresidente de Estados Unidos.

–¿Sabes eso?

–Sí, y no es en modo alguno un acto espontáneo por parte de un cuerpo político.

–Espero que lo parezca.

–¿De dónde *vienes*? –preguntó Khalehla, inclinándose y hurgando en su plato de ternera con la mano izquierda, la derecha fuera de la vista, bajo la mesa.

–Tengo que decirte, señorita Rashad, que me apena verte comer con tanta incomodidad. No represento una amenaza para ti, y no huiré.

–¿Cómo puedo estar segura de eso? ¿De que no eres un peligro, y de que no huirás?

–Porque en ciertos terrenos nuestros intereses son los mismos, y estoy dispuesto a trabajar contigo en términos de una base limitada.

–¡Por Dios, qué arrogancia? ¿Querría Su Eminencia tener la bondad de describir esos terrenos, y los límites de su generosa ayuda?

–Por supuesto. Por empezar, la seguridad del Secretario de Estado, y el desenmascaramiento de quienes querrían asesinarlo, así como averiguar el por qué, aunque creo que podemos dar por supuesto el motivo. Después, la captura de los terroristas que atacaron las casas del congresal Kendrick, con considerables pérdidas de vidas, y confirmar la conexión Vanvlanderen...

–¿*Tú* sabes lo de Fairfax y Mesa Verde? –Varak asintió.– La censura es total.

–Lo cual nos lleva a los límites de mi participación. Debo permanecer muy en segundo plano, y no hablaré de mis actividades, a no ser en los términos más generales. Pero si es necesario, te remitiré, por nombre de código, a ciertas personas del gobierno que testimoniarán mi confiabilidad en asuntos de seguridad, aquí y en el exterior.

–No tienes una muy elevada opinión de ti mismo, ¿verdad?

Milos sonrió con cautela.

–En realidad no tengo una opinión. Pero provengo de un país cuyo gobierno fue robado al pueblo, y hace tiempo resolví lo que haría con mi vida. Tengo confianza en los métodos que he desarrollado. Si eso es arrogancia, que así sea, y pido disculpas, pero no pienso lo mismo.

Khalehla retiró lentamente la mano derecha de abajo de la mesa, y con la izquierda tomó el bolso, del costado. Introdujo la automática en él y se respaldó, sacudiendo la mano para restablecer la circulación.

–Creo que podemos prescindir de la ferretería, y tienes razón, es muy molesto tratar de cortar la carne con una mano mientras la otra está paralizada.

–Iba a sugerirte que pidieras algo más sencillo, tal vez un antipasto, o algún plato que pudieras comer con los dedos, pero me pareció que no me correspondía.

–¿Percibo cierto sentido del humor detrás de esa expresión severa?

–Un intento, tal vez, pero no me siento de muy buen humor por el momento. Y no lo recuperaré hasta que sepa que el Secretario de Estado ha llegado a salvo a Chipre.

–Alertaste a la gente adecuada; no puedes hacer nada más. Ellos se ocuparán de él.

–Cuento con eso.

–Al grano, entonces, señor Milos –dijo Khalehla, volviendo a su comida, otra vez con lentitud, con la vista clavada en Varak–. ¿Por qué Kendrick? ¿Por qué lo hiciste? Y ante todo, *¿cómo* lo hiciste? ¡Penetraste en fuentes que, supuestamente, eran impenetrables! Entraste donde nadie podía entrar, y descubriste secretos. Robaste un legajo a prueba de robos. Quien te haya dado esas cosas debería ser sacado y enviado a trabajos de campo, para que sepa lo que es no tener protección, estar desnuda, sin armas, en las calles oscuras de una ciudad hostil.

–La ayuda que se me prestó me fue dada por una fuente que confió en mí, que sabía de dónde venía, como lo formulaste tú.

–¿Pero, *por qué*?

–Te daré una respuesta limitada, señorita Rashad, y hablaré sólo en términos generales.

–Hurra. Venga.

–Este país necesita imperiosamente cambios en una administración que, sin duda, será reelegida.

–¿Quién dice eso, aparte de los votantes?

–Eso está fuera de los límites, salvo, una vez más, en términos generales... aunque ni siquiera debería usar éstos. Tú misma lo viste.

Khalehla dejó el tenedor y miró al europeo.

–¿San Diego? ¿Vanvlanderen? ¿Grinell?

–San Diego, Vanvlanderen y Grinell –repitió el checo en voz baja–. Para aclarar aún más: dineros enviados evidentemente por Zurich y Beirut al Valle del Baaka, con el fin de eliminar a un contrincante político... a saber, el congresal Kendrick. Y ahora un aparente intento de impedir que un brillante Secretario de Estado concurra a una conferencia de desarme cuyo objetivo es reducir la proliferación, la producción, de armas nucleares y espaciales.

–San Diego –dijo Khalehla, y dejó la comida en el plato–. ¿Orson Bollinger?

–Un enigma –repuso Varak–. ¿Qué sabe? ¿Qué no sabe? Sin perjuicio de eso, es el punto de reunión, el embudo de una administración invencible. Tiene que ser remplazado, para así eliminar a la gente que lo rodea, y que le ordena marchar al compás de sus redobles de tambor.

–¿Pero por qué Evan *Kendrick*?

–Porque ahora es un rival invencible.

–No aceptará nunca; te dirá que te vayas al demonio. Tú no lo conoces, yo *sí*.

–Un hombre no necesita querer hacer lo que debe hacer, señorita Rashad. Pero lo hará, si se le aclaran las razones por las cuales tiene que hacerlo.

–¿Piensas que eso es *suficiente*?

–No conozco personalmente al señor Kendrick, por supuesto, pero no creo que exista otro ser humano a quien haya estudiado con tanta atención. Es un hombre notable, pero muy modesto, en forma realista, en relación con sus logros. Ganó muchísimo dinero en una economía del Medio Oriente que se encontraba al borde del estallido, y luego dejó atrás más millones porque estaba moralmente ofendido y emocionalmente aturdido. Luego entró en el escenario político sin otra razón que para remplazar a un, ¿cómo me llamaste?, a una escoria podrida, que se llenaba los bolsillos en Colorado. Por último fue a Omán, sabiendo que podía no volver, porque creía que podía ayudar en una crisis. Ese no es un hombre a quien se toma a la ligera. Puede que *él* se tome así, pero tú no.

–Oh por Dios –dijo Khalehla–, estoy escuchando una variación de mis propias palabras.

–¿En apoyo de su avance político?

–No, para explicar por qué no era un embustero. Pero debo decirte que existe otra razón para que haya vuelto a Omán. Se ubica bajo el título nada benévolo de una matanza. Estaba convencido de que sabía quién se encontraba detrás de los terroristas de Mascate: el mismo monstruo que ha sido el responsable de las setenta y ocho personas que componían el Grupo Kendrick, incluidas esposas e hijos. Y tenía razón; el hombre fue ejecutado según la ley árabe.

–Esa no es una negativa, señorita Rashad.

–No, no lo es, pero modifica un tanto las circunstancias.

–Preferiría pensar que agrega una dimensión de justicia buscada como corresponde, lo cual vuelve a confirmar nuestra elección de él.

–*¿Nuestra?*

–Fuera de límites, no puedo responder.

–Repito que lo rechazará.

–Lo hará, si se entera de cómo fue manipulado. Es posible que no lo haga si queda convencido de que se lo necesita.

Khalehla volvió a recostarse contra el respaldo del compartimiento, y estudió al checo.

–Si he escuchado bien, estás sugiriendo algo que me resulta profundamente ofensivo.

–No tendría por qué serlo. –Varak se inclinó hacia adelante.– Nadie puede obligar a un hombre a aceptar un cargo electivo, señorita Rashad; él tiene que buscarlo. Y a la inversa, nadie puede obligar a los principales senadores y representantes de un partido político a aceptar a un *nuevo* candidato; deben quererlo... Es cierto que se crearon las circunstancias para destacar al hombre, pero no pudimos crearlo; estaba ahí.

–Me pides que no le hable es esta conversación, que no le hable de ti... ¿Tienes alguna idea de cuántas semanas nos hemos pasado *buscándote*?

–¿Tienes una idea de cuántos meses hemos estado buscando a Evan Kendrick?

–¡Me importa un *bledo*! *Fue* manipulado, y lo sabe. No puedes esconderte, no te dejaré. Lo has hecho pasar por demasiadas cosas. Amigos queridos asesinados, y ahora tal vez un anciano que ha sido un padre para él durante quince años. Todos sus planes, que se han ido al demonio... *¡demasiado!*

–No puedo cambiar lo que ha ocurrido. Sólo puedo apenarme por mis errores de juicio, y nadie se apenará más, pero te pido que pienses en tu país, ahora también el mío. Si hemos ayudado a producir una fuerza política, sólo fue porque la fuerza existía por derecho propio, con sus propios instintos. Sin él, cualquier cantidad de hombres muy decentes serían aceptables para la dirección del partido, porque son conocidos y cómodos, pero no serán una *fuerza*... ¿Está claro?

–Según una versión, un Vicepresidente dijo una vez que el cargo no valía "un cubo de saliva tibia".

–Pero no es así en estos días, y por cierto que no en manos de Evan Kendrick. Es evidente que te encontrabas en El Cairo cuando él apareció aquí por la televisión...

–Estaba en El Cairo –interrumpió Khalehla–, pero tenemos un canal norteamericano... tapes, por supuesto. Lo vi, y lo he visto aquí después, y varias veces, gracias, sin duda a tu... agenda. Estuvo muy bien, muy inteligente y muy atrayente.

–Señorita Rashad, es único. Es insobornable, y dice lo que piensa, y el país está enamorado de él.

–Gracias a ti.

–No, gracias a *él*. Hizo las cosas que hizo, no fueron inventadas; dijo las cosas que dijo, nadie le dictó las palabras. ¿Qué puedo decirte? He analizado más de cuatrocientas posibilidades, usando las computadoras más avanzadas, y siempre se destacó un hombre. Evan Kendrick.

–¿No quieres nada de él?

–Tú dices que lo conoces. Si quisiéramos algo, ¿crees que él lo haría?

–Los entregaría a alguna comisión de lucha contra la corrupción, y se aseguraría de que pasaran un tiempo en la cárcel.

–Exactamente.

Khalehla meneó la cabeza, con los ojos cerrados.

–Querría un vaso de vino, señor Milos. Tengo algunas cosas en las cuales pensar.

Varak hizo una seña a un camarero y pidió dos vasos de chablís frío, dejando la elección a discreción del hombre.

–Entre mis muchas deficiencias –dijo el checo–, figura la falta de conocimientos en materia de vinos, fuera de los de mi país.

–Eso no lo creo ni por un momento. Es probable que seas un *sommelier* diplomado.

–En modo alguno. Oigo a mis amigos pedir viñedos y vendimias específicos, y me asombro.

–¿De veras tienes amigos? Yo te veo más bien como una *éminence grise*.

–*Je comprends*, pero te equivocas, hago una vida muy normal. Mis amigos creen que soy traductor, libre, por supuesto, en casa.

–*Bien* –dijo la agente de El Cairo–. Así comencé yo.

–No hay oficina con la cual comunicarse, sólo un contestador automático, al cual puedo llegar desde donde me encuentre.

–También yo.

Llegó el vino, y Khalehla habló después de sorberlo.

–El no puede volver –dijo, como si hablara consigo misma, y luego incluyendo, en parte, a Varak–. Al menos por unos años, si es que vuelve. En cuanto se levante la censura, correrá mucha sangre caliente por el valle del Baaka.

–¿Supongo que estás hablando del congresal?

–Sí. Los terroristas fueron atrapados, por decirlo así... Hubo un tercer y último ataque hace varias horas. Se llevó a cabo en Mesa Verde, y fue tan devastador como el de Fairfax.

–¿Varias *horas*...? ¿Estaba Kendrick allí?

–Sí.

–*¿Y?*

–Está vivo, me dicen que se salvó por pocos segundos. Pero lo mismo que en Virginia, murió buena parte de nuestro personal.

–Lo siento... Weingrass fue gravemente herido, tengo entendido. A él te referías cuando mencionaste a un anciano, ¿no es así?

–Sí. Lo llevan en avión a un hospital de Denver. Evan viaja con él.

–Los terroristas, *por favor* –dijo Varak, atravesándola con la mirada.

–En total eran nueve. Ocho murieron; uno sobrevivió, el más joven.

–Y cuando se levante la censura, como dices, correrá sangre caliente por el Baaka. Por eso Kendrick no puede regresar a esa parte del mundo.

–No sobreviviría cuarenta y ocho horas. No hay manera de protegerlo de los locos.

–La hay, y ninguna mejor que el Servicio Secreto del gobierno. En este asunto nada es perfecto; sólo existe lo mejor.

–Lo sé. –Khalehla bebió vino de su vaso.

–Entiendes lo que estoy diciendo, ¿no es cierto, señorita Rashad?

–Creo que sí.

–Deja que los acontecimientos sigan su rumbo normal. Hay una legítima comisión de acción política, dedicada a apoyar al parlamentario Kendrick para un cargo más alto. Déjala trabajar sin obstáculos, y que el país responda... de una u otra manera. Y si estamos en lo cierto respecto de los Vanvlanderen y los Grinell, y la gente a quien ellos representan, que Evan Kendrick adopte su propia decisión. Porque aunque los denunciemos y los detengamos, hay centenares de otros que ocuparán sus lugares... Hace *falta* una fuerza, se necesita una *voz*.

Khalehla levantó los ojos del vino. Asintió dos veces.

36

Kendrick caminó por la Calle Diecisiete de Denver, en dirección al Hotel Brown Palace, casi sin tener conciencia de la nieve ligera que bajaba flotando del cielo nocturno. Había dicho al conductor del taxi que lo dejara a varias calles de distancia; quería caminar; necesitaba despejarse la mente.

Los médicos del Hospital General de Denver habían remendado a Manny, y procuraron un alivio a Evan al explicarle que las heridas, si bien espectaculares, se componían principalmente de fragmentos de vidrio y metal incrustados. La pérdida de sangre era considerable para un hombre de su edad, pero no crítica; se la remplazaría. El desconcierto comenzó cuando Kendrick llevó a uno de los médicos a un lado y le habló sobre la preocupación de Weingrass, de que el cáncer había vuelto. En el lapso de veinte minutos, todos los análisis de Manny fueron transmitidos electrónicamente a Washington, y el oncólogo en jefe habló con el cirujano de allí que había operado al anciano arquitecto. Luego de dos horas de su estada de cuatro en el hospital, llegó un técnico de determinado laboratorio, y conversó discretamente con otro médico. Hubo un leve revuelo de actividad, y se pidió a Evan que saliera de la habitación, mientras se tomaban varias muestras del cuerpo de Manny. Una hora más tarde, el jefe de patología, un hombre delgado, de mirada interrogante, se acercó a Kendrick en la sala de espera.

–Congresal, ¿el señor Weingrass ha estado fuera del país hace poco?

–En este último año, no.

–¿Dónde fue eso?

–En Francia... y en el sudoeste de Asia.

El médico había enarcado las cejas.

–Mi geografía no es muy buena. ¿Dónde está el sudoeste de Asia?

–¿Esto es necesario?

–Sí, lo es.

–Omán y Bahrein.

–¿Estuvo *con* usted?... Perdone, pero sus hazañas son de conocimiento público.

–Estuvo conmigo –respondió Evan–. Es una de las personas a quienes no pude agradecer públicamente, porque no habría sido beneficioso para él.

–Entiendo. Aquí no tenemos oficina de prensa.

–Gracias. ¿Por qué lo pregunta?

–A menos de que me equivoque, y podría equivocarme, ha resultado infectado con un... digamos un virus... que hasta donde sé es natural de Africa central.

–Eso no *podría* ser.

–Entonces quizá me equivoco. Nuestros equipos se cuentan entre los mejores de Occidente, pero los hay mejores. Enviaré tejidos pulmonares y muestras de sangre a los CCE de Atlanta.

–¿Los qué?

–Centros de Control de Enfermedades.

–*¿Enfermedades?*

–Es nada más que una precaución, señor Kendrick.

–Envíelos por avión esta noche, doctor. En el plazo de una hora habrá un jet esperando en el Aeropuerto Stapleton. Dígale a Atlanta que se ponga a trabajar en cuanto lleguen sus muestras... pagaré el costo que sea, aunque tengan que quedarse allí todo el día.

–Haré lo que pueda.

–Si resulta útil –dijo Evan, sin saber con certeza si estaba jactándose o no–, haré que la Casa Blanca los llame.

–No creo que sea necesario –repuso el patólogo.

Cuando salió del hospital, después de despedirse de un Manny que se encontraba bajo el efecto de fuertes sedantes, recordó al desaparecido doctor Lyons, de Mesa Verde, el médico sin dirección ni teléfono, pero con plena autorización gubernamental, que debía ser presentada a un parlamentario, y/o a su personal. *¿Qué* autorización? ¿Por qué resultaba necesaria una *autorización*?... ¿O sólo se trataba de un documento muy impresionante, un recurso para introducirse en el mundo privado de cierto Evan Kendrick? Resolvió no decir nada a nadie, Khalehla sabría qué hacer, mejor que él.

Se acercó al Brown Palace, y de pronto tuvo conciencia, a través de la nieve que caía, de las luces de colores en los adornos navideños que cruzaban la ancha avenida, desde la antigua estructura clásica hasta la nueva torre del sur. Y entonces escuchó la melodía de un villancico, que llenaba la calle. *Adornen los salones con ramas de muérdago, fa-la-la-la-la... la-la-la-la.* Feliz Navidad, de parte de la herencia de Mascate, pensó.

–¿Dónde demonios *estuviste*? –gritó MJ, haciendo que Khalehla apartase el teléfono del oído.

–Cenando.

–¡Está *aquí*! ¡Nuestro europeo rubio se encuentra en el *hotel*!

–Ya lo sé. Cené con él.

–*¿Qué?*

–En rigor, ahora está aquí, en mi habitación. Repasamos todo lo que sabemos. El no es lo que creíamos.

–¡*Maldita* seas, Adrienne! ¡Dile a ese hijo de puta que el señor *B* querría hablar con el señor *A*!

–Buen Dios, ¿*tú* eras ése?

–¡Basta, Rashad! Ponlo en la línea.

–No sé si querrá. –La agente de El Cairo tuvo que volver a apartar el teléfono. Se volvió hacia Varak.– Un señor *B* querría hablar con el señor *A*.

–Habría debido saberlo –dijo el checo, poniéndose de pie. Fue hasta el teléfono del costado de la cama; Khalehla se lo entregó y se apartó–. Saludos, de nuevo, señor *B*. Nada ha cambiado, como sabrá. Nada de nombres, ni identidades.

–¿Cómo lo llama mi sobrina? Tenga en cuenta que es mi sobrina.

–Me llama por el nombre erróneo de Milos.

–*¿Meelos?* ¿Eslavo?

–Norteamericano, señor.

–Lo olvidé, usted lo había aclarado.

–¿El Secretario de Estado, *por favor*?

–Ha llegado a Chipre.

–Me siento aliviado.

–Todos nos sentimos aliviados, si en verdad, existían causas para que estuviéramos alarmados.

–La información era exacta.

–Por desgracia, no hemos podido confirmarla, por nuestra parte. Grinell no se hallaba en el hotel, y no ha aparecido en su residencia.

–Estaba con la mujer Vanvlanderen.

–Sí, lo sabemos. Según un empleado del mostrador, había varios otros con ellos. ¿Alguna idea?

–Los guardias de Grinell, según la información que recibí yo. Ya le mencioné que había hombres con él, y que usted tenía que estar preparado.

–Sí, me lo dijo... ¿Trabajamos juntos?

–Desde cierta distancia...

–¿Qué tiene para ofrecer?

–Pruebas de ciertas cosas que le he dicho a la señorita Rashad –respondió Varak, pensando en las cintas editadas y en las transcripciones que ofrecería a la agente de inteligencia... editadas de modo que Eric Sundstrom siguiese siendo un conspirador anónimo; un muerto no necesitaba una identidad–. Quizá nada más, pero es el núcleo de lo que usted necesita.

–Serán aceptadas con gratitud.

–Pero hay un precio, señor B.

–Yo no hago pagos...

–Pero es claro que sí –interrumpió el checo–. Los hace a cada rato.

–¿De qué se trata?

–Como mis pedidos requieren una explicación complicada, dejaré que la señorita Rashad se lo diga con sus propias palabras. Me pondré en contacto con ella mañana, y nos comunicaremos por intermedio de ella. Si su respuesta es positiva, dispondré que mis materiales le sean entregados a usted.

–¿Y si no lo es?

–Entonces le aconsejo que mida las consecuencias, señor B.

–Déjeme hablar con mi sobrina, por favor.

–Como quiera. –Varak giró hacia Khalehla y le entregó el auricular, mientras iba hacia su sillón.

–Aquí estoy –dijo Rashad.

–Contesta sí o no, y si no puedes, guarda silencio durante uno o dos segundos. ¿De acuerdo?

–Sí.

–Te encuentras segura?

–Sí.

–¿Ese material nos resultaría útil?

–Sí... enfáticamente.

–Es suficiente con un "sí", agente Rashad... Resulta evidente que él se hospeda en el hotel... ¿te parece que seguirá allí?

–No.

–¿Te ha dado alguna información acerca de cómo consiguió el legajo de Omán?

–No.

–Por último, ¿podemos aceptar sus pedidos?

–Tendremos que... Perdón por violar las reglas.

–Entiendo –dijo el asombrado director de Proyectos Especiales–. Me explicarás esa afirmación extraordinaria, y extraordinariamente insubordinada, ¿verdad?

–Hablaremos más tarde. –Khalehla colgó el auricular y giró hacia Varak.– Mi superior está molesto.

–¿Contigo o conmigo? No resultó difícil imaginar la esencia de sus preguntas.

–Con los dos.

–¿Es de veras tu tío?

–Lo conozco desde hace más de veinte años, y eso le basta. Hablemos de ti, por un momento. Tampoco resultaba difícil imaginar un par de preguntas para ti.

–Sólo por un instante, por favor –insistió el checo–. Tengo que irme, de veras.

–Le dijiste que Grinell estaba con la mujer Vanvlanderen, y que los otros eran guardias de Grinell.

–Así es.

–Pero a mí me dijiste que había *dos* hombres en las habitaciones de Vanvlanderen, y que los guardias se encontraban afuera.

–Es verdad.

–¿Quién era el otro hombre, y por qué lo proteges?

–*¿Protegerlo?*... Creo que también te dije que los dos eran traidores. Eso lo oirás en las cintas, lo leerás en las transcripciones que te entregaré si tu superior acepta mis condiciones, como hemos convenido.

–Yo lo convenceré.

–Entonces lo oirás tú misma.

–¡Pero tú lo *conoces*! ¿Quién *es*?

Varak se puso de pie, con las manos apretadas ante sí.

–Una vez más, estamos fuera de los límites, señorita Rashad. Pero te diré esto. El es el motivo de que yo deba irme. Es escoria humana, fuesen cuales fueren las palabras que quieras usar... y es mío. Registraré esta ciudad toda la noche, hasta que lo encuentre, y si no, sé dónde *puedo* encontrarlo, mañana o al día siguiente. Repito, es *mío*.

–¿Un *jaremat thâar*, señor Milos?

–No hablo el árabe, señorita Rashad.

–Pero sabes lo que quiere decir, yo te lo he dicho.

–Buenas noches –dijo el checo, yendo hacia la puerta.

–Mi *tío* quiere saber cómo conseguiste el legajo de Omán. No creo que deje de perseguirte hasta que lo averigüe.

–Todos tenemos nuestras prioridades –dijo Varak, volviéndose, con la mano en el picaporte–. En este momento, la de él y la tuya se encuentran en San Diego, y las mías están en otra parte. Dile que no tiene nada que temer de mi fuente. Iría a la tumba antes de poner en peligro a uno de los tuyos, uno de los nuestros.

–¡Maldición, ya lo *hizo*! *¡Evan Kendrick!* –Sonó el teléfono; ambos hicieron girar la cabeza, y lo miraron. Khalehla lo tomó.– ¿Sí?

–¡Ha *sucedido*! –exclamó Payton en Langley, Virginia–. ¡Oh Dios mío, lo *hicieron*!

¿Qué pasa?

–¡El Hotel Larnaca, de Chipre! Hicieron volar el ala oeste; no queda nada; sólo escombros. ¡El Secretario de Estado está muerto, han muerto *todos*!

–El hotel de Chipre –repitió Khalehla, mirando al checo; su voz era monótona, asustada–. Lo volaron, el Secretario murió, están todos muertos...

–¡Dame ese teléfono! –rugió Varak; se precipitó a través de la habitación y lo tomó–. ¿Nadie revisó los sótanos, los conductos de aire acondicionado, los *calces* estructurales?

–Las fuerzas de seguridad chipriotas aseguraron que lo habían revisado todo...

–¿La *seguridad* chipriota? –bramó el furioso checo–. ¡Está infiltrada por una decena de elementos hostiles! ¡Tontos, tontos, *tontos*!

–¿Quieres mi puesto, señor A?

–No lo aceptaría –contestó Varak, dominando su ira, bajando la voz–. No trabajo con aficionados –agregó con desprecio; colgó y fue hacia la puerta. Giró y habló a Khalehla–: Lo que hoy hacía falta aquí era el cerebro de Kendrick de Omán. El habría sido el primero en decirte todo lo que debías hacer, qué tenías que buscar. Y es probable que no le hubieras prestado atención. –El checo abrió la puerta, salió y cerró con un golpe violento.

Sonó el teléfono.

–Se ha ido –dijo Rashad al tomarlo, sabiendo por instinto quién estaba en la línea.

–Le ofrecí mi puesto, pero él aclaró que no trabajaba con aficionados... Extraño, ¿verdad? Un hombre, sin credenciales que conozcamos, nos alerta, y nosotros fallamos. Hace un año enviamos a Kendrick a Omán, y hace todo lo que no pudieron hacer quinientos profesionales de por lo menos seis países. Lo obliga a uno a preguntarse, ¿no?... ¿Estaré volviéndome viejo?

–¡*Nada* de eso, MJ –gritó la agente de El Cairo–. Ocurre que son tipos inteligentes y dan en el blanco, eso es todo. ¡Tú hiciste más de lo que ellos harán *nunca*!

–Me gustaría creerlo, pero esta noche es muy horrible para el poco ego que me queda.

–¡Que tendría que ser mucho!... Pero también es un buen momento para que te explique esa frase insubordinada que te dije hace unos minutos.

–Hazlo, por favor. Me siento receptivo. Ni siquiera estoy seguro de que me quede mucho aliento.

–Trabaje Milos para quien trabajare, no quieren nada de Evan. Cuando lo presioné, señaló lo evidente. Si le imponen exigencias, los arrojará como pasto para los lobos, y tiene razón. Evan lo haría.

–Yo coincido con eso. ¿Y qué quiere, entonces?

–Apartarse, y dejar que las cosas sigan su curso. Quieren que dejemos que la carrera continúe.

–Evan correrá...

–Es posible que sí, cuando se entere de la existencia de los caballeros negros que dirigen las cosas en California. Pongamos que los frenamos; hay varios centenares, esperando para ocupar sus lugares. Milos tiene razón, *hace falta* una voz.

–¿Pero qué dices *tú*, sobrina?

–Lo quiero vivo, no muerto. No puede regresar a los Emiratos... es posible que se convenza de que puede, pero lo matarían en el momento en que descendiera del avión. Y no puede vegetar en Mesa Verde, con su energía e imaginación... Esa también es una forma de muerte, sabes... El país podría elegir cosas peores, MJ.

–¡Tontos, *tontos*! –musitó Varak para sí, mientras discaba y estudiaba un diagrama de los aposentos de Vanvlanderen que tenía en la mano; había pequeñas X rojas marcadas en cada habitación. Segundos después se escuchó una voz en el otro extremo de la línea.

–¿Sí?

–¿Sonidista?

–¿Praga?
–Te necesito.
–Siempre puedo encontrar un uso para tu dinero. Picas alto.
–Pasa a buscarme dentro de treinta minutos, por la entrada de servicio. Camino de tu estudio te explicaré lo que quiero que hagas... ¿No hay cambios en el diagrama?
–No. ¿Encontraste la llave?
–Gracias por las dos cosas.
–Tú pagaste. Treinta minutos.

El checo colgó el auricular y miró el equipo de grabación embalado, junto a la puerta. Había escuchado la entrevista de Rashad con Ardis Vanvlanderen, y a pesar de su cólera por la tragedia de la muerte del Secretario de Estado, había sonreído –una sonrisa torva, por cierto– ante la audaz estrategia empleada por la agente de campo de El Cairo y su superior. Sobre la base de lo que sabían, habían jugado con la presunta veracidad de las acciones de Andrew Vanvlanderen, para convertirlas en una mentira irresistible: ¡equipos palestinos de ataque, el blanco *Bollinger*, ni una sola mención de Kendrick! *¡Brillante!* La aparición de Eric Sundstrom en un plazo de dos horas, después de la asombrosa y compleja información de Rashad –una aparición destinada a atrapar a un traidor a Inver Brass y no basada en presunción alguna de la culpabilidad de Vanvlanderen–, habían sido las detonaciones combinadas que hicieron estallar la estructura de hormigón del engaño en San Diego. Las cosas se tomaban donde se las podía encontrar.

Varak fue a la puerta, la abrió con cautela y salió al pasillo. Caminó con pasos rápidos a los aposentos de Vanvlanderen, y entró con la llave proporcionada por el Sonidista; el diagrama seguía en sus manos. Con veloces zancadas felinas, fue de habitación en habitación, sacando los diminutos dispositivos electrónicos de sus escondrijos: debajo de mesas y sillones, ocultos bajo los gruesos almohadones del sofá, detrás de espejos en los cuatro dormitorios, y dentro de dos quemadores de la cocina. Dejó para el final la oficina de la viuda, contando las X rojas, seguro de que había recogido todos los dispositivos hasta el momento. La oficina se encontraba a oscuras; encontró la lámpara de escritorio y la encendió. Diez segundos más tarde tenía en el bolsillo los cuatro dispositivos, tres de la oficina misma y uno del pequeño baño adjunto, y se concentraba en el escritorio. Miró su reloj; la operación de desmantelamiento le había llevado nueve minutos, lo cual le dejaba por lo menos quince para examinar el santuario doméstico de la señora Vanvlanderen.

Comenzó por las gavetas del escritorio; tiró de cada una de ellas, hojeó los papeles de escasa importancia dedicados a las trivialidades vicepresidenciales: horarios, cartas de personas e instituciones consideradas dignas de ser contestadas algún día, documentos de la Casa Blanca, de Estado, Defensa y varios otros organismos, que debían ser estudiados para poder explicárselos a Orson Bollinger. No había nada de valor, nada que tuviese relación alguna con las manipulaciones subterráneas que se llevaban a cabo en California del Sur.

Miró en torno de la espaciosa oficina artesonada, los anaqueles, los graciosos muebles y las fotos enmarcadas, en las paredes... fotos. Eran más de veinte, dispersas en el artesonado oscuro, en formaciones zigzagueantes. Se acercó y se puso a examinarlas; para tener mejor luz encendió una lámpara de mesa. Eran la colección habitual de fotos de autoelogio, que mostraban a los señores Vanvlanderen en compañía de pesos pesados políticos, del Presidente hacia abajo, pasando por los niveles superiores de la administración y el Congreso. Luego, en la pared adyacente, había fotos de la viuda misma, sin su difunto esposo. A juzgar por las apariencias, se veía a las claras que eran del pasado de Ardis Vanvlanderen, un testimonio personal que determinaba que su pasado no era insignificante. Predominaban los coches de lujo, los yates, el esquí y las pieles costosas.

Varak estaba a punto de abandonar la panoplia de engreimiento cuando su mirada se detuvo en una instantánea ampliada, tomada, sin duda alguna, en Lausana, Suiza; en el fondo se veía el Embarcadero Leman, del norte del lago Ginebra. Milos estudió el rostro del hombre de tez oscura que se hallaba de pie al lado del efervescente centro de atracción. Conocía esa cara, pero no lograba ubicarla. Luego, como si siguiera una pista, la mirada del checo vagó hacia la parte inferior de la derecha, a otra instantánea ampliada, también tomada en Lausana, esta vez en los jardines del palacio Beau-Rivage. Ahí estaba otra vez el mismo hombre... ¿quién *era*? Y al lado otra, esta vez en Amsterdam, en el Rozengracht, las mismas dos personas. ¿Quién *era* ese hombre? ¡*Concentrarse!* Brotaron imágenes, fragmentos de impresiones fugaces, pero ningún nombre. Riyadh... Medina, Arabia Saudita... una ejecución programada, y luego una fuga. Millones y millones involucrados en aquello... ocho a diez años atrás. ¿Quién *era*? Varak pensó en tomar una de las fotos, pero luego, por instinto, supo que no debía hacerlo. Fuese quien fuere el hombre, representaba otro aspecto significativo del aparato construido en derredor de Orson Bollinger. Una foto faltante de esa cara podía hacer sonar alarmas.

Milos apagó la lámpara de mesa y volvió al escritorio. Era hora de irse, de tomar su equipo y encontrarse con el Sonidista abajo, en la calle, fuera de la entrada de servicio. Tendió la mano hacia la lámpara de escritorio cuando de pronto oyó que se abría la puerta, en el vestíbulo. Apagó la luz en el acto y fue hacia la puerta de la oficina; la cerró en parte, de modo de poder apostarse detrás de ella y mirar por el espacio que dejaba con el marco.

Apareció a la vista la figura de elevada estatura, un hombre solo, de movimientos confiados en un ambiente familiar. Varak frunció un instante el ceño; hacía varias semanas que no pensaba en el intruso. Era el agente pelirrojo del FBI, de Mesa Verde, integrante de la unidad asignada al Vicepresidente, por pedido de Ardis Vanvlanderen... el hombre que lo había conducido a San Diego. Milos quedó desconcertado por un instante, pero sólo por un instante. La unidad había sido llamada a Washington, pero un jugador había quedado atrás... Con más precisión, uno había sido comprado antes que Varak lo encontrase en Mesa Verde.

El checo miró mientras el pelirrojo recorría el salón como si buscase algo. Tomó un vaso de debajo de una lámpara de marfil ubicada sobre una mesa, a la izquierda del sofá, y luego pasó por una puerta que daba a la cocina. Volvió momentos más tarde con una lata de rociador en una mano y una toalla de cocina en la otra. Se dirigió hacia el bar, donde tomó cada una de las botellas, las roció y las secó. Luego roció el borde de cobre de la mesa del bar y lo frotó con la tela. Desde el bar se encaminó hacia cada uno de los muebles, y repitió el proceso de limpieza, como si estuviese purificando el lugar. Lo que hacía le resultó evidente a Varak: el agente eliminaba la presencia forense de Eric Sundstrom, borraba por todos lados las huellas digitales del hombre de ciencia.

Dejó la lata de rociador y la toalla de cocina en la mesa de café y cruzó la habitación con indiferencia... ¡hacia la oficina! El checo giró en silencio, detrás de la puerta entornada, y corrió al bañito, cerrando la puerta, ahora más que en parte, dejando apenas un par de centímetros entre el borde y el marco. Tal como había hecho Milos, el agente del FBI encendió la lámpara del escritorio, se sentó en la silla y abrió la gaveta de abajo, a la derecha. Pero hizo algo que Varak no había hecho: presionó un botón invisible. En el acto, el tablero vertical del escritorio se proyectó hacia adelante.

–*¡Cielos!* –dijo para sí el pelirrojo, y su consternada exclamación fue un susurro cuando atisbó en un hueco evidentemente vacío. Sin perder un movimiento, levantó el auricular del escritorio, casi lo arrancó, y discó. Segundos más tarde, ya hablaba–. ¡No está aquí! –prorrumpió–. ¡No, estoy *seguro*! –agregó al cabo de una pausa–. ¡No hay *nada*...! ¿Qué quiere de mí? ¡Seguí sus instrucciones, y le digo que no hay *nada*!... *¿Cómo?* ¿En la calle, más allá de su casa? Muy bien, lo haré, y volveré a llamarlo. –El agente oprimió el pulsador del teléfono, lo soltó y discó once dígitos: larga distancia.– Base Cinco, habla Mirlo, misión especial San Diego, código seis-seis-cero. Confirme, por favor... Gracias. ¿Tenemos en La Jolla vehículos que yo no conozca?... No... No, nada urgente, tal vez por la prisa. Deben de haber descubierto que el VP iba a concurrir a una *soirée*, una exposición de arte –captó eso, una *soirée*–, con la gente rara. No es capaz de distinguir un Rembrandt de un Al Capp, pero tiene que fingir. Lo confirmaré, por favor. –El desgarbado pelirrojo volvió a colgar, y discó otra vez.– No hay nada por nuestro lado –dijo en voz baja, casi enseguida–. No, no hay una ley que diga que tienen que informarnos... ¿La CIA? Nosotros seríamos los últimos en saberlo... Muy bien, llamaré al aeropuerto. ¿Quiere que me comunique con su piloto?... Como quiera, entonces me voy de aquí. La Agencia y la Oficina no se mezclan, nunca nos hemos mezclado. –El hombre del FBI colgó, mientras Varak salía del cuarto de baño oscuro, con la delgada automática negra en la mano.

–No se irá tan rápido –dijo el coordinador de Inver Brass.

–*¡Cristo!* –aulló el agente pelirrojo, lanzándose fuera de la silla y precipitándose contra Varak en la puerta; aferró la muñeca derecha del checo con la fuerza de un animal presa de pánico, e impulsó a Milos hacia la pared de encima del inodoro; la cabeza de Varak se estrelló en el empapelado de delicado buen gusto. El checo, a horcajadas sobre el inodoro, en el cuarto de baño con la luz apagada, lanzó la pierna izquierda en derredor del torso del hombre y la apretó, mientras empujaba con la mano derecha y el arma hacia arriba, descoyuntando casi el brazo izquierdo del agente. Todo terminó; el hombre se derrumbó en el suelo, tomándose del brazo lastimado como si estuviese quebrado.

–Arriba –dijo Varak, el arma al costado, sin molestarse en apuntar con ella a su prisionero. El pelirrojo se esforzó, con una mueca, mientras se erguía tomándose del borde del lavabo.– Ve allá y siéntate –ordenó Milos, empujando al agente por la puerta hacia el escritorio.

–¿Quién diablos *eres*? –preguntó el hombre, sin aliento, dejándose caer en el sillón; todavía se sostenía el brazo.

–Nos hemos encontrado, pero tú no lo sabrías. Un camino de campo, en Mesa Verde, al oeste de la casa de cierto parlamentario.

–¿Ese eras *tú*? –El agente tomó impulso hacia adelante, sólo para ser empujado de nuevo por Varak.

–¿Cuándo te vendiste, federal?

El agente estudió a Milos al resplandor de la lámpara de escritorio.

–Si eres alguna especie de fantasma naturalizado de una unidad de enlace, será mejor que entiendas bien una cosa. Estoy aquí en una misión especial para el Vicepresidente.

–¿Una "unidad de enlace"? Veo que has estado hablando con gente muy excitable... No existe tal unidad de enlace, y esos vehículos de los alrededores de la casa de Grinell fueron despachados desde Washington...

–¡No es cierto! ¡Yo lo *verifiqué*!

–Tal vez la Oficina no estaba informada, o te mintieron, eso no tiene importancia. Como todos los soldados privilegiados de organizaciones de élite, estoy seguro de que puedes afirmar que no hacías otra cosa que cumplir órdenes, como en eso de eliminar huellas digitales y buscar documentos ocultos acerca de los cuales nada sabes.

–¡Y no lo sé!

–Pero te vendiste, y eso es lo único que me importa. Estabas dispuesto a aceptar dinero y privilegios por servicios prestados desde tu cargo oficial. ¿También estás dispuesto a perder la vida por esa gente?

–*¿Qué?*

–Ahora escucha bien –dijo Varak en voz baja, levantando la automática y clavándola de pronto en la frente del agente–. Que vivas o mueras no tiene importancia alguna en absoluto, para mí, pero hay un hombre a quien debo encontrar. Esta noche.

–No conoces a Grinell...

–Grinell es insignificante para mí, déjalo para otros. El hombre a quien necesito es aquél cuyas impresiones digitales eliminaste con tanto cuidado de este apartamento. Me dirás dónde está, ahora mismo, o tus sesos quedarán desparramados por todo este escritorio, y no nos molestaremos en limpiar. La escena añadirá otro convincente matiz de maldad, coherente con todo lo que está ocurriendo aquí... ¿Dónde *está* él?

Con el cuerpo tembloroso, la respiración entrecortada, el pelirrojo escupió las palabras con rapidez.

–¡No lo sé, y no *miento*! Se me ordenó que los encontrase en una calle lateral, cerca de la playa, en Coronado. Juro que no sé adónde van.

–Acabas de llamar.

–Es un teléfono a pilas. El se mueve.

–¿Quién estaba en Coronado?

–Sólo Grinell y ese otro tipo, quien me dijo por dónde caminar y qué tocar aquí, en la vivienda de Vanvlanderen.

–¿Dónde estaba *ella*?

–No sé. Quizás estaba enferma, o tuvo un accidente. Había una ambulancia, enfrente de la limusina de Grinell.

–Pero tú *sabes* adónde iban. Estabas a punto de llamar al aeropuerto. ¿Cuáles eran tus instrucciones?

–Hacer que mantenimiento tuviese listo el avión para el despegue dentro de una hora.

–¿Dónde está el avión?

–En el aeropuerto internacional de San Diego. La pista privada, al sur de las pistas principales.

–¿Cuál es el punto de destino?

–Eso es entre Grinell y el piloto. Nunca se lo dice a nadie.

–Tú te ofreciste a llamar al piloto. ¿Cuál es su número?

–¡Cielos, no lo *sé*! Si Grinell hubiese querido que lo llamase, me lo habría dicho. Pero no me lo dijo.

–Dame el número del portátil. –El agente así lo hizo, y el checo lo memorizó.– ¿Estás seguro de que es exacto?

–Pruébalo.

Varak retiró el arma y la guardó en su pistolera del hombro.

–Esta noche escuché un término que te viene bien, federal. Escoria podrida, eso es lo que eres. Pero como dije, no tienes la menor importancia para mí, de modo que te dejaré ir. Tal vez puedas comenzar a construir tus defensas: el soldado obediente traicionado por sus superiores, o quizá sería mejor que fueras camino de México y otros puntos del sur. No sé, ni me importa. Pero si llamas a ese teléfono móvil eres hombre muerto. ¿Has entendido eso?

–Sólo quiero salir de aquí –dijo el agente, precipitándose fuera de su asiento y corriendo al salón en desnivel, hacia los escalones de mármol y la puerta del vestíbulo.

–Yo también –murmuró Milos para sí. Miró su reloj; llegaría tarde para ver al Sonidista, abajo. No importa, pensó, el hombre era rápido y entendería enseguida lo que quería de las cintas y las transcripciones. Después tomaría prestado el coche del Sonidista y lo dejaría en el estacionamiento del aeropuerto internacional de San Diego. Allí, en una pista privada, al sur de las principales, hallaría al traidor de Inver Brass. Lo encontraría y lo mataría.

El teléfono sonó, y arrancó a Kendrick de su sueño entrecortado. Desorientado, su mirada se concentró en una ventana de hotel, y en la pesada nieve que se arremolinaba en círculo, empujada por el viento, al otro lado del vidrio. El teléfono volvió a sonar; parpadeó, encendió la luz de la mesa de noche y lo tomó, mirando su reloj mientras lo hacía. Eran las cinco y veinte de la mañana. *¿Khalehla?*

–¿Sí, hola?

–Atlanta trabajó toda la noche –dijo el jefe de patología del hospital–. Acaban de llamarme, y pensé que usted querría saberlo.

–Gracias, doctor.

–Es posible que no le agrade. Me temo que todos los análisis dan positivo.

–¿Cáncer? –preguntó Evan, tragando saliva.

–No. Podría darle el término médico, pero no significaría nada para usted. Se lo podría llamar una especie de salmonella, una forma de virus que ataca los pulmones, coagulando la sangre hasta que impide el paso del oxígeno. Entiendo por qué, en la superficie, el señor Weingrass pensó que era cáncer. No lo es, pero eso no mejora las cosas.

–¿Y la *cura*? –preguntó Kendrick, aferrando el auricular.

Luego de un breve silencio, el patólogo respondió con voz queda:

–No se conoce ninguna. Es irreversible. En los distritos africanos de Kasai matan al ganado y lo queman, arrasan aldeas enteras y también las incendian.

–¡Me importa un *bledo* del ganado y las aldeas africanas!... Perdón, no quería gritarle.

–No es nada, forma parte del trabajo. He mirado el mapa; debe de haber comido en un restaurante omaní que tal vez servía comida centroafricana para trabajadores importados. Platos sucios, ese tipo de cosas. Esa es la manera en que se transmite.

–Usted no conoce a Emmanuel Weingrass; esos son los últimos lugares en los cuales comería... No, doctor, no fue transmitida; fue provocada.

–¿Perdón?

–Nada. ¿Cuánto tiempo tiene?

–El CCE dice que puede variar. Uno a tres meses, quizá cuatro. No más de seis.

–¿Puedo decirle que podría prolongarse un par de años?

–Puede decirle lo que le parezca, pero es posible que él le diga lo contrario. Su respiración no mejorará. Habrá que tener oxígeno disponible, a mano.

–Lo habrá. Gracias, doctor.

–Lo siento, señor Kendrick.

Evan bajó de la cama y se paseó por la habitación, con creciente furia. Un médico fantasma, desconocido en Mesa Verde, pero no desconocido para ciertos funcionarios del gobierno de Estados Unidos. Un doctor agradable, que sólo deseaba extraer un poco de sangre... y que después desapareció. De pronto Evan gritó, con un grito ronco, las lágrimas corriéndole por la cara.

–*Lyons*, ¿dónde *estás*? ¡Te *encontraré*!

Frenético, estrelló el puño contra la ventana que tenía más cerca, destrozando el vidrio, de modo que el viento y la nieve se colaron en la habitación.

37

Varak se acercó al último de los hangares de mantenimiento de la zona privada del aeropuerto internacional de San Diego. Policías y personal aduanero armado, en vagonetas eléctricas y motos, pasaban continuamente por las abiertas calles angostas del enorme complejo llano; voces y descargas estáticas brotaban en forma esporádica de las radios de los vehículos. Las corporaciones acaudaladas y de elevadas ganancias, que eran los clientes de ese sector, podían evitar las irritaciones del viaje aéreo normal, pero no eludir la mirada escudriñadora de los organismos federales y municipales que patrullaban el sector. Cada avión que se preparaba para partir debía pasar, no sólo por las habituales autorizaciones del plan de vuelo y la ruta, sino, además, por minuciosas inspecciones del aparato mismo. Por lo demás, cada una de las personas que subían a bordo podía ser registrada por causas probables, casi como si fueran integrantes de la clase desposeída. Algunos de los ricos sospechosos no la pasaban tan bien.

El checo había entrado con desenvoltura en la cómoda sala de espera previa al vuelo, donde los pasajeros de élite aguardaban, en medio del lujo, antes del despegue. Preguntó por el avión de Grinell, y la atrayente empleada que atendía el mostrador se mostró más atenta de lo que esperaba.

–¿Usted está en ese vuelo, señor? –preguntó, a punto de tipear su nombre en la computadora.

–No, sólo he venido a entregar unos documentos legales.

–Ah, entonces le sugiero que vaya al Hangar Siete. El señor Grinell rara vez pasa por aquí; va directamente a autorización previa, y de ahí al avión, cuando lo sacan para ser inspeccionado.

–¿Si puede indicarme..?

–Haremos que lo lleve una de nuestras vagonetas.

–Preferiría caminar, si no le importa. Me agrada estirar las piernas.

–Como quiera, pero no salga de la calle. La seguridad, aquí, es quisquillosa, y hay todo tipo de alarmas.

–Correré de uno a otro farol callejero –dijo Milos, sonriendo–. ¿Está bien?

–No es una mala idea –respondió la joven–. La semana pasada, un personaje importante de Beverly Hills se achispó un poco, y también quiso caminar. Tomó por un recodo equivocado y terminó en la cárcel de San Diego.

–¿Nada más que por caminar?

–Bueno, llevaba encima unas píldoras raras...

–Yo ni siquiera tengo aspirina.

–Salga, doble a la derecha hasta la primera calle, y después otra vez a la derecha. Es el último hangar del borde de la pista. El señor Grinell tiene la mejor ubicación. Ojalá viniera aquí con más frecuencia.

–Es una persona muy atareada.

–Es invisible, eso es.

Varak continuaba mirando en derredor, mientras asentía con la cabeza a los conductores de vagonetas y patines de motor, que se acercaban a él desde ambas direcciones, algunos aminorando la marcha, otros siguiendo a toda velocidad. Vio lo que quería ver. Había luces automáticas entre las hileras de hangares de la derecha, haces conectados entre sí, desde postes bajos enfrentados, clavados en el suelo y diseñados de modo que parecieran demarcaciones... ¿de qué?, se preguntó el checo. ¿Jardines entre casas suburbanas del futuro, donde un vecino temía al otro? En el lado izquierdo de la calle no había otra cosa que una extensión desierta, de altas hierbas, que bordeaba una pista auxiliar. Sería su vía de salida del aeródromo privado, una vez terminada su tarea.

La empleada de la sala de descanso antes del vuelo había sido muy precisa, caviló Milos al acercarse a las inmensas puertas abiertas del último hangar. El avión de Grinell *tenía* la mejor ubicación. Una vez autorizado, el aparato salía al campo por la puerta del otro lado, con despegue inmediato, según lo indicara la torre... nada de minutos perdidos durante las horas lentas. Algunos de los ricos la pasaban mejor de lo que creía.

Dos guardias uniformados se encontraban dentro del hangar, en el borde del camino en que la parte asfaltada se encontraba con el suelo de hormigón del interior. Más allá de ellos se divisaba, inmóvil, un pájaro de metal que pronto se elevaría en el cielo nocturno. Milos estudió los uniformes de los guardias; no eran federales ni municipales; eran de una firma de seguridad privada. La comprobación hizo nacer otro pensamiento, cuando advirtió que uno de los guardias era muy corpulento, y muy amplio de vientre y hombros. Nada se perdía con probar; había llegado a su puesto adecuado para el golpe, pero cuánto más satisfactorio sería ejecutar al traidor de cerca, asegurándose de la ejecución.

Caminó con negligencia, por el asfalto, hacia la imponente entrada del hangar. Ambos guardias se adelantaron; uno de ellos aplastó un cigarrillo con el zapato.

–¿Qué viene a hacer aquí? –preguntó el guardia más alto, el de la derecha del checo.

–Cosas, creo –respondió Varak con afabilidad–. Cosas más bien confidenciales, me parece.

–¿Qué significa eso? –interrogó el guardia más bajo, el de la izquierda.

–Me temo que tendrá que preguntárselo al señor Grinell. Yo no soy más que un mensajero, y se me dijo que hablara con una sola persona, quien debía transmitir la información al señor Grinell, cuando éste llegase.

–Más de esas estupideces –agregó el patrullero más bajo a su compañero–. Si tiene documentos o dinero, deben ser autorizados previamente. Si encuentran en el avión algo que no conocen, no saldrá, y el señor Grinell estallará, ¿me explico?

–Fuerte y claro, amigo. Sólo tengo palabras que deben ser repetidas. ¿*Usted* me entiende *a mí*?

–Hable, entonces.

–A una sola persona –dijo Varak–. Y yo la *elijo* –continuó Milos, señalando al hombre corpulento.

–El es estúpido. Elíjame a mí.

–Me dijeron a quién debía elegir.

–*¡Mierda!*

–Por favor, venga conmigo –dijo el checo, señalando hacia la derecha, más allá de las luces de encendido automático–. Debo grabar nuestra conversación, pero sin nadie al lado.

–¿Por qué no se lo dice al *patrón* mismo? –objetó el guardia rechazado, de la izquierda–. Llegará dentro de unos minutos.

–Porque no debemos encontrarnos cara a cara... en ninguna parte. ¿Quiere preguntárselo usted?

–Más estupideces.

Una vez que dieron la vuelta a la esquina del hangar, Varak levantó la mano izquierda ahuecada.

–¿Quiere hablar directamente aquí? –dijo, otra vez con tono amable.

–Por supuesto, señor.

Fueron las últimas palabras que el guardia recordaría. El checo golpeó con la dura base chata de la mano derecha en el omóplato del hombre, y continuó el golpe con otros tres, cortantes, a la garganta, y con un último ataque, con dos nudillos, a los párpados superiores. El guardia se derrumbó, y Varak comenzó a quitarle la ropa con rapidez. Un minuto y veinte segundos más tarde se encontraba vestido exageradamente con el uniforme de seguridad privada del hombrón; dobló las botamangas de los pantalones y se subió las mangas, tirando el uniforme por encima de las muñecas. Estaba listo.

Cuarenta segundos más tarde una limusina negra llegaba por la calle y se detenía en la base de la entrada de asfalto al hangar. El checo salió de entre las sombras y se encaminó con pasos lentos hacia el claroscuro. Un hombre se apeó del enorme vehículo, y aunque Milos no lo había visto nunca, supo que el hombre era Crayton Grinell.

–¡Hola, jefe! –gritó el guardia de la izquierda del hangar, cuando la figura de cara grisácea, cubierta por un abrigo, caminaba con rapidez, con furia, por el asfalto–. Tenemos su mensaje, Benny está grabando algo...

–¿Por qué el maldito avión no está en la *pista*? –rugió Grinell–. ¡Todo está autorizado, pedazo de idiotas!

–¡*Benny* habló con ellos, jefe, no *yo*! Cinco, diez minutos, le dijeron. ¡Si *yo* hubiera hablado por teléfono, habría sido diferente! *Mierda*, yo no tolero ninguna mierda, ¿entiende lo que quiero decir? Habría debido decirle a ese tipo que hablara conmigo; ese Benny...

–¡Cállate! ¡Busca a mi conductor y dile que saque ese hijo de puta afuera! ¡Si ellos no saben hacerlo volar, *él* sabe!

–¡Es claro, patrón, lo que usted diga, patrón!... ¡Ahora están encendiendo los jets!

Mientras el guardia gritaba algo al conductor de la limusina, el checo se unió al remolino de actividad, y se echó a correr hacia el descomunal automóvil.

–*¡Gracias!* –gritó el conductor al pasar y ver el uniforme de Varak–. ¡*El* sale siempre a último momento!

Milos corrió alrededor de la culata del coche, hacia el lado de la calle, abrió la portezuela trasera y se introdujo en el interior. Se sentó, rígido, y miró la cara abotargada del asombrado Eric Sundstrom.

–Hola, profesor –dijo con voz suave.

–¡Era una trampa... usted me tendió una *trampa*! –gritó el hombre de ciencia, en las oscuras sombras del asiento, mientras el rugido de los motores del jet llenaba la noche, afuera–. ¡Pero no sabe lo que está *haciendo*, Varak! ¡Nos encontramos al borde de un descubrimiento fundamental en el terreno *espacial*! ¡Tantas cosas asombrosas que conocer! ¡Estábamos *equivocados*!... ¡Inver Brass se *equivoca*! ¡Debemos *continuar*!

–¿Aunque hagamos volar la mitad del planeta?

–¡No sea estúpido! –exclamó Sundstrom, suplicante–. ¡Nadie va a hacer volar nada! Somos un pueblo civilizado, de uno y otro lado; civilizado y asustado... esa es la protección final del mundo, ¿no se da *cuenta*?

–¿A eso lo llama civilizado?

–Lo llamo progreso. ¡Progreso *científico*! Usted no puede entenderlo, pero cuanto más construimos más *sabemos*.

–¿Por medio de armas de destrucción?

–*¿Armas...*? ¡Usted es lastimosamente ingenuo! "Armas" es nada más que un *rótulo*. Como "pescado" u "hortalizas". ¡Es la excusa que empleamos para conseguir fondos en una escala que, de otro modo, sería prohibitiva! La teoría de la "mayor explosión por cada dólar" es anticuada. Está en los sistemas de disparo... guía orbital y conexiones, rayos láser direccionales que pueden hacerse refractar en el espacio para apuntar a una hormiga desde miles de kilómetros más arriba.

–¿Y enviar una bomba?

–Sólo si alguien trata de *detenernos* –respondió el científico con voz tensa, como si la sola perspectiva bastara para provocar su furia. Sus facciones de querubín se convirtieron de pronto en los componentes de una máscara monstruosa–. ¡Investigación, investigación, *investigación*! –gritó, y las estridentes palabras parecían los chillidos de un cerdo enfurecido–. ¡Que nadie se *atreva* a detenernos! Estamos entrando en un mundo nuevo, ¡en el cual la ciencia dirigirá a toda la civilización! ¡Y usted se mete con una facción política que *entiende* nuestras necesidades! ¡No se lo puede *tolerar*! ¡Kendrick es *peligroso*! Usted lo ha visto, lo ha escuchado... ofrecería audiencias, haría preguntas estúpidas, ¡pondría obstáculos a nuestro *progreso*!

–Eso es lo que me pareció que diría. –Varak introdujo con lentitud la mano debajo del uniforme, hasta el pliegue de la chaqueta.– ¿Conoce el castigo universal para la traición, profesor?

–¿De qué está hablando? –Con las manos temblorosas, el pesado cuerpo sacudido mientras el sudor le caía por la cara, Sundstrom se movió hacia la portezuela.– No he traicionado a nadie... ¡Estoy tratando de impedir un horrible error cometido por lunáticos extraviados! ¡Es preciso *detenerlos*, a todos ustedes! ¡No pueden inmiscuirse con el más grande mecanismo científico que el mundo haya conocido nunca!

En las sombras, Varak extrajo la automática; un reflejo de luz llegó desde el caño hasta los ojos de Sundstrom.

–Ha tenido meses enteros para decir esas cosas; en cambio, guardó silencio, mientras los demás confiaban en usted. A causa de su traición se perdieron vidas, hubo cuerpos mutilados... usted es una basura, profesor.

–*¡No!* –gritó Sundstrom, precipitándose contra la portezuela; sus manos temblorosas acertaron con el picaporte, mientras la puerta giraba hacia afuera y el corpachón del científico seguía el movimiento, en pánico frenético. Milos disparó; la bala se hundió, ardiente, en la parte inferior de la columna vertebral de Sundstrom, mientras el traidor caía al asfalto, aullando–: *¡Ayúdenme. ayúdenme!* Está tratando de *matarme*! ¡Oh *Dios mío*, me ha *disparado*!... ¡Mátenlo, *mátenlo*! –Varak volvió a hacer fuego; ahora su puntería era firme, la bala precisa. La parte posterior del cráneo del científico quedó hecha pedazos.

En pocos segundos, en medio de gritos de confusión, los disparos fueron contestados desde el hangar. El checo fue herido en el pecho y en el hombro izquierdo. Saltó por la portezuela del lado de la calle, rodó en el suelo, una y otra vez, por detrás de la limusina, hasta llegar a la acera opuesta. Dolorido, se arrastró por encima de ella, gateando hacia la oscuridad de las altas hierbas que formaban el borde de una pista auxiliar. Estuvo a punto de no llegar; de todos lados llegaban sonidos de sirenas y de motores puestos en marcha. Toda la fuerza de seguridad convergía hacia el Hangar Siete, mientras por el otro lado de la calle, el guardia y el conductor de Grinell se acercaban a la limusina, disparando sin cesar hacia el interior del vehículo. Varak fue herido otra vez. Un rebote perdido, un disparo casual, le penetró en el vientre. ¡Tenía que irse! ¡Su trabajo *no* estaba terminado!

Se volvió y echó a correr por entre las altas hierbas, arrancándose primero la chaqueta del uniforme y deteniéndose luego un instante para quitarse los pantalones. La sangre se le extendía por la camisa y las piernas empezaban a vacilarle. ¡Tenía que conservar las fuerzas! Debía cruzar el campo y llegar a un camino, encontrar un teléfono. ¡*Debía* hacerlo!

Reflectores. ¡De una torre, detrás de él! Estaba de nuevo en Checoslovaquia, en una prisión, corriendo a través del cercado, hacia una cerca, rumbo a la libertad. Un haz de luz pasó cerca, y como había hecho en la prisión de las afueras de Praga, se arrojó al suelo y permaneció inmóvil hasta que pasó. Se puso de pie con esfuerzo, sabiendo que estaba debilitándose, pero no podía detenerse. A la distancia había otras luces... ¡faroles callejeros! ¡Y otra cerca...! Libertad, *libertad*.

Con todos los músculos en tensión, brazo a brazo, escaló la cerca, sólo para verse ante los rollos de alambre de espino de la parte de arriba. No importaba. Con los que parecían los últimos restos de sus energías, se impulsó por encima de ellos, rasgándose la camisa y las carnes al caer al suelo. Permaneció allí, respirando profundamente, tomándose por turnos del vientre y del pecho. *¡Vamos! ¡Ahora!*

Llegó al camino; era una de esas avenidas descuidadas, angostas, que hay con frecuencia en derredor de los aeropuertos, sin urbanizaciones a causa del ruido. Pero pasaban coches a toda velocidad, por atajos que conocía la gente del lugar. Con torpeza, vacilante, entró en ella y levantó los brazos frente a un coche que se acercaba. Pero el conductor no quería saber nada con él. Se desvió hacia la izquierda y siguió de largo. Momentos más tarde se acercó un segundo coche, por su derecha; se mantuvo tan erguido como pudo y levantó la mano, en una señal civilizada de una persona en dificultades. El coche aminoró la marcha; se detuvo cuando el checo buscó la pistola en la funda.

–¿Cuál es el problema? –preguntó el hombre de uniforme naval sentado detrás del volante. Las alas doradas del distintivo indicaban que era un piloto.

–Me temo que he sufrido un accidente –contestó Varak–. Me salí del camino un kilómetro más atrás, por lo menos, y nadie se detuvo a ayudarme.

–Está bastante golpeado, amigo... Suba y lo llevaré al hospital. ¡*Cielos*, qué *barbaridad*! Venga, le daré una mano.

–No se preocupe, puedo arreglármelas –dijo Varak, y dio la vuelta por la parte de adelante. Abrió la portezuela y entró–. Si le ensucio el coche, le pagaré de buena gana por...

–Preocupémonos por eso dentro de un par de años. –El oficial naval embragó y avanzó, mientras el checo volvía a guardar en la funda la automática que no había sido vista.

–Muy amable –dijo Milos, y sacó del bolsillo un papel y la estilográfica, y en la oscuridad escribió breves palabras y números.

–Está muy herido, amigo. Aguante.

–Por favor, debo encontrar un *teléfono*. *¡Por favor!*

–El maldito seguro puede esperar, amigo.

–No, no es el seguro –balbuceó Varak–. Mi esposa. Me esperaba hace horas... Tiene problemas psicológicos.

–¿No los tienen todas? –dijo el piloto–. ¿Quiere que yo haga la llamada?

–No, muchas gracias. Interpretaría que se trata de una crisis mucho peor de lo que es en realidad. –El checo se arqueó en el asiento, con una mueca.

–Hay un puesto de venta de fruta, un kilómetro y medio más abajo. Conozco al dueño, y tiene un teléfono.

–No puedo agradecerle lo suficiente.

–Invíteme a cenar cuando salga del hospital.

El desconcertado dueño del puesto de fruta tendió a Varak el teléfono, mientras el oficial naval miraba, preocupado, a su pasajero herido. Milos discó el número del Hotel Westlake.

–¿Hola, *hola*? –gritó Khalehla, saliendo de un sueño profundo.

–¿Tienes una respuesta para mí?

–*¿Milos?*

–Sí.

–¿Qué pasa?

–No estoy muy bien, señorita Rashad. ¿Tienes una *respuesta*?

–¡Estás herido!

–*¡Contéstame!*

–Luz verde. Payton se apartará. Si Evan obtiene la nominación, le pertenece. Habrá comenzado la carrera.

–El es más necesario de lo que nunca podrás saberlo.

–No creo que él esté de acuerdo.

–¡*Tiene* que estarlo! Mantén libre tu línea. Te llamaré enseguida.

–¡*Estás* herido!

El checo cortó y volvió a discar.

–¿Sí?

–¿Sonidista?

–¿Praga?

–¿Cómo van las cosas?

–Terminaremos en un par de horas. La tipista tiene los audífonos puestos y está tecleando... La fatiga este horario de toda la noche.

–Sea cual fuere el costo, está... cubierto.

–¿Qué te pasa? Casi no te escucho.

–Un leve resfriado... Encontrarás diez mil en el buzón de tu estudio.

–Sí, vamos, no soy un ladrón.

–Pico alto, ¿recuerdas?

–*De veras*, pareces estar mal, Praga.

–Por la mañana, lleva todo al Westlake, Habitación Cincuenta y Uno. El nombre de la mujer es Rashad. Dáselo a ella.

–Rashad. Habitación Cincuenta y Uno. Lo tengo.

–Gracias.

–Escucha, si estás en dificultades házmelo saber, ¿de acuerdo? Quiero decir, si hay algo que pueda hacer...

–Tu coche está en el aeropuerto, en algún lugar de la Sección C –dijo el checo, y colgó. Levantó el auricular por última vez, y discó de nuevo–. Habitación Cincuenta y Uno –repitió.

–*¿Hola?*

–Recibirás... todo por la mañana.

–¿Dónde *estás*? ¡Déjame que te envíe ayuda!

–Por la... mañana. ¡Haz que le llegue al señor *B*!

–*Maldito* seas, Milos, ¿dónde *estás*?

–No tiene importancia... Comunícate con Kendrick. Puede que él lo sepa.

–¿Que sepa *qué*?

–Fotos... La mujer Vanvlanderen... Lausana, el Embarcadero Leman. El Beau-Rivage... los jardines. Y después Amsterdam, el Rozengracht. En el hotel... el estudio de ella. *¡Díselo!* El hombre es un *saudita*, y las cosas que le pasaron... ¡millones, *millones*! –Milos casi no podía hablar, le quedaba muy poco aliento. ¡Adelante, *adelante*!.– ¡Para la fuga... millones!

–¿De qué diablos estás *hablando*?

–¡Es posible que él sea la *clave*! No dejes que nadie se lleve las fotos... Y comunícate con *Kendrick*. ¡Es posible que él recuerde! –El checo perdió el dominio de sus movimientos. Giró con el teléfono hacia el mostrador, y no pudo encontrar la base para depositarlo. Luego cayó al suelo, delante de un puesto de frutas, en un camino lateral, más allá del aeropuerto de San Diego. Milos Varak estaba muerto.

38

Los titulares de la mañana, y los artículos conexos, opacaban todas las demás noticias. El Secretario de Estado y toda su delegación habían sido brutalmente asesinados en un hotel de Chipre. La Sexta Flota navegaba hacia la isla, con todas sus armas y aviones listos. La nación estaba anonadada, furiosa y no poco atemorizada. El horror de alguna incontrolable fuerza del mal parecía erguirse en el horizonte, empujando al país hacia el borde de un enfrentamiento en masa, y provocando al gobierno para que respondiese con el mismo horror y brutalidad. Pero en una muestra de rara brillantez geopolítica intuitiva, el Presidente Langford Jennings dominó la tormenta. Se puso en contacto con Moscú, y el resultado de esas comunicaciones había producido la condena simultánea de ambas superpotencias. El monstruoso suceso de Chipre fue calificado como un acto de terrorismo aislado, que enfurecía al mundo entero. De todas las capitales del mundo, aliadas o adversarias, llegaron palabras de alabanza y pena por un gran hombre.

Y en las páginas 2, 7 y 45, respectivamente, del *San Diego Union*, y 4, 50 y 51 de *Los Angeles Times*, figuraron los siguientes informes y servicios cablegráficos, mucho menos importantes.

> San Diego, 22/12.– La señora Ardis Vanvlanderen, jefa de personal del Vicepresidente Orson Bollinger, cuyo esposo, Andrew Vanvlanderen, murió ayer por efecto de una hemorragia cerebral, se quitó la vida, esta mañana temprano, según parece en un acto de congoja. Su

cadáver fue arrojado por las aguas a la playa de Coronado, y su muerte fue atribuida al hecho de haberse ahogado. En viaje al aeropuerto, su abogado, el señor Crayton Grinell, de La Jolla, la había dejado en el establecimiento funerario para que pudiese ver por última vez a su esposo. Según fuentes locales, la viuda se encontraba bajo una fuerte tensión, y se mostraba casi incoherente. Aunque la esperaba una limusina, se escurrió por una puerta lateral, y parece haber tomado un taxi hasta la playa de Coronado...

Ciudad de México, 22/12.– Eric Sundstrom, uno de los más destacados hombres de ciencia de Norteamérica, y creador de una complejísima tecnología del espacio, murió de una hemorragia cerebral mientras se hallaba de vacaciones en Puerto Vallarta. Por el momento se dispone de pocos detalles. En las ediciones de mañana se publicará un informe completo sobre su vida y su obra.

San Diego, 22/12.– Un hombre no identificado, sin documentos, pero que portaba un arma, murió de heridas de bala en un camino apartado, al sur del Aeropuerto Internacional. El capitán John Demartin, piloto de caza de la Armada de Estados Unidos, quien lo recogió, dijo a la policía que el hombre afirmaba haber sufrido un accidente automovilístico. Debido a la proximidad de un aeródromo privado adyacente al aeropuerto, las autoridades sospechan que la muerte puede haberse debido a problemas relacionados con drogas...

Evan voló a San Diego en el primer vuelo matutino de Denver. Había insistido en ver a Manny a las 6 de la mañana, y no fue posible impedírselo.

–Vas a estar bien –había mentido.

–Y tú eres un artista mediocre –replicó Weingrass–. ¿Adónde vas...?

–Khalehla. San Diego. Me necesita...

–¡Entonces vete de aquí! No quiero ver tu horrible cara un solo segundo más. Ve a ella, ayúdala. ¡Atrapa a esos malditos!

El viaje en taxi, del aeropuerto al hotel, en el tránsito de esa hora temprana, pareció interminable, y la situación no fue aliviada por el conductor, quien lo reconoció y mantuvo un torrente de parloteo vacío, salpicado de invectivas dirigidas contra todos los árabes y todas las cosas arábicas.

–Todos esos canallas tendrían que ser agarrados y fusilados, ¿no?

–Las mujeres y los niños también, por supuesto.

–*¡Exacto!* ¡Los chicos crecen, y las hembras producen más chicos!

–Esa es toda una solución. Hasta se la podría llamar la solución final.

–Es el único camino, *¿correcto?*

–Equivocado. Si se tiene en cuenta la cantidad de gente y el precio de las municiones, el costo sería demasiado elevado. Los impuestos aumentarían.

–¿De *veras*? Mierda, yo ya pago bastante. Tiene que haber alguna otra manera.

–Estoy seguro de que a usted se le ocurrirá alguna... Y ahora, si me perdona, tengo que leer una cosa. –Kendrick volvió a su ejemplar del *Denver Post* y a las terribles noticias de Chipre. Y enojado, o sintiendo que se lo había despreciado, el conductor encendió la radio. Una vez más, como en los periódicos, la cobertura giraba casi con exclusividad en torno del abominable acto de terrorismo en el Mediterráneo, con grabaciones en el lugar y repetidas entrevistas a figuras mundiales, en varios idiomas traducidos, que condenaban el acto de barbarie. Como si una muerte tuviera que seguir a otra, Evan, anonadado, escuchó las palabras del locutor:

"Aquí, en San Diego, se produjo otra tragedia. La señora Ardis Vanvlanderen, jefa de personal del Vicepresidente Bollinger, fue encontrada muerta, esta mañana temprano, cuando su cuerpo fue arrojado a la playa, en Coronado, en un aparente suicidio..."

Kendrick se lanzó hacia adelante, en el asiento... *¿Ardis? ¿Ardis Vanvlanderen...?* ¡Ardis *Montreaux*! ¡Las Bahamas... un disoluto especulador de poca monta, de Inversiones Off Shore, decía que Ardis Montreaux se había casado con un californiano adinerado! *¡Cielos!* Por eso Khalehla había volado a San Diego. Mitchell Payton había encontrado a la "perra del dinero"... ¡la jefa de personal de Bollinger! El locutor continuó con especulaciones acerca de la congoja de la reciente viuda, especulaciones que Kendrick encontró sospechosas.

Cruzó el vestíbulo del hotel y tomó el ascensor hasta el quinto piso. Mirando las flechas numeradas, se dirigió por el pasillo hacia la habitación de Khalehla, ansioso y deprimido a la vez: ansioso por verla y abrazarla; deprimido por Manny, por la matanza en masa de Chipre, por *tantas* cosas, pero principalmente por Emmanuel Weingrass, víctima establecida para el asesinato. Llegó a la puerta y golpeó cuatro veces, y oyó el ruido de pasos a la carrera, adentro, antes de retirar la mano. La puerta se abrió, y ella estuvo en sus brazos.

–Mi Dios, te amo –susurró él en el cabello oscuro de ella, con palabras precipitadas–. ¡Y todo es tan podrido, tan condenadamente *podrido*!

–Rápido. Adentro. –Khalehla cerró la puerta y volvió a él, tomándole la cara con las manos.– ¿Manny?

–Tiene entre tres y seis meses de vida –respondió Evan, con voz apagada–. Está agonizando por un virus que no habría podido tener, a no ser por una inyección.

–El inexistente doctor Lyons –dijo Rashad, con tono declarativo.

–Lo encontraré, aunque necesite veinte años para hallarlo.

–Tendrás toda la ayuda que pueda darte Washington.

–Las noticias son podridas en todas partes. Chipre, el mejor hombre de la administración hecho pedazos...

–El punto de convergencia está aquí, Evan. Aquí, en San Diego.

–¿Cómo?

Khalehla retrocedió y lo tomó de la mano, llevándolo, a través de la habitación, hacia donde había dos sillones, con una mesita redonda entre ellos.

–Siéntate, querido. Tengo muchas cosas que decirte, que no podía decirte antes. Y después hay algo que debes hacer... por eso te pedí que vinieras.

–Creo que conozco una de las cosas que me dirás –dijo Kendrick mientras se sentaba–. Ardis Montreaux, la viuda de Vanvlanderen. Lo escuché por la radio; dicen que se suicidó.

–Lo hizo cuando se casó con su difunto esposo.

–Viniste a verla a ella, ¿verdad?

–Sí. –Rashad asintió mientras se sentaba.– Lo oirás y lo leerás todo. Hay cintas y transcripciones de todo eso; me las entregaron hace una hora.

–¿Y qué hay de lo de Chipre?

–La orden salió de aquí. De un hombre llamado Grinell.

–Nunca lo oí mencionar.

–Pocos lo conocen... Evan, es mucho peor de lo que podríamos imaginar.

–¿Lo supiste por Ardis?... Sí, ella era Ardis, y yo soy Evan.

–Lo sé. No, no por ella; con ella sólo tuvimos una visión general, y fue bastante aterradora. Nuestra fuente principal es un hombre que fue asesinado ayer por la noche, cerca del aeropuerto.

–Por Dios, *¿quién?*

–El europeo rubio, querido.

–*¿Qué?* –Kendrick se derrumbó contra el respaldo, con el rostro arrebatado.

–No sólo grabó *mi* entrevista, sino una conversación posterior, que lo hizo saltar todo. Aparte de Grinell, no tenemos nombres, pero podemos armar un cuadro, como en un rompecabezas con figuras borrosas, y es aterrador.

–Un gobierno dentro del gobierno –dijo Evan con voz baja–. Esas fueron las palabras de Manny. "Los criados que dirigen la casa del amo."

–Como de costumbre, Manny tiene razón.

Kendrick se levantó y fue hacia una ventana; se apoyó en el alféizar y miró hacia afuera.

–El rubio, ¿quién era?

–Nunca lo supimos, pero fuese quien fuere, murió mientras nos hacía llegar la información.

–El legajo de Omán. ¿Cómo lo *obtuvo* él?

–No quiso decírmelo, fuera de afirmar que su fuente era una buena persona, que te apoyaba para un cargo político más elevado.

–¡Eso no me dice *nada*! –gritó Evan, girando de golpe, de espaldas a la ventana–. ¡Tiene que haber *más*!

–No lo hay.

–¿Tenía él alguna idea de lo que ellos *hicieron*? ¡De las vidas que se perdieron, de la *carnicería*!

–Dijo que se apenaba por los errores de juicio más que ningún otro. No sabía que su congoja duraría apenas un par de horas.

–*¡Maldición!* –rugió Kendrick a las paredes de la habitación–. ¿Y qué hay de ese Grinell? ¿Lo atraparon?

–Desapareció. Su avión salió de San Diego, en viaje a Tucson. Nadie supo nada de él hasta la mañana. Estuvo en tierra durante una hora, más o menos, y después partió sin presentar un plan de vuelo... por eso lo descubrimos.

–De esa manera, los aviones pueden chocar.

–No, si entran en el tránsito aéreo mexicano, a través de la frontera. MJ tiene la idea de que la seguridad de Grinell puede haber descubierto los vehículos federales que lo esperaban cerca de su casa de La Jolla.

Evan volvió a la mesa y se sentó; era un hombre agotado, vencido.

–¿Adónde vamos ahora?

–Abajo, al apartamento de Vanvlanderen. Nuestro europeo quería que vieras algo... fotos, en realidad. No *sé* por qué, pero dijo que el hombre era un saudita, y que tal vez recordarías. Algo relacionado con millones y una fuga. Hemos sellado el apartamento. Nadie entra o sale, según los reglamentos de la seguridad nacional, dado que ella era jefa de personal de Bollinger, y podría haber documentos confidenciales.

–Está bien, vamos.

Tomaron el ascensor para bajar al tercer piso, y se acercaron a la puerta del apartamento de la Vanvlanderen. Los dos agentes de policía uniformados, armados, asintieron cuando el hombre de la izquierda se volvió. Insertó la llave y abrió la puerta.

–Es un honor conocerlo, congresal –dijo el agente de la derecha, y le tendió impetuosamente la mano.

–El placer es mío –dijo Kendrick; estrechó la mano y entró.

–¿Qué se siente, cuando uno es tan célebre? –preguntó Khalehla al cerrar la puerta.

–No es cómodo, ni agradable –respondió Evan mientras cruzaban el vestíbulo de mármol y bajaban al salón en desnivel–. ¿Dónde están las fotos?

–El no lo dijo en forma específica... sólo que estaban en la oficina de ella, y que encontrarías las tomadas en Lausana, Suiza, y en Amsterdam.

–Allí –dijo Kendrick, al ver una lámpara de escritorio encendida, en una habitación de la izquierda–. Ven.

Cruzaron la habitación alfombrada, en dirección al estudio. Evan adaptó la visión al interior poco iluminado, y cruzó hacia otra lámpara y la encendió. Las fotos en un ordenamiento zigzagueante aparecieron a la vista.

–Por Dios, ¿cómo empezamos? –dijo Khalehla.

–Con lentitud y cuidado –respondió Kendrick; pasó por alto enseguida el tablero de la izquierda y se concentró en la pared de la derecha–. Esto es Europa –dijo, recorriéndola con la mirada–. Eso es Lausana –agregó, deteniéndose en dos personas, en una instantánea ampliada, con el Embarcadero Leman en segundo plano–. Es Ardis... no, no puede ser.

–¿Qué no puede ser?

–Espera un momento. –Siguió el orden hasta la parte inferior derecha, concentrándose en otra ampliación enmarcada, en la cual las caras se veían con más claridad.– Otra vez Lausana. Esta es en los jardines del Beau-Rivage... ¿Es *posible*?

–Es... ¿qué?... El mencionó el Beau-Rivage, el rubio, quiero decir. Y también Amsterdam, el rosa no sé cuántos.

–El Rozengracht. Aquí está. –Kendrick señaló una foto en la cual las dos caras eran más nítidas aún, más claras.– ¡Dios mío, es él!

–*¿Quién?*

–Abdel Hamendi. Lo conocí años atrás, en Riyadh. Era ministro de los sauditas, hasta que la familia lo sorprendió trabajando por su cuenta, ganando millones con falsos arriendos y contratos *erzats*. Debía ser ejecutado en público, pero salió del país... Dicen que se construyó una fortaleza en los Alpes, cerca de Divonne, y se dedicó al corretaje de un nuevo negocio. Armamentos. Me dicen que se ha convertido en el más poderoso traficante de armas del mundo entero, y el menos conocido.

–Ardis Vanvlanderen mencionó a Divonne en la segunda cinta. Era una referencia rápida, pero ahora tiene sentido.

Evan retrocedió y miró a Khalehla.

–Los instintos de nuestro europeo muerto eran correctos. No recordaba los detalles, pero vio la sangre sobre Hamendi con tanta seguridad como si brotara de esa foto... Un gobierno dentro del gobierno, que trata con una casa de corretaje global de todas las armas ilícitas del mundo. –De pronto frunció el ceño, con expresión de sobresalto.– ¿Todo está vinculado con *Bollinger*?

–El europeo dijo que no había manera de saberlo. ¿Qué sabe, o qué no sabe? Una sola cosa es segura. Es el punto de encuentro de los contribuyentes políticos más importantes del país.

–Por Dios, están bien afirmados...

–Y hay algo más que deberías saber. El esposo de Ardis Vanvlanderen fue quien estableció el contacto con los terroristas. El dispuso los ataques a tus casas.

–*¡Cielos!* –rugió Evan–. *¿Por qué?*

–Por ti –respondió Khalehla con voz suave–. Tú eras el blanco; quería matarte. Actuó solo... por eso su esposa fue asesinada cuando los otros se enteraron; para cortar toda vinculación con ellos... pero todos te temen. A partir de la próxima semana habrá una campaña nacional para ubicarte en la fórmula, en remplazo de Bollinger, como nuevo Vicepresidente.

–¿La gente del europeo rubio?

–Sí. Y los hombres que rodean a Bollinger no pueden tolerar eso. Creen que los expulsarás, que reducirás su influencia a cero.

–Voy a hacer más que eso –dijo Evan–. Voy a sacarlos, a arrancarlos... ¡Chipre, Fairfax, Mesa Verde... *canallas*! ¿Quiénes son? ¿Hay una lista?

–Podemos compilar una con muchos nombres, pero no sabemos quién está complicado y quién no.

–Averigüémoslo.

–¿Cómo?

–Voy a penetrar en el terreno de Bollinger. Van a ver a otro congresal Kendrick... a uno que no es posible comprar para excluirlo de una fórmula nacional.

Mitchell Payton miró por la ventana, desde su escritorio de Langley, Virginia. Había tanto en que pensar, que no podía pensar en las Navidades, y eso, en menor escala, era una bendición. No tenía quejas contra la vida que había elegido, pero Navidad era un poco molesta. Tenía dos hermanas casadas, en el Medio Oeste, y un surtido de sobrinos y sobrinas, a quienes había enviado los regalos habituales, adecuadamente adquiridos por su secretaria de muchos años, pero no tenía deseos de unirse a ellos para las fiestas. Lisa y llanamente, no había mucho que hablar entre ellos; hacía demasiado tiempo que estaba al otro lado del mundo, para conversaciones sobre un depósito de maderas y una firma de seguros, y por supuesto, no podía decir nada acerca de su propio trabajo. Además, los chicos, casi todos ellos crecidos, eran un grupo nada notable, no había entre ellos uno solo con alguna cultura, y eran inflexibles en su obediencia colectiva a los decretos paternos respecto de una buena vida estólida de seguridad financiera. Era mejor dejarlos. Quizá por eso gravitaba hacia su sobrina ficticia, Adrienne Rashad... sería mejor que se habituara a llamarla Khalehla, pensó. Formaba parte de su mundo, en modo alguno por elección de él, pero aun así lo integraba, y en forma destacada. Payton deseó por un momento que estuvieran todos de nuevo en El Cairo, cuando los Rashad insistían en que concurriese a sus cenas navideñas, con un árbol brillantemente decorado y todo, y discos del Coro del Tabernáculo Mormón, que cantaba villancicos.

–De veras, MJ –exclamaba la esposa de Rashad–, yo soy de California, ¿recuerdas? ¡Soy la de tez clara!

¿Dónde habían quedado esos días? ¿Volverían alguna vez? Por supuesto que no. En Navidad, cenó solo.

Sonó el teléfono rojo de Payton. Lo tomó con un movimiento rápido de la mano.

–¿Sí?

–Está *loco* –exclamó Adrienne-Khalehla–. ¡Quiero decir que está *chiflado*, MJ!

–¿Te rechazó?

–Termina con eso. ¡Quiere ir a ver a *Bollinger*!

–¿Con qué razones?

–¡Para hacerle una jugarreta! ¿Puedes *creerlo*...?

–Podría, si fueras un poco más clara...

Hubo un evidente tironeo en el teléfono, mientras se intercambiaban varias obscenidades, a gritos.

–Mitch, habla Evan.

–Ya me di cuenta.

–Voy a penetrar.

–¿Entre los de Bollinger?

–Es lógico. Lo mismo hice en Mascate.

–Se puede ganar una y después perder otra, joven. Una vez triunfante, dos veces quemado. Esa gente juega recio.

–También yo. Los *quiero*. Y los tendré.

–Te monitorearemos...

–*No*, tengo que hacerlo *solo*. Ellos tienen lo que ustedes llaman equipamiento... ojos por todos lados. Tengo que jugar por mi cuenta, y el argumento consiste en que se me puede convencer de que desaparezca de la política.

–Es una contradicción demasiado grande respecto de lo que he visto de ti, de lo que he oído de ti. No resultaría, Kendrick.

–Resultará, si les digo una parte de la verdad... y una parte muy esencial.

–¿Que es cuál, Evan?

–Que hice lo que hice en Omán, estrictamente por interés personal. Iba a volver para recoger lo que quedara, para ganar todo ese dinero que había dejado a un costado. Es algo que ellos entenderán, que entenderán muy *bien*.

–No es suficiente. Harán muchas preguntas, y querrán confirmar tus respuestas.

–No hay nada que no *pueda* contestar –interrumpió Kendrick–. Todo formará parte de la verdad, todo se podrá confirmar con facilidad. Estaba convencido de que sabía quién se encontraba detrás de los palestinos, y por qué... El había usado la misma táctica en mi compañía: la verdad. Yo tenía vinculaciones con los hombres más poderosos del Sultanato, y plena protección del gobierno. Que lo confirmen con el joven Ahmat, a él le encantará aclarar eso, todavía se siente fuera de quicio. Y de nuevo la verdad, cuando estuve en el cercado de prisioneros, donde la policía me vigilaba minuto a minuto... Mi objetivo fue siempre conseguir la información, que sabía que existía, para atrapar a un maniático que se hacía llamar el Mahdí. La *verdad*.

–Estoy seguro de que existen brechas en las cuales pueden tenderte una zancadilla –dijo Payton, mientras tomaba notas que después destruiría.

–Ninguna en la cual no pueda pensar, y eso es lo único que importa. He escuchado la cinta europea; tienen miles de millones en juego para los próximos cinco años, y no pueden permitirse el lujo de debilitar su statu quo ni en una pizca. No importa que se equivoquen, pero me ven como una amenaza para ellos, cosa que muy bien podría ser, en circunstancias diferentes...

–¿Cuáles serían esas circunstancias, Evan? –interrumpió el hombre de más edad, desde Langley.

–¿Cuáles...? Si me quedase en Washington, me imagino. Perseguiría a todos los hijos de puta que meten las manos en las arcas del gobierno, y que inventan maneras de eludir las leyes por unos cuantos millones aquí y unos cuantos allá.

–Un verdadero Savonarola.

–No hay fanatismo, MJ, sólo un contribuyente muy enojado, que está harto de todas esas tácticas de gritar para provocar miedo, destinadas a desangrar a los contribuyentes, por ganancias excesivas... ¿Dónde estaba?

–Una amenaza para ellos.

–En efecto. Quieren sacarme de en medio, y yo los convenceré de que estoy dispuesto a irme, que no quiero tener nada que ver con esa campaña para ponerme en la fórmula... pero que tengo un problema.

–Supongo que ése es el toque.

–Primero y principal, soy un hombre de negocios, un ingeniero de construcciones, por educación y profesión, y que el cargo de Vicepresidente me daría una postura global que no podría disfrutar sin lo otro. Soy relativamente joven, dentro de cinco años no habría pasado todavía de la cuarentena, y como ex Vicepresidente tendré la influencia y el respaldo financiero accesibles en todo el mundo. Resulta una perspectiva muy tentadora para un constructor internacional que tiene la intención de volver al sector privado... ¿Cuál te parece que sería la reacción de Bollinger y sus asesores, MJ?

–¿Cuál, si no? –dijo el director de Proyectos Especiales–. Estás emulando las voces de ellos mismos, con el toque meloso correcto. Te ofrecerán un atajo de cinco años, con todos los recursos financieros que necesites.

–Eso es lo que pensé que dirías, y eso es lo que creo que dirán ellos. Pero una vez más, como cualquier negociador decente, que ha ganado bastante dinero en su momento, tengo otro problema.

–Me falta tiempo para escucharlo, joven.

–Necesito pruebas, y las necesito enseguida, para poder rechazar con firmeza a la convención de Denver que está preparando a Chicago para la semana que viene. Rechazarla antes que levante vuelo, y después tal vez no se la pueda dominar.

–¿Y la prueba que necesitas es algún tipo de compromiso general?

–Soy un hombre de negocios.

–Ellos también lo son. No pondrán nada por escrito.

–Eso es negociable entre hombres de buena voluntad. Quiero una reunión de toma de decisiones, con los jefes. Expondré mis planes, vagos como son, y ellos podrán responder. Si me convencen de que son dignos de confianza, actuaré en consonancia con ello... Y creo que serán muy convincentes, pero para entonces ya no importará.

–Porque conocerás el núcleo –convino Payton, sonriente–. Sabrás quiénes son. Debo decir, Evan, que todo parece factible, y aun notablemente factible.

–Pura y simple práctica comercial, MJ.

–Pero *yo* tengo un problema. Al principio no creerán que piensas volver allá. Pensarán que mientes. Todo el Medio Oriente es demasiado inestable.

–No dije que volvería la semana que viene. Dije "algún día", y Dios sabe que no mencionaría el Mediterráneo. Pero hablaré de los Emiratos y de Bahrein, de Kuwait y Qatar, y aun de Omán y Arabia Saudita, de todos los lugares de los golfos donde actuaba el Grupo Kendrick. Y a medida que la OPEP arme su tinglado, habrá negocios y ganancias como de costumbre. Lo mismo que cualquier organización de construcción de Europa Occidental, quiero parte de esa acción, y quiero estar preparado para ella. He vuelto al sector privado.

–Cielos, eres muy persuasivo.

–Y en términos de negocios, tampoco estoy muy lejos del blanco... Tengo lo que hace falta para jugar, Mitch. Voy a penetrar.

–¿Cuándo?

–Llamaré a Bollinger dentro de unos minutos. No creo que rechace mi llamada.

–No es probable. Langford Jennings le quemaría el trasero.

–Quiero darle varias horas para reunir a su rebaño, por lo menos a los pocos con quien puede contar. Pediré una reunión para esta tarde, a última hora.

–Que sea por la noche –corrigió el ejecutivo de la CIA–. Después del horario comercial, y sé explícito. Dile que quieres una entrada privada, lejos de su personal y de la prensa. Yo transmitiré tu mensaje.

–Eso es muy bueno, MJ.

–Sólida práctica comercial, parlamentario.

El capitán John Demartin, de la Armada de Estados Unidos, estaba de jeans y remera, aplicando generosas porciones de líquido quitamanchas en el tapizado del asiento delantero de su coche, tratando, con muy poco éxito, de eliminar las manchas de sangre. Haría falta un trabajo profesional, determinó, y hasta entonces tendría que decirles a los chicos que había derramado un poco de refresco de cereza en el viaje a casa, desde el aeródromo. De todos modos, cuanto más redujese las manchas menor sería el costo... Esa era su esperanza.

Demartin había leído el informe, en el *Union* de la mañana, que lo identificaba por su nombre y afirmaba que el hombre herido a quien recogió era un caso de drogas; pero el piloto no estaba convencido de ello. No tenía tratos con ningún traficante, pero no podía imaginar que fuesen muchos los que tuviesen la cortesía de pagar por haber manchado un asiento. Daba por sentado que cuando estaban heridos, esos hombres eran presa de pánico, no se dominaban tanto, no se mostraban tan corteses.

Presionó y volvió a frotar la parte posterior del asiento. Sus nudillos tocaron algo, algo instantáneamente flexible. Era una anotación. La sacó y la leyó, descifrando la escritura por debajo de las manchas de sangre.

Urg. Max. seg. Contac. rel. 3016211133 Term S

Las últimas letras se arrastraban como si no quedaran fuerzas para escribirlas. El oficial naval se arrastró fuera del asiento y se detuvo en el camino para coches, estudiando la nota; luego fue por el sendero de lajas hasta la puerta del frente. Entró, pasó al salón y levantó el auricular; sabía a quien llamar. Momentos más tarde, una secretaria lo comunicaba con el jefe de inteligencia de la base.

–Jim, habla John Demartin...

–Eh, he leído lo del loco episodio de esta noche. Lo que algunos aviadores son capaces de hacer por un poco de hierba... ¿Me vas a llevar a la excursión de pesca, el sábado?

–No, te llamo por lo de ayer a la noche.

–¿Sí? ¿Por qué?

–Jim, no sé quién o qué era ese tipo, pero no creo que tuviese nada que ver con drogas. Y después, hace unos minutos, encuentro una nota arrugada, en el asiento que ocupó él. Está un poco ensangrentada, pero deja que te la lea.

–Adelante, tengo un lápiz a mano.

El oficial naval leyó las palabras, letras y números torpemente escritos.

–¿Tiene algún sentido? –preguntó al terminar.

–Podría... ser –respondió lentamente el jefe de inteligencia; era evidente que releía lo que había escrito–. John, descríbeme lo que pasó esa noche, ¿quieres? El artículo periodístico era bastante escueto.

Demartin lo hizo así, comenzando por la observación de que si bien el hombre rubio hablaba con un inglés excelente, tenía acento extranjero. Terminó con el peatón desplomado ante el puesto de fruta.

–Y eso es todo.

–¿Te parece que sabía que estaba herido de gravedad?

–Si no lo sabía él, lo sabía yo. Traté de no detenerme por el teléfono, pero él insistió... quiero decir que *suplicó*, Jim. No tanto de palabra, como con los ojos... No olvidaré sus ojos durante mucho tiempo.

–Pero no te cabía duda de que volvería al auto.

–En absoluto. Creo que quería hacer una última llamada; aun cuando cayó trató de tomar el teléfono del mostrador, pero volvería.

–Quédate dónde estás. Te llamaré enseguida.

El piloto colgó y fue a una ventana de atrás, que daba a la pequeña piscina y a un patio exterior. Sus dos hijos chapoteaban y se hablaban a gritos, mientras su esposa se encontraba reclinada en una silla de tijera, leyendo el *Wall Street Journal*, práctica por la cual él se sentía agradecido. Gracias a ella, podían vivir un tanto por encima de las posibilidades del salario de él. Sonó el teléfono; volvió a él.

–¿Jim?

–Sí... John, seré tan claro como pueda, y eso no será demasiado claro, Aquí hay un tipo de Washington, en préstamo, que está más familiarizado que yo con estas cosas, y esto es lo que quiere que hagas... Oh, caramba.

–¿Qué es?

–Quema la nota y olvídate de ella.

El agente de la CIA, de traje arrugado, tomó el atadito amarillo de M y M, con el auricular apretado contra la oreja izquierda.

–¿Tienes todo eso? –preguntó Shapoff, conocido además como Pan de Jengibre.

–Sí –respondió MJ Payton, con la palabra estirada como si la información fuese a la vez desconcertante y asombrosa.

–Tal como yo lo entiendo, ese tipo, fuese quien fuere, combinó "urgente" con "máxima seguridad", calculando que si no llegaba, ese oficial naval tendría la sensatez de llamar a Seguridad de la Base, antes que a la policía.

–Y eso fue exactamente lo que hizo –convino MJ.

–Entonces Seguridad se comunicaría con "contacto de relevo" y entregaría el mensaje, pensando que sería transmitido a la gente que correspondía.

–Siendo el mensaje que alguien que tenía el nombre de código *S* había sido "terminado".

–¿Tenemos una operación de código S?

–No.

–Tal vez es la Oficina del Tesoro.

–Lo dudo –dijo Payton.

–¿Por qué?

–Porque en este caso el relevo es la última etapa. El mensaje no habría ido más allá.

–¿Cómo sabes eso?

–El código de área tres-cero-uno es Maryland, y por desgracia reconozco el número. No figura en el listín, y es muy privado.

Payton se reclinó contra el respaldo, y entendió, por un instante, lo que sentían los alcohólicos cuando pensaban que no podrían soportar la hora siguiente sin un trago, lo cual representaba el alejamiento, en un paso, de la realidad. ¡Cuán ridícula, ilógicamente *lógico*! La voz escuchada por los oídos de presidentes, un hombre de quien los líderes de la nación sabían que los intereses de la nación se encontraban siempre en el primer plano de su profundo pensamiento, sin temores, sin favoritismos, con la objetividad como una constante... Había elegido el futuro. Había elegido a un parlamentario poco conocido, pero destacado, con algo que contar que podía hipnotizar al país. Había guiado a su príncipe ungido por el laberinto político, hasta que el novato designado surgió a la luz solar de los medios; y ya no era un aprendiz, sino un hombre activo, a quien era preciso tener en cuenta. Y entonces, con la velocidad y la audacia de un rayo, se contó la *historia*, y la nación, y en verdad una buena parte del mundo, quedaron ateridos. Se había puesto en movimiento una ola gigantesca, que llevó al príncipe a un terreno en el cual nunca había pensado, un terreno de poderío, una casa real de abrumadoras responsabilidades. La Casa Blanca. Samuel Winters había violado las reglas, y, cosa mucho peor, con un enorme costo de vidas. El señor A no había caído del cielo en una crisis. El europeo rubio había trabajado sólo para el augusto Samuel Winters.

El director de Proyectos Especiales levantó el auricular y tocó con suavidad los números de su consola.

–Doctor Winters –dijo, en respuesta a la única palabra, *Sí*–. Habla Payton.

–Ha sido un día terrible, ¿no es cierto, doctor?

–Ese es un título que ya no uso. Hace años que no lo empleo.

–Qué pena. Era un gran erudito.

–¿Ha tenido noticias del Señor A desde ayer por la noche?

–No... Aunque su información fue trágicamente profética, no habría motivos para que me llamara. Como le dije, Mitchell, el hombre que lo emplea –un conocido mucho más lejano que usted– sugirió que se comunicara conmigo... tal como hizo usted. Mi reputación va más allá de mi presunta influencia.

–Gracias a usted he visto al Presidente –dijo Payton, y cerró los ojos ante las mentiras del viejo.

–Bien, sí. La noticia que usted me hizo conocer era devastadora, como la del señor A. En el caso de él, como es lógico, pensé en usted. No estaba seguro de si Langford o su gente poseían la experiencia que tiene usted...

–Es evidente que yo no la tenía –interrumpió MJ.

–Tengo la certeza de que hizo todo lo que pudo.

–Volvamos al señor A, doctor Winters.

–¿Sí?

–Ha muerto.

La exclamación contenida fue como una sacudida eléctrica en la línea. Pasaron varios segundos antes de que Winters hablase, y cuando lo hizo su voz era apagada.

–¿Qué está *diciendo*?

–Ha muerto. Y alguien a quien usted conoce con el nombre de código *S* ha sido asesinado.

–¡Oh *Dios* mío! –susurró el vocero de Inver Brass, y el susurro fue como un trémulo eco de sí mismo–. ¿Cómo le ha llegado esa información?

–Me temo que no puedo comunicárselo, ni siquiera a usted.

–¡*Maldición*, yo le di a *Jennings*! ¡Al Presidente de Estados Unidos!

–Pero no me dijo por qué, doctor. No me explicó que su principal preocupación, su preocupación absoluta, era el hombre a quien había elegido. Evan Kendrick.

–*¡No!* –protestó Winters, tan cerca de un grito de negación como pudo lograrlo–. ¡No debe ocuparse de esas cosas, no son asunto suyo! No se ha violado ley alguna.

–Me agradaría pensar que usted lo cree así, pero en ese caso me temo que está muy equivocado. Cuando se contrata el talento de alguien como su europeo, no puede hacer abstracción de los métodos de él... Y tales como los hemos reconstruido, abarcan la presión política por medio de la extorsión, la corrupción del proceso legislativo, el robo de documentos de clasificación máxima y la provocación indirecta de la muerte y la mutilación de gran cantidad de personal del gobierno... y por último el asesinato. El nombre de *S* ha terminado.

–¡Oh *Dios*...!

–Ese es el papel que usted ha estado representando...

–No entiendes, Mitchell, ¡las cosas no *ocurrieron* así!

–Al contrario, ésa es la forma exacta en que ocurrieron.

–No sé nada de eso, *tiene* que creérmelo.

–Se lo creo, porque empleó a profesionales consumados para que obtuviesen resultados, no para que le dieran explicaciones.

–¡"Empleó" es un término demasiado simplista! Era un hombre abnegado, que tenía su propia misión en la vida.

–Así me lo han dicho –interrumpió Payton–. Provenía de un país a cuyo pueblo se le había arrebatado el gobierno.

–¿Y qué le parece que está ocurriendo *aquí*? –dijo el líder de Inver Brass, con palabras ahora dominadas, pero cuyo significado resultaba claro en su profundidad.

Pasaron varios momentos antes que MJ respondiese, con los ojos de nuevo cerrados.

–Lo sé –dijo con tono suave–. También eso estamos reconstruyéndolo.

–Mataron al Secretario de Estado y a toda la delegación, en Chipre. No tienen conciencia, ni fidelidad a otra cosa que no sea su propia riqueza y su poderío en constante crecimiento... ¡Yo no quiero nada, *nosotros* no queremos nada!

–Entiendo. No lo obtendrían, si lo quisieran.

–Por eso fue elegido él, Mitchell. Encontramos a ese hombre extraordinario. Es demasiado perspicaz para ser engañado, y demasiado honrado para comprarlo. Además, posee los requisitos personales para atraer la atención.

–No encuentro defectos en su elección, doctor Winters.

–¿En qué quedamos, entonces?

–En un dilema –contestó Payton–. Pero por el momento es mío, no de usted.

7 y 25 de la tarde,
San Diego.

Se abrazaban; Khalehla se recostó y le tocó el cabello mientras lo miraba.

–Querido, ¿podrás hacerlo?

–Olvidas, *ya anisa*, que me he pasado la mayor parte de mi provechosa vida tratando con la propensión árabe a la negociación.

–Eso era negociar, con exageración, es claro, no *mentir*, no sostener una mentira delante de personas que sospecharán de todo lo que digas.

–Tendrán una desesperada necesidad de creerme; esos son dos puntos para nuestro lado. Además, una vez que los vea y me encuentre con ellos, me importará realmente un comino lo que piensen.

–No te aconsejo que pienses de esa manera, Evan –dijo Rashad, bajando la mano y apartándose–. Hasta que los tengamos, y eso incluye determinados grados de evidencias cuya pista se pueda seguir, operarán como acostumbran a hacerlo... en forma baja y sucia. Si por un momento piensan que se trata de una trampa, podrías ser hallado en una playa, arrojado por el mar, o tal vez no encontrado, perdido en algún lugar del Pacífico.

–Como en los bajíos de Qatar, infestados de tiburones –asintió Kendrick, recordando a Bahrein y el Mahdí–. Entiendo lo que quieres decir. Entonces dejaré muy claro que mi oficina sabe dónde me encuentro esta noche.

–No ocurriría esta noche, querido. Bajo y sucio no quiere decir estúpido. Habrá una mescolanza allí... algunos integrantes legítimos del personal y varios miembros del gabinete privado de Bollinger. Viejos amigos que actúan como asesores... en ellos tienes que concentrarte. Usa tu reconocida frialdad, y muéstrate convincente. No dejes que nada te desconcierte.

Sonó el teléfono, y Evan se dirigió hacia él.

–Es la limusina –dijo–. Gris, con ventanillas de vidrios ahumados, como corresponde a la residencia del Vicepresidente en las colinas.

8 y 07,
San Diego.

El hombre delgado cruzó con paso rápido la terminal del aeropuerto de San Diego, una chaqueta colgada del hombro derecho, un maletín negro, de médico, en la mano izquierda. Las puertas automáticas, de vidrio, del sector de taxis, se abrieron cuando pasó por ellas al pavimento de hormigón. Se detuvo un instante, y luego se encaminó al primero de una fila de taxis que aguardaban a los pasajeros. Abrió la portezuela mientras el conductor apartaba un semanario sensacionalista que leía.

–Supongo que está libre –dijo el nuevo pasajero con sequedad mientras se introducía en el vehículo, tirando el bolso en el asiento y depositando su maletín médico en el suelo.

–No hago viajes de más de una hora, amigo. Ahí es cuando termina mi turno.

–Alcanzará.

–¿Adónde vamos?

–A las colinas. Conozco el trayecto. Yo lo orientaré.

–Necesito una dirección, amigo. Es la ley.

–¿Qué le parece la residencia en California del Vicepresidente de Estados Unidos? –preguntó el pasajero, irritado.

–Es una dirección –respondió el chofer, sin impresionarse.

El taxi arrancó con una sacudida planificada y malévola, y el hombre conocido por poco tiempo en el sudoeste de Colorado como doctor Lyons resultó impulsado hacia el respaldo. Pero no prestó atención al insulto, ya que su cólera empañaba todas sus percepciones normales. ¡Era un hombre con quien se tenía una *deuda*, un hombre que había sido engañado!

39

Las presentaciones fueron breves, y Kendrick tuvo la clara impresión de que no todos los nombres o títulos eran totalmente exactos. Debido a ello, estudió cada uno de los rostros, como si estuviese a punto de trasladarlos a un lienzo que era incapaz de pintar. Khalehla había estado en lo cierto, el consejo de siete *era* una mescolanza, pero no tan difícil de discernir como pensaba. Un integrante del personal que ganaba de treinta a cuarenta mil dólares por año no se vestía o comportaba como alguien que gastaba esas sumas en una visita de fin de semana a París... o a Divonne. Juzgó que el personal se encontraba en minoría: tres ayudantes oficiales contra cuatro asesores de afuera... el gabinete privado de California.

El Vicepresidente Orson Bollinger era un hombre de mediana estatura, mediana contextura, mediana edad, y aquejado de una voz de registro mediano, que se ubicaba entre los estrechos parámetros de lo desechable y lo convincente. Era... bueno, mediano, el ideal para un segundo puesto de mando, siempre que el Número Uno gozara de eminente buena salud y vigor. Se lo percibía en forma vaga como un obsecuente que, tal vez, podía ponerse a la altura de las circunstancias, pero sólo tal vez. No era un peligro, ni un hombre estúpido. Era un sobreviviente político porque entendía las reglas no escritas de los "también fueron candidatos". Saludó con calidez al parlamentario Kendrick, y lo condujo a su impresionante biblioteca privada, donde se encontraba reunida su "gente", sentada en diversos sillones y sofás de cuero oscuro.

–Aquí hemos suprimido nuestras festividades de Navidad –dijo Bollinger, sentándose en el sillón más destacado, e indicando a Evan que se sentara a su lado–, por deferencia a los queridos Ardis y Andrew. Una tragedia tan terrible, dos personas tan magníficamente patrióticas. Ella no podía vivir sin él, sabe. Para entenderlo, habrían tenido que verlos juntos.

Movimientos afirmativos de cabeza y gruñidos de asentimiento en toda la habitación.

–Entiendo, señor Vicepresidente –dijo Kendrick con tono de tristeza–. Como sin duda sabe, conocí a la señora Vanvlanderen hace muchos años, en Arabia Saudita. Era una mujer notable, y tan sensible...

–No, congresal, eso *no* lo sabía.

–Carece de importancia, pero, por supuesto, no para mí. No la olvidaré nunca. Era notable.

–Como lo es, en verdad, su pedido de reunión esta noche –dijo uno de los dos ayudantes oficiales sentados en el sofá–. Todos tenemos conocimiento del movimiento de Chicago para enfrentar al Vicepresidente, y entendemos que no cuenta con su apoyo. ¿Es eso así, congresal?

–Como le expliqué esta tarde al Vicepresidente, sólo me enteré de eso hace una semana... No, no cuenta con mi apoyo. He considerado otros planes que no tienen que ver con nuevas actividades políticas.

–Entonces, ¿por qué no declarar, sencillamente, que no es candidato? –preguntó un segundo ayudante, desde el mismo sofá.

–Bueno, supongo que las cosas nunca son tan sencillas como queremos que lo sean, ¿verdad? Sería menos que franco si dijese que no me halagó la proposición, y durante los últimos cinco días mi personal realizó encuestas bastante amplias, tanto en el plano regional como entre la dirección del partido. Han llegado a la conclusión de que mi candidatura es una perspectiva viable.

–Pero usted acaba de decir que tenía otros planes –interrumpió un hombre corpulento, de pantalones de franela gris y una chaqueta azul marino con botones de oro... No era un ayudante.

–Creo que dije que había *considerado* otros planes, otras ocupaciones. Nada está definido.

–¿Qué quiere decir, congresal? –preguntó el mismo hombre del personal que había sugerido que Evan declarase que no se presentaría como candidato.

–Eso podría quedar entre el Vicepresidente y yo, ¿no es cierto?

–Ellos son mi gente –dijo Bollinger con tono untuoso, y con una sonrisa benigna.

–Eso lo entiendo, señor, pero mi gente no está aquí... quizá para orientarme.

–No tiene el aspecto ni habla como quien necesite mucha orientación –dijo un bajo y compacto asesor-contribuyente, desde un sillón de cuero injuriosamente grande para su cuerpo menudo–. Lo he visto en televisión. Tiene opiniones bastante enérgicas.

–No puedo cambiarlas, tal como una cebra no puede cambiar sus rayas, pero puede haber circunstancias atenuantes, que expliquen por qué deben seguir siendo convicciones privadas, y no expresadas en público.

–¿Está cambiando de caballo? –preguntó un tercer contribuyente, un hombre alto y delgado, de camisa abierta y facciones muy atezadas.

–No estoy cambiando nada –objetó Kendrick con firmeza–. Estoy tratando de explicar una situación que no ha sido aclarada, y que creo que debería serlo.

–No hay por qué molestarse, joven –dijo Bollinger con sinceridad, dirigiendo una mirada ceñuda a su asesor bronceado–. No es una elección enojosa de palabras, sabe. Los "intercambios" son intrínsecos de nuestro gran contrato democrático. Bien, ¿cuál es la situación que debería ser aclarada?

–La crisis de Omán... Mascate y Bahrein. El motivo fundamental de que haya sido elegido para un cargo político más alto. –De pronto resultó evidente que toda la gente del Vicepresidente pensaba que estaba por ofrecérsele información que podía terminar con el mito de Omán, anular el atractivo más fuerte del candidato en potencia. Todas las miradas se clavaron en el parlamentario.– Fui a Mascate –continuó Evan– porque sabía quién estaba detrás de los terroristas palestinos. Y él usó las mismas tácticas conmigo, marginó de los negocios a mi compañía y me despojó de *millones*.

–¿Usted quería venganza, entonces? –preguntó el fornido asesor del chaleco de botones de oro.

–Venganza, un *demonio*, quería recuperar mi compañía... y todavía sigo queriendo eso. Ahora llegará el momento, muy pronto, y quiero volver a recoger lo que queda, reunir todas las ganancias que dejé allá.

El cuarto contribuyente, un hombre de cara rubicunda y claro acento de Boston, se inclinó hacia adelante.

–¿Piensa volver al Medio Oriente?

–No, a los Estados del Golfo Pérsico... hay una diferencia. Los Emiratos, Bahrein, Qatar, Dubai, no son El Líbano, ni Siria, ni la Libia de Gaddafi. En Europa circula la información de que la construcción comenzará de nuevo, y tengo la intención de estar allí.

–Usted vendió su compañía –dijo el contribuyente alto y bronceado, de camisa abierta; lacónico pero preciso.

–Fue una *venta forzada*. Valía cinco veces más de lo que me pagaron. Pero ése no es un problema demasiado grande para mí. Frente a los capitales de Alemania Occidental, Francia y Japón, puede que tenga algunos problemas al principio, pero mis contactos son tan amplios como los de cualquiera. Además... –Kendrick desplegó su libreto con discreta convicción, tocando de pasada sus relaciones con las casas reinantes y los ministros de Omán, Bahrein, Abu Dhabi y Dubai, mencionando la protección y la ayuda, incluido el transporte privado, que le habían proporcionado los gobiernos de Omán y Bahrein durante la crisis de Mascate. Luego, tan de golpe como había comenzado, se interrumpió. Había trazado el cuadro con suficientes líneas para la imaginación de todos ellos; más podía resultar excesivo.

Los hombres de la biblioteca se miraron unos a otros, y con un asentimiento casi imperceptible del Vicepresidente, habló el hombre corpulento, de chaqueta azul.

–Se me ocurre que sus planes están bastante estructurados. ¿Para qué querría un puesto que rinde ciento cincuenta mil al año y demasiadas cenas de pollo? Usted no es un político.

–Si se tiene en cuenta mi edad, el factor tiempo puede resultar atrayente. Dentro de cinco años seguiré estando dentro de la cuarentena, y tal como veo las cosas, aunque empezara allí mañana mismo, me llevaría dos, quizá tres años, para estar en pleno funcionamiento, y es posible que me equivoque en un año... no hay garantías. Pero si me oriento hacia el otro lado y busco activamente la nominación, es posible que la logre... y esto no pretende afirmar nada respecto de usted, Señor vicepresidente. No es otra cosa que el resultado del tratamiento de que he sido objeto por los medios.

Cuando varios otros comenzaron a hablar al mismo tiempo, Bollinger levantó la mano, apenas a unos centímetros por encima del brazo de su sillón. Bastó para silenciarlos.

–¿*Y entonces*, congresal?

–Bueno, creo que es bastante evidente. Nadie duda de que Jennings ganará la elección, aunque es posible que tenga problemas con el Senado. Si yo tuviera la suficiente buena suerte como para figurar en la fórmula, pasaría de la Cámara a la vicepresidencia, cumpliría mi período y saldría con más influencia internacional, y, dicho con franqueza, con más recursos, de lo que podría esperar de otra manera.

–¡*Eso*, congresal –gritó un colérico tercer ayudante, joven, desde una silla, cerca de sus colegas del sofá–, es una utilización flagrante del prestigio del cargo público para su beneficio personal!

Hubo un descenso y desvío en masa de las miradas de los contribuyentes.

–Si no creyera que se tergiversó impetuosamente a sí mismo porque no entiende –declaró Evan con serenidad–, me sentiría muy ofendido. Estoy exponiendo un hecho evidente, porque quiero ser muy franco con el Vicepresidente Bollinger, un hombre a quien respeto profundamente. Lo que mencioné es la verdad; eso va unido a la función. Pero esa verdad en modo alguno *disminuye* la energía o el compromiso que pondré en ese cargo, mientras lo ocupe y sirva desde él a la nación. Las recompensas que puedan surgir del puesto, ya sea en forma de publicidad, directorios de corporaciones o torneos de golf, no serían concedidas a un hombre que tomase sus responsabilidades con ligereza. Lo mismo que el Vicepresidente Bollinger, yo no podría funcionar de ese modo.

–Muy bien dicho, Evan –comentó el Vicepresidente con suavidad, mientras miraba con aspereza a su impulsivo ayudante–. Se le debe una disculpa.

–Pido disculpas –dijo el joven–. Tiene razón, por supuesto. Todo eso va con el cargo.

–No se disculpe demasiado –sermoneó Kendrick, sonriendo–. La lealtad al jefe de uno no es nada de lo cual haya que arrepentirse. -Evan se volvió a Bollinger.- Si él es cinturón negro, tendré que irme de prisa -agregó, quebrando la momentánea tensión con las risas.

-Es un demonio para el ping-pong -dijo el ayudante de más edad, sentado a la izquierda, en el sofá.

-Tiene gran capacidad creadora para llegar al puntaje -dijo el miembro de personal de más edad, de la derecha-. Hace trampas.

-De todos modos -continuó Evan, esperando hasta que las sonrisas, casi todas forzadas, se borraron de los rostros-, hablé en serio cuando dije que quería ser totalmente franco con usted, Señor vicepresidente. Son cosas en las cuales tengo que pensar. He perdido cuatro, casi cinco años de una carrera, un negocio, que trabajé muchísimo para desarrollar. Fui desviado por un asesino loco, y obligado a vender porque la gente tenía miedo de trabajar para mí. El ha muerto, y las cosas han cambiado; ahora vuelven a la normalidad, pero la competencia europea es dura. ¿Podré hacerlo yo solo, o debo lanzarme en una campaña activa por la fórmula, y en caso de que triunfe, tengo garantías ciertas que sean el resultado de la ocupación del cargo? Por otro lado, ¿quiero de veras dedicar los años adicionales de tiempo y dinero que impone el puesto...? Son preguntas que sólo yo puedo contestar, señor. Espero que me entienda.

Y entonces Kendrick escuchó aquello que ansiaba escuchar, contra toda esperanza... y en ese caso la esperanza era mucho más significativa que en su declaración a Bollinger.

-Sé que es tarde para su personal, Orson -dijo el hombre alto, delgado, de camisa abierta, que dejaba ver su piel bronceada-, pero me gustaría hablar un poco más.

-Sí, por cierto -aceptó el Vicepresidente, volviéndose hacia sus ayudantes-. Estos pobres muchachos han estado levantados desde el alba, con las espantosas noticias sobre Ardis y todo lo demás. Vayan a sus casas, muchachos, y celebren la Navidad con sus familias... yo traje aquí a todas las esposas e hijos, en el Fuerza Aérea Dos, Evan, para que pudieran estar juntos.

-Muy considerado, señor.

-Considerado, un demonio. Es posible que *todos* tengan cinturón negro... Rompan filas, tropas. Mañana es Nochebuena, y si recuerdo bien, al día siguiente es Navidad. Así que, a no ser que los rusos hagan volar a Washington, los veré dentro de tres días.

-Gracias, Señor vicepresidente.

-Muy amable, señor.

-Podemos quedarnos, si quiere -dijo el de más edad, a medida que cada uno se ponía sucesivamente de pie.

-¿Y qué pasaría con sus dos amigos? -peguntó Bollinger, sonriendo al ver las expresiones de los otros-. Ni hablar. Cuando salgan, mándenme al mayordomo. Será mejor que bebamos un coñac mientras solucionamos todos los problemas del mundo.

No Veo Nada Malo, No Oigo Nada Malo y No Digo Nada Malo salieron de la habitación, como robots programados, que reaccionaran ante la melodía de una marcha familiar. El hombre del chaleco azul marino, con botones de oro, se inclinó hacia adelante, en su sillón, cosa que le dificultó su vientre.

–¿Quiere hablar con franqueza, congresal? ¿Con verdadera sinceridad? Bien, eso es lo que haremos.

–No me entiende, señor... perdón, creo que no escuché su nombre.

–¡Termine con las tonterías! –exclamó el rubicundo bostoniano–. He escuchado mejores imbecilidades de los caudillos de parroquia del Sur.

–Puede engañar a los políticos de Washington –dijo el hombre menudo, en el sillón demasiado grande–, pero nosotros también somos hombres de negocios, Kendrick. Tiene algo que ofrecer, y tal vez, sólo *tal vez*, nosotros también tengamos algo que ofrecer.

–¿*Qué* le parece California del Sur, congresal? –El hombre alto, de camisa abierta y piernas estrechas, habló en voz alta mientras el mayordomo entraba en la habitación.

–Nada, *nada* –exclamó Bollinger, dirigiéndose al criado de esmoquin–. Está bien. Déjenos.

–Lo siento, señor, tengo un mensaje para usted –dijo el mayordomo, entregando al Vicepresidente una hoja.

Bollinger la leyó; su rostro enrojeció al principio, y enseguida palideció.

–Dígale que espere –ordenó. El mayordomo salió.– ¿Dónde estábamos?

–En un precio –dijo el hombre de Boston–. Estábamos hablando de eso, ¿no es cierto, congresal?

–Eso es un poco brusco –respondió Evan–, pero el término existe en el reino de las posibilidades.

–Tiene que entender –dijo el hombrecito de cara macilenta– que ha pasado por entre dos poderosos detectores. Es posible que se sienta harto de los rayos X, pero no lleva encima ningún aparato grabador.

–Esas serían las últimas cosas que querría.

–*Bien* –dijo el hombre alto, y se puso de pie como si sólo lo hiciera para impresionar a los demás con su formidable estatura y su imagen de rudo y avezado marino, navegante en yates, o lo que fuese; el mensaje era el de su fuerza. Se dirigió con pasos lentos a la repisa de la chimenea: Mediodía en la Ciudad de la Corrupción, pensó Kendrick–. Advertimos su deriva a sotavento acerca de capitales alemanes, franceses y japoneses. ¿Cómo son de altas las olas en aguas abiertas?

–Me temo que no soy marino. Tendrá que hablarme con más claridad.

–¿A qué cosas se enfrenta?

–¿En el plano financiero? –preguntó Evan; hizo una pausa y luego meneó la cabeza, como desechando una idea–. Nada que no pueda manejar. Puedo comprometer de siete a diez millones, si es preciso, y mis líneas de crédito son amplias... pero por supuesto, también lo son las tasas de interés.

–¿Supongamos que se establecieran líneas de crédito sin esa clase de cargas? –preguntó el hombre familiarizado con los caudillos de parroquia del sur de Boston.

–Caballeros –interrumpió Bollinger con sequedad, poniéndose de pie, mientras quienes se hallaban sentados hacían lo propio, por deferencia a su partida evidentemente inminente–. Entiendo que tengo un asunto urgente que atender. Si necesitan algo, siéntanse en libertad de pedirlo.

–No nos quedaremos mucho tiempo, Señor vicepresidente –dijo Kendrick, sabiendo por qué Bollinger debía distanciarse de cualquier conversación que viniese a continuación; el lema era "posibilidad de negarlo todo"–. Como mencioné, este es un problema que sólo yo puedo solucionar como corresponde. Sólo quería ser franco con usted.

–Se lo agradezco mucho, Evan. Pase a verme antes de irse. Estaré en mi oficina.

El Vicepresidente de Estados Unidos salió de la habitación de paredes cubiertas de libros, y como chacales que cayeran sobre su presa, los contribuyentes se volvieron hacia el parlamentario de Colorado.

–Ahora hablaremos claro, hijo –dijo el navegante de yates, de un metro noventa de estatura, con el brazo apoyado en la repisa de la chimenea.

–No soy pariente suyo, gracias, y me molesta la familiaridad.

–El Gran Tom siempre habla así –intervino el bostoniano–. No lo dice por ofender.

–La ofensa reside en su arrogancia con un miembro de la Cámara de Representantes.

–¡Oh, vamos, congresal! –exclamó el hombre obeso, de chaqueta azul marino.

–Aflojémonos todos –dijo el hombre menudo, de semblante macilento, sentándose en el enorme sillón–. Estamos aquí con el mismo propósito, y cortesías a un lado, sigamos con él... Queremos que salga, Kendrick. ¿Debo decirlo con más claridad?

–Ya que se muestra tan duro, será mejor que lo haga.

–Muy bien –continuó el contribuyente de baja estatura, cuyos pies apenas tocaban el suelo alfombrado–. Como dijo alguien, seamos sinceros... no cuesta nada... Representamos una filosofía política en todo sentido tan legítima como creo que es la suya, pero como es nuestra resulta natural que nos parezca que es mucho más realista para estos tiempos. En lo fundamental, creemos necesario para el país un sistema de prioridades orientadas a la defensa, mucho más fuerte del que postula usted.

–Yo también creo en una defensa enérgica –interrumpió Evan–. Pero no en sistemas quebrantadores del presupuesto, excesivamente *ofensivos*, en los cuales el cuarenta por ciento de los gastos termina en derroches e ineficiencia.

–Buen argumento –admitió el menudo oponente de Kendrick, desde el sillón que le iba grande–. Y esos terrenos de gestión serán rectificados por el mercado.

–Pero no hasta que se hayan gastado miles de millones.

–Es natural. De lo contrario, usted hablaría de otro sistema de gobierno, que no permita la ley malthusiana del fracaso económico. Las fuerzas del mercado libre corregirán esos excesos. Competencia, congresal Kendrick. Competencia.

–Pero no si se las amaña en el Pentágono, o en esos directorios en los cuales hay demasiados egresados del Departamento de Defensa.

–*¡Demonios!* –exclamó el navegante, desde la repisa de la chimenea–. ¡Si son tan condenadamente evidentes, que desaparezcan!

–El Gran Tom tiene razón –dijo el rubicundo bostoniano–. Hay de sobra, alcanza para todos, y esos coroneles y generales que buscan buenas moneditas no son, de todos modos, otra cosa que lubricación. ¡Líbrese de ellos, si quiere, pero no detenga la noria, por favor!

–¿Oyó eso? –preguntó la chaqueta azul de botones de oro–. No la *detenga* hasta que seamos tan fuertes, que a ningún dirigente soviético se le ocurra siquiera *pensar* en un ataque.

–¿Por qué le parece que alguno lo *consideraría* y pensaría en hacer volar en pedazos una buena parte del mundo civilizado?

–¡Porque son fanáticos marxistas! –rugió el marino, erguido delante de la repisa, con los brazos en jarras.

–Porque son estúpidos –corrigió con serenidad el hombre bajo, desde su sillón–. La estupidez es el camino fundamental para la tragedia global, lo cual significa que sobrevivirán los más fuertes y listos... Podemos manejar a nuestros críticos en el Senado y en la Cámara, congresal, pero *no* en la administración. *Eso* no nos es posible tolerarlo. ¿Está claro?

–¿De veras creen que soy un peligro para ustedes?

–Por supuesto que lo es. Se trepa a su tarima, y la gente escucha, y lo que dice, con suma eficacia, puedo agregar, no va de acuerdo con nuestros intereses.

–Me pareció que usted tenía tanto respeto por el mercado...

–Lo tengo, a la larga, pero en el corto plazo la vigilancia y las reglamentaciones excesivas pueden desarticular la defensa del país con sus demoras. Estos no son momentos para arrojar al niño junto con el agua de la bañera.

–Lo cual significa arrojar las ganancias.

–Forman parte del puesto, como usted explicó tan bien en relación con el cargo del vicepresidente... Siga su camino, congresal. Reconstruya su carrera abortada en el sudoeste de Asia.

–¿Con qué? –preguntó Evan.

–Comencemos con una línea de crédito de cincuenta millones en el Gemeinschaft Bank de Zurich, Suiza.

–Eso resulta muy convincente, pero no son más que palabras. ¿Quién pone la garantía?

–El Gemeinschaft lo sabe. Usted no tiene por qué hacerlo.

Eso era todo lo que Kendrick necesitaba escuchar. Todo el peso del gobierno de Estados Unidos, presionando sobre un banco de Zurich, que tenía vinculaciones conocidas con hombres que trataban con terroristas, desde el valle del Baaka hasta Chipre, bastaría para quebrar los códigos suizos de reserva y silencio.

–Confirmaré la línea de crédito de Zurich en un plazo de treinta y seis horas –dijo, a la vez que se ponía de pie–. ¿Eso les dará tiempo suficiente?

–Más que suficiente –respondió el hombre menudo del sillón grande–. Y cuando tenga la confirmación, le hará al Vicepresidente Bollinger la cortesía de enviarle una copia de su telegrama a Chicago, retirando en forma irrevocable su nombre para la inclusión en la fórmula nacional.

Kendrick asintió, y miró brevemente a los otros tres contribuyentes.

–Buenas noches, caballeros –dijo en voz baja, y se dirigió hacia la puerta de la biblioteca.

En el corredor, un hombre musculoso, de cabello negro y facciones pronunciadas y claras, con el punto verde del Servicio Secreto en la solapa, se puso de pie junto a un par de gruesas puertas de doble hoja.

–Buenas noches, congresal –dijo con afabilidad, dando un paso hacia adelante–. Sería un honor estrechar su mano.

–Un placer.

–Sé que no debemos decir quién entra y sale por aquí –continuó el miembro del grupo del Departamento de Tesoro, estrechando la mano de Evan–, pero puede que viole la regla a favor de mi madre, quien está en Nueva York. Tal vez parezca una locura, pero ella piensa que usted debería ser Papa.

–La Curia no me encontraría méritos para ello... El Vicepresidente me pidió que lo viera antes de irme. Me dijo que estaría en su despacho.

–Por supuesto. Está aquí, y permítame decirle que agradecerá la interrupción. Tiene ahí a un hombre irritado, de mecha corta, que estuve a punto de no confiar en los aparatos y registrarlo de pies a cabeza. No quise dejar que llevara adentro su bolso.

Por primera vez, Kendrick vio el bolso para ropa en la silla de la izquierda de las puertas dobles. Debajo, en el suelo, un abultado maletín médico. Evan le clavó la mirada; lo había visto antes. La pantalla interior de su mente, ¡y fragmentos de imágenes se remplazaron unos a otros como explosiones sucesivas! Paredes de piedra en otro pasillo, otra puerta; un hombre alto, delgado, de sonrisa pronta –demasiado pronta, demasiado atrayente para un desconocido en una casa desconocida–, un *médico*, que con desenvoltura, divertido, declaraba que sólo daría unos golpecitos en un tórax y tomaría una muestra de sangre para un análisis.

–Si no le molesta –dijo Kendrick, de alguna manera, por entre la bruma, dándose cuenta de que apenas se le podía escuchar–, por favor, abra la puerta.

–Primero tengo que golpear, congresal.

–¡No, *por favor*! Haga lo que le digo.

–El vipe... el Vicepresidente se molestará, señor. Siempre tenemos que golpear primero.

–Abra esa puerta –ordenó Evan; su voz ronca era un susurro, sus ojos estaban muy abiertos, clavados por un instante en el hombre del Servicio Secreto–. Yo me hago cargo de toda la responsabilidad.

–Sí, por cierto. Si alguien tiene derecho, creo que es usted.

La pesada puerta de la derecha giró en silencio hacia adentro, y las palabras sibilantes pronunciadas por Bollinger, con un nudo en la garganta, se escucharon con claridad.

–¡Lo que dice es ridículo, *demencial*!... Sí, ¿*qué* pasa?

Kendrick atravesó el terrible espacio y contempló el semblante contraído, presa de pánico, del "doctor Eugène Lyons".

–*¡Usted!* –gritó Evan, y el mundo aislado que tenía dentro de la cabeza enloqueció cuando se precipitó, corriendo a través de la habitación, con las dos manos convertidas en las garras de un animal maniático sólo concentrado en matar... *¡matar!*–. ¡El va a morir por usted... por *todos* ustedes!

En un remolino de violencia, unos brazos lo aferraron; unas manos le dirigieron golpes cortantes a la cabeza, unas rodillas se le hundieron en la ingle y en el vientre, y sus ojos fueron heridos por dedos expertos. A pesar del dolor torturante, oyó los gritos acallados... uno tras otro.

–¡Lo tengo! No se moverá.

–¡Cierren la puerta!

–¡Traigan mi bolso!

–¡No dejen entrar a *nadie*!

–¡Oh Cielos, lo sabe *todo*!

–¿Qué *haremos*?

–...Conozco a algunos que pueden manejar esto.

–¿Quién demonios es *usted*?

–Alguien que debería presentarse... *Víbora*.

–He *oído* ese nombre. ¡Es un insulto! ¿Quién *es*?

–Por el momento soy quien da las órdenes.

–¡Oh *Cristo*!

Oscuridad... la caída que llega con el shock más intenso. Todo fue oscuridad. Nada.

40

Primero sintió el viento y la rociadura, luego el movimiento del mar y por último las anchas bandas de tela que lo ceñían, apretándolo contra la silla metálica atornillada a la cubierta del barco en movimiento. Abrió los ojos en la móvil oscuridad; se encontraba a popa; la espumosa estela retrocedía delante de él, y de pronto tuvo conciencia de luces de cabina a su espalda. Se volvió, estirando el cuello para ver, para entender. De golpe se vio frente a frente con el guardia moreno, pelinegro, del Servicio Secreto, cuya madre, en Nueva York, pensaba que él debería ser Papa... Y cuya voz había oído proclamar que él daba las órdenes. El hombre se encontraba sentado en una silla adyacente, con una sola correa en la cintura.

–¿Está despertando, congresal? –preguntó con cortesía.

–¿Qué demonios han *hecho*? –rugió Kendrick, forcejeando contra las cintas que lo inmovilizaban.

–Discúlpeme por esas cosas, pero no queríamos que cayera por la borda. El mar está un poco agitado; sólo deseábamos protegerlo mientras tomaba un poco de aire.

–¿Protegerme...? ¡*Malditos* sean, canallas, me *drogaron* y me sacaron de allí contra mi voluntad! ¡Me secuestraron! Mi oficina sabe adónde fui hoy... ¡tendrán que purgar veinte años por esto, todos ustedes! Y ese hijo de puta de Bollinger será enjuiciado, y pasará...

–Espere, *espere* –interrumpió el hombre, levantando las manos en serena protesta–. Lo entendió todo mal, congresal. Nadie lo drogó, se le administró un *sedante*. Se enloqueció, allí. Atacó a un invitado del Vicepresidente, habría podido *matarlo*...

–¡Lo habría matado, y lo *mataré*! ¿Dónde está ese doctor, dónde *está*?

–¿Qué doctor?

–¡Mentiroso de *mierda*! –gritó Kendrick al viento, poniendo en tensión las bandas de tela. Y entonces le cruzó un pensamiento–. ¡Mi limusina, el *conductor*! El sabe que no me fui.

–Pero sí. No se sentía muy bien, de modo que no dijo gran cosa, y llevaba puestas sus gafas ahumadas, pero fue muy generoso con su propina.

Mientras el barco se balanceaba en el agua, Evan miró de pronto las ropas que llevaba puestas, con los ojos entrecerrados, bajo la tenue luz del camarote, a su espalda. Los pantalones eran de pana acordonada, gruesa, y la camisa de tosca mezclilla negra... no era su ropa.

–¡Canallas! –volvió a rugir, y de nuevo un pensamiento–. ¡Entonces me vieron salir del hotel!

–Lo siento, pero usted no fue al hotel. Casi lo único que le dijo al conductor fue que lo dejase en el parque Balboa, que tenía que encontrarse con alguien, y que después tomaría un taxi para ir a su casa.

–Se cubrieron perfectamente, hasta usando mi ropa. ¡Son todos una basura, *asesinos* de alquiler!

–Lo entiende mal, congresal. Lo estamos encubriendo a *usted*, y a nadie más. No sabíamos qué inhalaba, o qué se inyectaba en las venas, pero como diría mi excitable abuelo, vimos que se volvía *pazzo*, loco, ¿entiende lo que digo?

–Entiendo perfectamente.

–De modo que, como es natural, no podíamos dejar que lo vieran en público, se da cuenta de eso, ¿verdad?

–*Va bene*, mafioso imbécil. Ya te escuché... "Yo doy las órdenes –dijiste–. Conozco a algunos que pueden manejar esto", eso también lo dijiste.

–Sabe, congresal, aunque lo admiro muchísimo, me ofenden sus generalizaciones antiitalianas.

–Eso díselo al fiscal federal, en Nueva York –respondió Kendrick, mientras el barco cabeceaba y luego se elevaba con una ola alta–. Giuliani ha estado metiendo entre rejas a camionadas enteras de ustedes.

–Sí, bueno, hablando de cosas que desaparecen en la noche, y habría podido pasarnos a nosotros, con estas aguas, mucha gente vio, en el parque Balboa, a un hombre que podría responder muy bien a su descripción, quiero decir, vestido como usted, cuando salió del hotel, y después entró a la limusina, y que entraba en el Balthazar.

–¿Dónde?

–Es un café de Balboa. Sabe, allá tenemos muchos estudiantes; vienen de todas partes, y hay un gran contingente del Mediterráneo. Chicos de familias que vivieron en Irán y Arabia Saudita y Egipto, ¿no?... Y hasta los que algunos todavía llaman palestinos, supongo. A veces el café se alborota un poco, es decir, políticamente, y la policía tiene que aquietar las cosas y confiscar elementos como pistolas y cuchillos. Esas personas son muy emocionales.

–Y me vieron entrar, y por supuesto, habrá algunos de *adentro* que confirmarán que *yo* estuve allí.

–Su valentía nunca ha sido puesta en tela de juicio, congresal. Va a los lugares más peligrosos en busca de soluciones, ¿no es así? Omán, Bahrein... y aun a la casa del Vicepresidente de Estados Unidos.

–Agrega el soborno a tu lista, basurero.

–¡Un momento! Yo no tengo nada que ver con el motivo por el cual usted haya ido a ver a Víbora, entiéndalo bien. Sólo ofrezco un servicio más allá de mis obligaciones oficiales, eso es todo.

–Porque "conoces a personas que pueden manejar esto", como alguien que se pone mi ropa y usa mi coche y se pasea por el parque Balboa. Y quizás a un par de otros que pudieron sacarme de la casa de Bollinger sin que nadie me reconociera.

–Un servicio privado de ambulancias es muy conveniente y discreto, cuando los invitados se enferman o se exceden.

–Y sin duda, uno o dos más, para desviar a los hombres de prensa o de mantenimiento que pudiera haber por ahí.

–Mis amigos no gubernamentales están siempre a disposición para las emergencias, señor. Nos alegra ofrecer ayuda, siempre que podemos.

–Por un precio, es claro.

–Decididamente... *Pagan*, congresal. Pagan de muchas maneras, y ahora más que nunca.

–¿Inclusive con un barco rápido y un capitán experimentado?

–Oh, no podemos atribuirnos méritos cuando no corresponden –protestó el hombre de la Mafia, disfrutando–. Este es el equipo de ellos, el capitán de ellos. Hay algunas cosas que la gente hace mejor por sí misma, en especial si alguno quiere ir a aguas muy patrulladas, entre Estados Unidos y México. Existen influencias, y existen influencias diferentes, si sabe lo que digo.

Kendrick sintió una tercera presencia, pero al girar en la silla no vio a nadie más en la cubierta del yate de paseo. Luego levantó la vista hacia la baranda de popa, del lado del puente de mando. Una figura retrocedió hacia las sombras, pero no con la suficiente rapidez. Era el contribuyente muy alto, muy atezado, de la biblioteca de Bollinger, y por lo que pudo ver de su semblante, estaba contraído de odio.

–¿Todos los invitados del Vicepresidente están a bordo? –preguntó, viendo que el mafioso había seguido su mirada.

–¿Qué invitados?

–Eres listo, Luigi.

–Hay un capitán y un tripulante. Nunca los había visto hasta ahora.

–¿Adónde vamos?

–En un viaje de crucero.

La nave aminoró su marcha cuando el haz de un poderoso reflector brotó del puente. El soldado de la mafia se desciñó y se puso de pie; cruzó la cubierta y bajó al camarote inferior. Evan lo oyó hablar en el intercomunicador, pero el viento y los golpes de las olas le impidieron distinguir las palabras. El hombre regresó momentos más tarde; llevaba en la mano un arma, una automática Colt 45. Kendrick reprimió el pánico que sentía, pensó en los tiburones de Qatar, y se preguntó si otro Mahdí, a un mundo de distancia, estaba a punto de ejecutar la sentencia de muerte dictada en Bahrein. En ese caso, Evan adoptó la misma decisión que había tomado en Bahrein: pelearía. Mejor una bala rápida, expeditiva, en la cabeza, que la perspectiva de ahogarse, o de ser desgarrado por los devoradores de hombres en el Pacífico.

–Hemos llegado, congresal –dijo el mafioso con cortesía.

–¿Dónde estamos?

–Que me condenen si lo sé. Es una especie de isla.

Kendrick cerró los ojos, dirigió su agradecimiento a quien quisiera aceptarlo y volvió a respirar sin temblar. El héroe de Omán era un héroe fraudulento, reflexionó. Sencillamente, no quería morir, y aparte del miedo, existía Khalehla. El amor que se le había escapado toda la vida era suyo, y cada minuto adicional que se le permitiera vivir era un minuto de esperanza.

–Por su aspecto, no creo que necesite eso realmente –dijo, señalando el arma con la cabeza.

–No era de su oficina de prensa –respondió el guardia del Servicio Secreto, llevado a su puesto por los rangos superiores de los bajos fondos–. Voy a desatarlo, pero si hace algún movimiento repentino no pondrá los pies en tierra, *¿capisce?*

–*Molto bene.*

–No me culpe a mí, tenemos nuestras órdenes. Cuando uno ofrece un servicio, acepta órdenes razonables.

Evan sintió que las anchas cintas de tela se aflojaban en torno de sus brazos y piernas.

–¿Se te ha ocurrido que si cumples esas órdenes es posible que nunca puedas volver a San Diego? –preguntó.

–Por supuesto –respondió el mafioso con negligencia–. Por eso tenemos a Víbora bien apretado... Tengo un arma en la mano, de modo que pórtese bien, congresal.

–Supongo que "Víbora" es el Vicepresidente.

–Sí, y me dijo que había escuchado el nombre, y que era un insulto. ¿Se imagina? ¿Esos canallas que tuvieron la vileza moral de acosar a nuestra unidad?

–Estoy anonadado –contestó Kendrick, y se levantó con torpeza de la silla. Agitó los brazos y las piernas para restablecer la circulación.

–*¡Despacio!* –gritó el hombre del Servicio Secreto; saltó hacia atrás, con la 45 apuntada a la cabeza de Evan.

–¡Trata de sentarte en esa maldita silla durante tanto tiempo como yo, y piensa que vas a caminar en línea recta!

–Bueno, está bien. Entonces no camine en línea recta... hacia ese lado de este remolcador de lujo, a la escalerilla. Aquí es donde bajará.

El yate describió un círculo hacia lo que parecía ser una caleta, y luego, de a poco, –con las hélices en avances y retrocesos alternados–, se arrimó a un dique de unos treinta metros de largo, con otros tres barcos, cada uno más pequeño, más veloz y potente, bamboleándose al otro lado. Luces con pantallas, protegidas por tejido de alambre, iluminaban el amarradero; dos figuras salieron corriendo de la base y se ubicaron al lado de los pilotes asignados. Cuando la nave fue guiada con destreza a su lugar de amarre, protegido por neumáticos, desde proa y popa se lanzaron cabos, el de popa atrapado por el mafioso, el arma en la mano izquierda, y el de proa por el único tripulante.

–*¡Abajo!* –gritó aquél a Kendrick, cuando el yate chocó con suavidad contra el amarradero.

–Me gustaría agradecer personalmente al capitán por un viaje seguro y agradable...

–Muy gracioso –dijo el hombre del Servicio Secreto–, pero guárdelo para el cine, y baje. No verá a nadie.

–¿Quieres apostar, Luigi?

–¿Quieres ver tus bolas caídas en cubierta? Y no me llamo Luigi.

–¿Qué te parecería "Reginald"?

–*¡Abajo!*

Evan caminó por el muelle de la isla hacia el terreno elevado, y por una camino ascendente, de piedra, con el mafioso a su espalda. Pasó entre dos letreros, ambos pintados a mano: letras blancas sobre madera parda, cada uno de los dos hecho con buena mano, por un profesional. El de la izquierda estaba escrito en castellano; el otro, de la derecha, en inglés.

PASAJE A CHINA
PROPIEDAD PRIVADA
ALARMAS

PASSAGE TO CHINA
PRIVATE PROPERTY
ALARMS

–Deténgase ahí –ordenó el hombre del Servicio Secreto–. No se vuelva. Mire hacia adelante. –Kendrick oyó el ruido de pies que corrían en la dársena, y luego voces quedas; las palabras distinguibles, pronunciadas en inglés, pero con acento hispánico. Se dieron órdenes.

–Muy bien –continuó el mafioso–. Siga por el sendero y tome el primer giro a la derecha... ¡No se vuelva!

Evan obedeció, aunque caminó con dificultad por el empinado talud; el largo viaje en el yate le había dejado envaradas las piernas. Trató de estudiar los alrededores en la semioscuridad; las luces del dique eran complementadas apenas por lamparillas de color ambarino que flanqueaban el camino de piedra. El follaje era denso y húmedo; por todas partes, los árboles se elevaban a alturas de ocho y hasta diez metros, con gruesas lianas que parecían saltar de un tronco al otro, y que envolvían brazos y cuerpos. Matas de arbustos y malezas que habían sido cortadas con precisión, formando paredes idénticas, hasta la altura de la cintura, a ambos lados del sendero. Se había impuesto orden en el mundo silvestre. Y entonces su visión quedó reducida con brusquedad por el empinado ascenso y la creciente oscuridad, lejos del muelle, y los sonidos se convirtieron en el foco de su atención. Lo que asaltó sus oídos no difería mucho de los incesantes estallidos en staccato de los rápidos, durante sus recorridos por las aguas blancas, pero aquí había un ritmo particular, una pulsación que dominaba su propio retumbo especial... *Olas*, por supuesto. Olas que se estrellaban contra las rocas, y nunca muy lejos, o tal vez amplificadas por los ecos que rebotaban en la piedra y repercutían a través del verdor silvestre.

Las luces ambarinas, casi al nivel del suelo, se dividían en dos grupos de líneas paralelas, una que seguía hacia adelante y arriba, la otra que se desviaba a la derecha. Kendrick giró hacia ésta A campo traviesa, el camino se nivelaba, tallado en la colina, cuando de repente hubo un alarmante aumento de la visibilidad. Columnas negras y grandes sombras se convirtieron en troncos oscuros, palmeras y enmarañada maleza verde-azulada. Adelante había una cabaña, con luces que iluminaban las dos ventanas que flanqueaban una puerta central. Pero no era una cabaña corriente, y al principio Evan no supo por qué lo creía así. Luego entendió, cuando se acercó más. Era por las ventanas; nunca había visto nada parecido, y explicaban el estallido de luz, aunque la fuente de ésta parecía ser mínima. Los vidrios biselados parecían tener por lo menos diez centímetros de grosor, como dos gigantescos prismas rectangulares que aumentaban en muchas veces la luz del interior. Y había algo más, que acompañaba a esa imaginativa proeza de diseño. Las ventanas eran inviolables... por ambos lados.

–Esas son sus habitaciones, congresal –dijo el hombre del Servicio Secreto que prestaba servicios extraoficiales–. Su "casa de campo" es una mejor descripción, ¿no le parece?

–De veras, no podría aceptar un alojamiento tan generoso. ¿Por qué no me encuentra algo menos presuntuoso?

–Es un verdadero comediante... Vaya, abra la puerta, no tiene llave.

–¿No tiene *llave*?

–Le asombra, ¿no? –rió el mafioso–. A mí también me sorprendió, hasta que el guardia me lo explicó. Todo es *electrónico*. Yo tengo un aparatito, como el dispositivo para abrir la puerta de un garaje, y cuando oprimo un botón, un par de barras de acero salen del marco y cruzan la puerta. También funcionan por dentro.

–Con tiempo, yo mismo habría podido darme cuenta.

–Usted es un hombre frío, congresal.

–No tanto como habría debido serlo –dijo Kendrick; fue hasta la puerta, por el sendero, y la abrió. Su mirada fue saludada por el esplendor de un bien amoblado refugio de montaña de Nueva Inglaterra, en modo alguno una reminiscencia de California del sur o el norte de México. Las paredes eran de abultados troncos unidos entre sí, con dos gruesas ventanas en cada una de las cuatro paredes y un vano en la del fondo, sin duda para la entrada en un cuarto de baño. Todas las comodidades habían sido tenidas en cuenta:

un sector de cocina se encontraba ubicado al fondo, a la derecha, con un bar con espejos; a la izquierda se veía una cama doble, y delante de ella un lugar para sentarse, con un gran aparato de televisión y varios sillones acolchados. El constructor que había en Evan llegó a la conclusión de que la casita habría estado más en su ambiente en el nevado Vermont que en las aguas de algún punto situado al sur y oeste de Tijuana. Así resultaba bucólicamente encantadora, y no le cabía duda de que muchos huéspedes de la isla disfrutaban de ella. Pero tenía otro uso. También era la celda de una cárcel.

–Muy agradable –dijo el guardia de Bollinger, y entró en la amplia habitación única, con el arma constante pero discretamente apuntada hacia Kendrick–. ¿Qué le parecería un trago, congresal? –preguntó, yendo hacia el bar espejado–. No sé usted, pero a mí me vendría bien uno.

–¿Por qué no? –respondió Evan, paseando la mirada por la habitación diseñada para un clima del norte.

–¿Qué le agrada?

–Whisky con hielo, nada más –dijo Kendrick, yendo con lentitud de lugar en lugar; su mirada práctica buscaba fallas que pudieran facilitar una fuga. No las había; la casa era hermética, a prueba de huidas. Los marcos de las ventanas se encontraban asegurados, no con clavos perdidos, sino con tuercas cubiertas por una capa de yeso; la puerta del frente tenía goznes internos, de acceso imposible sin un taladro potente, y por último, al entrar en el baño vio que carecía de ventana, y las dos lumbreras eran pequeñas aberturas enrejadas, de diez centímetros de ancho.

–Espléndido escondrijo, ¿no? –dijo el mafioso, saludando a Evan con el brazo en alto, cuando éste salió del baño.

–Mientras uno no eche de menos los paseos –replicó Kendrick, y su mirada vagó sin rumbo por el sector de la cocina. Había algo extraño, consideró, pero, una vez más, no encontró nada específico. Consciente del arma del guardia, pasó ante el bar espejado y fue a una mesa escritorio ovalada, oscura, en la cual era de suponer que se servían las comidas. Tendría un par de metros de largo, delante de un largo mostrador, en el centro del cual se había instalado una cocina, debajo de una hilera de armarios. El fregadero y la refrigeradora, separados por otro mostrador, se encontraban contra la pared de la derecha. ¿Qué era lo que le llamaba la atención? Y entonces vio un pequeño horno de microonda, empotrado debajo del último armario de la izquierda. Volvió a mirar la cocina. Era eso.

Eléctrico. Todo era *eléctrico*, eso era lo extraño. En la enorme mayoría de las cabañas rústicas había tuberías para gas propano, que salían de tanques portátiles instalados en el exterior, a fin de eliminar la necesidad de electricidad para artefactos tales como cocinas y hornos. La máxima era mantener lo más bajo posible el amperaje, no tanto por el gasto como por comodidad, en casos de falla de la electricidad. Y entonces pensó en las lámparas del muelle y en las luces ambarinas de los senderos. Una abundancia de *electricidad* en una isla situada por lo menos a treinta y dos kilómetros, si no a ochenta, del continente. No sabía con certeza qué significaba eso, pero era algo en lo cual valía la pena pensar.

Salió del sector de cocina y fue al de estar. Contempló el gran aparato de televisión y se preguntó qué clase de antena hacía falta para captar señales a través de tantos kilómetros de aguas abiertas. Se sentó, ahora apenas consciente de la presencia de su escolta armado, con los pensamientos en tantas otras cosas, entre ellas –dolorosamente– en Khalehla, en el hotel. Lo había esperado desde horas atrás. ¿Qué estaría haciendo? ¿Qué *podía* hacer? Evan levantó el vaso y bebió varios tragos de whisky, agradecido por la sensación de tibieza que se difundió con rapidez por todo su cuerpo. Miró en dirección del guardia de Bollinger, de pie, con desenvoltura, junto a la mesa de roble, el arma confiadamente depositada sobre ésta, pero en el borde, cerca de su mano derecha libre.

–A su salud –dijo el hombre de la Mafia, levantando el brazo con la izquierda.

–¿Por qué no? Sin devolver la cortesía, Kendrick bebió, y de nuevo sintió el rápido efecto del whisky... *¡No!* ¡era demasiado rápido, demasiado áspero; no calentaba, sino que *quemaba*! De pronto, los objetos de la habitación palpitaron, se borronearon y volvieron a enfocarse. ¡Trató de ponerse de pie, pero no pudo dominar las piernas o los brazos! Miró al mafioso, de obscena sonrisa, y trató de gritar, pero no logró emitir sonido alguno. Oyó que el vaso se estrellaba en el piso de madera dura, y sintió un horrible peso que lo oprimía. Por segunda vez en esa noche, la oscuridad lo envolvió mientras caía y caía, en un vacío infinito de espacio negro.

El hombre del Servicio Secreto cruzó hacia un intercomunicador empotrado en la pared, al lado del bar espejado. Pensativo, ceñudo, pulsó los tres números que le habían dado en el barco.

–¿Sí, Cabaña? –respondió una suave voz masculina.

–Su muchacho está dormido de nuevo.

–Bien, estamos listos para él.

–Tengo que preguntar –dijo el *capo*–. ¿Por qué lo trajimos, por empezar?

–Por necesidad médica, aunque no es cosa tuya.

–En su lugar, yo no adoptaría esa actitud. Ustedes nos deben, son los deudores.

–Muy bien. Sin una historia médica, hay límites aceptables e inaceptables de dosaje.

–¿Dos aplicaciones moderadas, antes que una excesiva?

–Algo por el estilo. Nuestro médico tiene mucha experiencia en estas cosas.

–Si es el mismo, manténgalo fuera de la vista. Figura en la lista de eliminaciones de Kendrick... Y mande a sus hispánicos. No me han contratado para acarrear cadáveres.

–Por supuesto. Y no se preocupe por el doctor. Figuraba en otra lista.

–¡MJ, todavía no ha regresado, y son las tres y cuarto de la mañana! –gritó Khalehla en el teléfono–. ¿Te *enteraste* de algo?

–De nada que tenga sentido –respondió el director de Proyectos Especiales, con voz tenue y fatigada–. No te llamé porque pensé que estarías descansando un poco.

–No me mientas, tío Mitch. Nunca tuviste problemas en decirme que trabajara toda la noche. ¡El que está ahí es *Evan*!

–Lo sé, lo sé. ¿Te dijo algo acerca de que se encontraría con alguien en el parque Balboa?

–No, no creo que sepa qué es eso, ni donde está.

–¿Y tú?

–Por supuesto. Mis abuelos viven allí, ¿no lo recuerdas?

–¿Conoces un lugar llamado Balthazar?

–Es un café al cual concurre gente exaltada, árabes fogosos, para decirlo con exactitud, en su mayoría estudiantes. ¿Por qué lo preguntas?

–Déjame que te lo explique –dijo Payton–. Después de tu llamada de hace varias horas, nos comunicamos con la casa de Bollinger, como si fuéramos la oficina de Kendrick, por supuesto, y dijimos que teníamos un mensaje urgente para él. Se nos informó que se había ido alrededor de las nueve, lo cual contradecía tu información de que no había regresado para las once; cuando mucho, es un viaje de treinta minutos, desde la casa del Vicepresidente hasta tu hotel. De modo que me comuniqué con Pan de Jengibre, Shapoff, quien es muy competente en estas situaciones. Siguió los movimientos de todos, incluido el conductor de la limusina de Evan... Nuestro congresal pidió que lo dejaran en el parque Balboa, de modo que Pan de Jengibre hizo lo suyo y "removió el vecindario", como dijo él. Lo que averiguó puede resumirse en dos enigmáticas conclusiones. Se vio a un hombre que coincidía con la descripción de Evan, caminando por el parque Balboa. Dos de entre una cantidad de personas que se encontraban en el Balthazar afirmaron que es el mismo hombre, quien usaba gafas ahumadas, entró en el establecimiento y pasó largo rato ante las máquinas expendedoras de café de cardamono, antes de ir a una mesa.

–¡*Mitch*! –gritó Khalehla–, ¡estoy viendo sus gafas ahumadas en este mismo momento! Están sobre la cómoda. A veces las usa durante el día, para no ser reconocido, pero nunca de noche. Dice que de noche llaman la atención, y tiene razón. Ese hombre *no* era Evan. Es un ardid. ¡Lo tienen en alguna parte!

–Una pelota perdida –dijo Payton en voz baja–. Tendremos que meternos en el mismo juego.

Kendrick abrió los ojos, como una persona que no sabe dónde se encuentra, o en qué condiciones, o si está despierta o sigue dormida. Sólo había aturdimiento, nubes de confusión arremolinadas en su cabeza y un torpor causado por una aterradora incertidumbre. En alguna parte había una lámpara encendida, y su resplandor bañaba las vigas del cielo raso. Movió la mano, levantó el brazo derecho en la cama desconocida de una habitación desconocida. Estudió la mano y el brazo, y de pronto levantó con rapidez el brazo izquierdo. ¿Qué había *pasado*? Bajó las piernas de la cama y se puso de pie, vacilante, presa de partes iguales de terror y curiosidad. Habían desaparecido los gruesos pantalones de pana acordonada y la tosca camisa de mezclilla negra. ¡Se encontraba vestido con su propia ropa! ¡Con su traje azul oscuro, su traje de parlamentario, como lo llamaba a menudo, humorísticamente, el traje que había usado para ir a la casa de Bollinger! Y su camisa de paño blanco, y la corbata a rayas, con los colores de su regimiento, todo recién lavado y planchado. ¿Qué había ocurrido? ¿Dónde *estaba*? ¿Dónde estaba la bien amueblada cabaña rústica, con los artefactos eléctricos y el bar con espejos? Ese era un dormitorio grande, que no había visto nunca.

Poco a poco, recobrado el equilibrio, recorrió el extraño ambiente; una parte de su persona se preguntaba si estaba viviendo un sueño o si lo había vivido hacía poco. Vio un par de altas y angostas puertas-ventanas, y fue hacia ellas con rapidez y las abrió. Daban a un reducido balcón, con el espacio suficiente para que una pareja bebiera café, pero no más que para eso... una mesita redonda en miniatura y dos sillones de hierro forjado habían sido colocados allí para ese ritual. Se detuvo delante de la baranda, que le llegaba hasta la cintura, y miró los terrenos oscuros, apenas iluminados por una luna casi inexistente y por las líneas paralelas de color ámbar, que se ramificaban en varias direcciones... Y algo más. A lo lejos, iluminado por el vasto resplandor de reflectores, había un sector cercado, no muy distinto de una inmensa jaula de alambre. Dentro de él parecía haber bloques de enormes maquinarias, algunas de ellas negrísimas y brillantes, otras como cromadas o plateadas, igualmente destacadas bajo la opaca luz de la luna, cubierta por nubes. Evan se concentró en el espectáculo, y luego hizo girar la cabeza para escuchar; había un constante zumbido ininterrumpido, y supo que había hallado la respuesta a una pregunta. No necesitó leer los letreros de *PELIGRO Alto Voltaje*; estaban ahí. Las máquinas rodeadas de alambradas eran los componentes de un gigantesco generador, sin duda alimentado por grandes tanques subterráneos de combustible, y por campos de pilas fotovoltaicas para captar alternativamente la energía del sol tropical.

Debajo del balcón había un patio de ladrillo en desnivel, a unos ocho metros de donde se encontraba, lo cual representaba un esguince de tobillo o una pierna fracturada, si una persona trataba de salir por allí. Estudió las partes exteriores; la tubería de desagüe se hallaba en la esquina de la estructura, lejos de su alcance, y no había trepadoras que se pudieran utilizar; sólo el estucado liso... ¿Mantas? *¡Sábanas!* ¡Atadas firmemente unas con otras, podía soportar una caída de ocho a diez metros! Si se daba *prisa*... De pronto interrumpió todos sus movimientos, cortó todas las ideas de correr al interior de la habitación y a la cama, cuando apareció una figura que marchaba por un sendero de luces ambarinas, a la derecha, con un rifle colgado del hombro. La figura levantó el brazo, en una señal. Evan miró hacia la izquierda; un segundo hombre respondía a su vez con otra señal: patrullas que se reconocían. Kendrick acercó su reloj a los ojos, tratando de ver el segundero en la tenue luz nocturna. Si pudiera determinar las coordenadas de los centinelas, tenerlo todo *preparado*... Una vez más se vio obligado a interrumpir las planes que creaba su desesperación. La puerta del dormitorio se abrió, y la realidad quedó entonces confirmada.

–Me pareció que lo oía rondar –dijo el hombre del Servicio Secreto salido de las filas de la Mafia.

–Y habría debido darme cuenta de que la habitación tenía micrófonos –dijo Evan, entrando desde el balcón.

–Siempre entiende mal, congresal. Esta es una habitación para huéspedes en la casa principal. ¿Le parece que estas personas escucharían las conversaciones privadas de sus invitados, o las relaciones perfectamente naturales de unos con otros?

–Creo que harían cualquier cosa. Y si no, ¿cómo supiste que estaba levantado?

–Muy fácil –contestó el mafioso; fue hasta la cómoda de la pared de la derecha y tomó un pequeño objeto chato–. Uno de éstos. Los usan las personas con niños pequeños. Mi hermana de Nueva Jersey no va a ninguna parte sin ellos... vienen de a pares. Se enchufa en una habitación, y después el otro en otra, y se escucha al niño cuando llora. Y deje que le diga que los chicos lloran mucho. Se los escucha en Manhattan.

–Muy esclarecedor. ¿Cuándo me devolvieron mi ropa?

–No sé. Los hispánicos se ocuparon de usted, no yo. Tal vez lo violaron, y no se enteró.

–De nuevo, esclarecedor... ¿Tienes alguna idea de lo que hiciste, en qué te metiste? Secuestraste a un nada desconocido ocupante de un cargo gubernamental, un miembro de la Cámara de Representantes.

–Por Dios, tal como lo dice, suena como el secuestro de un *maître* del Palacio de las Pastas de Vinnie.

–No eres nada divertido...

–*Usted* sí –interrumpió el guardia, sacando la automática de una funda que llevaba al hombro–. Y también se lo llama, congresal. Lo necesitan abajo.

–¿Y si rechazo la invitación?

–Entonces le hago un agujero en el vientre, y pateo un cadáver escaleras abajo. Sea lo que fuere, no me interesa. Se me paga por un servicio, no por una entrega garantizada. Elija, héroe.

La habitación era la pesadilla de un naturalista. Cabezas de animales cazados colgaban de las blancas paredes estucadas, y sus ojos postizos reflejaban el pánico de la muerte inminente. La tapicería se componía de pieles de leopardo, tigre y elefante, pulcramente estiradas y clavadas con tachones de bronce en sillones y sofás. Aunque no fuese más que eso, se trataba de una afirmación del poder de la bala de un hombre sobre la vida salvaje, y no tan imponente como triste, tan triste como los huecos triunfos de los vencedores.

El guardia del Servicio Secreto había abierto la puerta; indicó a Kendrick que entrase y luego la cerró, quedándose en el pasillo. Cuando se disipó el efecto inicial que producía la habitación, Evan se dio cuenta de que había un hombre sentado ante un amplio escritorio; sólo se le veía la nuca. Varios momentos más tarde, como para asegurarse de que estaban a solas, el hombre se volvió en su silla giratoria.

–Nunca nos hemos visto, congresal –dijo Crayton Grinell, con la suave cadencia de un abogado afable–, y por descortés que pueda parecer, prefiero mantener mi anonimato... Por favor, tome asiento. No hay razones para estar más incómodos de lo que resulte necesario. Por eso le fueron devueltas sus ropas.

–Supongo que tuvieron su utilidad en un lugar llamado parque Balboa. –Kendrick se sentó en una silla de capitán, delante del escritorio; el asiento se hallaba cubierto por una piel de leopardo.

–Nos proporcionaron opciones, sí –convino Grinell.

–Entiendo. –Evan reconoció de pronto la voz que sabía que había escuchado en otra oportunidad. Aparecía en la cinta grabada del europeo rubio. El hombre que tenía ante sí era el desaparecido Crayton Grinell, el abogado responsable de la matanza de Chipre, el asesino del Secretario de Estado.– Pero como no quiere que sepa quién es, ¿debo inferir que una de esas opciones podría encontrarme de vuelta en San Diego?

–Es muy posible, pero debo subrayar la parte dudosa. Soy franco con usted.

–También lo fueron sus amigos, en la casa de Bollinger.

–Estoy seguro de que lo fueron, y también usted.

–¿Era necesario que lo hiciera?

–¿Qué hiciera qué?

–Matar a un anciano.

–¡Nosotros no tuvimos nada que ver con eso! Y además, no está muerto.

–Lo estará.

–Todos lo estaremos algún día... Fue un acto estúpidamente gratuito, tan estúpido como las increíbles manipulaciones del esposo de ella a través de Zurich. Es posible que seamos muchas cosas, congresal, pero no somos estúpidos. Sin embargo, estamos perdiendo tiempo. Los Vanvlanderen ya no existen, y lo que haya ocurrido está enterrado con ellos. No se volverá a ver al "doctor Lyons"...

–¡Lo *quiero*! –interrumpió Kendrick.

–Pero lo tenemos nosotros, y *él* recibió la pena máxima que puede imponer un tribunal.

–¿Cómo puedo estar seguro de eso?

–¿Cómo puede dudarlo? ¿El Vicepresidente, cualquiera de nosotros, podía tolerar esa vinculación?... Lamento de veras lo que le sucedió al señor Weingrass, pero no tuvim s nada que ver con eso, en absoluto. Lo repito, el doctor y los Vanvlanderen ya no existen. Todo eso es un libro cerrado, ¿quiere aceptarlo?

–¿Era necesario drogarme y traerme aquí para convencerme?

–No podíamos dejarlo en San Diego, diciendo las cosas que decía.

–¿De qué estamos hablando ahora, entonces?

–De otro libro –respondió Grinell, inclinándose hacia adelante–. Lo queremos recuperar, y a cambio de eso quedará libre. Se lo llevará de vuelta a su hotel, con su propia ropa, y nada habrá cambiado. En Zurich es de día; se ha establecido, a su nombre, una línea de crédito por cincuenta millones de dólares.

Anonadado, Evan trató de no mostrar su asombro.

–¿Otro libro?... No estoy seguro de entenderlo.

–Varak lo robó.

–¿Quién?

–¡Milos Varak!

–¿El europeo...? –Su repentino reconocimiento del nombre se le escapó sin darse cuenta. Era el Milos.

–¡El muy profesional y muy muerto lacayo de Inver Brass!

–¿Inver *qué*?

–Sus presuntos promotores, congresal. No creerá que ha llegado adonde está por sus propios medios, ¿verdad?

–Sabía que alguien me impulsaba...

–*¿Impulsaba?* "Catapultaba" queda mejor... ¡Lunáticos entremetidos! No se dieron cuenta de que uno de ellos era también uno de los nuestros.

–¿Qué le hace pensar que el europeo... que ese Varak está muerto?

–Lo decía en el periódico... no daba su nombre, por supuesto, pero resultaba inconfundible. Pero antes de morir estaba en otra parte, *con* alguien que también trabajaba para *nosotros*. *Tenía* que estar, o no habría ido al aeropuerto... El lo *robó*.

–¿Ese otro libro? –preguntó Kendrick, vacilante.

–Un libro Mayor industrialmente codificado, que sólo tendría sentido para unos pocos elegidos.

–Y usted cree que yo lo tengo. –Una afirmación.

–Creo que sabe dónde está.

–¿Por qué?

–Porque en su celo, Varak, habría creído, erróneamente, que debería estar en manos de usted. Ya no podía seguir confiando en Inver Brass.

–Porque se enteró de que uno de ellos era también uno de ustedes.

–En esencia, sí –dijo Grinell–. Es una hipótesis, por supuesto. Un hábito profesional, pero me ha resultado muy útil a lo largo de los años.

–Esta vez no. No sé nada de eso.

–En su lugar, yo no mentiría, congresal. De todos modos, sería inútil. En estos días existen tantas maneras de aflojar cerebros y lenguas...

¡No podía permitir que le administrasen drogas! Bajo el efecto de ellas firmaría la sentencia de muerte de Khalehla, y daría a los contribuyentes toda la información que necesitaban para montar sus cortinas de humo personales, y en otros casos para desaparecer. ¡Manny, agonizante, merecía algo mejor que

eso! Si alguna vez necesitó credibilidad, era en ese momento. Se encontraba en otro cercado, no es Mascate, sino en una isla, en las aguas de México. Tenía que ser tan convincente como cuando se encontraba entre los terroristas, porque esos hombres, esos asesinos de las salas de reuniones de directorios, no eran menos terroristas.

–Escúcheme –dijo Evan con firmeza, recostándose contra el respaldo y cruzando las piernas, con la vista fija en Grinell–. Puede pensar lo que se le dé la maldita gana, pero no quiero la vicepresidencia; quiero una línea de crédito de cincuenta millones de dólares en Zurich. ¿Hablo con claridad?

–Con claridad, y queda grabado, por supuesto.

–¡Bien, *magnífico*! Haga todo un videotape...

–Pero es que se hizo –interrumpió el abogado.

–¡Excelente! Entonces estamos los dos en el mismo bote, ¿no?

–En el mismo bote, congresal. Y bien, ¿dónde está el libro?

–No tengo la menor idea, pero si ese Varak me lo envió, sé cómo puede conseguirlo... Llamaré a mi oficina de Washington y le diré a mi secretaria, Annie O'Reilly, que lo envíe por expreso esta misma noche, adonde usted quiera.

Los dos negociadores se miraron, y ninguno de los dos desvió los ojos ni por un instante.

–Es una buena solución –dijo Grinell, por último.

–Si se le ocurre una mejor, úsela.

–Eso es mejor aún.

–¿Estoy a bordo?

–A bordo, y camino de Zurich –respondió Grinell, sonriendo–. En cuanto despeje ciertos temas de nuestra agenda, como Chicago, por ejemplo.

–El telegrama saldrá por la mañana. Haré que O'Reilly lo envíe desde la oficina.

–Con copia a nuestro estimado Vicepresidente, por supuesto.

–Es claro.

El presidente del directorio de los contribuyentes lanzó un suspiro audible, de satisfacción.

–Oh, cuán venales somos todos –dijo–. Usted, por ejemplo, congresal, es una maraña de contradicciones. Su personalidad pública nunca aceptaría nuestro trato.

–Si eso es para su videotape, déjeme que haga una declaración. Fui quemado, e hice lo posible para apagar los incendios en Omán, porque me habían quemado *a mí*, y matado a una gran cantidad de amigos. No veo contradicción alguna.

–Así queda registrado, representante Kendrick.

De pronto, sin previo aviso, la tranquila conversación fue liquidada por una combinación de señales. Un viva luz roja comenzó a parpadear en la consola del radioteléfono del escritorio, y el sonido de una sirena brotó de algún lugar de las puertas estucadas, sin duda de la boca de un animal embalsamado. La puerta se abrió de golpe, y la alta figura del bronceado capitán del barco, el lacónico maleza silvestre de la Ciudad de la Corrupción, irrumpió en la habitación.

–¿Qué demonios está *haciendo*? –rugió Grinell.

–Saca a esa mierda de aquí –gritó el marino–. ¡Desde el principio pensé que era una trampa, y tenía razón! Hay gente del gobierno, despachada por Washington, buscando a Bollinger por todas partes, en su casa, interrogando a todos, como si estuviesen en un reconocimiento policial.

–*¡Qué!*

–Estamos ocupándonos de eso, pero tenemos un problema más grande. ¡El libro Mayor! Bollinger recibió una llamada. ¡Lo tiene el *abogado* de la puta!

–*¡Cállate!* –ordenó Grinell.

–Habla de diez millones, que ella le dijo que su Andy querido le había prometido. ¡Y ahora los quiere *él*!

–¡Te dije que te *callaras*!... ¿Qué quisiste decir, con eso de que los federales estaban interrogando a todos?

–Lo que dije. No sólo los interrogan, sino que tienen órdenes de registro. No encontrarán nada, pero no porque no lo intenten.

–¿En la casa del *Vicepresidente*? ¡Es *inaudito*!

–Lo hacen con astucia. Le han dicho a Bollinger que es para protegerlo de sus subordinados. Pero nadie me convencerá a mí. –El marino se volvió hacia Evan.– Este hijo de puta fue enviado para tendernos una trampa. ¡La palabra del héroe contra la de cualquier otro!

Grinell miró a Kendrick.

–No puede haber una palabra de un héroe, si no existe un héroe. *Adiós*, congresal. –Grinell oprimió un botón del costado de su escritorio, y la puerta del enorme salón de animales embalsamados volvió a abrirse. La automática del mafioso se movió de un lado a otro, cuando entró con cautela.– Llévatelo –ordenó el abogado–. Los mexicanos te dirán adónde... Me engañó, congresal. Recordaré la lección. Hay que cuidarse del hombre persuasivo que cambia de bando.

El ruido de las olas que se estrellaban contra la costa rocosa de la isla se intensificó cuando bajaron por la senda iluminada con las luces ambarinas. Adelante terminaban las luces del suelo, y una barrera blanca se destacaba con claridad ante las últimas lamparitas con pantallas; el resplandor del color ámbar iluminaba las letras de las dos indicaciones colocadas en la obstrucción blanca. Una vez más, la de la izquierda estaba en castellano, la de la derecha en inglés.

¡Peligro!... ¡Danger!

Más allá de la barrera había un promontorio que miraba hacia el mar; las enfurecidas aguas se agitaban bajo la vaga luz de la luna, y el ruido de las olas al estrellarse era ahora ensordecedor. Kendrick era conducido al lugar de su ejecución.

41

Bolsones de vapores arremolinados surgían de las rocas del promontorio, sobre el Pacífico. Evan contuvo su pánico, recordando el pacto consigo mismo: no moriría pasivamente; no se dejaría matar sin antes luchar, por inútil que fuere. Pero aun los esfuerzos de la última trinchera presumían la posibilidad de supervivencia, y él había pasado toda su vida adulta estudiando las complejidades de los detalles específicos. Se veían lianas tropicales por todas partes, gruesas y fuertes por la humedad y los vientos que atacaban constantemente sus troncos. Había lujuriosas malezas a ambos lados de la hilera de luces ambarinas, y tierra suelta, húmeda, entre ese follaje retorcido, barro que nunca conocía un momento de sequedad. El mexicano que había orientado al mafioso al terreno del asesinato era un colaborador sin mayor voluntad de participar. Su voz se hizo más débil cuando dieron los últimos pasos hacia la barrera blanca.

–*¡Al frente, al frente!* –gritó, nervioso–. *¡Adelante!*

–Pase sobre ella o dé la vuelta, congresal –dijo el hombre del Servicio Secreto, con la voz fría de un profesional que realiza su tarea profesional, alguien para quien la vida y la muerte no tenían significado alguno.

–No puedo –respondió Kendrick–. Es demasiado alta para pasar por encima, y a los costados se extiende una especie de alambre de espino.

–¿Dónde?

–Aquí. –Kendrick señaló hacia abajo, en la oscura maleza.

–No veo...

¡Ahora!, gritó la voz silenciosa dentro de la garganta de Evan cuando giró; las dos manos se alzaron hacia la enorme arma odiosa, la aferraron y lograron arrancarla, mientras doblaba la muñeca del mafioso hacia atrás y estrellaba el hombro en el pecho del guardia; tiró del brazo hacia adelante, y con desesperación, con todas las fuerzas que había en él, hizo perder el equilibrio al hombre y lo arrojó a la maleza y la tierra mojada. La pistola disparó, y la detonación se mezcló a los ruidos de las olas que se estrellaban abajo. Kendrick hundió el arma en la tierra blanda, y liberada la mano derecha, tomó un puñado de barro y lo aplastó contra la cara del mafioso, fregándoselo en los ojos.

El guardia gritó palabras inarticuladas, de furia, y al mismo tiempo trató de limpiarse los ojos y de arrancar el arma del suelo, y librarse él mismo de Evan. Kendrick siguió encima del asesino, quien se retorcía y se arqueaba, y clavó repetidas veces la rodilla en la ingle del hombre, mientras su mano derecha recogía continuamente barro y lo fregaba por los ojos y la boca del mafioso. Sus nudillos rozaron un objeto duro, irregular... ¡una *piedra*! Era casi demasiado grande para la aterrorizada extensión de sus dedos, pero nada podía detenerlo, nada lo *detendría*. Forzando músculos que no usaba desde hacía meses, años, y esquivando los convulsivos ataques del hombre, sacó la pesada piedra rugosa del barro, la levantó y la estrelló en la cabeza de su verdugo en potencia. El guardia asesino quedó laxo, y el cuerpo del hombre se hundió en la maleza húmeda y el suelo blando.

Evan tomó el arma y volvió la mirada hacia el mexicano; éste esperaba para ver quién viviría y quién moriría a unos metros de él, entre el follaje umbrío, cubierto de bruma; acuclillado, retrocedió hacia una lamparita de color ámbar y la quebró con el pie. Al ver al sobreviviente, giró y clavó los pies en el suelo para huir.

–*¡Deténte!* –gritó Kendrick, sin aliento, poniéndose de pie de un salto y trastabillando fuera de la maleza.– ¡Deténte, o te mato! Me entiendes perfectamente bien.

El mexicano se detuvo, se volvió lentamente, bajo el resplandor de las luces, para enfrentar a Evan.

–No tengo nada que ver con estas cosas –dijo en un inglés asombrosamente claro–. Soy pescador, pero no hay paga decente en los barcos, en estos días. Gano mis pesos y me voy a casa, con mi familia, en El Descanso.

–¿Quieres volver a ver a tu familia?

–*Sí*, mucho –respondió el hombre, con los labios las manos temblorosos–. Si esto es lo que ocurre, no volveré.

–¿Me estás diciendo que nunca había sucedido, hasta ahora?

–Nunca, señor.

–¡Y cómo conocías el camino, entonces! –gritó Kendrick, contra el ruido del viento y de las olas. Recuperaba el aliento, poco a poco adquiría conciencia del fango que lo cubría, y del dolor en todo el interior del cuerpo.

–Nos traen aquí y nos dan mapas de la isla, que debemos conocer por completo en dos días, o nos envían de vuelta a casa.

–¿Para qué? ¿Para ejecuciones múltiples?

–Te dije que no, señor. Estas son aguas de drogas –*narcóticos*–, y muy peligrosas. Se puede llamar con mucha rapidez a patrullas mexicanas y norteamericanas, pero la isla tiene que seguir siendo vigilada.

–¿Llamar con rapidez?

–El dueño es un hombre poderoso.

–¿Se llama Grinell?

–No sé, señor. Sólo conozco la isla.

–Hablas en un inglés fluido. ¿Por qué no lo hablaste antes? –Evan señaló al mafioso muerto.– ¡A *él*!

–Vuelvo a decirlo, no quería tener nada que ver con esto. Me dijeron adónde debía llevarte, y a medida que nos acercábamos comencé a entender... Nada que ver, señor. Pero tengo a mi familia en El Descanso, y los hombres que vienen aquí son hombres poderosos.

Evan miró al hombre con indecisión. Sería fácil, *tan* fácil, terminar con su vida y eliminar un riesgo, pero también existía una vislumbre de oportunidad, si el asustado mexicano no mentía. Kendrick sabía que estaba negociando por su vida, pero también había otra vida involucrada, y ello facilitaba la negociación.

–Debes entender –dijo, acercándose más al hombre, elevando la voz para ser escuchado con claridad–. Que si vuelves a la casa sin *él*, y si él no aparece o encuentran su cadáver aquí, o lanzado por el agua contra las rocas, te matarán. *Entiendes* eso, ¿verdad?

El mexicano asintió dos veces.

–*Sí*.

–Pero si *yo* no te mato, tienes una posibilidad, ¿no? –preguntó Evan, levantando el arma del mafioso. El miembro del personal cerró los ojos y asintió una sola vez–. De modo que en interés de tu familia, que está en El Descanso, y en el tuyo propio, es conveniente que te unas a mí, ¿no es así?

–*Sí*. –El mexicano abrió los ojos.– ¿Que me una en *qué*?

–En salir de aquí... *lejos* de aquí. Hay una lancha ahí abajo, en ese muelle, cerca de un tanque de gas. Es lo bastante grande pára hacer el viaje.

–Tienen otras lanchas –interrumpió el guía del verdugo–. Son más veloces que los barcos del gobierno, y hay un helicóptero con poderosos reflectores.

–*¿Qué?* ¿Dónde?

–Cerca de la playa, al otro lado de la isla. Hay una pista de aterrizaje, de hormigón... ¿Eres piloto, señor?

–Ojalá lo fuera. ¿Cómo te llamas?

–Emilio.

–¿Vienes conmigo?

–No tengo elección. Quiero salir de aquí e irme a casa, con mi familia, y trasladarme a un pueblo de las montañas. De lo contrario moriré, y ellos pasarán hambre.

–Te prevengo que si me das motivos para pensar que me estás mintiendo, no volverás a ver El Descanso, *ni* a tu familia.

–Lo entiendo.

–Quédate a mi lado... Primero quiero ver a mi verdugo.

–¿Tu qué, señor?

–Mi amistoso ejecutor. *¡Vamos!* Tenemos mucho que hacer, y no mucho tiempo para hacerlo.

–¿Al barco?

–Todavía no –dijo Kendrick, mientras un plan vago, fragmentado, iba ubicándose en un foco–. Vamos a desarticular esta maldita isla. No sólo por ti y por mí, sino por todos. *Todos...* ¿Hay algún cobertizo de herramientas, un lugar donde guardan cosas como palas, picos, tijeras de podar, ese tipo de cosas?

–El *mantenimiento* –respondió Emilio–. Para los jardineros, aunque con frecuencia se nos pide que los ayudemos.

–Primero nos detendremos un poco, y después llévame allí –continuó Evan, corriendo, con torpeza y dolorido, hacia el mafioso muerto–. ¡Ven!

–¡Debemos tener cuidado, señor!

–Lo sé, por los guardias. ¿Cuántos hay?

–Dos en cada uno de los sectores practicables de la playa y el muelle. Diez por cada turno. Todos llevan radioalarmas que ponen en funcionamiento *sirenas...* sirenas muy fuertes.

–¿Cuánto dura cada turno? –preguntó Kendrick, inclinándose sobre el cadáver del hombre del Servicio Secreto.

–Doce horas. Veinte *guardias* y cuatro *jardineros*. Los que no se encuentran de servicio están en lo que ellos llaman "el cuartel". Es un largo edificio situado al norte de la casa principal.

–¿Dónde están las herramientas?

–En un garaje metálico, a cincuenta metros al sur del *generador*.

–Bien. –Evan sacó la cartera del mafioso y el portadocumentos de plástico negro, y luego revisó los bolsillos embarrados, y halló más de mil dólares, que sin duda no provenían de una lista federal de pagos. Por último extrajo una pequeña "llave" electrónica, que aflojaba las tuercas y abría la puerta de la cabaña-celda del bosque.– Vamos –repitió, y se irguió con dificultad en la tierra blanda, húmeda, y en la maleza.

Partieron por el sendero de lamparitas de color ámbar.

–*¡Un momento!* –cuchicheó Emilio–. Las luces. Apágalas con el pie, señor. Cuanta más oscuridad, mejor.

–Bien pensado –asintió Kendrick, y se encaminó con el mexicano hacia la barrera blanca, donde se dedicaron a quebrar cada una de las lamparitas con pantalla de ambos lados. Llegaron al sendero central de la isla, que a la izquierda bajaba a los botes y al muelle, y a la derecha a la casa solariega de la cima de la colina, con un ramal que iba hacia la rústica cabaña a prueba de fugas. Evan y el mexicano corrieron de una a otra lamparita, demoliéndolas hasta llegar a la senda de la cabaña–. ¡Por ahí! –ordenó Kendrick, adelantándose, a la carrera, hacia la derecha–. Olvídate de las luces. Las apagaremos a la vuelta.

–*¿La cabaña?*

–¡De prisa! –Una vez más, el asombroso resplandor aumentado de la luz de las gruesas ventanas biseladas iluminó el claro del frente de la sólida casita. Evan se acercó a la puerta y oprimió un botón verde en la llave electrónica. Oyó que los pasadores entraban en el marco; hizo girar el picaporte y entró.– Entra –llamó a Emilio. El mexicano hizo lo que se le decía, y Kendrick cerró la puerta, oprimiendo el botón rojo.

Corrió al sector de la cocina, abrió cajones y armarios, uno tras otro, eligiendo objetos que le parecían útiles: una linterna, un gran cuchillo de trinchar y varios otros más pequeños, una cuchilla de picar carne, tres latitas de Sterno, una caja de fósforos de cazadores –cubiertos de parafina, frotables en cualquier superficie dura– y una pila de toallas de cocina plegadas. Con todo ello sobre la mesa ovalada de roble, miró a Emilio, quien lo observaba. Tomó uno de los cuchillos, por la hoja, y tendió la empuñadura al mexicano.

–Espero que no tengas que usarlo, pero cuando debas hacerlo, no yerres.

–Hay hombres a quienes no podría matar sin razonar primero con ellos, porque están tan desesperados como yo por su puesto de trabajo. Pero con otros, los que han estado más tiempo aquí, no tendría esos problemas.

–¡*Maldición*, no puedes tener *ningún* problema! Si dan una sola alarma...

–Mis amigos *no* darán la alarma, señor, si ven que soy yo, Emilio. Además, casi todos están en el cuartel, durmiendo. Para las patrullas nocturnas usan a los *veteranos*; de noche tienen miedo de los barcos.

–Será mejor que estés en lo cierto.

–Quiero ir a casa, créemelo.

–Toma algunas toallas de cocina, una lata de Sterno y un puñado de cerillas. ¡De prisa! –Kendrick tomó el resto de los objetos y dejó para el final la cuchilla de picar carne. La aferró, fue a la consola del intercomunicador, se colocó de costado e introdujo la gruesa hoja en la parte trasera del equipo, desprendiéndolo de la pared y del hueco en el cual se hallaba encajado.– Trae las dos lamparitas aquí –dijo al mexicano–. Rómpelas. Yo traeré las luces de la cocina y la lamparita del otro lado de la habitación.

Menos de un minuto más tarde, los dos hombres desesperados estaban en el sendero; el claro de adelante de la cabaña, antes tan bien iluminado, se veía ahora fantásticamente oscuro.

–¡Las *herramientas*! Los útiles de jardinero. Llévame a ellos.

–*¡Con mucho cuidado!* Debemos tener cautela al dar la vuelta a la casa grande. Apagaremos las luces del sendero sólo hasta donde yo diga. Desde el segundo nivel, los de la casa pueden ver si no están encendidas, y darán la alarma. Si hay patrullas, deja que yo las estudie primero.

–Vamos. Ellos tienen problemas, allá arriba, pero muy pronto alguien se preguntará dónde está mi verdugo. ¡Date *prisa*!

Quebraron las lamparitas ambarinas en una cuesta que precedía a la planta baja de la gigantesca casa solariega... una gran casa, pensó Evan, recordando la zona tropical y las grandes casas del Caribe. El mexicano lo tomó de repente del brazo y lo atrajo hacia el follaje del borde del sendero; luego le empujó el hombro hacia abajo, apretando la carne. El mensaje era claro: acuclillarse y permanecer inmóvil. Un guardia, con el rifle colgado del hombro, pasó junto a ellos por el sendero, en la dirección opuesta.

–¡Ahora, rápido, señor! ¡No hay nadie hasta la *galería* de atrás, donde beben vino y ahúman pescado!

Un gran patio, con un foso para asados, pensó Evan, siguiendo a Emilio por la espesura, deseando tener un machete para cortar las lianas, pero agradecido por el sonido, extrañamente omnipresente, del viento y el retumbo de las olas. Dieron la vuelta por abajo, alrededor de la casa, cuando de pronto se escuchó otro sonido. Era el enorme generador, de zumbido constante, bajo, aterrador. El ingeniero que había en Kendrick trató de calcular la energía que producía y el combustible que consumía, y el aporte auxiliar del necesario campo de pilas fotovoltaicas... era tremendo. Había instalado generadores, desde Bahrein hasta los desiertos del oeste de Arabia Saudita, pero eran temporales, sólo para ser usados hasta que fuera posible tender cables de electricidad; nada como eso de allí.

El mexicano volvió a apretar el hombro de Evan, ahora con más energía, con la mano temblorosa, y una vez más se acurrucaron en la maleza, detrás de la larga pared recortada de arbustos. Kendrick miró hacia arriba y entendió, con repentino temor. Adelante, a la izquierda, por sobre el borde del sendero cortado en forma de seto, un guardia había oído o visto algo. La parte superior de su cuerpo era visible con claridad en el resplandor de las luces ambarinas; avanzó con rapidez, descolgándose el rifle del hombro y apuntándolo ante sí. Caminó en línea recta hacia ellos, y a unos pasos de distancia hundió el caño del arma entre las malezas.

–*¿Quién es?* –gritó el hombre de patrulla.

De pronto, precipitándose como un felino enfurecido, Emilio se irguió, aferró el rifle y atrajo al guardia a través del follaje. Hubo una brusca exhalación de aire que cortó el comienzo de un grito, y el hombre cayó entre los arbustos, con la base de la garganta convertida en una masa sanguinolienta. El cuchillo se encontraba en la mano derecha de Emilio.

–¡Por *Dios*! –susurró Evan, cuando él y el mexicano arrastraron el cuerpo más hacia adentro de la espesura.

–¡No tenía tratos con este *perro*! –dijo Emilio–. Este animal destrozó la cabeza a un muchacho, un joven jardinero que no quiso transigir con él, si me entiende, señor.

–Entiendo, y también entiendo que acabas de salvarnos la vida... Espera un momento. El rifle, la gorra. ¡Podemos ahorrar tiempo! Aquí no hay uniformes, sólo ropas de trabajo... El arma *es* el uniforme. Ponte la gorra y cuélgate el rifle del hombro. Luego sal de aquí, y yo te seguiré tan de cerca como pueda, por aquí. ¡Si es más rápido que vaya por el sendero, asegúrate de que esté despejado!

–*Bueno* –dijo el mexicano, y tomó la gorra y el arma–. Si me detienen, diré que ese *perro* me obligó a remplazarlo por un par de horas. Se reirán, pero nadie lo pondrá en duda... Me voy. ¡Quédate cerca! –Emilio atravesó el seto, con el rifle al hombro, y echó a andar por el sendero. Trastabillando por entre el oscuro follaje enmarañado, Kendrick hizo lo posible para seguirlo; de vez en cuando susurraba al mexicano que caminase con más lentitud. En un momento, en un sector particularmente denso, Evan sacó del cinturón la cuchilla de picar carne y atacó una masa de enredaderas tropicales, sólo para escuchar que Emilio exclamaba, entre dientes:

–*¡Silencio!* –Luego oyó otra orden:– ¡Ahora, señor! Sal y camina conmigo. *¡Rápido!*

Kendrick así lo hizo, forzando la marcha entre los arbustos, para unirse al mexicano, quien de pronto, de manera enfática, aceleró los pasos por el sendero en declive.

–¿Es tan buena idea, esto de ir así de rápido? –preguntó Evan, sin aliento–. Si nos ven, alguien podría pensar que estamos huyendo mientras nos encontramos de guardia.

–Hemos llegado a la parte de atrás de la casa grande –respondió Emilio, corriendo–. A esta hora no hay nadie aquí, fuera de dos guardias en diferentes senderos, que se unen en la *galería* de piedra y luego suben por la colina y bajan a la playa. Podemos atravesar la *galería* a la carrera y subir por el camino más lejano, y luego cruzar el bosque hasta el *mantenimiento...* por las herramientas, señor.

Llegaron al patio en desnivel, de ladrillo, el mismo patio que Kendrick había estudiado desde el balconcito de la habitación de huéspedes, de arriba. Recordó a los dos guardias que se intercambiaban señales desde las bases de los senderos enfrentados. El mexicano, que ahora era quien dirigía, tomó el brazo de Evan y señaló con la cabeza hacia la izquierda, para luego echar a correr. Bajaron corriendo el patio en desnivel, que era mucho más grande de lo que Kendrick había creído; se extendía a todo lo largo de la casa misma, y se habían colocado muebles de hierro forjado blanco en derredor del sector central, delante de un gran foso para asados, de ladrillo. Corrieron por el costado de la casa, bajo los balcones, y luego cruzaron y subieron por el sendero del sur, de luces de color ámbar, hasta una zona llana bordeada de altas hierbas, un otero que miraba hacia el océano y dos playas separadas por una línea costera rocosa, a unos veinte metros más abajo. Las luces ambarinas quedaban ahora detrás de ellos, y adelante no había otra cosa que una angosta senda descendente, de tierra.

Desde ese punto de mira ventajoso se podía ver una buena porción de la parte trasera de la isla, bajo la esporádica luz de la luna. A la derecha, a no más de trescientos metros, y bañado por la luz de los reflectores, se hallaba el enorme generador. Más allá del cercado se veían los contornos borrosos de un largo edificio bajo, el "cuartel" de Emilio, supuso Evan. Y mucho más abajo, apenas por encima de la playa, a la derecha, con su hormigón blanco destacado como un amplio faro liso, se encontraba el helipuerto, con un gran helicóptero militar posado en su lugar... pintado de colores civiles, con identificación mexicana, pero que era de inconfundible procedencia militar de Estados Unidos.

–*¡Ven!* –susurró Emilio–. Y no digas nada, porque las voces se escuchan de este lado de la isla. –El mexicano bajó por un oscuro sendero sin luces, trazado en el bosque, una senda que sólo se usaba a la luz del día. Y después, al pensar en las palabras de Emilio, Kendrick se dio cuenta de lo que faltaba. El ruido del viento y de las olas al estrellarse, había desaparecido casi por completo... y las voces se *escucharían* en el silencio de esos terrenos, y un helicóptero podía maniobrar en sus bordes con muy pocas dificultades.

El "garaje" metálico al cual se había referido Emilio era mucho más grande que cualquier garaje, aunque su descripción había sido adecuada. Evan nunca había visto uno parecido, fuera de las descomunales estructuras esterilizadas, herméticas, que alojaban las diversas limusinas de una familia reinante árabe. En cambio, ésa era una horrible masa de aluminio acanalado, con varios tractores, diversas segadoras de césped que funcionaban con gasolina, sierras mecánicas y máquinas podadoras, nada de ello útil por el ruido que harían. Pero en la pared del costado y en el piso de abajo había objetos más útiles. Entre ellos, una hilera de latas de gasolina, y arriba, colgados de ganchos y suspendidos entre clavos, hachas, hachuelas, guadañas, cizallas de alambre, machetes y podadoras de árboles telescópicas, de mangos de caucho... todas las herramientas necesarias para contener el follaje tropical en su invasión increíblemente veloz.

Las decisiones eran de poca importancia, instintivas y sencillas. La cuchilla de picar fue abandonada a favor de un hacha y un machete... para él y Emilio. A ellos se sumaron las pinzas de cortar alambre, una lata de gasolina y una podadora de árboles extensible hasta tres metros. Todo lo demás que tomaron de la cabaña siguió en sus bolsillos.

–¡El helicóptero! –exclamó Kendrick.

–Hay un sendero que une los caminos del norte y el sur, debajo del *generador*. ¡De prisa! Los guardias ya habrán llegado a las playas y pronto empezarán a regresar. –Salieron corriendo del almacén de los jardineros, con las herramientas precariamente metidas en los cinturones, o sostenidas en las manos y bajo los brazos unidos al cuerpo. Con Emilio a la cabeza, se precipitaron al borde de altos pastos y se dirigieron hacia la angosta senda que subía por la cuesta.

–*¡Cigarrillo!* –susurró el mexicano, empujando a Evan hacia las inmóviles hierbas. Un bamboleante cigarrillo encendido brilló cuando el guardia trepaba por la colina y pasaba cerca de ellos, a menos de tres metros–. ¡Ven! –exclamó Emilio con tono suave, cuando el guardia llegó a la cima del otero. Encorvados, corrieron hacia el camino del norte; no se veían señales de la segunda patrulla, de modo que salieron e iniciaron su descenso hacia el helipuerto de hormigón.

El enorme aparato militar repintado se erguía como un monstruo silencioso, a punto de lanzarse sobre un enemigo que sólo podía ver de noche. Gruesas cadenas tensas envolvían los trenes de aterrizaje, y se encontraban ancladas en el hormigón; ninguna tormenta súbita del mar podría mover el helicóptero, a menos que fuese lo bastante fuerte para destrozarlo. Kendrick se acercó al enorme aparato, mientras Emilio se mantenía junto a los pastos del camino, aguardando el regreso del guardia, y preparado para avisar a su compañero norteamericano. Kendrick estudió la aeronave con un solo pensamiento: inmovilizarla, y hacerlo sin producir un ruido lo bastante fuerte como para que se escuchase en la silenciosa ladera isleña. Tampoco podía usar su linterna; en la oscuridad, el haz de luz sería advertido... *Cables*. Arriba, por debajo de las paletas, y en el montaje de cola. Tomándose primero del tirador de una puerta, y luego del marco de una ventana, se izó por delante de la cubierta de vuelo, con la cizalla de alambre, de largo mango, asomándosele de los pantalones. En pocos segundos se había arrastrado por encima del guardabrisas curvo del piloto, hasta la parte superior del fuselaje; con inseguridad, con cautela, avanzó con las manos y las rodillas hasta la base de la maquinaria del rotor. Sacó la tijera de cortar alambre, se puso de pie y tres minutos más tarde había cortado los cables que podía ver en la oscuridad de la noche.

¡El silbido fue breve y agudo! Era la señal de Emilio. El guardia había llegado a la cima de la colina, y en pocos minutos llegaría al helipuerto de encima de la playa. El ingeniero que había en Kendrick se preguntó si había inmovilizado el aparato, o sólo inferido algún daño. Tenía que llegar a la articulación de la cola; era su respaldo, en esa era mecánica en que cada aparato que partía en vuelo tenía un mecanismo auxiliar tras otro, en caso de desperfectos en pleno vuelo. Gateó por el fuselaje con toda la rapidez que pudo, sin poner en riesgo su equilibrio y resbalar, para caer, desde diez metros, sobre el hormigón blanco. Llegó a la cola, y no vio nada; todo estaba recubierto por el metal... ¡no, *no* todo! A horcajadas del esbelto fuselaje, mientras se sostenía de la cola, se inclinó hacia adelante y divisó dos gruesos cables, parecidos a cuerdas, que llegaban hasta el alerón derecho. Trabajó con ritmo furioso, sintiendo que el sudor le chorreaba y caía sobre el metal brillante, y sintió que las pinzas de cortar alambre cumplían su misión y uno tras otro quedaban sueltos los hilos del cable de arriba. De pronto hubo un fuerte chasquido –*demasiado* fuerte, un intenso *estallido* en la noche tranquila–, cuando todo un sector del alerón se derrumbó hasta quedar en posición vertical. Lo había hecho; su refuerzo estaba asegurado.

–¡Ruido de pies que corrían! Gritos de abajo. *"¿Qué es eso? ¡Quédese!"* Debajo del montaje de cola, el guardia se encontraba de pie en el hormigón, y con el rifle en el brazo derecho apuntaba a Evan, mientras su mano izquierda buscaba la radioalarma unida a su cinto.

42

¡No podía ser! Como si de pronto hubiera perdido el equilibrio, el dominio sobre su cuerpo, Kendrick levantó los brazos y resbaló del fuselaje, estrellando las pinzas de cortar alambre en la culata del rifle. El guardia estaba a punto de lanzar un grito de dolor cuando el arma fue arrancada de su brazo para caer al suelo, pero antes de que el grito pudiese llegar a un crescendo, Emilio se precipitó sobre él, golpeando el cráneo del hombre con el extremo romo de su hacha.

–¿Puedes *moverte*? –preguntó el mexicano a Evan, en un murmullo–. ¡Debemos irnos! *¡Rápido!* El otro guardia correrá enseguida hacia este lado. Retorciéndose sobre el hormigón, Evan asintió y se puso de pie trabajosamente, recogiendo de paso la pinza de cortar alambre y el rifle.

–Sácalo de aquí –dijo, y en el acto se dio cuenta de que no tenía que dar la orden. Emilio arrastraba al hombre inconsciente, a través del helipuerto, hacia los altos pastos. Cojeando, con el tobillo izquierdo y la rodilla derecha ardiendo de dolor, Kendrick lo siguió.

–He cometido un error –dijo el mexicano, meneando la cabeza, y todavía en un cuchicheo–. Tenemos una sola posibilidad... Te observé cuando caminabas. No podremos llegar al muelle y a las lanchas sin ser vistos, antes de que el otro guardia se dé cuenta de que no eres su *compañero*. –Emilio señaló a su desvanecido compatriota.– En la oscuridad puedes *ser* él, y acercarte lo bastante, antes que el otro advierta que yo no lo soy.

–Primero gritará, te preguntará qué ocurrió. ¿Qué le dirás?

–Me metí entre las hierbas para hacer mis necesidades, y en mi prisa me golpeé con una gran roca aguzada. Cojearé como tú, y me ofreceré a mostrarle dónde estoy sangrando.

–¿Te creerá?

–Rézale a la Virgen para que me crea. De lo contrario moriremos los dos. –El mexicano se irguió y se echó el rifle al hombro.– Un solo pedido, por favor –agregó–. Este *guardia* no es un mal hombre, y tiene familia en El Sauzal, donde no hay trabajo. Maniátalo, y amordázalo con su propia ropa. No puedo matarlo.

–¿Sabes quién es el otro guardia? –preguntó Evan con aspereza.

–No.

–¿Supongo que tampoco puedo matarlo a *él*?

–¿Por qué es un problema? Soy un fuerte pescador de El Descanso, cuando hay barcos que me contraten. Puedo amarrarlo yo mismo... o traer otro *compañero* para nosotros.

La segunda opción no era posible. En cuanto Emilio, cojeando, llegó al camino de tierra del costado del helipuerto, el guardia del sur llegó a la carrera. Cuando se acercaron, hubo un breve cambio de palabras en castellano, y de pronto una erupción de palabras de uno de los dos hombres, y no se trataba del pescador de El Descanso. En el acto se produjo un silencio, y Emilio regresó momentos más tarde.

–No hay *compañero* –dijo Kendrick, sin formular una pregunta.

–¡Esa *rata* rabiosa afirmaría que su madre es una puta, si la *policía* le pagara lo suficiente!

–¿"Afirmaría", en potencial?

–*No comprendo*.

–¿Está muerto?

–Muerto, señor, entre los pastos. Además, tenemos menos de veinte minutos antes que aclare por el este.

–Vamos, entonces... tu amigo está amarrado.

–¿Al muelle? ¿A las lanchas?

–Todavía no, *amigo*. Todavía tenemos algo más que hacer, antes de ir allá.

–¡Te repito que pronto *aclarará*!

–Si hago bien las cosas, aquí habrá mucha más iluminación antes de eso. Toma la gasolina y las tres cizallas. No puedo llevar más de lo que tengo.

Un paso tras otro, dolorido, Evan subió por las angosta senda de tierra, detrás del mexicano, hasta llegar al inmenso generador de la isla, rodeado por una cerca; su bajo zumbido les hirió los oídos hasta producir dolorosas vibraciones. Por todas partes había letreros de *¡Peligro!... ¡Danger!*, y el único portón de ingreso se hallaba asegurado por dos enormes placas de cierre que, en apariencia, necesitaban inserciones simultáneas de llaves para abrirse. Cojeando por las sombras más oscuras de los reflectores, Kendrick dio la orden mientras entregaba a Emilio los cortadores de alambre.

–Empieza aquí, y espero que seas tan fuerte como dices. Esta es una cerca muy gruesa. Corta una abertura, un metro bastará.

–¿Y tú, señor?

–Tengo que echar una mirada.

¡Los *encontró*! Tres discos de hierro atornillados en el hormigón, con una separación de diez metros entre sí; tres enormes tanques, cisternas de combustible, complementados por series de pilas fotovoltaicas instaladas en alguna parte, que ya no le preocupaban. Para abrir un disco hacía falta una llave hexagonal en T, con las barras superiores lo bastante largas para que cada una fuese tomada por dos hombres fuertes. Pero había otra manera, y él la conocía bien de los tanques del desierto, en Arabia Saudita: un procedimiento de emergencia para el caso de que las caravanas de camiones de combustible hubiesen olvidado la herramienta, cosa no poco común en los desiertos de Jabal. Cada uno de los discos supuestamente impenetrable tenía catorce rebabas en la superficie, no muy diferentes de las tapas de las bocas de registro existentes en la mayoría de las ciudades norteamericanas, aunque mucho menores. Golpeadas lentamente en sentido contrario al de las agujas del reloj, las tapas circulares se aflojarían hasta que manos y dedos pudieran tomar los costados y destornillarlas.

Kendrick volvió al lugar en que se hallaba Emilio, y al generador casi ensordecedor de la isla. El mexicano había cortado dos líneas paralelas, verticales, y ahora comenzaba con la base inferior.

–¡Ven conmigo! –dijo Evan, gritándole al oído–. ¿Tienes tu hacha?

–*Pues sí.*

–También yo.

Guió al mexicano al primer disco de hierro y le indicó cómo debía usar las toallas de cocina de la cabaña electrónica para atenuar los golpes de los extremos romos de las hachas.

–*Lentamente* –gritó–. Una chispa puede encender los vapores, *¿comprendes?*

–No, señor.

–Mejor así. ¡*Despacio*, ahora! Un golpe por vez. ¡No tan fuerte!... ¡Se *mueve*!

–¿Más fuerte, ahora?

–¡Por Dios, no! ¡Despacio, *amigo*! Como si estuvieras tallando un diamante.

–No he tenido el placer...

–Lo tendrás, si salimos de aquí... *¡Bien!* ¡Está *libre*! Destorníllala hacia arriba y déjala ahí. Dame tus toallas.

–¿Para *qué*, señor?

–Te lo explicaré en cuanto me hagas pasar por esa puerta que estás cortando en la cerca.

–Eso llevará tiempo...

–¡Tienes dos minutos, *amigo*!

–*¡Madre de Dios!*

–¿Dónde pusiste la gasolina? –Kendrick se acercó más para ser escuchado.

–*¡Ahí!* –respondió el mexicano, señalando hacia la izquierda de la "puerta" que estaba cortando.

Acuclillado penosamente en las sombras, Evan ató las toallas de cocina unas con otras, tirando de los nudos para asegurarse de que estaban firmes, hasta que tuvo una única tira de tela, de tres metros. Con el cuerpo dolorido por cada uno de los movimientos, destornilló la tapa de la lata de gasolina y empapó la tira de toallas, estrujando cada una de éstas. En pocos minutos tuvo una mecha de tres metros. Ahora le hervía la rodilla y el tobillo se le hinchaba con rapidez. Gateó de nuevo hacia el tanque de combustible, tirando de las toallas. Con grandes esfuerzos, tiró hacia arriba de la tapa de hierro, insertó un metro de la mecha y apartó el pesado disco del centro, para que el aire circulase por todo el negro tanque de abajo. Retrocedió, estrujó cada toalla, cada tramo de su mecha, y las aplastó con firmeza contra el suelo, rociándolas de tierra, "espolvoreándolas" apenas de modo de retardar la velocidad de la llama, desde la base hasta el contacto gaseoso.

Colocada la última toalla en su lugar, se irguió –preguntándose, por un breve instante, cuánto podría permanecer de pie– y cojeó hacia Emilio. El mexicano tiraba hacia sí del grueso sector cortado de la cerca, plegándolo para permitir el acceso a la gigantesca y reluciente maquinaria, que por medio del proceso electrodinámico convertía la energía mecánica en electricidad.

–Es suficiente –dijo Kendrick, inclinándose para hablar cerca del oído de Emilio–. Y ahora escúchame con atención, y si no me entiendes interrúmpeme. De ahora en adelante, todo es sincronización... ocurre algo y hacemos otra cosa. *¿Comprendes?*

–*Sí*. Vamos a otros lugares.

–Más o menos eso. –Evan metió la mano en el bolsillo de su chaqueta embarrada y sacó la linterna.– Toma esto –continuó, señalando con la cabeza el agujero de la cerca–. Entraré ahí, y espero saber lo que estoy haciendo, estas cosas han cambiado desde que las instalaba, pero aunque sólo sea eso, podré inutilizarlo. Puede que haya mucho ruido y grandes chispas...

–*¿Cómo?*

–Como breves relámpagos y... y ruidos como de descargas estáticas muy fuertes en la radio, ¿entiendes?

–Es bastante...

–*No* es bastante. No te acerques a la alambrada... no la *toques*, y al primer estallido vuélvete y cierra los ojos... Con un poco de suerte, todas las luces se apagarán, y entonces enfoca la linterna en la abertura de la alambrada, ¿de acuerdo?

–De acuerdo.

–En cuanto pase a este lado, desvía la luz hacia allá –Kendrick señaló la última de sus toallas anudadas que sobresalía del suelo.– Ten tu rifle colgado del hombro, y guarda uno para mí... ¿Tienes la gorra que le quitaste al primer guardia? En ese caso, dámela.

–*Sí*. Aquí está. –Emilio sacó la gorra del bolsillo y se la tendió a Evan, quien se la puso.

–Cuando me aleje de la alambrada, iré allá y encenderé una cerilla para quemar las toallas. En cuanto haga eso, salimos de aquí, hacia el otro lado del camino, *¿comprendes?*

-Entiendo, señor. A los pastos del otro lado del camino. Nos escondemos.

-Nos escondemos. ¡Subimos por la colina, por entre los pastos, y cuando todos se echen a correr nos *unimos* a ellos!

-Veintitantos hombres del personal -dijo Kendrick; registró sus bolsillos, sacó las dos latas de Sterno, las guardó en los pantalones, y luego se quitó la chaqueta y la corbata-. Somos sólo dos de ellos en la oscuridad, pero subiremos por la colina y bajaremos al muelle. Con dos rifles y una Colt cuarenta y cinco.

-Entiendo.

-Ahí vamos -dijo Evan mientras se inclinaba, torpe y penosamente, y recogía la podadora de árboles con base de caucho, y un machete.

Se arrastró a través de la abertura practicada por Emilio, estudiando la chirriante maquinaria amenazadora. Algunas cosas no habían cambiado, nunca cambiarían. Arriba, a la izquierda, atornillado a un poste alquitranado de cinco metros, se encontraba el transformador principal; los cables de derivación llevaban la principal carga de energía a los distintos ramales, los cables embutidos en tubos de caucho de por lo menos cinco centímetros de diámetro para impedir la filtración de agua -lluvia y humedad- que pondría la carga en corto circuito. A tres metros de distancia, en el suelo, y en diagonal sobre los dos negros y chatos dínamos principales, se encontraban las rejillas, que giraban maniáticamente sobre volantes en la parte superior de la maquinaria, cambiando un campo de energía por otro, protegidas por un grueso enrejado de alambre y refrigeradas por el aire que tenía libre acceso. Las estudiaría mejor, pero no ahora.

Primero lo *primero*, pensó, moviéndose hacia la izquierda y extendiendo al máximo la podadora de árboles telescópica. Arriba, entre los reflectores, las mandíbulas dentadas del instrumento aferraron el cable de derivación superior, y tal como había hecho con las pinzas de cortar alambre en el montaje de cola del helicóptero, trabajó furiosamente, hasta que su instinto profesional le dijo que se encontraba a pocos milímetros de la primera capa de cobre. Apoyó con suavidad la barra de metal extendida contra la cerca, y se volvió hacia el primero de los dos dínamos principales.

Si se hubiera tratado sencillamente de poner en corto circuito la energía eléctrica de la isla, habría continuado cortando el conducto del transformador, y dejado que el corto circuito se produjera tocando la cerca metálica con la cizalla, al llegar al cable. Se produciría una breve explosión, y toda la energía habría quedado cortada. Pero había más cosas en juego; debía encarar la posibilidad de que ni él ni Emilio llegaran a sobrevivir, y un cable de transformador dañado podía repararse pocos minutos. Debía provocar más daños; tenía que dejar paralizado el sistema. No podía saber lo que estaba sucediendo en San Diego, sólo le era posible dar tiempo a las fuerzas de Payton mediante la desarticulación de la maquinaria, hasta el punto de que hicieran falta varios días para *remplazarla*, no repararla. Ese cercado isleño, esa sede central de un gobierno dentro de otro gobierno, debía ser inmovilizado, aislado, sin medios de comunicación o fuga. En la práctica, el transformador era su respaldo, su opción muy poco deseable, pero debía estar ahí, listo para llenar su necesidad. ¡Ahora que el tiempo lo era *todo*!

Se acercó al dínamo y atisbó con cautela dentro del enorme volante envuelto por sus cables. Había un espacio horizontal, de no más de un centímetro y medio de ancho, que separaba las hojas superior e inferior de gruesa rejilla, las cuales impedían que objetos cualesquiera, del tamaño que fueren, penetrasen en el chirriante interior. Ese espacio, o algo parecido, era lo que había tenido la esperanza de hallar, la razón de que hubiese llevado el machete. Los sectores de todos los generadores, necesitados de aire, tenían aberturas de dimensiones muy limitadas, verticales y horizontales; ésa era la de él. O era de él, o él de ella, en su muerte; un error equivalía a una electrocución instantánea, y aunque evitase la muerte por millares de ciclos de alto voltaje, podría quedar enceguecido por los estallidos de blanca luz eléctrica, si no se volvía a tiempo, y si no mantenía los ojos muy apretadamente cerrados. Pero si lograba hacerlo, el generador de la isla quedaría paralizado, y debería sufrir reparaciones mayores. El tiempo... el *tiempo* podía ser el último don que tuviese para ofrecer.

Sacó el machete del cinturón; el sudor le corría por la cara a pesar del viento del volante, y acercó la hoja, de a centímetros, hacia el espacio horizontal... Tembloroso, retiró de golpe el machete; ¡debía tener las manos firmes! ¡No podía *tocar* ninguno de los bordes del estrecho espacio! Probó de nuevo, la insertó un centímetro, luego dos, después tres... introdujo de golpe la gruesa hoja, retiró la mano antes de que ésta estableciera contacto y se arrojó al suelo, hacia atrás, con la cara y los ojos cubiertos por los brazos. Las detonaciones eléctricas contenidas fueron ensordecedoras, y a pesar de los ojos cerrados con fuerza, hubo una blanca luz cegadora por todas partes, en la oscuridad. ¡El volante no se detenía! Continuaba mordiendo el primitivo metal del machete, mientras emitía rayos de cargas eléctricas de tipo Frankenstein, escupiendo hacia la cerca con espasmos, con violencia. Todo el complejo del generador enloqueció, como si sus habitantes eléctricos se hubiesen enfurecido por la intromisión de un hombre común en sus invenciones superiores. Se apagaron luces por todas partes, pero continuaba habiendo relámpagos eléctricos erráticos, zigzagueantes, dentro del mortífero cercado. ¡Tenía que *salir*!

Arrastrándose sobre el vientre, brazos y piernas impulsándolo como a una veloz araña, llegó a la abertura de la cerca, con el haz de la linterna como guía. Cuando se puso de pie, Emilio puso su rifle entre sus manos.

–*¡Cerillas!* –gritó Evan, imposibilitado de tomar las suyas; el mexicano le entregó un puñado y dirigió la luz de la linterna hacia la última toalla de cocina. Kendrick corrió, cojeando, hacia su mecha, se arrojó al suelo y encendió media docena de cerillas en una piedra. Cuando ardieron, las arrojó sobre la última toalla; la llama prendió e inició su viaje letal, lenta, implacable; apenas era un resplandor sobre la tierra.

–¡De prisa! –gritó Emilio, y ayudó a Evan a ponerse de pie y lo condujo, no al sendero de tierra, sino a los altos pastos de abajo–. ¡Han salido muchos de la casa y vienen corriendo! ¡*Pronto*, señor!

Corrieron, literalmente se zambulleron entre los pastos, mientras un enjambre de hombres presa de pánico, la mayoría armados de rifles, se acercaban al enceguecedor generador enloquecido, protegiéndose los ojos y gritándose unos a otros. En medio del caos, Kendrick y su compañero mexicano reptaron por los pastos de abajo del aterrorizado grupo. Llegaron al camino cuando otro torrente de hombres igualmente estupefactos salía corriendo del largo edificio bajo que era el cuartel del personal. La mayoría estaban vestidos a medias, muchos en calzoncillos, y no pocos exhibían los efectos de la ingestión de demasiado alcohol.

–*Escúchame* –cuchiceó Evan al oído de Emilio–. Saldremos de aquí llevando nuestros rifles e iremos por el camino... Grita en castellano, como si estuviéramos siguiendo las órdenes de alguien. *¡Ahora!*

–*¡Tráenos agua!* –rugió el mexicano, mientras ambos hombres saltaban de entre los pastos y se unían al aturdido y aullante gentío del cuartel–. *¡Agua!... ¡Tráenos agua!* –Atravesaron la masa de cuerpos excitados, sólo para verse con el contingente presa de pánico de la casa principal, la mitad de los cuales había bajado con cautela por el sendero, hacia la humeante y agonizante maquinaria que había sido la fuente de energía de la isla. La oscuridad era aterradora, y la volvía más sobrecogedora aún las voces maniáticas que gritaban por todas partes, en la vaga luz intermitente de la luna. Y entonces brotaron haces de linternas de la casa de arriba.

–¡El *sendero*! –exclamó Kendrick–. Ve hacia el sendero principal, de abajo del muelle. ¡Por amor de Dios, date *prisa*! ¡El tanque estallará en un instante, y todos correrán hacia los botes!

–Está adelante. Debemos pasar por la *galería*.

–¡*Cielos*, estarán en las ventanas, en los balcones!

–No hay otro camino, ninguno más rápido.

–¡Vamos!

El camino de tierra se interrumpió, remplazado por el angosto sendero que apenas unos minutos antes se encontraba bordeado por las hileras paralelas de luces ambarinas. Corrieron, Kendrick trastabillando de dolor, bajaron al patio en desnivel, cruzaron el enladrillado a la carrera, hacia los escalones que conducían al camino principal.

–*¡Deténganse!* –rugió una voz profunda, mientras la luz de una poderosa linterna caía sobre ellos–. ¿Adónde...? ¡*Cristo*, eres *tú*! –Evan miró hacia arriba. Directamente encima de él, en el estrecho balcón en que él había estado apenas una hora antes, se encontraba el corpulento marino del yate. Tenía un arma en la mano; la levantaba, la apuntaba hacia Kendrick. Evan disparó el rifle en el mismo instante en que la detonación partía del arma del marino. Sintió que la quemante bala le tajeaba el hombro izquierdo, derribándolo. Volvió a disparar una y otra vez, mientras el gigante de arriba se tomaba del vientre, aullando a más no poder.– ¡Es *él*! ¡Es *Kendrick*!... ¡Detengan al hijo de puta, *deténganlo*! ¡Está bajando a los *botes*!

Kendrick afinó la puntería e hizo un último disparo. Al Filo del Mediodía en la Ciudad de la Corrupción se tomó de la garganta, arqueó el cuello y cayó hacia adelante, por sobre la baranda, al patio enladrillado. Evan comenzó a cerrar los ojos, y la bruma revoloteó en torno de su cabeza.

–¡*No*, señor! ¡Tienes que correr! ¡Ponte de pie! –Kendrick sintió como si le descoyuntaran los brazos, y su cara fue repetida y duramente abofeteada.– ¡Vendrás conmigo o morirás, y yo *no* moriré contigo! Tengo a mis seres queridos en El Descanso...

–*¿Qué?* –gritó Evan sin decir nada, sin aceptar nada, pero respondiendo a todo mientras una parte de la bruma se aclaraba. Con el hombro ardiente, la camisa empapada de sangre, se puso de pie y trastabilló hacia los escalones, recordando, desde el fondo de la mente, la Colt 45 que le había quitado al mafioso, sacándola del bolsillo trasero, rasgando la tensa tela para extraer el arma, demasiado grande para el lugar en que la llevaba.– ¡Estoy contigo! –le gritó a Emilio.

–Lo sé –respondió el mexicano, aminorando la marcha y volviéndose–. ¿Quién te hizo subir por los escalones, señor?... Estás herido, y el sendero está oscuro, de modo que debo usar la *linterna*.

De pronto la tierra estalló, sacudiendo el suelo con el impacto de un enorme meteoro, destrozando ventanas en la casa solariega de la cima de la colina, y vomitando fuego hacia el cielo nocturno. El tanque de combustible del generador estalló hacia el cielo mientras los dos fugitivos corrían por el sendero, Kendrick tambaleante, tratando, con desesperación, de concentrarse en el vacilante haz de luz de la linterna, la rodilla y el tobillo ardientes de dolor.

Disparos. ¡Fusilería! Las balas silbaron por encima de ellos, en derredor, clavándose en la tierra, delante de ellos. Emilio apagó la linterna y tomó la mano de Evan.

–Ya no falta mucho. Conozco el camino, y no te soltaré.

–¡Si alguna vez salimos de aquí, tendrás el pesquero más grande de El Descanso!

–No, señor, llevaré a mi familia a las colinas. Esos hombres me buscarán, buscarán a mis *niños*.

–¿Qué tal una hacienda? –La luna surgió de repente, más allá de las veloces nubes bajas, dejando ver el muelle de la isla a menos de cincuenta metros de distancia. Los disparos habían cesado; se reiniciaron, pero una vez más la tierra volvió a dar la impresión de partirse en dos, como una frenética y aislada masa galáctica.– ¡Se *produjo*! –gritó Kendrick cuando se acercaban a la base del muelle.

–*¿Señor?* –gritó el mexicano, aterrorizado ante la ensordecedora e inesperada explosión, presa de pánico por la bola de humo y las ramas de fuego que se elevaban por encima de la casa de la colina–. ¡Esta isla se derrumbará en el mar! ¿Qué *ocurrió*?

–¡Estalló el segundo tanque! No podía predecirlo; sólo abrigaba esa esperanza.

Un único disparo. Desde el muelle. ¡Emilio resultó *herido*! Se dobló en dos y se tomó el muslo, mientras la sangre se le extendía por los pantalones. Un hombre con un rifle salió de las sombras de la luna, a menos de cinco metros de distancia, llevándose a la cara un intercomunicador portátil. Evan se acurrucó; todo su cuerpo era ahora un fuego insoportable, y levantó la mano izquierda para sostener la derecha y la automática Colt. Disparó dos veces, y uno de los disparos, o los dos, dieron en el blanco. El guardia se tambaleó, dejó caer el rifle y la radio; cayó sobre los gruesos tablones y quedó inmóvil.

–¡Vamos, *amigo*! –exclamó Kendrick, apretando el hombro de Emilio.

–¡No puedo *moverme*! ¡No tengo una *pierna*!

–¡Bueno, no pienso morir aquí *contigo*, canalla! Yo también tengo un par de seres queridos allá. ¡Levanta el trasero, o volverás nadando a El Descanso y a tus *niños*!

–*¿Cómo?* –gritó el mexicano, furioso, mientras se esforzaba por ponerse de pie.

–Eso es mejor. ¡Enfurécete! Los dos tenemos muchos motivos para estar coléricos. –Rodeó con el brazo la cintura de Emilio; su hombro que apenas funcionaba y sus piernas sostuvieron al mexicano. Los dos hombres caminaron por el oscuro muelle.– ¡El bote grande de la derecha! –bramó Evan, agradecido porque la luna había vuelto a ocultarse detrás de las nubes–. ¿Sabes algo de barcos, *amigo*?

–¡Soy un pescador!

–¿Barcos como éste? –preguntó Kendrick, empujando a Emilio por sobre la borda, hacia la cubierta, y depositando la 45 en aquélla.

–En estos barcos no se pescan peces, sino *turistas*.

–Existe otra definición...

–*Es igual*... Aun así, he piloteado muchos barcos. Puedo intentarlo... ¡Los *otros* barcos, señor! Saldrán a buscarnos, porque son mucho más veloces que éste, tan bello.

–¿Alguno de ellos puede llegar hasta el continente?

–Nunca. No pueden enfrentar las olas grandes, y queman combustible con demasiada rapidez. Treinta, cuarenta kilómetros, y tienen que regresar. Esta es la *barca* que nos conviene.

–¡Dame tu Sterno! –gritó Evan, oyendo otros gritos en la senda principal. El mexicano sacó la latita del bolsillo derecho mientras Kendrick extraía las dos de él y abría las tapas con su cuchillo de trinchar.– ¡Abre el tuyo, si puedes!

–Ya lo hice. Toma, señor. Yo voy al puente.

–¿Podrás llegar?

–Tengo que hacerlo... El Descanso.

–¡Oh *Cielos*! ¡Una llave! ¡Para el *motor*!

–En estos muelles privados es habitual dejar la llave a bordo, por si alguna tormenta o un viento fuerte obliga a sacarlos de aquí...

–¿Y si no la hay?

–Todos los pescadores salimos con muchos capitanes borrachos. Hay tableros que levantar y cables que empalmar. ¡Toma los cabos, señor!

–Dos haciendas –dijo Evan, mientras Emilio subía cojeando por la escala del puente.

Kendrick se volvió, tomó la automática Colt de la borda y sacó con los dedos el combustible sólido del Sterno. Corrió por el muelle, arrojando puñados sobre las lonas de cada enorme lancha de carrera; en cada una de ellas dejó caer cada lata vacía. En la última, metió la mano en el bolsillo y sacó un puñado de cerillas de cazador, acurrucándose, dolorido, y encendiendo, frenético, una tras otra en las planchas de madera del muelle, para luego dejarlas caer en los puñados de gelatina, hasta que las llamas brotaban por todos lados. En cada lancha disparó la automática hacia los cascos, cerca de la línea de flotación, y la poderosa arma abrió grandes boquetes en la ligera aleación que permitía a las embarcaciones desarrollar su enorme velocidad.

¡Emilio lo había *logrado*! El ronco rugido de los motores del yate de pesca brotó sobre el agua... *¡Gritos!* Los hombres corrían por el empinado sendero de la casa de la colina, y los incendios de atrás eran ahora un resplandor permanente.

–*¡Señor!* ¡Rápido... los *cabos*!

¡Las cuerdas de los pilotes! Kendrick corrió al grueso poste de la derecha y forcejeó con el cabo anudado; lo soltó, y cayó al agua. Trastabilló, apenas capaz de matenerse en pie, y llegó al segundo poste; tironeó, presa de pánico, hasta que también consiguió soltarlo.

–*¡Deténganlos! ¡Mátenlos!* –Era la voz frenética de Crayton Grinell, presidente del directorio de un gobierno dentro del gobierno. Los hombres hormiguearon hasta la base del muelle de la isla, y sus armas vomitaron fuego, en aterrador estrépito de fusilería. Evan se lanzó del muelle a la popa del yate, mientras Emilio lo hacía virar a la izquierda, con los motores a pleno, y salía de la caleta, describiendo una curva, hacia la oscuridad del mar.

Una tercera y última detonación estalló sobre la colina, más allá de la casa solariega. El distante cielo nocturno se convirtió en una nube amarilla, surcada de golpe por vetas blancas y rojas; había estallado el último tanque. La isla del criminal gobierno dentro del gobierno se encontraba inmovilizada, aislada, incomunicada. Nadie podía salir. ¡Lo habían logrado!

–*¡Señor!* –vociferó Emilio desde el puente.

–*¿Qué?* –gritó Kendrick, rodando por la cubierta, pero incapaz de incorporarse, el cuerpo convulso de dolor; la sangre de la herida formaba bultos de líquido flotante dentro de la camisa.

–¡Debes subir aquí!

–¡No puedo!

–¡*Debes* hacerlo! Estoy *herido*. ¡En el *pecho*...!

–¡Es en la *pierna*!

–*¡No!...* Desde el *muelle*. Estoy cayendo, señor, no puedo manejar el timón.

–*¡Aguanta!* –Evan se arrancó la camisa fuera de los pantalones; charcos de sangre cayeron a la cubierta. Se arrastró hacia la escala barnizada, y recurriendo a reservas de energía que no creía que existieran, se izó, peldaño a peldaño, hasta el puente. Llegó a la cubierta de arriba y miró al mexicano. Emilio se aferraba al timón, pero su cuerpo había caído por debajo de las ventanas del puente. Kendrick se tomó de la baranda y se irguió, apenas capaz de sostenerse. Trastabilló hasta el timón, aterrorizado por la oscuridad y el golpe de las olas que sacudían el barco. Emilio cayó al suelo, y su mano soltó el timón circular.

–¿Qué puedo hacer? –gritó Evan.

–La... *radio* –dijo el mexicano, ahogándose–. Yo recojo redes, y no soy un capitán, pero los he oído, con mal tiempo... ¡Hay un canal para *urgencias, número dieciséis*!

–¿Qué?

–*¡Dieciséis!*

–¿Dónde está la *radio*?

–A la derecha del timón. El interruptor está a la izquierda. *¡Pronto!*

–¿Cómo los *llamo*?

–Toma el *micrófono* y oprime el botón. ¡Diles que eres *primero de mayo*!

–¿Primero de mayo?

–*¡Sí!... ¡Madre de Dios!...* –Emilio se derrumbó en el puente, inconsciente o muerto.

Kendrick tomó el micrófono con cable de plástico, encendió la radio y estudió el tablero digital de abajo de la consola. Incapaz de pensar, con el barco zamarreado por olas que no podía ver, aporreó el teclado hasta que apareció el número *16*, y entonces oprimió el botón.

–¡Habla el parlamentario Evan *Kendrick*! –gritó–. ¿Estoy *comunicado* con alguien? –Soltó el botón.

–Esta es la Guardia Costera, San Diego –le llegó la seca respuesta.

–¿Puede conectarme con una línea telefónica del Hotel Westlake? ¡Es una *emergencia*!

–Cualquiera puede decir cualquier cosa, señor. No somos un servicio telefónico.

–*Repito*. Soy el congresal Evan Kendrick, del Noveno Distrito de Colorado, y esta es una emergencia. ¡Estoy perdido en el mar, en algún punto del oeste o el sur de Tijuana!

–Esas son aguas mexicanas...

–¡Llame a la *Casa Blanca*! Repita lo que acabo de decirle... ¡Kendrick, de Colorado!

–¿Usted es el tipo que fue a *Omán*...?

–¡Reciba sus órdenes de la Casa Blanca!

–Mantenga su radio abierta, tomaré sus coordenadas para el RG...

–No tengo *tiempo*, y no sé de qué me está hablando.

–Es el radiogoniómetro...

–¡Por amor de Dios, Guardia Costera, conécteme con el *Westlake* y reciba sus órdenes! Tengo que comunicarme con ese hotel.

–¡Sí, *señor*, comando Kendrick!

–Cualquier cosa que funcione –masculló Evan para sí, mientras los sonidos del parlante de la consola estallaban en distintos tonos, hasta que se escuchó el zumbido de un teléfono que sonaba. Respondió el conmutador–. ¡Habitación Cincuenta y Uno! De prisa, por favor.

–*¿Sí?* –exclamó la voz de Khalehla.

–*¡Soy yo!* –gritó Kendrick, oprimiendo el botón para la transmisión y soltándolo enseguida.

–Por amor de Dios, ¿dónde *estás*?

–¡En el océano, no sé dónde, *olvídalo*! ¡Hay un abogado, uno que Ardis usó para ella misma, y él tiene un libro Mayor que lo dice *todo*! ¡Búscalo! *¡Consíguelo!*

–Sí, por supuesto, me comunicaré enseguida con MJ. ¿Pero qué hay de *ti*? ¿Estás...?

Intervino otra voz, de inconfundible tono profundo, imperioso.

–Habla el Presidente de Estados Unidos. ¡Encuentren ese barco, encuentren a ese *hombre*, o correrá peligro el culo de todos ustedes!

Las olas sacudían al barco como a un juguete insignificante en un mar enfurecido. Evan ya no podía sostenerse del timón. Las brumas volvieron, y se derrumbó sobre el cadáver del pescador de El Descanso.

43

Tuvo conciencia de una violenta ingravidez de balanceo, y de manos que después lo aferraban, un duro viento que lo abofeteaba y, por último, de un rugido ensordecedor, encima de él. Abrió los ojos y vio figuras borrosas que se movían, frenéticas, en derredor, desciñendo correas... y un agudo pinchazo en la carne, en el brazo. Trató de erguirse, pero fue contenido, mientras los hombres lo llevaban a una superficie llana, acolchada, dentro de una enorme jaula vibrante, de metal.

–¡*Tranquilo*, congresal! –gritó un hombre de blanco uniforme naval, a quien poco a poco pudo enfocar–. Soy médico, y usted está bastante magullado. No me haga más difíciles las cosas, porque el Presidente en persona dirigirá mi corte marcial, si no cumplo con mi labor.

Otro pinchazo. No podía soportar más *dolor*.

–¿Dónde estoy?

–Una pregunta lógica –respondió el oficial médico, vaciando una jeringa en el hombro de Kendrick–. Está en un enorme helicóptero, a ciento sesenta kilómetros de la costa de México. En viaje a *China*, hombre, y esos mares son muy duros.

–¡*Eso* es! –Evan trató de levantar la voz, pero apenas logró escucharse él mismo.

–¿Qué es "eso"? –El médico se inclinó, mientras un camillero, encima de él, sostenía un frasco de plasma.

–¡Pasaje a China... una *isla* llamada Pasaje a China! *¡Séllela!*

–Yo soy un médico, no un miembro de los *Sellos*...

–¡Haga lo que le *digo*...! ¡Hable por radio con San Diego, envíe aviones, barcos! ¡Capture a *todos*!

–Eh, hombre, yo no soy un experto, pero estas son aguas mexicanas...

–¡Maldición, llame a la *Casa Blanca*!... *¡No!* ¡Comuníquese con un hombre llamado Payton, en la CIA...! ¡Mitchell Payton, *CIA*! Dígale lo que acabo de decirle. ¡Menciónele el nombre de Grinell!

–Caray, esto es fuerte –dijo el joven médico, mirando a un tercer hombre, ubicado al pie de la camilla acolchada de Kendrick–. Ya oyó al congresal, alférez. Vaya a ver al piloto. Una isla llamada Pasaje a China, y un hombre llamado Payton, en Langley, ¡y algún otro llamado Grinell! ¡Andando, joven, este es el *muchacho* del Presidente!... Eh, ¿esto es algo parecido a lo que les hizo a los árabes?

–*¿Emilio?* –preguntó Evan, pasando por alto el interrogante–. ¿Cómo está?

–¿El mexicano?

–Mi amigo... el hombre que me salvó la vida.

–Está aquí, a su lado, acabamos de subirlo.

–¿Cómo *está*?

–Peor que usted... mucho peor. En el mejor de los casos, es sesenta a cuarenta en contra, congresal. Estamos volando al hospital a la mayor velocidad que podemos.

Kendrick se irguió sobre los codos y contempló el cuerpo tendido, inconsciente, de Emilio, apenas a medio metro de distancia, detrás del médico. El brazo del mexicano estaba caído en el suelo del helicóptero, su rostro era ceniciento, casi una máscara de muerte.

–Déme la mano de él –ordenó Evan–. *¡Démela!*

–Sí, señor –dijo el médico, y se inclinó y levantó la mano de Emilio para que Kendrick pudiera tomarla.

–*¡El Descanso!* –rugió Evan–. ¡*El Descanso* y tu familia... tu *esposa* y los *niños*! ¡Maldito hijo de puta, no te me *mueras*! ¡Basura de pescador ignorante, pon un poco de *jugo* en tu estómago!

–*¿Cómo?* –La cabeza del mexicano se sacudió de un lado a otro, mientras Kendrick apretaba con más fuerza.

–Eso está mejor, *amigo*. ¡Recuerda que estamos furiosos! *Seguimos* furiosos. Aférrate, *canalla*, o te mataré yo mismo. *¿Entiendes?*

La cabeza de él giró hacia Evan; Emilio abrió los ojos en parte, y una sonrisa le frunció los labios.

–¿Crees que puedes matar a este fuerte pescador?

–¡Ponme a *prueba*!... Bien, tal vez no pueda, pero puedo conseguirte un barco grande.

–Estás *loco*, señor –tosió el mexicano–. Sin embargo... está El Descanso.

–Tres haciendas –dijo Kendrick, y su mano cayó bajo el efecto de la aguja hipodérmica del médico naval.

Una a una, las elegantes limusinas recorrieron las oscuras calles de Cynwid Hollow, rumbo a la finca de la Bahía de Chesapeake. En tanto que en ocasiones anteriores había cuatro de esos vehículos, esa noche eran sólo tres. Faltaba uno; pertenecía a una compañía, fundada por Eric Sundstrom, traidor de Inver Brass.

Los miembros se sentaron en torno de la gran mesa circular, en la extraordinaria biblioteca, con una lámpara de bronce delante de cada uno. Todas las lámparas de la mesa, menos una, se hallaban encendidas, y la que estaba apagada era la que se encontraba delante de una quinta butaca desocupada. Cuatro charcos de luz brillaban sobre la madera lustrada, y la quinta fuente luminosa no implicaba una honra ante una muerte... sino, tal vez, un recordatorio de la fragilidad humana en un mundo demasiado humano. Esa noche no había charlas superficiales, humorísticas, ninguna broma que les recordase que eran mortales, y que no estaban por encima del toque vulgar, a pesar de su abrumadora riqueza e influencia. Bastaba con el asiento vacío.

–Ustedes conocen los hechos –dijo Samuel Winters, con las facciones aguileñas acentuadas por la luz–. Ahora les pido sus comentarios.

–Yo tengo uno solo –dijo Gideon Logan con firmeza, la gran cabeza negra en la sombra–. No podemos detenernos, la alternativa es demasiado abrumadora. Los lobos desatados se apoderarán del gobierno... lo que no hayan usurpado todavía.

–Pero es que no hay nada que *detener*, Gid –corrigió Margaret Lowell–. El pobre Milos lo puso todo en movimiento en Chicago.

–No había terminado, Margaret –dijo Jacob Mandel, la cara y el cuerpo flacos acomodados en su butaca habitual, al lado de Winters–. Está el propio Kendrick. Tiene que aceptar la nominación, ser convencido de que debe aceptarla. Si lo recuerdan, el tema fue presentado por Eric, y ahora me pregunto por qué lo hizo. Habría podido dejar las cosas en paz, porque ese puede ser nuestro talón de Aquiles.

–A Sundstrom lo consumió, como siempre, su insaciable curiosidad –dijo Winters con tono de tristeza–. La misma curiosidad que, cuando se aplicó a la tecnología del espacio, lo llevó a traicionarnos. Pero esto no contesta a la pregunta de Jacob. Nuestro congresal podría irse.

–No estoy seguro de que Milos creyese que ese era un problema grave, Jacob –reflexionó la abogada Lowell, inclinándose hacia adelante, con el codo en la mesa, los dedos, extendidos, sosteniendo la sien derecha–. Que lo haya dicho o no, no tiene importancia, pero no cabe duda de que sugirió que Kendrick era un hombre intensamente moral, aunque en forma un tanto anticuada. Aborrecía la corrupción, de modo que entró en la política para remplazar a un corruptor.

–Y fue a Omán –agregó Gideon Logan– porque creía que con su experiencia podría ser útil, sin pensar en recompensas para sí... eso nos ha sido demostrado.

–Y *eso* fue lo que nos convenció a todos de que debíamos aceptarlo –dijo Mandel, asintiendo–. Todo encajaba. El hombre extraordinario, en un terreno de candidatos políticos muy ordinarios. ¿Pero es suficiente con eso?

¿Aceptará, aunque exista la oleada nacional que Milos había orquestado tan bien?

–La suposición era que si se lo convocaba en forma auténtica, respondería al llamado –dijo Winters en tono tajante–. ¿Pero es una suposición correcta?

–Creo que lo es –respondió Margaret Lowell.

–Yo también. –Logan meneó afirmativamente la cabezota y se inclinó hacia el charco de luz reflejada en la mesa.– Sin embargo, Jacob tiene algo de razón. No podemos estar *seguros*, y si nos equivocamos, será "Bollinger y los negocios como de costumbre", y los lobos subirán en enero próximo.

–Supongamos que Kendrick fuese enfrentado con la alternativa de tus lobos, con pruebas de la venalidad de éstos, de su poder concentrado, entre bambalinas, que ha impregnado toda la estructura de Washington... –preguntó Winters; su voz ya no era monótona, sino muy vivaz–. En esas circunstancias, ¿te parece que *responderá* al llamado?

El gigantesco empresario negro se echó para atrás, en las sombras, con los grandes ojos entrecerrados.

–Por lo que sabemos... Sí, sí, lo creo.

–¿Y tú, Margaret?

–Coincido con Gid. *Es* un hombre notable... creo que dueño de una fuerte conciencia política.

–¿Jacob?

–Por supuesto, Samuel, ¿pero cómo se hará eso? No tenemos documentación, ni registros oficiales... cielos, si hasta quemamos nuestras propias anotaciones... De modo que más allá del hecho de que no tendría motivos para creernos, no podemos revelar quiénes somos, y Varak ya *no existe*.

–Tengo a alguien que puede ocupar su lugar. Un hombre que, si es necesario, podrá asegurarse de que se le diga a Kendrick la verdad. Toda la verdad, si todavía no la conoce.

Estupefactos, todas las miradas se concentraron en el vocero de Inver Brass.

–¿Qué diablos estás *diciendo*, Sam? –exclamó Margaret Lowell.

–Varak dejó instrucciones para el caso de su muerte, y yo le di mi palabra de que no las abriría a menos que él resultara muerto. La cumplí porque, con toda sinceridad, no quería conocer las cosas que pudiese decirme... Las abrí ayer por la noche, después del llamado de Mitchell Payton.

–¿Cómo manejarás a Payton? –preguntó Lowell de repente, ansiosa.

–Nos reuniremos mañana. Ninguno de ustedes tiene nada que temer; no sabe nada acerca de ustedes. O bien llegaremos a un arreglo, o no lo habrá. En caso negativo, he vivido una vida larga y productiva... no será un sacrificio.

–Perdóname, Samuel –dijo Gideon Logan, impaciente–, pero todos tenemos que hacer frente a esas decisiones... no estaríamos en derredor de esta mesa, si no fuera así. ¿Qué decían las instrucciones de Varak?

–Era preciso comunicarse con un hombre que puede mantenernos –o, supuestamente, al *ustedes* colectivo– completa y oficialmente informados. El hombre que era el informante de Varak desde el principio, aquel sin el cual Milos nunca habría podido hacer lo que hizo. Cuando nuestro checo descubrió la discrepancia existente en los libros del Departamento de Estado, hace dieciséis meses, la omisión que tenía a Kendrick como ingresado en Estado, pero sin anotación de su egreso, Varak supo dónde buscar. No sólo descubrió un informante dispuesto, sino además abnegado... Por supuesto, Milos es irremplazable, pero en estos tiempos de alta tecnología, nuestro nuevo coordinador se cuenta entre los jóvenes funcionarios de más veloz ascenso en el gobierno. No existe un departamento u organismo de importancia en Washington que no compita para lograr sus servicios, y el sector privado le ha ofrecido contratos que se reservan para ex Presidentes y secretarios de Estado que por lo menos lo doblan en edad.

–Debe de ser un gran abogado, o el más joven experto del servicio exterior que se conozca –intervino Margaret Lowell.

–No es ninguna de las dos cosas –replicó el canoso vocero de Inver Brass–. Se lo considera el tecnólogo más destacado de la ciencia de la computación en todo el país, y tal vez en Occidente. Por suerte para nosotros, proviene de una familia muy adinerada, y no le tienta la industria privada. En cierto sentido, está tan comprometido como Milos Varak en la búsqueda del prestigio de la nación... En esencia, era uno de los nuestros cuando entendió cuáles eran los dones que poseía. –Winters se inclinó hacia adelante y oprimió un botón de marfil en la mesa.– ¿Quiere entrar, por favor?

La pesada puerta de la extraordinaria biblioteca se abrió, y en el vano se vio a un joven que aún no había llegado a la treintena. Lo que lo diferenciaba de otros de su edad era su aspecto atrayente; era como si hubiese salido de un anuncio de una revista de lujo, para modas masculinas. Y sin embargo, su vestimenta era discreta, ni de medida, ni barata... sólo normalmente pulcra. Lo que lo destacaba era la cara cincelada, de corte griego casi ideal.

–Debería olvidarse de las computadoras –dijo Jacob Mandel en voz baja–. Tengo amigos en la agencia William Morris. Le conseguirían una serie de televisión.

–Pase, por favor –interrumpió Winters, posando una mano en el brazo de Mandel–. Y si quiere, preséntese usted mismo.

El joven entró con porte confiado, pero sin arrogancia, y fue hacia el extremo de la mesa, debajo del cilindro negro que era una pantalla cuando se lo bajaba. Durante un momento permaneció de pie, mirando los charcos de luz de la mesa.

–Estar aquí es para mí un honor especial –dijo con tono afable–. Me llamo Gerald Bryce, y en la actualidad soy director de OGC del Departamento de Estado.

–¿OGC? –repitió Mandel–. ¿Otro alfabeto?

–Operaciones Globales de Computación, señor.

El sol californiano entraba a raudales por las ventanas del cuarto de hospital; Khalehla, abrazada a Evan, lo soltó poco a poco. Se respaldó en la cama, más arriba de él, y esbozó una sonrisa pálida; los ojos le brillaban con los restos de las lágrimas, su clara tez aceitunada estaba muy pálida.

–Bienvenido al mundo de los vivos –dijo, apretándole la mano.

–Me alegro de estar aquí –musitó Kendrick, mirándola–. Cuando abrí los ojos, no supe con certeza si eras tú o si yo... si me estaban haciendo más jugarretas.

–¿Jugarretas?

–Se llevaron mi ropa... Tenía puestos unos viejos jeans azules y una chaqueta de pana acordonada... y de pronto estaba de nuevo con mi traje... el azul...

–Tu "uniforme parlamentario", creo que lo llamaste –interrumpió Khalehla con suavidad–. Tendrás que conseguirte otro traje, querido. Lo que quedó de tus pantalones, después que los cortaron, está fuera de las posibilidades de un sastre.

–Muchacha extravagante... *Cielos*, ¿sabes qué bueno es *verte*? Nunca pensé que te volvería a ver... y eso me enfurecía tanto...

–Yo sé cuán bueno es volver a verte *a ti*. Esa alfombra del hotel ha quedado desgastada... Ahora descansa; hablaremos más tarde. Acabas de despertar, y los doctores dijeron...

–*No*... Al demonio con los doctores. Quiero saber qué ha ocurrido. ¿Cómo está Emilio?

–Saldrá adelante, pero un pulmón está lesionado, y su barco ha quedado destrozado. Nunca volverá a caminar bien, pero está vivo.

–No tiene por qué caminar, sólo necesita sentarse en una silla de capitán.

–¿Qué?

–Olvídalo... La *isla*... Se llama Pasaje a China...

–Lo sabemos –interrumpió Khalehla con firmeza–. Como eres tan condenadamente terco, déjame hablar *a mí*... Lo que hicieron Carallo y tú es increíble...

–¿Carallo?... ¿Emilio?

–Sí. He visto las fotos... ¡Dios, qué destrozo! El fuego se extendió por todas partes, en especial por el lado oeste de la isla. La casa, los terrenos, hasta el muelle donde estallaron los otros barcos... ha desaparecido; todo ha desaparecido. Cuando llegaron los helicópteros de la marina, con tropas de asalto, todos los que se hallaban allí estaban mortalmente asustados, y esperaban en las playas del Oeste. Saludaron a nuestra gente como si fuésemos sus liberadores.

–Entonces atraparon a Grinell.

Khalehla miró a Evan, calló un instante y luego negó con la cabeza.

–No, lo siento, querido.

–*¿Cómo...?* –Kendrick comenzó a incorporarse, con una mueca por el dolor de su hombro suturado y vendado. Una vez más, Khalehla lo abrazó con suavidad y lo hizo recostarse en la almohada.– ¡No *puede* haber huido! ¡No lo *buscaron*!

–No tuvieron que hacerlo. Los mexicanos les dijeron.

–¿Qué? *¿Cómo?*

–Llegó un hidroavión y recogió al *patrón*.

–No entiendo. ¡Todas las comunicaciones estaban cortadas!

–No todas. Lo que no sabías, y no podías saberlo, era que Grinell tenía pequeños generadores auxiliares en el sótano de la casa principal, con suficiente energía para comunicarse con su gente, en un aeródromo de San Felipe... eso lo supimos por las autoridades mexicanas de comunicaciones; no quién, sino dónde. El puede huir y aun desaparecer, pero no puede ocultarse siempre; tenemos la punta de una pista.

–Muy aliterativo, como diría mi verdugo.

–¿Qué?

–Olvídalo...

–Me agradaría que dejaras de decir eso.

–Perdón, de veras. ¿Y qué hay del abogado de Ardis y del libro Mayor del cual te hablé?

–Una vez más, estamos cerca, pero todavía no lo tenemos. El se ha ido a alguna parte, pero nadie sabe adónde. Todos sus teléfonos están monitoreados, y tarde o temprano tendrá que comunicarse con uno de ellos. Cuando lo haga, lo tendremos.

–¿Puede tener alguna idea de que lo buscamos?

–Ese es el gran interrogante. Grinell logró llegar al continente, y por intermedio de San Felipe puede haber informado al abogado de Ardis. En definitiva, no lo sabemos.

–¿Manny? –preguntó Evan, vacilante–. No tuviste tiempo...

–Te equivocas, no tengo *otra cosa* que tiempo; tiempo de desesperación, para decirlo con exactitud. Ayer por la noche llamé al hospital de Denver, pero lo único que pudo decirme la enfermera encargada del piso fue que la situación de él era estable... y, según entiendo, se trataba de un paciente algo molesto.

–La frase más discreta de la semana. –Kendrick cerró los ojos y meneó la cabeza con lentitud.– Está agonizando, Khalehla. Está agonizando, y nadie puede hacer nada.

–Todos estamos agonizando, Evan. Cada día es un día menos de vida. Eso no ayuda mucho, pero Manny tiene más de ochenta años, y el veredicto llegará cuando sea en verdad el momento.

–Lo sé –dijo Kendrick, mirando las manos entrelazadas de ambos, y luego el rostro de ella–. Eres una hermosa dama, ¿verdad?

–Eso no es algo en lo cual me detenga a pensar, pero supongo que puedo pasar por algo más que bonita. Y tú no eres un Quasimodo.

–No, sólo que camino como él... Esto no es muy modesto, pero nuestros hijos tienen una buena posibilidad de ser canallitas de buen aspecto.

–Coincido con la primera parte, pero tengo algunas dudas en cuanto a la segunda.

–Te das cuenta de que acabas de aceptar casarte conmigo, ¿no?

–Trata de apartarte de mí y descubrirás cuán competente soy con una pistola.

–Qué bonito... "Oh señora Jones, ¿conoce a mi esposa, la de armas llevar? Si alguien se ha colado de intruso en su fiesta, ella le pondrá una bala entre los ojos."

–También soy cinturón negro, por si un arma hace demasiado ruido.

–Eh, espléndido. Nadie volverá a molestarme. Si me buscan pelea, le suelto la traílla.

–*Grrr* –gruñó Khalehla, desnudando los hermosos dientes brillantes; y luego compuso el semblante, lo miró como estudiándolo, suaves los ojos oscuros–. Te *amo*. Dios sabe qué estarán haciendo juntos dos tipos raros como nosotros, pero supongo que lo intentaremos.

–No, no lo intentaremos –dijo Evan, buscando la mano derecha de ella–. Toda una vida –agregó. Ella se inclinó, y se besaron, abrazándose como dos personas que hubiesen estado a punto de perderse. Y sonó el teléfono.

–*¡Maldición!* –exclamó Khalehla, poniéndose de pie de un brinco.

–¿Tan irresistible soy?

–Demonios, no, *tú* no. ¡Se supone que no debe sonar aquí, esas eran mis instrucciones! –Levantó el auricular y habló con aspereza.– *Sí*, y sea quien fuere, me agradaría recibir una explicación. ¿Cómo se comunicó con esta habitación?

–La explicación, agente Rashad –dijo Mitchell Payton, desde Langley, Virginia–, es relativamente sencilla. Anulé la orden de un subordinado.

–¡MJ, no has *visto* a este hombre! ¡Parece haber estado en un bombardeo nuclear!

–Por ser una mujer adulta, Adrienne, que en mi presencia ha admitido que tiene más de treinta años, tienes la molesta costumbre de hablar con frecuencia como una adolescente... *Y* también he hablado con los médicos. Evan necesita un poco de descanso, y debe tener el tobillo y la pierna inmóviles durante un día, más o menos, y hay que revisarle periódicamente la herida del hombro, pero fuera de esos inconvenientes menores podrá volver enseguida al trabajo de campo.

–¡Eres un *pescado* frío, tío Mitch! Apenas puede hablar.

–¿Y por qué has estado hablando con él, entonces?

–¿Cómo lo supiste...?

–No lo sabía. Acabas de decírmelo... Por favor, ¿podemos hablar de realidades, querida?

–¿Qué es Evan? *¿Irreal?*

–Dame ese auricular –dijo Kendrick, y tomó con torpeza el instrumento de manos de Khalehla–. Soy yo, Mitch. ¿Qué ocurre?

–¿Cómo estás, Evan?... Supongo que es una pregunta tonta.

–Muy tonta. Responde a la mía.

–El abogado de Ardis Vanvlanderen está en su casa de verano, en las montañas de San Jacinto. Llamó a su oficina, para preguntar si había mensajes, y determinamos el área. Una unidad va hacia allá, para realizar una evaluación. Llegará en unos minutos.

–¿Evaluar? ¿Qué demonios hay que evaluar? ¡El tiene el libro! ¡Entren y consíganlo! Es evidente que detalla toda la estructura global de ellos, ¡da los nombres de cada uno de los podridos fabricantes de armas a quienes han usado en todo el mundo! Grinell puede correr hacia cualquiera de ellos y ser escondido. *¡Atrápenlo!*

–Te olvidas de la capacidad de supervivencia de Grinell. Supongo que Adrienne... Khalehla te lo habrá dicho.

–Sí, un hidroavión lo recogió. ¿Y qué?

–El quiere ese libro Mayor tanto como nosotros, y en estos momentos ya se habrá encontrado, sin duda, con el hombre de la señora Vanvlanderen. Grinell no puede correr el riesgo de aparecer él en persona, pero enviará a alguien de confianza para recuperarlo. Si sabe que estamos cercándolo, y lo único que necesitaría para eso es otro par de ojos en la casa del abogado, ¿cuáles te parece que serán sus instrucciones a su correo digno de confianza, quien en definitiva debe llevar ese libro a México?

–Donde se lo podría detener es en la frontera, o en un aeropuerto...

–Con nosotros esperándolo. ¿Qué crees que le dirá a esa persona?

–Que queme el maldito libro –dijo Kendrick en voz baja.

–Exactamente.

–Confío en que tus hombres sean competentes en lo que hacen.

–Dos hombres, y uno es casi el mejor que tenemos. Se llama Pan de Jengibre; pregúntale por él a tu amiga.

–¿Pan de Jengibre? ¿Qué clase de nombre estúpido es ese?

–Más tarde, Evan –interrumpió Payton–. Tengo algo que decirte. Volaré a San Diego esta tarde, y tenemos que hablar. Espero que ya te encuentres levantado, porque es urgente.

–Estaré, ¿pero por qué no podemos hablar ahora?

–Porque no sabría qué decir... no estoy seguro de saberlo más tarde, pero por lo menos me habré enterado de más cosas. Sabes, dentro de una hora me encontraré con un hombre, un hombre influyente que está muy interesado en ti... lo ha estado durante todo el año pasado.

Kendrick cerró los ojos, y se sintió débil cuando volvió a recostarse sobre la almohada.

–Está con un grupo, o una comisión que se llama... Inver Brass.

–¿Tú lo *sabes*?

–Sólo eso. No tengo la menor idea de quiénes son, o qué son; sólo sé que me han arruinado la vida.

El sedán de color tostado, con sus placas gubernamentales codificadas, que decían que se trataba de un coche de la Agencia Central de Inteligencia, pasó a través de los imponentes portones de la bahía de Chesapeake, y subió por el camino circular, hasta los lisos escalones de piedra de la entrada. El hombre alto, de impermeable abierto que dejaba ver un traje y una camisa arrugados –evidencia de casi setenta y dos horas de uso continuo–, salió del asiento trasero y subió con aire fatigado los escalones, hacia la amplia puerta majestuosa del frente. Se estremeció un instante bajo el frío aire matinal del día nublado, que prometía nieve... nieve para Navidad, reflexionó Payton. Era víspera de Navidad, nada más que otro día para el director de Proyectos Especiales, pero un día temible para él, el de la inminente reunión, y habría dado varios años de su vida por no haber insistido en ella. A todo lo largo de su carrera había hecho muchas cosas que hicieron estallar la bilis en su estómago, pero ninguna como la destrucción de hombres buenos y morales. Esa mañana destruiría a uno de esos hombres, y se odiaba por ello, pero no tenía otra alternativa. Porque existía un bien más alto, una moral más alta, y se basaban en las leyes razonables de una nación de personas decentes. Abusar de esas leyes era negar la decencia; la constante era la responsabilidad. Tocó el timbre.

Una criada precedió a Payton, a través de una enorme sala que daba hacia la Chesapeake, hasta otra puerta majestuosa. La abrió y el director entró en la extraordinaria biblioteca, tratando de absorber todo lo que veía. La gigantesca consola que ocupaba toda la pared de la izquierda, con su panoplia de monitores de televisión, diales y equipos de proyección; la pantalla plateada de la derecha y la estufa Franklin, encendida en el rincón cercano; las ventanas catedralicias, enfrente, y la gran mesa circular, delante de él. Samuel Winters se levantó de la butaca ubicada ante la pared de refinada tecnología, y se adelantó con la mano tendida.

–Hace tanto tiempo, MJ... ¿puedo llamarlo así? –preguntó el historiador de renombre mundial–. Según recuerdo, todos lo llamaban MJ.

–Por supuesto, doctor Winters. –Se estrecharon la mano y el erudito septuagenario agitó el brazo, abarcando la habitación.

–Quería que lo viese todo. Que supiera que tenemos nuestros dedos en el pulso del mundo... pero no por razones de lucro personal, tiene que entender eso.

–Lo entiendo. ¿Dónde están los otros?

–Por favor, tome asiento –dijo Winters, indicando la butaca situada frente a la de él, en el lado opuesto de la mesa circular–. Quítese el abrigo, por supuesto. Cuando se llega a mi edad, todas las habitaciones tienen demasiada calefacción.

–Si no le molesta, me lo dejaré puesto. No será una conversación muy larga.

–¿Está seguro?

–Muy seguro –respondió Payton, y se sentó.

–*Bien* –dijo Winters con tono suave pero enfático, mientras iba a su asiento–, el intelecto extraordinario es el que elige su posición sin tener en cuenta los parámetros de la discusión. Y usted *posee* intelecto, MJ.

–Gracias por su elogio generoso, aunque un tanto condescendiente.

–Eso es más bien hostil, ¿verdad?

–No más que el hecho de que usted decida, por el país, quién debe presentar su candidatura y ser elegido para un cargo nacional.

–Es el hombre conveniente para el momento conveniente, y por todas las razones convenientes.

–No puedo estar más de acuerdo con usted. Sólo se trata de la forma en que lo hizo. Cuando se desencadena una fuerza delictuosa para lograr un objetivo, no es posible conocer las consecuencias.

–*Otros* lo hacen. Lo están haciendo *ahora*.

–Eso no le da derecho a usted. Desenmascárelos, si puede, y con sus recursos estoy seguro de que puede, pero no los imite.

–¡Eso es una falacia! ¡Vivimos en un mundo animal, en un mundo políticamente orientado, dominado por *animales de presa*!

–No hace falta que nos convirtamos en animales de presa para combatirlos... Denuncia, no imitación.

–Para cuando se conozca la verdad, para cuando unos pocos siquiera entiendan lo que ha ocurrido, las hordas brutales se habrán desencadenado y nos pisotearán. Modifican las reglas, alteran las leyes.

–Con todo respeto, estoy en desacuerdo, doctor Winters.

–¡Ahí tiene el Tercer Reich!

–Y vea lo que le ocurrió. Mire lo de la Carta Magna y Runnymede, y las tiranías de la Corte francesa de Luis; mire las brutalidades de los zares... ¡Por *Dios*, acuérdese de Filadelfia en 1787! ¡La *Constitución*, doctor! ¡La gente reacciona con enorme rapidez ante la opresión y las fechorías!

–Eso dígaselo a los ciudadanos de la Unión Soviética.

–Jaque mate. Pero no trate de explicárselo a los *refuseniks* y a los disidentes que todos los días hacen que el mundo adquiera más conciencia de los rincones oscuros de la política del Kremlin. Ellos *están* estableciendo una diferencia, doctor.

–*¡Excesos!* –exclamó Winters–. Hay excesos en todas partes, en este pobre planeta condenado. Y nos harán volar en pedazos.

–No, si la gente razonable denuncia los excesos y no se suma a la histeria. Puede que su causa haya sido correcta, pero en *sus* excesos violaron las leyes, escritas y no escritas, y provocaron la muerte de muchos hombres y mujeres inocentes, porque se consideraban por encima de las leyes del país. En lugar de decir al país lo que sabían, resolvieron manipularlo.

–¿Eso es lo que usted determina?

–Lo es. ¿Quiénes son los otros de este Inver Brass?

–¿*Conoce* el nombre?

–Acabo de decirlo. ¿Quiénes *son*?

–Nunca lo sabrá por mí.

–Los encontraremos... a la larga. Pero para satisfacer mi propia curiosidad, ¿dónde comenzó esta organización? Si no quiere contestar, no importa.

–Oh, pero *quiero* contestar –dijo el anciano historiador; las manos le temblaban tanto, que tuvo que entrelazarlas sobre la mesa–. Hace décadas, Inver Brass nació en medio del caos, cuando la nación se encontraba desgarrada, al borde de la autodestrucción. Era el apogeo de la gran depresión; el país se había detenido y la violencia estallaba por todas partes. A los hambrientos les importan muy poco los lemas vacíos y las promesas más vacías todavía, y la gente productiva que ha perdido su orgullo sin culpa alguna se ve reducida a la furia... Inver Brass fue formada por un grupo pequeño de hombres inmensamente adinerados, influyentes, que habían seguido el consejo de personas como Baruch y no fueron afectados por el derrumbe económico. Además eran hombres de conciencia social, y aplicaron sus recursos en formas prácticas, para frenar los motines y la violencia, no sólo por medio de infusiones en masa de capitales y de provisiones enviadas a las zonas inflamadas, sino impulsando, en forma silenciosa, diversas leyes en el Congreso, que ayudaban a producir medidas de alivio. Eso forma parte de la tradición que seguimos.

–¿De veras? –preguntó Payton en voz baja; sus ojos eran fríos, y estudiaban al anciano.

–*Sí* –respondió Winters con énfasis.

–Inver Brass... ¿Qué significa?

–Es el nombre de un lago pantanoso de los Highlands, que no figura en mapa alguno. Lo acuñó el primer vocero, un banquero de ascendencia escocesa, quien entendió que el grupo debía actuar en secreto.

–¿Y por lo tanto sin rendir cuentas?

–Lo repito. ¡No buscamos *nada* para nosotros!

–¿Y por qué el secreto, entonces?

–Es necesario, porque si bien adoptamos nuestras decisiones en forma desapasionada, en bien del país, no siempre son agradables o, en opinión de muchos, siquiera defendibles. Pero *eran* para el bien de la nación.

–¿"Siquiera defendibles"? –repitió Payton, asombrado ante lo que escuchaba.

–Le daré un ejemplo. Hace años, nuestros predecesores inmediatos se vieron ante un tirano del gobierno que tenía visiones de remodelar las leyes del país. Un hombre llamado John Edgar Hoover, un gigante que en su vejez se sintió obsesionado, que había ido más allá de los límites de la racionalidad, extorsionaba a presidentes y senadores, hombres decentes, con sus grotescos archivos, repletos de murmuraciones e insinuaciones. Inver Brass lo hizo eliminar antes que pusiera de rodillas a los poderes ejecutivo y legislativo, y en esencia al gobierno. Y entonces apareció un joven escritor llamado Peter Chancellor y se acercó demasiado a la verdad. El y su intolerable manuscrito provocaron entonces la extinción de Inver Brass... pero no pudieron impedir su resurrección.

–¡Oh *Dios* mío! –exclamó el director de Proyectos Especiales con voz suave–. El bien y el mal decididos sólo por ustedes, sentencias pronunciadas *sólo* por ustedes. Una leyenda de arrogancia.

–¡Eso es injusto! No había otra solución. ¡Usted se equivoca!

–Es la verdad. –Payton se puso de pie, empujando la butaca hacia atrás.– No tengo nada más que decir, doctor Winters. Ahora me iré.

–¿Qué piensa hacer?

–Lo que se debe. Presentaré un informe al Presidente, al Fiscal General y a las comisiones de gestión del Congreso. Esa es la *ley*... Su actividad no continuará, doctor. Y no se moleste en acompañarme hasta la puerta, ya encontraré el camino.

Payton salió al frío aire gris de la mañana. Hizo una profunda inspiración, tratando de llenarse los pulmones, pero no lo logró. Había demasiada fatiga, demasiadas cosas tristes y ofensivas... en víspera de Navidad. Llegó a los escalones y comenzó a bajar, rumbo a su coche, cuando de pronto, quebrando el silencio, hubo una fuerte detonación... un *disparo*. El conductor de Payton se arrojó fuera del coche, acurrucado en el camino, su arma empuñada con las dos manos.

MJ meneó la cabeza con lentitud y siguió hacia la portezuela trasera del vehículo. Estaba extenuado. No le quedaban reservas de energía a las cuales recurrir; su agotamiento era total. Tampoco existía ahora la urgencia de volar a California. Inver Brass estaba terminado, con su jefe muerto por su propia mano. Sin la estatura y la autoridad de Samuel Winters, estaba pulverizado, y la manera de su muerte haría llegar el mensaje del derrumbe a los que quedaban... ¿Evan Kendrick? Habría que contárselo todo, todos los aspectos del asunto, para que adoptase su decisión. Pero eso podía esperar... por lo menos un día. Lo único en lo cual MJ podía pensar cuando el conductor le abrió la portezuela era que quería ir a casa, beber unos cuantos tragos más, que le caían bien, y dormir.

–Señor Payton –dijo el conductor–, tuvo una radiollamada de Código Cinco, señor.

–¿Cuál era el mensaje?

–"Comuníquese con San Jacinto. Urgente."

–Regrese a Langley, por favor.

–Sí, señor.

–Oh, por si me olvido. Feliz Navidad.

–Gracias, señor.

44

–Iremos a verlo por lo menos una vez por hora, señorita Rashad –dijo la enfermera de la Armada, de edad mediana, desde atrás del mostrador–. Puede estar segura de ello... ¿Sabía que el Presidente en persona llamó al congresal, esta tarde?

–Sí, yo estaba allí. Y hablando de teléfonos, no se debe pasar llamada alguna a su habitación.

–Entendemos. Aquí está la nota; es una copia de la que cada operadora tiene en el conmutador. Todas las llamadas deben ser derivadas a usted, en el Hotel Westlake.

–Correcto. Muchísimas gracias.

–Qué pena, ¿verdad? Estamos en víspera de Navidad, y en lugar de estar con sus amigos y cantando villancicos, o lo que fuere, se encuentra vendado, en un hospital, y usted recluida en una habitación de hotel.

–Le diré una cosa, enfermera. El hecho de que esté aquí, y con vida, hace que esta sea la mejor Navidad que podía abrigar la esperanza de tener.

–Lo sé, querida. Los he visto a los dos juntos.

–Cuídelo. Si no duermo un poco, no me considerará un gran regalo por la mañana.

–Es nuestro paciente número uno. Y usted descanse, joven. Se la ve un poco macilenta, y esa es una opinión médica.

–Estoy hecha un asco.

–Ojalá yo fuese una asco como usted en mis mejores días.

–Usted es una dulzura –dijo Khalehla, posando la mano en el brazo de la enfermera y apretándolo–. Buenas noches. La veré mañana.

–Feliz Navidad, querida.

–Lo *es*. Y que también sea feliz para usted. –Rashad caminó por el blanco pasillo, hacia la hilera de ascensores, y oprimió el botón de abajo. Había dicho en serio que necesitaba dormir; fuera de unos breves veinte minutos en que ella y Evan habían dormitado, no había cerrado los ojos en casi cuarenta y ocho horas. Una ducha caliente, una buena comida del servicio de habitaciones y la cama: tal era el orden de la noche. Por la mañana iría de compras a alguna de esas tiendas que permanecen abiertas para la gente errante que ha olvidado a alguien, y compraría algunos regalos tontos para su... ¿futuro? Por Dios, pensó. Para mi *fiancé*. Demasiado.

Pero era extraña la forma innegable en que la Navidad sacaba a la superficie los aspectos más suaves, más bondadosos, de la naturaleza humana... sin fronteras de raza, credo o falta de ambos. La enfermera, por ejemplo. *Era* dulce, y tal vez una mujer solitaria, de cuerpo demasiado grande y cara regordeta. Pero había tratado de ser cálida y amable. Había dicho que sabía cómo sentía la dama del congresal porque los había visto juntos. No era así. Khalehla recordaba a todas las personas que habían entrado en la habitación de Evan, y la enfermera no era una de ellas. La bondad... el afecto, como se lo quisiera llamar, era Navidad. Y su hombre estaba a salvo. Las puertas del ascensor se abrieron, y entró en la jaula que descendía, sintiéndose segura, cálida y bondadosa.

Kendrick abrió los ojos en la oscuridad. Algo lo había despertado... ¿qué? ¿La puerta de la habitación?... Sí, por supuesto, era la puerta. Khalehla le había dicho que se lo iría a ver, una y otra vez, toda la noche. ¿Adónde pensaba que iría? ¿Creía que saldría a bailar? Se dejó caer sobre la almohada, inspirando profundamente, sin fuerzas, sin energía... *No*. No era la puerta. Era una presencia. ¡Alguien estaba ahí, en la habitación!

Movió la cabeza con lentitud, centímetro a centímetro, en la almohada. Había una borrosa salpicadura blanca en la oscuridad, nada arriba ni abajo; sólo un opaco espacio blanco en la oscuridad.

–¿Quién es? –dijo, y encontró que su voz era apenas audible–. ¿Quién está ahí?

Silencio.

–¿Quién demonios *es* usted? ¿Qué *quiere*?

Y entonces, como una embestida precipitada, la masa blanca fue hacia él desde la oscuridad y se estrelló en su cara. Una *almohada*. ¡No podía *respirar*! Levantó la mano derecha, empujó un brazo musculoso y luego, resbalando por la carne, una cara, una cara suave, ¡y por último el cuero cabelludo... con cabello de *mujer*! Tiró de los mechones con todas las fuerzas que pudo reunir, rodando hacia la derecha en la angosta cama de hospital, derribando a su atacante al suelo, debajo de él. Soltó el cabello y martilló la cara que tenía debajo, atormentado el hombro, rotas las suturas, la sangre extendiéndose por las vendas. Trató de gritar, pero lo único que brotó fue un graznido ronco. La pesada mujer le clavó las uñas en el cuello, dedos filosos, puntas que le rasgaban la piel... y luego le subían a los ojos, arañando los párpados y la frente. El se lanzó hacia arriba, apartándose de las garras, fuera del alcance de la mujer, aplastándose contra la pared. El dolor era intolerable. Se precipitó hacia la puerta, tambaleándose, pero ella estaba sobre él; lo hizo caer en un costado de la cama. La mano de Evan chocó con la jarra de agua de la mesa; la tomó, giró de nuevo, la lanzó hacia la cabeza, hacia la cara maníaca que tenía encima. La mujer quedó aturdida; él se lanzó hacia adelante, golpeando con el hombro derecho en el pesado cuerpo, aplastándolo contra la pared, y luego se abalanzó hacia la puerta y la abrió de golpe. El blanco corredor antiséptico estaba bañado en una tenue luz gris, aparte de la viva luz de una lámpara, en el mostrador del piso, en mitad del corredor. Trató de gritar, una vez más.

–*Alguien... ¡Socorro!* –Las palabras se perdieron; sólo gritos guturales, tenues, salían de su garganta. Cojeó; el tobillo hinchado y la pierna lastimada apenas lograban sostenerlo. ¿Dónde *estaban* todos? ¡No había nadie ahí... nadie detrás del mostrador! Entonces dos enfermeras salieron por una puerta, en el extremo más lejano del corredor, y él levantó la mano derecha, agitándola con frenesí, mientras por fin surgía la palabra:– *¡Socorro...!*

–¡Oh, por *Dios*! –gritó una de las mujeres, mientras ambas se precipitaban hacia adelante. Al mismo tiempo, Kendrick oyó otros pies lanzados a la carrera. Giró y vio, impotente, que la pesada enfermera musculosa salía corriendo de su habitación y seguía por el pasillo, hacia una puerta sobre la cual se leía, en letras rojas, SALIDA. La abrió con violencia y desapareció.

–¡Llama al médico de emergencia! –gritó la enfermera naval que llegó primero hasta él–. Date *prisa*. ¡Está sangrando!

–Entonces será mejor que llame a la joven Rashad –dijo la segunda enfermera, yendo hacia el mostrador–. Se la debe llamar cuando haya algún cambio de situación, ¡y por *Dios* que este es un cambio!

–*¡No!* –gritó Evan; su voz era por fin un rugido claro, aunque falto de aliento–. ¡Déjenla en paz!

–Pero congresal...

–Por favor, haga lo que le digo. *¡No la llame!* Hace dos o tres días que no duerme. Sólo busque al médico y ayúdeme a volver a mi habitación... Y después necesito usar el teléfono.

Cuarenta y cinco minutos más tarde, con el hombro vuelto a suturar, y la cara y el cuello higienizados, Kendrick se sentó en la cama, con el teléfono en el regazo, y discó el número de Washington que había aprendido de memoria. A pesar de intensas objeciones, había ordenado al médico y a las enfermeras que no llamasen a la policía militar; ni siquiera a la seguridad del hospital. Se había establecido que nadie en el piso conocía a la enfermera corpulenta, fuera de su nombre, sin duda alguna falso, de sus documentos de traslado, que habían sido presentados esa tarde del hospital de la base de Pensacola, Florida. Las enfermeras con rango jerárquico eran codiciadas dentro de cualquier personal; nadie puso en tela de juicio su llegada, y nadie la detendría en su rápida partida. Y hasta que todo el cuadro se aclarase un poco, no podía haber investigaciones oficiales que desencadenasen nuevas noticias en los medios. La censura seguía vigente.

–Lamento despertarte, Mitch...

–*¿Evan?*

–Será mejor que sepas lo que sucedió. –Kendrick describió la pesadilla demasiado real por la cual había pasado, incluida su decisión de evitar la llamada a la policía, civil y militar.– Tal vez me equivoqué, pero pensé que en cuanto llegase a la puerta de salida no habría muchas posibilidades de atraparla, y todas las de que se enterasen los periódicos, si se hacía el intento.

–Hiciste bien –coincidió Payton, hablando con rapidez–. Era un revólver de alquiler...

–Una almohada –corrigió Evan.

–Igualmente mortífera, si no hubieras despertado. El caso es que los asesinos de alquiler planifican de antemano, por lo general con varias salidas diferentes, y con igual número de cambio de ropas. Hiciste lo correcto.

–¿Quién la contrató, Mitch?

–Yo diría que es muy evidente. Grinell. Ha sido un hombre muy perversamente atareado desde que se fue de esa isla.

–¿Qué quieres decir? Khalehla no me lo dijo.

–Khalehla, como tú la llamas, no lo sabe. Tiene suficientes tensiones con la necesidad de cuidarte a ti. ¿Cómo está tomando lo de esta noche?

–No se le ha dicho nada. No permití que la llamaran.

–Se pondrá furiosa.

–Por lo menos dormirá un poco. ¿Y qué novedades hay de Grinell?

–El abogado de Ardis Vanvlanderen está muerto, y el libro Mayor no se encuentra en ninguna parte. La gente de Grinell llegó a San Jacinto primero que nadie.

–*¡Maldición!* –gritó Kendrick con voz ronca–. ¡Lo hemos perdido!

–Así parecería, pero hay algo que no se entiende bien... ¿Recuerdas que te dije que lo único que Grinell necesitaba para saber que estábamos cerrando el cerco era que alguien vigilase la casa del abogado?

–Por supuesto.

–Pan de Jengibre lo encontró.

–*¿Y?*

–Si consiguieron ese libro, ¿por qué poner un guardia después? En verdad, ¿para qué correr ese riesgo?

–¡Obliga al guardia a decírtelo? Drógalo, ya lo hiciste otras veces.

–Pan de Jengibre opina que no.

–*¿Por qué* no?

–Por dos razones. El hombre puede ser un guardia de bajo rango, que no sabe nada, y en segundo lugar Pan de Jengibre quiere seguirlo.

–¿Quieres decir que ese Pan de Jengibre descubrió al guardia, pero éste no lo sabe?

–Ya te dije que era muy competente. El hombre de Grinell ni siquiera sabe que hemos hallado al abogado muerto. Sólo vio un camión de una compañía y dos jardineros de overol, que se dedicaban a segar los prados.

–Pero si el guardia es de tan bajo rango, ¿qué podrá Pan de Jengibre –por Dios qué nombre estúpido– averiguar si lo sigue?

–Yo dije que *podía* ser de bajo rango, con sólo un número de teléfono al cual llamar cada tanto, que no nos diría nada. Por otro lado, es posible que *no* sea así. Si está más arriba en la escala, tal vez pueda conducirnos a otros.

–¡Por amor de Dios, Mitch, drógalo y averígualo!

–No me sigues, Evan. Un teléfono de relevo es llamado en forma *periódica*... en horarios específicos. Si se quiebra el horario, le enviamos a Grinell el mensaje erróneo.

–Todos ustedes son unos maricas complicados –dijo Kendrick, debilitado, exasperado.

–Y tampoco es una gran vida... Haré que un par de hombres de la patrulla de costas se apuesten ante tu puerta. Trata de descansar un poco.

–¿Y tú? Sé que dijiste que no podrías venir en vuelo aquí, y ahora entiendo por qué, pero todavía estás en tu oficina, ¿no?

–Sí, estoy esperando noticias de Pan de Jengibre. Desde aquí puedo trabajar con más rapidez.

–¿No quieres hablar de lo de ayer a la mañana... de tu conversación con el personaje de Inver Brass?

–Tal vez mañana. Ya no es urgente. Sin él ahí, Inver Brass ya no existe.

–¿Sin él?

–Se suicidó... Feliz Navidad, congresal.

Khalehla Rashad dejó caer los paquetes que llevaba en los brazos y gritó:

–¿Qué *ocurrió*? –Se precipitó hacia la cama.

–La atención aquí es una porquería –respondió Evan.

–¡Eso no es *gracioso*!... La patrulla costera ante tu puerta, y la forma en que miraron mis documentos de identidad, abajo, cuando dije que venía a verte... ¿Qué *ocurrió*?

El se lo contó, omitiendo la parte relativa a las suturas remplazadas, y a la sangre en el pasillo.

–Mitch está de acuerdo con lo que hice.

–¡Le costará la *cabeza*! –vociferó Khalehla–. ¡Tendría que haberme *llamado*!

–Entonces no te verías tan encantadora como te ves. Las sombras de alrededor de tus ojos son un poco menos negras. Dormiste.

–Doce horas –admitió ella, sentándose en el borde de la cama–. ¿Esa *dulce* enfermera *regordeta*? ¡No puedo creerlo!

–Me habría venido bien un poco de tu adiestramiento de cinturón negro de primera clase. No me dedico a luchar con mucha frecuencia, y casi nunca lo hago con mujeres... salvo con las prostitutas que cobran demasiado.

–Recuérdame que nunca te deje pagar... Oh *Dios*, Evan, ¡sabía que habría debido insistir en una habitación más grande, con dos camas, para poder *quedarme* contigo!

–No lleves demasiado lejos esta rutina de la protección, muchacha. Yo *soy* el hombre, ¿recuerdas?

–Y tú recuerda que si alguna vez nos asaltan, déjame hacer a *mí*, ¿de acuerdo?

–Ahí desaparece todo mi orgullo masculino... Estás invitada, pero aliméntame con bombones y champaña, mientras tú haces trizas a los canallas.

–Sólo un hombre podría bromear así –dijo Rashad, inclinándose y besándolo–. Te *amo* tanto, ése es mi problema.

–No el mío. –Volvieron a besarse, y como era natural, sonó el teléfono.– ¡No grites! –instó él–. Es probable que sea Mitch. –Lo era.

–¡Una *posibilidad*! –exclamó el director de Proyectos Especiales, desde Langley, Virginia–. ¿Te lo dijo Evan? ¿Lo de Grinell?

–No, nada.

–Dame con él, después te lo explicará...

–¿Por qué no me *llamaste* ayer por la noche... esta mañana?

–¡*Dame* con él!

–Sí, señor.

–¿Qué ocurre, Mitch?

–¡La posibilidad que necesitábamos... la tenemos!

–¿Pan de Jengibre?

–Aunque parezca extraño, no. De una fuente muy diferente. Uno busca cosas locas en esta profesión, y a veces las encuentra. Por si cuajaba, enviamos un hombre a las oficinas del abogado de la señora Vanvlanderen, con un documento fraguado que le permitía el acceso a los archivos de la ex jefa de personal del Vicepresidente. En ausencia de su empleadora, la secretaria no podía permitir que nadie metiera mano en los archivos, de modo que llamó a la casa de San Jacinto. Como sabía que ella no obtendría respuesta, nuestro hombre se quedó allí un par de horas, haciendo el papel de un enfurecido funcionario de Washington, portador de órdenes del Consejo de Seguridad Nacional, mientras ella trataba de comunicarse con el abogado. Según parece, estaba auténticamente inquieta; se suponía que él estaría allí todo el día, en entrevistas con importantes clientes... Lo haya dicho por frustración o por autodefensa, no lo sabemos, ni nos importa, pero soltó la información de que era probable de que nuestro hombre quisiera todas las hojas confidenciales que ella había hecho copiar en Xerox, pero que de todos modos no las tendría, porque se encontraban todas en la caja de seguridad de la bóveda de un banco.

–*Bingo* –dijo Evan con voz queda, gritando por dentro.

–No cabe ninguna duda. Inclusive describió el libro Mayor... Nuestro astuto abogado se mostró muy dispuesto a vender el libro a Grinell, y luego se dedicó a extorsionarlo con la copia. El guardia de Grinell se hallaba en San Jacinto por curiosidad, nada más, y el libro será nuestro dentro de una hora.

–¡Consíguelo, Mitch, y analízalo! Busca a un hombre llamado Hamendi, Abdel Hamendi.

–El traficante de armas –dijo Payton, confirmando la información–. Adrienne me lo dijo. Las fotos del apartamento de Vanvlanderen... Lausana, Amsterdam.

–De él se trata. Usarán un nombre de código para él, es claro, pero sigue la pista del dinero, las transferencias de Ginebra y Zurich... El Gemeinschaft Bank de Zurich.

–Por supuesto.

–Y hay algo más, Mitch. Limpiemos la casa todo lo que podamos. Un hombre como Hamendi abastece de armas a todos los grupos de fanáticos que puede encontrar, y cada bando mata al otro con lo que él les vende. Luego busca a otros asesinos, los de traje de mil dólares, sentados en oficinas de lujo, cuya única motivación es el dinero, y los atrae a su red... La producción aumenta diez veces más de lo que era, y luego veinte, y hay más asesinatos, más causas a las cuales venderles armas, más fanáticos que impulsar... Eliminémoslo, Mitch. Demos a una parte de este mundo enloquecido una posibilidad de respirar... sin los abastecimientos de él.

–Es una tarea de envergadura, Evan.

–Dame unas semanas para reponerme, y luego envíame de vuelta a Omán.

–*¿Qué?*

–Voy a hacer la más grande compra de armas que Hamendi haya podido soñar.

Pasaron dieciséis días; Navidad era un recuerdo penoso, el Año Nuevo fue saludado con cautela, con suspicacia. Al cuarto día, Evan había visitado a Emilio Carallo; le dio la foto de un magnífico pesquero nuevo, junto con los documentos de propiedad de la nave, un curso ya pagado para la obtención de su licencia de capitán, una libreta de cheques y una garantía de que nadie de la isla Pasaje a China lo molestaría en El Descanso. Era la verdad; los integrantes escogidos del gobierno interior que habían conferenciado en esa insidiosa isla del gobierno, no tenían interés en admitirlo. Por el contrario, se reunían con sus baterías de abogados, y varios habían huido del país. No les interesaba un pescador tullido de El Descanso. Les preocupaba la salvación de sus vidas y sus fortunas.

Al octavo día, la ola de fondo salió de Chicago y rodó por todo el Medio Oeste. Comenzó con cuatro periódicos independientes, establecidos en un radio de ciento cincuenta kilómetros, que proponían en sus editoriales la candidatura del parlamentario Evan Kendrick para la nominación vicepresidencial. En setenta y dos horas se sumaron otros tres, aparte de seis estaciones de televisión de propiedad de cinco de los periódicos. Las proposiciones se convirtieron en apoyos, y las voces de las tortugas periodísticas se escucharon en todo el país. De Nueva York a Los Angeles, de Bismarck a Houston, de Boston a Miami, la fraternidad de los gigantes de los medios comenzó a estudiar el concepto, y los directores de *Time* y *Newsweek* convocaron a reuniones de emergencia. Kendrick fue trasladado a un ala aislada del hospital de la base, y se eliminó su nombre de la lista de pacientes. En Washington, Annie Mulcahy O'Reilly y el personal informaron a centenares de visitantes que el representante de Colorado no se hallaba en el país, y no estaba disponible para emitir comentarios.

Al undécimo día, el parlamentario y su dama volvieron a Mesa Verde, donde, para su sorpresa, encontraron a Emmanuel Weingrass, con un pequeño cilindro de oxígeno amarrado al costado para un caso de emergencia respiratoria, y vigilando a un ejército de carpinteros que reparaban la casa. Los pasos de Manny eran más lentos, y se sentaba muy a menudo, pero su enfermedad no ejercía efecto alguno sobre su permanente irascibilidad. Esta era una constante; las únicas veces que bajaba la voz apenas un decibel era cuando hablaba con Khalehla... "su encantadora hija nueva, mucho más valiosa que ese vagabundo que siempre anda rondando por aquí".

Al decimoquinto día, Mitchell Payton, trabajando con un joven genio de la computación prestado por Frank Swann, de Estado, descifró los códigos del libro Mayor de Grinell, la biblia del gobierno interior. En un trabajo de toda la noche, con Gerald Bryce en el teclado, los dos hombres compilaron un informe para el Presidente Langford Jennings, quien les dijo con exactitud cuántas copias debían hacer. Otro informe salió de la procesadora de palabras antes que el disco fuese destruido, pero MJ no se enteró de ello.

Una a una, las limusinas llegaron por la noche, no a una finca en penumbras de la bahía de Chesapeake, sino al pórtico del sur de la Casa Blanca. Los pasajeros fueron escoltados por guardias de la infantería de marina hasta el Salón Oval del Presidente de Estados Unidos. Langford Jennings se hallaba sentado detrás de su escritorio, los pies en su otomana favorita, a la izquierda de su sillón, y saludó con un movimiento de cabeza a todos los que entraban... a todos, menos a uno. El Vicepresidente Orson Bollinger recibió una simple mirada; nada de saludos, sólo desprecio. Las sillas fueron ordenadas en semicírculo, delante del escritorio y del hombre temible sentado detrás de éste. El grupo se encontraba integrado por los jefes de la mayoría y la minoría de ambas cámaras del Congreso, el Secretario de Estado suplente y el Secretario de Defensa, los directores de la Central de Inteligencia y de Seguridad Nacional, los miembros de los Jefes de Estado Mayor Conjunto, y Mitchell, de Proyectos Especiales de la CIA. Todos se sentaron y aguardaron en silencio. La espera no fue larga.

–Estamos hundidos en un montón de mierda –dijo el Presidente de Estados Unidos–. Que me condenen si sé cómo llegamos a eso, pero será mejor que reciba algunas respuestas esta noche, o haré que una cantidad de gente de esta ciudad se pase veinte años detrás de un montículo de piedras. ¿Me explico con claridad?

Hubo varios asentimientos de cabeza, pero más de uno objetó, expresiones y voces coléricas rechazaron las insinuaciones del Presidente.

–*¡Esperen!* –continuó Jennings, acallando a los disidentes–. Quiero que se entiendan bien las reglas básicas. Cada uno de ustedes ha recibido y presuntamente leído el informe preparado por el señor Payton. Todos lo han traído consigo y, una vez más presuntamente, ninguno ha hecho copias. ¿Son exactas estas afirmaciones?... Por favor, conteste cada uno, comenzando a mi izquierda, por el Fiscal General.

Cada uno de los integrantes del grupo repitió la acción y las palabras del principal funcionario de aplicación de la ley en la nación. Cada uno levantó el sobre de papel manila y dijo:

–No hay copias, Señor presidente.

–Bien. –Jennings sacó los pies de la otomana y se inclinó hacia adelante, con los antebrazos apoyados en el escritorio.– Los sobres están numerados, señores, y limitados a las personas que se encuentran en este despacho. Por lo demás, quedarán aquí cuando ustedes se vayan. Una vez más, ¿entendido? –Los asentimientos y los murmullos fueron afirmativos.– Bien... no necesito decirles que la información que contienen esas hojas es tan devastadora como increíble. Una red de ladrones y asesinos y basura humana, que contrataba asesinos y pagaba por los servicios de terroristas. Matanzas en masa en Fairfax, en Colorado... y, oh Dios mío, en Chipre, donde un hombre digno de cinco cualesquiera de ustedes, pedazo de canallas, fue hecho volar junto con toda su delegación... Es una letanía de horrores, de directorios, en todo el país, en constantes componendas; de establecimiento de precios para la obtención de escandalosos márgenes de ganancia; de compra de influencias en todos los sectores del gobierno; de conversión de la industria de defensa de la nación en una bolsa de riquezas de la que cualquiera podía servirse. Es también una letanía de engaños, de transacciones ilegales con comerciantes de armamentos de todo el mundo; de mentiras a las comisiones de armamentos; de compra de licencias de exportación; de desvío de embarques cuando se los prohibía. ¡*Cristo*, es un condenado asco!... Y no hay aquí ninguno de ustedes que no haya sido tocado por él. Y bien, ¿escuché algunas objeciones?

–*Señor* presidente...

–Señor *presidente*...

–He pasado treinta años en el *Cuerpo*, y nadie se *atrevió* nunca...

–¡*Yo* me atrevo! –rugió Jennings–. ¿Y quién demonios es usted para decirme que no puedo? ¿Algún *otro*?

–Sí, Señor presidente –dijo el Secretario de Defensa–. Para utilizar su propio lenguaje, no sé a qué *carajo* se refiere en forma específica, y rechazo sus insinuaciones.

–¿Detalles específicos? *¿Insinuaciones?* ¡A la mierda, Mac, lea las cifras! ¿Tres millones de dólares por un tanque que según los cálculos cuesta más o menos un millón quinientos para su producción? ¿*Treinta* millones por aviones de caza que han sido tan recargados de adminículos del Pentágono que no pueden volar, y que luego vuelven a los tableros de dibujo y a otros *diez* millones por aparato? Olvídese de los inodoros y de las malditas llaves inglesas, que tienen problemas mucho mayores.

–Todos son gastos menores en comparación con el total, Señor presidente.

–Como dijo un amigo mío en la televisión, díganle eso al pobre hijo de puta que tiene que balancear su libreta de cheques. Tal vez usted está en el puesto que no corresponde, señor secretario. Le decimos a cada rato al país que la economía soviética es un matadero, que su tecnología se encuentra a años luz de la nuestra, pero todos los años, cuando ustedes producen un presupuesto, nos dicen que nos estamos yendo a la mierda porque Rusia nos supera desde el punto de vista económico y tecnológico. Ahí hay una leve contradicción, ¿no les parece?

–Usted no entiende las complejidades...

–No necesito entenderlas. Entiendo las contradicciones... ¿Y qué hay de ustedes, los cuatro gloriosos pilares de la Cámara y el Senado... miembros de mi partido y de la leal oposición? ¿Nunca *olfatearon* nada?

–Usted es un Presidente muy popular –dijo el jefe de la oposición–. Resulta políticamente difícil oponerse a sus posiciones.

–¿Inclusive cuando el pescado está podrido?

–Inclusive cuando el pescado está podrido, señor.

–Entonces también ustedes deberían irse... Y nuestra astuta élite militar, nuestros olímpicos Jefes de Estado Mayor Conjunto. ¿Quién vigila la maldita tienda, o están en un ambiente tan enrarecido que se olvidaron de la dirección del Pentágono? Coroneles, generales, almirantes, que salen marchando de Arlington y se ubican en las filas de los contratistas para la defensa y traicionan a los contribuyentes.

–¡Me *opongo*! –gritó el presidente de los Jefes de Estado Mayor Conjunto–. No es tarea nuestra, Señor presidente, vigilar el empleo de cada oficial en el sector privado.

–Quizá no, pero la aprobación de recomendaciones por parte de ustedes establece quién recibirá el rango que *hace* que eso resulte posible... ¿Y qué hay de los superespías del país, la CIA y la ASN? El señor Payton queda excluido, y si alguno de ustedes trata de empujarlo a Siberia, responderá ante mí durante los próximos cinco años... *Ustedes*, ¿dónde diablos estaban? ¡Armas enviadas a todo el Mediterráneo y el Golfo Pérsico... a puertos que el Congreso y yo habíamos dicho que estaban fuera de *límites*! ¿No pudieron seguir la pista del *tráfico*? ¿Quién demonios manejaba el *desvío*?

–En muchos casos, Señor presidente –dijo el director de la Agencia Central de Inteligencia–, cuando teníamos razones para cuestionar algunas actividades, dábamos por entendido que se realizaban bajo su autoridad, porque reflejaban sus posiciones políticas. En lo que se refiere a las leyes, creíamos que usted era asesorado por el Fiscal General, según indica el procedimiento aceptado.

–De modo que cerraron los ojos y dijeron: "Que algún otro se encargue de la olla de papas calientes." Muy elogiable si se trata de salvar el propio trasero, ¿pero por qué no lo confirmaron *conmigo*?

–Hablando en nombre de la ASN –interrumpió el director de la Agencia de Seguridad Nacional–, hablamos varias veces con su jefe de personal y con su asesor de Seguridad Nacional, acerca de varios hechos nada ortodoxos que pasaban por nuestro escritorio. Su asesor de la ASN insistió en que nada sabía respecto de lo que él llamó "rumores malévolos", y el señor Dennison declaró, y cito sus palabras textuales, Señor presidente, que eran "un montón de mierda difundida por maricas ultraliberales que dirigen acusaciones baratas contra ustedes". Esas fueron sus palabras, señor.

–Advertirán –señaló Jennings con frialdad– que ninguno de esos hombres se encuentra en este despacho. Mi asesor de la ASN se ha retirado, y mi jefe de personal se encuentra de licencia, atendiendo asuntos personales. En defensa de Herb Dennison, es posible que haya piloteado un barco compacto, bastante autocrático, pero su navegación no siempre fue precisa... Y ahora llegamos a nuestro principal funcionario de aplicación de la ley, el guardián del sistema legal de nuestra nación. Si se tiene en cuenta las leyes que se violaron, falsearon y eludieron, tengo la idea de que usted salió a almorzar hace tres años y no regresó nunca. ¿Qué están dirigiendo ahí, en Justicia? ¿Juegos de bingo, jai alai? ¿Por qué pagamos a varios centenares de abogados para que investiguen las actividades criminales contra el gobierno, cuando ni *uno* de los condenados delitos que figuran en este informe fue descubierto nunca?

–No estaban dentro de nuestra esfera, Señor presidente. Nos hemos concentrado en...

–¿Qué diablos es una *esfera*? ¿La fijación de precios por las corporaciones y los excesos no están en su *esfera*? ¡Déjeme decirle una cosa, muchachito, será *mejor* que lo estén!... Al demonio con usted, volvamos a mi estimado compañero del ejecutivo... el último no es en modo alguno el menor, en términos de importancia vital. ¡Nuestra abyecta y sumisa herramienta de intereses *muy* importantes es el grande hombre en los *claustros*! ¡Todos son tus *muchachos*, Orson! ¿Cómo pudiste *hacerlo*?

–¡Señor presidente, también son *sus* hombres! Reunieron dinero para su primera campaña. Reunieron millones más que su oposición, y con ello aseguraron virtualmente su elección. Usted abrazó las causas de ellos, apoyó sus reclamos de expansión, sin obstáculos, del comercio y la industria.

–Razonablemente sin obstáculos, *sí* –dijo Jennings, salientes las venas de la frente–, pero no *manipulada*. No corrompida por tratos con los traficantes de armas de toda Europa y el Mediterráneo, ¡y, *maldito* seas, no por colusión, extorsión, y terroristas de *alquiler*!

–¡Yo no sabía *nada* de esas cosas! –gritó Bollinger, poniéndose de pie de un brinco.

–No, es probable que no lo supieras, Señor vicepresidente, porque eras un tonto muy accesible, con la comercialización de tu influencia, como para correr el riesgo de perderte al provocarte pánico. Pero, por supuesto, sabías que había muchas más sartenes en el fuego que humo en la cocina. Sólo que no querías saber qué se estaba quemando, qué tenía un olor tan podrido. *¡Siéntate!* –Bollinger se sentó, y Jennings continuó:– Pero entiende esto con claridad, Orson. No estás en la fórmula, y no quiero verte cerca de la convención. Estás listo, *terminado*, y si alguna vez me entero de que vuelves a poner en venta tu influencia, o que integras un directorio para otra cosa que no sean obras de caridad... Bueno, no lo hagas.

–¡*Señor* presidente! –dijo el presidente, de cara correosa, de los Jefes de Estado Mayor Conjunto, mientras se ponía de pie–. ¡A la luz de sus observaciones, y de su disposición demasiado evidente, presento mi renuncia, efectiva a partir de este momento!

La declaración fue seguida por media docena de otros personajes, todos de pie y enfáticos. Langford Jennings se recostó contra el respaldo y habló con serenidad, con voz helada.

–Oh, no se irán tan fácil, ninguno de ustedes. En esta administración no habrá una matanza del sábado por la noche al revés, nada de salir arrastrándose del barco y subir a las colinas. Se quedarán donde están, y se esforzarán por que volvamos a retomar el rumbo... Y entiéndanme con claridad, no me importa qué opine la gente de mí o de ustedes, o de la casa que ocupo en forma temporal, pero me importa el país, y mucho, y a fondo. Tan a fondo, en realidad, que este informe preliminar, preliminar porque en modo alguno está concluido, seguirá siendo propiedad personal de este Presidente, según los reglamentos ejecutivos de "no publicidad", hasta que considere que ha llegado el momento de hacerlo conocer... que *llegará*. Difundirlo ahora disgregaría a la presidencia más fuerte que esta nación ha tenido en cuarenta años, y produciría un daño irreparable a la nación, pero repito: se *difundirá*... Permítanme que les explique algo. Cuando un hombre, y espero que algún día una mujer, llega a este cargo, queda una sola cosa por hacer, a saber, la señal que deja en la historia. Bien, yo me excluiré de esa carrera por la inmortalidad dentro de los próximos cinco años de mi vida, porque durante ese lapso este informe, *completado*, con todos sus horrores, será hecho público... Pero no hasta que todos los daños cometidos hayan sido rectificados, y todos los delitos purgados. Si eso significa trabajar día y noche, eso es lo que harán todos ustedes... todos, menos el alcahuete y sicofante de mi Vicepresidente, que desaparecerá, y que con un poco de suerte tendrá la gracia de volarse el cráneo... Una última palabra, señores. Si alguno de ustedes tuviese la tentación de saltar de este barco podrido que todos hemos creado por omisión *y* comisión, por favor, recuerden que soy el Presidente de Estados Unidos, y que poseo poderes increíbles. En el sentido más amplio, incluyen el de vida y muerte... y ésta es la simple enunciación de un hecho, pero si quieren tomarla como una amenaza... bueno, tienen el derecho de hacerlo. Y ahora salgan de aquí y empiecen a pensar. Payton, tú quédate.

–Sí, Señor presidente.

–¿Recibieron el mensaje, Mitch? –preguntó Jennings, mientras servía, para él y para Payton, un trago del bar empotrado en la pared de la izquierda del Salón Oval.

–Digámoslo de esta manera –respondió el director de Proyectos Especiales–. Si no tengo ese whisky dentro de unos segundos, voy a empezar a temblar de nuevo.

El Presidente esbozó su famosa sonrisa, mientras le llevaba a Payton su trago, a la ventana.

–No está mal para un tipo que, supuestamente, tiene el cociente de inteligencia de un poste telefónico, ¿eh?

–Fue una ejecución extraordinaria, señor.

–Me temo que a eso se ha reducido en gran medida este cargo.

–No lo dije en ese sentido, Señor presidente.

–Por supuesto que lo dijiste, y tienes razón. Por eso el rey, con toda su ropa, o desnudo, necesita un primer ministro fuerte, quien a su vez cree su propia familia real... de ambos partidos, dicho sea de paso.

–¿Perdón?

–Kendrick. Lo quiero en la fórmula.

–Entonces me temo que tendrá que convencerlo. Según mi sobrina... la llamo mi sobrina, pero en verdad no es...

–Sé todo eso, todo lo que se refiere a ella –interrumpió Jennings–. ¿Qué dice?

–Que Evan tiene perfecta conciencia de lo que ocurrió, de lo que está ocurriendo, pero que no está decidido. Su amigo más íntimo, Emmanuel Weingrass, está gravemente enfermo, y no se espera que sobreviva.

–También tengo conocimiento de eso. Tú no mencionaste su nombre, pero figura en tu informe, ¿recuerdas?

–Oh, perdón. Ultimamente no he dormido lo suficiente... Sea como fuere, Kendrick insiste en volver a Omán, y no puedo disuadirlo. Está obsesionado con el traficante de armas Abdel Hamendi. Cree, con toda razón, que Hamendi está vendiendo por lo menos el ochenta por ciento de todo el poder de fuego que se usa en el Medio Oriente y en el sudoeste de Asia, para la destrucción de sus amados países árabes. A su manera, es como un Lawrence moderno, que trata de rescatar a sus amigos del desprecio internacional y del olvido definitivo.

–Dicho con exactitud, ¿qué crees que puede lograr?

–Por lo que me dijo, se trata, en lo fundamental, de una operación de aguijoneo. No creo que él lo tenga claro todavía, pero el objetivo es ese. Consiste en desenmascarar a Hamendi, como lo que es, un hombre que gana millones de millones vendiendo la muerte a quien quiera comprarla.

–¿Qué le hace creer a Evan que a Hamendi le importa un bledo de lo que crean sus compradores? Está en el negocio del tráfico de armas, no en la evangelización.

–Puede que le importe, si la mitad de las armas que vende no funcionan, si los explosivos no explotan y los rifles no disparan.

–Buen *Dios* –musitó el Presidente; se volvió con lentitud y caminó hacia su escritorio. Se sentó y dejó su vaso sobre la carpeta de papel secante; miró en silencio la pared del fondo. Por último, giró en su asiento y miró a Payton, quien se encontraba de pie ante la ventana.

–Déjalo ir, Mitch. Si se lo impedimos, nunca nos perdonará a ninguno de los dos. Dale todo lo que necesite, pero asegúrate muy bien de que regrese... Lo quiero de vuelta aquí. El país necesita que vuelva.

•

Al otro lado del mundo, bancos de niebla se desplazaban desde el Golfo Pérsico, cubriendo la carretera Tuijar, de Bahrein, creando halos invertidos debajo de los faroles callejeros y oscureciendo el cielo nocturno. Eran las cuatro y media de la mañana exactas cuando una limusina negra irrumpió en ese sector desierto de los muelles, en la ciudad dormida. Se detuvo delante de las puertas de vidrio del edificio conocido como el Sahalhuddin, hasta dieciséis meses atrás principescos aposentos del hombre-monstruo que se hacía llamar el Mahdí. Dos árabes envueltos en túnicas salieron por las puertas traseras del imponente vehículo y caminaron bajo el resplandor de las opacas luces de neón que iluminaban la entrada; la limusina se alejó en silencio. El hombre más alto tamborileó en el vidrio; adentro, el guardia del escritorio de recepción miró su reloj de pulsera, se levantó y caminó con rapidez hacia la puerta. La abrió con su llave e hizo una reverencia a los visitantes de horas tan extrañas.

–Todo está preparado, grandes señores –dijo, y su voz fue al comienzo muy poco más que un murmullo–. Los guardias de afuera han sido despachados temprano; el turno de la mañana llega a las seis.

–Necesitaremos menos de la mitad de ese tiempo –dijo el visitante más joven, más bajo; resultaba evidente que era el jefe–. ¿Tu bien pagada preparación incluye una puerta abierta, arriba?

–Sin duda alguna, gran señor.

–¿Y un solo ascensor está en uso? –preguntó el árabe de más edad, más alto.

–Sí, señor.

–Le echaremos llave arriba. –El hombre más bajo se dirigió hacia la hilera de ascensores de la derecha, y su compañero lo alcanzó enseguida.– Si no me equivoco –continuó, hablando en voz alta–, subiremos a pie el último tramo de escaleras, ¿verdad?

–Sí, gran señor. Todas las alarmas han sido desconectadas, y la habitación está de nuevo tal como estaba... antes de aquella terrible mañana. Además, como ordenaste, lo que pediste ha sido llevado arriba; se encontraba en los sótanos. Tal vez tendrás conocimiento, señor, de que las autoridades pusieron la habitación cabeza abajo, y luego la dejaron sellada durante varios meses. No podíamos entender, gran señor.

–No era necesario que entendieran... Nos alertarás si alguien trata de entrar en el edificio, o se acerca siquiera a las puertas.

–¡Con los ojos de un halcón, gran señor!

–Prueba el teléfono, por favor. –Los dos hombres llegaron a los ascensores, y el subordinado de más estatura oprimió el botón; en el acto se abrió un tablero. Entraron, y la puerta se cerró.– ¿Ese hombre es competente? –preguntó el árabe más bajo, mientras la maquinaria chirriaba y el ascensor iniciaba la subida.

–Hace lo que se le diga que haga, y lo que se le ha dicho no es muy complicado... ¿Por qué la oficina del Mahdí estuvo sellada durante tantos meses?

–Porque las autoridades buscaban a hombres como nosotros, esperaban a hombres como nosotros.

–¿Pusieron la habitación cabeza abajo...? –dijo el subordinado, vacilante, interrogante.

–Como en nuestro caso, no sabrían dónde buscar. –El ascensor aminoró la marcha y luego se detuvo, y el tablero se abrió. Con pasos rápidos, los dos visitantes se encaminaron hacia la escalera que llevaba al piso del Mahdí, el ex "templo". Llegaron a la puerta de la oficina, y el hombre más bajo se detuvo, con la mano en el picaporte.– He esperado este momento durante más de un año –dijo, haciendo una profunda inspiración–. Y ahora que llegó, estoy temblando.

Adentro de la gigantesca habitación, extraña, semejante a una mezquita, con su alto cielo raso abovedado, lleno de mosaicos de colores brillantes, los dos intrusos permanecieron en silencio, como en presencia de algún espíritu aterrador. Los escasos muebles de madera oscura, lustrada, se encontraban en sus respectivos lugares a manera de estatuas antiguas de feroces soldados que protegieran la tumba interior de un gran faraón; el escritorio descomunal era como el símbolo del sarcófago de un respetado monarca muerto. Y de pie contra la pared del fondo, a la derecha, en chocante contradicción, había un moderno andamio metálico, que se elevaba a una altura de tres metros; barras laterales permitían el acceso a la parte superior. El árabe más alto habló.

–Este podría ser el lugar de reposo de Alá... hágase Su voluntad.

–No conocías al Mahdí, mi inocente amigo... ni personalmente, ni en el otro sentido –replicó el superior–. Prueba con el Midas frigio... Pronto, no perdamos tiempo. Empuja el andamio hacia donde te diga, y luego sube hasta arriba. –El subordinado caminó con pasos rápidos hacia la plataforma elevada y miró a su compañero.– A la izquierda –continuó el jefe–. Más allá de la segunda abertura de la ventana.

–No te entiendo –dijo el hombre alto, pisando los soportes y trepando a la parte de arriba del andamio.

–Hay muchas cosas que no entiendes, y no hay motivos para que no sea así... Bien, cuenta, hacia la izquierda, seis mosaicos desde el borde de la ventana, y luego cinco hacia arriba.

–Sí, *sí*... debo estirarme, y no soy bajo.

–El Mahdí era mucho más alto, mucho más impresionante... pero no carecía de defectos.

–¿Perdón?

–No importa... Oprime las cuatro esquinas del mosaico, en los bordes mismos, y luego empuja con la palma de la mano, con todas tus fuerzas, en el centro. *¡Ahora!*

El mosaico estalló literalmente en su hueco; el árabe alto apenas pudo sostenerse sin caer.

–¡Amado *Alá*! –exclamó.

–Una simple succión, balanceada por pesas –dijo desde el suelo el hombre más bajo, sin mayores explicaciones–. Ahora introduce la mano en el interior y saca los papeles; tienen que estar todos juntos. –El subordinado hizo lo que se le decía, y sacó capas de hojas de una extensa impresión de computadora, unidas por dos bandas elásticas.– Déjalas caer hacia mí –continuó el jefe–, y vuelve a poner el mosaico tal como lo sacaste, comenzando primero por la presión en el centro.

El árabe alto cumplió las órdenes con torpeza, y luego bajó por las barras del andamio, al suelo. Se acercó a su superior, quien había desplegado varias hojas de la impresión y las escudriñaba con intensidad.

–¿Este era el tesoro del cual hablabas? –preguntó con suavidad.

–No lo hay más grande, desde el Golfo Pérsico hasta las costas occidentales del Mediterráneo –respondió el hombre más joven, mientras su mirada volaba sobre los papeles–. Ejecutaron al Mahdí, pero no pudieron destruir lo que él había creado. El retroceso era necesario, se exigía el repliegue... pero no la disgregación. Las múltiples ramas de la empresa no fueron aplastadas, ni siquiera reveladas. Sólo cayeron y volvieron a la tierra, prontas a dar brotes de troncos propios, algún día.

–¿Esas páginas de aspecto extraño te dicen eso? –El superior asintió, y siguió leyendo.– ¿Qué dicen, en nombre de Alá?

El hombre más bajo miró con curiosidad a su compañero de mayor estatura.

–Son las listas de todos los hombres, todas las mujeres, todas las firmas, compañías y corporaciones, todos los contactos y conductos con los terroristas que alguna vez tuvo el Mahdí. Llevará meses, quizá varios años, volver a armarlo todo de nuevo, pero se hará. ¿Sabes?, están esperando. Porque en definitiva, el Mahdí tenía razón: éste es *nuestro* mundo. No se lo entregaremos a nadie.

–¡La palabra se *difundirá*, amigo mío! –exclamó el subordinado más alto, de mayor edad–. Será así, *¿verdad?*

–Con suma cautela –respondió el joven jefe–. Vivimos en tiempos diferentes –agregó con tono enigmático–. Los equipos de la semana pasada resultan anticuados.

–No puedo pretender entenderte.

–Una vez más, no es necesario.

–¿De dónde *vienes*? –preguntó, desconcertado, el subordinado–. Se nos dice que te obedezcamos, que conoces cosas que hombres como yo no tienen el privilegio de saber. ¿Pero *cómo*, de *dónde*?

–De miles de kilómetros de distancia, preparándome durante años para este momento... Ahora déjame. Rápido. Ve abajo y dile al guardia que haga sacar el andamio, que lo lleven al sótano, y luego llama al coche, que está dando vueltas a la manzana. El conductor te llevará a casa, nos veremos mañana. A la misma hora, en el mismo lugar.

–Que Alá y el Mahdí sean contigo –dijo el árabe alto con una inclinación de cabeza; corrió hacia la puerta y la cerró tras de sí.

El joven miró a su compañero que salía, y luego introdujo la mano bajo su túnica y sacó un pequeño aparato de radio. Oprimió un botón y habló.

–Estará afuera dentro de dos o tres minutos. Recógelo y llévalo a las rocas de la costa sur. Mátalo, desnúdalo y arroja el arma al mar.

–Es una orden –respondió el conductor de la limusina, varias calles más allá.

El joven jefe guardó de nuevo la radio debajo de su túnica y fue con paso solemne al enorme escritorio de ébano. Se quitó el ghotra, lo dejó caer al suelo, se encaminó hacia el sillón parecido a un trono y se sentó. Abrió una alta gaveta ancha de la izquierda, abajo, y sacó el tocado del Mahdí, cuajado de joyas. Se lo colocó en la cabeza y habló con suavidad hacia el cielo raso de mosaicos.

–Te agradezco, Padre mío –dijo el heredero, con un doctorado de ciencias de la computación de la Universidad de Chicago–. Ser elegido entre todos tus hijos es, al mismo tiempo, un honor y un desafío. Mi débil madre blanca nunca lo entenderá, pero como me aclaraste una y mil veces, ella no era otra cosa que un recipiente... Debo decirte, sin embargo, Padre, que las cosas son distintas ahora. El lema de la época es la sutileza y los objetivos de largo alcance. Emplearemos tus métodos cuando sean lo que hace falta, matar no constituye un problema para nosotros, pero lo que buscamos es una parte del globo terráqueo mucho mayor de la que querías poseer tú. Tendremos células en toda Europa y el Mediterráneo, y nos comunicaremos en formas con las cuales jamás soñaste... en secreto, por satélite, de intercepción imposible. ¿Sabes, Padre mío?, el mundo ya no pertenece a una u otra raza. Pertenece a los jóvenes, a los fuertes, a los brillantes, como lo somos nosotros.

El nuevo Mahdí dejó de susurrar y bajó la mirada a la superficie del escritorio. Pronto estaría allí aquello que le hacía falta. El hijo más grande del gran Mahdí continuaría la marcha emprendida.

Debemos *dominar*.

¡En todas partes!

LIBRO TRES

45

Era el trigésimo segundo día desde la loca partida de la isla de Pasaje a China, y Emmanuel Weingrass entró con pasos lentos en la galería cerrada de Mesa Verde; pero sus palabras fueron precipitadas.

–¿Dónde está el vagabundo? –preguntó.

–Trotando en el sur– respondió Khalehla desde el sofá, bebiendo su café de la mañana y leyendo el periódico–. O a esta altura, en las montañas, ¿quién sabe?

–En Jerusalén son las dos de la tarde –dijo Manny.

–Y las cuatro en Mascate –agregó Rashad–. Son tan listos, allá.

–Mi hija, la de boca lista.

–Siéntate, niño –dijo Khalehla, palmeando el almohadón, a su lado.

–Niñita de boca más lista aún –masculló Weingrass, acercándose y sacándose el corto cilindro de oxígeno para acomodarse en el sofá–. El vagabundo tiene buen aspecto –continuó Manny, echándose hacia atrás y respirando profundamente.

–Cualquiera creería que se está adiestrando para las Olimpíadas.

–Hablando de eso, ¿tienes un cigarrillo?

–Se supone que no debes fumar.

–Dame, entonces.

–Eres imposible. –Khalehla metió la mano en el bolsillo de su bata, extrajo una cajetilla de cigarrillos y sacó uno, mientras buscaba un encendedor de cerámica en la mesa del café. Encendió el cigarrillo de Weingrass y repitió: – *Eres* imposible.

–Y tú eres mi Madre Superiora árabe –dijo Manny, inhalando como si fuese un niño que se regocijase con una tercera repetición de un postre prohibido–. ¿Cómo van las cosas en Omán?

–Mi viejo amigo el sultán se siente un poco confundido, pero mi amigo más joven y su esposa arreglarán las cosas... De paso, Ahmat te envía sus mejores deseos.

–Es justo que lo haga. Me debe sus diplomas en Harvard, y nunca me pagó por las mujeres que le conseguí en Los Angeles.

–De alguna manera, siempre te las arreglas para ir al fondo de las cosas... ¿Cómo están todos en Jerusalén?

–Hablando de enviar saludos, Ben-Ami te envía los de él.

–*¿Benny?* –exclamó Khalehla, inclinándose hacia adelante–. ¡Dios mío, hacía años que no pensaba en él! ¿Sigue usando esos ridículos jeans azules de diseñador, con el arma sobre el trasero?

–Es probable que lo haga siempre, y que le cobre el doble al Mossad por las dos cosas.

–Es un buen tipo, y uno de los mejores agentes de control que Israel ha tenido nunca. Trabajamos juntos en Damasco; es pequeño y un poco cínico, pero es bueno tenerlo al lado de una. Duro como el hierro, en verdad.

–Como diría tu vagabundo: "Dímelo a mí". Estábamos estrechando el cerco sobre el hotel de Bahrein, y lo único que él hacía era ofrecerme discursos por radio.

–¿Se nos unirá en Mascate?

–Se unirá a *ti*, persona-poco-simpática que me has excluido.

–Vamos, Manny...

–Ya sé, ya sé. Soy una carga.

–¿Qué crees *tú*?

–Muy bien, soy una carga, pero aun a las cargas se las mantiene informadas.

–Por lo menos dos veces por día. ¿Dónde nos encontraremos con Ben-Ami? ¿Y cómo? No puedo imaginar que el Mossad quiera tener algo que ver con esto.

–Después del embrollo de Irán, la luna está demasiado cerca, en especial con las informaciones de la CIA y los bancos de Suiza. Ben dejará un número telefónico en el conmutador del palacio, para una señorita Adrienne... la idea fue mía... Además, vendrá alguien con él.

–¿Quién?

–Un lunático.

–Eso es muy útil. ¿Tiene nombre?

–Sólo uno de código que conocí, Azul.

–*¡Azra!*

–No, ése era el otro.

–Lo sé, pero los israelíes mataron a Azra el Azul árabe. Evan me dijo que lo asqueó, dos chicos con tanto odio...

–En el caso de los chicos, todo es asqueante. En lugar de bates de béisbol llevan rifles de repetición y granadas... ¿Payton solucionó lo de tu transporte?

–Lo estableció con nosotros ayer. Un avión de carga de la Fuerza Aérea a Francfort, y después a El Cairo, donde pasaremos a la clandestinidad, en una embarcación pequeña, a Kuwait y Dubai; el último tramo se hará en helicóptero. Llegaremos a Omán de noche, y aterrizaremos en Jabal Sham, donde nos esperará uno de los coches sin identificaciones de Ahmat, para llevarnos a palacio.

–Eso es clandestino de veras –dijo Weingrass, y asintió, impresionado.

–Tiene que serlo. Evan debe desaparecer, mientras se difunden versiones de que se lo vio en Hawai, y que supuestamente está refugiado en una finca de Maui. Gráfica está elaborando unas fotos que lo muestran allá, y se harán llegar a los periódicos.

–La imaginación de Mitchell va mejorando.

–No la hay mejor, Manny.

–Tal vez debería dirigir la Agencia.

–No, odia las tareas administrativas, y es un político espantoso. Si no le gusta algo o alguien, todos se enteran. Está mejor donde se encuentra ahora.

El ruido de la puerta del frente que se abría y cerraba produjo un efecto inmediato en Weingrass.

–*¡Oh!* –exclamó, y metió su cigarrillo en la boca de la desconcertada Khalehla, mientras soplaba el humo que lo rodeaba, agitando las manos para impulsar la evidencia acusadora hacia Rashad–. ¡*Shiksa* malévola! –susurró–. ¡Fumando en mi presencia!

–*Imposible* –dijo Khalehla con voz suave, sacándose el cigarrillo y aplastándolo en un cenicero, mientras Kendrick cruzaba la sala y salía a la galería.

–Ella *nunca* fumaría tan cerca de ti –reprochó Evan, vestido con un equipo azul; la transpiración le corría por la cara.

–¿Ahora tienes el oído de un Doberman?

–Y tú el cerebro de un pez sacado fuera del agua.

–Pero de un pez muy listo.

–Perdón –dijo Rashad con serenidad–. Sabe ser muy exigente.

–Cuéntamelo.

–¿Qué acabo de decir? –gritó Weingrass–. Lo dice a cada rato. Es el signo de un complejo de superioridad muy desarrollado, desubicado y muy irritante para los intelectos realmente superiores... ¿Hiciste una buena práctica gimnástica, estúpido?

Kendrick sonrió y fue hacia el bar, donde había una jarra de zumo de naranja.

–He llegado a los treinta minutos, a ritmo fuerte –respondió, mientras se servía un vaso de jugo.

–Eso está muy bien, si eres el caballo de un vaquero, en un rodeo.

–A cada rato dice cosas así –protestó Kendrick–. Es ofensivo.

–Cuéntamelo a mí –respondió Khalehla, a la vez que bebía su café.

–¿Alguna llamada? –preguntó Evan.

–Apenas son las siete pasadas, querido.

–En Zurich no. Allá es la una de la tarde pasada. Hablé con ellos antes de salir.

–¿Con quién? –interrogó Rashad.

–Principalmente con el director del Gemeinschaft Bank. Mitch hizo que se le secara la vejiga del susto, con las informaciones que poseemos, y está tratando de colaborar... Espera un momento. ¿Alguien fue a ver el télex del estudio?

–No, pero hace unos veinte minutos oí que el maldito aparato repiqueteaba –dijo Weingrass.

Kendrick dejó el vaso y cruzó con rapidez la galería y la sala, hacia una puerta ubicada más allá del pasillo de piedra. Khalehla y Manny lo miraron, y luego se miraron el uno a la otra y se encogieron de hombros. El congresal regresó momentos más tarde, con una hoja de télex en la mano; su expresión reflejaba excitación.

–¡Lo *hicieron*! –exclamó.

–¿Quién hizo qué? –preguntó Weingrass.

–El banco. ¿Recuerdan la línea de crédito de cincuenta millones que Grinell y su consorcio de ladrones de California establecieron para comprarme?

–Por *Dios* –exclamó Khalehla–. ¡No pueden haberla dejado *abierta*!

–Es claro que no. Quedó cancelada en cuanto Grinell salió de la Isla.

–*¿Y entonces?* –dijo Manny.

–En esta era de complicadas telecomunicaciones, de vez en cuando surgen errores de computación, y hubo uno hermosísimo. No hay constancia de que se haya recibido la cancelación. El crédito sigue *vigente*; sólo que ha sido transferido a un banco de Berna, con un nuevo número de cuenta, codificado. Está todo allí.

–¡No lo pagarán! –Weingrass habló con tono enfático.

–Lo cargarán contra las reservas de ellos, que son diez veces cincuenta millones.

–Lo *pelearán*, Evan –insistió Khalehla, tan enfática como el anciano.

–¿Para exhibirse en los tribunales suizos? Lo pongo en duda.

El helicóptero Cobra, sin marcas de identificación, cruzó el desierto a una altura de menos de ciento cincuenta metros. Evan y Khalehla, extenuados por casi veintiséis horas en el aire, y corriendo hacia contactos encubiertos en tierra, se encontraban sentados juntos: la cabeza de Rashad sobre el hombro de éste, y la de él caída sobre su propio pecho; ambos se hallaban dormidos. Un hombre de overol de color caqui, ceñido con un cinturón, sin insignias, salió de la cubierta de vuelo y bajó hacia el fuselaje. Sacudió el brazo de Evan, bajo la escasa luz.

–Llegaremos dentro de quince minutos, señor.

–¿Sí? –Kendrick levantó de golpe la cabeza, parpadeó y luego abrió mucho los ojos para despejarlos.– Gracias. Despertaré a mi amiga; ellos siempre hacen cosas antes de llegar a alguna parte, ¿no?

–Estos "ellos" no –dijo Khalehla en voz alta, sin moverse–. Yo duermo hasta el último momento.

–Bueno, perdóname, pero yo no. No puedo. La necesidad me llama.

–Los hombres –comentó la agente de El Cairo, apartando la cabeza del hombro de él y desplazándose hacia el otro lado del asiento–. No se controlan –agregó, con los ojos todavía cerrados.

–Los mantendremos informados –dijo el oficial de vuelo de la Fuerza Aérea, riendo en voz baja y regresando al puente.

Pasaron dieciséis minutos, y el piloto habló por el intercomunicador.

–Una bengala divisada directamente adelante. Cíñanse los cinturones para el aterrizaje, por favor. –El helicóptero descendió poco a poco, hasta posarse.– Salgan de la nave con la mayor rapidez posible, por favor –continuó el piloto–. Tenemos que salir de aquí *enseguida*, si me entienden lo que quiero decir.

En cuanto bajaron por la escalerilla de metal al suelo, el Cobra se elevó en el cielo nocturno, acompañado por el trueno de sus rotores; giró, tartamudeando a la luz de la luna del desierto, agitó la arena y puso rumbo al norte, acelerando con rapidez; el ruido se fue disipando en la oscuridad. El joven sultán de Omán caminaba por entre los haces de luz de un coche. Iba de pantalones deportivos y camisa blanca abierta, que remplazaba la remera de Patriotas de Nueva Inglaterra que había usado la primera noche que se encontró con Evan, en el desierto, dieciséis meses atrás.

–Déjame hablar primero, ¿de acuerdo? –dijo cuando Kendrick y Rashad se acercaron.

–De acuerdo –respondió Kendrick.

–Las primeras reacciones no pueden ser muy inteligentes, ¿convenido?

–Convenido –aceptó Evan.

–Pero se supone que yo debo ser inteligente, ¿no?

–Sí.

–Sin embargo, la coherencia es el producto de mentalidades pequeñas, ¿no es verdad?

–Dentro de límites razonables.

–No introduzcas correcciones.

–No hables como un abogado... El único foro que te aprobó fue el de Los Angeles, con Manny.

–Ah, ese hipócrita chiflado israelí...

–Por lo menos no dijiste judío.

–No lo diría. No me gusta cómo suena, tal como no me agrada el sonido de "sucio árabe"... De todos modos, Manny y yo pasamos por el "foro" de muchos bares en Los Angeles.

–¿Qué quieres decir, Ahmat?

El joven gobernante hizo una profunda inspiración y habló con rapidez.

—Ahora conozco todo el asunto, y me siento como un condenado idiota.

—¿*Todo* el asunto?

—Todo. La gente de Inver Brass, los bandidos traficantes de municiones de Bollinger, ese canalla de Hamendi, a quien mis regios hermanos sauditas de Riyadh habrían debido ejecutar en cuanto lo atraparon... toda esa porquería. Y habría debido saber que no harías lo que creí que hiciste. El "comando Kendrick" contra los sucios árabes no es muy tuyo, nunca lo *fue*... Lo siento, Evan. —Ahmat se adelantó y abrazó al congresal del Noveno Distrito de Colorado.

—Me van a hacer llorar —dijo Khalehla, ante el espectáculo que tenía delante.

—¡*Tú*, tigresa de El Cairo! —exclamó el sultán, y soltó a Kendrick para abrazar a Rashad—. Tuvimos una hija, sabes. Mitad norteamericana, mitad omaní. ¿Te suena familiar?

—Lo sé. No se me permitió ponerme en comunicación contigo.

—Lo entendimos.

—Pero me sentí tan conmovida... Se llama Khalehla.

—A no ser por ti, Khalehla Uno, no habría habido una Khalehla Dos... Vengan, vamos. —Cuando se encaminaban hacia la limusina de Ahmat, el sultán se volvió hacia Evan.— Tienes buen aspecto, para un tipo que ha pasado por tantas cosas.

—Me curo con rapidez, teniendo en cuenta que soy un anciano —respondió Kendrick—. Dime algo, Ahmat. ¿Quién te contó todo el asunto?

—Un hombre llamado Payton, Mitchell Payton, CIA. Tu Presidente Jennings me telefoneó y me dijo que debía esperar una llamada de ese Payton, y que por favor lo aceptase, porque era urgente. Eh, ese Jennings es un personaje encantador, ¿no?... aunque no estoy seguro de que supiese todo lo que me contó Payton.

—¿Por qué dices eso?

—No sé, fue una sensación. —El joven sultán se detuvo ante la portezuela del coche y miró a Evan.— Si puedes llevar esto adelante, amigo mío, habrás hecho más por el Medio Oriente, y por nosotros, los del Golfo, que todos los diplomáticos de diez Naciones Unidas.

—Lo llevaremos adelante. Pero sólo con tu ayuda.

—La tienes.

Ben-Ami y código Azul caminaron por la angosta calleja al *bazaar* de Al Kabir, en busca del café al aire libre que servía café por la noche. Iban vestidos de pulcro traje oscuro, como correspondía a sus visados de Bahrein, en los cuales se decía que eran directores del Banco de Inglaterra de Manamah. Vieron el café de la acera, se abrieron paso por entre la muchedumbre y los puestos callejeros, y se sentaron ante la mesa desocupada más cercana a la calle, tal como se les había dicho. Tres minutos más tarde, un hombre alto, de túnica blanca y toca árabe, se unió a ellos.

–¿Han pedido café? –preguntó Kendrick.

–Nadie se acercó a nosotros –respondió Ben-Ami–. Es una noche de mucho trajín. ¿Cómo estás, congresal?

–Probemos con "Evan", o mejor aún, "Amal". Estoy aquí, y en cierto modo eso responde a tu pregunta.

–¿Y Weingrass?

–No muy bien, me temo... Hola, Azul.

–Hola –dijo el joven, mirando a Kendrick.

–Te ves muy elegante, muy poco militar, con esa ropa. No estoy seguro de que te hubiera reconocido, si no hubiese sabido que estarías aquí.

–Ya no soy militar. Tuve que dejar la Brigada.

–Te echarán de menos.

–Yo la echo de menos, pero mis heridas no curaron bien... varios tendones, me dicen. Azra era un buen combatiente, un buen comando.

–¿Todavía el odio?

–No hay odio en mi voz. Cólera, por supuesto, por muchas cosas, pero no odio hacia el hombre que tuve que matar.

–¿Qué haces ahora?

–Trabajo para el gobierno.

–Trabaja para nosotros –interrumpió Ben-Ami–. Para el Mossad.

–Hablando de eso, Ahmat pide disculpas por no haberlos hecho ir al palacio...

–¿Está *loco*? Lo único que necesita es tener miembros del Mossad en su casa. Tampoco nos vendría muy bien a nosotros, si alguien se enterase.

–¿Cuánto te dijo Manny?

–Con su enorme boca, ¿qué no me dijo? También te llamó, cuando saliste de Estados Unidos, con más informaciones que Azul pudo utilizar.

–¿Cómo, Azul?... De paso, ¿tienes otro nombre?

–Con todo respeto, señor, no para un norteamericano. Por consideración hacia los dos.

–Muy bien, lo acepto. ¿Qué te dijo Weingrass, que pudiste utilizar, y cómo?

El joven se inclinó sobre la mesa; las cabezas quedaron juntas.

–Nos dio la cifra de cincuenta millones...

–¡Una *brillante* manipulación! –interrumpió Ben-Ami–. Y no creo, ni por un minuto, que fuese una idea de Manny.

–¿Qué...? Bien, habría podido serlo. En realidad, el banco no tenía otra alternativa. Washington lo presionó con mucha fuerza. ¿Qué hay de los cincuenta millones?

–Yemen del Sur –respondió Azul.

–No entiendo.

–Cincuenta millones son una cifra muy grande –dijo el ex jefe de la Brigada Masada–, pero hay cifras mayores, en especial en el sentido acumulativo. Irán, Irak, etcétera. De modo que tenemos que unir a la gente con el dinero. Por lo tanto, Yemen del Sur. Es terrorista y pobre, pero su ubicación distante, casi inaccesible, entre el Golfo de Adén y el mar Rojo, lo vuelve estratégicamente importante para otras organizaciones terroristas respaldadas por fuentes mucho más adineradas. Constantemente buscan tierras, lugares de adiestramiento secretos para desarrollar sus fuerzas y difundir su veneno. El Baaka es infiltrado sin cesar, y nadie quiere tratar con Gaddafi. Está loco y no se puede confiar en él, y en cualquier momento podría ser derribado.

–Debería decirte –interrumpió Ben-Ami– que Azul ha revelado ser uno de nuestros expertos más capaces en materia de antiterrorismo.

–Empiezo a darme cuenta. Continúa, joven.

–Tú no tienes mucha más edad que yo.

–Unos veinte años, más o menos. Adelante.

–Tu idea, tal como la entiendo, es hacer que los embarques aéreos de municiones de los abastecedores de Hamendi, de toda Europa y Norteamérica, pasen por Mascate, donde funcionarios supuestamente corruptos cierran los ojos y los dejan seguir al Líbano y al valle del Baaka. ¿Es así?

–Sí, y cuando llega cada avión de carga, el daño lo producen los guardias del sultán, que fingen ser palestinos que verifican los abastecimientos por los cuales han pagado a Hamendi, mientras las tripulaciones quedan en cuarentena. Cada avión contiene, digamos, de sesenta a setenta cajones, que son abiertos por equipos de diez hombres por avión; la sincronización es aceptable, y tenemos el control absoluto. La guarnición de Mascate acordonará el sector, y no entrará nadie que no sea de los nuestros.

–Encomiable –dijo Azul–, pero sugiero que el proceso sería también demasiado precipitado y propenso a riesgos. Los pilotos se oponen a dejar sus aviones en esta parte del mundo, y las tripulaciones, compuestas en general por hampones de hombros fuertes y nada de cerebro, provocarán problemas cuando sean llevadas de un lado a otro por desconocidos; olfatean las cosas oficiales, créeme... En lugar de eso, ¿por qué no convencer a los dirigentes más destacados del valle de Baaka de que vayan a Yemen del Sur con sus tropas de veteranos? Se lo puede llamar un nuevo movimiento provisional, financiado por los enemigos de Israel, de los cuales hay bastantes. Diles que hay cincuenta millones iniciales en armamentos y equipos, para adiestramiento avanzado, así como para enviar sus tropas de asalto a Gaza y las Colinas del Golán... y que se suministrará más a medida que haga falta. Resultará irresistible para esos maniáticos... Y en lugar de muchos envíos de cargas aéreas, un solo *barco*, cargado en Bahrein, que contornee el Golfo, con rumbo al sur, a lo largo de la costa, en viaje al puerto de Nishtun, en Yemen del Sur.

–¿Dónde ocurrirá algo? –sugirió Kendrick.

–Yo diría que en las aguas del oeste de Ra's al Hadd.

–¿*Qué* sucederá?

–Piratas –respondió Azul, y una sonrisa le frunció los labios–. Una vez que se apoderen del barco, tendrán dos días en el mar para hacer lo que quieren, en forma más sutil y completa de lo que lo harían corriendo por un sector de cargas de un aeropuerto, donde, en verdad, Hamendi podría apostar a sus propios hombres.

Un agobiado camarero llegó, gimió sus disculpas y maldijo al gentío. Ben-Ami pidió café de cardamomo, y Kendrick escudriñó al joven contraterrorista israelí.

–Dices "una vez que se apoderen" –dijo Evan–, pero supónte que eso no ocurre. Supónte que algo sale mal... digamos, que nuestros secuestradores no consiguen apoderarse del barco, o que se envía un mensaje a Bahrein por radio... una sola palabra: "Piratas." Entonces *no* se apoderan. Las armas, intactas, siguen su viaje, y Hamendi se va, en libertad, con más millones en el bolsillo. Estaríamos arriesgando demasiado por demasiado poco.

–Se arriesga mucho más en el aeropuerto de Mascate –argumentó Azul, con un susurro enfático–. *Tienes* que escucharme. Viniste aquí por unos días, hace un año y medio. Hace años que no vienes, no sabes en qué se han convertido los aeropuertos. ¡Son zoológicos de corrupción...! ¿Quién trae qué? ¿Quién ha sido sobornado, y cómo lo extorsionamos? ¿Por qué ha habido un cambio en los procedimientos? ¡*Dime*, mi *astiga* árabe, o mi buen *freund* hebreo! ¡Son *zoos*! Nada escapa a la mirada de los chacales que buscan dinero, y se *paga* dinero por esas informaciones... Capturar un barco en el mar es un riesgo menor, con un mayor beneficio, *créeme*.

–Eres convincente.

–Tiene razón –dijo Ben-Ami cuando llegó el café–. *Shukren* –dijo el agente de control del Mossad, agradeciendo y pagando al camarero, mientras el hombre corría a otra mesa–. Por supuesto, la decisión es tuya, Amal Bahrudi.

–¿Dónde encontraremos a esos piratas? –preguntó Evan–. *Si* se los puede encontrar, y *si* son aceptables.

–Como estoy convencido de mis proyecciones –respondió Azul, con la mirada inmóvil en el rostro de Kendrick, que entraba y salía de las sombras creadas por las multitudes que pasaban–, presenté la posibilidad de semejante misión a mis antiguos camaradas de la Masada. Tuve más voluntarios de los que podía contar. Tal como tú odiabas al Mahdí, nosotros odiamos a Abdel Hamendi, que proporciona las balas que matan a nuestra gente. Elegí seis hombres.

–¿Sólo *seis*?

–No debe ser una operación exclusivamente israelí. Me puse en contacto con otros seis a quienes conocía, en la Orilla Oeste... Palestinos que están tan hartos como yo de los Hamendi de este mundo. Juntos, formaremos una unidad, pero todavía no es suficiente. Necesitamos otros seis.

–¿De *dónde*?

–Del país árabe huésped, que de buena gana y a sabiendas, está desarticulando a Abdel Hamendi. ¿Tu sultán puede proporcionarlos, tomándolos de entre sus guardias personales?

–La mayoría son parientes de él... primos, creo.

–Eso es útil.

La compra ilegal de armamentos en el mercado internacional es un procedimiento más o menos sencillo, que explica el hecho de que puedan dominarlo personas relativamente comunes, de Washington a Beirut. Existen tres prerrequisitos fundamentales. El primero es el acceso inmediato a fondos no revelados ni revelables. El segundo es el nombre de un intermediario, casi siempre proporcionado durante un almuerzo –no por teléfono–, por cualquier funcionario ejecutivo de alta jerarquía, de una compañía productora de armas, o por un miembro sobornable de una organización de inteligencia. El intermediario debe estar en condiciones de ponerse en contacto con el revendedor primario, quien armará el paquete y coordinará el procesamiento de los certificados finales. En Estados Unidos, este aspecto significa sólo que se conceden licencias de exportación para armamentos en viaje a naciones amigas; se los desvía a lo largo del trayecto. El tercer prerrequisito debería ser el más fácil, pero por lo general es el más difícil, a causa de la extraordinaria variedad y complejidad de la mercancía. Se trata de la preparación de la lista de armas y equipos auxiliares que se quiere adquirir. En apariencia, no existen cinco compradores que sean capaces de ponerse de acuerdo en cuanto a la capacidad letal y la eficacia de un inventario de armas, y no pocas vidas se han perdido durante acalorados debates respecto de estas decisiones, ya que a menudo los compradores tienden a tener estallidos de histeria.

Por eso el talento de administrador del joven código Azul resultaba tan importante en términos específicos y de tiempo. Los agentes del Mossad que se encontraban en el valle del Baaka habían presentado una lista de la mercancía en esos momentos más codiciada, entre la cual se contaban los habituales cajones de armas de repetición, granadas de mano, explosivos con detonadores de tiempo, lanchas de desembarco de polivinilo negro, artefactos para tanques submarinos de largo alcance y para tareas de demolición, y equipos surtidos de adiestramiento y ataque, tales como ganchos de abórdaje, cuerdas gruesas y escalas de cuerda, binoculares infrarrojos, morteros electrónicos, lanzallamas y misiles de cohetería antiaérea. Era un inventario impresionante, que costaba más o menos dieciocho millones de los veintiséis que se calculaba que se podía comprar a un traficante de armas por cincuenta millones de dólares norteamericanos... Las tasas de cambio fluctuantes siempre favorecían al vendedor. Por lo tanto, Azul agregó tres pequeños tanques chinos, bajo la protección técnica de "defensa de posición", y la lista quedó completa... no sólo completa, sino en todo sentido creíble.

El agente de control desconocido, no registrado y que nunca sería reconocido como tal, cierto Ben-Ami, ahora vestido con sus jeans azules favoritos, de Ralph Lauren, operaba desde la casa segura del Mossad, cerca del cementerio portugués del Jabal Sa'ali. Para su furia, el intermediario de Abdel Hamendi era un israelí de Beth Shemesh. Disimuló su desprecio y negoció la gigantesca compra, sabiendo que habría una muerte en Beth Shemesh, cuando sobreviviesen todos, si sobrevivían.

Llegaron las dos unidades de seis comandos, una tras otra, de noche, al desierto de Jabal Sham, sobre bengalas que dirigieron a los dos helicópteros a sus puntos de aterrizaje. El sultán de Omán saludó a los voluntarios y les presentó a sus camaradas, seis guardias personales, muy especializados, de la guarnición de Mascate. Dieciocho hombres –palestinos, israelíes y omaníes– se dieron la mano en su objetivo común. Muerte al traficante de la muerte.

El adiestramiento comenzó a la mañana siguiente, más allá de los bajos de Al Ashkarah, en el mar de Arabia.

Muerte al mercader de la muerte.

Adrienne Khalehla Rashad entró al despacho de Ahmat llevando en brazos a la niña llamada Khalehla. A su lado iba la madre de la pequeña, Roberta Yamenni, de New Bedford, Massachussets, a quien la élite de Omán conocía como Bobbie.

–¡Es tan *hermosa*! –exclamó la agente de El Cairo.

–Tenía que serlo –respondió el padre desde atrás del escritorio, con Evan Kendrick sentado a su lado–. Debe hacer honor a su nombre.

–Oh, tonterías.

–Desde donde yo estoy sentado, no son tonterías –dijo el parlamentario norteamericano.

–Eres un oso obsesionado por el sexo.

–Y además me voy esta noche.

–Y yo también –agregó el sultán de Omán.

–No puedes...

–¡No *pueden*! –Las agudas voces femeninas sonaron desconcertadas.– ¿Qué demonios crees que estás *haciendo*? –gritó la esposa del sultán.

–Lo que quiero hacer –respondió Ahmat con serenidad–. En estos terrenos de prerrogativa real, no necesito consultar con nadie.

–¡Eso es una *estupidez*! –gritó la esposa y madre.

–Lo sé, pero da resultados.

El adiestramiento terminó en siete días, y al octavo día veintidós pasajeros treparon a un barco de pesca de arrastre, frente a la costa de Ra's al Hadd, y su equipo fue estibado bajo las bordas. Al noveno día, a la caída del sol en el mar de Arabia, el carguero de Bahrein fue captado en el radar. Cuando llegó la oscuridad, el pesquero puso proa al sur, hacia coordenadas de interceptación.

Muerte al traficante de la muerte.

46

El carguero era un casco bamboleante sobre las olas del mar oscuro, y su proa se elevaba y caía como la de un enfurecido animal de presa, ávido de alimentos. El carguero de Ra's al Hadd se detuvo, a novecientos metros a estribor de la nave que se acercaba. Dos grandes botes salvavidas bajaron por el costado, el primero con doce hombres, el segundo con los otros diez y una mujer. Khalehla Rashad se encontraba entre Evan Kendrick y el joven sultán de Omán.

Todos iban embutidos en vestimentas de pesca submarina, y sus rostros ennegrecidos resultaban apenas visibles entre los pliegues ceñidos de caucho negro. Además de las mochilas de lona que tenían a la espalda, y las armas envueltas en tela impermeable, unidas a sus cinturones, cada uno llevaba grandes ventosas de succión, circulares, atadas a las rodillas y los antebrazos. Los dos botes cabecearon y rolaron, uno al lado del otro, en el mar oscuro, mientras el carguero continuaba su marcha hacia adelante. Luego, cuando la enorme pared negra del barco se elevó ante ellos, los botes salvavidas se pegaron a él, con el zumbido de los motores silenciosos amortiguados por el golpeteo de las olas. Uno a uno, los "piratas" pegaron sus ventosas al casco, cada uno mirando hacia su compañero de la izquierda, para comprobar que estaba asegurado. Todos lo estaban.

Poco a poco, como un grupo de hormigas que treparan por un sucio tacho de desperdicios, la fuerza de Omán subió a la parte superior del casco, hasta las bordas, donde las ventosas de succión fueron soltadas y dejadas caer al mar.

–¿Estás bien? –susurró Khalehla, al lado de Evan.

–*¿Bien?* –protestó Kendrick–. Los brazos me están matando, ¡y creo que mis piernas se encuentran ahí abajo, en el agua, y no tengo la intención de mirar para comprobarlo!

–Bueno, estás bien.

–¿Haces este tipo de cosas para ganarte la vida?

–No muy a menudo –contestó la agente de El Cairo–. Por otro lado, he hecho cosas peores.

–Son todos unos maniáticos.

–*Yo* no voy a un cercado lleno de terroristas. ¡Quiero decir, *eso* es una locura!

–*¡Shhh!* –ordenó Ahmat Yamenni, sultán de Omán, a la derecha de Rashad–. Los equipos van a entrar. Cállense.

Los palestinos sorprendieron a los hombres apenas despiertos, de vigilancia en la proa, en mitad del barco y en la popa, mientras los israelíes subían a la carrera a un puente de arriba y capturaban a cinco marineros que se encontraban sentados contra un mamparo, bebiendo vino. Como se encontraban en aguas del Golfo de Omán, los omaníes corrieron al puente, para informar formalmente al capitán que el barco se hallaba bajo el control de ellos, por decreto real, y que debía mantenerse el rumbo de ese momento. La tripulación fue reunida y registrada en busca de armas, y despojada de sus cuchillos y pistolas. Se los congregó en la cuadra, bajo la vigilancia de un omaní, un palestino y un israelí, en unidades rotativas de tres. El capitán, un delgado fatalista de barba rala, aceptó las circunstancias con un encogimiento de hombros, y no ofreció resistencia ni objeciones. Continuó al timón, y sólo pidió que su primero y segundo oficiales lo relevasen en los momentos oportunos. El pedido fue aceptado, y su comentario posterior resumió su reacción filosófica:

–Ahora, árabes y judíos juntos son piratas de alta mar. El mundo está un poco más loco de lo que yo creía.

Pero el radiotelegrafista constituyó la sorpresa más asombrosa. La aproximación a la sala de comunicaciones fue cautelosa; Khalehla encabezó a dos miembros de la Brigada Masada y a Kendrick. A su señal, la puerta fue abierta con violencia, y apuntaron al operador con sus armas. El radiotelegrafista sacó del bolsillo un banderín israelí y sonrió.

–¿Cómo está Manny Weingrass? –preguntó.

–¡Buen *Dios*! –fue la única respuesta que logró articular el congresal de Colorado.

–Era de esperar –dijo Khalehla.

Durante dos días, en navegación hacia el puerto de Nishtun, la fuerza de Omán trabajó en turnos, cubriendo las veinticuatro horas, en la bodega del carguero. Fueron minuciosos, ya que cada uno de los hombres conocía la mercancía que manipulaba; la conocía, y la destruyó con eficacia. Los cajones volvieron a ser cerrados, sin dejar a la vista marcas de sabotaje; sólo había armas y equipos, envueltos con pulcritud, como si hubiesen salido de las líneas de montaje de todo el mundo y reunidos por Abdel Hamendi, vendedor de muerte. Al alba del tercer día, el barco entró en el puerto de Nishtun, Yemen del Sur. Los "piratas" de la Orilla Oeste, Omán y la Brigada de Masada, así como la agente de El Cairo y el parlamentario norteamericano, se habían cambiado con la ropa que llevaban en sus mochilas. Medio árabes, medio occidentales, llevaban las descuidadas prendas de marinos mercantes que conseguían trabajo de a ratos, en forma espaciada, y se esforzaban por sobrevivir en un mundo injusto. Cinco palestinos, que hacían de estibadores de Bahrein, se encontraban junto a la planchada que, momentos más tarde, sería bajada. Los demás miraban, impasibles, desde la cubierta de abajo, mientras el gentío se reunía en el único muelle gigantesco del centro del complejo portuario. Había histeria en el aire; la había en todas partes. El barco era un símbolo de liberación, porque gente rica y poderosa de alguna parte consideraba que los altivos y sufridos combatientes de Yemen del Sur eran *importantes*. Resultaba un carnaval de venganza; respecto de qué, no podrían ponerse colectivamente de acuerdo, pero bocas salvajes, debajo de ojos salvajes, aullaban gritos de violencia. El barco atracó, y el frenesí del muelle fue ensordecedor.

Miembros escogidos de la tripulación del barco, bajo los ojos y las armas vigilantes de la fuerza omaní, pusieron manos a la obra en las máquinas con las cuales estaban familiarizados, y comenzó el enorme proceso de descarga. Mientras los cajones eran izados de la bodega por medio de grúas y bajados por el costado, al sector de cargas, furiosos vítores saludaban cada una de las entregas. Dos horas después del comienzo de la descarga, ésta terminó con la aparición de los tres pequeños tanques chinos, y si los cajones habían puesto frenética a la multitud, los tanques la hicieron entrar en órbita. Soldados de uniformes harapientos tuvieron que impedir que sus compatriotas se precipitaran sobre los vehículos blindados; una vez más, eran símbolos de gran importancia, de inmenso reconocimiento... de alguna parte.

–¡Por Dios! –dijo Kendrick, apretando el brazo de Ahmat y mirando hacia la base del muelle–. *¡Mira!*

–¿Adónde?

–¡Lo veo! –interrumpió Khalehla, con el cabello recogido bajo un sombrero de pescador griego–. ¡Por Dios, no puedo *creerlo*! Es *él*, ¿no?

–¿Quién? –preguntó el joven sultán, colérico.

–*¡Hamendi!* –respondió Evan, señalando a un hombre de traje de seda blanca, rodeado por otros hombres de uniforme y túnicas. La procesión continuó por el muelle; los soldados, adelante, le abrían paso.

–Lleva el mismo traje blanco que tenía en una de las fotos del apartamento de los Vanvlanderen –agregó Rashad.

–Estoy seguro de que tiene docenas de ellos –explicó Kendrick–. Y también estoy seguro de que cree que lo hacen parecer puro y divino... Puedo decir esto en su favor: es muy valiente, esto de dejar su campamento armado de los Alpes y venir aquí por unas horas, por aire, desde Riyadh.

–¿Por qué? –replicó Ahmat–. Está protegido; los sauditas no se atreverían a irritar a estos locos actuando a través de la frontera.

–Además –interrumpió Khalehla–, Hamendi huele más millones de donde ha venido este barco. Está asegurando su territorio, y vale la pena correr un riesgo menor por una cosa así.

–*Sé* lo que está haciendo –dijo Evan, hablando a Khalehla, pero mirando al joven sultán–. "Los sauditas no se atreverían" –continuó Kendrick, repitiendo las palabras de Ahmat–. Los *omaníes* no se atreverían...

–Existen razones muy sólidas para dejar las cosas tranquilas en lo que se refiere a los fanáticos, y que se hundan en sus propias ciénagas –respondió el sultán, a la defensiva.

–No se trata de eso.

–¿Y de qué?

–Contamos con el hecho de que cuando esta gente, en especial los líderes del valle del Baaka, descubran que la mayor parte de lo que pagaron es un montón de basura, Hamendi será considerado un ladrón de cincuenta millones de dólares. Es un paria, un árabe que traiciona a los árabes por dinero.

–La información se difundirá como halcones al viento, como habría dicho mi pueblo hace apenas un par de décadas –coincidió el sultán–. Por lo que conozco del Baaka, se enviarán decenas de equipos de ataque para matarlo, no sólo por el dinero, sino porque se ha burlado de ellos.

–Eso es lo máximo –dijo Kendrick–. Eso es lo que esperamos, pero tiene millones en todo el mundo, y hay miles de lugares para ocultarse.

–¿*Qué* quieres decir, Evan? –preguntó Khalehla.

–Tal vez podamos acelerar el programa y, con un poco de suerte, *asegurar* el óptimo.

–No me hables en latín –insistió la agente de El Cairo.

–Eso de ahí es un circo. Los soldados apenas pueden contener a la multitud. Lo único que hace falta es que se inicie un movimiento, que la gente grite al unísono, que *cante* hasta que su voz sacuda a la maldita ciudad... *¡Farjunna! ¡Farjunna! ¡Farjunna!*

–*¡Muéstranos!* –tradujo Ahmat.

–Uno o dos cajones abiertos, rifles levantados en triunfo... y después el hallazgo y la distribución de las municiones.

–Disparadas por los lunáticos al cielo –completó Khalehla–, pero las armas no *disparan*.

–Entonces abren *otros* cajones –continuó el sultán, contagiado del entusiasmo compartido–. Equipos arruinados, lanchas salvavidas tajeadas, lanzallamas que no funcionan. ¡Y Hamendi está ahí!... ¿Cómo podemos bajar *nosotros*?

–Ninguno de ustedes puede hacerlo –dijo Kendrick con firmeza, señalando a un miembro del equipo Masada. El hombre corrió hacia él, y Evan continuó con rapidez, sin dar a Ahmat o Rashad una oportunidad de hablar, mientras lo miraban, estupefactos–. Sabes quién soy, ¿no? –preguntó al israelí.

–No se supone que lo sepa, pero, por supuesto, lo sé.

–Se me considera el jefe de toda esta unidad, ¿no?

–Sí, pero me alegra de que haya otros...

–¡No viene al caso! Yo *soy* el jefe.

–Muy bien, eres el jefe.

–Quiero que estas dos personas sean puestas ahora mismo bajo arresto, en sus camarotes.

Las protestas del sultán y de Khalehla fueron acalladas por la reacción del propio israelí.

–¿Te has vuelto *loco*? *Ese* hombre es...

–No me importa si es Mahoma en persona, y si ella es *Cleopatra*. *¡Enciérralos!* –Evan fue a la carrera hacia la planchada, y hacia el histérico gentío del muelle.

Kendrick encontró al primero de los cinco "estibadores" palestinos, y lo apartó de un grupo de soldados y de aullantes civiles que rodeaban uno de los tanques chinos. Habló al hombre al oído, y el árabe respondió con un asentimiento y señaló a uno de sus compañeros de entre el gentío, indicando, por gestos, que buscaría a los otros.

Cada uno de los hombres corrió por el muelle, de uno a otro grupo frenético, gritando a voz en cuello, repitiendo el mensaje una y otra vez, hasta que el afiebrado grito fue entendido como la orden que era. Como una enorme ola que rueda sobre un mar humano, el grito estalló, y miles de voces distintas se concertaron poco a poco.

–*¡Farjunna! ¡Farjunna! ¡Farjunna! ¡Farjunna! ¡Farjunna!...* –Las multitudes convergieron en masa hacia el sector de carga, y la pequeña procesión de élite, en la cual Abdel Hamendi era el centro de atracción, fue literalmente barrida hacia un costado, hacia *adentro* de los enormes portones del destartalado depósito próximo al extremo del muelle. Se gritaron disculpas, y fueron aceptadas de mala gana por el traficante de armas, quien parecía haber llegado a la parte errónea de la ciudad y ansiaba salir; y lo habría hecho, a no ser por las compensaciones que podían ser suyas si se quedaba.

–¡Por *aquí*! –gritó una voz que Evan conocía demasiado bien. ¡Era Khalehla! Y al lado de ella se hallaba Ahmat, y apenas lograban mantenerse unidos en medio del gentío tumultuoso, frenético.

–¿Qué demonios están *haciendo* aquí? –rugió Kendrick al acercarse a ellos, rodeados los tres por cuerpos que los empujaban y atropellaban.

–¡*Señor* congresal –dijo el sultán de Omán, imperioso–, puede que seas el jefe de la unidad, cosa en todo sentido discutible, pero *yo* dirijo el barco! ¡Mis condenadas tropas lo *tomaron*!

–¿Sabes qué ocurrirá si ella pierde el sombrero o la camisa, y estos lunáticos descubren que es una mujer? ¿Y tienes alguna idea de la recepción que te tributarán *a ti* si alguien imagina siquiera que eres...

–¡Quieren *terminar* los dos con eso! –gritó Rashad, dando una orden; no era una pregunta–. ¡De prisa! Los soldados pueden ser desbordados en cualquier momento, y tenemos que asegurarnos de que eso ocurra a nuestra manera.

–¿Cómo? –gritó Evan.

–¡Los *cajones*! –contestó Khalehla–. Los apilados a la izquierda, con las marcas rojas. Adelántense, yo no podré pasar sola. Te tomaré del brazo.

–Esa es toda una concesión. *¡Vamos!* –Los tres se embutieron de costado en la densa muchedumbre, que empujaba y se movía sin cesar, y se abrieron paso a golpes hacia una doble fila de cajones, de por lo menos tres metros de altura, sostenidas por anchos flejes metálicos, negros. Un cordón de soldados casi presas de pánico, muy pocos para tomarse del brazo, pero tomados de la mano, formaba un círculo en derredor de la mortífera mercancía, conteniendo a los apiñamientos cada vez más impacientes, cada vez más furiosos, que ahora exigían *¡Farjunna! ¡Farjunna!*: que les mostrasen los abastecimientos que eran el signo de su propia importancia.– ¡Estas son las armas, y todos lo saben! –gritó Kendrick al oído de Rashad–. ¡Están *enloqueciendo*!

–Por supuesto que lo saben, y por supuesto que se están volviendo locos. Mira las marcas. –En toda la superficie de los cajones de madera se veían, esparcidas, decenas de las mismas insignias: tres círculos rojos, dos cada vez más pequeños dentro del más grande.– Centros de blanco, el símbolo universal –explicó Khalehla–. Y los centros de tiro al blanco hablan de armas. La idea fue de Azul; supuso que los terroristas viven de las armas, de modo que acudirían a ellas.

–Conoce su nuevo negocio...

–¿Dónde están las *municiones*? –preguntó Ahmat, sacando de los bolsillos dos pequeños instrumentos puntiagudos.

–Los de la Orilla Oeste se están ocupando de eso –respondió Rashad, acurrucándose bajo el asalto de brazos que se agitaban a su alrededor–. Los cajones no tienen marcas, pero ellos saben cuáles son, y los abrirán. ¡Nos esperan a nosotros!

–Vamos, entonces –exclamó el joven sultán, y entregó a Evan uno de los instrumentos que había sacado del bolsillo.

–¿Qué...?

–¡Pinzas! Tendremos que cortar tantos zunchos de los cajones como podamos, para asegurarnos de que se abran.

–¿Sí? De cualquier manera se habrían abierto... ¡Bien, no importa! Tenemos que impulsar a esta banda de maniáticos hacia adelante y quebrar el cerco. Ve hacia atrás, Ahmat, y tú colócate detrás de nosotros –dijo Kendrick a la agente de El Cairo, frenando los furiosos brazos y puños, rodillas y pies que martilleaban desde todas las direcciones–. Cuando haga una señal con la cabeza –continuó Evan, gritando al sultán de Omán mientras se precipitaban por entre los frenéticos cuerpos que trataban de llegar a los cajones–, ¡embiste contra la línea como si hubieras firmado contrato con los Patriotas!

–No, *ya Shaikh* –vociferó Ahmat–. Como si hubiera firmado contrato con Omán... bajo el fuego, como tiene que ser. ¡Estos son los enemigos de mi *pueblo*!

–*¡Ahora!* –rugió Kendrick, mientras él y el musculoso joven monarca se lanzaban hacia las figuras que tenían delante, hombros y brazos extendidos para impulsar a los aullantes terroristas hacia el círculo de soldados. ¡La línea se quebró! La embestida contra la doble pila, de tres metros de alto, de pesados cajones, fue total, y Evan y Ahmat irrumpieron por entre pantalones abolsados y brazos agitados, hasta la madera y los anchos zunchos metálicos, en los cuales hicieron funcionar con furia las pinzas. Las tiras de metal se quebraron, y los cajones se derrumbaron como si hubieran estallado por dentro; el peso y la fuerza de centenares de atacantes precipitaron la violenta caída. Por todas partes se quebraron listones de madera, y cuando ello no ocurría, manos maniáticas los arrancaban. Y luego, como hambrientas langostas que atasen las dulces hojas de los árboles, los terroristas de Yemen del Sur y el valle del Baaka reptaron por sobre los cajones, sacaron armas de sus nichos de plástico y las arrojaron a sus hermanos, mientras chillaban y montaban a horcajadas sobre las grandes cajas, que adquirieron el grotesco aspecto de ataúdes.

Al mismo tiempo, el equipo palestino de la Orilla Occidental apilaba cajas de municiones en derredor y por encima de la deshecha montaña de muerte proporcionada por el vendedor de muerte, Abdel Hamendi. Las armas eran variadas, de todo tipo y tamaño, arrancadas con desenfreno de sus blandos lechos. Muchos no sabían qué balas iban en qué armas, pero muchos otros, casi todos del Baaka, sí lo sabían, y enseñaron a hacerlo a sus hermanos menos expertos de Yemen del Sur.

La primera ametralladora disparada en triunfo desde la cima de pirámide *ersatz* de la muerte estalló en la cara de quien había oprimido el disparador. Otras fueron disparadas por todas partes, en un constante staccato; hubo varios centenares de chasquidos infructuosos, pero también decenas de explosiones, en las cuales volaban cabezas y brazos y manos. *¡Volaban!*

La histeria se alimentó de la histeria. Los terroristas dejaban caer sus armas, despavoridos, en tanto que otros usaban sus manos y los implementos que podían encontrar para abrir, por todas partes, cajones sin marcas. Era como lo había predicho el joven sultán de Omán. Partes de equipos eran arrastradas por todo el muelle, arrancadas de cajones y desplegadas o desmontadas o desprendidas de sus huecos de plástico... y exhibidas para que todos las vieran. A medida que cada pieza era examinada, las multitudes enloquecían más y más, pero ya no en triunfo, sino en furia animal. Entre todo eso había binoculares infrarrojos con lentes quebradas, escalas de cuerdas cortadas, ganchos de abordaje sin puntas, tanques de oxígeno submarinos con los cilindros agujereados; los lanzallamas, con las bocas de salida aplastadas, garantizaban la incineración instantánea de quien los manejara, y a quienes estuvieran a menos de treinta metros de distancia; los lanzacohetes carecían de fulminantes detonadores, y una vez más como había predicho Ahmat, lanchas de desembarco fueron levantadas para mostrar las junturas abiertas, todo lo cual lanzó al maniático gentío a paroxismos de cólera por la traición.

En medio del caos, Evan serpenteó por entre los cuerpos histéricos, hacia el depósito ubicado en el centro del gigantesco muelle; apoyó la espalda contra la pared y se escurrió hasta quedar a un metro de las macizas puertas abiertas. Hamendi, de traje blanco, gritaba en árabe que todo sería remplazado; ¡los enemigos de él, y de *ellos*, infiltrados en los depósitos de Bahrein, que habían hecho eso, serían muertos; cada uno de ellos sería *muerto*! Sus protestas provocaron miradas de suspicacia, de ojos entrecerrados, entre aquéllos a quienes se dirigía.

Y entonces apareció un hombre de traje oscuro, a rayas, dando la vuelta por la esquina del depósito, y Kendrick se inmovilizó. Era Crayton Grinell, abogado y presidente del directorio del gobierno dentro del gobierno. Después de su sacudida inicial, Evan se preguntó por qué sentía asombro. ¿A qué otro lugar habría podido ir Grinell, sino al núcleo de la red internacional de traficantes de armas? Era su último y único refugio seguro. El abogado habló unas palabras con Hamendi, quien en el acto tradujo las palabras de Grinell, y explicó que ya se había comunicado con Bahrein y tomado conocimiento de lo ocurrido. ¡Eran los *judíos*!, exclamó. Terroristas israelíes habían atacado un almacén de frente a la isla, asesinando a todos lo hombres de guardia y hecho esas cosas terribles.

–¿Cómo pudo ser eso? –preguntó un hombre fornido, ataviado con el único uniforme revolucionario planchado y cubierto por una docena de medallas, por lo menos–. Todos estos abastecimientos venían en sus cajones originales, y aun en cajas dentro de ellos, intactas. ¿Cómo pudo *ser*?

–¡Los judíos pueden ser ingeniosos! –vociferó Hamendi–. Eso lo sabes tan bien como yo. Volaré de regreso en el acto, ¡y remplazaré todo el pedido y me enteraré de toda la verdad!

–¿Y qué haremos entretanto? –preguntó el evidente líder del régimen revolucionario de Yemen del Sur–. ¿Qué les digo a nuestros hermanos del valle del Baaka? ¡Todos, todos nosotros, hemos quedado *deshonrados*!

–Tendrán su venganza, y también sus armas, puedes estar seguro. –Grinell volvió a hablar al traficante de armas, y Hamendi tradujo de nuevo.– Mi socio me informa que nuestra vía libre de radar sólo tiene vigencia en las tres horas próximas, a un costo extraordinario para mí, debo agregar, y debemos partir enseguida.

–Devuélvenos nuestra dignidad, compatriota árabe, o te encontraremos y perderás la vida.

–Tienes la garantía de que ocurrirá lo primero, y no habrá necesidad alguna de lo segundo. Me voy.

¡Se iban!, pensó Kendrick. ¡Maldición, iban a *escapar*! ¡Grinell había sugerido a Hamendi las palabras untuosas, y ambos huirían de ese centro de insania, y continuarían con su obscena y demencial actividad! Tenía que *detenerlos*. ¡Debía *actuar*!

Cuando los dos traficantes de armas salieron con rapidez por las puertas del almacén y dieron la vuelta a la esquina del edificio, Evan cruzó la abertura a la carrera –como otro terrorista histérico– y serpenteó hacia los dos hombres bien vestidos, a través de la excitada multitud del muelle. Sacó de su vaina el cuchillo de larga hoja y se precipitó; rodeó con el brazo izquierdo el cuello del abogado norteamericano y lo obligó a girar, a enfrentarlo cara a cara, a centímetros uno del otro.

–*¡Tú!* –chilló Grinell.

–¡Esto es por un anciano que está agonizando, y por miles de otros a quienes mataste! –El cuchillo se hundió en el vientre del abogado, y luego Kendrick lo impulsó hacia arriba, hasta el pecho. Grinell cayó sobre las tablas del muelle, en medio de un gentío de terroristas paranoicos que corrían, sin saber que otro terrorista había sido muerto y yacía entre ellos.

¡Hamendi! Había continuado corriendo, olvidado de su socio, decidido a llegar al vehículo que lo llevaría a su avión liberado del radar, fuera de Yemen del Sur, por sobre fronteras hostiles. ¡Pero no debía *llegar* a él! ¡El mercader de la muerte no podía *seguir* traficando con ésta! Evan se abrió paso por la fuerza, en medio de la embestida de figuras que corrían y gritaban, hasta la base del muelle. Había un ancho tramo ascendente, de hormigón, que llevaba hasta un camino de tierra, donde aguardaba una limusina rusa Zia; el humo del escape indicaba que el motor estaba en marcha, esperando a los pasajeros que fugarían en el coche. ¡Hamendi, con la blanca chaqueta de seda volando detrás de él, se encontraba a pocos metros de su huida! Kendrick reunió fuerzas interiores que desafiaban a las regiones exteriores de su imaginación y corrió por la cuesta de hormigón, con las piernas a punto de doblársele, y luego se le doblaron a cinco metros del Zia, en el momento en que Hamendi se acercaba a la portezuela. Desde su posición, de bruces, con el arma apenas afirmada entre las manos temblorosas, disparó una y otra vez.

Abdel Hamendi, el rey de la Corte de traficantes internacionales de armas, se tomó de la garganta y cayó al suelo.

¡Pero no todo había *terminado*!, gritó una voz en el cerebro de Kendrick. ¡Quedaba algo más por hacer! Reptó por la cuesta de hormigón, con la mano en el bolsillo, en busca del mapa que código Azul había proporcionado a todos, para el caso de una separación y una posible huida. Arrancó un fragmento, sacó un pequeño lápiz romo de otro bolsillo y escribió lo siguiente, en árabe:

Hamendi el embustero ha muerto. Pronto morirán todos los traficantes, porque en todas partes ha comenzado la traición, como ustedes mismos lo han visto hoy. En todas partes han sido pagados por Israel y el Gran Satanás, Norteamérica, para que nos vendiesen armas defectuosas. En todas partes. Comuníquense con todos sus hermanos de todo el mundo y díganles lo que les he dicho, y lo que han presenciado hoy. Desde hoy, no se puede confiar en arma alguna. Firmado por un amigo silencioso, que sabe.

Penosamente, como si se hubiesen abierto las heridas recibidas en la isla de frente a México, Evan se puso de pie y corrió como pudo hacia la muchedumbre colérica, que todavía gritaba en las puertas del depósito. Fingió histéricos ruegos a Alá por la muerte de un hermano, y cayó postrado delante de un grupito de líderes, entre los cuales se hallaban los del valle del Baaka, en el Líbano. Cuando se tendieron varias manos para ayudarlo, les entregó el papel, se puso de repente de pie, gritando, y salió a la carrera por las puertas del almacén, para desaparecer entre los gentíos que ahora gemían y se arrodillaban por todas partes ante cadáveres mutilados. Presa de pánico, oyó los silbidos del barco carguero... ¡señales de partida! Pasó a puñetazos hacia el extremo lejano del muelle, donde vio a Khalehla y Ahmat de pie junto a la planchada, gritando a los hombres de la cubierta, casi con más pánico que él.

–¡Dónde diablos *estuviste*! –gritó Rashad, con furia en los ojos.

–¡Iban a escapar por medio de mentiras! –bramó Kendrick, mientras Ahmat los empujaba a los dos a la planchada, que, a una señal de él, comenzó a ser retirada hacia el barco.

–¿Hamendi? –preguntó Khalehla.

–Y Grinell...

–*¿Grinell?* –gritó la agente de El Cairo mientras los tres trastabillaban hacia adelante–. Por *supuesto*, Grinell –agregó Rashad–. Dónde, *si no*...

–¡Eres un condenado tonto, congresal! –rugió el joven sultán de Omán, todavía empujándolos, ahora a la cubierta del barco, que ya se había apartado del muelle–. Treinta segundos más, y te habrías quedado ahí. ¡En cualquier momento la muchedumbre se habría vuelto contra nosotros, y yo no podía arriesgar la vida de estos hombres!

–Cielos, has crecido de veras.

–Todos hacemos lo nuestro, cuando nos toca el turno... ¿Y qué hay de Hamendi y de cómo se llame?

–Los maté.

–Así, sin más –dijo Ahmat, sin aliento, pero sereno.

–Todos hacemos lo nuestro cuando nos toca el turno, Alteza.

Gerald Bryce entró en el estudio computarizado de su casa de Georgetown, y fue directamente a su procesadora. Se sentó ante ella y la puso en funcionamiento; cuando la pantalla se iluminó, tipeó un código. En el acto respondieron las letras verdes.

SEGURIDAD ULTRAMAXIMA
NO HAY INTERCEPTACIONES
ADELANTE

El joven y muy atrayente experto sonrió y continuó tipeando.

Ahora he leído todas las hojas impresas de máxima confidencia que llegan a la CIA y son codificadas únicamente para el modem de M. J. Payton. En una palabra, todo el informe es increíble, y ya se advierten los efectos de la operación. Hasta la fecha, apenas dos semanas después de los acontecimientos de Yemen del Sur, han sido asesinados siete de los más destacados traficantes de armas, y se calcula que el aflujo de armas al Medio Oriente se ha reducido en un 60 por ciento. Nuestro hombre es invencible. Pero, cosa más importante, en combinación con las informaciones anteriores que poseemos, la Casa Blanca debe –repito, debe– escucharnos si queremos hacer oír nuestra voz. Por supuesto, ejerceremos esa prerrogativa con la mayor circunspección, pero de cualquier modo podemos ejercerla. Porque, no importa cual fuere el resultado, positivo o negativo, se han violado leyes nacionales e internacionales, y la administración se vinculó en forma directa e indirecta con el asesinato, el terrorismo, la corrupción, y llegó a acercarse mucho al delito que los abarca a todos: los crímenes contra la humanidad. Como estamos de acuerdo, es preciso que exista siempre, por encima de la Casa Blanca, un poder benevolente, abnegado, para orientarla, y el medio para llegar a ese poder consiste en conocer los secretos más íntimos de cualquier administración. En ese sentido, estamos logrando éxitos no soñados por ninguno de los que nos precedieron. Si existe un Dios, quiera El permitir que nosotros y nuestros sucesores seamos fieles a nuestras creencias. En penúltimo lugar, se me ocurre que el sonido y la cadencia parciales de Inver Brass no están muy lejos de su definición con un término médico: endovenosos. Es muy justo, me parece. Por último, estoy trabajando en varios otros proyectos, y los mantendré informados.

En un barco, frente al cayo Glorioso, en las Bahamas, un negro gigantesco se encontraba sentado en la opulenta cabina de su yate Bertram, estudiando la pantalla de la computadora que tenía delante. Sonrió ante las palabras que leía. Inver Brass estaba en buenas manos, en manos jóvenes y competentes, de inmensa inteligencia unida a una gran decencia y a un deseo de descollar. Gideon Logan, quien había pasado mucho tiempo de su acaudalada vida adulta dedicado a mejorar la existencia de su gente –aun hasta el punto de desaparecer durante tres años para convertirse en el silencioso e invisible ombudsman de Rhodesia durante su transición, hasta el momento de convertirse en Zimbabwe–, sintió el alivio que producía la sucesión destacada, basada en principios. El tiempo se estaba acabando para él, lo mismo que para Margaret Lowell y el anciano Jacob Mandel. La mortalidad exigía que se los remplazara, y ese joven, ese atrayente y honorable joven genio, elegiría a los sucesores de ellos. La nación y el mundo serían mejores gracias a tales sucesores.

El tiempo se acababa.

Gerald Bryce sorbió su copa de madeira y volvió a su equipo. Se sentía alborozado por muchas razones, y la menor de ellas no era la que él denominaba "la fraternidad de la brillantez". Lo que resultaba extraordinario era lo ordinario de su indefectibilidad. Esa hermandad estaba predestinada, era ineludible, y sus orígenes se encontraban en un hecho de los más comunes: la reunión de personas con intereses similares, cuyas regiones avanzadas exigían la posesión de intelectos superiores... y, para ser realistas, poca paciencia con una sociedad gobernada por la mediocridad. Una cosa siempre llevaba a la otra, y siempre en forma oblicua, pero sin embargo inevitable.

Cuando el tiempo lo permitía, Bryce dictaba cátedras y dirigía seminarios; era un muy buscado especialista en el campo de la ciencia de la computación, y se cuidaba de no explorar en público los límites exteriores de su capacidad. Pero de vez en cuando aparecía una persona extraordinaria que percibía hacia dónde se encaminaba. En Londres, Estocolmo, París, Los Angeles y Chicago: la Universidad de Chicago. Esas pocas personas eran escudriñadas más allá de todo lo que su imaginación pudiera concebir, y hasta la fecha cuatro de ellas habían sido vueltas a analizar otra vez... y otra más. En el horizonte se dibujaba un nuevo Inver Brass, con perfiles leves pero definidos. El más extraordinario de los cuatro sería buscado ahora.

Bryce ingresó su código, pulsó las teclas de *Agregado* y leyó las letras de la pantalla.

Transmisión por satélite. Mod-Sahalhuddin. Bahrein.
Adelante.

47

Emmanuel Weingrass maldijo a los especialistas médicos, en particular a los de los Centros para el Control de las Enfermedades, de Atlanta. No porque estuviese recuperándose, porque no era así, y no existían cambios en el grado terminal de la infección por virus. Pero no empeoraba en forma muy evidente; su ritmo de declinación era mucho más lento de lo que se había previsto. Los médicos no dictaminaban en modo alguno que la enfermedad hubiese sido detenida; sencillamente, se sentían confundidos. Como dijo el patólogo de Denver: "Digamos que en una escala de uno a menos diez –siendo menos diez el momento de la salida–, el anciano fluctúa en menos seis, y no quiere descender."

–Pero el virus sigue estando ahí –dijo Kendrick, mientras Khalehla y él caminaban con el doctor por los terrenos de la casa de Colorado, fuera del alcance del oído de Manny.

–Está exuberante. Sólo que no lo incapacita en la medida en que debería.

–Es probable que se trate de los cigarrillos que consigue y de todo el whisky que roba –declaró Rashad.

–No *puede* ser –dijo el patólogo, asombrado y más desconcertado aún.

Evan y Khalehla movieron la cabeza en resignada confirmación.

–Es un sobreviviente belicoso –explicó Kendrick–, con más sabiduría y espíritu de ladrón que ninguna otra persona a quien yo haya conocido. Además, como el pronóstico era severo en términos de tiempo, no hemos estado con los ojos muy abiertos en cada uno de los instantes que pasábamos con él.

–Por favor, entienda, congresal, que no quiero darle falsas esperanzas. Es un hombre de ochenta y seis años, terriblemente enfermo...

–¿Ochenta y *seis*? –exclamó Evan.

–¿No lo sabía?

–No. ¡El afirmaba tener ochenta y *uno*!

–Estoy seguro de que lo cree, o por lo menos se ha convencido de ello. Es de aquellos que cuando llegan a los sesenta, el cumpleaños siguiente es el de los cincuenta y cinco. Eso no tiene nada de malo, de paso, pero queríamos una historia médica completa, de modo que retrocedimos a sus días en la ciudad de Nueva York. ¿Sabía que tuvo tres esposas para cuando cumplió los treinta y dos?

–Estoy seguro de que todavía lo buscan.

–Oh, no, todas han fallecido. Atlanta también quería las historias de ellas... por la posibilidad de complicaciones latentes en la esfera sexual, ese tipo de cosas...

–¿No investigaron en Los Angeles, París, Roma, Tel Aviv, Riyadh y todos los Emiratos? –preguntó Khalehla con sequedad.

–*Notable* –dijo el patólogo con tono suave, pero con énfasis; su mentalidad médica cavilaba, y quizás envidiaba–. Bien, debo irme, tengo que estar de regreso en Denver para el mediodía. Y gracias, congresal, por el jet privado. Me ahorró muchísimo tiempo.

–No podía hacer menos, doctor. Aprecio todo lo que está haciendo, todo lo que ha hecho.

El patólogo calló, y miró a Evan.

–Acabo de decir "congresal", señor Kendrick. Quizá debería decir "Señor vicepresidente", como yo, y en verdad la mayor parte del país, creemos que debería serlo. Por cierto que si no presenta su candidatura, no pienso votar, y puedo decirle que lo mismo opinan casi todos mis amigos y colaboradores.

–Esa no es una posición viable, doctor. Además, el tema no ha sido resuelto... Venga, lo acompañaré al coche. Khalehla, vigila a nuestro adolescente sibarita, y asegúrate de que no se está dando un baño de papilla agria, ¿quieres?

–Si lo está haciendo, ¿te parece que *yo* voy a entrar?... Sí, lo haré. –Rashad dio un apretón de manos al patólogo de Denver.– Gracias por todo –dijo.

–Sabré que lo dice en serio cuando convenza a este joven de que en verdad tiene que ser nuestro próximo Vicepresidente.

–Repito –dijo Kendrick, acompañando al médico a través del prado, hacia el camino circular–. Ese tema está lejos de haber sido resuelto, doctor.

–¡El tema *debería* estar resuelto! –gritó Emmanuel Weingrass desde su silla de tijera, en la galería cerrada; el congresal y Khalehla se hallaban sentados en sus lugares acostumbrados, en el sofá, de modo que el anciano arquitecto podía mirarlos con furia–. ¿Qué les parece? ¿Está todo *terminado*? ¿De modo que Bollinger y sus ladrones fascistas se van y no hay nadie que ocupe sus *lugares*? ¿Tan *estúpidos* son?

–Termina, Manny –dijo Evan–. Hay demasiados terrenos en los cuales Langford Jennings y yo estamos en desacuerdo, como para que un Presidente se sienta cómodo con alguien como yo, que posiblemente llegara a sucederlo... y *esa* idea me asusta muchísimo.

–¡Lang sabe todo eso! –exclamó Weingrass.

–¿*Lang*?

El arquitecto se encogió de hombros.

–Bueno, ya te enterarás muy pronto...

–¿De *qué* me enteraré muy pronto?

–Jennings se invitó, digamos, a almorzar aquí hace unas semanas, cuando tú y mi encantadora hija terminaban de arreglar las cosas en Washington... ¿Y qué podía hacer yo? ¿Decirle al Presidente de Estados Unidos si no podía trabajar un poco?

–¡Oh, mierda! –dijo Kendrick.

–Espera, querido –interrumpió Khalehla–. Estoy fascinada, realmente fascinada.

–¡*Continúa*, Manny! –bramó Evan.

–Bien, hablamos de muchas cosas... No es un intelectual, te lo concedo, pero es listo y entiende el cuadro general; en eso es muy competente, ¿sabes?

–*No* lo sé, ¿y cómo te *atreves* a interceder por mí?

–Porque soy tu *padre*, pedazo de idiota desagradecido. ¡El único padre que has *conocido*! Sin mí, todavía estarías tratando de construir algunos edificios con los sauditas, y preguntándote si podrías cubrir tus costos. No me hables de mi atrevimiento... tuviste la buena suerte de que me atreviese... Habla de tus obligaciones para con otros... Está bien, está bien, no habríamos podido hacer lo que hicimos sin tu valentía, sin tu fuerza, pero yo estaba *ahí*, así que escúchame.

Exasperado, Kendrick cerró los ojos y se reclinó contra el respaldo del sofá. De pronto, Khalehla se dio cuenta de que Weingrass le hacía señas discretas, con un movimiento exagerado de los labios; las palabras silenciosas se leían con facilidad. *Estoy fingiendo. Sé lo que hago*. Ella sólo pudo responder mirando al anciano, atónita.

–Puedes terminar con eso. Te escucho.

–Así está mejor. –Weingrass hizo un guiño a la agente de El Cairo y continuó:– Puedes irte, y nadie tiene derecho a decir o pensar nada, porque existe una gran deuda contigo, y tú no le debes nada a nadie. Pero yo te conozco, amigo mío, y el hombre a quien conozco tiene una veta de sentimientos ofendidos, de la cual huye sin lograrlo nunca, porque forma parte de él. En pocas palabras, no te gusta la gente podrida, los presentes de más edad quedan excluidos, y es bueno, para este mundo *meshugenah*, que haya tipos como tú; son demasiados los de la otra clase... Pero veo un problema, y para decirlo en forma sintética, se trata de que no muchos de los de tu clase pueden hacer gran cosa, porque nadie les presta atención. ¿Y por qué habrían de prestársela? ¿Quiénes *son*? ¿Perturbadores? ¿Autoritarios? ¿Agitadores insignificantes?... De todos modos, es fácil desprenderse de ellos. Se pierden puestos de trabajo, se congelan las promociones, y si son serios de verdad terminan ante los tribunales, donde salpican de barro toda su vida, se buscan cosas de su pasado que no tienen nada que ver con el motivo de que estén ahí, y lo hacen abogados de lujo, que conocen más tretas que Houdini, y en el mejor de los casos terminan casi siempre sin esposa ni hijos, pero pueden terminar peor. Tal vez se los encuentre bajo un camión, o en las vías del metro, en un momento inadecuado... Ahora bien... Tú, por otro lado... a ti todos te escuchan, mira las encuestas; eres el primer cardenal del país, si se admite que Langford Jennings es el Papa, y no existe un picapleitos a la vista, o fuera de ella, que quiera arrastrarte a un tribunal, y menos aún que te ataque en el Congreso. Tal como yo lo veo, tienes la posibilidad de hablar desde arriba para una enorme cantidad de personas que están abajo, y que no tienen quién las escuche. Lang te pondrá al tanto de todo...

–Lang, de nuevo –masculló Kendrick, interrumpiendo.

–¡No es cosa *mía*! –exclamó Weingrass, con las palmas de las manos extendidas hacia adelante–. Empecé como corresponde, con un "Señor Presidente", pregúntales a las enfermeras, que tuvieron que ir todas al baño en cuanto él entró... te digo que es todo un *mensch*. De todos modos, después de un trago, que él mismo me trajo del bar cuando las chicas salieron, dijo que yo era una persona tonificante, y que por qué no lo llamaba Lang y me dejaba de formalidades.

–Manny –interrumpió Khalehla–, ¿por qué dijo el Presidente que eras "tonificante"?

–Bueno, en la conversación menuda mencioné que el nuevo edificio que están levantando en no sé qué avenida, era en el *New York Times*, no me parecía tan bien hecho, y que no habría debido felicitar por la televisión al imbécil del arquitecto. Los malditos revoques parecían Art Deco neoclásico, y créeme que esa combinación no funciona. Además, ¿qué diablos sabía *él*, un Presidente, sobre costos de construcción por metro cuadrado, que se calculaban en un tercio de lo que resultarían ser en realidad? Lang lo está estudiando.

–Oh, *mierda* –repitió Evan, con un tono de derrota en la voz.

–Para volver al punto que trato de subrayar –dijo Weingrass, y su semblante se puso serio de pronto, mientras miraba a Kendrick y se interrumpía para tomar grandes bocanadas de aire–. Tal vez ya hiciste bastante, quizá deberías irte y vivir feliz por siempre jamás, con mi hija árabe, ganando grandes cantidades de dinero. El respeto del país, y aun de buena parte del mundo, ya es tuyo. Pero también es posible. Puedes hacer lo que muchos otros no podrían. En lugar de *ir en busca* de la gente podrida, y para entonces ya se han producido tantas pérdidas de vida y tanta corrupción, quizá puedas detenerlos antes que empiecen a jugar sucio –por lo menos a algunos de ellos, tal vez a más que algunos– en la cima de la montaña. Lo único que pido es que escuches a Jennings. Escucha lo que él tiene que decirte.

La mirada del uno fija en la del otro, padre e hijo se reconocieron mutuamente en el nivel más profundo de su relación.

–Lo llamaré y le pediré que me reciba, ¿está bien?

–Eso no hace falta –replicó Manny–. Ya está todo arreglado.

–¿Qué?

–Mañana estará en Los Angeles, en el Century Plaza, en una cena organizada con la intención de reunir fondos para una beca en honor de su difunto Secretario de Estado. Se ha dejado un poco de tiempo libre antes de eso, y te espera en el hotel a las siete. También a ti, querida; insiste en ello.

Los dos hombres del Servicio Secreto apostados en el pasillo, delante de las habitaciones presidenciales, reconocieron al parlamentario a simple vista. Los saludaron con un movimiento de cabeza, a él y a Khalehla, mientras el hombre de la derecha se volvía y oprimía el timbre. Momentos más tarde, Langford Jennings abrió la puerta; su rostro estaba pálido y macilento, con oscuras ojeras de cansancio. Hizo un breve intento de esbozar su famosa sonrisa, pero no consiguió sostenerla. Sonrió, en cambio, con suavidad, y tendió la mano.

–Hola, señorita Rashad. Es un placer y un privilegio poder encontrarme con usted.

–Gracias, Señor presidente.

–Evan, me alegro de volver a verte.

–Y yo de verlo a usted, señor –dijo Kendrick, pensando, mientras entraba, que Jennings parecía más viejo de lo que nunca lo había visto.

–Por favor, tomen asiento. –El Presidente precedió a sus invitados a la sala, hacia dos sofás enfrentados, conectados por una gran mesa redonda, de vidrio, para el café.– Por favor –repitió, indicando el sofá de la derecha, mientras se dirigía hacia el de la izquierda. Me gusta mirar a la gente atrayente –agregó cuando todos se sentaron–. Supongo que mis detractores dirán que es otra señal de mi superficialidad, pero Harry Truman dijo una vez: "Prefiero mirar la cabeza de una caballo y no su culo", de modo que lo dejo ahí... Perdóneme por el lenguaje, joven.

–No escuché nada que tenga que perdonar, señor.

–¿Cómo está Manny?

–No va a ganar, pero está presentando pelea –respondió Evan–. Entiendo que usted lo visitó hace unas semanas.

–¿Estuvo mal de mi parte?

–En modo alguno, pero un poco mal de parte de él por no habérmelo dicho.

–Esa idea fue mía. Quería que tuviéramos, tú y yo, tiempo para pensar, y en mi caso necesitaba saber algo más de ti, fuera de lo que se encontraba escrito en varios centenares de páginas de jerga gubernamental. De modo que recurrí a una de las fuentes que hablaban con sensatez. Le pedí que guardase silencio hasta el otro día. Pido disculpas.

–No hace falta, señor.

–Weingrass es un hombre valiente. Sabe que está agonizante –su diagnóstico es erróneo, pero sabe que agoniza–, y pretende tratar su muerte inminente como una estadística relacionada con una proposición de construcción. Yo no espero llegar a los ochenta y uno, pero si llego querría tener la valentía de él.

–Ochenta y seis –dijo Kendrick con tono cortante–. Yo también creía que tenía ochenta y uno, pero ayer descubrimos que tiene ochenta y seis. –Langford Jennings dirigió entonces una mirada dura a Evan, como si el congresal hubiese contado un chiste muy divertido; se recostó contra el respaldo del sofá, arqueó el cuello y lanzó una carcajada, en tono bajo, pero de buena gana.– ¿Qué tiene eso de gracioso? –preguntó Kendrick–. Lo conocí durante veinte años, y nunca me dijo la verdad respecto de su edad, ni siquiera en los pasaportes.

–Eso coincide con algo que él me dijo –explicó el Presidente, hablando por entre su risa suave, que se iba disipando–. No los molestaré con los detalles, pero me indicó algo –y tenía *muchísima* razón–, de modo que le ofrecí un nombramiento. Me respondió: "Lo siento, Lang. No puedo aceptar. No podría abrumarte con la carga de mis chanchullos."

–Es muy original, Señor presidente –señaló Khalehla.

–Rompieron el molde... –La voz de Jennings se fue perdiendo, mientras su expresión se volvía seria. Miró a Rashad.– Tu tío Mitch te envía su cariño.

–¿Sí?

–Payton se fue hace una hora. Lamento tener que decir que debía regresar a Washington, pero hablé con él ayer, e insistió en venir a verme, en un vuelo, para conversar antes de que me reuniese con el parlamentario Kendrick.

–¿Por qué? –preguntó Evan, inquieto.

–Al final me contó toda la historia de Inver Brass. Bueno, no toda, por supuesto, porque no la conocemos completa. Desaparecidos Winters y Varak, es probable que nunca lleguemos a saber quién violó el archivo de Omán, pero ahora ya no tiene importancia. El sagrado Inver Brass está terminado.

–¿El no se lo había dicho *antes*? –Kendrick se mostró asombrado, pero recordó que Ahmat había dicho que no estaba seguro de que Jennings supiera todo lo que Payton le había dicho a *él*.

–Se mostró sincero en cuanto al ofrecimiento de su renuncia, que yo rechacé en el acto... Dijo que si yo hubiese conocido toda la historia, habría podido frustrar el esfuerzo que se hacía para postular tu nombre como mi compañero de fórmula. No sé, puede que hubiera sido así, y no me cabe duda de que me habría sentido furioso. Pero ahora eso ya no viene al caso. He sabido lo que quería saber, y no sólo estás ya adelantado respecto de la línea de partida, sino que tienes un mandato nacional, congresal.

–Señor presidente –protestó Evan–. Es algo artificial...

–¿Qué *demonios* creía Sam Winters que estaba *haciendo*? –interrumpió Jennings, cortándole la palabra con firmeza–. Me importa un rábano saber cuán prístinos eran los motivos que tenían; olvidó una lección de la historia que habría debido recordar, él más que ningún otro. Cada vez que un grupo escogido de elitistas benévolos se consideran por encima de la voluntad del pueblo y se dedican a manipular esa voluntad entre las sombras, sin rendir cuentas, ponen en movimiento una maquinaria muy peligrosa. Porque sólo hace falta que uno o dos de esos seres superiores, con ideas diferentes, *nada prístinas*, convenzan a los otros, o los remplacen, o los sobrevivan, y una república se desmorona y cae por el desagüe. El altisonante Inver Brass de Sam Winters no era nada mejor que la tribu de delincuentes de Bollinger, sentados en sus directorios. Unos y otros querían que las cosas se hicieran de una sola manera. La de ellos.

Evan se inclinó hacia adelante.

–Precisamente por esas razones...

Sonó el timbre de la puerta de las habitaciones presidenciales, cuatro breves timbrazos que no duraron más de medio segundo cada uno. Jennings levantó la mano y miró a Khalehla.

–Usted es capaz de apreciar esto, señorita Rashad. Lo que acaba de oír es un código.

–¿Un *qué*?

–Bueno, no es muy refinado, pero funciona. Me dice quién está a la puerta, y en este caso el "quién" es uno de los ayudantes más valiosos de la Casa Blanca... *¡Adelante!*

La puerta se abrió y entró Gerald Bryce, quien la cerró con firmeza tras de sí.

–Lamento interrumpir, Señor presidente, pero acabo de recibir noticias de Beijing, y sabía que usted querría conocerlas.

–Eso puede esperar, Gerry. Permítame que le presente a...

–*¿Joe?...* –El nombre escapó de los labios de Kendrick, cuando recordó un jet militar que viajaba a Cerdeña, y a un joven especialista atrayente, del Departamento de Estado.

–Hola, congresal –dijo Bryce, quien fue hacia el sofá y estrechó la mano de Evan, mientras saludaba con la cabeza a Khalehla–. Señorita Rashad...

–Es *cierto* –intervino Jennings–. Gerry me dijo que te informó en el avión, mientras volaban a Omán... No lo elogiaré en su presencia, pero Mitch Payton se lo robó a Frank Swann, del Departamento de Estado, y yo se lo robé a Mitch. Es realmente terrorífico en lo que se refiere a las comunicaciones por computadora, y a la manera de mantenerlas en secreto. Y ahora, si alguien puede contener a las secretarias, es posible que tenga algún futuro.

–Usted es turbadoramente amable, señor –dijo Bryce, profesional eficiente–. Pero en cuanto a Beijing, Señor presidente, la respuesta de ellos es afirmativa. ¿Quiere que vuelva a confirmar el ofrecimiento de usted?

–Ese es otro código –explicó Jennings, sonriente–. Yo dije que presionaría a nuestros principales banqueros, con discreción, para que no se mostrasen demasiado codiciosos en Hong Kong y dificultasen las cosas a los bancos chinos cuando se produzca la transición del 97. Por supuesto, a cambio de...

–Señor *presidente* –interrumpió Bryce con la debida cortesía, pero no sin cierto tono de prevención.

–Oh, perdón, Gerry. Ya sé que es ultrasecreto y reservado para unos pocos, y todas esas cosas, pero espero que muy pronto no haya necesidad de ocultarle nada al congresal.

–Hablando de eso, señor –continuó el experto en comunicaciones de la Casa Blanca; miró a Kendrick y esbozó una leve sonrisa–. En ausencia de su personal político, aquí, en Los Angeles, he aprobado la declaración del Vicepresidente Bollinger, en la cual anunciará su retiro, esta noche. Coincide con la manera de pensar de usted.

–¿Quiere decir que va a soltar la lengua por la televisión?

–No del todo, Señor presidente. Pero él dice que tiene la intención de dedicar su vida a mejorar la suerte de los hambrientos del mundo.

–Si descubro que ese canalla está robando una tableta de chocolate, se pasará el *resto* de su vida en Leavenworth.

–Beijing, señor. ¿Debo reconfirmar?

–Por cierto que sí, y agrégueles mi agradecimiento a esos ladrones. –Bryce saludó con la cabeza a Kendrick y a Khalehla, y salió, cerrando otra vez la puerta con firmeza tras de sí.– ¿En qué estábamos?

–En Inver Brass –repuso Evan–. Me crearon y me presentaron artificialmente ante el público como algo que no soy. En esas condiciones, mi nominación no podría ser considerada el producto de la voluntad del pueblo. Es una broma.

–¿*Tú* eres una broma? –preguntó Jennings.

–Usted sabe qué quiero decir. No la busqué, ni la quería. Como lo expresó tan bien, me manipularon para hacerme entrar en la carrera, y me impusieron a todo el mundo. No la gané ni la merecí en los términos del proceso político.

Langford Jennings miró a Kendrick; el silencio era a la vez pensativo y eléctrico.

–Te equivocas, Evan –dijo el Presidente por último–. La ganaste y la merecías. No hablo de Omán y Bahrein, ni de lo de Yemen del Sur, todavía no divulgado... esos hechos son simples actos de valentía y sacrificio personales, que fueron usados al comienzo para llamar la atención hacia ti. No se diferencia mucho del caso de un hombre que ha sido un héroe de guerra o un astronauta, y es un elemento perfectamente legítimo para ubicarte bajo la luz de los reflectores. Objeto tanto como tú la forma en que eso se hizo, porque se realizó en secreto, porque esos hombres quebrantaron leyes, y, en forma inconsciente, derrocharon vidas y se ocultaron detrás de una cortina de influencias. Pero no fuiste tú, *ellos* no eran tú... La ganaste en esta ciudad porque dijiste cosas que era preciso decir, y el país te escuchó. Nadie fraguó esos tapes de televisión, y nadie te puso las palabras en la boca. Y lo que hiciste en esas audiencias de televisión hizo que algunos sintieran ahogos. Formulaste preguntas para las cuales no había respuestas legítimas, y muchos burócratas enquistados, habituados a salirse con la suya, todavía no saben qué los golpeó; sólo se han dado cuenta de que tienen que actuar de otro modo. Y por último, y esto lo digo yo, Lang Jennings, de Idaho. Salvaste a la nación de mis más fanáticos contribuyentes. Nos habrían conducido por un camino en el cual ni siquiera deseo pensar.

–Usted mismo los habría descubierto. En algún momento, en alguna parte, uno de ellos lo habría empujado demasiado, y usted habría empujado a su vez, y descubierto a todos ellos. Una vez vi a un hombre tratando de presionarlo en el Salón Oval, y se dio cuenta de que estaba a punto de caerle encima un árbol.

–Oh, Herb Dennison y esa Medalla de la Libertad. –La sonrisa mundialmente famosa del Presidente volvió a él por un instante, cuando se echó a reír.– Herb era recio, pero inofensivo, e hizo muchas cosas que a mí no me agrada hacer. Ahora se ha ido; el Salón Oval se ocupó de eso. Recibió una llamada de una de esas firmas antiguas de Wall Street, de aquellas en las cuales todos son socios de algún club exclusivo en el cual nadie puede ingresar, y en el cual ni tú ni yo querríamos entrar, de modo que vuelve a estar con los muchachos del dinero. Herb logró, por fin, el rango de coronel que siempre anheló.

–¿Perdón?

–Nada, olvídalo. Seguridad nacional, secreto de Estado y todo lo demás.

–Entonces déjeme aclarar lo que ambos sabemos, Señor presidente. No soy competente para eso.

–*¿Competente?* ¿Quién demonios es competente para *mi* cargo? ¡Nadie, así de sencillo!

–No estoy hablando de su cargo...

–Podrías tener que hacerlo –interrumpió Jennings.

–Entonces me encuentro a años-luz de estar preparado para eso. Nunca podría estarlo.

–Ya lo estás.

–*¿Qué?*

–Escúchame, Evan. Yo no me engaño. Tengo plena conciencia de que no poseo la imaginación ni la capacidad intelectual de un Jefferson, de ninguno de los Adams, de un Madison, un Lincoln, un Wilson, un Hoover, sí, dije Hoover, ese hombre brillante, tan calumniado, o de un FDR, un Truman, un Nixon, sí, Nixon, cuyo defecto consistía en su carácter, no en su visión geopolítica, o un Kennedy, o inclusive del brillante Carter, quien poseía demasiadas células cerebrales para su propio beneficio político. Pero ahora hemos ingresado en una era diferente. Prescinde de Acuario y pon a *Telerio*: la era de la televisión, que ha llegado a su edad madura; comunicación instantánea, inmediata. Lo que yo tengo es la confianza de la gente, porque ven y oyen al *hombre*. Vi a una nación que chapaleaba en la autoconmiseración y la derrota, y me enfurecí. Churchill dijo una vez que es posible que la democracia pueda tener muchos defectos, pero es el mejor sistema que el hombre haya ideado nunca. Y yo *creo* en eso, y creo en esos lugares comunes que dicen que Norteamérica es el país más grande, más fuerte, más benévolo de la faz de la tierra. Llámame Señor Simplista, si quieres, pero lo *creo*. Eso es lo que la gente ve y escucha, y no estamos tan mal... Todos reconocemos reflejos de nosotros mismos en los demás, y yo te he mirado, te he escuchado, he leído todo lo que se dice acerca de ti, y hablado largamente con mi amigo Emmanuel Weingrass. Según mi juicio, muy escéptico, ése es el cargo que debes aceptar... casi diría que debes aceptarlo, lo quieras o no.

–Señor presidente –interrumpió Kendrick con suavidad–, aprecio todo lo que ha hecho por la nación, pero con toda sinceridad, existen diferencias entre nosotros. Usted ha patrocinado algunas políticas que yo no puedo apoyar.

–¡Por *Dios*, no te *pido* que lo hagas!... Bueno, en la superficie, agradecería que no hablaras hasta que no hayas conversado conmigo sobre los temas. Confío en ti, Evan, y no te excluiré. *Convénceme*. Dime dónde me equivoco, sin miedo, y sin hacerme favores, ¡que eso es lo que necesita esta maldita oficina! Puedo dejarme arrastrar por algunas cosas, y sé que necesito que me contengan. Pregúntaselo a mi esposa. Después de la última conferencia de prensa, hace dos meses, entré en nuestra cocina, arriba, en la Casa Blanca, y supongo que esperaba algunas felicitaciones. En cambio me golpearon con: "¿Quién demonios se ha creído que es? ¿Luis XIV, con sus decretos reales? ¡Se lo ha visto tan sensato como al Conejo Loco!" Y mi hija, quien nos visitaba, dijo algo acerca de que para mi aniversario me regalaría un libro de gramática... Conozco mis limitaciones, Evan, pero también sé lo que puedo hacer cuando tengo a los *mejores* para que me aconsejen. ¡*Tú* nos libraste de la basura! Ahora debes acompañarme.

–Repito que no tengo las condiciones.

–La gente cree que sí, y *yo* creo que sí. Por eso la nominación es tuya, sólo con que la aceptes. No te engañes, puede que hayas sido ubicado por la fuerza en la fórmula, pero no aceptar sería una ofensa para millones de votantes, y la gente de RP lo ha dejado muy en claro.

–¿RP? ¿Relaciones Públicas? ¿De eso se trata?

–Mucho más de lo que nos agradaría, pero sí, constituye una gran parte de *todo*, en estos días. Decir lo contrario sería negar la realidad. Es mejor que haya gente como tú y yo, y no un Genghis Khan o un Adolfo Hitler. Por debajo de nuestras diferencias, queremos salvar, no destruir.

Entonces le tocó a Kendrick el turno de mirar con atención al Presidente de Estados Unidos.

–Por Dios, usted *es* un seductor.

–Es parte de mi oficio, Señor vicepresidente –dijo Jennings, sonriendo–. Eso, y unas cuantas convicciones honestamente atesoradas.

–No sé. Sencillamente, no sé.

–Yo sí –interrumpió Khalehla, tomando la mano de Evan–. Creo que la agente de campo Rashad debería renunciar.

–Y algo más –dijo el Presidente Langford Jennings, enarcando las cejas–. *Deberías* casarte. Sería indecoroso que mi compañero de fórmula viviese en pecado. Quiero decir, ¿te imaginas lo que harían todos esos evangelistas que acumulan tantos votos, si se revelase tu situación en estos momentos, en ese aspecto? Lisa y llanamente, no forma parte de mi *imagen*.

–¿Señor presidente...?

–¿Sí, Señor vicepresidente?

–Cállese.

–Con mucho gusto, señor. Pero quisiera agregar una aclaración, para que quede constancia... y por amor de Dios, no le digas a mi esposa que te lo dije. Después de nuestros respectivos divorcios, vivimos juntos durante doce años y tuvimos dos hijos. Anudamos el lazo proverbial en México, tres semanas antes de la convención, y antedatamos el matrimonio. Ahora bien, de veras, ése es un secreto de Estado.

–Jamás lo revelaré, Señor presidente.

–Ya sé que no lo harás. Confío en ti y te necesito. Y nuestra nación estará mejor gracias a nosotros dos... y casi con seguridad gracias a ti.

–Eso lo dudo, señor –dijo Evan Kendrick.

–Yo no... Señor presidente.

El timbre de las habitaciones presidenciales volvió a sonar. Cuatro timbrazos breves, secos, de medio segundo.